ISBN 978-0-259-07199-0
PIBN 10471319

This book is a reproduction of an important historical work. Forgotten Books uses
state-of-the-art technology to digitally reconstruct the work, preserving the original format
whilst repairing imperfections present in the aged copy. In rare cases, an imperfection in
the original, such as a blemish or missing page, may be replicated in our edition. We do,
however, repair the vast majority of imperfections successfully; any imperfections that
remain are intentionally left to preserve the state of such historical works.

1 MONTH OF
FREE
READING

at

www.ForgottenBooks.com

By purchasing this book you are eligible for one month membership to ForgottenBooks.com, giving you unlimited access to our entire collection of over 1,000,000 titles via our web site and mobile apps.

To claim your free month visit: www.forgottenbooks.com/free471319

English
Français
Deutsche
Italiano
Español
Português

www.forgottenbooks.com

Mythology Photography **Fiction**
Fishing Christianity **Art** Cooking
Essays Buddhism Freemasonry
Medicine **Biology** Music **Ancient
Egypt** Evolution Carpentry Physics
Dance Geology **Mathematics** Fitness
Shakespeare **Folklore** Yoga Marketing
Confidence Immortality Biographies
Poetry **Psychology** Witchcraft
Electronics Chemistry History **Law**
Accounting **Philosophy** Anthropology
Alchemy Drama Quantum Mechanics
Atheism Sexual Health **Ancient History**
Entrepreneurship Languages Sport
Paleontology Needlework Islam
Metaphysics Investment Archaeology
Parenting Statistics Criminology
Motivational

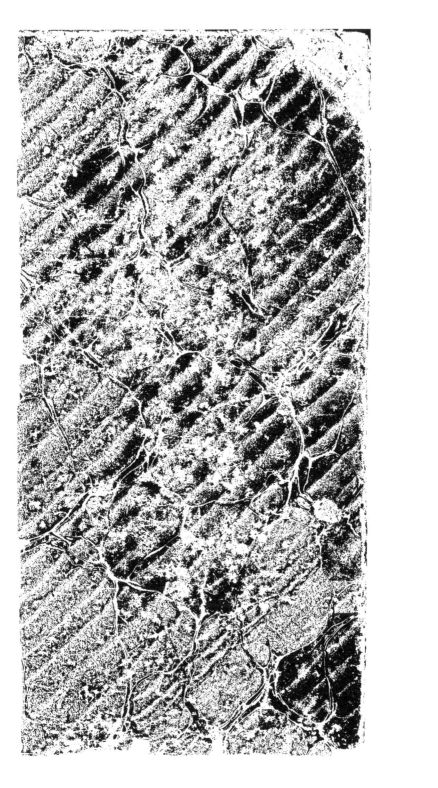

Beschreibung Roms.

Beschreibung Roms.

BESCHREIBUNG ROMS.

Ein Auszug

aus der

Beschreibung der Stadt Rom

von

Ernst Platner und Ludwig Urlichs.

Mit einem lithographirten Plane der Stadt.

STUTTGART und TÜBINGEN.

J. G. Cotta'scher Verlag.

Buchdruckerei der J. G. Cotta'schen Buchhandlung in Stuttgart.

Vorrede.

Auf Veranlassung der geehrten Verlagshandlung übergebe ich hiermit dem Publicum die von mir in Verbindung mit gelehrten Freunden herausgegebene Beschreibung der Stadt Rom in einer Kürze bezweckenden Umarbeitung, welche zunächst bestimmt ist, auch dem nicht gelehrten Kreise von Lesern als Führer durch die Merkwürdigkeiten der ewigen Stadt zu dienen und zur Betrachtung derselben eine passende Anleitung zu geben.

Bei einem Handbuch, welches diesem Zweck genügen soll, haben wir uns gröstmöglicher Kürze befleissigt, diese aber mehr durch Weglassung alles dessen, was für das grössere Publicum von keinem oder doch von minderem Interesse ist, als durch Beschränkung der zum Verständniss wahrhaft bedeutender Denkmäler der Kunst und des Alterthums nothwendigen Erklärungen zu erreichen gesucht. Letztere sind daher grösstentheils wörtlich aus dem grösseren Werk wieder aufgenommen worden. Das Historische hingegen — worunter auch die Nachrichten von nicht mehr vorhandenen Gegenständen gehören — ist mit wenigen Ausnahmen auf das zu solchem Verständniss Unentbehrliche beschränkt worden. Alle critische Untersuchungen sind ganz weggeblieben. Von der fast unermesslichen Anzahl antiker Bildwerke der römischen Antikensammlungen, von denen sich dort meist ein vollständiges Verzeichniss befindet, musste eine dem Zweck und dem Umfang entsprechende Auswahl des Bedeutendsten getroffen werden. Auf eine gleiche Auswahl habe ich mich auch bei den Gemäldesammlungen beschränkt. Dagegen sind die in dem grösseren Werke angeführten Reste von Gebäuden des alten Roms, sowie auch, mit Ausnahme einiger weniger erheblichen Kirchen, die des neueren vollständig beibehalten worden.

Wenn nun sonach dieses Handbuch an Reichthum des Inhalts und Ausführlichkeit der Behandlung dem grösseren Werke weit nachstehen muss, so sind hingegen einige bei Erscheinung des letzteren noch nicht vorhandene Merkwürdigkeiten hinzugekommen und mehrere Irrthümer berichtigt worden; daher diese Umarbeitung auch als Ergänzung des mehrerwähnten Werks angesehen werden darf, und nicht blos als ein blosser Auszug zu betrachten ist, der auch fern von den beschriebenen Gegenständen hätte angefertigt werden können.

Zu den neu hinzugekommenen Artikeln gehört vornehmlich die Beschreibung des von dem gegenwärtigen Papst angelegten etrurischen Museums, welche Herr Dr. Braun in der diesem Werke angemessenen Kürze angefertigt hat. Demselben verdanken wir auch in der Beschreibung der übrigen Artikel mehrere Bemerkungen in archäologischer Hinsicht.

Die ganze übrige Beschreibung der einzelnen Merkwürdigkeiten ist von meiner Hand. Die zum Verständniss der Ruinen des alten Roms unentbehrliche topographische Einleitung ist von Herrn Prof. Urlichs, welcher in derselben die Resultate der von ihm und meinem Freunde Bunsen in dem grösseren Werk veröffentlichten Untersuchungen, nebst einigen späteren Bemerkungen, in einer kurzen leicht übersehbaren Darstellung gegeben hat.

Rom, 29. December 1844.

Ernst Platner.

Das vorliegende Werk war schon im Jahre 1842 in der Handschrift vollendet, konnte aber aus Gründen des buchbänd-lerischen Vertriebs erst jetzt ausgegeben werden. Jch habe daher in der topographischen Einleitung auf die später erschiene-nen Schriften in diesem Fache keine Rücksicht nehmen können und verweise in dieser Beziehung auf meine nächstens erschei-nende Schrift: »Römische Topographie in Leipzig.« In meiner Abhandlung (S. 1—61), dem Einzigen, was ich auser den Registern und der Correctur zu diesem Auszuge beigetragen habe, bitte ich S. 23 Z. 26 »von der ersten Anlage« zu lesen.

Bonn, 12. December 1844.

Urlichs.

Inhalt.

Seite

Einleitung.

Kurze Darstellung der alten Stadt mit Ausnahme der noch jetzt erhaltenen antiken Gebäude Von Urlichs.

§. 1.   Die Mauern und Thore des Servius Tulius 1
§. 2.   Die Regionen Augusts . . . ' 4
§ 3.   Die Mauern und Thore Aurelians 5
§. 3.   Der Vatican 6
§. 5.   Das Capitol 7
§. 6   Der Clivus Capitolinus 11

Das römische Forum

§. 7.   Gränzen 13
§. 8.   Das Forum bis auf Julius Caesar 15
§ 9.   Das Forum der Kaiserzeit 16
§. 10.   Die Kaiserfora 21
§. 11.   Der Palatin 28
§. 12.   Der Aventin 33
§. 13.   Der Caelius 36
§. 14.   Der Esquilin 38
§ 15   Der Viminal 41
§. 16.   Der Quirinal 43
§ 17   Der Pincio 46

Die Ebene Roms

§. 18.   Das Velabrum und Argiletum 48
§. 19.   Das Marsfeld und der Circus Flaminius 49
§. 20.   Die Theater 51
§. 21.   Das kaiserliche Marsfeld und das Tiberufer 54
§. 22.   Die öffentlichen Bauten Agrippa's und der Augustischen Zeit 55
§. 23.   Die Thermen im Marsfelde 57
§. 24.   Die Bauten der Antonine 58
§. 25.   Die Seite rechts vom Corso 59
§. 26.   Die Tiberinsel 60
§ 27.   Trastevere 61

Beschreibung der einzelnen Merkwürdigkeiten. Von Platner

Die Peterskirche.

§ 28.   Das ältere Gebaude derselben 62
§. 29.   Geschichte des Baues der neuen Peterskirche 63

Seite
§. 30. Der Petersplatz mit dem Obelisken 67
§. 31. Vorderseite und Vorhalle der Kirche 69
§ 32. Das Innere der Peterskirche 70
§. 33. Die Sacristei 80
§. 34 Die oberen Gange und Gemächer. Dach und Kuppel 83
§ 35. Die vaticanischen Grotten 84

Der vaticanische Palast.

§. 36. Allgemeine Geschichte desselben 86
§. 37. Die Scala Regia, Sala Regia und Ducale, und Cappella Paolina 89
§. 38. Die Sixtinische Capelle 90
§. 39. Gemalde des Michelagnolo Buonarroti 95
§. 40. Der Hof der Loggien 102
§. 41. Die papstlichen Wohnzimmer des alten Palastes 111
§. 42. A. Stanza della Segnatura 112
§. 43. B. Stanza d'Eliodoro 120
§. 44. C. Stanza dell' Incendio 125
§. 45 D. Sala di Costantino 128
§. 46 Capelle des heil Laurentius 133
§. 47. Drittes Stockwerk der Loggien 134
§. 48. Das Belvedere 135
§. 49. Galleria Lapidaria 135
§. 50. Museo Chiaramonti 136
§. 51. Braccio nuovo 139
§ 52. Giardino della Pigna 142
§. 53. Museo Pio-Clementino 143
§. 54. Das ägyptische Museum 176
§. 55. Das Museo Gregoriano Etrusco 177
§. 56. Galleria Geografica 182
§. 57. Raphaels Tapeten 183
§. 58. Die vaticanische Gemäldesammlung 189

Die vaticanische Bibliothek

§. 59. Geschichte derselben 196
§. 60. Das Local der Bibliothek 199
§. 61. Miniaturen der Handschriften der vaticanischen Bibliothek 206
§. 62. Beschreibung des christlichen Museums 212
§ 63. Vasensammlung der Bibliothek 220
§. 64. Die Mosaikfabrik 221
§. 65. Der grosse vaticanische Garten, genannt il Boscareccio . 221
§. 66. Der Borgo und seine Umgebungen 222
§ 67. Das Mausoleum Hadrians oder die Engelsburg 226
§. 68. Der Monte Mario 230

Das Capitol.

§. 69 Aufgang, Platz und Gebäude desselben 232
§. 70. Palast der Conservatoren 234
§. 71. Gemaldesammlung des Capitols 238
§. 72. Das capitolinische Museum 240
§. 73. S. Maria Araceli 255
§. 74. Gebäude am Abhange des Capitols 258

Gebäude im Forum und seiner Nachbarschaft.

§. 75 Der Triumphbogen des Septimius Severus u. s. w. 261
§. 76 Kirche SS. Luca e Martina und Academie von S. Luca 263

Seite

§. 77. Forum des August und Nerva 265
§ 78 Das Trajansforum mit der Säule 266
§. 79 S. Adriano u. s. w. 269
§ 80. Das Forum und die Basilica des Friedens u. s. w. 271
§. 81. Gebäude im Thale zwischen dem Palatin, Caelius und Esquilin 276
§. 82 Der Palatin 282
§. 83 Gebäude zwischen Palatin und Tiber 284
§ 84 Der eigentliche Aventin 294
§. 85. Die Hoben von S. Saba und S. Balbina 298
§ 86. Ebene des Testaccio und ihre Umgebung mit dem Tiberufer 300
§ 87. Abtei alle tre Fontane, oder ad Aquas Salvias 304
§. 88. Denkmäler des eigentlichen Caelius 306
§ 89. Die Lateranische Basilica 314
§ 90. Der heutige Palast des Laterans 323
§. 91. Höhe des Caeliolus 328
§. 92. Thal nach dem Esquilin 334
§. 93. Thal zwischen Caelius und Aventin 338
§. 94. Dessen Fortsetzung langs der appischen und latinischen Strasse 342
§. 95. Gegend vor Porta S. Sebastiano 346

Die Merkwürdigkeiten der Carinen und der nächsten Umgebung.

§. 96. Die Trajansthermen (Titusthermen) 355
§. 97. Gegend von S. Pietro ad Vincula bis S. Prassede 358

Die Merkwürdigkeiten der Esquilien und ihrer Umgebung.

§. 98. S. Pudenziana 367
§. 99 Die Kirche S. Maria Maggiore 369
§. 100. Gegend von S. Antonio Abbate bis vor Porta Maggiore und S Lorenzo . 378
§. 101. S. Lorenzo fuori le mura und S. Bibiana 382
§. 102. Der Viminal und seine Umgebungen.

Der Quirinal und seine Umgebungen.

§. 103. Von S. Agata alla Suburra bis zum Palast der Consulta 392
§. 104. Von Monte Cavallo bis zum Palast Barberini 396
§. 105. Von S. Susanna bis vor Porta Pia und Ponte Nomentano 405

Der Pincius.

§. 106. Von Villa Ludovisi bis Ponte Salaro (Villa Albani) 412
§. 107. Von S. Maria della Concezione bis zum Abhange 436

Das Marsfeld.

Erste Abtheilung. Die rechte Seite des Corso mit dem Reste der Ebene nach den Bergen.

§. 108. Vom Palast Torlonia bis zum Palast Odescalchi 441
§. 109. Von S Marcello bis zum Palast Sciarra 450
§. 110. Von Fontana Trevi bis Piazza di Spagna 455
§. 111. Von S. Andrea delle Fratte bis S. Maria del Popolo 459
§ 112. Gegend von Porta del Popolo bis Ponte Molle (Villa Borghese) 468

Zweite Abtheilung. Von der Porta del Popolo nach Piazza Colonna und die Ebene zum Flusse hin.

§ 113. Von S. Giacomo in Augusta bis zum Palast Altoviti 480
§. 114. Von Via de' Banchi bis Palazzo di Firenze 493
§ 115. Vom Palast Ruspoli bis zur Dogana di Terra 499

Seite

Dritte Abtheilung Vom Pantheon bis zur Tiberinsel. Marsfeld.

§. 116. Vom Pantheon bis zum Palast Sora 506
§. 117. Von der Chiesa nuova bis S. Maria dell' Orazione 523
§ 118. Vom Palast Farnese bis S. Niccolò a' Cesarini 531
§ 119. Vom Porticus der Octavia bis zur Kirche del Gesù 547
§ 120 Von S. Maria sopra Minerva bis zum Palast Doria 558
§ 121. Die Tiberinsel .578

Trastevere und der Janiculus.

§ 122 Von S. Onofrio bis zur Acqua Paola 581
§. 123 Porta di S. Pancrazio und Umgegend 595

Einleitung.

Kurze Darstellung der alten Stadt mit Ausnahme der noch jetzt erhaltenen antiken Gebäude.

§. 1.

Die Mauern und Thore des Servius Tullius.

Die Stadt Rom hatte zu verschiedenen Zeiten eine sehr verschiedene Ausdehnung. Das älteste Rom, die Stadt einer latinischen Völkerschaft, beschränkte sich auf den palatinischen Hügel und wurde von sumpfigen Niederungen, dem Velabrum und Forum, begränzt. Thore führten dorthinunter: die Porta Romanula nach S. Georgio Anastasia, die Mugonia nach dem Forum, während ein drittes dem Cälius gegenüber lag. Dieser älteste Theil der Stadt hiess später Roma quadrata.

Die erste bedeutende Vergrösserung erhielt dieselbe durch das Hinzutreten eines sabinischen Stammes, welcher den Quirinal bewohnte. Beide Völker zusammen machten den saturnischen oder tarpejischen Hügel, welcher später der capitolinische genannt wurde, zu ihrer Arx oder Burg, weil er durch die schroffen Tuffwände gegen den Fluss und gegen Norden befestigt war. Die Ebene dazwischen, das Forum im weitern Sinne, diente zu Versammlungen und hiess daher Comitium.

Der Erzählung nach war es Tullus Hostilius, welcher durch aufgenommenen Adel aus Alba Longa den Cälius bevölkerte, und so bestand Rom aus drei Stammen, welche auf drei Hügeln wohnten und einen vierten als gemeinschaftliche Burg betrachteten.

Ein neues Element brachte Ancus Marcius hinzu, indem er aus den eroberten Ebenen von Latium viele Familien, aus welchen allmählig eine neue Gemeinde, die Plebs, erwuchs, in das Thal der Murcia zwischen Palatin und Aventin ansiedelte und die Niederungen durch einen Wall und Graben (fossa Quiritium) befestigte.

Eine Schanze auf dem Janiculus jenseit der Tiber, gegen die Etrusker gerichtet, gehörte nicht zur eigentlichen Stadt, wurde indessen durch die älteste Brücke Roms, die Pfahlbrücke (Pons sublicius), wovon bei S. Michele a Ripa einige Pfeiler im Flusse sichtbar sind, mit ihr verbunden.

Der Begründer der Stadt, wie sie bis in die spätern Kaiserzeiten hinein begränzt wurde, war Servius Tullius. Er schloss die sieben Hugel sammtlich in den Stadtbezirk ein, indem er zu den schon fruher bewohnten, dem Palatinus, Capitolinus, Quirinalis, Cälius, Aventinus, den Viminalis und Esquilinus hinzufügte. Von diesen gehörte aber der capitolinische und aventinische nicht in das durch Augurien geweihte Weichbild (Pomoerium), jener wegen seiner besondern Heiligkeit und Bedeutung als Haupt und Burg des Staates, dieser, weil er, zum Theil von Staatsgut eingenommen, grösstentheils den Plebejern und Latinern überwiesen war, welche nur als Schutzverwandte, nicht als gleich berechtigte Bürger, zu Rom gerechnet wurden. Die übrigen Theile zerfielen nach Servius Einrichtungen in vier städtische Regionen, welche den vier städtischen Tribus entsprachen. Die erste hiess Suburana von einem frühern Dorfe Subura, dessen Andenken der heutige Platz della Subura erhalten hat, und begriff die Gegend zwischen dem Calius und diesem Platze; die zweite Esquilina den ausgedehnten esquilinischen Hugel; die dritte Collina den Quirinal, welcher auch Collis schlechtweg hiess, und Viminal; die vierte Palatina den Palatin.

Diese so bedeutend erweiterte Stadt umschloss Servius Tullius mit einer Mauer von erstaunlicher Festigkeit, aus sorgfaltig zugehauenen, rechtwinkligen Tuffsteinen zusammengefügt. Die Mauer war indessen keineswegs ununterbrochen, sondern nur dazu bestimmt, die Niederungen und angreifbaren Stellen an und zwischen den Hugeln auszufüllen. Wo diese in schroffen Tuffwänden gegen die Ebene abfielen, begnügte man sich damit, den Fels so senkrecht wie möglich zuzuhauen, in derselben Weise wie die Burg von Tusculum, deren künstlich geglättete Wände weit in das Land hinein sichtbar sind. Von dieser ältesten Befestigung zeigt der Abhang des capitolinischen Hugels, welcher aus Tufffels besteht, nach dem Vicolo di Rupe Tarpea und Tor di Specchj hin, unter den Ställen des Pallastes Caffarelli ehrwürdige Reste. Man sieht den Felsen in einer ziemlichen Höhe senkrecht behauen, so dass er nach der Ebene eine unersteigliche Wand bildete. Die Mauer umschloss die sieben Hügel der Stadt, so dass die Fläche des Marsfeldes, der Pincio und das linke Tiberufer ausserhalb derselben blieb, und wurde bei der Herstellung Roms nach dem gallischen Unglücke auf derselben Stelle erneuert. Die Thore der servianischen Mauer werden von den neuern Schriftstellern sehr abweichend aufgezählt und an verschiedene Stellen gesetzt. Ich folge der Darstellung Bunsen's, wie überhaupt in den meisten streitigen Punkten. Einzelne Abweichungen im Verlauf der Beschreibung, welche nicht ausdrücklich hervorgehoben werden, ergeben sich aus der Vergleichung mit den betreffenden Abschnitten der Beschreibung der Stadt Rom von selbst. Ihre Begründung gehört nicht an diese Stelle, sie wird in dem nächstens erscheinenden Urkundenbuch für die römische Topographie und in einzelnen Abhandlungen gegeben werden.

Auf der Hohe des Quirinals war die Porta Collina, in der Tiefe, worin die Via di Porta Pia läuft, da wo sie mit der Via di Porta Salara sich vereinigt, gelegen, das nordöstlichste Thor. Von dort folgte die Mauer dem Rande des Quirinals nach dem Thale der sallustischen Gärten, Piazza Barberina, due Macelli und Piazza de' SS. Apostoli hin, und in dieser Gegend lagen die Porta Salutaris, welche nach dem Tempel der Salus fuhrte, bei Via di S. Susanna; die Porta Sanqualis zunächst an dem Tempel des Sancus, bei Via della Dataria, die Porta Fontinalis nach Piazza de' SS. Apostoli, etwa bei der Via de' Colonnesi, und die Porta Ratumena, zwischen Quirinal und Capitol, also etwa bei Magnanopoli. Zwischen Capitol und Aventin fuhrten die Porta Carmentalis, bei dem Vicolo della Bufala, die Porta Flumentana, von dem Forum Boarium, dessen Stelle durch den noch erhaltenen Bogen neben S. Giorgio in Velabro bezeichnet wird, so wie von dem Circus Maximus, die Duodecim portae, ein besonders geschmücktes Thor, und nicht weit vom Arco di Salara die Porta Trigemina, welche von ihrem dreifachen Thorwege so hiess, nach dem Flusse. An dem andern Ende des Avantins, welcher dem Capitol ähnlich eine schroffe Felswand bildete, unter dem Priorato lag die Porta Navalis nahe bei den Schiffswerften (Navalia); zwischen ihr und dem bis gegen die Caracalla-thermen sich erstreckenden Vorsprunge von Villa Mattei die Porta Naevia, Rudusculana und Lavernalis. Unter diesem fuhrte die berühmte Porta Capena auf die appische und latinische Strasse, welche bis S. Cesario, eine kleine Strecke vor dem Thore, vereinigt liefen. Die Mauer folgte dem Abhange des Calius von der Via delle Moline bis zu der Höhe des Laterans, welche ausser der Stadt sich befand. Etwa auf die Stelle des Hospitals ist die Porta Caelimontana, rechts davon, nicht weit von SS. Pietro e Marcellino, die Porta Querquetulana, zu setzen, die Porta Esquilina in die Gegend des Gallienusbogens, eines deutlichen Vereinigungspunktes alter Strassen. Von hier hob die staunenswertheste Anlage des Königs an, der Wall (Agger) des Servius Tullius. Da namlich die Strecke bis zum collinischen Thore keinen Abfall nach aussen hat, sondern sich eben fortzieht, von Natur also sehr angreifbar war, so musste eine künstliche Befestigung die Stadt vor den Angriffen benachbarter Feinde schützen. Sie bestand in einem breiten Graben, welcher durch eine Mauer sich an einen hohen und breiten Erdwall lehnte. Die Spuren desselben sind in einer merklichen Erhöhung zu erkennen, die besonders deutlich in der ganzen Ausdehnung von Villa Massimi (fruher Negroni) zwischen S. Antonio und der südöstlichen Spitze der Diocletiansthermen erhalten sind. Der höchste Punkt derselben, der mit Cypressen bepflanzte, von Sixtus V., dem Erbauer jener Villa, Monte della giustizia, benannte Hügel, ist zugleich der höchste in Rom und erhebt sich 236 Fuss über dem Meere. Mitten in diesem Walle lag die Porta Viminalis.

§. 2.

Die Regionen Augusts.

Innerhalb dieser Mauern, worin Rom einen allerdings geringern Umfang hatte, als die spätere Stadt, immer aber mit den bedeutendsten Orten, z. B. mit Athen, sich vergleichen durfte, blieb das städtische Gebiet lange Zeit hindurch begriffen. Indessen wurde mit der steigenden Bevölkerung dieser Umfang allmählig zu klein, und es entstanden, nach dem Flusse hin und im Marsfelde, seit dem zweiten punischen Kriege beträchtliche Vorstädte, welche von Zeit zu Zeit in das erweiterte Weichbild oder Pomoerium aufgenommen wurden. Als Augustus eine neue Eintheilung der Stadt in 14 Regionen vornahm, war nicht allein die ganze Ebene, soweit sie heute zur Stadt gehört, bewohnt, sondern auch jenseit des Flusses und uber die Abhänge der Hügel hinaus hatte sich die Bevölkerung erstreckt. Die alten Mauern von Servius Tullius waren zwar nicht zerstört, aber grossentheils verbaut und wurden von den Alterthumsforschern selbst in Häusern mühsam aufgesucht. Die alte Stadt verhielt sich zu dem bewohnten Rom, wie in neuern die Altstadt oder Cité zu dem heutigen Umfange. Augustus Regionen waren folgende:

Reg. I.   Porta Capena.
Reg. II.   Caelimontium.
Reg. III. Isis et Serapis.
Reg. IV.   Via Sacra.   Seit Vespasian Templum Pacis.
Reg. V.   Esquiliae.
Reg. VI.   Alta Semita.
Reg. VII. Via Lata.
Reg. VIII. Forum Romanum.
Reg. IX.   Circus Flaminius.
Reg. X.   Palatium.

Reg. XI. Circus maximus.
Reg. XII. Piscina publica.
Reg. XIII. Aventinus.
Reg. XIV. Transtiberina.
Von diesen entsprechen die vier ersten der ersten serviani-
schen Region, Reg. V. der zweiten, Reg. VI. der dritten, VII.
VIII. und IX. sind eingeschaltet, wenn nicht etwa VIII. zu der
vierten servianischen gehörte, wie X. Reg. XI. — XIV. sind eben-
falls neu hinzugekommen.

Diese Eintheilung dauerte bis zum Untergange des Reiches
fort. Sie wird bewährt durch die Basis eines Ehrendenkmals,
welches die Viertelsmeister (Vicomagistri) der 14 Regionen dem
Kaiser Hadrian errichteten, ein auch der Strassennamen wegen,
die darauf theilweise erhalten sind, wichtiges Monument, das sich
in der untern Halle des Palastes der Conservatoren befindet, und
durch ein amtliches Regionenverzeichniss von dem Hof- und Staats-
handbuche aus dem 5ten Jahrhundert (Notitia dignitatum utriusque
imperii). Dieselbe Zahl, obgleich in andern Gränzen, liegt der
heutigen Eintheilung der Stadt zu Grunde.

§. 3.

Die Mauern und Thore Aurelians.

Erst der Verfall der römischen Macht und die drohenden
Einfälle der nordischen Völker machte darauf aufmerksam, dass
die zu einem grossen Umfange (gegen 12 Miglien) angewachsene
mauerlose Stadt eines Schutzes gegen mögliche Angriffe bedurfte.
Einen solchen gewährte ihr Aurelianus durch eine zusammenhän-
gende, auch den Janiculus einschliessende, mit Thürmen versehene
Ringmauer, welche vom Kaiser vor seinem Zuge gegen Zenobia
(271) begonnen, von seinem Nachfolger Probus 276 vollendet
wurde. Diese Mauer, von Honorius und Arcadius (402) hergestellt,
ist die heutige, indessen durch viele Bauten der Päpste erneuert.
Bei ihrem Baue wurden manche Monumente aus früherer Zeit,
z. B. der Muros Torto am Pincio, die Porta Maggiore u. a., in
den Umkreis aufgenommen, ja, wie das jetzt wieder aufgedeckte
Grabmal eines Backers bei Porta Maggiore beweist, zuweilen als
Kern eines Thurmes benutzt. Besonders die Thore wurden durch
Thürme geschützt, und ein um die ganze Mauer fortlaufender
gewolbter Gang nahe bei den Zinnen derselben sicherte die Verbindung der Vertheidiger. Ueber den Gang der Mauern und die
Thore gibt ausser Procopius Erzählung der gothischen Belagerung
die in St. Gallen aufbewahrte Handschrift eines Mönches von Einsiedeln, welcher im achten oder neunten Jahrhunderte eine Pilger-

fahrt nach Rom machte, die genauesten Nachrichten. Die Thore der Aurelianischen Mauer waren nach ihm folgende:

1. Porta S. Petri (bei Procopius Aurelia), vor der Engelsbrücke.
2. Porta Flaminia rechts von der heutigen Porta del Popolo;
3. Porta Pinciana, jetzt vermauert;
4. Porta Salaria;
5. Porta Nomentana rechts in der Nähe von Porta Pia;
6. Porta Tiburtina rechts vom prätorianischen Lager;
7. Porta Praenestina, spater, schon in der St. Galler Handschrift, Tiburtina, heute Porta S. Lorenzo;
8. Porta Labicana, später Praenestina, heute Porta Maggiore;
9. Porta Asinaria oder Laterauensis bei Porta S. Giovanni;
10. Porta Metronia, jetzt vermauert;
11. Porta Latina, jetzt vermauert;
12. Porta Appia, jetzt Porta S. Sebastiano;
13. Porta Ostiensis, heute Porta S. Paolo;
14. Porta Portuensis, heute Porta Portese;
15. Porta Aurelia, heute Porta S. Pancrazio;
16. Porta Septimiana, heute Settignano, am Eingange der Longara.

Das vaticanische Gebiet wurde erst im Jahr 846 von dem Papste Leo IV. mit Mauern umgeben und zur Stadt gezogen. Im Garten des vaticanischen Pallastes ist ein Thurm seiner Befestigung wohl erhalten. Indessen blieb der ganze Raum zwischen der Porta Septimiana und S. Spirito, nebst dem Theile des Janiculus, welcher sich darüber erhebt, bis 1641 ohne Mauern. Die Bauten von Paul III. (1534—49), von welchem die prachtvollen Bastionen zwischen Porta S. Sebastiano und S. Paolo, und unter dem Aventin nach Porta S. Paolo hin, herrühren, und Pius IV. und V., zwischen 1561 und 1571 aufgeführt, erneuerten zwar die Mauern der leoninischen oder vaticanischen Vorstadt, gingen aber nicht über die Porta S. Spirito hinaus. Erst Urban VIII. umgab die ganze Gegend von Porta di Cavalleggieri bis Porta Portese mit neuen Mauern.

§. 4.

Der Vatican.

Der vaticanische Hügel, in der vorrömischen Zeit Sitz einer etruscischen Stadt Vaticum oder Vatica, wurde vor Erbauung der Engelsburg durch zwei Brücken mit dem linken Tiberufer verbunden. Die eine war der Pons Vaticanus, dessen Trümmer in mehreren Pfeilern bei Santo Spirito erkenntlich sind.

Aelter war der Pons Triumphalis, von dem gerade hinter den
Mauern von Tor di Nona ein Pfeiler von mächtigen Travertinquadern erhalten ist. Auf ihn zu führte die Triumphalstrasse,
welche mit dem bei der Osteria delle Capannacce, 6 Miglien von
Rom, von der Heerstrasse links abführenden Wege identisch, über
den Monte Mario bei Villa Milini vorbei zwischen der jetzt ver-
mauerten Porta di Castello und der Engelsburg in das Flussthal
mündete. Der südlich von dieser Triumphalstrasse sich erstreckende
Stadttheil war der vaticanische Bezirk, welcher in der Zeit der
Republik nur von armen Leuten bewohnt wurde und wegen der
dort herrschenden schlechten Luft auch unter den ersten Kaisern
verrufen war. Die reizende Aussicht von Monte Vercelli (jetzt Vigna
Barberini) war es vermuthlich, welche des Germanicus Gemahlin,
Agrippina, bewog, dort Gärten anzulegen, welche später in
den Besitz des Caligula und Nero übergingen, und unter dem
Namen der Neronischen Gärten Schauplatz der ersten Christenverfolgung wurde. Darin befand sich ein Circus, von dem bei
dem Baue der neuen Peterskirche sehr bedeutende Trümmer gefunden wurden. Ein anderer lag in den Gärten der Domitia,
welche nach ihrem Tode in ihres Neffen Nero Besitz übergingen.
Innerhalb derselben errichtete Hadrian sein berühmtes Mausoleum,
die heutige Engelsburg, ohne dass der Circus zerstört wurde, von
dem man im Jahr 1745 vor Porta di Castello ansehnliche Spuren
entdeckte. Sonst gab Hadrians Bau der Gegend eine veränderte
Gestalt. Gerade gegenüber wurde der Pons Aelius, die Engelsbrücke, angelegt, und darauf hin lief die Via Aurelia nova,
die links von S. Peter etwa nach der Porta Cavalleggieri auf dem
Wege nach Civitavecchia fortging. Ihr gehören die Grabdenk-
mäler an, welche im Borgo gefunden worden sind. Davon war
das bedeutendste eine bei S. Maria Traspontina stehende Pyramide, welche grösser war als das Denkmal des Cestius, wie dieses
mit Marmor bekleidet, und im Mittelalter, als man die Cestius-
pyramide für das Grab des Remus hielt, von Romulus benannt
wurde. Ihre Gestalt sieht man auf der Bronzethür von S. Peter.
Abgetragen wurde sie unter Alexander VI. Die beiden ältern
Brücken wurden schon im Alterthume zerstört, da sie bei der
Belagerung Roms durch die Gothen nicht mehr bestanden.

§. 5.

Das Capitol.

Der Kern des capitolinischen Hügels ist Steintuff, an dem Abhange nach dem Palatin auf Bröckel- oder kornigem Tuff auf-
gelagert und theilweise mit einem Niederschlage süssen Wassers

bedeckt. — Der Berg hat zwei durch eine Vertiefung getrennte
Spitzen, welche jetzt nur nach der Nordseite vortreten, vor dem
grossen Unterbau am Forum auch dorthin vorliefen. Das Ganze
hat einen Umfang von etwas weniger als 800 Schritt, die höchste
Breite beträgt ein Drittheil der Länge. Von jenen Spitzen ist die
östliche, worauf die Kirche Araceli sich erhebt, die höhere, zwischen 146— 151 Fuss über der Meeresflache; die westliche, worauf
der Palazzo Caffarelli steht, 141 Fuss hoch. Die mittlere Vertiefung ist jetzt um etwa 7 Fuss erhöht.

Dieser Berg war im alten Rom aus zwei Gründen besonders
wichtig: als die Citadelle (Arx) und der Sitz des Nationalhei-
ligthums, des Juppiterstempels. Jene haben wir uns als eine
natürliche, nicht eine künstliche Festung zu denken, indem die
überall abgeschrofften, unersteiglichen Felswände nur da, wo das
Terrain leichter zugänglich war, also z. B. an dem Rand der Vertiefung, mit Thürmen befestigt waren. Dies geht namentlich aus
der Erzahlung von der Belagerung durch die Gallier hervor,
welche die Burg schon erstiegen hatten, als sie den Rand des
Felsen erreichten. Der ganze Hugel hiess also im Gegensatze
gegen die Ebene Arx, nicht etwa eine von beiden Spitzen allein,
indessen wird der Raum, worauf der Juppiterstempel stand, davon
unterschieden. Diesen haben die ältern Topographen meistens
auf die westliche Seite gesetzt, die neuern Italiener seit Nardini
auf die entgegengesetzte. Indessen befand sich der Tempel nach
der Angabe der Alten auf dem tarpejischen Felsen, und
dieser wird von Allen auf der westlichen Seite gesucht. Man
nannte nämlich vorzugsweise denjenigen Theil dieser Seite so,
wovon die Verbrecher herabgestürzt wurden, und dies war der
dem Forum zugewandte. In diesem engern Sinne entspricht der
tarpejische Fels dem heutigen Monte Caprino; und noch jezt ist
die Felswand, welche man vom Garten des evangelischen Spitals,
so wie unten von dem Hofe eines an dem nach Piazza della Consolazione führenden Weges gelegenen Hauses sieht, in einer
ziemlichen Höhe ganz schroff und jäh. Da sie im Alterthum etwa
75 Fuss hoch war, wenn man den im Durchschnitt 15 Fuss hohen
Schutt abrechnet, welcher das alte Pflaster bedeckt, so begreift
man wohl, wie der Sturz von einer solchen senkrechten Höhe
todtlich seyn musste. Da nun der Juppiterstempel auf dem tarpejischen Felsen stand, so haben wir ihn natürlich auf der westlichen Seite zu suchen, und damit stimmen die Erzählungen von
verschiedenen Belagerungen des Capitols und die sonstigen Zeugnisse der Alten überein, und, was noch wichtiger ist, es sind
davon Reste heutzutage erhalten. Der Tempel war in den alt-
tuskischen Verhältnissen gebaut und hatte ausser drei Cellen (so
nannte man den innern Raum eines Tempels, worin das Götterbild

stand), des Juppiter in der Mitte, von Juno und Minerva zu beiden Seiten, noch einen grossen Vorplatz, war vorn mit einer dreifachen, aus je 6 Säulen bestehenden, zu den beiden Längenseiten mit einer einfachen Säulenreihe geziert, übrigens aber selbst nach den verschiedenen Herstellungen Sullas, Vespasians und Domitians zwar durch eine Masse von Kostbarkeiten ausgezeichnet, aber seiner gedrungenen Verhältnisse wegen keineswegs gefallig. Jene Reste nun sind: 1) ein Unterbau von Peperinquadern (area Capitolina), welcher, nach verschiedenen Funden zu urtheilen, fast den ganzen Felsen bedeckte. Seit dem Bau des Palastes Caffarelli (1578) haben sich die Eigenthümer des Bodens derselben so häufig zu Herstellungen ihrer Wohnung bedient, dass jetzt nur noch wenige sichtbar, und auch diese nicht mehr an ihrer alten Stelle erhalten sind; indessen stehen noch mehrere im Garten und neben dem Eingange des Palastes, so wie in dem Gange, welcher durch denselben nach Monte Caprino fuhrt. 2) Reste der Cellen, bestehend in einer ungeheuern Mauer von Peperinquadern unter der Terrasse des herzoglichen Gartens, welche diesen nach Osten begranzt, wahrscheinlich der rechte Flügel der Junocella; und eine Mauer von gleicher Bauart in dem inneren Höfchen des westlichen Gartens, zur Hintermauer der Cella der Minerva gehörig. 3) Ein Stück der nach Suden hingewendeten Fronte nebst der grossen Treppe des Tempels, welches sich im Hofe des archäologischen Instituts befindet. Von diesem sind die Peperinquadern geraubt, ihr Abdruck war auf dem Kern des Gemäuers im Spitale erkenntlich. Erhalten ist nur dieser, welcher in antikem Gusswerke besteht. 4) Zwei Brunnen innerhalb des Spitales, welche bei Belagerungen die Besatzung mit Wasser versahen. Von diesen fuhren mehrere unterirdische Gänge (vielleicht die alten Favissae) unter Monte Caprino nach der Ebene bei Piazza della Consolazione hin.

Von den an den Juppiterstempel angränzenden Heiligthümern war der Tempel des Juppiter Tonans der bedeutendste. Er war von Augustus nach seiner Ruckkehr aus Spanien erbaut worden und lag so nahe an dem capitolinischen, dass er als Thürhuter desselben galt und durch Schellen am Giebel als solcher bezeichnet wurde. Wegen dieser unmittelbaren Nähe ist es unstatthaft, ihn unter den an der Gränze des Forums befindlichen Ruinen zu suchen.

Die gegenüberliegende Spitze von Ara Celi war mit verschiedenen Tempeln bedeckt, wovon die Juno Moneta, Vorsteherin der Münze, den stattlichsten hatte. Es ist unmöglich, dieselben näher zu bestimmen, obgleich es auch hier nicht an altem Gemäuer fehlt. Ausser den sieben antiken Gewölben unter der Treppe von Ara Celi, deren Thüren der Aufseher des capitolinischen Museums öffnet, sind in dem Kloster und dem Garten von Ara Celi einzelne Stücke von Mauern und losgerissenen Steine erhalten, indessen ist nur die Substruction einer Mauer über der Salita di Marforio, welche nach Nibby 240 Fuss in der Länge hat, erheblich. Ausserdem erblickt man in den Höfen der am Fusse des Capitols sich hinziehenden Strassen, namentlich der Via della Pedacchia, hin und wieder antikes Gemäuer.

Der zwischen diesen beiden Spitzen liegende freie Platz hatte im Alterthum keinen andern Namen, als etwa „Capitolsplatz." Ein Theil davon war das durch Romulus Freibeuterschaar bekannte Asylum, neben dem ein Wäldchen sich lange erhielt. Sonst war der Platz frei und diente mitunter zu Volksversammlungen in Tributcomitien, zu Musterungen und Aushebungen. Das sudwestliche Ende desselben begränzte eins der staunenswürdigsten Gebaude des republikanischen Rom, das Tabularium, oder Staatsarchiv, womit das Aerarium, die Schatzkammer, verbunden war, so wie eine Bibliothek und Raume zu Vorlesungen. Obgleich durch die Bauten des Mittelalters, worin der Senatorspalast auf den festen, alten Mauern aufgeführt wurde, und die Veränderungen, welche Michelangelo u. A. am Senatorspalaste vornahmen, vielfach verändert, beschadigt und unkenntlich gemacht, ist dies Gebäude dennoch ziemlich erhalten und jetzt, nachdem der Schutt, welcher die dem Forum zugekehrte Fronte grösstentheils bedeckte, weggeräumt worden, auch nach aussen von grosser Wirkung. Nach einer jetzt verschwundenen Inschrift wurde es vom Consul Q. Lutatius Catulus im J. 78 v. C. erbaut. Die Fronte nach dem Forum zu zeigt eine gewaltige Untermäuerung aus Peperinquadern, abwechselnd mit der schmalen und langen Seite (in Laufern und Bindern) übereinander gelegt, in einer Hohe von ungefahr 35 Fuss. Darüber, mit der Fläche des Capitols in einer Linie, zeigt sich eine dorische Halle, von 11 Bogen gebildet. Die Halbsäulen, welche diese Bogen trennen, sind zu einem Drittel in Facetten behauen, zu den zwei übrigen einfach geriefelt, und ebenfalls aus Peperin, mit Ausnahme der Capitelle und sonstigen architectonischen Glieder, die aus Travertin aufgefuhrt sind. Die Bögen wurden im 15ten Jahrh. von Nicolaus V. ausgefullt; jetzt hat man den Anfang gemacht, sie von der Füllung zu befreien, und der eine geöffnete Bogen zeigt, wie herrlich die ganze Reihe gewesen seyn muss. Ueber dieser ersten Halle erhob sich noch eine zweite, welche verloren gegangen ist. Dies ist die Ansicht der 230 Fuss langen Seite nach dem Forum. Das ganze Gebäude erstreckte sich, wie der Senatorspalast, bis auf den Capitolsplatz und bildete ein unregelmässiges Viereck, dessen äussere Mauern zum Theil noch sichtbar sind. An der westlichen Seite ist ein Eingang durch die Quadern gebrochen, welcher in die grosse Halle führt. Sie

ist gewölbt, 17 Fuss breit und doppelt so hoch. Durch das Jahrhunderte dort aufgehäufte Salz, das, während die Halle zum Salz-
magazine diente, die zusammengesetzten Steine anfrass, hat das
Mauerwerk sehr gelitten, die ausserordentliche Festigkeit desselben
aber hat dergestalt dem Salze widerstanden, dass es jetzt einem
Felsen ähnlicher ist, als einem künstlichen Gemäuer. Diese Halle
st die am besten erhaltene; indessen sind noch vier damit parallel
aufende zu erkennen, freilich durch neueres Mauerwerk sehr
entstellt. Ueber diesem ersten Stokwerke hat man die Spuren
einiger antiken Gemächer bemerkt, darunter befinden sich mehrere
niedrige, fast ganz verschuttete Kammern, von denen es schwer
ist zu bestimmen, ob sie alt sind, oder aus dem Mittelalter herrühren. Desshalb ist es auch nicht möglich zu entscheiden, wo
die Urkunden, Tafeln in Erz, dergleichen bei dem Brande des
Capitols im bürgerlichen Kriege zwischen Vespasian und Vittellius
3000 zerstört wurden, und wo der Schatz aufbewahrt wurde. Die
Halle war, wie man 1830 gefunden hat, mit derselben Art von
Lavapolygonen gepflastert, wie die Strasse daneben, welche ein
Stück des alten Pflasters noch zeigt.

§. 6.

Der Clivus Capitolinus.

Die fahrbaren Strassen, welche auf die Spitze eines Hügels
führten, nannte man Clivi. Dergleichen gab es am Capitol zwei,
welche beide vom Forum ausgingen. Der eine, Clivus Asyli,
ging bei dem mamertinischen Gefängnisse, der heutigen Kirche
S. Giuseppe a' Falegnami, vorbei auf denjenigen Theil des Capitols-
platzes, welcher das Asyl enthielt, am Fusse der kleinern Treppe
von Ara Celi, und entsprach ungefähr der Cordonata, die den
Bogen des Septimius Severus mit dem Capitol verbindet. Der
andere, Clivus Capitolinus, war ungleich wichtiger. Er führte
vom Forum die Triumphatoren zum Tempel Juppiters auf Monte
Caprino. Ein bedeutender Theil davon ist durch die letzten Ausgrabungen ans Licht gekommen, und mit ihm beginnen wir die
Darstellung der Ruinen des Forum. Sein Pflaster besteht aus
Polygonen von Basaltlava, wie sämmtliche römische Heerstrassen,
während Plätze wie das Forum mit Travertinquadern gedeckt
waren. Der Severusbogen bezeichnet seinen Anfang. Links davon mündet eine andere Strasse, deren Pflaster ebenfalls erhalten
ist, der Vicus iugarius, hinein. Der Clivus aber, die Fortsetzung
der Via sacra, welche das Forum durchschnitt, beginnt unter dem
mittlern Bogen des Severus und wendet sich dann, allmählig an-
steigend, links, bis er durch die neue Fahrstrasse unterbrochen

wird. An demselben liegen auf einem engen Raume zusammen-
gedrängt mehrere Tempel und andere öffentliche Gebäude, deren
Grundriss' durch die letzten Ausgrabungen deutlich geworden ist.
Wir geben hier davon eine kurze Uebersicht und verweisen in
Bezug auf die grössern Reste auf die genauere Beschreibung,
welche im Verlauf des Werkes vorkommen wird. Steigen wir
den Clivus' vom Capitol aus hinunter, so treffen wir zuerst links
eine mit Marmor gepflasterte Terrasse, welche nach dem Tabularium hin einen stumpfen Winkel bildet. An ihrem Ende
befindet sich eine Reihe von gewölbten Gemächern, und davor
die Spuren einer Säulenreihe, wovon die Basen, so wie einzelne
Stücke der Schäfte und Knäufe erhalten sind. Ihre Arbeit deutet
auf die sinkende Kunst der Kaiserzeit. Gerade unter der Terrasse
befinden sich fünf gewölbte Kammern derselben Bauart, zu denen
man auf funf Stufen vom Clivus hinabsteigt. Sie ziehen sich nach
dem Tabularium hin. Der Name und die Bestimmung dieses Gebándes ergeben sich durch eine im sechszehnten Jahrhundert daneben gefundene Inschrift. Es waren die Büreaus (scholae) der
Schreiber und Ausrufer der Aedilen, unter deren Verwaltung das
capitolinische Archiv stand, hergestellt in der Kaiserzeit von einem
Bebryx Drusianus A. Fabius Xanthus, nach welchem man sie
Schola Xantha genannt hat.

Durch einen schmalen Gang wird die Schola von dem benachbarten Gebäude getrennt, von dessen Vorhalle drei korinthische
Säulen noch stehen. Dieser Tempel sowohl als die übrigen am
Clivus haben sehr verschiedene Benennungen annehmen müssen.
Wir werden von der einzigen ganz sichern ausgehen. Der Tempel der Concordia, worin der Senat u. A. bei der Verschwörung Catilinas sich versammelte, wurde bei den Ausgrabungen im
J. 1817 aufgedeckt. Es ist der dem Severusbogen zunächst gelegene, dessen Grundflache allein erhalten ist, und sein Name
durch yerschiedene bei jenen Ausgrabungen entdeckte Inschriften
völlig ausgemacht. Die drei Säulen werden von den meisten italienischen Topographen, Fea, Nibby, Melchiorri, Canina dem Tempel des Juppiter Tonans zugeschrieben, indessen lehrt der Umstand,
dass Augustus ihn als Thürhüter des capitolinischen Juppiter mit
Schellen behängen liess, offenbar, dass er viel näher an diesem,
an dem obern Theile des Clivus, welcher durch die neue Fahrstrasse verborgen wird, liegen musste. Desswegen ist wahrscheinlich
die Meinung von Niebuhr und Bunsen richtig, wonach wir in diesen
Saulen die Reste des Saturnustempels erblicken, welcher nach
den Angaben der Alten am Clivus, nach einer Angabe (Servius
zu Virgil. Aen. II. 116) neben dem Tempel der Concordia lag.
Besonders wahrscheinlich wird diese Annahme dadurch, dass
im Saturnustempel, wohl unter der Cella, der zu den laufenden

gaben bestimmte Schatz lag, der Tempel also doch wohl mit den Schatzgewölben des Aerariums oder Tabulariums in Verbindung stehen musste. Die Buchstaben E S T I T V E R sind jetzt das Einzige, was von der Inschrift des Tempels erhalten ist, indessen wissen wir aus der merkwürdigen Inschriftensammlung, welche der oben erwähnte Mönch aus Einsiedeln seiner Pilgerreise nach Rom, deren Handschrift in St. Gallen aufbewahrt wird, voransetzte, wie sie vollständig lautete. Er verzeichnet nämlich unter der Ueberschrift In Capitolio folgende Inschriften: Senatus populusq. Romanus incendio consumptum restituit Divo Vespasiano Augusto. S. P. Q. R. Impp. Caess. Severus et Antoninus Pii Felic. Aug. restituerunt. S. P. Q. R. aedem Concordiae vetustate conlapsam in meliorem faciem opere et cultu splendidiore restituerunt. Davon sind die Worte Impp.—restituerunt die Inschrift des Saturnustempels; in seiner jetzigen Gestalt rührt er also von Septimius Severus und Caracalla her. Da es ferner feststeht, dass der Tempel der Concordia unten am Clivus lag, so ergibt sich für die Inschriften des Anonymus die Ordnung, wonach er vom Capitol hinunter stieg. Der Tempel des Vespasian muss also höher gelegen haben; und da findet sich über den acht ionischen Säulen, welche weiter oben links von der Strasse noch stehen, dieselbe Inschrift, welche der Anonymus gibt, gröstentheils erhalten. Es sind die Worte SENATVS POPVLVSQVE ROMANVS INCENDIO CONSVMPTVM RESTITVIT. Die übrigen Worte müssen auf der andern, der Vorderseite gestanden haben. Denn was wir jetzt sehen, eine Herstellung aus später Zeit, wie namentlich die ungeschickten und zum Theil verkehrt zusammengesetzten Granitsäulen beweisen, ist die Hinterseite des Tempels, ohne Stufen, welche bei der Vorderseite unerlässlich seyn würden. Die richtige Bennenung ist der Ruine zuerst von Piale gegeben, von Bunsen mit schlagenden Gründen gesichert worden. Einige Antiquare sehen in ihr den Tempel des Saturnus, andere der Fortuna, welcher nahe am Juppiterstempel, also auf dem Capitol lag. — Ein dem Genius des römischen Volkes geweihtes Heiligthum bei dem Tempel der Concordia ist verschwunden.

Das römische Forum.

§. 7.

Gränzen.

Ein Forum war in allen italischen Städten ein länglicher Platz, worauf Fechterspiele, eine in Italien, wenigstens in Etrurien und den von dort aus civilisirten Landestheilen, sehr beliebte

Lustbarkeit, abgehalten werden konnten. Es war also ein Platz zur Versammlung, keine Strasse, und desshalb auch nicht, wie eine Strasse, mit vieleckigen Steinen, sondern mit viereckigen Travertinplatten belegt; es wurde desshalb in Rom auch nicht von Strassen durchschnitten, die Via sacra oder die heilige Triumphalstrasse ausgenommen, damit die versammelte Menschenmenge nicht gedrängt und getrennt würde. Wo sich folglich vieleckiges Strassenpflaster findet, da ist nicht das Forum; wo viereckige Travertinplatten, wohl. Diese einfache Wahrnehmung war es, welche Bunsen in den Stand setzte, die Gränzen des römischen Forums mit uberzeugender Sicherheit zu bestimmen. Vor ihm hatte man namlich, da man sich das Forum möglichst gross dachte, die von den ältern Stadtbeschreibern richtig erkannte Richtung desselben in der Länge nach dem Tempel des Antoninus und der Faustina (S. Lorenzo in Miranda) für die Breite genommen und die Länge von S. Adriano, eine Kirche, die man unbegreiflicher Weise fur den Saturnustempel hielt, ja in deren Façade man die antike Mauer sah, nach der Piazza della Consolazione in einer mehr oder minder grossen Ausdehnung verlegt. Dies thun die neuern Italiener noch. Bunsen legte auf die theils noch vorhandenen, theils in frühern Ausgrabungen entdeckten Pflasterreste das gebührende Gewicht. Zuerst stösst am Severusbogen das vieleckige Strassenpflaster unmittelbar an Travertinplatten; eben so an dem Gebäude rechts von der Phocassäule, welches wir als die Basilica Inlia kennen lernen werden. Mit diesem setzte er ein Pflasterstück welches bei den unter Feas Leitung von dem Herzoge von Blacas unternommenen Ausgrabungen an den drei Säulen am Fusse des Palatin gefunden wurde, in Verbindung und bestimmte so die westliche Längenseite. Gegenüber setzte sich jene am Severusbogen abbrechende Strasse fort. Im J. 1742 entdeckte man unter dem Baumgange zwischen S. Adriano und SS. Cosma e Damiano ein Stück alten Pflasters, ein anderes im J. 1810 und 1830 vor der letztern Kirche. Diese Strasse begränzte das Forum nach Osten. In der Breite bildet einerseits der Abhang des Capitols und der Clivus, welcher vom Severusbogen anhebt, die Gränze; andererseits der jetzt unmerkliche Abhang einer Landzunge, welche vom Colosseum herkömmt, der Velia, kurz hinter SS. Cosma e Damiano, wo man im 17ten Jahrhundert eine Menge von alten Gebäuden entdeckte. Auf diese Weise ergibt sich für das Forum ein länglich viereckiger Platz von 630 Pariser Fuss Lange, von 190—160 Fuss Breite. Dieser Raum war für das jugendliche Rom gross genug, besonders da für die Bedürfnisse des Markts mehrere abgesonderte Plätze bestimmt waren; später erweiterte man den zu enge gewordenen durch eine Menge neuer Bauten und die Kaiserfora.

§. 8.

Das Forum bis auf Julius Cäsar.

In der Zeit der Republik gab es auf diesem Platze zwei abgesonderte Versammlungsstatten, für jede der beide grossen Hälften, in welche das Volk zerfiel: das eigentliche F o r u m und das Co- m i t i u m. Jenes, worauf sich die Plebejer versammelten, ohne anfanglich an den Berathungen und Beschlüssen des souveränen Volks thätig Theil zu nehmen, lag am Fusse des Capitols, dieses an dem andern Ende nach der Velia hin. Hier traten die Patri- cier in ihrem grossen Rathe, den Curiatcomitien, zusammen. Desshalb lagen alle öffentlichen Gebäude in seiner Nahe: die Red- nerbühne (R o s t r a) an der dem Forum zugewandten Granze, welche durch die die Fläche durchschneidende Via sacra gebildet wurde, das T r i b u n a l, wo der Prätor Recht sprach, nahe an der Kirche S. Maria Liberatrice, der entgegengesetzten Seite. Das wichtigste Gebaude war das Rathhaus des Senats, die C u r i a H o s t i l i a, deren Ursprung in die konigliche Zeit hinaufging, während ihr Untergang durch Feuer mit dem tumultuarischen Leichenbegäng- nisse des Tribuns Clodius im J. 55 v. C. zusammenfiel. Die Lage der Curie wird durch eine Stelle bei Plinius bestimmt, wonach der Amtsdiener Mittag ausrief, wenn er von der Curie die Sonne zwischen der Graecostasis und der Rostra erblickte. Folglich konnte die Fronte der Curie nicht nach Nordosten zugekehrt seyn, wie dies nach der Meinung derjenigen Gelehrten der Fall seyn würde, welche sie an den Fuss des Palatin verlegen. Die Stelle aber, wo sie an der andern Langenseite zu suchen ist, ergibt sich aus der Nachbarschaft der G r a e c o s t a s i s. Dies, wörtlich der Standort der Griechen, war eine Art von diplomatischer Tribune für fremde Gesandten, welche einen Auftrag beim Senate hatten und in der Nahe der Curie den Ausgang von dessen Berathschlagungen ab- warteten, indem sie zugleich der Volksversammlung auf dem Co- mitium zusahen. Ueber derselben befand sich fur diesen letztern Zweck auch für die Senatoren eine Tribüne, das S e n a c u l u m. Die Graecostasis lag fur den Beschauer zur Linken der Curie. Danach ergibt sich fur diese die Stelle den erhaltenen drei Säulen ziemlich gerade gegenüber. Nicht weit von diesen am Fusse des Palatins stand der T e m p e l d e r V e s t a bei der Kirche S. Maria Liberatrice, wo man im 16ten Jahrhundert die Grabschriften meh- rerer Vestalinnen auffand; daneben die R e g i a oder Amtswohnung des Rex sacriculus oder Opferkönigs, eines vornehmen Priesters, welcher auf dem Comitium feierliche Opfer zu verrichten hatte; im Innern des Platzes, ausser den Rostra und dem Tribunal, einige Denkmäler der ältesten Zeit, das Grab des Romulus, ein heiliger

Feigenbaum, welcher an das Wunder der Errettung von Romulus
und Remus erinnerte u. s. w.

Als diese Gebäude schon das Comitium zierten, war das
Forum noch ziemlich alles Schmuckes baar. Im fünften Jahrhundert der Stadt wurden seine beiden Längenseiten mit Hallen von
Peperin versehen, wohinter sich von Alters verschiedene Buden
befanden, von denen die Fleischerbude durch den tragischen
Tod der Virginia berühmt geworden ist. Nur ein bedeutender
Tempel lag an der südwestlichen Seite, der Castorstempel,
welcher das Andenken der merkwürdigen Schlacht am See Regillus verewigte. Erst im sechsten Jahrhundert nach dem ersten
macedonischen Kriege begann die Umgestaltung des Forums durch
eine Reihe prächtiger Bauten, welche, von Athen entlehnt, in
Rom eigenthümlich ausgebildet und fur die christliche Baukunst
als Urbilder der ältesten Kirchen wichtig wurden, der Basiliken.
Das Gedrange am Tribunal des Prätors veranlasste nämlich die
Anlage von Gerichtssälen, welche man mit einem griechischen
Ausdrucke nach der Halle in Athen, wo der Archon Basileus (König) Recht sprach, benannte. Dieselben bestanden zunächst aus
einem Halbrunde (Tribunal, oder Absis), worin der Prätor mit
seinen Beisitzern die Parteien vernahm; dann aus einem Kreuz-
schiffe, worin Zeugen und sonst bei der Sache betheiligte Personen
ihren Platz fanden und einer in mehrere Schiffe getheilten langen
Seite fur das Publicum. Die innern Schiffe waren durch Säulen
getrennt, das Ganze mit einer Mauer umgeben. Rasch nacheinander, binnen 63 Jahren, erhoben sich in der Nähe des Forums
vier solche Basiliken, zu beiden Seiten desselben, aber nicht unmittelbar daranstossend, sondern zum Theil hinter den Peperin-
hallen, welche das Forum begränzten, zum Theil hinter den öffentlichen Gebäuden des Comitium. Die älteste war die Basilica
Porcia, von Cato im J. 184 v. C. erbaut, unmittelbar hinter der
Curia Hostilia. Naher am Capitol, etwa bei S. Adriano, lag die
Basilica Fulvia oder Aemilia, vom J. 179 v. C., gegenüber
zwischen Capitol und Palatin, etwas hinter den heutigen Heu-
magazinen, die Basilica Sempronia (169), die letzte, die
Basilica Opimia (121), endlich, rechts von der Curie und hinter
der Graecostasis.

§. 9.

Das Forum der Kaiserzeit.

Bei dem stürmischen Leichenbegängnisse des Volkstribuns
Clodius 55 (v. C.) brannte die alte Curia Hostitia ab, mit ihr
einige anstossende Gebäude, und dadurch wurde der Kaiserzeit

der Anstoss zu neuen Anlagen gegeben, wodurch das Ansehen des
Forums sich bedeutend veränderte. Casar war der Erste, welcher
durch grosse Unterstützungen, die er zum Ausbau der Basilica
Aemilia, oder Paulli, wie sie von ihrem Hersteller genannt
wurde, gewahrte, und eigene Bauten das Andenken des republicanischen Zustandes entfernte. Augustus und die Kaiser nach ihm
folgten, und was auf dem Forum von alten Resten erhalten ist,
gehort der Kaiserzeit an. Die prächtigen Gebäude, welche sich
dort erhoben, sind zahlreich und ihre Namen wohl bekannt, indessen ist der Versuch, ihnen ihre Stelle anzuweisen, mit grossen
Schwierigkeiten verbunden. Die hauptsachlichsten Hulfsmittel dazu
sind ein altes Regionenverzeichniss aus dem 5ten Jahr v. C. (vor
der Notitia Dignitatum), welches u. a. die Gebäude der achten
Region der Reihe nach aufzählt, obgleich lange nicht vollständig,
und ganz besonders eine Inschrift aus dem Zeitalter Augusts, das
sogenannte Monumentum Ancyranum. Der Kaiser hatte nämlich
vor seinem Mausoleum eine Tafel mit einer kurzen Schilderung
seiner Thaten aufrichten lassen, wovon in verschiedenen Theilen
des Reichs Abschriften aufgestellt wurden. Davon fand sich in
Ancyra in Phrygien ein verstümmeltes Exemplar in Marmor.
Hier nun zählt Augustus seine Bauten auf, die am Forum, indem
er vom Fusse des Capitols anfängt und nach dem Palatin zugeht.
Gelang es also, ein Gebäude mit Sicherheit zu bestimmen, so
wurde es möglich, auch die in jener Inschrift, so wie in dem Re-
gionenverzeichnisse der Notitia vorhergehenden und nachfolgenden
mit einiger Wahrscheinlichkeit festzusetzen. Ein Fund, welchen
man bei den Ausgrabungen im J. 1835 machte, gab jene Gewissheit. Am Ende des Jahres 1834 fand man jenseit der Phocassäule uber die schon fruher bekannte alte Strasse hinaus eine
lange Linie von 5 Marmorstufen, welche zwischen der dritten
und vierten in einen Treppenspiegel sich ausweiten. Dass man
auf der 5ten sich in der Linie des Gebäudes selbst befindet, beweist das einige Fuss weit offen gelegte Pflaster von Giallo antico.
Unter der Treppe geht ein Abzugsgraben fort, welcher das von
den verschiedenen kleinen Cloaken am Clivus kommende Wasser
zum Theil aufnahm und der Cloaca maxima zuführte. Obgleich
die Façade dieses prächtigen Baues schon jetzt von einer ansehnlichen Breite ist, so ging sie doch zu beiden Seiten noch weiter
fort, und die Einschliessung der neuern Mauern ist rein zufallig.
Der Name wurde durch eine im Marz 1835 dort entdeckte Mar-
morbasis, in deren Inschrift das Wort Basilica vorkommt, schon
angezeigt, vollkommen ermittelt aber durch eine Vergleichung der
jetzt sehr verstummelten Inschrift mit der Abschrift, welche im
16ten Jahrhundert davon genommen wurde, als sie vollstau-
diger erhalten war. Nachher muss sie erst verloren gegangen

seyn.* Daraus geht hervor, dass ein Präfect der Stadt im Jahr 377 n. C. die Basilica Julia herstellte und ausschmückte. Offenbar war also jenes theilweise wieder ausgegrabene Gebäude die Basilica Julia, und von diesem sichern Punkte wird es möglich, den übrigen Gebäuden, welche in der Kaiserzeit am Forum sich erhoben, ihren Platz anzuweisen. Bunsen, welcher sich das Verdienst erworben hat, statt von zerrissenen einzelnen Stellen der Alten und Vermuthungen, von jenen zusammenhängenden Urkunden auszugehen, ordnet die Bauten am Forum folgendermassen:

Auf der Südseite: 1) Links vom Vicus Iugarius, jener zum Theil noch kenntlichen Strasse, welche sich am Fusse des Clivus Capitolinus hinzieht, und beim Bogen des Septimius Severus darein mündet, das Graecostadium, wie es in der Kaiserzeit hiess. Die alte Graecostasis hatte neben der Curia Hostilia am Comitium gestanden, war aber wahrscheinlich von dem Brande des Jahrs 55 v. C. mit verzehrt worden. Da nun mit dem Unterschiede der Stande auch die Trennung zwischen Forum und Comitium wegfiel, die alte Curie nicht wieder aufgebaut wurde, so war kein Grund vorhanden, die Graecostasis dort zu lassen, und da nach Plinius (33. 6) Ausdrucke die Graecostasis zur Zeit des Appius Claudius am Comitium lag, also zu seiner Zeit nicht mehr, die Notitia das Graecostadium zwischen dem Vicus Iugarius und der Basilica Julia auffuhrt, so dürfen wir wohl mit Bunsen annehmen, dass dieses Gastgebaude für Gesandte befreundeter Völker links neben der Basilica Julia lag.

2) Die Basilica Julia, von Cäsar begonnen, von Augustus vollendet und nach einer Feuersbrunst erweitert, auch von ihm nach seinen beiden Enkeln Caius und Lucius benannt, obwohl ohne dass diese Benennung dauernd wurde.

3) Tempel des Castor und Pollux, oder, wie er gewöhnlicher hiess, der Castorn. Dieses Gebäude, eins der ältesten Heiligthümer von Rom, war an der Stelle erbaut, wo nach der Sage die Dioscuren dem romischen Volke den wichtigen Sieg am See Regillus ankündigten, von Metellus und zuletzt von Tiberius erneuert. Dass es an dieser Seite des Forums lag, beweist die Stelle, wo es in dem Monumentum Ancyranum neben der Basilica Julia erwähnt wird, und es wird dies von Niemand bezweifelt. Indessen hat man häufig die drei schönen Saulen am Fusse des Palatins dafur gehalten: eine Annahme, welche es uns unmöglich

---

* 1835. Bullettino dell' Inst di corrisp.   Grater (171. 7)
arch. 1835. Marzo b.

. . . .	Gabinius Vettius
. . . . A . .	Probianus v. c prAef. urb.
. . . . ASILICA .	Statuam que bASILICAe
. . . . . ER . REPARATAE	Juliae a se novitER. REPARATAE
. . . . . SET . ADIECIT	Ornamento esSET. ADIECIT

machen würde, die übrigen Gebäude, welche am Forum lagen, unterzubringen, denn jene drei Säulen liegen fast an seinem Ende. Der Castortempel lag also hart neben der Basilica Julia.

4) Wozu jene drei Säulen gehörten, ist eine sehr schwierige Frage. Ihr vortrefflicher Stil beweist, dass sie im ersten Jahrhundert n. C. aufgeführt wurden; die capitolinischen Fasten, Verzeichnisse der Consulate und übrigen höchsten Aemter, so wie der Triumphe, welche daneben entdeckt wurden, machen es höchst wahrscheinlich, dass dort ein offentlicher, mit dem bürgerlichen Leben verbundener Bau stand. Die Vermuthung Niebuhr's, dass dies die Curia Julia gewesen sey, ist daher von vorn herein sehr ansprechend. Cäsar hatte namlich, wie schon erwähnt, die Curie nicht an der alten Stelle aufzubauen beschlossen, weil er auch die Rostra nicht dort liess, wo sie früher gewesen waren, sondern mehr in die Mitte des Platzes verlegte, eine Massregel, die nach Aufhebung des Unterschiedes zwischen Comitium und Forum sehr zweckmässig erscheinen musste. Augustus war es vorbehalten, den nach dem Tode seines Adoptivvaters von den Triumvirn beibehaltenen Plan auszuführen. Er vollendete die Julische Curie im J. 29 v. C. Es würde also sehr passend seyn, sie an die Stelle der drei Säulen zu setzen, um so mehr, da sie nach dem Zeugnisse der Alten nahe bei dem Comitium (nach Dio Cassius daneben) lag. Indessen ist dabei eine Schwierigkeit. Nach der Notitia lag die alte Curie in der 10ten Region, welche vom Palatin ihren Namen erhielt; das Forum aber gehörte zur 8ten; folglich muss zwischen diesem und der alten Curie eine Strasse gelegen haben. Die alte Curie kann aber keine andere seyn, als die Julische, welche nach der Erbauung eines neuen Saales für den Senat, das Secretarium Senatus, das nach der Salita di Marforio zu lag, im J. 425 v. C. zur Unterscheidung von dieser neuen so benannt wurde. Die drei Saulen, welche am Forum liegen, können also zur Curia Julia selbst nicht gehört haben, indessen standen sie wahrscheinlich dennoch damit in Verbindung. Ein Chalcidicum und ein Minerventempel gränzten nahe daran, und diese lagen am Forum, so dass das Chalcidicum, eine Vorhalle oder Terrasse, zur Curie gehorte. Bunsen vermuthet daher, dass die Curie jener grosse viereckte Bau aus Ziegelwerk sey, welcher am Fusse des Palatins noch fast ganz erhalten ist, und von dort eine Brücke über den Minerventempel zu der Terrasse des Chalcidicums fuhrte. Demnach gehörten die drei Säulen zu der Reihe, welche den Tempel selbst umgab, oder zum Chalcidicum. Diese Vermuthung ist zwar nicht zu beweisen, jedenfalls aber die wahrscheinlichste von den verschiedenen Annahmen über jene Reste. Nibby hält in seinem letzten Werke (Roma nel 1838. Vol. II. p. 71), worin überhaupt manche Meinungen Bunsens stillschweigend

angenommen, so wie viele von den zuerst von Bunsen benutzten
Stellen angeführt werden, ebenfalls jener Saal am Palatin für die
Curia Julia, die drei Säulen aber fur die Graecostasis, die doch
nach der Ordnung, worin sie in der Notitia aufgeführt wird, links
von der Basilica Julia liegen musste. Der Tempel der Minerva
macht Nibby'n keine Schwierigkeit, indem er vorzieht, ihn mit
Stillschweigen zu ubergehen.

5) Tempel der Vesta nebst den angränzenden Amtswoh-
nungen der Vestalinnen und mehrerer hohen Priester, der sogenannten Regia. Der Vestatempel lag am Ende des Platzes, wo
jetzt die Kirche S. Maria Liberatrice steht.

An der schmalen ostlichen Seite befand sich ein Tempel
des Julius Cäsar, von Augustus erbaut, dessen Vorderseite nach
dem Capitol hingewendet war. Davor erhoben sich die Julischen
Rostra, eine Rednerbühne, welche neben der Volksredner-
bühne gebraucht wurde. Diese selbst aber stand nicht mehr auf
dem Comitium, da sie seit dem Brande der Curia Hostilia auf das
eigentliche Forum in die Nähe des Castortempels verlegt war.

An der nördlichen Längenseite ist das erste Gebäude der
Tempel des Antoninus und der Faustina, dessen Pronaos
und ein Theil der Cella wohl erhalten sind und an ihrer Stelle
beschrieben werden. Darauf folgte an der Stelle der alten Curie
der Tempel der Felicitas, welchen Lepidus auf Cäsars Be-
trieb erbaute, und dann die grosse Basilica des Paullus, die
bis an S. Adriano reichte.

Die westliche Seite unter dem Capitol ist durch die neuen
Ausgrabungen aufgedeckt worden. Zunachst an den Bogen des
Septimius Severus lehnten sich die Reste des Milliarium Aureum
oder des goldenen Meilenzeigers, welchen Augustus am Anfang des
Forums errichtete, und worauf er sämmtliche Heerstrassen, ihren
Ausgangspunkt aus einem der alten servianischen Thore, ihr Ende
und ihre Länge verzeichnete, ähnlich, wie die neuere Saule,
welche vor Neapel auf der Strasse nach Reggio steht. Das Milliarium Aureum war ein besonders verzierter Meilenstein, d. h. ein
mit vergoldeter Bronze bekleideter Saulenschaft auf einer dreifach
abgestuften runden Basis mit Ziegelbekleidung. Von der Säule
selbst fand sich ein betrachtliches Stuck, im Durchmesser von
4½ Fuss, von feinem Marmor, aber rauh gelassen und mit Lochern
versehen, worin die Bronze befestigt wurde. Daran schliesst sich
in einer allmählig sich biegenden Curve eine ziemlich grosse Anlage, 15 Fuss hoch über dem Pflaster des Forums, mit Marmor
bekleidet, so dass die kleinen Pfeiler, welche die Bekleidung
schmücken, aus Marmor von verschiedenen Farben bestehen.
Das Ganze hat in seinem jetzigen Zustande etwa 10 Fuss Höhe;
eine Brustwehr war jedenfalls ausserdem noch vorhanden. Dieser

eigenthümliche Bau, die Rostra der spätern Kaiserzeit, sowohl von den republicanischen als den Julischen zu unterscheiden, ist erkenntlich in einem schlechten Relief des Constantinsbogens, wo der Kaiser zu dem versammelten Volke spricht. Es ist nämlich unläugbar, dass sich die spärlichen Reste des offentlichen Lebens, welche sich fast ganz auf Prunkzuge, Festreden und gelegentliche Anreden popularer Kaiser beschränkten, an den Fuss des Capitols zogen, und der grossere Theil des Forums entweder leer blieb oder sich mit prächtigen Ehrensäulen und Standbildern fullte. Zu diesen gehoren die Reste vor der Basilica Julia: zuerst die Phocassäule, welche besonders beschrieben werden wird, und davor drei grosse Basen von Statuen, welche jetzt, da die Marmorbekleidung fehlt, in ihrem unerfreulichen Ziegelwerke ziemlich dürftig aussehen. Bei weitem das stattlichste Denkmal war aber etwas weiter zurück, wo der Lacns Curtius in einem Altare das Andenken von Curtius Opfertode erhielt, das Reiterbild des Domitian, den Rhein unter den Hufen des Pferdes, welches von dem Dichter Statius in einer ausfuhrlichen Beschreibung auch der Umgebung so besungen wird, dass seine Verse der Probierstein fur die Richtigkeit der verschiedenen Systeme über das Forum geworden sind. An dem Fusse des Clivus aber gingen die öffentlichen Handlungen vor, und deshalb wurde auch der Senatssaal unter dem Namen Secretarium Senatus an die Stelle von S. Martino in die Nachbarschaft des beruhmten Janustempels verlegt, und hier erhielt sich noch einiges Leben in der alten Verfassung und Religion, als die Glieder selbst in der Stadt schon abgestorben waren, z. B. wahrend des gothischen Krieges. Heute ist nichts davon erhalten, indessen sind in der Nahe noch einige Trummer einer Basilica sichtbar, welche fur die Wechsler und Bankiers bestimmt war, übrigens zu einer unbekannten Zeit erbaut wurde, der Basilica argentaria. Es ist dies eine sehr ansehnliche Reihe von Bögen aus prächtigen Quadern, welche einem grossartigen Gebäude von wenigstens drei Stockwerken zugehörten, und befindet sich in den Hofen der linken Seite der Via del Ghettarello und im Garten der Osteria in der Via della Salita di Marforio. Der Bau, wozu sie gehören, war eine Reihe von aneinanderstossenden, vorn geoffneten und gewölbten Gemächern, den Buden jener Wechsler, argentarii, welche die Basilica begranzten.

§. 10.

Die Kaiserfora.

Bei der Menge von Prozessen in Rom reichten die zu den Gerichtsverhandlungen, so wie für die Notarien und Schreiber am

Forum bestimmten Räume nicht mehr aus; und Cäsar war der
Erste, welcher durch eine grossartige Anlage diesem Mangel ab-
half und durch sein Beispiel eine Reihe von Gebäuden hervorrief,
welche, das Marsfeld ausgenommen, alle ubrigen an Pracht übertraf. Die Kaiserfora waren nicht etwa, wie das römische Forum,
freie Platze fur Volksversammlungen; denn diese wurden bald
auch auf dem alten Forum nicht mehr gehalten, sondern mit
Mauern umschlossene Räume, welche an den Seiten Buden für
Notarien, eine Tribune für Richter, und in der Mitte einen Tempel
enthielten, zu dessen Seiten fur Spaziergänger Platz blieb. Unter
ihnen war das erste das Forum Julium oder Cäsars, dessen
Mitte ein Tempel der Venus Genetrix einnahm, welchen
Cäsar vor der Schlacht bei Pharsalus gelobt hatte. Sowohl von
ihm als von der Umfassungsmauer sind einige Reste erhalten. Zu
der Cella des Tempels gehörte eine Mauer in der Torre de' Conti,
wozu der Eingang von der hintern Seite des Thurms in ein Heu-
magazin fuhrt. Sie besteht aus gewaltigen Peperinsteinen von der
vollkommensten Bauart, ist 3½ Fuss dick und jetzt noch ungefahr
30 Fuss hoch. Noch zeigt sie die Spuren von ehernen Nageln,
welche die Bekleidung hielten. Von einem vortrefflichen Marmor-
pflaster entdeckte man im Jahr 1833 innerhalb des Thurms verschiedene Reste. Zu der Umfassungsmauer, woran sich die Buden
der Schreiber lehnten, geboren die sogenannten Colonnacce
an der Via Alessandrina, die man gewohnlich dem Forum des
Nerva beilegt, die aber nicht, wie dessen Umfassungsmauer hinter
SS. Cosma e Damiano aus Tuff-, sondern, wie die Tempelmauern
in Tor de' Conti aus Peperinquadern bestehen, auch mit diesen
vollkommen parallel laufen. Diese sind allerdings auch mit dem
Forum Nervas verbunden worden, aber von diesem nur benutzt,
nicht erbaut worden. Man sieht noch jetzt, dass sich in der Mauer
hinter den beiden Säulen, welche der Ruine ihren Namen gegeben
haben, eine Thür befand. Sie selbst liegt unter dem heutigen
Pflaster, indessen ist sie durch einen scheitrechten Bogen, der
sich wenig über dem heutigen Pflaster erhebt, hinreichend bezeichnet und, da sie zwischen den beiden Saulen nicht symme-
trisch angebracht worden ist, offenbar älter als diese. Als Nerva
sein Forum zu bauen beschloss, bediente er sich der schon vorhandenen Mauer, um daran links das seinige anzulehnen, vermauerte jene Thür und verzierte die Mauer durch die noch vorhandenen Anlagen. Diese sind zwei korinthische geriefelte Säulen
von carrarischem Marmor, 14 Palmen im Durchmesser, und, soweit
sie aus der Erde hervorragen, 42 hoch. Das Gebälk dieser Saulen
ist in einem rechten Winkel auf die Mauer geführt und lauft in
ihrem Zwischenraume fort. Naturlich ging es weiter rechts
fort, und der Ort einer dritten Säule ist in der That durch

Ausgrabungen bestimmt worden. An der Attika über dem Gebälke befindet sich in der Mitte zwischen den Säulen eine Basrelieffigur der Minerva, am Friese desselben viele, leider sehr zerstörte Reliefs von ausnehmend schöner Arbeit, welche verschiedene unter dem Schutze der Gottin betriebene häusliche Arbeiten darstellen. Beide Vorstellungen weisen auf Minerva hin, und ihr war das ganze Forum Nervas gewidmet. Im sechszehnten Jahrhundert stand, durch einen breiten Weg von den Colonacce getrennt, der Tempel der Minerva noch ziemlich wohlbehalten. Wie er in einem alten Kupferstiche von Du-Peyrac erscheint, war es ein Prostylos, d. h. mit einer Saulenreihe vor der Cella, und von korinthischer Ordnung. Von dem Portal oder Pronaos, das 6 Säulen in der Front, und je 3 in der Tiefe hatte, standen in Allem 7 Säulen, mit einem Theile des Gebalks, dessen Inschrift den Namen Nervas zeigte, und theilweise die Mauer der Cella, welche mit Pilastern verziert war. Dieser Tempel ging senkrecht auf eine der erhaltenen ähnliche Umfassungsmauer aus, welche durch ein Thor und eine daneben liegende Thür mit den Strassen dahinter in Verbindung stand und rechtwinkelig an die Fortsetzung der Colonacce sich anschloss. Diese ganze beträchtliche Ruine war durch Brand beschädigt, und unter diesem Vorwande liess Paul V. die Säulenhalle abtragen, den Marmor zersägen und zur Verzierung des grossen Brunnens von Acqua Paola verwenden. Durch die gleichzeitig angelegte Via Alessandrina wurde der Platz überbaut, und die Alterthumer spurlos vertilgt.

Von einer Erweiterung jenes Nervaforums durch Domitian, welcher nach den grossen Ziegelmauern zwischen SS. Cosma e Damiano und S. Francesca Romana hin ein fahrbares Forum (Forum transitorium) anlegte, ist nur die Umfassungsmauer zum Theil erhalten. Sie befindet sich hinter SS. Cosma e Damiano in einem kleinen Hofe, welcher als Holzspeicher dient, aus herrlichen Tuffquadern aufgefuhrt, zwischen welchen sich ein Durchgangsbogen aus Travertin, im Lichten 7½ Fuss betragend, befindet.

Aelter als diese beiden Fora und zum Theil wohl erhalten ist das Forum Augusts. Augustus wurde in seinem Plane, zur Erleichterung der Rechtsuchenden ein neues Gebaude aufzufuhren, durch die unmässigen Forderungen der Grundeigenthümer so beschränkt, dass er sein Forum unregelmässig machen musste. Diesen Uebelstand verdeckte nach innen die kolossale Umfangsmauer, vielleicht das grösste Werk seiner Art, die man zum Theil noch bei dem Arco de' Pantani, am Ende der Via Bonella sieht. Sie ist aus grossen, rustik behauenen Peperinblöcken in einer ungeheuern Höhe erbaut und durch ein Gesims von Travertin abgeschlossen, durch ein ähnliches in der Mitte unterbrochen, zwischen

$3\frac{3}{4}$—4 Fuss dick. Ihre Linie ist aus jenem eben angeführten Grunde ganz unregelmässig, längs der Strasse 144 Schritt lang. Ein grosser Bogen aus Travertin, der Arco de' Pantani, fuhrt durch dieselbe hindurch. Man ging, wie die Ausgrabungen eines neapolitanischen Architekten, Saponieri, gezeigt haben, auf Stufen zu ihm hinauf, es führte also keine fahrbare Strasse hindurch. Im Innern schloss sich die Mauer in zwei Halbkreisen, den Gerichtshallen, ab, wovon namentlich im Kloster dell' Annunziata Spuren sich finden. Augustus hatte diese mit Bildsäulen berühmter Manner verzieren lassen, deren Muster er zur Nacheiferung aufstellte. Der Hauptschmuck des Forums im Innern war der grosse Tempel des Mars Ultor (des rachenden Mars), welchen der Kaiser vor der Schlacht bei Philippi, welche die Manen seines Adoptivvaters rachen sollte, gelobt hatte. Ihm gehoren jene prächtigen drei Säulen an, die man noch dort sieht. Sie stehen rechts vor einer Cellenmauer, sind geriefelt und von korinthischer Ordnung, aus carrarischem Marmor und in dem allervollendetsten Stile, nebst jenen drei auf dem Forum die schönsten in Rom. In der Höhe messen sie 72 Palm, im Durchmesser 24.

Aber alle diese Anlagen übertraf das weltberühmte Forum Trajans, ein wahres Wunder der Kunst und Pracht, welches der Kaiser nach dem dacischen Siege, wahrscheinlich zwischen den Jahren 111 und 114, auffuhrte. Dieser Ruhm, verbunden mit dem gewaltigen Zeugen desselben, der Trajanssaule, und den sichern Haltpunkten, welche die unter der französischen Regierung dort värgenommenen Ausgrabungen gewähren, hat manche Gelehrte und Architekten veranlasst, das Forum herzustellen. Bei der Verschiedenheit ihrer Annahmen ist es am Räthlichsten, hier nur das ganz Ausgemachte zu geben und, was die ziemlich erhaltenen Werke betrifft, auf die Beschreibung im Verlaufe des Buches zu verweisen. Trajan war bei seiner Anlage, dem Meisterwerke des griechischen Baumeisters Apollodorus, durch die Beschaffenheit des Bodens sehr beschrankt. Der capitolinische und quirinalische Hugel liefen, wo er bauen wollte, so allmählig aus, dass sie mit ihren Wurzeln fast zusammenstiessen. Die erste Aufgabe, und nicht die leichteste, war also, beide Hugel so weit abzutragen, dass eine Fläche zwischen ihnen gewonnen wurde. Dieses erstaunliche Werk würde uns ganz unbekannt geblieben seyn, wenn nicht die Inschrift der Trajanssäule aussagte, dass der Senat sie errichtete, »um zu bekunden, ein wie hoher Berg und Platz fur so gewaltige Werke ausgegraben sei.« Buchstäblich ist dieses Zeugniss gewiss nicht zu nehmen, wie es von verschiedenen Gelehrten geschehen ist; denn da die Fläche des Capitells der Säule nach Schouw 153,7 Fuss über dem Meeresspiegel sich erhebt, die dem Trajansforum am nächsten liegende Spitze des Quirinals, im

Garten Colonna und Villa Aldobrandini, 159,2, der Boden der
Kirche Ara Celi, d. h. die höchste Spitze des Capitols, gar nur
151, so wurden wir Trajan fur unsinnig halten müssen, wenn er
es unternommen hätte, einen Berg abzutragen, der höher gewesen
wäre als die höchste Spitze des Capitols; und die Stadt Rom wäre
vor ihm blind gewesen, wenn sie nicht gesehen hätte, dass sich
zwischen dem Capitol und Quirinal noch ein achter Hügel erhob,
in einer Ausdehnung von ungefahr 1100 Fuss! Denn dass das Forum Trajans nicht etwa früher einen Theil des Quirinals ausmachte, und von diesem ein so bedeutendes Stück abgetragen
wurde, beweist die ganz verschiedene Steinart. Der Quirinal besteht aus Bröckeltuff, das Forum Trajans sowohl als die übrige
Ebene in Rom aus Thon. Und dieser Unsinn wird mit feierlichen
Worten von Nibby, Melchiorri berichtet, ja das Missverstandniss
ist so alt als das dritte Jahrhundert n. C.; denn Dio Cassius erzahlt dasselbe. Wenn wir nicht annehmen wollen, dass die Angabe jener Inschrift ganz unbestimmt sey, so mussen wir nicht
die Hohe der Saule, sondern die Basis fur das Mass der abgetra-
genen Erhöhungen halten, und dies, uber 20 Fuss, ist immer
noch bedeutend genug. Mit der beengten Lage zwischen zwei
Hugeln hing die ganze Einrichtung des Forums zusammen. Nach
beiden Seiten war zuerst das Erdreich zu stutzen. Dies geschah
zunachst durch zwei halbrunde Bauten, welche an beiden Seiten
des Forums noch erkenntlich sind. Es sind dies zwei grosse
Mauern, ursprunglich bestimmt, die weggenommene Erde zu ersetzen und die Flache des Forums gegen die Hügel zu sichern,
dann andere Gebaude daran zu lehnen. An der Seite des Quirinals sind dies die gewohnlich mit Unrecht genannten Bagni di
Paolo Emilio, ein Name, welcher aus der Benennung des Auf-
gangs zum Quirinal Magnanapoli entstanden ist. Die Strasse heisst
eigentlich Bagnanapoli und im Mittelalter Ballaneapolis. Weil
nun bei Juvenal Bader des Paullus (Balnea Paulli) vorkommen, so
hat man sie hieher verlegt und auf den berühmten, aber gewiss
viel ältern Aemilius Paullus bezogen. Jene Reste, zu welchen
man von der Strasse neben der Kirche Campo Carleo gelangt,
bestehen aus einer grossen Ziegelmauer, welche den Berg stutzt,
mit einer Menge kleiner Gemächer nach vorn, die ihr Licht nur
durch die Thur empfingen und an eine Strasse granzen. In dieser
sind Spuren von Wagengleisen zu bemerken, die Bauten gehören
also eigentlich nicht mehr in das Forum. Jene Gemacher steigen
allmahlig auf, uud eine wohlerhaltene Treppe führt nach einem
obern Stockwerke. Von Badern ist keine Spur. Im Mittelalter
hiessen jene le Milizie, und davon der benachbarte Thurm Tor
delle Milizie. Es ist also sehr wahrscheinlich, dass wir hier·
eine Kaserne und einen Wachtposten vor uns haben. Die

vortreffliche Arbeit des Gemäuers stimmt mit der kunstreichen Zeit Trajans überein. Auch auf der gegenüberliegenden Seite am Capitol ist eine ähnliche Anlage zu bemerken, und nach Caninas Angaben hat der französische Architekt, Hr. Morey, in der Strasse alle Chiavi d'oro die Keller der Häuser untersucht und von einer ähnlichen Substruction eine Reihe von kleinen Gemächern entdeckt, welche er für Gefängnisse hält.

Auch die Basilica Ulpia, das Hauptgebäude des Forums, nahm des beschränkenden Terrains wegen eine etwas veränderte Gestalt an. Da sie quer über das Forum in der Breite gelegt war, so kam die Tribune an den Abhang des Quirinals zu liegen, wogegen sie zugleich der künstlichen Flache des Forums als Untermaurung diente. Eine ähnliche Untermaurung hätte auch den capitolinischen Hügel stützen müssen und dahinter nach der gewohnlichen Bauart der Eingang der Basilica sich befunden. Dies hätte aber den doppelten Uebelstand gehabt, dass 1) die Fronte des Prachtgebäudes durch eine solche Mauer zum Theil verdeckt gewesen wäre, und 2) dass von dem höher liegenden Pflaster der alten Strasse am Bergabhange man mehrere Stufen hinunter zu steigen gehabt hätte. Aus jener nothwendigen Untermaurung machte daher Apollodorus eine zweite Tribune, so dass in einem Gebäude von zwei Tribunalen zugleich Recht gesprochen werden konnte, und verband diese durch das Langenschiff der Basilica. Natürlich musste nun der Eingang von der Seite her seyn: der Haupteingang war von der nach Campo Carleo hingewendeten Seite und bestand aus drei sehr geschmückten Portalen, wovon die Reste noch erkennbar sind. Ihnen entsprachen an der gegenüberliegenden Seite drei andere, welche einfacher gewesen zu seyn scheinen. Die Basilica war von einem sehr grossen Umfange, ungefahr so gross wie die Paulskirche, 600 Fuss lang und gegen 200 breit. Namentlich war das Mittelschiff von einer beträchtlichen Breite, so bedeutend wie die übrigen 4 Längenschiffe zusammen. Da von derselben der Grundplan, so wie eine betrachtliche Zahl von Säulentrümmern aufgedeckt ist, so verweise ich in Hinsicht des Einzelnen auf die an ihrem Orte zu gebende Beschreibung des jetzigen Zustandes.

Auch die Säule Trajans wird eine abgesonderte Beschreibung erhalten. Sie hatte die Bestimmung, dem gcossen Kaiser auch als Grabessäule zu dienen. Die Thure zu der Grabkammer, welche leer gefunden wurde, liess Sixtus V. wegen eines eihgetretenen Risses vermauern. Die Saule erhob sich in einem 76 Pariser Fuss langen, 56 breiten Hof; er wurde von der Mauer der Basilica und an den übrigen 3 Seiten von einer Halle gebildet, deren Säulenbasen grösstentheils noch stehen. Von den bis jetzt erwähnten Bauten ist die Bestimmung so gut wie ausgemacht; im Uebrigen

herrscht eine grosse Verschiedenheit der Meinungen unter den
Forschern, welche sich besonders um die Frage dreht, wo der
Tempel Trajans gelegen habe. Bunsen setzt ihn zweier Münzen
wegen, wo er ihn vorgestellt glaubt, auf den freien Platz vor der
Basilica, indem er annimmt, dass man von dem Forum Augusts
zu bauen angefangen habe. Hier fand man allerdings Trummer
eines Triumphbogens, welcher, zwischen den Jahren 112—114
n. C., den Eingang des Forums schmuckte. Jene Münzen, worauf
ein Tempel vorgestellt wird, fallen zwischen 106 und 111, und
desshalb hält es Bunsen für unwahrscheinlich, dass er hinter der
Säule, d. h. am andern Ende des Forums gelegen habe. Hier
zeugen nämlich mannichfache Spuren fur das Daseyn eines der
ungeheuersten Tempel in Rom, welcher sich unter dem Palast
Valentini hin bis zum Anfange des Platzes de' SS. Apostoli erstreckte,
namentlich das Stuck eines granitenen Säulenschaftes, welches
neben der Säule liegt und nicht weniger als 6 Fuss im Durchmesser hat, jetzt das einzige, wahrend verschiedene andere fruher
gefunden wurden. Diesen letztern Tempel nennt Bunsen ein Heiligthum Hadrians. Wir lassen die Sache unentschieden, dürfen
aber nicht verhehlen, dass von jenem ersten Tempel Trajans bei
den Ausgrabungen keine Spuren entdeckt worden sind. Mit dem
Tempel Trajans waren zwei Bibliotheken, eine lateinische und
eine griechische, verbunden, die Bunsen folgerecht zu beiden Seiten des freien Platzes, Andere zu beiden Seiten der Saule legen.
Dass hier Nebengebäude sich befanden, ist augenscheinlich, indem
von dem rechts der Saule gelegenen noch einige Mauerstücke in
Ziegelbau erhalten sind, mit den Spuren einer Treppe, welche
vielleicht später aufgeführt wurde. In ihnen sieht Bunsen mit einer
zwar nicht hinreichend beglaubigten, aber geistreichen Hypothese
die Tempel von Trajans Adoptivvater Nerva und seinem naturlichen, die übrigen Gelehrten beide Bibliotheken.

Beinahe anderthalb Jahrhunderte hindurch wurde kein neues
Forum aufgeführt, bis Maxentius ein Gebäude errichtete, welches
grossentheils erhalten ist und an seiner Stelle beschrieben werden
wird. Da, wo nämlich Vespasianus nach seinem jüdischen Siege
einen grossen Tempel des Friedens gebaut hatte, befand sich nach
einem verheerenden Brande unter Commodus eine wüste Statte,
welche nahe an das römische Forum gränzte. Maxentius setzte
dorthin eine gewaltige Basilica, deren stattliche Trummer den
Raum zwischen SS. Cosma e Damiano und S. Francesca Romana
einnehmen. Das Ganze führte den Namen: Forum des Friedens und bestand ausser jener Basilica aus einem freien Platze,
dessen Pflaster zum Theil jetzt offen liegt.

§. 11.

Der Palatin.

In seinem jetzigen Zustande ist der palatinische Hügel eben
so anziehend fur den Antiquar durch die Menge der auf ihm zerstreuten Ruinen, als er durch die traurige Zerstorung und Ver-
odung es schwierig macht, dieselben bestimmten Gebäuden zuzuweisen. Manche haben zwar angenommen, alle jene Mauerstücke
gehörten zu dem einen kaiserlichen Palast, und danach unternommen, diesen als das Werk eines Bauplans herzustellen. Dies
ist aber vollkommen unzulassig, weil die einzelnen Kaiser nach
einander oft an verschiedenen Theilen des Hügels bauten und
dazwischen nicht allein für verschiedene Tempel, sondern auch
fur eine grosse Zahl von Privathäusern Raum liessen. Da eine
kritische Erorterung über den Zustand des Berges im Alterthume
um so weniger hieher gehört, als sie mehr negative als positive
Resultate liefern wurde, so beschränken wir uns auf die mit einiger
Sicherheit festzustellenden Hauptpunkte und auf die Namhaft-
machung der bedeutendsten Trümmer.

In der ältesten Zeit fuhrten, wie §. 1 angegeben worden ist,
von dieser Wiege des römischen Volkes drei Thore in die Ebene
hinunter. Spater baute man an den Abhang des Hügels mehrere
Tempel, einen des **Juppiter Stator**, nach dem Forum zu,
wahrscheinlich zwischen S. Maria Liberatrice und dem Titusbogen,
einen runden des **Romulus**, auf dessen Stelle wahrscheinlich jetzt
die Kirche S. Teodoro steht u. a. m. Von den Steigen, welche
auf den Berg führten, waren die wichtigsten derjenige, welcher
von der Höhe der heiligen Strasse, da wo sie die Landzunge
Velia überschritt, d. h. vom Titusbogen (wie Ambrosch gezeigt
hat, nicht mit Bunsen Clivus sacer zu nennen) und der Clivus
Victoriae, der von der entgegengesetzten Seite, etwa von S.
Anastasia aus, zu einem Tempel der Victoria hinauf fuhrte.
Oben wohnte unter andern ausgezeichneten Männern z. B.
Cicero, auch Augustus, sehr bescheiden, und keineswegs pracht-
voller als alle vornehmern Privatleute. Indessen wurde, nachdem ein Blitz seine Wohnung zerstört hatte, durch freiwillige
Beiträge der Burger ihm ein ansehnlicherer Palast, die Domus
Augustana, hergestellt, und dieser auch **Palatium** genannt; es
befand sich dabei ein **Tempel des Apollo** mit einer berühmten
Bibliothek. Das Ganze lag nach der Via sacra hin, d. h. nach
der Strasse, welche unter dem Titusbogen durch auf das Forum
zuführte, wie weit vom Forum entfernt, ist freilich unsicher, doch
scheint das Haus mehr die Mitte des Hugels eingenommen zu
haben. Verschieden davon war der **Palast des Tiberius** (Domus

Tiberiana), welcher nach dem Velabrum zu lag, folglich nach S. Anastasia hin einen Ausgang hatte. Da aber die Bibliothek zuweilen auch mit seinem Namen in Verbindung gebracht wird, so ist es wahrscheinlich, dass er wenigstens nahe an den Tempel Apollos reichte. Die folgenden Kaiser fuhren fort, auf dem Hügel zu bauen. Caligula brachte seine Wohnung gar mit dem Capitol in Verbindung, indem er Brucken auf die Dächer der Tempel am Forum legte. Neros goldenes Haus nahm nicht allein den Rand des Palatins, sondern auch die Tiefe, worin sich später das Colosseum erhob, ein und erstreckte sich bis zu den Gärten des Macenas auf dem Esquilin. Nach seinem Tode wurde es aber grösstentheils abgebrochen, und wahrscheinlich sind ausser einigen Ziegelmauern, welche bei den Thermen des Titus beschrieben werden sollen, die kleinen Kammern und Mauern, welche zwischen dem Titus- und Constantinsbogen rechts von der Strasse liegen, die einzigen, obgleich nicht unveranderten, Ueberbleibsel seiner Bauten. Nach ihm bauten Domitian, Septimius Severus, Elagabal, Alexander Severus und vermuthlich noch mehrere Kaiser zu so verschiedenen Zeiten an den Kaiserpalasten fort, besonders nach dem im J. 191 n. C. unter Commodus eine grosse Feuersbrunst auf dem Palatin gewüthet hatte, dass es unmöglich ist, die zahlreichen Ruinen mit Sicherheit einer bestimmten Anlage zuzuweisen. Von den verschwundenen Bauten war das betrachtlichste das Septizonium von Septimius Severus, welches bis auf Sixtus V., von welchem es abgebrochen wurde, der Kirche S. Gregorio gegenüber stand. In den ältesten Ansichten von Rom zeigt dies Gebaude drei Reihen von Granitsäulen übereinander, welche jede nicht in einer Linie stehen, sondern Vorsprünge bilden. Das Ganze war ein besonders verzierter, mit einer Halle versehener Eingang zum Palaste. Unter den erhaltenen Resten sind die einzigen, deren Gestalt noch ungefähr zu erkennen ist, folgende: zuerst verschiedene Kammern an der Via sacra, welche eben als Reste des goldenen Hauses von Nero angefuhrt wurden. In ihrer jetzigen Gestalt sind sie aber offenbar Bäder, da sie sich gegen den Berg hin an einen grossen Wasserbehalter anlehnen und eines, von der Form eines Halbkreises, noch die Spuren der Bleirohre, welche das Wasser hinein fuhrte, so wie dessen Ablauf zeigt. Da nun Elagabal offentliche Bader am Palatin baute, so ist die Vermuthung Nibbys nicht unwahrscheinlich, sie seyen hier zu erkennen. Dahinter zeigen sich links von der Via di S. Bonaventura Mauern, woran sich jetzt verschwundene Kammern schlossen. Da die Kanale, welche darin das Wasser aufnahmen, noch sichtbar sind, so ist zu schliessen, dass sie zu Cisternen dienten. Nach S. Bonaventura hin befindet sich ansehnliches, aber sehr zerstortes Mauerwerk, welches zum Theil in einer langen Linie fortläuft und daher offenbar

zu einem grossen Gebäude gehört, vielleicht der Diaeta (Saale)
von Alexander Severus, wenn nicht dem Neronischen Palaste
selbst. In den Farnesischen Gärten sieht man unter dem Casino
grosse Ruinen, welche wahrscheinlich dem Wohnhause Augusts
beizulegen sind, ferner,* wenn man von dem an der Via di S.
Bonaventura liegenden obern Eingange den kleinen Pfad links
nimmt, die Trümmer eines ungeheuern Saals mit zwei Neben-
salen, welche man sehr mit Unrecht die Bibliotheca palatina ge-
naunt hat, während diese sich in der Porticus des Apollotempels,
also nicht in grossen Wohnsälen befand. Die Ausdehnung der
Mauern ist noch zu erkennen: sie liefen 150 Fuss weit fort, der
mittlere Saal hatte 120 Fuss Breite. Als man im Anfange des
achtzehnten Jahrhunderts (1720—26) dort Nachgrabungen veranstaltete, entdeckte man den herrlichen Schmuck, womit der mittlere Saal versehen war. Der Fussboden bestand aus abwechselnd
viereckten und runden Marmorstucken; die 8 Nischen enthielten
20 Fuss hohe Basaltstatuen, mit 14 cannellirten Säulen, meist aus
Paonazzetto, deren Schaft 28 Palm hoch war. Von derselben Höhe
waren 2 Saulen von Giallo antico am Haupteingange. Diese war
von ungeheurer Hohe (die Pfosten 40 Palm), die Schwelle aus
griechischem Marmor, ein 16 Palm 10½ Unze langes, 8¼ breites
Stuck, womit der runde Hauptaltar im Pantheon gedeckt wurde.
Neben den Statuen standen in jeder der Nischen 2 Säulen, also
zusammen 16, ⅔ so hoch als jene, meist von Giallo antico. Der
Saal hatte ausser dem Haupteingange noch 6 Thüren. Die Wände
waren mit Marmorplatten bekleidet. Von den beiden daran stossen-
den Gemächern hatte das westliche, welches fast ganz unkenntlich
geworden ist, dem Eingange gegenüber eine Tribune; in dem
östlichen befindet sich eine Treppe mit doppelten Armen, wovon
der grossere zu den Ruinen in Villa Mills, der kleinere zu unterirdischen Kammern fuhrt, die durch mehrere hier gefundene thonerne
Amphoren als Weinkeller bezeichnet wurden. Schon dieser Umstand lässt auf die Bestimmung der Räume schliessen; sie waren
ohne Zweifel Prunk- und Speisesäle, insbesondere der mittlere.
Da nun die Capitelle von jenen 2 grossen Saulen aus Giallo antico
mit Trophäen geschmuckt waren, an denen man dorische Mützen
erblickte, und sowohl hierdurch als durch ihren Stil an die Zeit
Domitians erinnerten, womit auch die Ziegelbauten, deren Stempel den Namen der Flavia Domitilla zeigten, ubereinstimmen: so
halten wir Bunsens Meinung, jener Saal ruhre von Domitian her,
fur äusserst wahrscheinlich. Man kann aber auch seinen Namen
mit ziemlicher Gewissheit bestimmen. Der berühmteste Speise-
saal im Kaiserpalast (und der von Domitian ausgeführte wird von

* Aus Bunsen Beschr. v. R. Bd. III. Tbl. 1. S. 87 ff.

Martial ausserordentlich bewundert) hiess Coenatio Jovis, vermuthlich von einer darin aufgestellten Bildsäule des Juppiter. So wird also jene Ruine zu benennen seyn. Ihr Boden ist mit den Resten in Villa Mills gleich, und desswegen gehören auch diese wahrscheinlich zu dem Palaste Domitians. Hier befindet sich ebenfalls eine grosse Menge von Trummern, worunter nur die im Jahr 1775 von einem Abbé Rancoureuil entdeckten und ausgegrabenen, im hintern Theile jener Villa, einigermassen deutlich waren. Drei Zimmer sind offen gehalten und mit einer Treppe zum Hinabsteigen versehen worden, das Uebrige ist verschüttet. Sie gehoren zum untern Stockwerke, von dem obern, welches mit jener Coenatio den gleichen Boden einnahm, sind noch mehrere Mauerreste nach dem Circus hin erhalten. Diesen erkennt man in einer Vertiefung deutlich, eben so zwei tribunenartige Vorsprunge, zum Beschauen der Circusspiele bestimmt. Von diesen ist der eine rechts wahrscheinlich die kaiserliche Loge (Pulvinar). Auf der entgegengesetzten Seite des Casino nach dem Eingange der Villa zu, lagen wahrscheinlich die in morgenländischem Geschmacke angelegten adonischen Gärten (Adonaea) Domitians.

Ganz verschieden von diesen Bauten sind in den Farnesischen Garten die sogenannten Bäder der Livia. Der Name hat keine Autorität, ja man hat gefragt, ob es überhaupt Bäder waren und nicht vielmehr zu einer Privatwohnung gehört hatten, als sie in die Fundamente eines grossern Gebäudes aufgenommen wurden. Nibby erklärt wenigstens die Höhlungen in den Mauern, welche allgemein als fur Röhren bestimmt angesehen wurden, die den Badern Wasser zufuhrten, für Locher, die den Baugerüsten als Ansätze gedient hatten. Der anmuthigen Gemächer sind zwei, deren Gewolbe tiefer liegen als der Boden umher. Sie zeigen vortreffliches Mauerwerk aus Ziegeln, und auch in den Deckengemalden einen Geschmack, welcher auf die beste Zeit der römischen Kunst schliessen lässt. An dem Gewölbe des ersten Zimmers sieht man goldene Blumenverzierungen auf weissem Felde; in dem zweiten kleine mit Arabesken und gutgezeichneten Figuren geschmuckte Felder, theils in Gold auf himmelblauem, theils in Himmelblau auf goldenem Grunde.

An der dem Cälius zugewendeten Seite nimmt man Reste einer Wasserleitung wahr, bestehend in 6 Pfeilern aus Ziegel, welche Nero auffuhrte, um von der Aqua Claudia Wasser nach dem Palatin zu leiten.

In der Vigna des Collegio Inglese, wozu in dem Hause Nro. 64 in Via de' Cerchi der Eingang ist, gelangt man auf eine Terrasse, welche von hohen Bogengängen getragen wird und jetzt den imposantesten und malerischesten Theil der Kaiserpaläste

ausmacht. Diese in einer langen Linie sich erstreckenden Bogen-
gänge bestehen aus zwei Stockwerken, von welchen das untere
sein Gewolbe verloren hat. Das Ziegelwerk ist zwar gut, aber
vielleicht nicht so rein, als die vorher beschriebenen Gebäude.
Daher ist die Vermuthung Nibbys, dieser Theil sey von Septimius Severus erbaut worden, nicht unwahrscheinlich, besonders
da dieser Kaiser gerade den nach Süden gerichteten Abhang des
Palatins besonders verzierte, und das Septizonium ganz nahe bei
unsern Bogen lag. Von dem antiken Estrich sieht man oben noch
betrachtliche Stucke. Sowohl der prachtigen Aussicht wegen als
weil man von dort den unmittelbar darunter befindlichen Circus
Maximus überschaute, musste dieser Bau erwünscht erscheinen.
Dass man bei seiner Anlage besonders auf letztern Umstand Rücksicht nahm, beweist ein Ausbau der Terrasse, welcher, durch
zwei Bogenstellungen getragen, in den Circus hinaustritt. Hier
war die kaiserliche Tribune, mit zwei Nischen für Bildsäulen aus-
gestattet; dahinter befand sich ein Kabinett, wohin der Kaiser
sich zurückziehen konnte.

Der Circus Maximus, das älteste von jenen in Rom sehr
beliebten Gebäuden, worin die Wagenrennen gehalten wurden,
war von Tarquinius Priscns gebaut worden und nahm das Thal
zwischen dem Palatin und Aventin in einer bedeutenden Länge
ein. Er wurde seit Julius Cäsar häufig umgebaut und gehörte im
Mittelalter der Familie Frangipani. Ueber die Zahl von Zuschauern,
welche er fassen konnte, weichen Dionysius und Plinius, wenn
bei diesem die Lesart richtig ist, bedeutend von einander ab.
Nach jenem betrug die Zahl der Zuschauer 150,000, bei Plinius
260,000, indessen ist wahrscheinlich diese durch einen Schreib-
fehler um 100,000 zu gross geworden. Die ubrigen fabelhaft
grossen Zahlen, welche Melchiorri (S. 675) anfuhrt, haben gar
keine Autorität, indem jener Victor, den er anführt, unter-
geschoben ist, und in der Notitia gar nicht steht, was Melchiorri
daraus citirt. Trajan vermehrte die Sitzplatze um 5000. Ohne die
einschliessenden Gebäuden betrug die Länge des Circus 1875, die
Breite 625 römische Fuss. Diesen Raum durchschnitt theilweise
in der Lange eine Spina, d. h. eine sehr niedrige und schmale
Mauer, worauf Obelisken, Säulen, Altare und anderer Schmuck
angebracht war, und an deren beiden Enden die Metae, kegel-
förmige Saulen, den Anfangspunkt des Rennens und die Stelle
bezeichneten, wo die Wagen wenden mussten. Den Umkreis bildeten hinter einem Bache, Euripus genannt, 3 Reihen von Bogengängen, wovon die Sitzreihen getragen wurden. An dem Eingange befanden sich statt deren in einer krummen Linie gebaute
Schranken (Carceres), von wo die Wagen ausliefen. Am gegenüberliegenden Ende schloss sich der Circus in einem Halbrunde

ab. An beiden Seiten befanden sich Thore; an der Längenseite hatte der Kaiser einen besonders geschmuckten Sitz. Alles dies war beim Circus Maximus ausserordentlich reich; indessen ist von seiner Pracht, undeutliche Spuren am Fusse des Palatins und im Orto degli Ebrei ausgenommen, nichts erhalten als die durch das Terrain bestimmte Form, diese aber in der grössten Deutlichkeit. Er nahm die von der Via de' Cerchi durchschnittene Senkung zwischen dem Palatin und Aventin ein, die halbkreisförmige Rundung ist noch an der Ecke dieser und der vom Constantinsbogen herkommenden Strasse, wo jetzt eine Mühle steht, wahrzunehmen; die Carceres befanden sich bei S. Maria in Cosmedin. Dem Euripus entspricht die Marrana, ein Bach, welcher jetzt durch das Thal des Circus fliesst. Die in der Umgegend des Palatins, sowohl nach dem Forum, als dem Cälius zu gelegenen Bauten sind grösstentheils ziemlich wohl erhalten und werden in der Beschreibung der erhaltenen Gebaude ihren Platz finden.

§. 12.

Der Aventin.

Unter diesem Namen haben verschiedene ältere Topographen die ganze Hugelreihe begriffen, welche sich südwestlich von der Tiber bis zu der Porta S. Sebastiano hinzieht, offenbar mit Unrecht. Denn derjenige Hugel, worauf die Kirchen S. Saba und S. Balbina stehen, gehörte gar nicht in das alteste Rom innerhalb der Servianischen Mauern, sondern wurde erst von Aurelian zur Stadt gezogen. Der Aventin ist nur die Hohe der Kirchen S. Alessio, S. Sabina und des Priorato di Malta. Er war zur Zeit der Republik von besonderer Wichtigkeit, indem er, ausserhalb des Weichbildes befindlich, als Burg den Plebejern diente und von diesen angebaut wurde. Auch in den Kaiserzeiten wurde viel auf ihm gebaut, wie denn namentlich Trajan dort mehrere Anlagen machte und einen Arm der Aqua Claudia unter dem Namen Aqua Traiana dorthin fuhrte. Auch sind zu verschiedenen Zeiten dort Alterthumer gefunden worden, welche auf eine grosse Pracht der dortigen Bauten schliessen lassen, und noch jetzt sind die Abhänge des Berges, so wie einzelne Theile auf seinem Rücken mit Ruinen bedeckt; indessen sind diese so zerrissen, und die Angaben der alten Schriftsteller über die öffentlichen Gebäude daselbst so dürftig, dass es sehr schwer ist, ein anschauliches Bild des Hügels zu entwerfen. Wir beschränken uns also darauf, die bedeutendsten Bauten namhaft zu machen und die ansehnliehsten unter jenen Resten zu bezeichnen. Namentlich nach der Flussseite war der Berg theils von Natur jäh abschüssig, theils durch Kunst zu einer Festung abgeschrofft, so dass der Rücken, worauf die Kirche S. Sabina liegt, steil uber der Ebene hervorragte. Von diesem Zustande kann man an zwei Stellen sich einen Begriff machen: in der sogenannten Villetta, rechts über der Kapelle der heil. Anna und der Kapelle S. Lazzaro bei der sogenannten Cacushöhle. Nur eine Fahrstrasse führte von dem Thale des Circus Maximus hinauf, der Clivus Publicius, welcher etwas rechts von dem heutigen Aufgange bei Vicolo della Greca lag. Man fand davon im J. 1820 in der Vigna Gmelin, etwa 80 Schritte von dem Eingange entfernt, ein Stuck des alten Pflasters mit grossen Unterbauten von Peperin. An demselben lagen die Tempel der Flora und der Venus, jener jedenfalls am Abhange des Hügels nach dem Circus Maximus. Drei Tempel waren die berühmtesten der auf dem Aventin befindlichen Heiligthumer: der Dea Bona, der Diana und der Juno geweiht. Von dieser lag der erste, welcher durch jährliche Opfer der Frauen ausgezeichnet wurde, wahrscheinlich an der Gränze des Hügels nach S. Saba hin. Wenigstens spricht dafür die Stelle, welche der von Hadrian unter dem alten erbaute Tempel einnahm, nach der Notitia an der Gränze der 12ten Region, wozu der Hugel von S. Saba gehörte. Der von Camillus nach der Eroberung von Veji gebaute Tempel der Königin Juno befand sich ohne Zweifel oben am Clivus Publicius, da die feierliche Procession zu demselben, welche Livius beschreibt, von der Tiber über das Forum weg den Clivus Publicius zu ihm hinaufstieg. Noch älter war der Tempel der Diana, welchen Servus Tullius als lateinisches Bundesheiligthum erbaute. Er lag auf der höchsten Spitze des Hügels, aber so, dass man von dort den Circus überschaute, also ungefähr in der Gegend von Vigna Specchi oder Cavalletti. Daneben befanden sich die Bäder des Sura, ebenfalls nach dem Circus gewendet. Sowohl hierdurch als durch den Lauf der Wasserleitung, welche sie versorgte, wird es ausserst wahrscheinlich, dass die zahlreichen Trümmer in Vigna Cavalletti diesen Bädern zugehören. Sie bestehen in Spuren von grossen Bögen, wovon einer an der Kirche S. Prisca bemerklich ist, so wie in einer Menge von Gemächern und Gängen, zum Theil von schlechter Bauart. Die Thermen des Decius werden mit grosser Wahrscheinlichkeit nördlich von S. Prisca in Vigna Andreani und deren Nachbarschaft verlegt, wo früher sehr bedeutende Trümmer ganz die Form von Thermen zeigten. Die bedeutendste Strasse war der Vicus Armilustri, welchem nach einer Inschrift, die man bei S. Alessio fand, die heutige Strasse vor jenen Kirchen ziemlich entspricht. Man feierte dort jährlich das Fest des Armilustrium mit kriegerischen Tänzen. Auf dem Rücken des Aventins standen sonst keine ausgezeichneten Gebäude, wenn nicht der

Tempel der Libertas, zu dem der Clivus Publicius führte, oben lag. Wir betrachten daher jetzt die Abhänge des Berges. An der Flussseite sind zuerst einige jetzt verschwundene Denkmäler zu nennen, welche bei dem Arco della Salara standen, wo sich auch die alten Salinae befanden. Es sind die 2 Bögen, wovon der eine, aus Travertin aufgefuhrt, erst im 16ten Jahrhundert zerstört wurde. Es war nach der Inschrift von den Consuln P. Lentulus Scipio und T. Quinctius Crispinus im Jahre 7 n. C. gebaut worden und diente wahrscheinlich den Salinae als verzierter Eingang. Der andere, ebenfalls bei der Salara, war von dem Stadtvolke dem Germanicus und des Tiberius Sohne Drusus zu Ehren errichtet worden. Die Inschriften wurden im J. 1665 aufgefunden und kamen in den Palast Albani, damals Massimi, wo sie noch zu sehen sind. * Der jetzt mit Bäumen und Gebüsch bewachsene Bergabhang, so weit er zwischen der Via di Marmorata am Flusse und den zu der Burg der Savelli gehörigen Mauern auf dem Rücken des Berges erscheint, ist nur der Schutt des Berges und der Anlagen am Ufer. Den auf diese Weise bedeutend weitern Raum zwischen dem Hügel und der Tiber nahm das Emporium (Hafenmarkt) ein, eine Anlage der Aedilen M. Aemilius Lepidus und L. Aemilius Paulus aus dem J. 193 v. C., zu dessen Seiten stattliche Hallen den Platz zwischen Berg und Fluss ausfüllten. Ruinen davon sieht man innerhalb der Holzschuppen und als Substructionen jener Mauer. Daran schlossen sich weiter am Flusse die Navalia (Schiffswerfte) und die Magazine (Horrea). Diese lagen ohne Zweifel in der Vigna Cesarini, wo man noch jetzt einige Mauern sieht, und wo zu verschiedenen Zeiten Alterthumer, u. a. eine Zahl Marmorblöcke gefunden wurden, wovon die letztern beweisen, dass man auch im Alterthum den Marmor hier auslud. Vielleicht zu diesen, wenn nicht zu der Porticus fabaria, einem Gebaude, dessen Zweck nicht ganz ausgemacht ist, obgleich es von dem Verkauf der Bohnen abgeleitet werden kann, gehörte der einzelne Bogen aus Ziegelwerk, welcher von einer daneben liegenden Kapelle Arco di San Lazzaro heisst. Ueber der Kapelle befindet sich eine mit grossen Peperinquadern ummauerte, modern umkleidete Oeffnung, welche irrthümlich die Höhle des Cacus genannt worden ist, indessen jedenfalls aus der republikanischen Zeit herrührt.

Auf dem südlich dem Aventin gegenuber liegenden Hügel, welcher nach dem Paulsthore zu sich verläuft, sind ausser den Resten der für die Thermen Caracallas bestimmten Wasserleitung

---

* Danach ist der Irrthum von Bunsen Beschr. von Rom Bd. III. Thl. 1 S. 406 ff. zu berichtigen. Bunsen suchte die Inschriften in dem heutigen Palast Massimi und zweifelte, weil er sie dort nicht fand, an ihrer Existenz. Ausführliche Nachweisungen gibt Fea Miscell. tom. I. p. CXII.

keine erkenntlichen Ruinen, indessen stand dort in der Vigna des Collegio Romano ein Tempel des Silvanus, welchem wahrscheinlich die Säulen, Capitelle und Peperinquadern bei S. Saba und im Garten dieser Kirche zugehörten.

Sonst ist gegen das Paulsthor nichts Erhebliches von Alterthümern zu erwähnen, den Monte Testaccio ausgenommen. Dieser 160 Fuss hohe, eine Drittelmillie im Umfang messende Hügel fuhrt den Namen Mons Testaceus wohl erst seit dem Mittelalter, wenigstens kömmt er nicht früher vor als das 8te Jahrhundert. Diese Benennung (Scherbenberg) deutet auf den Zustand und Ursprung der Erhohung hin. Grosstentheils besteht er aus zusammengetragenen Scherben, und dies erklärt sich aus dem Umstande, dass zwischen dem ersten Bau der erweiterten Mauern durch Aurelian und ihrer Herstellung unter Honorius sich eine Masse Schutt längs derselben aufhäufte, welchen man bei der Aufraumung auf Einen Haufen zusammentrug, um ihn den Mauern unschädlich zu machen.

§. 13.

Der Cälius.

Der Cälische Hügel, welcher dem Capitolinischen an Höhe gleichkòmmt, hiess von den dort befindlichen Eichenwäldern ursprünglich Querquetulanus. Von seinen Schicksalen während der königlichen Zeit ist zu erwähnen, dass er einer der am fruhesten bebauten war und Tullus Hostilius ihn bewohnte. In der Republik war er einer der glanzendsten Theile der Stadt und blieb auch während der kaiserlichen Herrschaft, obgleich unter Tiberius im Jahr 27 von einer grossen Feuersbrunst heimgesucht, namentlich in den entlegenen Gegenden ein Lieblingssitz der Vornehmen. Unter andern wurde M. Aurelius hier geboren und erzogen. Der berühmteste dieser Palaste wurde das Haus der Lateranischen Familie, welches wahrscheinlich seit Nero kaiserliches Eigenthum war. '

Unter den mit Sicherheit zu erforschenden Ueberresten nehmen die Wasserleitungen die erste Stelle ein. Darunter führte schon die Marcia darüber hin das Wasser nach dem Aventin, nach dem Palatin die von Agrippa angelegte Áqua Julia. Zu jener gehörte wahrscheinlich als Denkmal der Bogen des Dolabella aus dem J. 12 n. C. Besonders geschmückt wird aber der Hngel durch die herrlichen Bögen der Neronischen Leitung, welche nicht weit von Porta Maggiore einen Theil der Aqua Claudia aufnahm und dem Cälius zuführte. Sie ziehen über dem Hügel von S. Croce bei dem Lateran vorbei, links nach S. Stefano Rotondo zu. Vertheilt wurde das Wasser bei dem Tempel des Claudius von einem Castell aus, dessen erkenntliche Reste man an der Nordseite des grossen Pilasters sieht, welcher auf dem Platze zwischen S. Stefano und der Navicella steht. Die Oeffnung des Canals, mit dem Canal uber dem Bogen des Dolabella von gleicher Hohe, nimmt man an jenem Pfeiler noch wahr. Daneben wurde aber auch die Oeffnung entdeckt, durch welche das Wasser in die Röhre unter der Erde geführt wurde.

Von beträchtlicher Grösse und zum Theil wohl erhalten sind die Ruinen unter SS. Giovanni e Paolo, deren Bestimmung indessen zweifelhaft erscheint. In den ältern Beschreibungen fuhren sie den entschieden falschen Namen der Curia Hostilia, die, wie wir gesehen haben, am Comitium lag und zu Ciceros Zeiten abbrannte. Sie erscheinen als ein aufgemauertes Viereck, dessen Substructionen man in dem Garten des Colosseums erblickt. Daran lehnen sich Pilaster unter dem Garten der Passionisten. Ferner heben am Glockenthurm der Kirche SS. Giovanni e Paolo grosse aus Travertin erbaute Arkaden an, von denen jetzt nur noch sieben erhalten sind. Es sind zwei Reihen über einander, von denen die untere verschüttet ist. Das Innere ist nur zum Theil in Travertin, der Rest mit Ziegeln ausgeführt. Dass diese grossartige Anlage mit dem gegenüberliegenden Colosseum in Verbindung stand, ist allerdings wahrscheinlich, aber ungewiss, wozu sie dienen sollte. Sie hat 42 noch erkenntliche Brunnen, worüber das Bett des Canals herlauft. In seiner Mitte, über einer grossen Nische, sieht man die Senkung, durch welche das Wasser in die Brunnen geleitet wurde; ihre Mundung und deren Deckel sind von Marmor oder Travertin. Deshalb haben Einige darin Wasserbehälter zu erkennen geglaubt, welche insbesondere dazu bestimmt waren, die Arena des Amphitheaters plötzlich unter Wasser zu setzen; die meisten Neuern wahrscheinlicher ein Vivarium oder einen Behälter fur wilde und zahme Thiere.

Längs dem Wege, der vom Colosseum nach Villa Mattei führt, sieht man nahe bei Villa Casali leise ein längliches Thal hinaufziehen, dessen regelmässige Gestalt auf einen kunstlichen Ursprung schliessen lässt. Ob aber hier der Campus Martialis gelegen habe, wohin bei Ueberschwemmungen des Marsfeldes die Reiterspiele der Equirien verlegt wurden, bleibt problematisch. Bunsen setzt ihn in die Nähe des Laterans. Zwischen S. Gregorio und SS. Giovanni e Paolo fuhrte der Clivus Scauri, gepflastert im J. 74 v. C., den Cälius hinauf. Die Strasse, welche bei der Navicella vorbei nach der Stadtmauer führt, hiess Via Metrovia oder Metronis.

Auf der Höhe des Berges liess Augustus die Castra peregrinorum, ein Lager für fremde Soldaten, anlegen, in dessen

Nähe der Tempel des in die Heimat zurückführenden Juppiter, Juppiter redux, stand, zwischen der Kirche della Navicella und Villa Casali. Das marmorne Schiff vor dieser Kirche, welches Leo X. nach dem Muster eines alten, in den Vatican gebrachten und dort verlornen verfertigen liess, war eins von den Weihgeschenken, welche Heimkehrende aus Seereisen dem schützenden Gotte darbrachten. Ausserdem befand sich auf dem Cälius der grösste Speisemarkt, Macellum magnum, dessen Gestalt wir aus einer Münze Neros kennen. Es hatte Hallen mit Buden für die Verkäufer, innerhalb derselben einen freien Platz mit einem Kuppelgebäude (Tholus), wo geschlachtet wurde.

Der Hügel von S. Croce hiess Caeliolus und enthielt ausser den noch ziemlich erhaltenen Bauten, die später beschrieben werden sollen, einen grossen Palast, welcher in alten Lebensbeschreibungen der Päpste der Sessorianische heisst. Darin wurde die Kirche S. Croce erbaut.

Bei SS. Pietro e Marcellino fand man Spuren von Bädern, welche vielleicht zu den Neronischen Thermen gehörten, ferner Ruinen eines ägyptischen, wahrscheinlich der Isis und dem Serapis geheiligten Tempels. Der Kirche gegenüber sind in den Vignen Astalli und Falconieri Ruinen befindlich, die nach Piranesi einer grossen Schule und Uebungsstätte, dem Ludus Gallicus, zugehörten. Nicht weit von Porta S. Sebastiano scheint der berühmte Tempel des Mars gestanden zu haben, der in den Zeiten der Republik öfters erwahnt wird. Eine Inschrift im vaticanischen Museum belehrt uns, dass, wahrscheinlich um die Via Appia ebener zu machen, ein dort befindlicher steiler Weg auf Befehl des Senats geebnet wurde.

§. 14.

Der Esquilin.

Der esquilinische Berg zerfällt in zwei Massen: die Esquilien und die Carinen, deren Gränze nach der Stadtseite leicht zu erkennen ist, nach den Mauern aber sich in der grossen Hochebene verläuft, von wo die östlichen Hügel der Stadt sämmtlich ausgehen. Die Carinen sind die Höhe von S. Pietro ad Vincula und werden durch die Via di S. Lucia in Selci von den Esquilien getrennt, deren Auslauf durch die Via Urbana vom Viminal geschieden wird und in der ältesten Zeit den Namen Cespius führte, während der breitere Rücken, auf dessen Spitze S. Maria Maggiore liegt, Oppius hiess. Das weite Feld, welches sich von dort bis an die heutigen Mauern zieht, ist der Campus Esquilinus. Das Thal unter diesen Hügeln hiess Subura und wurde von einer

glänzenden Strasse durchschnitten, deren Andenken in der heutigen
Via di Subura erhalten ist. Die erste Ansiedelung dieser Gegend
geschah durch den König Servius Tullius, welcher selbst auf den
Esquilien, links von der Via di S. Lucia in Selci, seine Wohnung
nahm.

Das bedeutendste Gebäude auf den Carinen, einem der glänzendsten Stadtviertel in der Republik, war der nach 268 v. C. gebaute Tempel der Tellus, welcher unmittelbar uber der Subura
emporragte. In der Kaiserzeit wurde das Ansehen des Hügels durch
das goldene Haus des Nero verändert, welches sich vom Palatin
aus hierher erstreckte. — Auf den Esquilien erhob sich seit dem
J. 375 v. C. der Tempel der Juno Lucina, welcher nach einer
im J. 1770 gefundenen Inschrift aus dem J. 41 v. C. die Stelle
des Klosters der Paolotte einnahm. * Erhalten ist aus der Zeit
der Republik nur die Ruine zwischen S. Eusebio und S. Giuliano,
welche unter dem Namen Trofei di Mario bekannt und durch
die Tradition des Mittelalters hinlänglich als ein Siegsdenkmal des
berühmten Marius beglaubigt ist. In ihrer jetzigen Gestalt, worin
das Gebäude zu dem Castell einer Wasserleitung gemacht ist,
ruhrt dasselbe wahrscheinlich von einer Herstellung in den Kaiserzeiten her, und damit stimmt der Styl jener Trophäen überein,
die von dort auf das Geländer der Capitolstreppe gebracht worden
sind. Das Castell selbst gehörte der Aqua Julia zu, wurde also,
wie diese selbst, vermuthlich von Agrippa angelegt. Vor ihm war
der Esquilin durch den Anio vetus, die Tepula und in seinem
östlichen Theile durch die Augusta bewässert worden. Als Aedil
im J. 33 v. C. stellte Agrippa diese Leitungen her und fügte die
Julia neu hinzu. Ihr gehören ausser unsern Trofei di Mario die
Bogenreste in einer Vigna neben dem Kloster von S. Eusebio.
Zu derselben Zeit wandte sich die Baulust allgemein der bis dahin verwahrlosten Gegend zu. Von Privatanlagen waren bei weitem die berühmtesten die ausserhalb der servianischen Thore
liegenden Gärten des Mäcenas. Auf dem esquilinischen Felde
hatte man die Leichen armer Leute entweder in kleinen Gruben
beigesetzt oder verbrannt, wodurch die Nachbarschaft des esquilinischen Thores und des servianischen Walles (Agger) für den
Anblick unerfreulich und der Gesundheit schädlich wurde. Gerade
diesen Platz wählte Mäcenas zu seiner Villa, welche er zum Theil
auf dem Walle selbst auffuhrte. Am höchsten Punkte gewahrte
ein Thurm eine weite Aussicht und wurde deshalb auch von Nero
bestiegen, um das brennende Rom zu überschauen. Die Villa des
Mäcenas lag zwischen S. Vito und dem Walle, dessen Laufe nach

* Ich bedaure, diese Inschrift, bekannt gemacht u. A. von Marini Iscriz, Albane p. 1,
nicht in der Beschr. von Rom Bd. III. Thl. 2. S. 204 angegeben zu haben.

Piazza di Termini sie in der Breite folgte. Sie begriff also einen grossen Theil der Villa Massimo (früher Negroni), und dort am Ende des Esquilien, also ungefähr an dem Gange, welcher von dem Ende der Walles durch dem Gemüsegarten der Villa gegen Porta S. Lorenzo zugeht, liess sich Mácenas neben seinem Lieblinge Horaz begraben.

Ungleich grossartiger waren die eigenen Bauten Augusts, welche er nach dem Namen seiner Enkel benannte. Zu den Thermen des Caius und Lucius, den sogenannten Galluzze, gehören die Ruinen in einer Vigna nahe bei Porta Maggiore, links vom Wege, welcher von den Trofei di Mario herkömmt. Sie werden abgesondert beschrieben werden. Nach seiner Gemahlin Livia benannte der Kaiser zwei andere Anlagen, die Porticus der Livia und ihren Speisemarkt (Macellum Liviae). Dieses letztere wurde neben einen schon wahrend der Republik bestehenden Markt, das esquilinische Forum, gebaut und im J. 7 v. C. von Tiberius eingeweiht. Es hatte gewiss denselben Plan wie das oben angefuhrte Macellum auf dem Cälius, erhielt sich aber viel länger, da es noch im 12ten Jahrhunderte unter dem alten Namen vorkömmt. Die Lage desselben können wir fur eine Seite mit Sicherheit angeben: es reichte von der Kirche S. Vito, die davon den Beinamen in macello führt, nach S. Maria Maggiore, der Basilica des Liberius oder Sicininus. In der Nahe scheint der Tempel der Isis Patricia gelegen zu haben, wenigstens fand man in der jetzt verschwundenen Kirche S. Andrea in Barbara oder Catabarbara Patricia hinter S. Antonio Abbate Gemälde, die sich auf ägyptischen Gottesdienst beziehen.

Der Säulengang der Livia wurde im J. 12 v. C. eingeweiht. Er lag an dem westlichen Rande der Carinen über der Strasse von S. Lucia in Selci und gewährte also der Menschenmeuge, welche von der Subura nach dem Macellum strömte, einen erwunschten Schatten. Vielleicht sind in den Bogen im Garten des Nonnenklosters della Purificazione und in den sehr entstellten Travertinpfeilern an der Kirche S. Lucia in Selci geringe Reste davon erhalten.

In der spatern Kaiserzeit wurden die Esquilien der belebteste und glänzendste Stadttheil und fullten sich mit Palästen. Von den Kaisern baute sich aber Niemand neu dort an: sie hielten sich, wenn sie auf den Esquilien wohnten, in den Garten des Mácenas oder den benachbarten des Lamia auf. Heliogabalus war der Erste, welcher dort baute. Seine prachtvollen Gärten lagen an der Spes vetus oder vor Porta Maggiore, wo in einem engen Thale hinter dem Amphitheatrum castrense man noch die Lage des Circus unterscheiden zu können glaubt. Die Familie der Gordiane legte 2 Miglien vor Porta Maggiore auf der links abgehenden Strasse eine prächtige Villa an, deren Trümmer jetzt den Namen Tor di Schiavi fuhren. Innerhalb der Stadt verherrlichte ein Triumphbogen einen Sieg Gordians III. oder vielmehr seines Feldherrn Misitheus über die Parther. Innerhalb Villa Negroni fand man am Ende des 15ten Jahrhunderts die Reste davon auf und verwandte sie zum Bau der Kirche S. Lorenzo in Damaso. Ausserdem sieht man noch einige Bögen von Ziegelwerk, die Reste eines Unterbaues, in der Vigna Pighini, welche man den Thermen des Kaisers Philippus Arabs beilegt. Wenn diese Annahme richtig ist, wofur eine jener Vigna gegenuber, bei der jetzt zerstörten Kirche S. Matteo in Merculana gefundene Inschrift und der darin vorkommende Namen der Thermen spricht, so sind jene Ruinen merkwürdig, weil sie beweisen, dass man sich des Netzwerks (Opus reticulatum) bei Ziegelbauten auch nach Caracallas Zeit bediente, was man gewöhnlich laugnet.

§. 15.

Der Viminal.

Die östlichen Berge der Stadt, welche sämmtlich aus Tuff bestehen, hangen mit den Rucken in jenem grossen und hochgelegenen Felde zusammen, welches wir bei dem Esquilin erwahnten. Nur nach der Stadt hin unterscheiden sich die einzelnen Hngel, indem sie gleichsam als Landzungen nach Westen vorlaufen. Darunter ist der Viminal der kleinste, von den Esquilien durch die Via Urbana, den alten Vicus patricius, vom Quirinal durch die Via di S. Vitale getrennt. Der breitere Rücken des Hugels scheidet sich vom esquilinischen durch eine Vertiefung, welche hinter S. Maria Maggiore durch Villa Negroni sich hinzieht, und wird östlich durch den Wall des Servius abgeschlossen. Gegen den Quirinal hin ist aber fur die breitere Fortsetzung des Viminals keine naturliche Begränzung zu erkennen. Indessen genügt es, die schmale Spitze durch die Kirche S. Lorenzo in Panisperna, den breiten Rücken durch die Diocletianischen Thermen, welche auf dem Viminal liegen, zu bezeichnen. Die bedeutendsten antiken Gebäude daselbst, die Thermen des Diocletians und das prätorianische Lager, sind zum grossen Theile erhalten und werden deshalb abgesondert beschrieben werden. Sonst sind nicht viele von der Wichtigkeit, dass sie hier erwähnt werden müssen. Der Hngel hat seinen Namen von einer Weidenart (vimen), wie der Esquilin von einer Art von Eichen (aesculus), und schon dieser Umstand lasst schliessen, dass beide lange mit Wäldern bedeckt blieben. In der republikanischen Zeit scheint der Hugel ziemlich verlassen geblieben zu seyn: ausser einer Capelle der Leichengöttin Naenia vor dem viminalischen Thore wird nur ein Tempel des Silvanus erwähnt, welchen man gewohnlich an den Fuss des Hügels in den Garten des Collegio Ghislieri versetzt, wo sich allerdings unter den Unterbauten des Berges grosse Tuffquader, mit Peperinstücken vermischt, vorfinden, eine Steinart, welche auf einen alterthümlichen Bau schliessen lässt. Indessen ist es ungewiss, ob diese jenem Tempel beizulegen sind oder nicht.

Zwischen den Wohnungen ärmerer Leute, welche auch in der Kaiserzeit vorzugsweise hier gewohnt zu haben scheinen, erhoben sich zwei namhafte öffentliche Gebäude, beide Thermen, also dem Nutzen und Vergnugen besonders des ärmeren Volkes gewidmet. Dies sind die Thermen der Agrippina und der Olympias. Jene, welche von Germanicus Gemahlin erbaut wurden, lagen ebenfalls in dem Thale von S. Vitale, wo noch jetzt beträchtliche Reste alten Mauerwerkes den Hügel stützen und verschiedene auf Bäder deutende Geräthe, Bleirohren u. a., sowie bemalte und mit Mosaik geschmückte Gemächer in der Vigna Stati gefunden worden sind. — Prächtig und mit ausgezeichneten Kunstwerken geschmuckt waren die Thermen der Olympias, deren Stelle jetzt die Kirche S. Lorenzo in Panisperna einnimmt. Man entdeckte dort im 17. Jahrhundert ein grosses rundes Gebäude, und darin die beiden herrlichen Bildsäulen des Menander und Posidippus, welche jetzt die Galleria delle statue des vaticanischen Museums zieren. Noch jetzt sind unter der Kirche und in der Nachbarschaft einige Reste der Thermen erhalten. Zu den vielen Badehausern, welche von Privatleuten angelegt und nicht umsonst benutzt wurden, wahrscheinlich auch als Herbergen dienten, gehorten die Bäder des Novatus oder Timotheus, woruber die Kirche S. Pudenziana sich erhebt, und wo man bleierne Röhren entdeckte.

Der Vicus patricius war in der Kaiserzeit eine sehr glänzende Strasse, und vornhin lagen ein Tempel der Diana und Victoria.

Auf dem nordöstlichen Rücken des Viminals schloss sich an das prätorianische Lager ein Vivarium oder Ort, wo wilde Thiere für die Kämpfe des Amphitheaters gehegt wurden. Es befand sich nahe bei dem Lager und zwar in dem Raume zwischen demselben und Porta S. Lorenzo. In der Nahe füllte sich der Berg allmählig mit stattlichen Anlagen, bis die Thermen Diocletians alle übrigen entweder verdrängten oder übertrafen. Zu diesem gewaltigen Bau gehören alle Ruinen, die man in der Gegend findet. Ausser den Thermen selbst ist noch ein Wasserbehälter, obgleich ziemlich beschädigt, erhalten, welchen wahrscheinlich die Aqua Marcia füllte. Er befindet sich in der Villa Massimo, früher Negroni, dicht an der Via di Strozzi. Nach ältern Abbildungen wurde das Gebäude, wohl wegen der Nähe anderer Anlagen ein Trapez, nicht, wie die Sette Sale, durch durchbrochene Mauern, sondern durch 4 Fuss hohe Pfeiler in 5 Abtheilungen von ungleicher Länge getheilt, so dass die beiden ersten Reihen je 15 Pfeiler, die dritte 10 und die vierte 5 zählte. Die Länge des Ganzen betragt 400 Palm, die mittlere 100, die Tiefe unter der Erde war fruher 8 Palm, ehe der Behälter im J. 1742 des Anbaues wegen zugeworfen wurde. Noch jetzt sieht man die 5 Fuss dicken Umfassungsmauern und an der längsten Seite die Spuren der von 15 Pfeilern getragenen 16 Bögen, an denen der Niederschlag die Hohe des ehemaligen Wasserstandes anzeigt. Auch die Mundung der alten Leitung, wodurch das Wasser dem Behalter zufloss, ist noch zu erkennen.

§. 16.

Der Quirinal.

Der Quirinal wird von dem Pincio durch das tiefe Thal getrennt, welches die Ruinen der Sallustischen Gärten enthält und sich über Piazza Barberina hinaus bis in die Strasse dell' Angelo Custode ausdehnt, vom Viminal durch die Via di S. Vitale, und stösst zwischen diesen Thälern an die Ebene, deren grösster Theil dem alten Marsfelde zugehorte. In der ältesten Zeit wurde er von einer sabinischen Volkerschaft bewohnt, welche sich mit Rom, d. h. mit dem Orte auf dem Palatin, zu einer Stadt vereinigte. Deshalb sind die Tempel, welche die Republik dort aufführte, ausschliesslich sabinischen Gottheiten gewidmet, und zwar das Heiligthum des Sancus oder Dins Fidius einem allgemein sabinischen Nationalgotte in dem J. 466 v. C. an der Stelle erbaut, wo jetzt der päpstliche Garten steht. Der Ortschaft auf dem Quirinal eigenthümlich war der Tempel des Quirinus, welcher fruh mit Romulus identificirt wurde, und wovon der Hügel seinen Namen erhielt, wahrend er früher Agouins geheissen hatte. Im J. 295 v. C. wurde der Tempel erbaut und von Augustus im J. 16 v. C. auf das Prachtigste erneuert, so dass er auch in der Kaiserzeit die Hauptzierde des Hugels ausmachte. Er lag unmittelbar über der Kirche S. Vitale, deren Umgebung von ihm den Namen Thal des Quirinus fuhrte, im Garten und an der Stelle von S. Andrea di Monte Cavallo. Dort wurden im J. 1527 Fundamente entdeckt, welche man ihm beilegte. Ob die Reste alten Mauerwerks im Garten des Noviziats der Jesuiten zu dem Tempel gehoren, ist nicht mit Sicherheit zu bestimmen. Unbegrundet ist die Sage, dass die Treppe von S. Maria in Ara Celi aus seinen Trummern erbaut worden sey. Daneben führte von dem Thale des Quirinus ein Weg auf die Hohe, welcher von der Bildsäule des Mamurius Veturius, eines göttlichen Schmiedes, Clivus Mamurii

genannt wurde. Ferner befand sich auf dem Hügel das alte
Capitol, welches die Vereinigung der Sabiner und Römer be-
kundete, viel älter als das berühmtere, da es schon von Numa
errichtet worden seyu soll. Wahrscheinlich stand es bei Quattro
Fontane, in dem Raume für das Ballspiel. Von ihm fuhrte ein
Weg hinunter zum Tempel und Circus der Flora, wo jahr-
liche Schauspiele und Pantomimen gegeben wurden. Von dem
Circus fand man bei dem Baue des Palastes Barberini einige Spuren,
wonach er in dem Thale nach dem Pincio hin so angelegt war,
dass auf den Unterbauten der Berge die Sitzreihen emporstiegen.
Auf die Fundamente der nördlichen Wand wurde eine Mauer des
Palastes gegrundet. Bei S. Susanna lag der sehr glänzende Tempel der öffentlichen Wohlfahrt (Salus), gebaut im J. 303 v. C.,
und nach ihm hiess die Via di S. Susanna Clivus Salutis. Weiter
nach der Porta Pia hin, links von der Via di Porta Pia, standen
drei Tempel der Fortuna neben einander, wovon man im 17ten
Jahrhundert einen in einer Vigna fand und zerstörte. Auf der
andern Seite der Strasse, nahe bei dem Thor, lag ein Tempel
des flavischen Geschlechtes, welchen Domitian an seiner
Geburtsstatte erbaute.

In dem Thale gegen den Pincio unter der Kirche S. Maria
della Vittoria sind von den beruhmten Gärten des Geschieht-
schreibers Sallustius sehr ausgedehnte Trummer erhalten,
wozu man gewohnlich durch die Villa Barberini von Via di Porta
Pia geht. Sie gehörten, wohl gleich nach des Erbauers Tode,
den Kaisern und wurden von mehreren bewohnt, von Aurelian
erweitert und verschönert, von den Gothen unter Alarich im J.
409 zerstört. Von den noch vorhandenen Mauern dient zunächst
eine Reihe von Grotten dazu, das Erdreich der Hügel zu halten.
An dem breiten Platze unter S. Maria della Vittoria gewahrt man
ihrer an einer Seite 17, alle ungefahr 18 Fuss tief und 14 breit
und durch einen Bogen gegen die Garten abgeschlossen. Sie sind
von gutem Ziegelwerke, zum Theil von Netzarbeit und waren mit
Malereien geschmückt. Ihre hintere Wand ist festgemauert. Vor
dem Eingangsbogen hat eine jede einen spatern Ansatz von schlecht
gemauerten Pfeilern, welche wahrscheinlich eine Terrasse trugen.
7 ähnliche Nischen von bedeutender Weite und Hohe befinden
sich unter dem Casino und Garten Cesi. In dem langen Thale,
welches sich von dort in die Vigna Mandosi hinein erstreckt, hat
sich die Form eines Circus unverändert erhalten. Von den
Seitenmauern ist die eine zugleich Stütze des Pincio, von wo die
Sitzreihen herabgingen. Die Spina war mit einem Obelisken verziert, welcher jetzt auf dem Platze Trinità de' Monti steht. Sie ist
nicht mehr zu erkennen, wohl aber die Rundung am Ende des
Circus, über welcher sich in einer herrschenden Lage die Ruinen

des V e n u s t e m p e l s, den eine jetzt verlorene Inschrift als in den Sallustischen Gärten vorhanden anführt, erhoben. Rechts gränzt an dieses Thal die Villa Barberini, welche den vorspringenden Theil des Quirinals einnimmt. Nach dem breitern Platze hin ist dieser durch grosse Bogen und eine Reihe von Peperinquadern gehalten, wovon die letztern vielleicht zu der Stadtmauer gehörten. Nach dem schmalern Thale, das ubrigens der Circus wahrscheinlich nicht in seiner ganzen Breite ausfullte, sind machtige Pfeiler und schöne Mauern an den Hügel gebaut. Dieser zeigt eine Fläche, deren Ecke wahrscheinlich das H a u s einnahm, welches durch einen g r o s s e n S a u l e n g a n g mit den Bauten am Ende der Vigna Mandosi in Verbindung stand. Diese, die bedeutendsten Trümmer der Garten, waren die T h e r m e n d e s S a l l u s t i u s. Sie bestehen aus zwei Stockwerken, wovon das untere die Bader mit ihren Anbauten enthielt. Im untern Geschosse tritt man durch eine Vorhalle, deren Ansatz und beide Seitennischen noch erhalten sind, in einen runden Saal, welcher gegen 40 Fuss im Durchmesser hat und bis zu dem höchsten Punkte der Decke etwa 35 Fuss misst, wovon 6 verschüttet seyn mogen. Seine Gestalt ist der Rotunde des Pantheons auffallend ahnlich, nur dass bei dem reichen Lichte, welches durch den Eingang hereinbrach, die Decke nicht geöffnet zu seyn brauchte. Aus ihm führt ein hochgewölbter breiter Durchgang, der Vorhalle vollig gleich, in einen oblongen, tonnengewölbten Saal, welcher etwa 30 Fuss Tiefe zu 22 Fuss Breite hat und in der Mitte der Hinterwand eine runde Nische zeigt. Zu beiden Seiten desselben befindet sich ein kleineres Gemach, wahrscheinlich zu Badern bestimmt. Die Löcher in den Mauern zeigen, dass das Ganze mit Marmor bekleidet war. Links von der Rotunde führt eine vortreffliche Treppe in 4 Absätzen, deren Decke kreuzgewolbt ist, zum zweiten Stockwerke, welches eine Menge von Gemächern und grössern Sälen, aber in einer solchen Zerstorung, zeigt, dass ihre Bestimmung sich nicht errathen lasst. — Im 3ten Jahrhunderte erbaute Aurelian der S o n n e einen ausserordentlich prächtigen T e m p e l, wovon im Garten des Palastes Colonna noch einige Reste erhalten sind. Die Treppen, worauf man von dem Palaste zu der höchsten Terrasse des Gartens steigt, sind in ihren Grundmauern antik, sowie der Unterbau jener Terrasse. Auf ihr stand der Tempel, dessen erstaunliche Ausdehnung man aus den Marmorstücken schliessen kann, welche noch dort liegen. Sie bestehen in dem Eckstücke eines Gesimses, einem Pilastercapitell und Fragmenten eines mit Laubgewinden verzierten Frieses. Darunter zeichnet sich der in Blatterwerk endende Torso eines Amors durch seine Erfindung, aber nicht durch die Ausführung aus.

Dicht neben dem Tempel befindet sich, links, wenn man von

der Gartentreppe aufsteigt, ein grosses Gebäude aus Ziegelsteinen, welches den bei dem Sonnentempel verkauften Waaren zum Magazine diente. In dem jetzigen Heumagazine haben sich von den alten Gewölben drei Stockwerke erhalten, deren fast gänzliche Lichtlosigkeit den Gedanken an eine andere Benutzung des Gebändes ausschliesst.

Bis in das 17te Jahrhundert waren auf der Stelle des Palastes Rospigliosi grosse Reste der Thermen Constantins erhalten, welche auf gleichzeitigen Abbildungen denselben Plan zeigen, wie die übrigen Thermen der spätern Kaiserzeit, z. B. die Diocletianischen. Bei dem Baue des grossen Palastes, welchen unter Paul V. der Neffe des Papstes, der Cardinal Scipio Borghese, unternahm, des jetzigen Palastes Rospigliosi, wurden die Thermen bis auf die Grundmauern, die sich in den Kellern erhalten haben, abgetragen. Sie waren das letzte öffentliche heidnische Gebäude in Rom: dass es auch ihnen nicht an reichem Schmucke fehlte, beweisen die beiden Kolosse auf Monte Cavallo, welche bei den Thermen standen.

§. 17.

Der Pincio.

Der Pincio, welcher sich von Porto Salara und Piazza Barberina bis zur Porta del Popolo erstreckt, gehörte ursprunglich nicht zur Stadt und ihren sieben Bergen. Er wurde besonders mit Landhäusern und Gärten bebaut und hiess deshalb der Gartenhugel (collis hortorum). Von den grössern Anlagen waren die ältesten die glanzenden Gärten des Lucullus, nach 66 v. C. angelegt. Sie gingen durch die berüchtigte Messallina, welche durch Confiscation dazu gelangt war, in den Besitz der Domitischen Familie über, bis sie durch Nero ein Eigenthum der Kaiser wurden. Wahrscheinlich nahmen sie den ganzen Raum zwischen Capo le Case und S. Trinità de' Monti ein, ein Bezirk, worin zu verschiedenen Zeiten altes Gemauer gefunden wurde und Einzelnes noch an der Via Gregoriana und ihrem Abhange vorhanden ist, z. B. im Palaste Mignanelli und am Aufgange von dort zu der Flache des Hügels einige Mauern von Netzwerk, eine gewölbte Kammer mit Deckenfeldern unter dem Palaste Tomati, die Ruinen hinter S. Trinità de' Monti u. a. m. Nahe an der Porta Flaminia hatten die Domitier ebenfalls eine Villa, worin Nero uber S. Maria del Popolo in dem Domitischen Familienbegräbnisse beigesetzt wurde. Zu diesen Gärten gehörten die gewaltigen Unterbauten des Hügels, welche den Namen Muro Torto fuhren. Jetzt erstreckt sich diese ungeheure Mauer längs der nördlichen

Seite des Pincio und etwas darüber hinaus: früher lief sie sowohl nach dem Thore als nach Villa Borghese weiter fort. Sie ist mit doppelten Reihen tief eingehender Nischen gebaut, so dass deren Wande ihr zugleich als Strebepfeiler dienen, die grossen Bögen ganz mit Netzwerk bekleidet sind.

Von den südlicher gelegenen G ä r t e n d e s P o m p e i u s konnte natürlich nichts auf uns kommen, da sie Trajan in kleinen Partien versteigerte und so die Gegend bei Via Sistina und di Porta Pinciana bewohnbar machte. Den jetzigen Namen erhielt der Berg von einem viel spätern Gebäude, dem P a l a s t e d e r P i n c i e r, einer Familie, welche in den spatern Kaiserzeiten vom Lande in die Stadt gezogen seyn muss. Jetzt ist keine Spur von ihm erhalten, noch im 15ten Jahrhundert aber sah man von S. Trinità de' Monti bis in den Garten von Villa Medici und nahe an der Stadtmauer ansehnliche Trummer, welche vielleicht bei der Anlage jener Villa, sowie der Villa Ludovisi, zerstört wurden.

In der Nachbarschaft der Kirche des heiligen Felix, welche bis in's 16te Jahrhundert zwischen S. Trinità und den Mauern lag, veranlassten die ausgedehnten Tuffgruben, welche zu den grossen Bauten des Hugels ausgebeutet wurden, die Anlage eines altchristlichen C o e m e t e r i u m oder von Katakomben, deren unregelmässige Gänge, bald verengt, bald zu Capellen und böbern Räumen erweitert, sich von der Osterie rechts von Porta del Popolo bis Porta Pinciana und darüber hinaus erstrecken. Sie sind an vielen Stellen vermauert, am besten zugänglich an 3 Punkten: von jener Osterie aus, von einer Oeffnung auf dem Spaziergange rechts vom Casino und von der zwischen dem Hause Nr. 13 auf Piazza della Trinità de' Monti und Nr. 68 in Via Sistina gelegenen Thur.

Davon verschieden sind die R e s t e d e r A q u a V i r g o, welche unter dem Hugel sich fortzog und erst etwas über S. Andrea delle Fratte in Bogen eintrat. Sie bestehen in einem W a s s e r b e h ä l t e r und einer P i s c i n a l i m a r i a zur Ableitung des Schmutzes. Jener befindet sich bei der rechts vom Casino gelegenen Oeffnung. Wenn man in diese hinunter steigt, so gelangt man in Grotten von verschiedener Hohe, welche alle mit Marmorstuck bekleidet und auf das Vortrefflichste gewölbt sind. Den Ansatz des Wassers erkennt man an den Wanden in der schwärzlichen Steinart (Signino oder Tartaro), welche überall das frühere Vorhandenseyn süssen Wassers beweist. Die Piscina limaria ist leider bei dem Baue des Casino, worunter sie sich befindet, sehr beschädigt worden. Ihre Länge beträgt 135, die Breite 45 Palm. Unter einem hohen Gewölbe befanden sich zwei Abtheilungen, wovon jede in zwei Stockwerke getheilt war. Das zu reinigende Wasser trat zuvörderst in das obere Stockwerk der ersten Abtheilung, fiel durch ein Loch im Boden in das untere, von wo es durch eine Seitenöffnung in das anstossende untere Stockwerk der zweiten Abtheilung trat. Dieses hatte eine niedrigere Oeffnung, wodurch der Schmutz, der vermöge seiner Schwere nicht wieder in die Höhe steigen konnte, in eine Cloake abfloss. Das reine Wasser hingegen trat durch eine communicirende Röhre in das obere Stockwerk und von dort in den Canal (specus), durch welchen es seinen Lauf fortsetzte. Jetzt sind die Stockwerke verschwunden, die Mauern des Ganzen aber unversehrt, und die beiden Canäle, wodurch das Wasser eintrat und abfloss, obgleich zugemauert, leicht erkenntlich.

Die Reste von Gängen unter Vigna Borioni gehören zu den Gärten des Sallustius, welche sich auch über einen Theil des Pincius erstreckten.

Die Ebene Roms.

§. 18.

Das Velabrum und Argiletum.

Die weite Ebene, welche heute fast das ganze bewohnte Rom ausmacht, lag in der ältesten Zeit ausserhalb der Ringmauern und wurde erst spät mit Gebäuden bedeckt. Der Raum zwischen dem Capitol, dem Palatin und der Tiber hiess Velabrum und wurde in das grossere und kleinere Velabrum eingetheilt, wovon jenes durch die Kirche S. Giorgio in Velabro bezeichnet wird. Hierhin verlegte man Gräber und Todtendienst, welcher von der durch Augurien geheiligten Stadt ausgeschlossen blieb. Unter andern befand sich in dem sogenannten Terentum ein Altar des Pluto (Dis) und der Proserpina, welcher durch Reinigungs- und Suhnopfer geehrt wurde. Nordostlich stiess an das Velabrum das Argiletum, eine Gegend, wo später das Marcellustheater sich erhob. Unter den dort erbauten Tempeln waren die wichtigsten das Heiligthum des Janus Geminus neben dem Theater des Marcellus, eben so alt und eben so heilig wie der Janustempel am Fusse des Clivus, und der älteste Tempel des Apollo zwischen Tor di Specchi und Piazza Campitelli. Beide sind spurlos verschwunden.

Seit dem zweiten punischen Kriege fingen die Ufer des Flusses an sich mit Gebäuden zu füllen, und es entstand eine lebhafte Vorstadt vor dem flumentanischen Thore (extra portam Flumentanam). Die bedeutendste Anlage daselbst war der Gemüsemarkt (forum Olitorium), ein mit Umfassungsmauern und Hallen umgebener Raum. Zu den Hallen geboren die Fragmente von Travertinbögen an den Häusern Nr. 27 und 30 auf Piazza Montanara, von den Mauern haben sich noch einige Reste, aus einfachen Travertinquadern bestehend, in dem Hofe mehrerer

Häuser auf Piazza della Consolazione erhalten. Nach Westen bildeten drei hart aneinander stossende Tempel, der Spes, erbaut im J. 258, hergestellt 17 n. C., der Juno Sospita (194 v. C.) und der Pietas (181 v. C.) das Ende des Forum Olitorium. Da in der Kirche S. Niccola in Carcere bedeutende Ueberbleibsel von ihnen erhalten sind, so werden sie bei dieser Kirche beschrieben werden. Andere Gebäude, wie wahrscheinlich ein Tempel des Apollo Medicus und der Fischmarkt, wurden von Cäsar, als er zu dem Baue seines Theaters Platz gewinnen wollte, abgebrochen. Dieses, welches von Augustus vollendet und nach seinem Enkel Marcellus benannt wurde, wird ebenfalls später beschrieben werden.

§. 19.
Das Marsfeld und der Circus Flaminius.

In dem Raume zwischen dem Capitol und Porta del popolo gab es in der Zeit der Republik mehrere wohl zu unterscheidende Felder. Das grösste war das Marsfeld, welches von einem Altar des Mars in der Gegend etwa von Palazzo Doria, an dem Wahlen und Census vorgenommen und Volksversammlungen gehalten wurden, seinen Namen erhielt. Ehe es durch Gebäude vereinigt wurde, nahm es gleich von diesem Altare seinen Anfang; später hiess allein die Gegend zwischen Corso und Tiber, wo diese sich landeinwarts nach der linken Seite krümmt, von der Gegend der Engelsbrucke nordlich so, und hier wurden Uebungen und Spiele gehalten, welche bei der Jugend sehr beliebt waren. Sudlich daran, also nach dem Capitol zu, lag das kleinere oder Tiberinische Feld, welches von einer Vestalin Tarracia dem römischen Volke geschenkt war, eine Wohlthat, wofür ihr im J. 449 v. C. grosse Ehrenbezeugungen zuerkannt wurden. Die Nachbarschaft des Palastes Mattei endlich gehorte der Flaminischen Familie, und hier auf den Flaminischen Wiesen oder dem Flaminischen Felde versammelten sich die Plebejer zu ihren Berathungen. Von hier gieng der Anbau der Ebene aus. Der Ort stand, nachdem schon unter den Konigen dort zur Abwehr einer Seuche die sogenannten taurischen Spiele gefeiert worden waren, unter dem Schutze Apollo's, welcher kurz vor der Zeit der Decemvirn als Seuchenabwender bekannt geworden war. Im J. 220 erbaute dort C. Flaminius als Censor den nach ihm benannten Circus, und seit dem J. 211 v. C. wurden dem Apollo, dem Drachentödter, jährliche Spiele darin gefeiert. Bald wetteiferte der Circus Flaminius mit dem Circus Maximus, wenn auch nicht an Grösse, doch an Pracht. Bis spät in das Mittelalter hinein erhielt sich der Circus bei dem Palaste Mattei zum grossen Theile. Eine Bulle vom

J. 1192 nennt „das goldene Kastell mit hohen und alten krumm-
gesetzten Mauern und zusammengefügten Gängen ´ daran.“ Es
stand also damals noch die ganze äussere Mauer, indessen ging
sie allmählig unter, bis bei dem Baue des Palastes Mattei gegen das
Ende des sechzehnten Jahrhunderts die letzten Reste zerstört wurden. Die Rundung des Circus befand sich bei dem Palaste Mattei, die
rechte Längenseite entsprach der Strasse delle Botteghe. oscure, die
Richtung der linken wird durch die Kirche S. Caterina de' Funari
bezeichnet, die Breite ging von Piazza Margana bis zu dieser Strasse.
Der Circus Flaminius war mit einer beträchtlichen Zahl von Tempeln umgeben, von denen wir nur den der Bellona, etwa auf
Piazza delle Tartarughe gelegen, und des Wächters Hercules
an der Via di Ara Celi nennen wollen. Zu einem der übrigen,
und zwar einem runden, mussen die merkwürdigen Ueberbleibsel
im Hofe des Klosters von S. Niccola de' Cesarini gehören, welche
abgesondert beschrieben werden. In der Nähe lag der Tempel
des Mars, welcher im J. 139 v. Ch. erbaut wurde. Von ihm
haben wir wahrscheinlich noch einige Reste, wenn die Vermuthung
Canina's richtig ist, dass die im J. 1837 von dem französischen
Architekten Herrn Baltard entdeckten Ruinen dem Marstempel
beizulegen sind. Sie ·befinden sich in dem Keller des Eckhauses
zwischen den Strassen S. Salvatore in Campo und degli Specchj
und dem Keller eines benachbarten Hauses. In jenem sind in
einer Reihe die Reste von 5 weissen Marmorsäulen auf einem
hohen Sockel erhalten, zu dem man auf Marmorstufen gelangte.
In dem andern steht noch eine Säule von gleichem Material und
gleicher Arbeit, von den übrigen etwa vier Säulenweiten entfernt.
Die Basen sind dorisch, während die tiefen Riefel durch einen
breiten Steg getrennt sind, also einem jonischen oder korinthischen
Schafte angehören. Die Säulenweite der neben einander stehenden
Stucke beträgt nur $1\frac{1}{3}$ Durchmesser, der Tempel war also von
der Gattung der dichtsäuligen (pycnostylos).
An der nördlichen Seite des Circus erhoben sich neben ein-
ander zwei stattliche Anlagen: die Säulenhallen des Philippus
und der Octavia. Jene erbaute der Stiefvater Augusts, Marcus
Philippus, an die Stelle der von M. Fulvius Nobilior nach seinem
Siege uber die Aetolier errichteten. Ihre Mitte nahm das Heiligthum des Hercules als Vorstehers der Musen (Hercules
Musarum) ein. Das Ganze erstreckte sich ungefahr von der Piazza
delle Tartarughe bis zur Porticus der Octavia und von dem Kloster
S. Ambrogio über Piazza di S. Catarina de' Funari wieder bis zur
Piazza delle Tartarughe. Auch der Säulengang der Octavia war
nur ein unter August unternommener prachtvollerer Umbau eines
im J. 146 v. C. von Q. Metellus Macedonicus errichteten Säulen-
ganges, in dessen Mitte sich ein Tempel der Juno und einer des

Juppiter erhob. Da bei S. Angelo in Pescaria bedeutende Ruinen davon noch erhalten sind, so verschieben wir ihre Beschreibung.

Südwestlich davon, etwa von Piazza Giudia bis in den Ghetto hinein, lag der doppelte Säulengang des Minucius, aus dem J. 108 v. C., wovon die eine Porticus den Beinamen Frumentaria führte, wahrscheinlich weil man dort die Marken vertheilte, gegen welche die Plebs umsonst aus den öffentlichen Kornkammern Getreide erhielt. Die ältere baute Domitian nachmals um.

Westlich stiess hart an den Circus Flaminius der Säulengang des Cn. Octavius, zuerst angelegt im J. 167 v. C., dann nach einer Feuersbrunst von Augustus hergestellt, welcher den Circus mit dem Theater des Pompejus verband. Er war in der Mitte durch eine Pfeilerwand geschieden, an die sich zu beiden Seiten eine Halle anlehnte, und erstreckte sich von der Via de' Giubbonari über Piazza S. Carlo de' Catenari zu der Via de' Falegnami hin. Obgleich jetzt nichts mehr davon über der Erde sichtbar ist, so fehlt es doch nicht an Zeugnissen und Spuren von diesem ebenfalls prächtigen Baue. In der Via de' Giubbonari fand man Reste eines Saulenganges, im Palaste S. Croce mehrmals Architekturstücke, wie Saulen und Fussböden, und Bildsäulen, wovon die schönste der sitzende Mars in Villa Ludovisi ist. Eine ausserordentlich grosse korinthische Granitsäule liegt umgestürzt an ihrer ursprünglichen' Stelle in dem Keller eines Wursthändlers auf der Seite des Platzes S. Carlo, welche der Kirche gegenüber liegt. Eben daher wurde vor mehreren Jahren eine prachtvolle Säule von Rosso antico in 'den Vatican gebracht.

§. 20.

Die Theater.

Bis auf das letzte Jahrhundert der Republik waren die Circus die einzigen stehenden Gebäude für öffentliche Spiele. Die übrigen Vergnügungen, wie Fechterspiele, Gladiatoren- und Thierkämpfe, und dramatische Vorstellungen wurden entweder im Freien oder in hölzernen Gebäuden gegeben, welche gleich darauf abgebrochen wurden. Pompejus war der Erste, welcher nach seinen siegreichen Feldzügen in Asien es wagte, ein steinernes Theater zu bauen. Indessen sah er sich genöthigt, eine List zu gebrauchen, um der Strenge der Obrigkeit zu entgehen, die er um so mehr furchten musste, da im J. 154 v. C. das steinerne Theater, welches der Censor C. Cassius am Palatin zu bauen angefangen hatte, unerbittlich niedergerissen worden war. Er setzte daher auf die obersten Stufen der Sitzreihen einen Tempel der siegreichen Venus (Venus Victrix) und lud im J. 55 v. Ch. das Volk zur Einweihung

des Tempels ein, „dessen Stufen als Theater dienten." Zusammen
mit den Nebengebäuden blieb das Theater eine der glänzendsten
Anlagen der Stadt. Es fasste nach einigen Angaben 27,500, nach
andern gar 40,000 Menschen. Häufig von Feuersbrunsten heimgesucht, wurde es von mehreren Kaisern hergestellt, war indessen
schon zur Zeit des ostgothischen Königs Theodorich in einem traurigen
Zustande. Die letzte Nachricht, worin es als erhalten vorkommt,
ist eine römische Processionsordnung aus dem 12ten Jahrhundert.
Indessen ist die Lage bei Palazzo Pio durch mehrere Ueberbleibsel
und gelegentliche Funde sicher, und man hat oft versucht, es
zu restauriren, in neuerer Zeit Herr Canina und Herr Baltard.
In den römischen Theatern umgeben drei grössere Abtheilungen
von allmählig aufsteigenden Sitzreihen in concentrischen Halbkreisen die Orchestra, welche unserem Parquet entspricht und
den Obrigkeiten vorbehalten war. Die Buhne war eine geradlinige schmale Erhohung. Auf der letzten Sitzreihe stand der
Tempel, dessen Unterbauten im Keller des Palazzo Pio erhalten
sind. Hier befindet sich ein antikes Gewölbe, gegen 20 Palm
hoch, dessen Längenseite in der Ausdehnung von je 22 Schritt
eine doppelte Lage von mächtigen Peperinblöcken zeigt, welche
vortrefflich in einander gefügt sind und sich mit den besten Werken
der Stadt vergleichen lassen. Sie sind abwechselnd nach der breitern
und schmalern Seite übereinander gelegt. Jene sind 6 Palm lang
und 2 hoch, diese rustik behauen und haben 2 Palm 10 Unzen
in der Länge, 2 Palm 6 Unzen in der Hohe. Diese Mauer war
dazu bestimmt, den Tempel der Venus Victrix zu tragen. Ferner
sieht man einige Ziegelmauern von Netzwerk, welche zu dem
eigentlichen Theater gehören. Die Gestalt der Ringmauern ist in
dem Laufe der Strassen deutlich erkennbar, wie man am besten
vom Dache des Palazzo Pio und der Kuppel von S. Andrea della
Valle ubersieht. Die aussere zeigt die links vom Palazzo Pio gegen
S. Andrea della Valle bogenförmig laufende Via del Paradiso, die
zweite und dritte der Lauf der Häuser zu beiden Seiten der
Strasse di Grottapinti, wozu man durch einen neben dem Palaste
befindlichen Durchgang gelangt. Die alte Orchestra ist die heutige Piazza de' Satiri, welche von den Satyrfiguren ihren Namen
hat, womit die Enden der Sitzreihen und die Seitenthüren der
Orchestra geschmückt waren. Die Bühne stellt die Via de' Chiavari und die gerade Reihe von Häusern dar, welche in einer Länge
von etwa 210 Fuss sich auf der einen Seite bis S. Andrea della
Valle, auf der andern bis nahe an die Via de' Giubbonari erstreckt. Das ganze Theater wird also durch jene Kirche, die Via
del Paradiso, Campo di Fiori und Via de' Giubbonari, die Buhne
durch Via de' Chiavari begrenzt. An das Theater schloss sich
eine prächtige Saulenhalle (Porticus Pompeia oder

Hecatostylon), welche Baumgänge von Platanen mit Springbrunnen einschloss und einer der beliebtesten Spaziergänge wurde. Diese mit den kostbarsten Kunstwerken verzierte Halle erstreckte sich bis nahe an S. Niccola de' Cesarini. Den Eingang zierte ein mit den Bildsäulen der 14 von Pompejus besiegten Völker verzierter Säulengang, die Porticus ad nationes. An einer Seite hatte die Halle des Pompejus verschiedene Gebäude, unter andern eine Curie, worin Cäsar ermordet wurde, und die deswegen schon von den Triumvirn abgebrochen wurde.

Das zweite steinerne Theater war das des Balbus, von einem reichen Privatmanne dieses Namens im J. 14 v. C. erbaut. Es war das kleinste in Rom, fasste aber dennoch 11,510 Zuschauer. Wegen seiner Nähe an der Tiber war es den Ueberschwemmungen des Flusses ausgesetzt. Seine Stelle wird durch den Monte Cenci bezeichnet, einen künstlichen Hügel, der durch die Aufhäufung des vom Theater herrührenden Schuttes entstanden ist. Die Form des Palastes Cenci und der denselben umgebenden Strassen im Ghetto ist, dem Theater entsprechend, rund. Statt einer Porticus erbaute Balbus hinter der Bühne seines Theaters eine Crypta, welche weniger offen, an einer Seite geschlossen und bedeckt war und durch Fenster von oben erleuchtet wurde. Diese Crypta des Balbus erstreckte sich in der ganzen Länge der Strasse von der Kirche S. Maria in Cacaberis an bis gegen S. Maria in Pianto oder Piazza Cenci hin, und an den Häusern Nr. 22 und 23 in der Via di S. Maria in Cacaberis sind auch nach der Strasse hin Reste davon erhalten. Sie bestehen aus zwei dorischen Halbsäulen von Travertin, theilweise im Boden verborgen, die einen 7 Schritt langen, aus Ziegel gemauerten Bogen tragen und sich an Pilaster aus Travertin anlehnen. Darüber zeigt sich der Ansatz eines zweiten Stockwerks, wo uber den Bögen Fenster, über den Halbsäulen Pilaster von Ziegelwerk waren. Wie man in dem Hof des Hauses Nro. 22 und im Stall zwischen den Halbsäulen sehen kann, folgte auf die Reihe von Pfeilern, wozu die Reste an der Strasse gehören, ein Gang, der durch eine zweite Reihe von Pfeilern in abwechselnd runde und halbrunde Kammern mündete, theils offene Räume, theils Treppenhäuser, wodurch man in das obere Stockwerk gelangte.

Wenige Jahre später war das dritte Theater, des Marcellus, vollendet, das an seinem Orte beschrieben werden soll. — Auch ein steinernes Amphitheater befand sich in dem Felde. Es wurde im J. 30 v. C. von Statilius Taurus erbaut und blieb bis ein Jahrhundert hindurch das einzige, bis das Flavische, das sogenannte Colosseum, es verdunkelte. Mit grosser Wahrscheinlichkeit versetzt man es in die Via della Missione und auf Monte Citorio, wo die rundliche Façade des Palastes auf den alten Mauern steht. Im Garten der Väter der Mission fand Piranesi deutliche Anzeichen von Sitzreihen. Daneben im Vicolo di Monte Citorio liegt jetzt eine grosse Säule von Cipollino, 50 Palm 4 Unzen lang und von einer Dicke von 8 Palm 4 Unzen, welche 1778 bei dem Kloster in Campo Marzo gefunden wurde.

§. 21.
Das kaiserliche Marsfeld und das Tiberufer.

Durch die vielen Bauten, wovon wir einen Theil beschrieben haben, wurde in der Kaiserzeit das Marsfeld beschränkt, so dass es nur den Raum nördlich von den zusammenhängenden Gebäuden einnahm; zwischen diesen und der Tiber erstreckte sich das Tiberinische oder kleinere Feld. Die hauptsächlichsten von den öffentlichen Spielen, welche man im Marsfelde feierte, wurden daher nicht mehr im Freien, sondern in umschlossenen Anlagen gehalten. Von diesen war das Stadium Domitians die grösste. Es fasste 30,088 Plätze und hatte eine den Griechen nachgebildete Form, welche sich durch eine grössere Breite von einem Circus unterschied. Auch die Spiele, welche Domitian und andere Kaiser nach ihm im Stadium feierten, waren griechische und fuhrten den griechischen Namen Agon, und daher schreibt sich der Name des Platzes Navona, welcher in Form und Umfang dem Stadium entspricht. Die Kirche S. Agnese hiess nämlich von ihrer Lage in Agone, und daraus wurde Piazza Nagona oder Navona. Von den Seitenmauern des Stadiums, worauf die Häuser am Platze gebaut sind, ist jetzt nichts mehr erhalten. Deutlich ist das Ende des Stadiums in der Curve nach Piazza Madama hin. In der Nähe befanden sich das Trigarium, ein Raum, wo man mit Dreigespannen lief, und das Odeum, welches für musikalische Aufführungen bestimmt war, indessen ist davon keine Spur auf uns gekommen. In dem frei gebliebenen Theile des Marsfeldes wurden ausnahmsweise ausgezeichnete Personen begraben; das einzige dieser Grabmäler, welches auf uns gekommen ist, ist zugleich das bedeutendste, das Mausoleum Augusts, welches abgesondert beschrieben wird. Damit stand das Bustum oder der Ort, wo die Leichen der kaiserlichen Familie verbrannt wurden, in Verbindung. Seine Lage ist durch einen im J. 1777 bei dem Neubau des Eckhauses zwischen dem Corso und dem Platze S. Carlo gemachten Fund sicher. Man entdeckte dort eine Vase von orientalischem Alabaster und sechs Travertinparallelopipeden, deren Inschriften sich auf die Verbrennung verschiedener Glieder der kaiserlichen Familie bezogen. Sie werden jetzt im Vatican in der Galleria delle Statue aufbewahrt.

Bei S. Lorenzo in Lucina entdeckte man im 15ten Jahrhunderte den grossen Obelisken, welcher jetzt auf Monte Citorio steht, und eine mit Linien und Graden von vergoldetem Metalle verzierte Sonnenuhr, in deren Ecken die vier Winde in Mosaik dargestellt waren. Der Meridian hatte sieben Grade, und das Pflaster des Platzes bestand aus grossen Steinen von Marmor, auf denen ebenfalls Metalllinien sich befanden. Dies war eine Anlage Augusts, sein berühmter Gnomon, in dem der Schatten des Obelisken das Mass angab, worin die Tage wuchsen oder abnahmen.

Von den Strassen, welche die Ebene durchzogen, ging die Via Recta mitten durch das kleinere Feld, in der Linie, welche etwa von S. Paolino an noch heute in ziemlich gerader Richtung auf die vaticanische Brücke, deren Reste bei S. Spirito sichtbar sind, und die Engelsbrücke nach der Tiber hinlauft. So weit sie durch das offene Feld ging, wurde sie zwischen den Jahren 379 und 383 n. C. von den Kaisern Theodosius, Gratian und Valentinian durch grosse Säulenhallen, welche die grössten (Porticus Maximae) hiessen, geschmuckt. An ihrem Ende bei S. Celso errichteten die Kaiser zum Andenken des Werkes einen Bogen, der bis in das Mittelalter stand. Ueber die Triumphalbrücke ging bei Tor di Nona die Triumphalstrasse. Der Corso, dessen Lauf ebenfalls antik ist, hiess bis zu Palazzo Fiano Via lata, von da an Via Flaminia und war mit mehreren Triumphbogen geziert, wovon einer, dessen Bestimmung uns nicht deutlich ist, bei Macel de' Corvi, ein anderer, dem Diocletian gewidmet, der Kirche S. Maria in Via lata gegenüber, der des Claudius am Eingange der Via di Pietra, wo man noch an den Häusern unformliche Spuren wahrnimmt, stand. Von diesem sollen die schönen Reliefs in Villa Borghese genommen seyn. Bis zum J. 1622 stand endlich ein Triumphbogen des M. Aurelius wohlbehalten bei Palazzo Fiano. Er wurde unter Alexander VII. abgebrochen, um die Pferderennen auf der Strasse nicht zu hindern. Die an ihm einst befindlichen Reliefs werden jetzt im Palaste der Conservatoren auf dem Capitol aufbewahrt.

§. 22.

Die öffentlichen Bauten Agrippa's und der Augustischen Zeit.

Die Volksversammlungen und Musterungen im Marsfelde wurden lange Zeit hindurch im Freien gehalten, indessen baute man schon im J. 435 für die Musterung der Censoren (Lustrum) ein eigenes Gebäude, die Villa publica, welche im J. 194 v. C. vergrössert und erneuert wurde. Sie umfasste einen grossen Hof

und hatte zwei Stockwerke, wovon das obere zur Aufnahme der
Gesandten diente. Ihre Lage muss zwischen der Kirche del Gesù
und dem Corso gedacht werden. Die Volksversammlungen oder
Centuriatcomitien fuhr man dagegen fort im Freien innerhalb
hölzerner Schranken zu halten, bis Lepidus und Agrippa dieselben
in Stein aufführten. Die Septa Julia wurden im J. 26 v. C. vollendet und geweiht, und die Villa publica als südliches Ende damit
verbunden. Sie bestanden in grossen Räumen, von kleinen Gemächern, worin die Stimmen abgegeben wurden, eingeschlossen,
und reichten von Palazzo di Venezia bis S. Ignazio. Sie selbst
sind verloren, von der davor liegenden Porticus aber unter dem
Palaste Doria und der Kirche S. Maria in Via lata mehrere Bogenreihen erhalten, welche von Travertinpfeilern getragen werden.
Am unversehrtesten sind diejenigen, welche in dem nach dem
Vicolo della Stufa hin gelegenen Theile des Palastes sich befinden.
Sie bestehen aus 6 Bogenreihen, so dass die in einem sehr schönen Stile ausgeführten Pfeiler 7 Schritt im Quadrat von einander
entfernt sind. Hinter den Septa, ungefahr zwischen der Kirche
del Gesù und Piè di Marmo lag das Diribitorium, ein grosser
Bau, worin die in den Septa abgegebenen Stimmtäfelchen untersucht und die Stimmen zusammengezahlt wurden. Jenseit des
Corso, im Campus Agrippae, zwischen Fontana Trevi und dem
Corso, innerhalb einer von Agrippa's Schwester Pola erbauten
Saulenhalle, versammelte sich das Volk, ehe es zum Stimmen in
die Septa marschirte. An diese schloss sich nach Norden eine
Reihe von Saulengangen an, welche mit Kunstwerken reich geschmückt waren und einen mit Bäumen bepflanzten freien Raum
einschlossen. Die Porticus des Neptun, oder, wie sie von
einem berühmten Gemalde auch hiess, der Argonauten, war
aus dem J. 24 v. C. und enthielt einen Tempel jenes Gottes.
Wir haben sie nordwestlich von den Septa, etwa von S. Marta an
bis an die Via del Seminario und S. Ignazio zu legen. Benachbart
war die Halle der Europa, die wahrscheinlich nach Piè di Marmo
hin zu setzen ist. Hier gränzte sie an den beruhmten Tempel der
Isis und des Serapis, welcher besonders in der spätern Kaiserzeit eines der gefeiertsten und glänzendsten Heiligthümer wurde.
Es nahm den ganzen Raum zwischen der Kirche S. Stefano del
Caceo und dem Kloster neben S. Maria sopra Minerva ein, wo
zu verschiedenen Zeiten ägyptische Denkmale gefunden wurden.
Das Ganze wurde von einer grossen Säulenhalle umgeben,
welche wahrscheinlich den Namen eines andern ägyptischen Gottes
Anubis, welchen die Römer als Bonus Eventus verehrten, führte.
Die nördliche Seite des Klosters S. Maria sopra Minerva enthielt
einen nicht sehr grossen Tempel der Minerva Chàlcidica,
wahrscheinlich von Pompejus angelegt, wovon die Kirche ihren

Beinamen führt, und einige Reste, in einem Rechtecke bestehend, im 16ten Jahrhundert noch im Garten des Klosters sichtbar waren. Das Tempelbild der Gottin ist eine der Hauptzierden des Braccio nuovo im Vatican.

§. 23.

Die Thermen im Marsfelde.

Ausser diesen öffentlichen Gebäuden machte sich Agrippa auch durch die Anlage von offentlichen Bädern oder Thermen um die Bequemlichkeit des Volkes verdient. Zuerst baute er im J. 24. v. C. zusammen mit dem Pantheon das lakonische Schwitzbad (Lakonikon), eine Nachahmung eines griechischen Gymnasiums mit seinen mannigfachen Ergötzungen. Nachdem im J. 19 v. C. durch die Aqua Virgo eine grosse Wassermenge in das Feld gekommen war, fugte er diesem die grossen Thermen, welche er bei seinem Tode 14 v. C. dem Volke hinterliess, hinzu und grub daneben einen kunstlichen See. Die Ruinen derselben sind, obgleich sehr zerstort und unterbrochen, hinter dem Pantheon noch zu erkennen. Man bemerkt an seiner Rückseite den Ansatz von drei Stockwerken von Salen und Gemächern, welche offenbar ursprunglich mit der Rotonda zusammenhingen. Am besten uberblickt man sie von den Fenstern der Accademia Ecclesiástica aus. Auf der andern Seite der Strasse enthält der Hof der Accademia Ecclesiastica gewaltige Mauern vom schonsten Ziegelwerk, die bis zur Hohe von zwei Stockwerken hinanreichen und besonders wegen eines grossen Widerhalters (Sperone) merkwurdig sind. Weiterhin ist der ganze Raum bis nahe an Via de' Cesarini mit einer grossen Masse Mauern bedeckt, welche man in den Hofen der daran gebauten Häuser wahrnimmt. Das bedeutendste Stuck derselben ist der Arco della Ciambella, von einem dort gefundenen Kranze aus vergoldetem Erz so benannt. Dieser war vermuthlich der eherne Ring, womit die Oeffnung für das Licht in dem Dache jener Rotunde, wozu der Bogen gehört, versehen war. Dieser besteht aus einem Stücke der Wolbung eines ungeheuern runden Saals, das auf starken Ziegelmauern ruht und dieselbe Kuhnheit der Bauart zeigt, wie das Pantheon selbst. Die Hinterseite nebst anderem Mauerwerk sieht man am deutlichsten von dem Hofe des Hauses Nro. 42 in Via de' Cestari. Der Accademia Ecclesiastica gegenüber läuft unter dem Refectorium der Dominicaner im Kloster von S. Maria sopra Minerva eine schone Ziegelmauer auf das Pantheon zu. Ob diese auch zu den Thermen Agrippa's oder zu den Bädern des Narcissus gehört, welche in jener Gegend lagen, ist ungewiss.

Neben diese Bäder baute Nero im J. 61 n. C. grosse Thermen, welche zuerst nach ihm, dann wegen einer Erweiterung durch Alexander Severus im J. 229 die Alexandrinischen hiessen. Sie dehnten sich von Piazza della Rotonda bis zur Piazza Madama einer-, von S. Eustachio bis zu Via della Coppelle andrerseits aus. Nachdem im vorigen Jahrhundert auf Befehl Benedict's XIV. die grossen Mauern und Gewolbe im zweiten Hofe des Palastes Madama weggeräumt wurden, ist jetzt nur eine grosse Nische im Hofe eines Hauses Nro. 27 und 29 auf Piazza Rondanini erhalten. Sie ist nebst einem Stück Mauer daneben von gewaltiger Höhe und Dicke, aber weniger sorgfältig ausgeführt, wie denn die Bauten des dritten Jahrhunderts eine nachlassigere Ziegelconstruction zeigen.

§. 24.

Die Bauten der Antonine.

Nachdem Trajan und sein Nachfolger Hadrian auf des Erstern Forum unter andern staunenswürdigen Bauten auch ihre Verwandten durch Tempel geehrt hatten, wandte sich Antoninus Pius und sein Nachfolger M. Aurelius dem Marsfelde zu, wo für ihre Baulust noch hinlanglicher Raum vorhanden war. Antoninus Pius erbaute der Schwester Trajans, Marciana, welche vor dem J. 116 n. C. starb, so wie ihrer Tochter, der Schwiegermutter Hadrians, Matidia und seinem Adoptivvater Hadrianus, welche Alle nach ihrem Tode vergottert wurden, Tempel. Ihm selbst errichteten seine Adoptivsöhne M. Aurelius und L. Verus eine Ehrensäule. Seinem Nachfolger M. Aurelius endlich erbaute nach dessen Tode der Senat einen Tempel und jene berühmte Säule, welche noch auf Piazza Colonna sichtbar ist. Von allen jenen Gebäuden sind entweder Ruinen oder Spuren erhalten, so dass wir sie mit ziemlicher Wahrscheinlichkeit zu bestimmen im Stande sind. Sie waren einander zwar benachbart, aber, wie schon aus der verschiedenen Zeit ihrer Anlage hervorgeht, nicht Werke eines Bauplans, so dass die Dogana di terra, welche dazu gehört, mit der Säule M. Aurel's einen spitzigen Winkel macht. Der Tempel des M. Aurelius stand gewiss nahe bei der Säule, also auf der Stelle des Palastes Chigi. Die Säule des Antoninus Pius wurde im J. 1704 bei Monte Citorio im Garten der Väter der Mission ausgegraben. Sie bestand aus syenitischem oder röthlichem Granit, war 50 Fuss hoch, an der Basis 6 Fuss dick, wurde zersägt und von Pius VI. zur Ausschmückung der vaticanischen Bibliothek und zur Ergänzung des Obelisken auf Monte Citorio verwendet. Das 12 Fuss dicke und 11 Fuss hohe Postament aus parischem Marmor, dessen Reliefs sich auf Antoninus Vergötterung beziehen, wurde in den Garten des Vaticans gebracht, wo es sich noch befindet. Zu dem Tempel Hadrians rechnen wir die Ueberbleibsel auf Piazza Capranica und in dem anstossenden Vicolo della Spada d'Orlando, weil im Mittelalter die Mirabilia, eine Beschreibung der Stadt aus dem 12ten Jahrhundert, den Hadrianstempel, wahrscheinlich nach einer jetzt verlorenen Inschrift, vor der dortgelegenen Kirche S. Maria in Aquiro auffuhren. Von den Saulenreihen, welche ihn umgeben, sind drei aus Cipollino noch ziemlich erkenntlich. Die eine, welche etwa 6 Fuss im Durchmesser hat und 3 Fuss über dem Pflaster hervorragt, steht an dem Waisenhause in jener Gasse und gab ihr den Namen, da sie selbst vom Volke Rolandsdegen genannt wurde. In derselben Linie sind zwei bedeutend höhere Saulenstucke im Hause Nro. 76 auf Piazza Capranica erhalten, wovon die grössere etwa 18 Fuss hoch seyn mag. Sie sind 6 Schritt von einander entfernt. Zwischen ihnen und der Spada d'Orlando scheint eine verschwunden zu seyn. Es bleiben also nur noch die beiden Tempel der Matidia und Marciana zu bestimmen übrig. Jener muss jenseits des Pantheons gelegen haben, weil man im 17ten Jahrhunderte beim Baue von S. Ignazio eine Bleiröhre mit der Inschrift TEMPLO MATIDIAE nahe bei der Rotonda entdeckte. Folglich ist die Dogana davon verschieden, und es bleibt uns nur die Stelle der Kirche S. Salvatore delle Coppelle, wo ein grosser Tempel stand, dessen Inschrift Pietat gegen Verwandte bezeugte. Der Tempel der Marciana also ist die Dogana di terra, und wir haben für dieses sehr verschieden benannte Gebäude endlich den richtigen Namen gefunden. Er scheint mit einer Umfassungsmauer umgeben gewesen zu sein, wovon im Keller des Palastes Cini am Ende der Piazza di Pietra ein grosses Stück erhalten ist. Es ist 16 Schritt lang und besteht aus Travertinquadern, welche abwechselnd glatt und rustik behauen und so über einander gelegt sind, dass die Fugen der ersten Reihe der dritten entsprechen. Die einzelnen Steine sind 6 Palm lang und über 3 hoch.

§. 25.

Die Seite rechts vom Corso.

Wie der Pincio war diese Seite in der republikanischen Zeit mit Gärten und Villen bedeckt. Von einer Villa der Aemilier hiess die sich dort bildende Vorstadt in Aemilianis und behielt diesen Namen unter den Kaisern, von denen nur die spätern daran dachten, prächtige Bauten dort aufzuführen. Es ist deshalb auch nur ein namhafter Bau dort erhalten, die Leitung der

Aqua Virgo. Sie stieg bei Capo le Case in die Ebene und wurde von dort auf Bogenstellungen nach den Thermen Agrippa's gefuhrt. Von Capo le Case bis Fontana di Trevi ist ihr Lauf zum Theil noch vorhanden. Zuerst finden wir ein stattliches Denkmal, welches eine Wiederherstellung der unter Caligula zerstörten Bögen durch Claudius verewigt, in dem Hofe des Hauses Nro. 12 in Via del Nazzareno und dem Hause des Marchese del Bufalo erhalten. Man sieht dort einen vorspringenden Fries von Travertin nebst dem Ansatze des Architravs. Die Bogen selbst sind nicht mehr zu erkennen, da das Erdreich sich sehr erhöht hat. Die Inschrift des Frieses, wovon der Anfang fehlt, ist folgende:

Ti. Claudin S. DRVSI. F. CAESAR. AVGVSTVS. GERMANICVS
Pontif. MAXIM. TRIB. POTEST. $\overline{V}$. IMP. $\overline{XI}$. P. P. COS. DESIGN. $\overline{IIII}$
arcns. ductuS. AQVAE. VIRGINIS. DISTVRBATOS. PER. C. CAESAREM
a fuNDAMENTIS. NOVOS. FECIT. AC. RESTITVIT

also aus dem 5ten Jahre der Regierung von Claudius, d. h. 46 n. C. Dieses Denkmal bezeichnet die Stelle, wo eine Biegung in dem Laufe der Wasserleitung, woraus noch jetzt reichliches Wasser fliesst, Statt fand. Höher hinauf sind in den innern Höfen der Hauser Nro. 24 — 30 in Via dell' Angelo Custode, so wie nach Fontana Trevi hin in den Stallen des Palastes Poli Travertinleisten und darunter Ziegelwerk erhalten, worin das Wasser fliesst. Den Corso überschritt die Aqua Virgo auf einem Bogen bei Piazza Sciarra, wahrscheinlich dem des Claudius, und ging dann bei S. Ignazio vorbei.

Ausser diesen Resten sind nur noch unter dem Palaste Ludovisi Ziegelmauern erhalten, welche verschiedene Stockwerke zeigen. Ihre Bestimmung ist unbekannt, wenn sie nicht zu dem Campus Jovis, einer Anlage, wie es scheint, von Diocletian, gehörten. Unter S. Silvestro in Capite entdeckte man im 17. Jahrhunderte grosse Travertinquadern.

§. 26.

Die Tiberinsel.

Ueber die alte Fabricische Brücke, aus dem J. 62 v. C., jetzt Ponte quattro Capi, gelangt man zu der Insel, welche im Alterthume entweder schlechtweg Insula oder Insula Tiberina, heutzutage von der darauf befindlichen Kirche Isola di S. Bartolomeo genannt wird. Im Mittelalter fuhrt sie den unerklärlichen Namen Insula Lycaonia. Ueber ihre Entstehung trug sich das Volk mit der Fabel, dass nach der Vertreibung der Könige das Getreide des Tarquinius in den Fluss geworfen sey und sich festgesetzt habe.

Das bedeutendste Gebäude war der Tempel des Aescula-

pins, welcher im J. 291 v. C. wegen einer schweren Seuche gebaut wurde. Man hatte aus dem berühmten Heiligthume von
Epidaurus im Peloponnes eine der heiligen Schlangen kommen
lassen, welche sich auf der Insel verbarg, und zum Andenken
dieser Begebenheit gab man der ganzen Insel durch Travertin-
substructionen die Form eines Schiffes. Ein Stuck des Hintertheils
mit den Reliefs des Gottes, eines Schlangenstabes und eines
Stierkopfes gewahrt man unter dem Garten des Klosters von
S. Bartolomeo von der Flussseite her. Die Kirche S. Bartolomeo nahm den Raum des Tempels ein und wurde wahrscheinlich
mit seinen Saulen geschmuckt. Daneben, es wird nicht berichtet
an welcher Seite, stand der **Tempel des Juppiter oder
Vejovis**, gebaut im J. 196 v. C. und im J. 193 eingeweiht, gegenuber an der Spitze der Insel nach Ponte Sisto zu der **Tempel
des Faunus** aus dem J. 195 v. C., hinter der Kirche in dem
Spitale der Benfratelli.

§. 27.

Trastevere.

Die Brücke, welche von der Insel auf die andere Seite der
Tiber führt, jetzt Ponte di S. Bartolomeo, hiess im Alterthum
von ihrem Erbauer L. Cestius **Cestische** und wurde im J. 370
n. C. vom Kaiser Gratian hèrgestellt. Ausser dieser Brucke und
den drei vaticanischen fuhrten in Rom noch folgende uber die Tiber:
die **sublicische** oder Pfahlbrücke, von der zwischen der Marmorata
und Ripa Grande noch einige Pfeiler stehen, die **palatinische**,
jetzt Ponte Rotto, die **Antoninische**, heutzutage Ponte Sisto.

Der gewöhnlichen Erzahlung zufolge legte Ancus Marcius zuerst jenseit des Flusses eine Schanze gegen die Etrusker an,
welche auf dem langen Hügel des Janiculus, der sich mit der
Tiber ungefahr parallel hinzieht, die ganze Zeit der Republik hindurch bewacht wurde. Das Viertel trans Tiberim, woraus die
heutige Benennung entstanden ist, wurde zur Zeit der Republik
von unterworfenen Feinden und niedrigem Volke bewohnt und
war auch unter den Kaisern der Wohnsitz der ärmern Leute.
Doch lagen dort grosse Villen, wie die Gärten Casars, Galba's, von Septimius Severus und Geta, ferner Thermen von
Aurelian und Philippus Arabs, so wie eine von Augustus angelegte
Naumachie, ein Raum, wo Seegefechte nachgeahmt wurden. Ueber
die Lage dieser Bauten ist nichts mit Sicherheit auszumachen,
daher auch nicht zu sagen, welchem die Mauern in der Cereria
nahe bei der Farnesina, die einzigen aus dem Alterthum erhaltenen, zugehorten. Von Tempeln gab es dem Aventin gegenüber,
in der Gegend von Ripa Grande einen beruhmten der Fortuna.

Beschreibung der einzelnen Merkwürdigkeiten.

Die Peterskirche.

§. 28.

Das ältere Gebäude derselben.

Die ältere Peterskirche wurde von Constantin dem Grossen auf dem Circus des Nero erbaut, in welchem der Fürst der Apostel den Märtyrertod erlitten hatte. Es war eine Basilica, die vier Säulenreihen in fünf Schiffe theilten. Die Säulenhallen ihres Vorhofes wurden bei der Belagerung Kaiser Friedrichs I. im J. 1167 zerstort, als die päpstlichen Kriegsvölker diese Kirche besetzt hielten. Sie war von mehreren kleineren Kirchen und Klöstern umgeben, die theils frei standen, theils an dieselbe angebaut waren. Die Bedeutung der Kirche, welche die Gebeine des Apostels bewahrt, den die katholische Lehre als den Stifter des päpstlichen Stuhls betrachtet, stieg im Mittelalter mit der zunehmenden Macht der Papste. In derselben erfolgte jederzeit die Kaiserkrönung, wenn nicht besondere Umstände eine Ausnahme verlangten. In ihr wurden (wie noch jetzt in der neuen) die Papste gekrönt und die päpstlichen Bannfluche, sowie die Lossprechungen von denselben verkündet. Die Bischöfe und Statthalter der Provinzen des Kirchenstaates legten ihren Eid ab am Altare des h. Petrus. Die Civil- und Criminalrichter der Stadt Rom erhielten in der Peterskirche ihren Gehalt, und in der Vorhalle derselben empfingen die Päpste den ihnen aus fremden Ländern zugesandten Tribut.

§. 29.

Geschichte des Baues der neuen Peterskirche.

Mit dem kolossalen Plane Nicolaus V. zur Erweiterung des vaticanischen Palastes, war auch der Plan eines neuen Baues der Peterskirche, in grösserer und prächtigerer Gestalt als die alte, verbunden. Der florentinische Baumeister Bernardo Rosellini machte dazu den Entwurf. Der Anfang zu dem neuen Gebäude begann mit der Anlegung einer neuen Tribune hinter der alten Peterskirche. Der Bau gerieth aber nach dem im J. 1445 erfolgten Tode des Papstes in Stocken, und wurde erst, mehr als ein halbes Jahrhundert später, von Julius H. wieder aufgenommen, der die Ausführung des Gebäudes dem Bramante übertrug. Der Plan dieses grossen und beruhmten Baukünstlers ist uns nur durch Abbildungen bekannt, welche Münzen Julius II. und Leo's X. zeigen. Diesen zufolge sollte die Kirche die Form eines griechischen Kreuzes erhalten, in dessen Mitte sich, zwischen zwei Glockenthürmen, eine grosse Kuppel — von der uns Serlio Grund- und Aufriss aufbewahrte — uber dem Grabe des Apostels erheben sollte, über dem sich auch die der heutigen Kirche wölbt.

Den 18ten April des J. 1506 wurde von dem Papst mit grosser Feierlichkeit der erste Stein zu dem neuen Gebäude gelegt, und der Bau darauf mit solcher Schnelligkeit betrieben, dass Bramante vor seinem im J. 1514 erfolgten Tode nicht nur die vier ungeheuren Pfeiler unter der Kuppel zu Stande brachte, sondern auch zur Anlage der Tribunen des Mittelschiffes und des südlichen Queerschiffes fortschreiten konnte. Die Fundamente der gedachten Pfeiler waren jedoch zu schwach und mussten daher nach dem einstimmigen Urtheile des Giuliano da San Gallo, des Fra Giocondo und des berühmten Raphael — die nach dem Ableben des Bramante über den Bau die Aufsicht fuhrten — verstärkt werden.

San Gallo wurde anderthalb Jahre nach seiner Anstellung, seiner Kränklichkeit wegen, entlassen, und Fra Giocondo entfernte sich im J. 1518 aus Rom. Raphael, der seine Anstellung zum Baumeister der Peterskirche bis zu seinem frühzeitigen Tode behielt, entwarf einen neuen Plan, der den Beifall Leo's X. erlangte. Dieser Plan entfernt sich von dem des Bramante bedeutend dadurch, dass er an die Stelle des griechischen Kreuzes ein lateinisches setzt; eine Veränderung, die nach dem zweimaligen Zurückkehren zu dem ursprünglichen Entwurfe doch zuletzt die Oberhand behielt, aber keinesweges glücklich scheint, weil dadurch die Kuppel, bei aller ihrer Grösse, bei der Annaherung zu dem Gebaude wirkungslos wird, und vor dem Auge des Beschauers verschwindet. Nach Raphaels Tode ernannte Leo X. den Baldassare

Peruzzi zum Baumeister. Dem Papst schien nun die Ausführung des Plans jenes grossen Kunstlers zu weitläufig und kostbar. Auf seinen Befehl verfertigte daher Peruzzi einen neuen Plan, durch welchen das Gebäude, in Form eines griechischen Kreuzes, einen geringern Umfang erhalten haben wurde. Die grosse Kuppel sollte sich nach diesem Plane zwischen vier kleinern Kuppeln, und ebenso vielen Glockenthürmen, an den Ecken des Gebäudes erheben.

Von dem Tode Julius II. hatte der Bau bis zum Pontificate Pauls III. nur sehr geringen Fortgang. Ihn mit Nachdruck zu unterhalten wurde Leo X. durch den Geldmangel verhindert, welchen seine verschwenderische Prachtliebe und der kostbare Krieg mit dem Herzog von Urbino herbeigefuhrt hatte. Hadrian VI., der alles was Kunst anging, mit Geringschätzung behandelte, kümmerte sich auch um den Bau der Peterskirche nicht; und da unter seinem Nachfolger Clemens VII., wegen der gänzlichen Erschöpfung der Casse, welche die traurigen Zeiten des Krieges, vornämlich aber die schreckliche Plünderung Roms herbeifuhrte, nur sehr wenig geschehen konnte, so wurde während der Leitung des Peruzzi nur die von Bramante angefangene Haupttribune vollendet.

Erst unter Paul III. wurde der Bau wieder mit Eifer betrieben. Antonio da Sangallo, dem dieser Papst die Leitung desselben übertrug, entwarf einen neuen Plan, nach welchem sein Schüler, Antonio Labacco, ein Modell verfertigte, welches durch zwecklose Ueberhäufung von Saulen, Pilastern und Ausladungen, einen ausgearteten Styl der Baukunst zeigt. Diesem Plane zufolge ware die Peterskirche noch um 210 Palm langer geworden, als ihr heutiges Gebaude. Nach dem Tode des Sangallo, im J. 1546, wollten die Deputirten der Bauverwaltung dessen Stelle dem Giulio Romano ubertragen, der sich damals in Mantua befand. Und obgleich sich derselbe anfangs bedachte, so wurde er doch vielleicht diese Berufung nach seiner Vaterstadt angenommen haben, wenn ihn nicht Krankheit und Tod darin gehindert hätten.

Paul III. übertrug nun die Leitung des Baues dem beruhmten Michelagnolo Buonarroti, welcher das Modell des Sangallo gänzlich verwarf, indem er behauptete, dass durch einen minder weitlauftigen Plan das Gebäude an Schönheit gewinne, und dabei ein bedeutender Aufwand von Zeit und Kosten erspart werden könne. Er verfertigte binnen vierzehn Tagen ein neues Modell, welches nicht mehr als 50 Scudi kostete; während das des Sangallo 4000 gekostet hatte. Die Kirche sollte wieder die Form eines griechischen Kreuzes und eine von Saulen getragene Vorhalle erhalten. Das äussere Gewolbe der grossen Kuppel aber sollte nicht auf Säulen, wie nach dem Plane des Bramante, sondern zu grösserer Festigkeit auf einer Mauer aufgeführt werden.

Dieser Plan erhielt den vollkommensten Beifall des Papstes, der darauf die Ernennung des Michelagnolo zum Baumeister der Peterskirche auf Lebenszeit mit sehr ausgedehnten Vollmachten durch ein Motu proprio bestätigte, in welchem, auf ausdrückliches Verlangen des Künstlers, auch erwähnt wurde, dass er den Bau nur aus Liebe zu Gott und aus Ehrfurcht vor der Kirche des Fürsten der Apostel übernommen habe. Auch hat er in Wahrheit die ihm von dem Papst in der Folge dafür angebotenen Geschenke jederzeit abgelehnt.

Man kann sagen, dass nun erst die Entstehung des heutigen Gebäudes seinen Anfang nahm. Denn was in seiner Anlage von den Entwürfen der vorigen Architecten herrührt, hat bei der Ausfuhrung eine ganz veränderte Gestalt erhalten. Michelagnolo hatte bei dem Bau, den er bis in das Pontificat Pins IV. fortsetzte, nicht geringe Widerwärtigkeiten zu erdulden. Die Bestätigung des Motu proprio durch die folgenden Päpste vermochte ihn nicht vor den Cabalen zu schützen, die ihm vornehmlich die Anhanger des Sangallo bereiteten, gegen deren Gewinnsucht, um welcher willen sie den Bau absichtlich in die Länge zogen, er sich stark geäussert hatte. Auch verhinderte ihn der in der Folge eingetretene Geldmangel, den Bau mit dem gehörigen Nachdruck fortzusetzen. Jedoch kamen unter seiner Aufsicht die beiden Tribunen des Querschiffes nebst der Trommel der Kuppel bis zum Gewölbe zu Stande. Da jedoch seine Freunde voraussahen, dass er die Kuppel nicht erleben würde, so bewogen sie ihn, vor seinem im 90sten Jahre seines Alters erfolgten Tode, ein genaues Modell derselben von Holz verfertigen zu lassen, welches man, mit dem vorerwähnten Modell des Sangallo, in dem sogenannten Ottagono di S. Gregorio aufbewahrt.

Pius IV. ernannte zu seinem Nachfolger den Barozzi da Vignola und den Pirro Ligorio, aber, dem Motu proprio Pauls III. gemäss, mit dem ausdrücklichen Verbote, von dem Plane ihres Vorgängers abzuweichen. Und Pius V. hielt auf dieses Verbot mit solcher Strenge, dass er den Ligorio, der es übertreten wollte, seiner Stelle entsetzte. Dem Vignola, der nun die Leitung allein hatte, fehlten die nothigen Mittel zur nachdrücklichen Fortsetzung des Baues, wegen der starken Ausgaben des Papstes zu dem Kriege, den er gegen die Turken in Verbindung mit Spanien und Venedig führte. Nach seinem Tode, im J. 1513, übertrug Gregor XIII. seine Stelle dem Giacomo della Porta, unter dessen Aufsicht die Gregorianische Capelle erbaut wurde. Unter seiner und des Domenico Fontana gemeinsamen Leitung wurde im Pontificate Sixtus V. das Gewolbe der grossen Kuppel in dem kurzen Zeitraume von 22 Monaten aufgefuhrt; und unter Gregor XIV. kam auch die Laterne zu Stande, mit welcher der ganze ungeheure Bau der Kuppel vollendet ward. Im Pontificate Clemens VIII. wurde die nach diesem Papst benannte Clementinische Capelle erbaut, der gegenwärtige Hauptaltar errichtet, der Fussboden der Kirche erhöht, und das Gewölbe der Kuppel mit Mosaiken, sowie die Decke des Mittel - und Querschiffes mit vergoldeten Stuccaturen verziert.

Nach dem Tode des della Porta, im J. 1604 wurden Carlo Maderno und Giovanni Fontana zu Baumeistern der Peterskirche ernannt, die nun bis auf die Vorderseite und die Vorhalle, in dem von Michelagnolo angegebenen Umfange vollendet war. Im Pontificate Pauls V. aber wurde, nach Angabe des Carlo Maderno, das Gebaude noch um 225 Palm gegen Morgen verlangert. Die Kirche erhielt dadurch die Form eines lateinischen Kreuzes, und auf jeder Seite drei Capellen mehr, als nach dem Plane des Michelagnolo. Gegen das Ende des J. 1614 war das ganze Gebäude, mit Ausnahme der beiden Seitenhallen, auf denen die Glockenthürme aufgeführt werden sollten, vollendet; und den 18ten November, an demselben Tage, an welchem der Tradition zufolge der heil. Sylvester die alte Peterskirche geweiht hatte, erfolgte die Einweihung der neuen durch den Papst Urban VIII.

Zu den beiden noch fehlenden Glockenthürmen verfertigte die Zeichnung Bernini, der die Stelle des Maderno nach dessen Tode im J. 1629 erhielt. Als, im Pontificate Innocenz X., einer dieser Thürme bereits seiner Vollendung nahe war, wurde für gut befunden, ihn wieder abzutragen, weil die von Maderno schlecht angelegten Fundamente sich zu senken begannen, und dadurch Risse an der Mauer der Vorderseite der Kirche sichtbar wurden, die deswegen bis auf den heutigen Tag ohne Glockenthürme geblieben ist. Um dem Platz vor ihr eine ihrer Pracht und colossalen Grösse entsprechende Gestalt zu geben, liess Alexander VII., nach Angabe des Bernini, die ihn umgebenden Colonnaden nebst den Gallerien aufführen, welche dieselben mit der Vorhalle der Kirche verbinden; und zuletzt beschloss Pius VI. diesen ganzen ungeheuren Bau mit der Errichtung der neuen Sacristei.

Nach der Berechnung des Carlo Fontana beliefen sich schon zu seiner Zeit, gegen das Ende des 17ten Jahrhunderts, die Kosten der neuen Peterskirche auf 46,800,498 Scudi, ohne die Ausgaben zum Bau und zum Abtragen des erwahnten Glockenthurms, zum Niederreissen der alten Kirche, zu den Modellen, und andere mehr zu rechnen. Spater sind vornehmlich fur Mosaiken noch bedeutende Summen verwendet worden. Ueberdiess hat der Bau der neuen Sacristei 900,000 Scudi gekostet. Die jahrlichen Ausgaben fur die Erhaltung und Ausbesserung des Gebäudes, und für die Besoldung der dazu angestellten Personen, betragen über 300,000 Scudi. Hierüber, sowie über die der Kirche ertheilten Vermächtnisse, fuhrt die Aufsicht eine von Clemens VIII.

niedergesetzte Congregation, die aus mehreren Cardinälen, einigen Pralaten, und einem Advocaten als Fiscal derselben, besteht.

Die heutige Peterskirche — in Hinsicht auf Grosse und Pracht das erste Gebaude der neueren Welt — bringt bei ihrem ungebeuren Umfange doch keinen wahrhaft grossartigen Eindruck hervor, und hat den Ruf des vorzuglichsten architectonischen Kunstwerkes jener Zeit nur dem verderbten Geschmack der beiden letztverflossenen Jahrhunderte zu verdanken. Sie ist in ihrer heutigen Gestalt das Werk des Michelagnolo und des Maderno. Da, in Folge der von dem letzteren angegebenen Verlängerung der Kirche, die grosse Kuppel so weit zurucktritt, dass sie in der Vorderansicht nur in bedeutender Entfernung sichtbar wird, so mussten die vier kleinen Kuppeln, die sowohl Michelagnolo als Peruzzi anzubringen gedachten, um die grosse nicht isolirt erscheinen zu lassen, dem Auge vollends ganz verschwinden; und man hat daher mit Recht die Ausfuhrung der beiden hinteren unterlassen, weil sie bei der vorderen Ansicht des Gebäudes ganz versteckt geblieben wären.

Die Sculpturen, Malereien und Mosaiken dürftèn, mit Ausnahme einiger wenigen meist fur die alte Kirche verfertigten Werke, nur durch das reiche und mannichfaltige Bild merkwurdig seyn, das sie von dem entarteten Zustande der Kunst im 17ten und 18ten Jahrhundert gewähren, und verdienen daher nur eine Anzeige in moglichster Kürze. In Betreff der Sculptur lässt sich die Peterskirche als der Hauptsitz der Periode bezeichnen, in welcher der Geschmack des Bernini die Herrschaft fuhrte. In Hinsicht der Malerei sieht man hier, mit wenigen Ausnahmen, nur Nachahmungen in Mosaik, in welche, seit Urban VIII., sowohl Oel - als Frescogemälde nach und nach übertragen worden sind.

§. 30.

Der Petersplatz mit dem Obelisken.

Der Petersplatz, zu dem man von der Engelsburg über den Platz Rusticucci hingelangt, entspricht durch seine Grösse dem ungeheuern Umfange der Kirche. Er zerfallt in zwei Theile, von denen der vordere die Form einer Ellipse, der hintere die eines Vierecks zeigt. Die grösste Breite des vorderen beträgt 1074, und die des hinteren 504 Palm im Durchmesser, ohne den Inbegriff des Raumes der Saulengänge, welche den vordern zu beiden Seiten einschliessen, und nur gegen den Platz Rusticucci hin offen lassen, wahrend sie sich nach der Kirche hin mit den beiden Gallerien verbinden, die an die Vorhalle derselben anstossen. Der von Alexander VII. im J. 1667 unternommene Bau dieser Umgebung wurde erst unter seinem Nachfolger Clemens IX. vollendet. Die aus vier Reihen von 284 Säulen und 88 Pfeilern gebildeten Gänge gewähren, obgleich im modernen Style, einen grossartigen Eindruck. Auf der um das Dach der Colonnaden und Gallerien herumlaufenden Ballustrade, stehen 162 nach Zeichnungen des Bernini verfertigte Statuen von Heiligen und Ordensstiftern.

Der Obelisk.

Der Obelisk, der sich auf der Mitte dieses Platzes erhebt, ist, nach dem Zeugniss des Plinius, einer der beiden Obelisken, welche der König von Aegypten, Noncoreus, des Sesostris Sohn, in Heliopolis zum Weihgeschenk des Sonnentempels errichtet hatte. Von da liess ihn Caligula, im J. 39 n. C., nach Rom bringen und im Vaticanischen Circus aufrichten, wo er unter allen Obelisken des alten Roms allein dem Umsturze entging, indem er, neben der alten Peterskirche, unbeschädigt auf der Spina des gedachten Circus stehen blieb, und zwar auf dem Postamente, auf dem er noch gegenwärtig ruht. Die an der Morgen- und Abendseite wiederholte Inschrift zeigt, dass er dem August und dem Tiber geweiht war; eine Zueignung, die wohl ohne Zweifel dem Nachfolger dieser beiden Kaiser, dem Caligula, zuzuschreiben ist.

Dieses Denkmal des ägyptischen Alterthums vor der Peterskirche aufzurichten, war ein Gedanke, der seit Nicolaus V. in mehreren Päpsten erwacht war. Aber erst Sixtus V. war es vorbehalten, diesen Plan, unter der Leitung des Domenico Fontana, zur Ausführung zu bringen. Die Schwierigkeit bestand in dem ungeheuren Gewicht dieses Obelisken, welches, nach der Berechnung des genannten Architecten, 963,537 romische Pfund beträgt. Nachdem er von seiner vormaligen Stelle emporgehoben und niedergelassen worden war, wurden vier Monate erfordert, um ihn vermittelst Rollen an die gegenwärtige Stätte zu bringen. Die Aufrichtung, durch 44 Winden, zu deren Bewegung 800 Menschen und 150 Pferde erfordert wurden, erfolgte am 10. September des J. 1586, unter dem Donner der Kanonen und dem Läuten aller Glocken. Den 27sten desselben Monats wurde der Obelisk, als ein heidnisches Idol, nach einer feierlichen Procession exorcisirt und dem heil. Kreuze geweiht, dessen metallenes Bild auch auf seiner Spitze, wie später auch auf den meisten übrigen Obelisken, errichtet wurde. Hierauf beziehen sich die Inschriften, die Sixtus V. auf das Postament hat setzen lassen. Die Kosten der Aufrichtung beliefen sich auf 37,900 Scudi, ohne das von der papstlichen Kammer gelieferte Metall zu rechnen, aus welchem das Kreuz und die Löwen, auf denen der Schaft ruht, gegossen sind. Die Höhe des Obelisken beträgt 113½, und die ganze Höhe des Monumentes, mit Inbegriff des Postamentes und des Kreuzes, 180¼ Palm.

Springbrunnen.

Zwei grosse Springbrunnen, zu beiden Seiten des Obelisken, gewähren dem Petersplatze eine vorzugliche Zierde. Ihre Hohe betragt 35 Palm, von welcher der reichliche Wasserstrahl noch 25 Palm emporsteigt. Zu beiden Seiten der Treppen, die von dem Platze nach der Kirche fuhren, stehen die von Mino del Regno unter Pius II. verfertigten Bildsäulen der Apostel Petrus und Paulus, die sich auch vor der alten Peterskirche befanden.

§. 31.

Vorderseite und Vorhalle der Kirche.

Die durch den Charakter ihres Styls wenig erfreuliche Vorderseite, von der Erfindung des Carlo Maderno, misst in der Breite 504, und in der Höhe, von der Plattform der Treppe an, $202\frac{1}{2}$ Palm. Ueber der Vorhalle erhebt sich die Gallerie mit der Loggia, von welcher der Papst am grünen Donnerstag und am Tage des Osterfestes den Segen ertheilt, und von welcher man ehemals, als das Conclave noch im Vatican gehalten wurde, das neu erwahlte Oberhaupt dem Volke verkundigte. Seine Krönung erfolgt hier noch gegenwärtig. Auf der Ballustrade der Vorderseite stehen die Statuen des Heilandes, der heil. Jungfrau und der Apostel.

Zu der Vorhalle fuhren funf Eingänge. An jedem der drei grösseren stehen vier antike Säulen mit modernen Capitellen. Zwei derselben, von afrikanischem Marmor, waren in der alten Peterskirche. Die vergoldeten Stuccaturverzierungen hat Carlo Maderno angegeben; und die Marmorbekleidung des Fussbodens ist nach Angabe des Bernini unter Clemens X. ausgeführt worden.

Navicella von Giotto.

In der Lunette über dem mittleren Eingange sieht man das unter dem Namen der Navicella bekannte Mosaik von Giotto, welches sich im Vorhofe der alten Peterskirche befand. Der Cardinal Jacob Stefaneschi, Neffe Bonifacius VIII., liess es im J. 1298 verfertigen. Es ist nach mehreren Restaurationen, von denen die letzte im Pontificate Clemens X. erfolgte, so gut wie neu gemacht worden, und zeigt daher jetzt wenig mehr als die Composition des Giotto. Der Gegenstand desselben ist der heil. Petrus, der auf den Wogen des Meeres zu dem Erlöser wandelt, wahrend die Winde das Schiff mit den übrigen Aposteln heftig bewegen, welches hier symbolisch die Kirche bedeutet, die bei allen Erschutterungen sich durch göttlichen Beistand aufrecht erhält.

In den Hallen, zu beiden Seiten der Vorhalle, auf welchen die Glockenthürme aufgeführt werden sollten, steht rechts die

Reiterstatue Constantins des Grossen von Bernini, und zur Linken
die Carls des Grossen von Cornachini. Die Kirche selbst hat fünf
Eingange. Der kleinste derselben ist die heilige Thure, die nur
in den Jubeljahren offen steht, und in der Zwischenzeit durch
eine Mauer, auf der sich ein metallenes Kreuz befindet, verschlossen
ist. Am mittleren Eingange sind die metallenen Thurflügel, welche
Eugen IV. von Antonio Filarete für die alte Peterskirche verfertigen
liess. Sie sind reich mit erhabenen Arbeiten geschmückt, deren Ausfuhrung aber, im Vergleich mit andern Sculpturen dieser Zeit, ziemlich roh erscheint. Man sieht in denselben den Heiland und die
Mutter Gottes auf Thronen sitzend; — die stehenden Figuren der
heil. Petrus und Paulus, von denen der erstere dem Papst Eugen
die Schlussel übergiebt, — den Martyrertod jener beiden Apostel;
und einige Vorstellungen, die sich auf die durch die Bemuhungen
des genannten Papstes erfolgte Vereinigung der griechischen und
lateinischen Kirche, und auf die von ihm vollzogene Krönung des
Kaisers Sigismund beziehen. Die Zierrathen, welche diese Reliefs
umgeben, bestehen in Arabesken, und kleinen Figuren und
Gruppen, in denen zum Theil Gegenstande der Mythologie des
Alterthums dargestellt sind.

An der Wand zwischen den gedachten Eingängen sind drei
Inschriften aus der alten Peterskirche eingemauert. Die eine
enthalt die Bulle Bonifacius VIII. zur Einsetzung des Jubiläums
vom 22sten Februar 1300, die andere die Grabschrift Carls des
Grossen auf Papst Hadrian I., und die dritte die Schenkung einiger
Oelpflanzungen an die Peterskirche, zur Unterhaltung von Lampen.

§. 32.

Das Innere der Peterskirche.

Die Peterskirche hat, vom Haupteingange bis zum Ende der
Tribune, eine Lange von 829½, mit Inbegriff der Vorhalle und
Dicke der Mauern aber 947 Palm. Die Lange des Querschiffes
betragt im Lichten 615, und mit der Dicke der Mauern und
der äussern Pfeiler 671 Palm. Die grosse Kuppel erhebt sich von
dem Fussboden der Kirche bis zum Auge der Laterne in einer
Hohe von 552½, und bis zum Gipfel des Kreuzes von 593 Palm.

An jeder der beiden Seiten des Mittelschiffes erheben sich
vier grosse Bogen, auf Pfeilern, an denen sich korinthische Pilaster
befinden, die bis zum Hauptgesims hinaufgehen, auf dem das
Tonnengewölbe ruht, welches mit vergoldeten Stuccaturen in
gutem Geschmack verziert ist. Die ebenfalls vergoldeten Stuccaturen der drei Tribunen sind erst unter Benedict XIV. verfertigt
worden. Unweit vom Haupteingange ist in den Fussboden eine

grosse runde Porphyrplatte eingesetzt, welche in der alten Peterskirche die Stelle bezeichnete, an welcher über dem Kaiser, bei
seiner Krönung, ein Gebet von einem Cardinalbischof gesprochen
wurde; spater empfingen auf dieser Platte die Papste den Lehens-
tribut fur das Konigreich Neapel. Die sehr geschmacklosen Zierrathen unter den Bogen der Seitenschiffe bestehen zum Theil aus
Feldern in mannigfaltiger Form, mit eingelegtem buntem Marmor,
theils in erhabenen Arbeiten von der Erfindung des Bernini. Die
letzteren stellen Engel vor, welche Brustbilder heiliger Papste,
die päpstliche Krone, oder die Schlussel tragen. Ueber den Bogen
des Mittelschiffes sieht man Tugenden durch weibliche Figuren
personificirt, von Stuck, und in den Nischen zwischen den Pilastern,
sowohl hier als im Querschiffe, marmorne Bildsäulen von der
Hand des Le Gros, des Rusconi, und anderer Bildhauer des 17ten
und 18ten Jahrhunderts.

Statue des heil. Petrus.

An der rechten Seite des Mittelschiffes sieht man, am letzten
Pfeiler, die bronzene Statue des heil. Petrus, welcher sitzend die
Rechte zum Segen erhebt, und in der Linken die Schlüssel halt.
Sie stand ehemals zuerst im St. Martinskloster bei der alten Peters-
kirche, und dann neben dem Altare der Heiligen Processus und
Martinianus. Angeblich liess sie bereits Leo I. zwischen den
J. 440 und 460 verfertigen. Jedenfalls ist sie ein sehr altes, vermuthlich byzantinisches Werk; denn höchst wahrscheinlich ist
es dieses Standbild, von welchem in dem Schreiben Leo des
Isauriers an Gregor II. die Rede ist, an der Stelle, wo dieser
bilderstürmende Kaiser droht, er werde Abgesandte nach Rom
schicken, um das offentlich ausgestellte eherne Bild des heil.
Apostels Petrus zu zertrümmern. Der weisse Marmorsessel, der
gegenwärtig dieser Statue zum Sitze dient, ist, nach dem Style
der Zierrathen zu urtheilen, aus dem 15ten Jahrhundert. Sie
steht auf einem mit grunen Porphyrplatten ausgelegten Postamente
aus der Zeit Benedicts XIV. Durch das andachtige Kussen der
Fusse ist insbesondere der rechte mehr als der andere vorwarts
stehende Fuss fast ganz abgenutzt worden. Am St. Petersfeste
erscheint sie mit dem päpstlichen Ornate bekleidet.

Die Confession.

Vor der nach Angabe des Carlo Maderno verzierten Confession ist ein vertiefter Platz, zu welchem eine doppelte
Treppe von weissen Marmorstufen hinabfuhrt. Oben ist derselbe
von einem Gelander von buntem Marmor umgeben, auf welchem
jederzeit 89 Lampen brennen. Die Wände und der Fussboden
dieses Platzes sind mit kostbaren Steinen ausgelegt. Auf demselben,

der Confession gegenüber, steht Canova's Bildsäule Pius VI., in betender Stellung. Unter einer Nische, in der Mitte der Vorderseite der Confession, ruhen die Gebeine des beil. Petrus; und sie heisst daher die Confession im engeren Sinne. Auf die metallene Platte, die ihren Fussboden bedeckt, werden die Pallien der Erzbischöfe und Patriarchen gelegt. Ihre Wande sind mit alten, unter Urban VIII. erneuerten Mosaiken verziert, welche den Heiland mit den Aposteln Petrus und Paulus vorstellen. Die mit durchbrochenem Laubwerk und den Brustbildern der gedachten Apostel geschmückte Thur liess Innocenz III. fur die alte Peterskirche verfertigen. An jeder Seite dieser Nische stehen zwei Säulen von Quittenalabaster (Alabastro cotognino), und in zwei andern Nischen, jener zu beiden Seiten, die von Bonvicino aus vergoldetem Metall verfertigten Statuen der mehrerwahnten Apostel.

Hauptaltar.

Der unter Clemens VIII. errichtete Hauptaltar — in welcher der der alten Kirche eingeschlossen ist — wurde von diesem Papst den 26sten Juli 1594 geweiht. Auf diesem Altare hält der Papst — der allein das Vorrecht hat, auf den Altaren der romischen Patriarchalkirchen Messe zu lesen — zu Weihnachten, Ostern und am St. Peterstage, das Hochamt. Ueber demselben Altare erhebt sich ein grosses Tabernakel von vergoldeter Bronze; ein sehr colossales, aber geschmackloses Werk von der Erfindung des Bernini. Das, in Form eines Baldachins gebildete, Dach ruht auf vier gewundenen Säulen. Seine Höhe beträgt, mit Inbegriff des auf dem Gipfel stehenden Kreuzes, über 129 Palm. Es sind dazu gegen 186,000 römische Pfund Metall verwendet worden. Die Kosten der Arbeit beliefen sich auf 60,000, und die der Vergoldung auf 40,000 Scudi.

An den Abenden des grünen Donnerstages und des Charfreitages wurde ehemals gegen den Hauptaltar, von der Kuppel herab, zur Gedächtnissfeier des Leidens des Erlösers, ein grosses von 314 Lampen erleuchtetes Kreuz aufgehängt. Wegen der grossen in einem Gotteshause höchst anstossigen Unordnungen, welche diese Beleuchtung durch den grossen Zudrang des Volkes, und namentlich der Fremden veranlasste, wurde sie von Leo XII. untersagt, und scheint seitdem fur immer abgestellt worden zu seyn.

Die Kuppel.

Die grosse Kuppel ist, so wie in der Form und Construction, auch in den Verzierungen des Inneren vortheilhaft vor den übrigen Theilen des Gebäudes ausgezeichnet. Sie zeigt einen guten Geschmack, sowohl in den gekuppelten korinthischen Pilastern, zwischen den Fenstern der Trommel, als in der Anordnung der

Felder der Mosaikbilder, welche von der Erfindung des Arpino
sind, und ausser dem Erlöser und der heil. Jungfrau, Heilige und
Engel vorstellen. Die vier Evangelisten, an den Bogenwinkeln
der vier Pfeiler der Kuppel, sind von der Erfindung des Giovanni
de' Vecchi und des Cesare Nebbia. In den untern Nischen der
gedachten Pfeiler stehen die colossalen Bildsäulen der heil. Veronica, der heil. Helena, des heil. Longinus und des heil. Andreas.
Die erste ist von Francesco Mocchi, die zweite von Andrea Bolgia,
die dritte von Bernini, und die vierte, die ehemals fur ein ausgezeichnetes Werk galt, von Franz Quenois, genannt il Fiamingo.

Diese Statuen beziehen sich auf die vier bedeutendsten Reliquien, welche die Kirche nachst den Gebeinen des heil. Petrus
besitzt. Sie sind: das Schweisstuch der heil. Veronica; — ein
Stück Holz vom Kreuze Christi, welches die heil. Helena entdeckte;
— die Lanze, mit welcher der heil. Longinus die Seite des Heilandes
durchstach; — und der Kopf des heil. Andreas. Sie werden in
den vier Loggien, uber den Nischen der gedachten Statuen, aufbewahrt, und von da aus an bestimmten Tagen den Glaubigen
gezeigt. An jeder von diesen, sehr geschmacklos von Bernini angegebenen Loggien sind zwei von den gewundenen Marmorsäulen
angebracht, die vor dem Hauptaltare der alten Peterskirche standen.
Zu denselben fuhren Treppen im Innern der Pfeiler empor. Aber
Niemand darf sie besteigen, und jene Reliquien in der Nahe
betrachten, ausser die Domherrn der Peterskirche; und wer daher
dazu Verlangen hat, muss zuvor zum Titulardomherrn dieser
Kirche ernannt werden; eine Vergünstigung, die nur Fremde von
furstlichem Range erhalten.

Ausser dem Hauptaltare befinden sich in der Peterskirche
noch 29 andere Altare, von denen 7 zu den Seelenmessen privi-
legirt sind. Die Zahl der Saulen, welche die Altare, Capellen
und andere Orte verzieren, belauft sich auf 148. Mehrere derselben sind von dem Septizonium des Septimius Severus, welches
Sixtus V. desshalb zerstoren liess, um der Kirche einen solchen
Schmuck zuzuwenden. Vier Säulen von Giallo antico, in den beiden
Tribunen des Querschiffes, sind durch Grosse und Schönheit vorzüglich ausgezeichnet.

Rechtes Seitenschiff.

Im ersten Seitenschiffe vom Eingange rechts ist, über der
heiligen Thür, ein Mosaikbild des heil. Petrus von der Erfindung
des Arpino. Am Gewolbe und in den Lunetten der ersten Kuppel
dieses Schiffes sind Mosaiken nach Gemälden des Pietro da Cortona und Ciro Ferri.

Statue der heil. Jungfrau mit dem todten Christus von Michelagnolo.

Ueber dem Altare der Capelle, vor der sich diese Kuppel erhebt, steht die vortreffliche Marmorgruppe' der Mutter Gottes mit dem todten Heilande von Michelagnolo. Auf dem Gürtel der heil. Jungfrau liest man den Namen des Künstlers, der dieses Werk in seinem 25sten Jahre auf Kosten des Cardinals Jean de la Grolaye de Villiers, fur die bei dem Bau der neuen Peterskirche niedergerissene Kirche S. Petronilla verfertigte. Sie wurde im J. 1749 in dieser Capelle aufgestellt, die seitdem von ihr Cappella della Pietà genannt wird, nachdem sie zuvor den Namen Cappella del Crucifisso gefuhrt hatte. Ihre Decke zeigt den Triumph des Kreuzes in einem Gemalde von Lanfranco.

Zwei kleinere Capellen befinden sich zu beiden Seiten. Die eine derselben, vom Eingange links, wird SS. Crocifisso e S. Nicolà benannt. Sie hat zwei Altäre. Auf dem einen sieht man ein Crucifix von Holz, angeblich ein Werk des Pietro Cavallini, aus der alten Peterskirche. Auf dem andern Altare ist ein Mosaik, welches nach einem Bilde des heil. Nicolaus von Bari, in einer Kirche dieser Stadt, verfertigt worden ist.

Die andere der gedachten Capellen heisst Cappella della Colonna Santa, von einer hier aufbewahrten Sänle, die im Tempel zu Jerusalem gestanden, und an die sich der Heiland wahrend seiner Predigt gelehnt haben soll. Sie ist von weissem Marmor, und hat die Gestalt der an den Loggien der Reliquien befindlichen Säulen. Ausserdem ist hier ein altchristlicher Sarkophag zu bemerken, welcher zum Grabmale des Anicius Probus gedient hat, und bei der Zerstorung der, an die Tribune der alten Basilica angebauten Grabkirche, unter Nicolaus V. gefunden wurde. An der Vorderseite und an den Querseiten ist der Heiland mit 24 Jungern gebildet. Die Hinterseite zeigt in der Mitte ein Ehepaar, wohl ohne Zweifel Probus und dessen Gemahlin Falconia, und an den Enden derselben zwei Männer mit Bucherrollen, wie sie auch in ähnlichen Vorstellungen auf Grabdenkmalern des heidnischen Alterthums vorkommen.

Auf die Capella della Pietà folgt rechts das unlängst hier errichtete Grabmal Leo's XII., von Fabris. — Gegenuber: das Grabmal der Konigin Christina von Schweden, nach Angabe des Architecten Carlo Fontana, von Fendou, Lorenzo Ottone, und Giovanni Giardini ausgeführt. — In der weiteren Folge rechts: die Capelle des heil. Sebastian: über dem Altare die Marter dieses Heiligen in Mosaik, nach dem gegenwartig in S. Maria degli Angeli befindlichen Gemälde des Domenichino. Die Mosaiken der Kuppel sind von der Erfindung des Pietro da Cortona und des Guido Ubaldo Abbatini. — Im zunächst folgenden Gange, rechts:

das Grabmal Innocenz XII., ein Werk des Filippo Valle, nach der Zeichnung des Architecten Fuga. — Links: das Grabmal der Mathilde, ein Werk von der Erfindung Bernini's, der auch die Bildsaule jener beruhmten Markgrafin von Toscana eigenhandig ausgefuhrt hat. Ihre Gebeine liess Urban VIII. aus dem Kloster S. Benedetto bei Mantua hierher bringen. — Die Mosaiken der folgenden Kuppel sind von Raffaele Vanni, nach Cartonen des Pietro da Cortona verfertigt.

Capelle des heil Sacramentes

In der weiteren Folge gelangt man zu der Capelle des heil. Sacramentes. Auf ihrem Hauptaltare, dem Eingange gegenub́er, steht ein Ciborium von der Erfindung des Bernini, in Form eines runden mit Saulen geschmuckten Tempels, von vergoldeter mit Lapislazuli ausgelegter Bronze, aus welcher auch die zu beiden Seiten knieenden Engel verfertigt sind. An der Wand uber diesem Altar sieht man die Dreieinigkeit in einem Frescogemalde von Pietro da Cortona. Ein zweiter Altar, der des heil. Mauritius, an der Seitenwand vom Eingange rechts, ist mit zwei von den gewundenen Saulen geschmuckt, die vor dem Hauptaltare der alten Peterskirche standen. Das Altarbild ist eine Copie in Mosaik von der Grablegung Christi von Caravaggio in der vaticanischen Sammlung. Auf dem Fussboden sieht man das Grabmal Sixtus IV. von Bronze, welches ihm der Papst Julius II. noch als Cardinal in der Capelle des Chors der alten Kirche errichten liess; ein Werk des Antonio Pollajolo, wie der darauf befindliche Name des Kunstlers mit der Jahrzahl 1493 zeigt. Die Gegenstande der in einem sehr manierirten Styl ausgefuhrten Sculpturen sind, ausser der liegenden Bildsäule des Verstorbenen, die theologischen und moralischen Tugenden, nebst den durch Namen bezeichneten personificirten Darstellungen der Theologie, Philosophie, Arithmetik, Astrologie, Dialectik, Rhetorik, Perspective, Musik und Geometrie.

Unter dem folgenden Bogen rechts: das Grabmal Gregors XIII., von Camillo Rusconi. — Links: das schmucklose Denkmal Gregors XIV. — Am Pfeiler der grossen Kuppel, dem zuvorgedachten Bogen gegenüber: der Altar des heil. Hieronymus, mit einer Copie in Mosaik nach dem Gemalde der Communion dieses Heiligen von Domenichino, welches man jetzt in der vaticanischen Sammlung sieht.

Die Gregorianische Capelle.

Die Gregorianische Capelle (Cappella Gregoriana) führt diesen Namen von Gregor XIII., in dessen Pontificate sie mit einem

Kostenaufwande von 80,000 Scudi vollendet wurde. Die Gegenstände der Mosaiken des Gewölbes der Kuppel sind auf die heil. Jungfrau bezugliche Sinnbilder; und die Bogenwinkel und Lunetten sind ebenfalls mit Mosaiken von der Erfindung des Muziano und Nicolaus von Pesaro verziert. Auf dem Altare ist ein verehrtes Marienbild, welches zur Zeit Paschalis I. fur die alte Kirche verfertigt worden war. Unter dem Altare werden die Gebeine des heil. Gregorius von Nazianz aufbewahrt, die im J. 1580 aus dem Nonnenkloster S. Maria in Campo Marzo in feierlicher Procession hierher gebracht worden sind.

Im Bogen, der von hier in das Querschiff führt, steht zur Linken der Altar des heil. Basilius, über welchem in Mosaik, nach einem Gemälde des Subleyra der Kaiser Valens dargestellt ist, in Ohnmacht sinkend, uber den erschutternden Vorwürfen, die ihm dieser Heilige wegen seiner Anhanglichkeit an die arianische Lehre macht. Das Original dieses Bildes ist in S. Maria degli Angeli. — Gegenüber steht das Grabmal Benedicts XIV., von Pietro Bracci.

Nördliche Tribune des Querschiffes.

In der nördlichen Tribune des Querschiffes stehen drei Altäre. Der mittlere ist den Heiligen Processus und Martinianus geweiht. Ueber demselben sieht man die Marter dieser Heiligen in einem Mosaikbilde, nach einem Gemälde von Valentin, jetzt in der vaticanischen Sammlung. Diesem Altar zur Rechten ist der des heil. Wenceslaus, mit dessen Bilde in Mosaik, nach einem Gemälde von Caroselli; und zur Linken der des heil. Erasmus, dessen Martyrertod ein Mosaik nach dem Gemalde des Poussin in der vaticanischen Sammlung vorstellt.

Man gelangt darauf, am zweiten Pfeiler der grossen Kuppel, zu dem Altare, welcher den Namen della Navicella von dem in Mosaik ubertragenen Gemalde des Lanfranco erhielt. Der Gegenstand desselben ist der heil. Petrus, welcher auf dem galilaischen Meere aus dem Schiffe der Apostel zu dem Erloser wandelt. — Gegenüber steht das Grabmal Clemens XIII. von Canova.

Es folgt die Capelle des Erzengels Michael, mit der Cappella Gregoriana von gleicher Grösse. Mosaiken von der Erfindung des Pellegrini, Romanelli und anderer Maler dieser Zeit, verzieren das Gewölbe der Kuppel, die Lunetten und die Bogenwinkel. Auf dem einen Altare dieser Capelle, der den Namen von dem gedachten Erzengel fuhrt, ist derselbe im Kampfe mit dem Satan, in Mosaik nach einem Gemälde des Guido Reni, in der Capuzinerkirche della SS. Concezione, vorgestellt. Den andern, der heil. Petronilla geweihten, Altar schmückt eine unter den Mosaiken dieser Kirche besonders ausgezeichnete Arbeit, nach dem Gemälde des Guercino in der Bildersammlung des Capitols, welches die Bestattung dieser Heiligen vorstellt.

In dem weiteren Fortgang nach der Haupttribune sieht man links den Altar, della Tabita genannt, mit einem Mosaik nach dem Gemälde des Placido Costanzi, welches die Auferweckung der heil. Tabea durch den Apostel Petrus darstellt und sich gegenwärtig in S. Maria degli Angeli befindet. — Gegenüber steht das Grabmal Clemens X., von der Erfindung des de Rossi.

Haupttribune.

Zwei Porphyrstufen, die sich ehemals vor dem Hauptaltar der alten Peterskirche befanden, fuhren zu der Haupttribune. Der Altar am Ende derselben ist der heil. Jungfrau und allen heiliggesprochenen Papsten geweiht. Ueber diesem Altare sieht man in einer sehr colossalen, aber höchst geschmacklosen Bronzearbeit, von der Erfindung des Bernini, die vier Kirchenvater Augustinus, Ambrosius, Athanasius und Johannes Chrysostomus, welche die Cathedra des heil. Petrus tragen, in welche der Stuhl aus der alten Peterskirche eingeschlossen ist, der dem Apostel selbst zum bischoflichen Sitze gedient haben soll. Nach Carlo Fontana beliefen sich die Kosten dieses Werkes auf 107,551 Scudi, und das zu demselben verwendete Metall betrug 219,061 romische Pfund.

In zwei Nischen, zu beiden Seiten des letzterwähnten Altars steht rechts das Grabmal Urbans VIII. von Bernini und links das Grabmal Pauls III. von Guglielmo della Porta. Das letztere zeichnet sich unter den Grabmälern dieser Kirche vortheilhaft aus. Der Papst, von Bronze gearbeitet, sitzt auf dem Sarkophage: unter demselben sind in zwei weiblichen Bildsaulen von Marmor die Klugheit und Gerechtigkeit vorgestellt. Diese, jugendlich gebildet, hält die Fasces; jene, eine betagte Frau, einen Spiegel in der Hand. Die Klugheit war ursprunglich ganz nackt, ist aber nachmals, des Anstandes wegen, mit einem bronzenen Gewande bedeckt worden, welches die Figur sehr verunstaltet.

Auf dem Wege von der Haupttribune nach der mittäglichen Seite der Kirche sieht man links den Altar des heil. Petrus und Johannes, dello Storpiato genannt von der darüber befindlichen Mosaik, welches nach einem Gemälde des Francesco Mancini, die Heilung eines Lahmen durch den erstgenannten jener Apostel vorstellt. Gegenuber steht das Grabmal Alexanders VIII., welches Giuseppe Berlosi und Angelo de Rossi nach Angabe des Arrigo di S. Martino ausfuhrten.

Es folgt die Capelle der Madonna della Colonna, über der sich eine Kuppel erhebt. Die Mosaiken am Gewölbe derselben sind von der Erfindung des Giuseppe Zoboli, und die in den Bogenwinkeln und Lunetten nach Vorbildern des Lanfranco, Andrea

Sacchi und Romanelli ausgeführt. Ueber dem einen Altare dieser
Capelle, an der Hinterseite der Kirche, welcher dem heil. Leo
geweiht ist, sieht man das ehemals berühmte Relief von Algardi,
welches den genannten Papst vorstellt, der mit Beistand der Apostel
Petrus und Paulus den Attila nothigt, von seinem Unternehmen
gegen Rom abzustehen. Auf dem andern Altare verehrt man das
Marienbild, von dem diese Capelle den Namen fuhrt. Es erhielt
diese Benennung, weil es von einer Saule von Porta Santa abgesagt worden ist, die in der alten Peterskirche stand. Unter diesem Altare werden die Gebeine der heiligen Päpste Leo's II., III.
und IV. in 'einem altchristlichen Marmorsarge aufbewahrt, auf
welchem der Heiland mit seinen Jungern, die Himmelfahrt des
Elias, Isaak's Opfer und anderer heiligen Gegenstände gebildet sind.

Im Bogen, der von dem Altare des heil. Leo nach dem Querschiffe fuhrt, sieht man zur Linken den Altar des heil. Petrus
und Paulus, der von dem uber diesem Altare befindlichen Gemälde des Vanni, welches den Fall Simon des Zauberers vorstellt,
auch den Beinamen della Caduta di Simon Mago erhielt. Gegenüber steht uber einer Seitenthür, die nach Piazza di S. Marta
führt, das Grabmal Alexander's VII. von Bernini.

Die südliche Tribune des Querschiffs entspricht der Gestalt
der nordlichen und hat wie diese drei Altäre. Der mittlere ist
dem heil. Simon und Judas geweiht, dessen Reliquien man unter
demselben aufbewahrt. Ihn schmuckt ein Mosaik, welches die
Kreuzigung des heil. Petrus vorstellt, nach einem Gemalde des
Guido Reni, in der Bildersammlung des Vaticans. Diesem Altare
zur Linken steht der des heil. Thomas mit einem Mosaik nach
einem Gemälde des Camuccini, jenen Apostel vorstellend, der den
Finger in Christi Seite legt. Ueber dem Altare des heil. Martialis, zur Rechten von dem der Apostel Simon und Judas, sieht man
in einem Mosaikbilde den heil. Franciscus, welcher die Wundenmale empfangt, nach einem Gemalde des Domenichino in der
Capuzinerkirche della SS. Concezione.

Im hinteren Theile der Kirche ist eine grosse Anzahl von
Beichtstühlen, zum Theil fur Fremde bestimmt, die bei Beicht-
vätern ihrer Muttersprache zu beichten wunschen. Von der sogenannten Cathedra, am Pfeiler der heil. Veronica, wird in der
heiligen Woche den Bussenden von dem Cardinal-Penitenziere,
den die Mitglieder seines Tribunals umgeben, durch symbolische
Berührung mit einem Stabe die Absolution ertheilt.

Unter dem Bogen, der von dem sudlichen Querschiffe in das
linke Seitenschiff fuhrt, steht zur Linken der Altar der Heiligen
Petrus und Andreas. Das Mosaik uber demselben, welches den
Tod des Ananias und der Saphira vorstellt, ist nach einem

Gemälde des 'Roncalli, jetzt in S. Maria degli Angeli, ausgeführt.
Der Altar erhielt von diesem Bilde den Beinamen della bugia.
Ueber der Thür, ihm gegenüber, sieht man den heil. Petrus, den
Besessenen heilend, in einem Frescogemälde von Romanelli.

Die Clementinische Capelle

Es folgt darauf die Clementinische Capelle (Cappella Clementina), so benannt von Clemens VIII., in dessen Pontificate sie
erbaut wurde. Am Gewölbe ihrer Kuppel ist daher, nebst mehreren Zierrathen, das Wappen dieses Papstes in Mosaik gebildet.
Die Mosaiken in den Bogenwinkeln und in den Lunetten sind von
der Erfindung des Roncalli. Der Altar ist dem heil. Gregor dem
Grossen geweiht, dessen Reliquien man unter demselben aufbewahrt.
In dem Mosaik über diesem Altare ist dieser Papst vorgestellt, wie
er einem Ungläubigen das Blut des von ihm durchstochenen Tuches zeigt, welches auf dem Leichnam des heil. Petrus gelegen
hatte. Das Originalgemälde von Andrea Sacchi ist in der Vaticanischen Bildersammlung. — An der Seitenwand erhebt sich das
vor einigen Jahren hier errichtete Grabmal Pius VII. von Thorwaldsen. — Demselben schräg gegenuber, am Pfeiler der grossen
Kuppel, steht der Altar der Transfiguration, mit einem Mosaikbilde nach Raphaels berühmtem Gemälde dieses Gegenstandes. —
Im folgenden Bogen sieht man zur Rechten das Grabmal Leo's IX.
von Algardi und zur Linken das Grabmal Innocenz XI., von Stephan Monnot nach Angabe des Carlo Maratta ausgeführt.

Die Capelle des Chors.

Die Mosaiken der folgenden Kuppel sind von der Erfindung
des Franceschini, Ciro Ferri und Carlo Maratta. Hier ist der
Eingang zu der Capelle des Chors, in welcher sich das Domkapitel
zu den geistlichen Functionen versammelt. An der Decke sind,
so wie an den Wänden derselben reiche Zierrathen vergoldeter
Stuccaturarbeiten. Das Mosaik uber dem Altare, unter welchem
man die Reliquien des heil. Johannes Chrysostomus aufbewahrt,
stellt die heil. Jungfrau nebst den Heiligen Franciscus und Auto-
nius von Padua vor, und ist nach einem Gemalde des Pietro
Bianchi, jetzt in S. Maria degli Angeli, ausgeführt. Die reich mit
Schnitzwerk geschmuckten Chorstuhle sind aus der Zeit Urbans VIII.
In einem unterirdischen Gemache dieser Capelle ruhen die Gebeine
des Papstes Clemens XI.

Unter dem Bogen, auf dem Wege zur folgenden Capelle,
sieht man an dem Pfeiler links, das bronzene Grabmal Innocenz's VIII. von Antonio Pollajolo. Der Papst ist hier in zwei
Bildsäulen vorgestellt. Die eine zeigt ihn todt auf dem Sarge liegend, die andere auf dem Throne sitzend, die heilige Lanze haltend,

die ihm Bajazet, der türkische Sultan, schenkte. Auch sind an diesem Monumente die theologischen und moralischen Tugenden in erhabener Arbeit gebildet. — Gegenüber ist über der Thür, welche zu dem Balcon der Sänger in die Capelle des Chors fuhrt, das einfache Grabmal, in welchem jederzeit der letzt verstorbene Papst beigesetzt wird.

Die Mosaiken der folgenden Kuppel sind von der Erfindung des Carlo Maratta. Die Capelle hier zur Rechten fuhrt den Namen Cappella della Presentazione. Der Gegenstand des Mosaiks über dem Altare ist die Darstellung der Maria im Tempel, nach einem Gemälde des Roncalli in S. Maria degli Angeli. — Unter dem folgenden Bogen steht rechts das Grabmal der im J. 1735 zu Rom verstorbenen Gemahlin des Kronpratendenten von England, Maria Clementina Sobiesky; ein Werk des Pietro Bracci. Gegenüber erhebt sich das von Canova verfertigte Grabmal des Prätendenten und seiner beiden Söhne, Eduard Stuart und Cardinal Heinrich York.

Die Mosaiken der Kuppel vor der Taufcapelle sind von der Erfindung des Trevisani. Die genannte Capelle ist die letzte, wenn man nach unserer Beschreibung die Kirche durchgeht, und die erste vom Haupteingange derselben links. Die Gegenstände ihrer drei Mosaikbilder sind: die Taufe Christi, der Heiligen Processus und Martinianus und des Hauptmanns Cornelius. Das Originalgemälde des ersteren (jetzt in S. Maria degli Angeli) ist von Maratta, das des zweiten von Giuseppe Passeri und des dritten von Andrea Procaccini. Der Taufstein besteht aus einer grossen antiken Porphyrwanne mit einem modernen Deckel von vergoldeter Bronze. Die Wanne diente ehemals zum Deckel des Grabmals Kaiser Otto's II. im Vorhofe der alten Peterskirche.

§. 33.

Die Sacristei.

Die Erbauung der heutigen Sacristei, welche unter Pius VI. nach Angabe des Architecten Carlo Marchionne erfolgte, veranlasste die Zerstörung der mit der alten Peterskirche verbundenen Kirche S. Maria della Febbre, die bis auf diese Zeit der neuen vaticanischen Basilica zur Sacristei gedient hatte. Zu dem heutigen mit der Wohnung der Domherrn verbundenen Gebäude führt von dem Platze eine doppelte Treppe, und von der Kirche aus gelangt man zu derselben durch zwei von dem Fussboden des Platzes erhohte Gänge. Zu dem einen ist der Eingang von der Capelle des Chors, zu dem andern führt eine Thür im linken Seitenschiffe der Kirche. Von da, als von dem gewöhnlichen Eingange, tritt man zuerst in eine kleine fast runde Halle, mit 4 Säulen und 2 Pilastern von besonders schönem, rothen orientalischen Granit geschmückt. In derselben Halle steht eine Bildsäule des heil. Andreas aus den späteren Zeiten des 16ten Jahrhunderts, die zu dem Ciborium bestimmt war, welches ehemals das Haupt des gedachten Apostels bewahrte. Die drei hierauf folgenden Gänge sind mit Saulen und Pilastern von verschiedenen Marmorarten verziert. Unter den an den Wanden eingemauerten antiken Inschriften sind die beruhmten der Fratres Arvales und eine metrische des Ursus Togatus vorzuglich zu bemerken.

Der mittlere Saal von achteckiger Form, über dem sich eine Kuppel erhebt, wird die -gemeinschaftliche Sacristei (Sagrestia Commune) genannt. Ihn schmucken acht cannelirte Säulen von Marmo bigio, aus der Villa Hadrians. Auf der Uhr über der kleinen Capelle, dem Haupteingange gegenüber, steht ein Hahn von Bronze, der vordem auf der Spitze des Glockenthurms der alten Peterskirche stand.

Diesem Saale zur Rechten ist die Sacristei der Domherrn. Das Gemalde der heil. Jungfrau zwischen den Aposteln Petrus und Paulus, von Francesco Penni, über dem Altare der Capelle, scheint sehr von neueren Handen ausgebessert. Mehr Aufmerksamkeit verdient das Bild von Giulio Romano an der gegenüberstehenden Wand, welches die heil. Jungfrau mit dem Christuskinde und dem kleinen Johannes in halben Figuren vorstellt.

In dem Zimmer, in welchem sich die Domherrn ankleiden (Stanza Capitolare), befinden sich einige Gemalde heiliger Gegenstande von Giotto, die zu dem Ciborium gehörten, welches der Cardinal Giacomo Gaetani Stefaneschi fur den Hauptaltar der alten Peterskirche verfertigen liess. Dieser Cardinal ist auf dem einen dieser Bilder vor dem Erloser kniend und auf einem andern, auf der Ruckseite derselben Tafel, wie er dem heil. Petrus dieses Ciborium darbringt, vorgestellt. Desgleichen sieht man hier in einigen Köpfen von Aposteln und Engeln Reste der Frescomalereien des Melozzo da Forlì, aus der Tribune der zu Anfang des vorigen Jahrhunderts zerstörten alten Kirche SS. Apostoli. Auch ist in diesem Zimmer eine genaue Zeichnung der nicht mehr sichtbaren Cathedra des heil. Petrus zu bemerken. Nach derselben ist dieser Sessel mit den Thaten des Hercules und den Zeichen des Thierkreises in erhabener Arbeit geschmückt.

Der gemeinschaftlichen Sacristei zur Linken ist die der Beneficiaten. Das Gemälde von Muziano uber dem Altare ihrer Capelle stellt den Heiland vor, der dem heil. Petrus die Schlussel ubergiebt. An der gegenüberstehenden Wand sieht man, in einer Art von Tabernakel mit Sculpturen im Styl des 15ten Jahrhunderts, das Marienbild Madonna della Febbre, von dem die obenerwähnte Kirche vor ihrer Umwandelung in die Sacristei den Namen führte.

Im Ankleidezimmer der Beneficiaten sind zwei sehr verdorbene Gemälde von Muziano, welche die Gefangennehmung und die Geisselung des Heilandes vorstellen und die h. Veronica mit dem Schweisstuche zwischen den Aposteln Petrus und Paulus, ein Gemalde von Ugo da Carpi, ehemals am Altare des Volto Santo der alten Kirche.

Von dem letzterwähnten Zimmer ist der Eingang zu der Guardaroba, welche zur Aufbewahrung des Ornates der Geistlichen und des Kirchengerathes dient. Man zeigt hier die Crucifixe und Leuchter, die bei feierlichen Gelegenheiten auf den Hauptaltar und den Altar der Capelle des Chors gesetzt werden. Sie sind von Silber und vergoldet und reich mit Sculpturen geschmückt. Zwei derselben und ein Crucifix auf einem hohen Fussgestell, in Form und Zierrathen den gedachten Leuchtern ähnlich, sind von Antonio Gentili nach Zeichnungen des Michelagnolo verfertigt. Die Peterskirche erhielt diese Geräthe zum Geschenk von dem Cardinal Alexander Farnese. Vier andere zu derselben Folge gehorende Leuchter, von der Erfindung des Bernini, schenkte, ebenfalls mit einem Crucifix, der Cardinal Francesco Barberini. Eine andere Folge von minder reich geschmuckten Leuchtern wird dem Benvenuto Cellini zugeschrieben.

Sehr merkwürdig ist das hier aufbewahrte Diaconengewand oder die Dalmatica, womit ehemals die Kaiser bei ihrer Ernennung zu Domherrn der Peterskirche bekleidet wurden. Der Stoff dieses Gewandes ist ein blau seidenes Zeug, mit einem rothen ebenfalls seidenen Unterfutter. Es ist an der Vorder- und Hinderseite durch Stickereien von Silber und Gold reich mit Bildern heiliger Gegenstande geschmuckt, Styl und Composition nach eins der ausgezeichnetsten Werke byzantinischer Kunst, als welches sie auch die griechischen Inschriften erweisen. Man setzt dieses Kleid in die Zeit Leo's III. Aber die Festsetzung der bei der Kaiserkronung üblichen Gebräuche, zu denen es bestimmt war, erfolgte höchst wahrscheinlich erst in weit späterer Zeit.

Im obern Stockwerke der Sacristei ist das Archiv der Peterskirche. Vor dem Eingange ist die Kette des Hafens von Smyrna, und das Schloss und der Riegel des Stadtthors von Tunis aufgehängt, welche Carl V. nach der Eroberung dieser Stadt der Kirche des Fürsten der Apostel zum Geschenk übersandte. Die vorerwähnte Kette brachte der Cardinal-Legat Sixtus IV., Olivieri Caraffa, nach der Einnahme jenes Hafens nach Rom. In dem gedachten Archive ist besonders bemerkenswerth eine Handschrift des Lebens des heil. Georg mit Miniaturen des Giotto, welche Begebenheiten dieses Heiligen und des Papstes Cölestin V. vorstellen. Sie wurde der Peterskirche von dem mehrerwähnten

Cardinal Stefaneschi geschenkt. Ausserdem enthält die Sammlung von Handschriften, welche daselbst aufbewahrt wird, mehrere sehr werthvolle Stücke, unter andern den beruhmten Pergament-Codex der Philippica des Cicero, einen Terenz und einen Persius von sehr hohem Alter.

§. 34.
Die oberen Gänge und Gemächer, Dach und Kuppel.

Acht Wendeltreppen führen auf die oberen Gänge und Gemächer und auf das Dach der Kirche. Zu der gewohnlichen, die aus 142 sehr flachen und bequemen Stufen besteht, ist der Eingang unter dem Grabmale der Gemahlin des Kronpratendenten von England. Man gelangt von derselben zu einer Thur, die zu dem Corridor der Loggia fuhrt, von welcher der Papst den Segen ertheilt. Der gewöhnliche Eingang jedoch ist eine Thür in der Sala Regia. Man sieht in diesem Corridor zwolf Cartone zu den Gemalden der Propheten in der Laterankirche, und das zum Theil beim Absagen von der Mauer zu Grunde gegangene Gemalde des auf dem Meere wandelnden Apostels Petrus von Lanfranco, nach welchem das bei der Beschreibung der Kirche erwahnte Mosaik uber dem Altare della Navicella ausgeführt worden ist.

Zwei andere Thüren auf der gedachten Treppe führen zu zwei in der Dicke der Mauern angelegten Gängen. Der obere, welcher das ganze Gebäude umläuft, geht parallel mit dem uber 8 Palm breiten Hauptgesims, zu dem man von diesem Gange durch acht Eingänge gelangt. Desgleichen gelangt man von demselben zu zwei achteckigen Gemachern uber der Clementinischen Capelle, genannt die Ottagoni di S. Gregorio, nach dem Altare dieses Heiligen in der erwähnten Capelle. Sechs andere Gemächer, von der Grösse und Form der beiden zuvorgedachten, befinden sich über den Grabmälern Alexanders VII. und VIII., Clemens X. und XIII., Benedicts XIV., so wie über dem Altare des heil. Hieronymus.

Das Dach der Kirche gleicht auf den ersten Anblick, wegen der Menge der auf demselben sich erhebenden Gebäude, fast einer kleinen Stadt. Die beiden Tonnengewölbe des Mittel- und des Querschiffs sind durch ein Giebeldach, welches theils auf Pfeilern, theils auf Mauern ruht, gegen den Regen geschutzt. Hinter den zu beiden Seiten dieses Daches hervorstehenden Laternen der sechs Kuppeln, in den Seitenschiffen des unter Paul V. hinzugefugten Theils der Kirche erheben sich die beiden nach Angabe des Vignola gebauten Kuppeln, vom Dache bis zum Gipfel der Laterne, in einer Hohe von mehr als 201 Palm.

Die grosse Kuppel, die sich durch gute Verhältnisse vor allen übrigen Kuppeln der neueren Baukunst auszeichnet, ist in technischer Hinsicht ein bewundernswurdiges Werk. Ihre Höhe betragt von der Plattform des Daches bis zum Ende des Kreuzes 420 Palm, und misst, mit Inbegriff der Dicke der Mauern, uber 266 Palm im Durchmesser. Wegen der Risse, die sich nachmals in derselben zeigten, ist sie, ausser den beiden bei ihrer Erbauung herumgelegten eisernen Ringen, noch mit sechs anderen befestigt worden. Treppen fuhren bis zum Dache der Laterne empor, von wo man auf den Sprossen einer eisernen Leiter bis in die metallene Kugel unter dem Kreuze gelangt, die 11 Palm im Durchmesser hat, und in welcher 16 Personen Raum zu finden vermögen. Zu Ostern, am S. Peterstage, bei der Krönungsfeier des Papstes und zuweilen auch bei der Anwesenheit hoher Personen, werden die Kuppel, die Vorderseite der Kirche und die Colonnaden des Platzes zuerst mit Lampen und dann eine Stunde nach Sonnenuntergange mit Fackeln erleuchtet. Das Anzünden der letzteren erfolgt gleichzeitig durch 251 Personen, und gewahrt ein schönes, überraschendes Schauspiel.

§. 35.

Die vaticanischen Grotten.

In den vier Pfeilern der grossen Kuppel führen eben so viele Treppen zu einer unterirdischen Kirche hinab, welche auch die Confession begreift. Ihr Fussboden ist der der alten Peterskirche, 11 Fuss tief unter der heutigen. Den Namen der heiligen Grotten des Vaticans (le sacre grotte Vaticane) erhielt sie in Folge der grundlosen Meinung, dass sie einen Theil des altchristlichen Gottesackers enthalte, der sich in den unterirdischen Thon- und Sandgräben hinter dem Neronischen Circus und der alten Basilica befand.

Zu dem gewöhnlichen Eingange derselben führt die Treppe des Pfeilers, an welchem die Bildsaule der heil. Veronica steht. Sie wird nur zweimal des Jahres dem Publicum geöffnet: nämlich am Montage nach dem Pfingstfeste fur die Frauen und an der Vigilie und dem Feste der Heiligen Petrus und Paulus fur die Männer. Wollen sie Frauen ausser diesen beiden Tagen, in welchen auch Gottesdienst in derselben gehalten wird, besuchen, so wird dazu besondere Erlaubniss erfordert.

Sie besteht aus zwei Theilen, von denen der eine früher, der andere spater angelegt ward, und die daher durch die Namen der alten und neuen Grotten (Grotte vecchie e nuove) unterschieden werden. Die alten Grotten nennt man das vordere Gebaude,

welches durch, zwei Reihen von Pfeilern mit Arcaden in drei
Schiffe getheilt wird; die neuen Grotten hingegen den hinteren
Theil, welcher auf drei Seiten von einem halbzirkligen, die Con-
fession umgebenden Gange eingeschlossen wird.

In diesen sogenannten Grotten sieht man die Denkmäler der
alten Peterskirche, die nach der gänzlichen Zerstörung derselben
unter Paul V. hierher gebracht worden sind. Unter ihnen befindet
sich eine bedeutende Anzahl Grabmäler, insbesondere von Papsten,
Cardinälen und Bischofen, Inschriften, einige Mosaiken und Gemalde aus älterer Zeit, und viele Reliefs und Statuen, die
meistens zur Verzierung von Grabmälern und Tabernakeln dienten. Sie sind grosstentheils aus der späteren Halfte des 15ten
Jahrhunderts und fast sämmtlich Werke unbekannter Meister.
Nur wenige sind von vorzüglicher Arbeit; und einige zeigen sogar
einen entschieden manierirten Styl, den man in der Epoche
der aufstrebenden Kunst nicht erwarten sollte. Das Grabmal
Pauls II. mit der Bildsäule des Verstorbenen, zu welchem auch
die Vorstellung des jüngsten Gerichts und einige andere Sculpturen in dem die Confession umgebenden Gange gehören, ist ein
Werk des Mino da Fiesole.

Unter einigen altchristlichen Monumenten ist durch Grösse
und gute Sculptur der Sarcophag ausgezeichnet, welcher die Gebeine des im J. 359 verstorbenen Prafecten von Rom, Junius
Bassus, bewahrte. In den Reliefs desselben an der Vorderseite
sind Gegenstände des alten und neuen Testaments vorgestellt,
an den Querseiten die vier Jahreszeiten. Er wurde 1595 bei der
Erneuerung der Confession gefunden und ist der Capelle derselben
gegenüber hier aufgestellt. — Ein anderer christlicher Marmorsarg, der zum Grabmale Gregors V. dient, am Ende des linken
Seitenschiffes, ist wegen der inmitten anderer heiligen Vorstellungen stehenden Figur des Heilandes zu bemerken, welcher, wie
selten auf altchristlichen Sarcophagen, den ihm eigenthumlichen
Typus zeigt. Dieselbe schon gedachte Figur sieht man in dem
Mosaik der Tribune der Kirche der Heiligen Cosmas und Damianus.

Unter den Denkmälern der Capelle S. Maria del Portico sind
zwei antike Pilasterfragmente zu bemerken, welche interessante
apollinische Vorstellungen zwischen Laubwerkverzierungen mit
Thierfiguren enthalten. Diese und zwei andere Fragmente in dem
Gange von hier nach der Confession, welche ebenfalls Laubwerkverzierungen mit verschlungenen Thierfiguren zeigen, schmückten
ehemals eine von Johann VII. erbaute Capelle der alten Kirche.
— Auch sieht man in der vorerwähnten Capelle die Bildsäule
Benedicts XII. in halber Figur, deren Meister, Paolo da Siena,
eine Inschrift anzeigt. — Zwei Fragmente der Bulle Gregors III.
gegen die Bilderstürmer. — Eine marmorne Bildsäule des heil.

Petrus, Nachahmung der bronzenen der oberen Kirche; — und auf dem Altare die heil. Jungfrau mit dem Kinde in einem Gemälde von Simon Memmi. — An der Wand beim Ausgange aus dieser Capelle: der Heiland zwischen den Aposteln Petrus und Paulus in Mosaik; ehemals über dem Grabmale Kaiser Otto's II. im Vorhofe der alten Kirche.

In der folgenden Capelle, S. Maria Praegnantium: die Bildsäule Bonifacius VIII. in halber Figur. Auf dem Altare: das alte, aber von neueren Handen sehr übermalte Marienbild aus der ehemaligen Capelle S. Maria Praegnantium in der alten Kirche. — In einem Seitengemache dieser Capelle: der heil. Petrus die Hand zum Segen erhebend, und Johann VII. in halben Figuren; zwei Mosaikbilder, die sich in der von diesem Papst in der alten Peterskirche erbauten Capelle befanden, auf welche das Gebaude in seiner Hand deutet.

In den beiden zuvor erwähnten Capellen sieht man, auf den Wänden gemalt, Abbildungen der alten Kirche, ihrer Capellen und Altäre und des mit derselben zerstörten Theils des vaticanischén Palastes. — Ueber dem Altare der mit modernen Reliefs von Stuck und Metall verzierten Capelle der Confession sind zwei alte Bilder der Apostel Petrus und Paulus.

Noch erwähnen wir unter den Grabmälern, als ein im guten Style, obgleich in etwas roher Arbeit ausgefuhrtes Werk aus dem Anfang des 14ten Jahrhunderts, das Grabmal Bonifacius VIII. im Seitenschiffe rechts. — Das Grabmal Hadrians IV. ist ein grosser antiker Sarcophag von rothem Granit, mit Masken, Laubgewinden und Stierschadeln geschmuckt. — Unter den Inschriften lassen sich noch als merkwurdig anfuhren: ein Fragment der beruhmten Schenkungsurkunde der Grafin Mathilde an den papstlichen Stuhl und die auf die Anlage des Taufquells bei der alten Kirche bezuglichen Verse des Papstes Damasus.

Der vaticanische Palast.

§. 36.

Allgemeine Geschichte desselben.

Als erster Anfang des weitläufigen und durch seine Kunstschätze so berühmten vaticanischen Palastes lässt sich das Gebaude betrachten, welches Symmachus bei dem Atrium der alten Peterskirche zur Wohnung der Papste erbaute. Erweiterungen und Ausschmückungen desselben betreffen vermuthlich mehrere in dem Leben Hadrians I. und Leo III. erwähnte vaticanische Bauten, zu denen auch das grosse Triclinium Leo's III. gehört.

Carl der Grosse scheint hier bei seiner ersten Anwesenheit in Rom gewohnt zu haben, denn Anastasius sagt, dass er am Tage seiner Ankunft nach der Feierlichkeit im Lateran, wohin er von S. Peter gegangen war, wieder hieher zurückkehrte.

Das frühere Gebaude ging wahrscheinlich ganz oder zum Theil in den sturmischen Zeiten des 10ten Jahrhunderts und den Kriegsunruhen zu Grunde, welche die Streitigkeiten der Päpste mit den Kaisern im 11ten und 12ten Jahrhundert veranlassten. Die ersten Erwähnungen von späteren Bauten finden sich um die Mitte des letztgenannten Jahrhunderts. Nach dem Cardinal von Aragonien erbaute Eugen III. einen Palast bei der Peterskirche. Nachher unternahmen auch Cölestin III. und Innocenz III. Bauten daselbst. Jedoch erst von Nicolaus III. (gegen 1280) konnen wir einen noch jetzt bestehenden Theil des vaticanischen Palastes in dem von Nicolaus V. erneuerten Gebaude nachweisen.

Erst nach der Rückkehr der Päpste aus Avignon erwählten dieselben anstatt des Laterans den Vatican zu ihrer gewohnlichen Residenz. Zuvor nahmen sie jedoch auch zuweilen ihre Wohnung in den Gebauden, die sie bei S. Peter und bei mehreren anderen römischen Kirchen hatten. Bestimmte Beweise ihres zuweiligen Aufenthaltes bei der Peterskirche gewahren Bullen und Briefe Eugens III. und mehrerer seiner Nachfolger vor der Verlegung des päpstlichen Sitzes nach Avignon. Nach dem Tode Gregors XI. wurde im vaticanischen Palaste das erste Conclave gehalten, welches das fur die christliche Welt so traurige Schisma veranlasste.

Zur Verbindung der Engelsburg mit diesem Palaste, als eines Zufluchtsorts fur die Papste in den Zeiten der Noth, veranstaltete schon Johann XXIII. die Anlage eines bedeckten Ganges, welcher erst unter Alexander VI. erbaut wurde. Durch denselben entging bei der Eroberung Roms im J. 1527 Clemens VII. der Gefahr, in die Gefangenschaft der kaiserlichen Kriegsvolker zu gerathen.

Die seit Martin V. nach der Beilegung des gedachten Schisma's in den Papsten erwachte Prachtliebe und das Bestreben zur Verschonerung der Hauptstadt der christlichen Welt offenbarte sich vornehmlich in Hinsicht des vaticanischen Palastes.

Nicolaus V. fasste den Plan, ihn zu dem grössten und prächtigsten Gebäude der christlichen Welt zu machen, damit die Papste auch durch die Pracht ihrer Residenz über alle weltliche Fürsten erhaben erscheinen möchten. Er sollte mit Festungswerken umgeben, gleichsam eine besondere Stadt bilden und die Wohnungen der Cardinäle und den Sitz aller Behörden des römischen Hofes in sich vereinigen. Der im J. 1455 erfolgte Tod dieses Papstes vereitelte die Ausführung eines so colossalen Unternehmens, und nur die obenerwähnte Erneuerung und wahrscheinliche Erweiterung des von Nicolaus III. aufgeführten Gebäudes kam in seinem Pontificate zu Stande. Dieses Gebäude, welches jetzt' nur einen geringen Theil des vaticanischen Palastes begreift, erhielt von Alexander VI., welcher das erste Stockwerk zu seiner Wohnung einrichten liess, und dasselbe mit Gemalden von Pinturicchio verschonerte, den Namen Tor di Borgia. Ueber den Zimmern dieser Wohnung liegen die durch Raphaels unsterbliche Malereien berühmten Zimmer.

Nach Nicolaus V. erhielt der vaticanische Palast zuerst eine bedeutende Erweiterung durch die grosse von Sixtus IV. erbaute und durch die Gemälde des Michelagnolo berühmte Capelle, so wie durch die von Paul II. und Innocenz VIII. hier unternommenen Bauten. Jedoch erhielt erst durch den kuhnen Geist Julius II. der colossale Bau der papstlichen Residenz seine gegenwartige Ausdehnung; hinzugefügt wurde später nur noch der von Sixtus V. erbaute Palast.

Innocenz VIII. hatte etwa 400 Schritte von jenem Gebäude Nicolaus V., auf einer Anhöhe dem Monte Mario gegenüber, ein Gartengebäude auffuhren lassen. Beide Bauten wollte Julius II. miteinander verbinden. Der berühmte Bramante, nach dessen Angabe jener Papst auch die beruhmten Loggien um den nach dem heil. Damasus benannten Hof erbaute, entwarf dazu den Plan. Nach demselben sollte der hoher liegende Raum (der jetzt den kleinen Garten des Belvedere begreift) zu einem Garten, und der niedrigere gegen den alten Palast gelegene Theil zu einem Turnierplatze für Ritterspiele und Thierkampfe verwendet werden.

Paul III. erbaute neben der Sixtinischen Capelle den grossen Saal, Sala Regia genannt, und die daran stehende Capelle des heiligen Sacraments, welche nach ihm den Namen Cappella Paolina fuhrt. Pius IV. verschonerte die Anlage des grossen vaticanischen Gartens, und erbaute in demselben das anmuthige kleine Gartenhaus nach Angabe des Pirro Ligorio. Sixtus V. errichtete das heutige Gebäude der Bibliothek, und an der dem sogenannten Tor di Borgia gegenüberliegenden Seite der Loggien des Cortile di S. Damaso das grosse unter Clemens VIII. vollendete Gebäude, welches gegenwärtig der Papst bewohnt, und welches zum Unterschiede des alteren Gebäudes Palazzo nuovo heisst.

Unter Paul V. wurden zum Behuf der Vergrösserung der Peterskirche die dem Vorplatze derselben zunachst liegenden Gebäude aus den Zeiten Pauls II. und Innocenz VIII. niedergerissen. Im Pontificate Urbans VIII. erhielt der Palast den prachtigen Aufgang der Scala Regia nach Angabe des Bernini. Neue Bauten in dem weitläuftigen Gebäude des Vaticans, welches den Namen Belvedere fuhrt, veranlasste das unermessliche von Clemens XIV. und Pius VI. angelegte Museum, welches Pius VII. mit dem nach

ihm benannten Museo Chiaramonti, und der gegenwärtige Papst
Gregor XVI. mit einer bedeutenden Sammlung hetrurischer und
ägyptischer Denkmaler vermehrte. Die Bauten beschloss Pius VII.
mit der Anlage des grossen prächtigen Saals, Braccio nuovo
genannt.

Durch die Erweiterung und Verschönerung des vaticanischen
Palastes, zu welcher fast alle Papste seit Martin V. beigetragen
haben, und durch welche der colossale Plan Nicolaus V. gewissermassen zur Ausfuhrung kam, ist allerdings kein regelmässiger Bau
entstanden. Denn was man unter diesem Palaste begreift, ist eine
Vereinigung mehrerer grosser Gebaude. Es sollen sich in demselben 11,000 Sale, Zimmer, Capellen und andere Gemacher befinden. Sein Umfang beträgt mit den dazu gehörigen Gärten
800,960 romische Palm.

§. 37.

Die Scala Regia, Sala Regia und Ducale, und Cappella Paolina.

Der Haupteingang zu dem sogenannten alten Palaste ist neben
der Vorhalle der Peterskirche bei der Bildsaule Constantins des
Grossen. Die hier empor fuhrende Treppe, die unter Paul III.
von Antonio da Sangallo angelegt und dann im Pontificate Alexanders VII. von Bernini in bequemerer und geraumigerer Gestalt
erneuert wurde, wird Scala Regia genannt, von dem Saale, zu
welchem sie fuhrt. Auf den beiden ersten Absatzen derselben erhebt sich ein reich mit Stuccaturen geschmucktes Tonnengewölbe
auf jonischen Säulen; und die Wande der letzten Abtheilung sind
mit Pilastern von derselben Ordnung und in demselben modernen
Style verziert.

Der grosse Saal, zu dem man hierauf gelangt, führt den
Namen Sala Regia, weil er zu den Audienzen der koniglichen
Gesandten bei dem Papste bestimmt war. Gegenwartig dient der-
selbe nur zum Vorgemache bei den kirchlichen Functionen in der
Sixtinischen Capelle. Er wurde unter Paul III. nach Angabe des
Antonio da Sangallo erbaut, und zeigt sowohl in seinen prachtigen
Zierrathen als im Style der Architectur den Verfall der Kunst.
Die Stuccaturen am Tonnengewölbe der Decke sind von Perin del
Vaga, und die ebenfalls aus Stuck verfertigten Figuren auf den
Gesimsen und uber den Thurverkleidungen von Daniele da Vol-
terra. Die von Vasari, Salviati und andern Malern aus der Epoche
der Nachahmung des Michelagnolo Gemalde sind mehr oder min-
der mittelmassig. Ihre Gegenstande — die meistens sich auf
die Schenkungen von Fürsten an den heiligen Stuhl und die

Oberherrschaft der Päpste über die weltlichen Mächte, insbesondere die Kaiser beziehen — sind durch darunter befindliche Inschriften angezeigt.

Eine Thür der Sala Regia führt zu dem Saale, den man Sala Ducale benannte, weil er ursprunglich zu den Audienzen bestimmt war, welche die Papste den Fursten ertheilten, die in dem römischen Ceremoniale Duchi di maggiore potenza genannt wurden. Unter den unter Pius IV. und Paul IV. von verschiedenen Malern dieser Zeit verfertigten Deckenmalereien befinden sich einige Landschaften von Matthaus Brill.

Die zur Ausstellung des heiligen Sacraments am ersten Sonntage des Advents und zum Grabe des Erlösers in der heiligen Woche bestimmte Capelle führt von Paul III., der sie nach Angabe des Antonio da Sangallo erbaute, den Namen Cappella Paolina. Sie endigt mit einer Tribune; reiche Stuccaturen schmücken ihr Deckengewolbe, und ihre Wände korinthische Pilaster. Die beiden grossen von Michelagnolo in seinem hohen Alter verfertigten Frescogemälde, welche die Bekehrung des heil. Paulus, und die Kreuzigung des heil. Petrus vorstellen, sind unter den Werken der Malerkunst dieses grossen Künstlers unstreitig die schwächsten. Sie befinden sich noch uberdiess in einem ungünstigen Lichte, und sind durch einen Brand, welchen die in der Capelle angezündeten Wachskerzen veranlassten, sehr unscheinbar geworden. Die ubrigen, ebenfalls Gegenstände aus dem Leben der Apostel Petrus und Paulus vorstellenden Gemalde, sind von Lorenzo Sabbatini und Federigo Zucchero, und die Statuen in den vier Ecken der Capelle von Prospero Bresciano.

§. 38.

Die Sixtinische Capelle.

Die Sixtinische Capelle führt ihren Namen von Sixtus IV., der sie im J. 1473, nach Angabe des Baccio Pintelli, erbaute. Sie ist die Hofcapelle des vaticanischen Palastes; und zur Zeit, als in diesem Palaste das Conclave gehalten wurde, versammelten sich in derselben die Cardinale zum Scrutinium oder der Stimmensammlung zur Papstwahl.

Zwei Eingange fuhren zu dieser Capelle: der eine an der Vorderseite als Haupteingang von der Sala Regia, der andere an der Hinterseite, durch welchen der Papst bei den kirchlichen Functionen einzutreten pflegt. Ihre Architectur zeigt einen einfachen und edlen Styl. Sie bildet ein längliches Viereck von 61 romischen Palm in der Breite, und ungefähr 183 in der Länge. Das Hauptgesims, über dem sich die Fenster befinden, erhebt

sich in beträchtlicher Höhe über dem Fussboden, und bildet, ausgenommen an der Hinterseite, einen Gang, den ein eisernes Geländer umgibt. Der Fussboden ist mit eingelegter Steinarbeit
geschmuckt; und an einer Art von Ballustrade von weissem Marmor,
welche das Presbyterium, — in welchem sich der Papst mit den
Cardinalen zu den kirchlichen Functionen versammelt, — von
dem vorderen Theile der Capelle scheidet, sind, sowie an dem
Balcon fur die päpstlichen Sanger, schone, meistens aus Arabesken bestehende Sculpturverzierungen, aus der Zeit Sixtus IV., zu
bemerken.

Der vor der Hinterwand auf einigen Stufen erhöhte Altar,
aus der Zeit Benedicts XIII., verdient keine weitere Aufmerksamkeit. Die unter Sixtus IV. verfertigten Wandmalereien sind
durch einen Fries von weissem Marmor in zwei Abtheilungen
geschieden. An der unteren befinden sich gemalte Vorhange
zwischen ebenfalls gemalten Pilastern mit Arabesken auf Goldgrund. Ehemals wurden hier, bei feierlichen Gelegenheiten, die
berühmten Tapeten Raphaels aufgehangt.

In den Gemälden der oberen Abtheilung sind, vom Haupteingange links, Gegenstande aus der Geschichte Mosis, und rechts
Begebenheiten aus dem Leben des Heilandes vorgestellt. Sie
zeigen auf Einem Bilde verschiedene Momente derselben Geschichte.

Den Anfang machten ehemals zwei Gemalde von Perugino,
die Findung Mosis zu der alttestamentlichen, und die Geburt
Christi zu der neutestamentlichen Reihe. Zwischen diesen beiden
Bildern war in einem dritten die Aufnahme der heil. Jungfrau,
und der Papst Sixtus IV. dieselbe verehrend, von demselben
Künstler vorgestellt. Seitdem aber diese Gemälde heruntergeschlagen worden sind, um dem Michelagnolo zur Ausfuhrung des
jungsten Gerichts Raum zu gewahren, beginnt die Folge jener
beiden Reihen an den Enden der beiden Seitenwande, zunachst
der Hinterseite der Capelle.

Das erste zur Linken wird, nach einer nicht sichern Angabe,
dem Luca Signorelli zugeschrieben. Man sieht auf demselben die
Begebenheiten des Moses auf seiner Reise nach Aegypten mit
seiner Frau Zipora. In der Mitte des Bildes deutet ein Engel,
der ihm mit blossem Schwerte entgegentritt, auf die Erzahlung
der heil. Schrift, dass ihn Gott unterwegs todten wollte. Er ist
von einem zahlreichen Gefolge von Männern und Frauen begleitet.
Neben ihm befindet sich sein Sohn; denselben sieht man in einer
anderen Figur, auf dem Vordergrunde vom Beschauer rechts,
von der Zipora, in Gegenwart mehrerer Manner, beschneiden.
Links auf dem Berge, im Hintergrunde spielt ein Hirt die Schalmei,
wornach einige Andere tanzen.

Auf dem folgenden Bilde, von Sandro Botticelli, sieht man

auf dem Vordergrunde rechts Moses den Aegypter tödtend. Mehr nach dem Hintergrunde vertreibt er die Hirten, die den Töchtern des Jethro nicht erlauben wollten, Wasser zu schöpfen. In der Mitte des Bildes, auf dem Vordergrunde, tránkt er aus einem Brunnen die Schafe der Tochter des Jethro. Links ist, durch dieselbe Gestalt mit dem Stabe in der Hand, in Begleitung von mehreren Personen, vermuthlich seine Wanderung aus Midian nach Aegypten angedeutet. Im Hintergrunde rechts, auf einem Berge, ist derselbe sich die Schuhe ausziehend, und dann, in einer andern Figur, vor Gott im feurigen Busche knieend, vorgestellt.

Der Gegenstand des dritten Bildes, welches Cosimo Roselli verfertigte, ist der Untergang Pharao's im rothen Meere. Vor einer Stadt rechts im Hintergrunde sieht man den ägyptischen König auf einem Throne sitzend, mit einigen Personen umgeben, mit denen er sich über das Vorhaben, den Israeliten nachzusetzen, zu berathschlagen scheint. Auf dem Vordergrunde, vom Beschauer rechts, die mit den Wellen des Meeres kämpfenden Krieger Pharao's, über denen sich ein Ungewitter erhebt. Am Ufer links Moses mit dem Heere der Israeliten, worunter man, auf dem Vorgrunde, Mirjam seine Schwester bemerkt, welche knieend mit Begleitung der Zither das Lob des Herrn singt.

Das vierte dieser Gemälde, welches die mit der Gesetzgebung verbundenen Begebenheiten vorstellt, ist ebenfalls von Cosimo Roselli. In der Mitte des Hintergrundes empfangt Moses auf dem Berge Sinai die Gesetztafeln von Gott. Auf dem Vorgrunde links zeigt er sie dem Volke; und in der Mitte des Bildes zerbricht er dieselben beim Anblick des goldenen Kalbes. Auf der Höhe gegen den Hintergrund sieht man rechts die Strafe der Israeliten wegen ihrer Abgotterei, und links das Lager derselben. Neben allen Figuren des Moses ist ein Jüngling im blauen Gewande, der vermuthlich den Josua vorstellt, zu bemerken.

In dem vierten Bilde, einem Werke des Sandro Botticelli, ist vermuthlich die Bestrafung der Rotte Korah, Dathan und Abiram, und der Sohne Aarons, weil sie unberufener Weise opferten, aus dem Grunde vereinigt, weil sich in beiden Begebenheiten die Strafe Gottes wegen des Eingriffs in die priesterliche Gewalt offenbart. Mitten auf dem Vordergrunde scheint Moses, stehend vor dem Altare, den Blick zum Himmel gewandt, und seinen Stab mit der Rechten erhebend, die Rache Gottes auf den Frevel herabzurufen. Die Söhne Aarons stürzen zu Boden, wie vom Blitz getroffen, und ihren Händen entfallen die Rauchfasser. Hinter dem Moses Aaron in hohenpriesterlicher Kleidung das Rauchfass schwenkend. Auf dem Vordergrunde rechts die Aufrührer, welche den Moses mit Steinen bedrohen. Links eroffnet sich die Erde, um die Rotte Korah zu verschlingen.

Das letzte Bild an derselben Wand, welches die letzten Begebenheiten aus dem Leben Mosis vorstellt, wird fur ein Werk
des Luca Signorelli erklärt, obgleich der Styl desselben nicht an
die berühmten Gemälde dieses Künstlers im Dome zu Orvieto
erinnert. Auf dem Vorgrunde liest Moses den vor seinem Tode
gedichteten Lobgesang den Kindern Israel vor, und zur Linken
ubergibt er seinen Stab dem vor ihm knieenden Josua. In der
Mitte. des Hintergrundes zeigt ihm, von dem Berge Nebo, ein
Engel das gelobte Land, und darunter ist derselbe als vom Berge
herabsteigend vorgestellt. Auf der Höhe links, in der Ferne,
erscheinen einige Figuren um seinen Leichnam versammelt; eine
Vorstellung, die sich vermuthlich auf irgend eine Legende bezieht,
da nach der heiligen Schrift Moses von Gott bestattet ward, und
der Ort seines Grabes unbekannt blieb.

Noch gehört, zu derselben Folge alttestamentlicher Gegenstände, das Gemälde vom Haupteingange links, welches den
Streit des Erzengels Michael uber Moses Leichnam nach der Erzahlung in der Epistel des heil. Judas vorstellt; ein mittelmas-
siges, ursprünglich von Cecchino Salviati verfertigtes Werk, welches,
nach der Beschadigung, die es durch das Herabfallen eines Balkens
erlitten hatte, unter Gregor XIII. von Matteo Leccio neu gemalt
worden ist.

Das erste der jenen gegenüberstehenden Bildern ist vermuthlich nicht von Perugino selbst, sondern von Bartolomeo
della Gatta ausgefuhrt, der jenem Künstler bei seinen Arbeiten
in dieser Capelle Beihulfe leistete. In der Mitte des Vorgrundes
ist die Taufe Christi mit der Umgebung einer zahlreichen Menge
von Zuschauern vorgestellt. Im Hintergrunde rechts der Heiland,
der vom Berge herab dem Volke predigt, und links, ebenfalls
auf einer Anhöhe, die Predigt Johannes des Täufers. Mehr in
der Ferne, die Stadt Jerusalem.

Es folgt die Versuchung des Heilandes von Sandro Botticelli.
Im Hintergrunde, in der Mitte des Bildes, Christus mit dem Versucher auf der Zinne des Tempels. Rechts der Teufel, der vor
dem Heilande hinab vom Felsen stürzt, wahrend sich um den Erloser Engel, ihm zu dienen, versammeln. Links abermals der Teufel,
in Gestalt eines Mannes in einem schwarzen uber das Haupt gezogenen Mantel, dem Erlöser einige auf dem Boden liegende
Steine zeigend, wodurch er die Worte auszudrücken scheint: »bist
du Gottes Sohn, so mache, dass diese Steine Brod werden.«
Darunter, am Fusse des Berges, erscheint Christus abermals von
Engeln begleitet. Auf dem Vorgrunde ist der Hohepriester opfernd
vor dem Tempel, in Mitten einer zahlreichen Volksversammlung
vorgestellt.

Auf dem zunächst folgenden, vorzüglich schönen Gemälde von

Domenico Ghirlandajo sieht man mitten auf dem Vorgrunde die Heiligen Petrus und Andreas, nach ihrer Berufung zum Apostelamte, vor dem Heilande knieend mit vortrefflichem Ausdruck der Demuth. Zu beiden Seiten dieser Gruppe zahlreiche Figuren mit schönen charaktervollen Kopfen, aber ohne Beziehung zur dargestellten Begebenheit. Im Hintergrunde, — wo sich die Aussicht auf den von Gebirgen begränzten See eröffnet, — vom Beschauer links, die Berufung der im Fischzuge begriffenen Apostel Petrus und Andreas, und rechts, in Begleitung derselben, der Heiland, der die Heiligen Jacobus und Johannes, die sich auf dem See in einem Schiffe befinden, ebenfalls ihm zu folgen einladet.

In der weiteren Folge ist in einem Gemälde des Cosimo Roselli, zur Linken Christi Bergpredigt, und zur Rechten der Heiland, welcher den Aussätzigen heilt, vorgestellt.

Christus, welcher dem heil. Petrus die Schlüssel übergibt; eines der vorzuglichsten dieser Gemälde, welches Pietro Perugino mit Beihulfe des Bartolomeo della Gatta verfertigte. Einige Zuschauer, im Costum der Zeit des Künstlers, an beiden Enden des Bildes, die nur zur Ausfullung des Raumes zu dienen scheinen, und die zahlreichen Figuren im Hintergrunde sind als Nebengegenstande zu betrachten, die zu der dargestellten Begebenheit in keiner Beziehung stehen. Der in der Ferne zwischen zwei Triumphbögen sich erhebende Tempel soll den Tempel Salomonis zur Anspielung auf die Erbauung dieser Capelle durch Sixtus IV. bedeuten.

Das Abendmahl Christi von Cosimo Roselli. Auch hier sind an jedem Ende des Bildes zwei stehende Männer, im Costum des 15ten Jahrhunderts, nur als Zuschauer zu bemerken. Die Halle, welche die Scene der Handlung bildet, eroffnet die Aussicht in die Ferne, wo der Heiland am Oelberge, seine Gefangennehmung und Kreuzigung erscheinen.

Das Gemalde der Auferstehung Christi, an der Wand des Haupteinganges, ursprünglich ein Werk des Domenico Ghirlandajo, wurde, nachdem es durch denselben Unfall gelitten hatte, der das oben erwahnte Bild vom Streite über den Leichnam des Moses betraf, unter Gregor XIII. von Arrigo Fiamingo erneuert, und zeigt in seinem gegenwartigen Zustande nichts von dem Styl des Ghirlandajo.

Unter dem Deckengewölbe zwischen den Fenstern sind in gemalten Nischen 28 Figuren heiliger Papste von der Hand des Sandro Botticelli vorgestellt.

§. 39.

Gemälde des Michelagnolo Buonarroti.

Die Gemälde des Michelagnolo Buonarroti, welche der Sixtinischen Capelle eine so vorzugliche Bedeutung in der Kunstwelt gewähren, erfüllen die ganze Decke und die hintere Wand. Ihre Gegenstande beziehen sich auf die durch die heilige Schrift geoffenbarten Schicksale der Welt und des Menschen, und auf die Verhaltnisse desselben zu Gott, von der Schopfung bis zum Weltgericht.

Die Deckengemälde verfertigte der Künstler auf Befehl Julius II. Er berief einige Maler aus Florenz nach Rom, sowohl zu seiner Beihülfe, als zu einiger Anweisung in der ihm bis zu dieser Zeit unbekannt gewesenen Frescomalerei. Aber die von ihnen nach seinen Cartonen gemachten Versuche befriedigten ihn so wenig, dass er ihre Arbeiten wieder herunterschlagen liess, und das ganze weitläufige Werk allein auszufuhren beschloss. Er brachte es, nach der einstimmigen Angabe von gleichzeitigen Schriftstellern, in 22 Monaten zu Stande, nachdem er hochst wahrscheinlich zuvor die sàmmtlichen Cartone zu diesen Gemälden verfertigt hatte. Seine fur dieselben erhaltene Belohnung bestand in 15,000 Ducati.

Schöpfung und Urgeschichte des Menschengeschlechtes.

Die auf die Schöpfung und die Urgeschichte der Menschheit bezüglichen Gegenstande erscheinen im mittleren Raume des Deckengewolbes in einer Reihe von neun Bildern, von denen sich jederzeit ein grösseres zwischen zwei kleineren befindet. Wir betrachten sie in ihrer historischen Folge, die an der Hinterseite der Capelle beginnt.

1. Die Scheidung des Lichts von der Finsterniss. Aufwärts schauend zertheilt der ewige Vater mit machtig emporgehobener Hand das Dunkel des Chaos, wodurch sich der Schein des Lichts offenbart.

2. Die Schöpfung der Sonne und des Mondes. Der ewige Vater schwebend mit mächtiger Kraft in Begleitung von Engeln, rufet beide Himmelskörper ins Daseyn, ihnen den Ort anweisend, wo sie auf sein gottliches Wort erscheinen. — Die Schopfung der Pflanzen ist auf demselben Bilde durch eine andere den Rücken zeigende Figur Gottes angedeutet, welche die Kräuter hervorbringende Erde segnet.

3. Der ewige Vater mit emporgehobenen Händen schwebend über dem Wasser, nebst drei kleinen Engeln, die sein grosses fliegendes Gewand umgeben. Ob hier die Bevolkerung des Wassers

mit lebendigen Geschöpfen, oder die Scheidung dieses Elements von der Erde vorgestellt sey, durfte zweifelhaft scheinen.

4. Die Schopfung Adams. Der gewählte Moment ist die geistige Belebung des Menschen, welche, nach der heiligen Schrift, auf die materielle Bildung desselben erfolgte. Ungemein treffend versinnlichte der Kunstler diesen Moment in seiner Darstellung, in welcher Gott den Menschen durch wechselseitige Berührung der Fingerspitzen, gleichsam durch den electrischen Funken der von ihm ausgehenden Kraft belebt. Der ewige Vater bildet mit den ihn umgebenden und tragenden Engeln eine vortreffliche Gruppe. Hinsichtlich der Zeichnung dürfte mit Recht insbesondere die Figur Adams als eine der vollkommensten nackten Bildungen der neueren Kunst zu betrachten seyn.

5. Die Schopfung des Weibes. Adam, eine vortrefflich gezeichnete Figur, liegt im Schlaf versunken, in den ihn nach der Schrift Gott verfallen liess. Die aus seinem Fleische gebildete Eva wendet sich anbetend gegen den vor ihr stehenden Schöpfer, im Gefuhl des Dankes fur das Geschenk ihres Lebens.

6. Der Sündenfall und die Vertreibung aus dem Paradiese. Beide Gegenstände sind in der Mitte durch den Baum der Erkenntniss geschieden. Der Versucher reicht vom Baume herab der Eva die verbotene Frucht, die auch Adam zu begehren scheint, indem er einen Ast des Baumes ergreift. In der Vertreibung aus dem Paradiese streckt Adam sehnsuchtsvoll die Arme aus nach der verlorenen Glückseligkeit, nicht zurückzuschauen wagend nach dem Engel Gottes, der mit drohendem Schwerte uber seinem Nacken schwebt. Eva zeigt zugleich mit der Furcht die ihrem Geschlechte eigenthumliche Scham als unmittelbare Folge der Sünde.

7. Das Dankopfer des Noah nach dem Ausgange aus der Arche. Vasari und Condivi erklarten diesen Gegenstand mit Unrecht für das Opfer des Caiu und Abel.

8. Die Sündfluth. Auf der vom Wasser noch unbedeckten Höhe eines Berges, vom Beschauer links, suchen mehrere Menschen noch eine kurze Frist ihres Lebens. Einige haben die Anhohe erreicht, wahrend andere im Emporsteigen begriffen sind. Vom Beschauer rechts erscheint der Gipfel eines andern Berges, wo dahin geflüchtete Menschen ein grosses Tuch, wie ein Zelt, zum Schutze gegen den gewaltigen Regen, uber sich ausgespannt haben. In der Mitte des Bildes ein Kahn, dicht von Menschen angefullt, welche, um ihn vor dem Sinken zu bewahren, die Unglücklichen zuruckstossen, die aus dem Wasser ihn zu ersteigen suchen. Im Hintergrunde die Arche, mit mehreren der zum Untergange Bestimmten umgeben, welche die Aufnahme in dieselbe vergeblich zu erflehen scheinen.

9. Die Trunkenheit des Noah. Man sieht ihn in einem Schuppen schlafend am Boden. Der neben ihm stehende Ham, von hinten gesehen, zeigt auf seines Vaters Scham. Der eine seiner Brüder scheint ihm seinen Frevel vorzuwerfen, indem der andere im Begriff ist, mit einem Tuche des Vaters Blösse zu bedecken. Im Hintergrunde ist in einem mit der Schaufel grabenden Manne vermuthlich ebenfalls Noah, in Beziehung auf den von ihm erfundenen Weinbau, vorgestellt.

Auf den vorspringenden Pfeilern des gemalten Gesimses, welches die zuvor betrachteten Bilder umgiebt, sind auf Postamenten sitzend, nackte mannliche Figuren in natürlicher Farbe vorgestellt. Zwischen je zwei und zwei derselben sind von Bronzefarbe gemalte Schilde mit Reliefs zu bemerken, welche, wie wir bei genauerer Betrachtung gefunden zu haben glauben, sich auf die Begebenheiten der Regierung Julius II. beziehen, auf dessen Wappen die Eichenlaubgewinde bei einigen jener Figuren deuten.

Propheten und Sibyllen.

Die Propheten und Sibyllen, in colossalerer Grösse, als die übrigen Figuren der Deckenbilder, erscheinen am Anfang des Deckengewölbes, mehrentheils in Begleitung von Knaben, von denen die bei den Propheten meistens Engel, bei den Sibyllen Genien vorstellen. Ihr allgemeiner Ausdruck ist Verlorensein in ernster Betrachtung und Hingebung an göttliche Eingebung. Sie sind in ihrer Art einzige Werke, indem nie die Kunst den ihnen entsprechenden Character in dieser Vollkommenheit gezeigt hat. Wir betrachten sie in der Folge vom Altare rechts.

1. Der Prophet Jeremias, im vorgerückten Alter gebildet, sitzend im Nachdenken und in tiefer Schwermuth über das Verderben und bevorstehende Unglück seines Volkes. — 2. Die persisehe Sibylle in grossartiger, hochbejahrter Gestalt, ins Lesen eines Buches vertieft. — 3. Der Prophet Ezechiel, mit einer halb aufgerollten Schrift in der Linken. Ein Engel, nach dem er das Haupt in rascher Bewegung wendet, verkündet ihm vielleicht die Berufung zu seinem Amte, wobei ihm befohlen wurde, den Brief zu essen, auf dem »Klage und wehe« geschrieben stand. — 4. Die erythräische Sibylle, sitzend neben einem aufgeschlagenen Buche, hinter welchem ein Genius ihr eine Lampe, vermuthlich in symbolischer Bedeutung der inneren Erleuchtung des Geistes, anzündet. — 5. Der Prophet Joel, in einer Schriftrolle lesend, mit sehr treffendem Ausdrucke eines denkenden und beim Lesen prüfenden Geistes. — 6. (Ueber dem Haupteingange) der Prophet Zacharias, in einem Buche blätternd, vermuthlich um eine Stelle aufzusuchen, nach der auch zwei Engel begierig scheinen. — 7. Die delphische Sibylle, als eine Frau in der Bluthe des Lebens

gebildet; die schönste der hier von Michelagnolo vorgestellten Prophetinnen. Ihr Gesicht zeigt ideale Schönheit, mit dem lebendigsten Ausdruck der Seele vereinigt. — 8. Der Prophet Jesaias, den Arm auf ein Buch gestützt, im Ausdruck des Verlorenseins in gottliche Eingebung, die er durch den hinter ihm erscheinenden Engel empfängt. — 9. Die cumäische Sibylle, ein Buch öffnend, als eine Frau im bejahrten aber kräftigen Alter, in grossartigem, aber zu männlichem Character gebildet. — 10. Der Prophet Daniel, im Jünglingsalter, im Begriff, etwas aus einem grossen Buche auf einer Tafel aufzuzeichnen. — 11. Die libysche Sibylle, ein aufgeschlagenes Buch ergreifend. — 12. Zuletzt (an der hinteren Wand) der Prophet Jonas, sitzend vor Ninive unter der Kurbispflanze.

Die Gegenstände der Bilder an den in den vier Ecken der Decke zusammenlaufenden Bogen beziehen sich auf die wunderbare Errettung des auserwahlten Volkes. Das Gemälde, dem Propheten Jonas zur Rechten, zeigt in mehreren Momenten die Rettung der Juden von der Gefahr ihrer Vertilgung durch den persischen König Artaxerxes. Vom Beschauer rechts scheint der Konig auf einem Bette liegend, zu einigen umstehenden Personen gewendet, durch die Gebarde der Hand des ausgestreckten Armes den Befehl anzudeuten, den Mardachai wegen der Entdeckung des gegen sein Leben unternommenen Anschlags zu belohnen. Vom Beschauer links ist das Gastmahl der Königin Esther mit dem Könige und dessen Günstling Haman vorgestellt, der den Ausdruck des Schreckens zeigt, uber die von der Königin erhobene Anklage wegen seines Anschlags zum Verderben der Juden. Auf dem Vorgrunde sieht man denselben, an dem von ihm zu Mardachai's Hinrichtung bestimmten Baume, wie an das Kreuz geschlagen. — In dem Gemalde, dem Jonas zur Linken, ist die Plage, welche die Israeliten in der Wuste von den Schlangen litten, und ihre Genesung durch das eherne Schlangenbild vorgestellt. — Ueber der Wand des Haupteinganges, dem Propheten Zacharias zur Linken: Davids Sieg uber den Goliath; und zur Rechten: die Befreiung der Juden von den Assyrern durch Judiths Ermordung des Holofernes. Im Hintergrunde sieht man auf einem Bette den enthaupteten Körper des assyrischen Feldherrn; und auf dem Vorgrunde die Judith mit einem Tuche das Haupt desselben bedeckend, welches ihre Magd in einem flachen Korbe auf dem Kopfe trägt.

In den Spitzbögen und Lunetten des Deckengewolbes sind die Vorfahren des Heilandes vorgestellt, deren Namen, von Aminadab bis auf Joseph, man über den Fenstern auf gemalten weissen Tafeln liest. Der Kunstler hat sie durch Familiengruppen von ausgezeichneter Schonheit angedeutet, ohne sie bestimmt characterisiren zu wollen, ·welches auch bei mehreren derselben, von

deren Leben die Geschichte gänzlich schweigt, unausführbar gewesen sein würde. Selbst die unter ihnen befindlichen Könige
sind hier nicht durch die Zeichen ihrer Wurde zu erkennen. Sie
erscheinen grosstentheils sinnend und nachdenkend, wodurch vermuthlich ihre auf den zukünftigen Erlöser gerichteten Gedanken
und Erwartungen angezeigt werden sollten. Ihre chronologische
Folge beginnt an der Seite der Capelle vom Haupteingange rechts,
geht aber sodann nicht in derselben Reihe, sondern gegenuber
fort, so dass sie in dieser Beziehung kreuzweise aufeinander folgen.

Das jungste Gericht.

Zu dem jüngsten Gericht, welches sich an der hintern Wand
der Capelle bis zu einer Höhe von 60 Fuss erhebt, erhielt Michelagnolo den Auftrag von Clemens VII., vollendete es aber erst im
Pontificate Pauls III., unter dem es am Weihnachtsfeste des J. 1541
zuerst den Augen des Publicums enthüllt wurde. Hinsichtlich der
Beurtheilung dieses ausserordentlichen Werkes und des Styls desselben im Verhältniss zu den zuvor betrachteten Deckenbildern
verweisen wir auf unsere ausfuhrliche Beschreibung (Beschreibung
der Stadt Rom II. Band, 1. Abtheil. S. 275 u. folg.), indem wir
hier nur das zu seiner Erklarung Nothwendige in möglichster
Kürze beibringen.

Die Hauptidee dieser weitläuftigen Composition lässt sich folgender Gestalt mit wenigen Zugen darstellen. Auf den Schall der
Posaunen der Engel erwachen die Todten zum ewigen Richterspruch, zu dem sich der Sohn Gottes in der Glorie des Himmels
von seinem Sitze erhebt. Engel, als Vollstrecker seines Urtheils,
leisten den Guten, die sich ihm zur Rechten zum ewigen Heile
erheben, Beistand gegen die widerstrebende Macht der Teufel,
und verwehren hingegen den Eingang zum Reiche der Seligen
den ihm zur Linken frech emporstrebenden Sündern, die, von
da zuruckgestossen, von bösen Geistern hinab zur Holle gezogen
werden. Die bereits zur Seligkeit Gelangten sind zu beiden Seiten
des Heilandes versammelt. Die Bekenner des Glaubens tragen
als Siegeszeichen die Werkzeuge ihrer Marter, während Engel den
Triumph der Passion und der vollbrachten Erlösung feiern.

Der Triumph der Passion erscheint zu oberst des Bildes in
zwei Gruppen von Engeln. Vom Beschauer links sind mehrere
derselben in der Erhohung des Kreuzes begriffen. Von einigen
andern, schwebend in einer Nebengruppe, zeigt der vordere die
Dornenkrone; und drei hinter ihm scheinen die Silberlinge zu
zählen, fur die Judas den Heiland verkaufte. Wie hier die Erhöhung des Kreuzes, so ist dort, unter dem Deckenbogen zur
Rechten, die Erhohung der Saule, an welcher Christus gegeisselt
ward, die Haupthandlung. Dabei halt ein schwebender Engel den

Schwamm, mit dem man ihn am Kreuze tränkte; und im Hintergrunde ragt die Leiter hervor, deren man sich bei der Abnahme seines Leichnams bediente.

In der mittleren der drei unterwärts folgenden Gruppen hebt der Heiland, gegen die Gottlosen gewendet, die Rechte zu ihrer Verdammung empor, indem er mit der Linken nach den Frommen zeigt, und dieselben zu sich einzuladen scheint. Die heil. Jungfrau, ihm zur Rechten, schaut nach den unten auferstehenden Todten hinab. Sie und ihr göttlicher Sohn sind mit einem Kreise von Aposteln und Heiligen umgeben. Unter ihnen ist der heil. Petrus, durch die Schlüssel als das erste Oberhaupt der Kirche bezeichnet. In dem Manne hinter ihm mit langem Bart, im Ausdruck des Schreckens über den grossen Richterspruch, ist vermuthlich Adam vorgestellt. Dem heil. Petrus gegenüber, zur Rechten Christi, erscheint Johannes der Taufer, im harenen Gewande, und hinter demselben der heil. Andreas mit dem eigenthümlich gestellten Kreuze, durch welches er den Martyrertod erlitt. Unter dem Heilande der heil. Laurentius mit dem Roste und der heil. Bartholomäus mit dem Messer, als dem Werkzeuge seiner Marter, in der einen, und seiner abgezogenen Haut in der anderen Hand.

In der anderen der drei erwähnten Hauptgruppen, vom Beschauer rechts, ist der heil. Simon mit der Sage, der heil. Blasins mit Hecheln, die heil. Catharina mit dem Rade, und der heil. Sebastian mit Pfeilen, nebst zwei anderen Heiligen, welche Kreuze halten, zu bemerken. Der eine der beiden letzteren ist vermuthlich der Apostel Philippus, und der andere der heil. Simeon oder irgend ein anderer Märtyrer, welcher den Kreuzestod erlitt. Unter den oberen Figuren derselben Hauptgruppe scheinen einige im Gesprach begriffen, und andere als Bekannte in der irdischen Welt sich in der ewigen wieder zu erkennen. Der Glorie des Erlösers zunächst sind einige mit dem Ausdruck der Furcht und des Staunens uber das Urtheil des Weltrichters zu bemerken.

Die dritte der gedachten Hauptgruppen, vom Beschauer links, besteht meistens aus Frauen, von denen einige ebenfalls mit einander zu sprechen scheinen. Unter den vorderen Figuren befindet sich ein Madchen, welches sich, aus Furcht über das Weltgericht, in den Schooss einer Frau, vermuthlich der Mutter, verbirgt.

In der Mitte des Bildes erscheinen die Engel aus der Apocalypse mit den Büchern, nach deren Inhalt der ewige Richterspruch erfolgt, und den Posaunen zur Verkündung des Weltgerichts. Einer derselben hält ein offenes Buch, die Schrift nach aussen gegen die zur Seligkeit Auferstandenen gewendet, um ihnen die in demselben aufgezeichneten Werke zu zeigen, durch die sie des Himmels wurdig wurden. Zwei andere hingegen, von denen der eine mit Trauer hinab zu den Verdammten sieht, halten die Schrift ihres Buches von diesen abgewendet, zum Zeichen, dass von denselben keine Thaten bemerkt sind, die zur Seligkeit führen. Und, vielleicht um anzudeuten, dass da kein Erwachen zum wahren Leben sei, schweigen hier die Posaunen, die dort gegen die zum Heil Berufenen mit aller Macht ertonen. Leider ist diese vortreffliche Gruppe gegenwärtig fast ganz durch das holzerne Gerust verdeckt, an welches ein in einer gewirkten Tapete bestehendes Altarbild bei den päpstlichen Fuuctionen aufgehängt wird.

Mitten auf dem untern Theile des Bildes eroffnet eine Hohle den Blick in das Innere der Hölle, wo einige Teufel bei dem zur Qual der Verdammten lodernden Feuer erscheinen. Vom Beschauer links ist die Auferstehung der Todten in verschiedenen Momenten vorgestellt. Sie arbeiten sich aus ihren Gräbern hervor, meistens noch in ihrem Todtengewande; einige noch als Gerippe, nach dem Gesicht des Propheten Ezechiel. In anderen fangt das Knochengebäude an, sich mit Fleisch zu bekleiden; und die, in welchen der Korper seine vollkommene Gestalt erhalten hat, zeigen das Erwachen aus dem Todesschlafe, von den ersten Regungen der Empfindung bis zu dem vollig erlangten Bewusstsein.

Bei der Hölle ist in zwei Gruppen ein Kampf der Engel mit den Teufeln um den Besitz der Seelen dargestellt. Ueber den noch in der Auferstehung Begriffenen erheben sich die Seligen zum Himmel theils durch ihre eigene Kraft, theils mit dem Beistande von Engeln oder menschlichen Seelen. Unter ihnen ist ein Mann und eine Frau zu bemerken, die an einem Rosenkranze, mit symbolischer Andeutung des Gebetes, von einem Engel emporgezogen werden.

Den Frommen, die zum ewigen Heile streben, gegenüber dem Beschauer zur Rechten, sind die Sunder, die in frecher Einbildung den Himmel zu erlangen meinen, aber oben von Engeln zurückgestossen, und unten von Teufeln hinab zur Hölle gezogen werden. Diese, wegen des gewaltigen Lebens und der hier angemessenen Kühnheit der Bewegungen und Verkürzungen, mit Recht vorzüglich bewunderte Gruppe, ist gewöhnlich unter dem Namen der sieben Todsünden bekannt. Jedoch lassen sich nur zwei derselben bestimmt erkennen: nämlich der Geiz in einer mit dem Kopfe unterwärts hinabstürzenden Figur, bei der man die Schlüssel bemerkt, womit dieses Laster seinen Gotzen verschliesst; und die Wollust am Ende des Bildes, in einem vom Rücken gesehenen Manne, der, von einem Teufel bei der Scham ergriffen, sich vor Schmerz darüber in die Finger beisst. Von der Hauptgruppe abgesondert wird ein Mensch, der von unendliebem Schmerz erfüllt, mit der Hand die Halfte seines Gesichts bedeckt, von zwei Teufeln mit Entsetzen erregender Gewalt hinab zur Hölle gezogen. Durch die grosse Schlange, die ihn in den linken Schenkel beisst, ist vielleicht der Stolz, als das aus der Selbstsucht entspringende Laster angedeutet, welches den ursprünglichen Abfall Lucifers von Gott veranlasste.

Der Gegenstand der untersten Hauptgruppe auf derselben Seite ist aus Dante's Hölle entlehnt. Es erscheint die hier mit Drachenflugeln vorgestellte Barke, in welcher die Verdammten von Charon zum diesseitigen Ufer des Acherons geführt werden, der die Vorhölle von der eigentlichen Holle scheidet. Charon — als ein Teufel mit fürchterlich rollenden Augen nach den Worten des Dichters gebildet — schlagt mit dem Ruder nach dem zum Tode des Geistes Verurtheilten, um sie aus der Barke an das Ufer zu treiben, wo sie von Hollengeistern mit schrecklicher Begier ergriffen werden. Die Darstellung ist nicht minder bewundernswürdig in der Zeichnung und Composition, als im Ausdruck der unendlichen Qual des bösen Gewissens und der dumpfen Verzweiflung der Verdammten, die den erschütternden Versen des Dichters entsprechen, mit denen er ihren Zustand bei der Fahrt über den Höllenfluss schildert. Unter denselben erhebt sich Minos als Richter, um ihnen den Kreis der Holle nach Verhältniss ihrer Sünden zu bestimmen. Sein Gesicht ist das Bildniss des Ceremonienmeisters Pauls III., Biagio von Cesena, den Michelagnolo hier als Höllenrichter vorstellte, weil er dieses Werk wegen der Nacktheit der Figuren, als unschicklich fur einen zum Gottesdienste bestimmten Ort, sehr bitter getadelt hatte. Der Künstler hat ihn mit längeren Ohren als die übrigen Teufel begabt, und dem Schweife, mit dem er sich bei Dante so oft umwindet, als die vor ihm erscheinenden Seelen Kreise in der Holle hinabgeführt werden sollen, die Form einer Schlange gegeben, die ihn in die Scham beisst.

Wegen der Nacktheit der Figuren dieses Gemäldes, in Hinsicht deren jener Tadel allerdings nicht ganz ungegrundet war, beschloss Paul IV. seine ganzliche Vernichtung, die Männer von Einsicht nur dadurch zu hintertreiben vermochten, dass sie den Papst bewogen, von Daniel von Volterra Gewander über die zu anstossig scheinenden Blössen malen zu lassen.

§. 40.

Der Hof der Loggien.

(Cortile di S. Damaso.)

Der Hof, genannt Cortile di S. Damaso, führt diesen Namen von dem hier unter Innocenz X. nach Algardi's Angabe errichteten Brunnen, dessen Quell man mit dem von dem heil. Papst

Damasus in den Vorhof der alten Peterskirche geleiteten Wasser verwechselte. Zum Haupteingange dieses Hofes fuhrt eine flache Treppe von der einen der beiden Gallerien des Petersplatzes. Die Loggien, die ihn auf drei Seiten umgeben, eines der schonsten Bauwerke des neueren Roms, wurden unter Julius II. nach Angabe des Bramante angefangen und im Pontificat Leo's X. unter Raphaels Leitung geendigt. Die beiden unteren der drei Stockwerke über dem Ergdeschoss erheben sich auf Arcaden, deren Pfeiler Pilaster verzieren, das Dach des dritten ruht auf corinthischen Säulen.

Die erste Arcadenreihe des unteren Stockwerks ist wegen der unter Leo X. von Johann von Udine gemalten Zierrathen zu bemerken. Die kleinen Figuren, Gruppen und Arabesken, mit denen dieser Kunstler die Wände verzierte, sind theils sehr verdorben, theils gänzlich zu Grunde gegangen. Noch ziemlich gut erhalten sind hingegen die Deckengewolbe, die abwechselnd mit gemalten Weinlauben, in denen mancherlei Arten von Thieren erscheinen, und zierlichen Stuccaturen geschmückt sind. Die nicht bedeutenden Malereien der zweiten Arcadenreihe wurden unter Gregor XIII. von Pomarancio und anderen Künstlern dieser Zeit verfertigt. Die dritte Reihe ist ganz unvollendet geblieben.

Appartamento Borgia.

Am Ende der ersten Arcadenreihe ist der Eingang zu der Reihe von Zimmern, welche das untere Stockwerk des von Nicolaus III. erbauten und von Nicolaus V. erneuerten Gebäudes begreifen. Sie werden Appartamento Borgia von dem Familiennamen Alexanders VI. benannt, der sie zu seiner Wohnung erwählte und ausschmucken liess. Unter dem gegenwärtigen Papst Gregor XVI. sind diese Zimmer mit dem Local der vaticanischen Bibliothek vereinigt worden.

Die Decke des grossen Sala Borgia benannten Saals ist unter Leo X. mit Malereien und Stuccaturen von Johann von Udine und Perin del Vago in schönem Geschmack verziert worden. Ihre Gegenstände sind theils gemalte, theils in Stuck ausgefuhrte Arabesken, einige Sternbilder, unter denen sich die Zeichen des Thierkreises befinden und die Gottheiten der Planeten. Die letzteren sind von Perin del Vaga, wie man glaubt, nach Raphaels Zeichnungen, verfertigt. Sie werden in Wagen gezogen: Juppiter von Adlern: Mars von zwei weiss und braun gefleckten Pferden; Diana von zwei Nymphen; Mercur von Hahnen und Apollo von vier weissen Pferden. Venus und Saturn, welche, dieser von Schlangen, jene von Tauben gezogen, hier vorgestellt waren, sind vermuthlich bei einer späteren Restauration der Decke zu Grunde gegangen. In der mittelsten Rundung derselben sieht man vier

Victorien, mit den Schlüsseln und der päpstlichen Krone, ebenfalls von Perin del Vaga.

Die unter Alexander VI. von Pinturicchio ausgeführten Deckengemälde der drei folgenden Zimmer sind das weitläuftigste Werk dieses Kunstlers in Rom, dürften aber nicht zu seinen gelungensten Arbeiten gehören. Unter den reichen Nebenzierrathen, die meist aus vergoldeter Stuccatur bestehen, ist in öfterer Wiederholung der Stier, das Wappenbild der Familie Borgia, zu bemerken.

Im ersten Zimmer sind in den Lunetten folgende Begebenheiten aus dem Leben Christi und der heil. Jungfrau: 1. Die Verkundigung. — 2. Die Geburt Christi. — 3. Die Anbetung der Könige. — 4. Die Auferstehung Christi, wobei der Papst Alexander VI. den Heiland verehrt. — 5. Die Himmelfahrt desselben. — 6. Die Ausgiessung des heil. Geistes. — 7. Die Aufnahme der Maria in den Himmel.

An der Decke sind in Rundungen die halben Figuren der Könige David und Salomo und der Propheten Jesaias, Jeremias, Malachias, Zephanja, Micha und Joel vorgestellt.

Im zweiten Zimmer 1. Die heil. Catharina, welche in Gegenwart des Kaisers Maxentius mit den Philosophen zu Alexandrien disputirt. — 2. Der Besuch des heil. Abts Antonius bei dem heil. Paulus dem Eremiten. — 3. Der Besuch der Maria bei Elisabeth. — 4. Die Marter des heil. Sebastian. — 5. Susanna, welche die beiden Alten im Bade überfallen. — 6. Die heil. Barbara, die vor ihrem Vater flieht, der sie wegen ihres Uebertritts zum christlichen Glauben ermorden wollte. — Die Kreuzgewölbe und der Bogen, welcher die Decke in zwei Halften theilt, sind mit mehreren kleinen Bildern verziert. In einer Rundung über der einen der beiden Thuren dieses Zimmers sieht man die heil. Jungfrau mit dem Kinde in einer Glorie von Engeln.

In den Lunetten des dritten Zimmers die allegorischen Figuren der Mathematik, Dialektik, Rechtswissenschaft, Arithmetik, Musik und Astronomie, mit mehreren andern auf dieselben bezüglichen Figuren umgeben. — Die kleineren Bilder am mittleren Bogen der Decke, welche den Styl einer späteren Zeit als die des Pinturicchio zeigen, haben vermuthlich bei der im Pontificate Pius IV. unternommenen Restauration dieser Gemälde ihren ursprünglichen Character verloren.

Die Deckengemälde der beiden folgenden Zimmer werden fälschlich dem Pinturicchio zugeschrieben. Sie zeigen vielmehr den Syl des Mantegna. Im ersten der gedachten Zimmer sieht man in jeder der zwolf Lunetten die halben Figuren eines Propheten und eines Apostels. In dem zweiten ist ebenfalls in jeder Lunette ein Prophet und eine Sibylle vorgestellt.

Die Loggien Raphaels.

Die erste Arcadenreihe des zweiten Stockwerkes führt den
Namen der Loggien Raphaels (Loggie di Raffaele), weil ihre sämmt-
lichen Zierraten nach der Erfindung und Angabe dieses grossen
Kunstlers ausgeführt sind. Er ubertrug dem Giulio Romano die
Aufsicht über die Ausfuhrung der historischen Bilder, und Johann
von Udine verfertigte, mit Beihülfe einiger anderen Schuler Raphaels, die theils gemalten, theils in Stuccatur ausgefuhrten
Nebenverzierungen, die einen hohen Begriff von seiner Kunst in
Gegenstanden dieser Art gewahren. Die Stuccaturen bestehen aus
mannigfaltigen architectonischen Zierrathen, kleinen Büsten und
einzelnen Figuren und Gruppen, welche grösstentheils mythologische Gegenstände vortellen. Sie zeigen eine geistvolle Nachahmung des antiken Styls; und einige von ihnen sind von bekannten Denkmälern des Alterthums entlehnt. Es gelang bei diesen
Arbeiten dem Johann von Udine, die Weisse der Farbe des antiken Stucco durch eine neue von ihm erfundene Composition zu
erreichen. Die an den Wanden gemalten Blumen und Fruchtgewinde und Arabesken lassen noch in ihrem gegenwärtigen, sehr
verdorbenen, Zustande ihre ausgezeichnete Schonheit erkennen.
Die nach Raphaels Zeichnungen von Perin del Vaga in Einer
Farbe, im Sockel unter den Fenstern ausgefuhrten, durch Kupferstiche von Santi Bartoli bekannten Bilder, zeigen nur noch wenige
Spuren ihres ehemaligen Daseins. Auch die Vergoldungen der
Stuccaturen sind meistens erloschen.

Die Arcadengewolbe sind zwar ungleich besser als die unteren Wände erhalten; doch haben auch hier die Gemalde, an der
Seite gegen den Hof, durch die von dem Regen verursachte
Feuchtigkeit der Mauer bedeutend gelitten. Um den schädlichen
Einfluss des Wetters zu verhindern, sind die Arcaden unter der
neapolitanischen Herrschaft im J. 1813 mit Fenstern verschlossen
worden.

In jedem Gewölbe befinden sich fünf viereckige Felder. Das
mittlere zeigt in der mittelsten Arcade das Wappen Leo's X., in
den übrigen eine Victoria in erhabener Arbeit von Stuck, welche
das Joch, ein Sinnbild des gedachten Papstes, hält. Die Seiten-
bilder enthalten die Gemalde von Gegenständen aus der heiligen
Schrift nach den beruhmten, unter dem Namen von Raphaels
Bibel bekannten, Compositionen dieses grossen Künstlers. Der
übrige Raum der Gewölbe ist mit Stuccaturen und Malereien, die
zum Theil mythologische Gegenstande vorstellen, auf sehr mannig-
faltige und anmuthige Weise ausgefüllt.

Die ausgezeichnete Vortrefflichkeit jener biblischen Bilder ist
allgemein anerkannt. Obgleich ihre Ausführung nicht von Raphael

selbst herrührt, so lassen sie doch nicht nur in der Composition, sondern in Hinsicht des Princips, in allen Theilen der Malerei den Gipfel seiner Kunst erkennen. Die Motive der Gewänder sind als classisch zu betrachten; und in der Zeichnung des Nackten macht der schöne im Ganzen herrschende Sinn einzelne Mängel verschwinden. Weniger als diese Vorzüge scheint die vortreffliche Beleuchtung und Farbenwirkung in mehreren dieser Gemalde bemerkt worden zu sein.

Die von verschiedenen Händen herrührende Ausführung ist allerdings nicht von gleichem Werthe. Welchen von Raphaels Schülern die einzelnen Bilder zuzuschreiben sind, ist nicht jederzeit mit Sicherheit zu bestimmen. Die gewöhnlichen Angaben hierüber gründen sich meistens nicht auf historische Zeugnisse, sondern auf angebliche Kenntniss der Manier der Kunstler.

Wir gehen nun zur besonderen Betrachtung dieser Gemälde über, deren Folge beim Eingange der Haupttreppe beginnt.

Arcade I.

1. Die Scheidung des Lichtes von der Finsterniss. — 2. Gott schwebend über dem Erdball, um Land und Meer zu scheiden und die Pflanzen zu erschaffen. — 3. Die Schöpfung der Sonne und des Mondes. — 4. Die Erschaffung der Thiere; versinnlicht durch das Hervorgehen derselben aus der Erde auf den Ruf Gottes.

Die Ausfuhrung der Figur des ewigen Vaters, in dem Gemalde der Scheidung des Lichtes von der Finsterniss, ist ohne Grund dem Raphael zugeschrieben worden. Höchst wahrscheinlich sind diese sämmtlichen Bilder von Giulio Romano ausgeführt.

Arcade II.

1. Gott, der dem Adam die Eva zuführt. Der Gegenstand ist rein menschlich, mit grosser Schönheit dargestellt. Gott trägt den Character eines würdigen zärtlichen Vaters, der seinem Sohne die von ihm bestimmte Gattin zuführt. Adam betrachtet sie mit freudiger Verwunderung, indem er auf sich zeigt, um anzudeuten, dass er in ihr sein eigenes Fleisch und Selbst erkenne.

2. Der Sundenfall. Die Figur der Eva ist vornehmlich wegen der Anmuth ihrer Gestalt zu bemerken.

3. Die Vertreibung aus dem Paradiese. Die Figuren der ersten Eltern entlehnte Raphael, wie bekannt, aus dem Gemälde dieses Gegenstandes von Masaccio, in der Capelle S. Maria del Carmine zu Florenz.

4. Die ersten Eltern nach dem Verluste des Paradieses. Sie sind in der Arbeit begriffen, welche ihnen Gott nach dem Sündenfall zum Unterhalte ihres Lebens auferlegte. Adam

säet; Eva spinnt, von ihren beiden Knaben umgeben. Der eine zeigt seiner Mutter einige Fruchte, welche der andere, ohne Zweifel Cain, jenem zu nehmen trachtet; wodurch er schon im Kindesalter den Neid und die Eifersucht gegen seinen Bruder offenbart, die nachmals den ersten Mord veranlassten.

Auch diese vier Bilder werden dem Giulio Romano zugeschrieben. In der Figur der Eva, in dem Gemälde des Sündenfalles, hat man Raphaels Hand zu erkennen geglaubt.

Arcade III.

1. Der Bau der Arche. — 2. Die Sündfluth. — 3. Noahs und seiner Familie Ausgang aus der Arche. — 4. Noahs Opfer.

Unter diesen Bildern, die, wie die vorhergehenden, dem Giulio Romano beigelegt werden, scheint nur das vorletzte einiger Erklärung zu bedurfen. Noah und sein Weib, beide im hochbejahrten Alter, stehen vor der Arche traurig und niedergeschlagen uber die allgemeine Weltzerstorung; da sich hingegen in ihrem Sohne und dessen Gattin das Gefuhl der Freude uber die zu hoffende Wiedergeburt der Welt offenbart.

Arcade IV.

1. Abrahams Zusammenkunft mit Melchisedech.

2. Abraham, dem Gott eine zahlreiche Nachkommenschaft verheisst. Der ewige Vater zeigt auf das nach dem Untergange der Sonne wunderbar erzeugte Feuer, zum Wahrzeichen seines Bundes mit Abraham.

3. Abraham, vor den drei Engeln, die ihn in der Gestalt von Wanderern besuchten. Eine der vorzuglichsten Compositionen dieser Bilder. Innerhalb der Thur von Abrahams Hause ist Sarah zu bemerken.

4. Loth, der mit seinen Töchtern das brennende Sodoma verlässt, und dessen Frau zu einer Salzsaule erstarrt.

Arcade V.

1. Gott erscheint dem Isaak, ihm zu verbieten, nach Aegypten zu ziehen, und seinen Bund mit Abraham zu bestätigen: links Rebecca unter einem Baume.

2. Abimelech, König der Philister, welcher aus dem Fenster seines Hauses den Isaak die Rebecca liebkosen sieht. Der naive Ausdruck, mit dem der alte König sein Erstaunen offenbart, ist nicht minder vortrefflich als die Gruppe des jungen Ehepaars.

3. **Isaak, der dem Jacob den Segen der Erstgeburt ertheilt.** Im Hintergrunde betritt der von der Jagd zurückkommende Esau die Thür des Zimmers.

4. **Esau, der nach seiner Rückkunft von der Jagd von seinem Vater den Segen verlangt.** Im Hintergrunde Jacob und Rebecca, welche lauernd den Erfolg erwarten.

Diese Gemälde, so wie die der vorhergehenden Arcade, werden für Arbeiten des Francesco Penni erklart.

Arcade VI.

1. **Jacob, der im Traume die Himmelsleiter sieht, über welcher schwebend der ewige Vater erscheint.**

2. **Die Zusammenkunft Jacobs mit der Rahel am Brunnen.** In einer vortrefflich gedachten Landschaft bildet Rahel mit ihrer Gefahrtin eine reizende Gruppe. Auch ist der natürliche Ausdruck der durstigen aus dem Brunnen trinkenden Schafe und der zu demselben herbeieilenden Böcke zu bemerken.

3. **Jacob, der dem Laban den Betrug vorwirft, ihm die Lea statt der Rahel zugeführt zu haben.** Laban trägt den Character eines alten Gauners, der, seinen Betrug beschönigend, doch die Freude über das Gelingen desselben nicht verbergen kann; Jacob hingegen den eines arglosen Jünglings. Rahel betrachtet den Jacob mit Wohlgefallen; Lea hingegen steht mit gebeugtem Haupt, betroffen, sich verschmaht zu finden.

4. **Jacobs Reise von Mesopotamien nach Canaan, mit seinen Frauen, Kindern und Heerden.** Ein ungemein schönes und treffendes Bild von der Reise eines Hausvaters in den Zeiten des patriarchalischen Lebens.

In der Ausführung dieser Gemälde glaubt man die Hand des Pellegrino von Modena zu erkennen.

Arcade VII.

1. **Joseph, der den Brüdern seine Träume erzählt;** — 2. **Derselbe von seinen Brüdern verkauft;** — 3. **Joseph und Potiphars Weib;** — 4. **Joseph, welcher dem Pharao seine Träume auslegt.**

Die Traume sind durch in der Luft schwebende Bilder symbolisch angedeutet. Die Ausführung dieser vier Gemälde wird dem Giulio Romano zugeschrieben. Das erste, zweite und vierte derselben sind durch schöne einfache Anordnung vorzüglich ausgezeichnet.

Arcade VIII.

1. **Die Findung Mosis durch Pharao's Tochter.** — 2. **Moses vor Gott im feurigen Busche.** — 3. **Der Unter-**

gang Pharao's im rothen Meere. — 4. Moses, der den Felsen schlägt, über welchem man Gott als geistige Erscheinung in grauer Wolkenfarbe bemerkt.

Die Ausfuhrung dieser Bilder wird gewöhnlich dem Perin del Vaga beigelegt. Vasari hingegen nennt die Findung Mosis unter den Arbeiten des Giulio Romano.

Arcade IX.

1. **Moses, der auf dem Berge Sinai von Gott die Gesetztafeln empfängt.** Unter den Engeln, die den ewigen Vater umgeben, verkünden zwei durch den Schall der Posaunen die Ertheilung der göttlichen Gebote. Rechts in der Ferne erscheint das Lager der Israeliten.

2. **Die Anbetung des goldenen Kalbes.** Im Hintergrunde Moses, der im Herabkommen vom Berge die Gesetztafeln zerbricht. Neben ihm Josua. Eine der vortrefflichsten Compositionen dieser Gemälde.

3. **Moses knieend vor der Wolkensäule,** in deren Hülle Gott zu ihm in Gegenwart der vor ihren Zelten erscheinenden Israeliten spricht.

4. **Moses, der die neuen Gesetztafeln dem Volke zeigt, welches dieselben verehrt.**
Man erklärt diese Bilder fur Werke des Raffaele dal Colle.

Arcade X.

1. **Der Durchgang der Kinder Israel durch den Jordan.** Der Fluss ist personificirt und thürmt beim Anblick der Bundeslade seine Fluthen empor.

2. **Die Einnahme von Jericho.**

3. **Die Schlacht der Kinder Israel mit den Ammonitern, wobei Josua den Stillstand der Sonne und des Mondes befiehlt.**

4. **Josua und Eleasar, welche das gelobte Land unter die zwolf Stämme durch das Loos ertheilen.** Josua erscheint mit einer Königskrone, sitzend neben dem Hohenpriester.

Die Ausführung der drei ersten Bilder dieser Arcade wird von Vasari dem Perin del Vaga zugeschrieben. Andere haben ihm auch das vierte beigelegt.

Arcade XI.

1. **Samuel, der den David in Gegenwart seiner Brüder zum König salbt.** Vom Beschauer links der Altar mit dem Opfer, zu welchem Samuel den Isai eingeladen hatte.

2. Davids Sieg über den Goliath und die Flucht der Philister.

3. David's Bezwingung der Syrer, durch einen Triumphzug des Königs nach römischer Art dargestellt.

4. David, welcher die Bathseba von seinem Palaste sieht, wahrend sein Heer gegen die Ammoniter auszieht.

Man erklärt diese Bilder ebenfalls für Werke des Perin del Vaga.

Arcade XII.

1. Der Priester Zadok, welcher den Salomo zum Könige salbt. Der Flussgott auf dem Vorgrunde bedeutet vermuthlich den Jordan.

2. Salomo's Urtheil.

3. Saba, Königin von Aethiopien, welche den Salomo besucht und ihm reiche Geschenke darbringt.

4. Salomo's Tempelbau. Im Hintergrunde der König, welchem der Baumeister den Plan des Gebaudes zu erklären scheint.

Diese Bilder werden dem Pellegrino von Modena beigelegt.

Arcade XIII.

1. Die Anbetung der Hirten. — 2. Die das Christuskind verehrenden Weisen aus dem Morgenlande. — 3. Die Taufe Christi. — 4. Das Abendmahl.

Die Anbetung der Hirten, die Taufe und das Abendmahl erklärt Vasari für Werke des Perin del Vaga. Andere haben diese sämmtlichen vier Bilder dem Giulio Romano zugeschrieben. Mit ihnen beginnt eine neue Folge von Gegenständen, welche die beiden folgenden Reihen der Loggien dieses Stockwerkes schmücken sollten. Die Ausführung desselben nach Raphaels Entwürfen wurde vermuthlich durch den Tod dieses grossen Kunstlers unterbrochen. Die nachmals in diesen Reihen ausgefuhrten Werke der Malerei und Plastik gewähren ein sehr anschauliches Bild des tiefen und schleunigen Verfalls der Kunst nach ihrer höchsten Blüthe in Italien. In den unter Gregor XIII. verfertigten Fruchtgewinden und Arabesken der zweiten Reihe bestrebte sich Marco da Faenza, aber mit wenig glucklichem Erfolg, den Johann von Udine nachzuahmen. Wo moglich noch schlechter sind die Arabesken und Stuccaturen der dritten Reihe, welche Johann Paul Schor im Pontificate Alexanders VII. verfertigte. Die Deckenbilder, welche die weitere Folge der Gegenstände des neuen Testamentes enthalten, sind unbedeutende Werke von Sicciolante da Sermoneta, Paris Nogari, Lorenzo Sabbatini und anderen Malern aus den Zeiten Gregors XIII., Clemens VIII., Urbans VIII. und Alexanders VII.

§. 41.

Die päpstlichen Wohnzimmer des alten Palastes.

(Stanze di Raffaele.)

Am Ende der Reihe von Raphaels Loggien ist der Eingang zu dem Saale und den drei Zimmern, welche von den beruhmten Frescomalereien des genannten Meisters den Namen Stanze di Raffaele fuhren. Die vormaligen, von verschiedenen vorzuglichen Malern verfertigten, Gemälde derselben wurden, mit Ausnahme einiger Deckenbilder des Sodoma und Perugino, heruntergeschlagen, als Julius II. dem Raphael die Ausmalung dieser Zimmer ubertrug. Derselbe setzte diese Arbeit unter Leo X. fort, wurde aber durch den Tod, sie ganz zu vollenden, verhindert, und konnte daher zu den Gemalden der sogenannten Sala di Costantino nur Zeichnungen hinterlassen, die von seinen Schülern unter Clemens VII. ausgefuhrt wurden.

Eine bedeutende Restauration dieser Gemälde wurde im Pontificate Clemens XI. von Carlo Maratta unternommen. Sie hatten schon kurz nach ihrer Vollendung durch die Kriegsvölker Carls V. bei der Plünderung Roms gelitten. Die weit bedeutenderen Beschadigungen, die sie nachmals, nachdem die Papste ihre Wohnung im alten vaticanischen Palaste verlassen hatten, durch Nachlässigkeit der Aufseher und Muthwillen der Einheimischen und Fremden erfuhren, hatten vornehmlich die Sockelbilder betroffen.

Die drei bei Raphaels Lebzeiten ausgeschmückten Zimmer sind von gleicher Grosse und Construction. Die Wände bilden unter den Deckengewolben halbzirkliche Bogen, welche die grossen historischen Gemalde begreifen. Die Sockel sind mit Gemälden in Einer Farbe (Chiaroscuro) geschmuckt. Die Anordnung der Deckenbilder ist in jedem dieser Zimmer verschieden. Den ubrigen Raum der Wande erfullen sowohl einfarbige als colorirte historische Bilder, einzelne Gruppen und Figuren und gemalte Arabesken. An den Deckengewolben befinden sich auch vergoldete Stuccaturen.

Der Künstler erhielt zur Belohnung für jedes der grossen Wandgemalde 1200 Goldscudi (Scudi d'oro) oder ungefahr 2000 Piaster. Eine im Einzelnen vollkommen befriedigende Erklärung durfte bei mehreren dieser Bilder unmoglich sein. Die in ihnen vorkommenden Bildnisse und historischen Personen sind grösstentheils, aus Mangel an historischen Nachrichten, entweder gar nicht oder doch sehr unsicher zu bestimmen. Bellori, der zuerst eine ausfuhrliche Beschreibung derselben unternahm, war daher wegen jenes Mangels genöthigt, unsicheren Traditionen und Vermuthungen zu folgen, auf denen man seitdem weiter fortgebaut hat.

§. 42.

A. Stanza della Segnatura.

Da wir diese vaticanischen Werke Raphaels nicht in ihrer örtlichen Folge, sondern nach der Zeitfolge ihrer Entstehung betrachten, so machen wir den Anfang mit der Beschreibung der Gemälde des Stanza della Segnatura genannten Zimmers. Ihre Vollendung fällt, wie hier die Inschriften in beiden Fenstern zeigen, in das Jahr 1511, das achte des Pontificats Julius H. Sie sind in Hinsicht der Tiefe und des Reichthums der Ideen die bedeutendsten dieser Zimmer. Ihre Gegenstande beziehen sich auf die Theologie, Philosophie, Poesie und Rechtswissenschaft.

Deckenbilder.

Diese vier geistigen Richtungen, auf denen das höhere Leben des Menschen beruht, sind an der Decke personificirt, in vier runden Bildern vorgestellt, die wir zuvörderst in ihrer örtlichen Folge betrachten.

Die Theologie, auf Wolken sitzend, hält mit der Linken ein Buch, zur Andeutung der Dogmen der Kirche, und scheint mit der Rechten áuf die Erscheinung des Himmels in der sogenannten Disputa hinabzuzeigen. Sie ist, wie Beatrice bei Dante mit einem weissen Schleier, rothem Unterkleide und grünem Mantel bekleidet und als göttliche Weisheit mit einem Olivenkranze geschmückt. Jene Farben ihrer Kleidung deuten auf die ihr eigenthumlichen Tugenden, Glauben, Hoffnung und Liebe. Zwei geflügelte Knaben, ihr zu beiden Seiten schwebend, halten zwei Tafeln mit den Worten: Divinarum rerum notitia (die Kunde der göttlichen Dinge).

Die Poesie, sitzend auf einem Marmorsessel, ist durch Schönheit unter diesen allegorischen Figuren vorzuglich ausgezeichnet. Ihr Haupt ist mit dem Laube des Gottes der Musen bekränzt. Die Flügel, so wie die Sterne auf ihrem schwarzen Schulterbande deuten auf den Schwung der Phantasie in die hoheren Regionen. Auch die blaue Farbe ihres Mantels scheint auf den Himmel zu deuten. Sie hält in der einen Hand ein Buch zur Verzeichnung ihrer Gedanken und in der anderen

die Leyer, zur Begleitung der im Rhythmus und Gesang vorgetra-
genen Worte. Zwei Genien ihr zu beiden Seiten halten zwei
Tafeln mit der Inschrift: Numine afflatur. (Sie wird vom Geiste
angeweht.)

Die Philosophie ist mit einem Diadem geschmückt. Die
beiden Bücher in ihren Händen, mit den Aufschriften Moralis und
Naturalis bezeichnen sie als Wissenschaft der Sittenlehre und
Natur. Auf die letztere deuten die der Ephesischen Diana ähnlichen Bildwerke an den Seitenlehnen ihres Marmorsessels und
die in den Farben ihrer Kleidung angezeigten Elemente. Diese
Kleidung besteht aus Einem Gewande mit vier verschieden ge-
farbten und mit Stickereien geschmuckten Theilen, die beim ersten
Anblick als besondere Stucke erscheinen. Der himmelblaue mit
goldenen Sternen bezeichnet die Luft, der rothe das Feuer, der
meergrune mit Fischen das Wasser und der braungelbe mit Krau-
tern geschmuckte die Erde. Auf den Tafeln der zwei ungeflugel-
ten Knaben, zu beiden Seiten dieser Figur steht: Causarum
cognitio. (Die Erkenntniss der Ursachen.)

Die Gerechtigkeit, deren Haupt eine Krone schmückt,
ist durch ihre gewohnlichen Attribute, Schwert und Wage, bezeichnet. Sie ist mit vier Knaben umgeben, von denen die beiden
geflügelten Tafeln halten, mit der Inschrift: Jus suum unicuique
tribuens. (Jedem sein Recht ertheilend.)

Auf diese allegorischen Figuren beziehen sich neben denselben vier andere Bilder in langlich viereckiger Form. Ihre Gegenstande sind: neben der Theologie der Sundenfall; — neben der
Poesie die Strafe des Marsyas, als der Sieg der wahren Kunst
uber die falsche; — neben der Philosophie die Weltbetrachtung
unter dem Bilde einer weiblichen Figur vor dem Erdball, mit
dem Ausdruck der Verwunderung; — neben der Gerechtigkeit
das Urtheil des Salomo.

Diese sammtlichen Bilder sind auf Goldgrund, der das Mosaik
nachahmt, gemalt. Die ubrigen kleinen Gemälde und Verzierungen der Decke sind von Sodoma.

Wandgemälde.

Die sogenannte Disputa.

Wir betrachten nun in derselben Folge, wie die Deckenbilder,
die grossen Wandgemalde dieses Zimmers. Das erste, nach einer
unrichtigen Ansicht des Gegenstandes, der Streit uber das heil.
Sacrament (la Disputa del Sacramento) benannt, ist eine gleichsam dramatische Darstellung der Theologie in ihrem Wirken und
Handeln. Es zerfallt in zwei Haupttheile. Der untere begreift

eine zur Ergründung und Verherrlichung der Religion vereinte
Versammlung, deren Vereinigung, ohne Rucksicht auf Zeit und
Ort, nur auf ihre geistige Gemeinschaft deutet. Durch den obe-
ren eröffnet sich ihrem Anschauen der Himmel mit den drei
Personen der Gottheit und den Engeln, Heiligen und Erzvätern.

Hier, in der Mitte des Bildes, scheint der Heiland auf Wolken thronend, mit ausgebreiteten Armen, sein Opfer zum Heil
der Menschheit zu verkunden. Die ihn umstrahlende Glorie begrenzt ein himmelblauer Bogen mit Engeln in Gestalt geflügelter
Kinderköpfe, hinter welchen Gott Vater erscheint, der die Rechte
zum Segen erhebt und in der Linken den Erdball hält. Unter
dem Erlöser der heil. Geist in Gestalt der Taube, mit vier Engeln
umgeben, welche die geoffneten Bücher der Evangelien den unten
versammelten Theologen vorhalten. Dem Heilande zur Rechten
die heil. Jungfrau, ihren gottlichen Sohn verehrend, und zur Linken Johannes der Täufer, der auf ihn, als auf den Messias zeigt.

Diese Gruppen umgeben in einem Halbkreise die Apostel,
Heiligen und Erzvater. Ihre Reihe beginnt, vom Heilande rechts,
mit dem heil. Petrus, durch das Buch mit den Dogmen der Kirche
und die Schlüssel bezeichnet. Ihm folgen: Adam, Johannes der
Evangelist, David, der heil. Stephanus und zuletzt eine von der
Gruppe des Erlosers fast ganz verdeckte Figur, welche nur zur
Anzeige des Fortgangs dieser Reihe der Heiligen dient.

Dem Heilande zur Linken beginnt die Reihe mit dem heil.
Paulus, mit dem Schwerte als dem Werkzeuge seiner Marter und
dem Sinnbilde der eindringenden Kraft seiner Lehre. In der
weiteren Folge: Abraham, der Apostel Jacobus, Moses, der heil.
Laurentius und ein junger Mann in Rüstung, den man fur den
heil. Georg, den Schutzheiligen des Gebietes von Genua, dem
Vaterlande Julius II., erklärt.

Ueber dieser Versammlung schweben auf jeder Seite des
Heilandes drei Engel in Junglingsgestalt. Auch die Wolken und
die den Hintergrund bildende Glorie sind mit Engeln erfullt, die,
durch eine schwache atherische Farbe angedeutet, den Himmel
als Wohnsitz der seligen Geister bezeichnen.

Auf dem unteren Theile des Bildes erhebt sich ein Altar mit
einer Monstranz; und, wie im Himmel Christus, so erscheint hier
auf Erden das heil. Sacrament, wodurch sich das Opfer des Heilandes mystisch in der Kirche wiederholt. Dem Altare zunächst
sitzen die vier lateinischen Kirchenvater. Vom Beschauer rechts
dictirt der heil. Augustinus einem Jünglinge seine Gedanken in
die Feder. Der heil. Ambrosius neben ihm scheint durch den
mit begeisterter Andacht zum Himmel emporgehobenen Blick die
Stimmung des ihm zugeschriebenen Lobgesanges (Te Deum) auszudrücken. Gegenüber, vom Beschauer links, der heil. Gregorius

im päpstlichen Ornate und der heil. Hieronymus in Cardinals-
kleidung. Den Mann mit kahlem Scheitel und langem Bart, der,
zum heil. Ambrosius gewandt, mit der Rechten empor zum Himmel zeigt, erklärt man für Petrus Lombardus und den weiss
gekleideten Mönch, zwischen dem Lombardus und Ambrosius, für
Scotus, einen ebenfalls berühmten Theologen des Mittelalters.
Hinter dem heil. Augustinus befinden sich der heil. Thomas von
Aquino in der Kleidung des Dominicanerordens, der heil. Papst
Anaclet mit der Martyrerpalme und der heil. Bonaventura ins
Lesen vertieft. Neben dem letztern steht auf der untersten Stufe
des Altars der Papst Innocenz III., als ein ausgezeichneter Theo-
log seiner Zeit. Auch ist hier Dante, der grösste christliche
Dichter, mit Lorbeeren bekränzt, und der berühmte Savonarola
vorgestellt.

Auf der anderen Seite des Bildes, vom Beschauer links, ist
die Verehrung des Volkes für die Gegenstände der Religion durch
drei das Sacrament verehrende Junglinge dargestellt. Gegen das
Ende des Bildes auf derselben Seite sind einige Laien im Streite
über religiose Gegenstände begriffen. Ein Mann, in dem man das
Bildniss des Bramante erkennt, scheint, auf ein Geländer gelehnt,
den Beweis seiner Meinungen in dem vor ihm aufgeschlagenen Buche
gefunden zu haben, in welches ein Jüngling mit der Hand zeigt,
und welchem ein anderer, um es ebenfalls zu betrachten, sich an-
nähert. Ein dritter verlässt den Streit, nach den Kirchenvätern
eilend, auf die er hinzeigt, um den in der Person des Bramante
Vorgestellten zu ermahnen, sich ihrem Ausspruche zu unterwerfen.
Wir übergehen die übrigen Figuren dieser reichen Composition,
in denen man bei dem Bestreben, in ihnen bestimmte Personen
zu erkennen, nur ganz unsicheren Vermuthungen folgen konnte.
Einige derselben in der Ferne, auf der Anhöhe, welche den Hori-
zont begrenzt, sind mit der Errichtung eines Gebäudes, vermuthlich einer Kirche, beschäftigt.

Der Parnass.

Der Gegenstand des zweiten grossen Wandgemäldes ist eine
dramatische Darstellung der Poesie in einer Versammlung der
griechischen, römischen und neuitalienischen Dichter auf dem
Parnass bei Apollo und den Musen.

Inmitten des Bildes, auf dem Gipfel des Berges, erscheint
Apollo unter Lorbeerbäumen sitzend. Die Musen sind ihm zu
beiden Seiten versammelt: zu seinen Fussen ergiesst sich der
Dichterquell, die Hippokrene. Die Geige, auf der ihn der Künstler spielend vorstellte, gab er ihm, nach einer von Bellori angeführten Tradition, zu Ehren eines damals auf diesem Instrumente

berühmten Meisters, in dem man den im Cortegiano des Castiglione erwähnten Jacob Sansecondo vermuthen dürfte.

Uebrigens dürfte Apollo die am wenigsten gelungene Figur
dieses schönen Gemäldes sein. Die Musen sind anmuthige Gestalten, aber wenig characterisirt in Hinsicht ihrer besonderen
Bestimmungen, auch grosstentheils ohne Attribute, daher die ihnen
ertheilten Namen nur auf Willkür beruhen konnen. Zwei derselben sitzen zu beiden Seiten des Apollo. Von diesen erklärt
Bellori die eine im himmelblauen Gewande, die eine Leyer hält,
für die Urania, die andere in weisser Kleidung, mit einer Trompete in der Hand, fur die Klio oder Kalliope; vielleicht der Idee
des Künstlers angemessen, obgleich keine dieser Musen mit jenen
Attributen auf alten Denkmälern vorkommt.

Ueber die Benennungen der zu beiden Seiten des Apollo und
der Musen versammelten Dichter herrschen grosstentheils nur
streitige Meinungen und unsichere Vermuthungen.

Homer, vom Beschauer links, blind nach der bekannten Sage
vorgestellt, singt begeistert seine Heldengesänge, die ein Jungling
niederschreibt. Hinter ihm hat Dante den Parnass unter der Leitung Virgils bestiegen, der ihm den Gott der Musen zeigt. In
dem Jünglinge, dem Virgil zur Linken, glaubt man ohne Grund
den Raphael zu erkennen. In der unteren Gruppe, auf derselben
Seite des Bildes, sieht man den Petrarca neben einer schönen, mit
Lorbeeren bekränzten, Frau, die Einige fur die Laura, Andere
wahrscheinlicher für die Corinna erklarten. Diese ganze Gruppe
scheint aus berühmten Liebesdichtern zu bestehen, da sich in
derselben auch Sappho befindet, die, auf dem Vorgrund sitzend,
eine halbgeöffnete Rolle mit ihrem Namen hält.

Auf der anderen Seite des Bildes, vom Beschauer rechts, sind
fünf andere Dichter versammelt. Den ersten, neben der Muse,
die den Rucken zeigt, erklärt man fur Tebaldeo und den
zweiten für Boccaccio. Der fünfte und letzte in dieser Reihe
ist Sannazar. In der aus drei Figuren bestehenden Gruppe neben
dem Fenster auf dieser Seite des Vorgrundes wird der bejahrte
Dichter, der sitzend mit Begeisterung zu sprechen scheint, nicht
unwahrscheinlich als Pindar erklart. In einem andern, im besten
Mannesalter, der sich jenem mit Bewunderung nahert, glaubt
man den Horaz zu erkennen.

Die Schule von Athen.

Das unter dem Namen der Schule von Athen berühmte Gemälde zeigt eine Darstellung des Lebens der Philosophie auf ähnliche Weise, wie die beiden vorhergehenden Bilder das Wirken
und Handeln der Theologie und Poesie darstellen. Die Scene ist
ein schones Gebäude, welches sich auf vier Stufen erhebt und

den Hintergrund des Gemäldes bildet. Es stehen an demselben die Statuen der Minerva und des Apollo, die Gottheiten der Weisheit und der Musen.

Die Schule der höchsten Philosophie ist vor dem Gebäude auf dem durch Stufen erhohten Platze versammelt. Hier in der Mitte sind die beiden grossten Philosophen des Alterthums im Streitgespräche begriffen. Plato scheint in der speculativen und Aristoteles in der practischen Philosophie als der vorzuglichste Lehrer vorgestellt zu sein. Jener, mit dem Timaus in der Linken, zeigt mit der Rechten zum Himmel empor, um auf die im gottlichen Wesen begriffenen Ideen, als den Urquell der Wahrheit zu deuten; Aristoteles hingegen, der in der einen Hand das Buch seiner Ethik halt und die andere hinab zur Erde wendet, scheint die im wirklichen Leben anwendbare Sittenlehre als den Zweck der philosophischen Erkenntniss zu behaupten. Ihnen aufmerksam zuhorend sind zu beiden Seiten dieser Weltweisen mehrere Schüler versammelt, unter denen man in dem vordersten, vom Beschauer links stehenden, Junglinge mit blondem Haar den Alexander zu erkennen glaubt.

Die zur Linken folgende Gruppe zeigt den Socrates von einigen Schülern umgeben, unter denen er mit Alcibiades, einem schonen jungen Manne in Kriegskleidung, zu sprechen, und ihm, an den Fingern zählend, die im Gesprach gefundenen Satze zu wiederholen scheint, um daran weitere Folgerungen anzuknüpfen. Ein Mann hinter dem Alcibiades ruft, mit der Hand winkend, zwei Dienern zu, die von ihm verlangten Schriften zu bringen.

Nachlassig auf den Stufen, in der Mitte des Bildes ausgestreckt, scheint Diogenes der Cyniker, fast ganz entblosst, abgesondert von den übrigen Weisheitsfreunden, auf der Tafel in seiner Hand nur den Inhalt seiner eigenen Lehre zu betrachten. Ein neben ihm emporsteigender Jungling scheint, auf ihn hinweisend, Neigung zu seiner Lehre zu verrathen, während ein alterer Mann demselben den Plato und Aristoteles zeigt, um ihn, von jenem abwendend, zur hoheren Philosophie zu leiten.

In den Gruppen des Vorgrundes unterhalb der Stufen befinden sich die Lehrer der Arithmetik, Geometrie und Astronomie, die in der Republik des Plato als Vorbereitungswissenschaften der Philosophie empfohlen werden. Als Haupt der Arithmetik ist, vom Beschauer links, Pythagoras, im Schreiben begriffen vorgestellt, der, in den Zahlen die Principien der Dinge erkennend, diese Wissenschaft in ihrer hochsten Bedeutung erfasste. Ein Jüngling ihm zur Linken hält eine Tafel, auf welcher die von demselben erfundenen Tonverhältnisse der Musik zu bemerken sind, wahrend ein bejahrter Mann, den man Empedocles benannte, ihm zur Rechten mit Dintenfass und Feder sitzend, in das Buch jenes

Philosophen schaut, um das darin Verzeichnete nachzuschreiben. Hinter dem Pythagoras sieht nach demselben Buche ein Mann mit einem Knebelbarte und Turban, den man fur den Averroes erklärte, in dem man hier aber wahrscheinlicher irgend einen arabischen Mathematiker vermuthen durfte, um auf das Verdienst dieses Volkes um die Rechenkunst zu deuten. Der stehende Jungling in einem weissen, mit Gold verbramten Gewande ist, der Tradition zufolge, der Herzog von Urbino Francesco Maria della Rovere. Vor ihm zeigt ein Philosoph, nach dem Pythagoras gewendet, mit stolzem Ansehen in sein geoffnetes Buch, während neben ihm ein anderer, mit der Feder in der einen Hand und mit der anderen das Haupt unterstützend, ungewiss scheint, was er schreiben soll. In diesem, den man ohne Grund fur den Epictet erklärte, glaubt Montagnani nicht unwahrscheinlich den Skeptiker Arcesilaus, der an Allem zweifelte, und in jenem den Sophisten Hippias von Elis, der Alles zu wissen glaubte, zu erkennen. Der Mann, der in ein Buch schreibt, das auf einem Saulenfusse auf einem Postament ruht, hinter dem angeblichen Empedocles, ist nicht unwahrscheinlich fur den Epicur erklart worden, obgleich sein Gesicht dem antiken Bildnisse desselben keineswegs entspricht. Denn da diese zu Raphaels Zeiten vermuthlich unbekannt waren, so lässt sich annehmen, dass der Künstler durch das feiste und wohlbeleibte Ansehen und die Weinlaub scheinende Bekranzung diesen Philosophen wegen seiner materiellen Ansicht der Welt und des Lebens characterisiren wollte.

In der entgegenstehenden Gruppe, vom Beschauer rechts, steht Archimedes in der Person des Bramante gebückt nach einer Tafel mit einer geometrischen Figur, die er, mit dem Cirkel in der Hand, den um ihn versammelten Schülern erklart, in denen man den sprechenden Ausdruck mit Recht vorzüglich bewundert hat. Der stehende Jungling, dem Archimedes zur Linken, der mit freudiger Verwunderung die Aufgabe begriffen zu haben scheint, ist nach Vasari, das Bildniss Friedrichs II., Herzogs von Urbino. In der weiteren Folge, gegen das Ende des Bildes, bezeichnen zwei Manner die verwandten Wissenschaften der Astronomie und Geographie. Der eine, welcher den Rucken zeigt, mit einer Himmelskugel, ist vermuthlich Zoroaster, und der andere, der eine Erdkugel hält, und dessen Haupt eine Königskrone schmückt, wahrscheinlich Ptolemäus, der beruhmte Geograph des Alterthums, von dem in Raphaels Zeiten die irrige Meinung herrschen konnte, dass er zur Herrscherfamilie Aegyptens gehörte. Zuletzt hat hier der Künstler sich selbst und seinem Lehrer Perugino eine bescheidene Stelle unter den Freunden der Wissenschaft ertheilt.

Der Kürze wegen übergehen wir, so wie in den beiden

vorhergehenden Bildern, auch in diesem durch kunstvolle Anordnung einer reichen Composition vorzüglich ausgezeichneten Gemälde, die Figuren, uber deren Erklärung bis jetzt nur grundlose Vermuthungen herrschen, und in denen schwerlich mit Sicherheit zu bestimmen seyn möchte, welche Personen in ihnen vorgestellt sind.

Die Rechtswissenschaft.

Die drei Gemälde an der dem Parnass gegenüberstehenden Wand beziehen sich auf die Rechtswissenschaft. Der Gegenstand des grösseren über dem Fenster ist eine allegorische Darstellung der Klugheit, Mässigkeit und Stärke, welche die Gerechtigkeit als die vierte der sogenannten Cardinaltugenden begleiten sollen. Die Klugheit sitzt in der Mitte, erhaben uber die beiden andern, die ihrer Leitung unterworfen sind. Sie ist, Zukunft und Vergangenheit zugleich durchschauend, mit zwei Gesichtern wie Janus, einem jugendlichen und alten, gebildet. Dem ersteren hält ein Genius einen Spiegel vor, in dem sie die Begebenheiten der Zukunft erblickt, und dem zweiten ein anderer Genius eine brennende Fackel, wohl zur Andeutung des Lichtes, welches ihr die Kunde der Vorzeit gewährt. Die Stärke, ihr zur Rechten sitzend, mit Helm und Panzer bekleidet, stützt sich mit der einen Hand auf einen Löwen und hält mit der anderen einen Eichenzweig, nach dem ein Genius die Hand ausstreckt, um von seinem Laube zu pflücken. Die Mässigkeit, der Klugheit zur Linken, ist durch den Zügel in ihrer Hand bezeichnet. Nach dem Hintergrunde, an beiden Enden des Bildes, noch zwei Genien.

In den zwei unteren Gemälden dieser Wand, zu beiden Seiten des Fensters, ist die Ertheilung des weltlichen und geistlichen Rechts vorgestellt. Vom Beschauer rechts ubergiebt Gregor IX. die Decretalien einem Consistorialadvocaten. Der Papst zeigt das Bildniss Julius II. Unter den ihn umgebenden Personen erkennt man, in der vordersten ihm zur Linken, den Cardinal Johann de' Medici, der unter dem Namen Leo X. den päpstlichen Stuhl bestieg. Ihm zunächst ist der Cardinal Alexander Farnese, nachmaliger Papst Paul III., und neben demselben der Cardinal di Monte zu bemerken. Vom Beschauer links ist der Kaiser Justinian vorgestellt, der dem Trebonianus das römische Gesetzbuch überreicht.

Sockelbilder.

Die in Einer Farbe gemalten Sockelbilder wurden meistens erst unter Paul III. von Perin del Vaga ausgeführt. Die grossen Figuren, die das gemalte Gesims des Sockels zu unterstützen scheinen, sind bei der Restauration des Carlo Maratta vielmehr neu gemalt als ausgebessert worden. Mehr von ihrem ursprunglichen Character zeigen die kleinen Bilder zwischen demselben.

Ihre Gegenstände, die sich auf die oberen Gemälde beziehen, sind folgende:

Unter der Disputa: ein heidnisches Opfer, vermuthlich zur Andeutung der Verdrangung desselben durch das christliche, hier ebenfalls vorgestellte Messopfer. Der heil. Augustin zu Pferde, dem ein Knabe eine Schale mit der Bemerkung vorhält, es sei leichter damit das Meer auszuschopfen als das Geheimniss der Dreieinigkeit zu ergründen. — Die Sibylle, die dem Kaiser August die heil. Jungfrau zeigt. — Die Betrachtung der gottliehen Dinge in Gestalt einer Frau, die ihren Blick zum Himmel erhebt.

Unter der Schule von Athen: zwei Bilder, die sich auf die Betrachtung der naturlichen Dinge beziehen. Auf dem einen ist eine Frau vorgestellt, die nachdenkend das Haupt mit dem Arme unterstützt und den Fuss auf den Erdball setzt; auf dem anderen einige um den Globus versammelte Philosophen. Unter der Gruppe des Archimedes: die Vertheidigung von Syracus durch die Kriegsmaschinen dieses berühmten Mathematikers; — und seine Ermordung bei der Eroberung dieser Stadt.

Unter der Ertheilung der Decretalien: Moses, der den Israeliten die Gesetztafeln zeigt. Unter der Ertheilung der Pandecten: Eine Statue, vermuthlich des Mars, welche die sie umgebenden Krieger zu verehren scheinen; ein Gegenstand, den Bellori auf die Stelle der Institutionen bezieht, dass die kaiserliche Majestät nicht allein mit den Waffen geschmuckt, sondern auch mit den Gesetzen bewaffnet sein musse.

Unter dem Parnass: zwei Bilder von Raphaels Erfindung. In dem einen, vom Beschauer links, ist, nach unserer Meinung, Alexander der Grosse vorgestellt, der Homers Werke in dem Grabmal des Achilles niederzulegen befiehlt, und in dem anderen der Kaiser August, der die Verbrennung der Aeneis des Virgil verhindert.

§. 43.

B. Zimmer des Heliodor.
(Stanza d'Eliodoro.)

Das Zimmer, Stanza d'Eliodoro genannt, führt diesen Namen von einem der Gemälde desselben, die theils noch im Pontificate Julius II., theils unter seinem Nachfolger Leo X. ausgefuhrt worden sind.

Deckenbilder.

Die Deckenmalereien haben das Ansehen einer Tapete und bestehen ausser den reichen Nebenzierrathen, die gleichsam eingewirkt scheinen, in vier Gemälden, welche folgende Gegenstände des alten Testamentes vorstellen.

Gott, welcher dem Noah erscheint, um ihm den Bau der Arche zu befehlen und einen Bund mit ihm aufzurichten; — Jacob, der im Traume die Himmelsleiter sieht; — Moses vor Gott im feurigen Busche; — und Isaaks Opfer.

Wandgemalde

Die Gegenstände der vier grossen Wandgemalde beziehen sich auf den göttlichen Beistand der Kirche, durch Beschützung gegen ihre Feinde und wunderbare Bestatigung ihrer Lehren.

Heliodor.

Die wunderbare Vertreibung Heliodors aus dem Tempel zu Jerusalem, als er die Schatze desselben auf Befehl des syrischen Konigs Seleucus plündern wollte, deutet hier auf die durch Julius II. erfolgte Befreiung des Kirchenstaates von den Feinden des apostolischen Stuhles. Die Scene ist das Innere des Tempels. Vom Beschauer rechts liegt Heliodor, zu Boden geworfen von dem Pferde des himmlischen Reiters, der, mit Helm, Panzer und Streitkolben bewaffnet, zwischen zwei Jünglingen erscheint, die mit Ruthenbundeln den Tempelräuber zu zuchtigen drohen. Heliodor zeigt bei dem aussersten Schrecken Anstand in seinen Gebarden und unterscheidet sich dadurch von den gemeineren Naturen seiner Begleiter. Der eine derselben greift nach dem Schwerte in thörichter Vermessenheit. Ein zweiter schreit laut auf mit weit aufgesperrtem Munde; und ein dritter strebt seinen Raub in dem Kasten fest zu halten, der ihm vom Rucken herabzufallen droht.

Zur Linken ist eine schone Gruppe von Frauen und Kindern, die mit Staunen die wunderbare Begebenheit betrachten. Am Ende des Bildes erscheint, auf seinem Tragsessel, der Papst Julius II. Seine Begleiter sind ohne Antheil an der Begebenheit, und stehen nur in Beziehung auf den Papst, der in dem vorgestellten Ereignisse die Vertreibung seiner Feinde aus dem Besitzthume der Kirche wie im Gegenbilde betrachtet. Sie sind Bildnisse damals lebender Personen. Der hintere der beiden Sesselträger ist der beruhmte Kupferstecher Marc. Antonio Raimondi; und der neben dem Sessel hergehende Mann, im langen schwarzen Kleide, der päpstliche Secretar der Memoriale, Pietro de Foliariis von Cremona, wie sein Name auf dem Papiere zeigt, welches er nebst seiner Mutze in der Hand halt. Im Hintergrunde kniet betend vor dem Altare der Hohepriester Onias. Bei ihm sind mehrere andere Priester versammelt, von denen der eine mit einem Manne über die wunderbare Begebenheit zu sprechen scheint. Neben ihm hat ein Jungling das Postament einer Saule bestiegen, an der er sich mit umschlungenem Arme festzuhalten sucht. Ein anderer ist im Begriff ihm nachzufolgen.

Die Messe von Bolsena.

Der Gegenstand des unter dem Namen der Messe von Bolsena berühmten Gemäldes ist das in der genannten Stadt im J. 1263 geschehene Wunder, welches einen an der Transsubstantiation zweifelnden Priester von der Wahrheit dieser Lehre durch das Blut uberzeugte, das aus der von ihm geweihten Hostie floss.

In der Mitte über dem Fenster, welches den untern Theil des Bildes in zwei Halften theilt, erhebt sich der Altar. Vor demselben steht der ungläubige Priester, und betrachtet mit Beschämung die mit Blut gefärbte Hostie in seiner Hand. Ihm zunächst, vom Beschauer links, knieen vier Chorknaben mit Fackeln, und hinter denselben drangt sich das Volk herbei, mit vortrefflichem Ausdruck des Staunens und Dankgefuhls zu Gott wegen der durch das Wunder erfolgten Bekräftigung des Glaubens.

Unten, am Anfang der Stufen, die zu beiden Seiten des Fensters zum Altare fuhren, zeigt eine stehende Frau ebenfalls den Ausdruck andachtsvoller Verwunderung. Zwei andere haben sich mit ihren Kindern auf den Fussboden der Kirche niedergelassen. Eine von ihnen, den Rucken zeigend, scheint so eben das wunderbare Ereigniss zu vernehmen und ihr Haupt zu erheben, um sich davon mit eigenen Augen zu uberzeugen.

Vom Beschauer rechts, dem Priester gegenuber, vor der Hinterseite des Altars, ist der Papst Julius II. knieend im Zuhoren der Messe vorgestellt. Er betrachtet das Wunder mit ruhigem Ernst ohne Erstaunen, und zeigt dadurch die unerschutterliche Gewissheit des Oberhauptes der Kirche von der Wahrheit ihrer Lehren, die fur ihn keiner Bestatigung bedürfen. Hinter ihm sind zwei Cardinäle: der eine wirft zornig den Blick nach dem Priester, wegen seines Zweifelns an der Unfehlbarkeit der Kirche: der andere danket Gott fur das Wunder zur Widerlegung des Unglaubens. Sie tragen wie die beiden hinter ihnen befindlichen Pràlaten den Character von Bildnissen. Von den Cardinälen ist vermuthlich der erstgenannte der in der Geschichte der damaligen Zeit bekannte Raphael Riario, den der Künstler, dem Vasari zufolge, in diesem Gemalde vorstellte.

Unten, neben dem Fenster, auf derselben Seite des Bildes, knieen einige Soldaten der Schweizergarde bei dem päpstlichen Tragsessel. Sie zeigen bei der ausserordentlichen Begebenheit ein ziemlich dumpfes und materielles Erstaunen. Den in ihnen ungemein treffend ausgedrückten Nationalcharacter erkennt man in den Individuen dieser noch jetzt bestehenden Leibwache des Papstes.

Nach der Anzeige, hier im Fenster ward dieses Bild im J. 1512, dem 9ten des Pontificats Julius II., vollendet.

Attila.

In dem folgenden Gemalde ist Attila an der Spitze seines Heeres vorgestellt, der durch die drohende Erscheinung der Apostel Petrus und Paulus bewogen wird, den Ermahnungen des heil. Papstes Leo I., von seinem feindlichen Unternehmen gegen Rom abzustehen, Folge zu leisten.

Hier deutet dieser Gegenstand vermuthlich auf die durch Leo X. bewirkte Vertreibung der Franzosen aus Italien. Der heil. Leo ist in der Person jenes Papstes mit seinem Gefolge im Costume der Zeit des letzteren vorgestellt. Er reitet, nach damaliger Sitte der Papste, auf einem weissen Maulthiere, das von einem Reitknecht (Palafreniere) gefuhrt wird. Seine übrigen Begleiter — vermuthlich alles Bildnisse damals lebender Personen — werden ebenfalls von Maulthieren oder Pferden getragen. Unter ihnen befinden sich zwei Cardinale, der Kreuztrager (Crucifero) und ein Kolbenträger (Mazziere), in dem man das Bildniss des Pietro Perugino zu erkennen glaubt.

Der Papst und die ihn begleitenden Personen erscheinen vor dem Heere des Barbaren mit dem Ausdruck der Zuversicht auf den mächtigen Schutz der uber ihnen schwebenden Apostel, die mit entblossten Schwertern und drohender Gebärde dem Attila befehlen, den Ermahnungen des Oberhauptes der Kirche zu folgen. Der König zu Pferde, in der Mitte des Bildes, wird beim Anblick der himmlischen Gestalten von Schrecken befallen, der auch sein ganzes Heer ergreift. Doch sieht nur er ihre Erscheinung, und seine Krieger empfinden nur die Wirkung ihrer unsichtbaren Macht. Ueber den Barbaren schwarzt sich der Himmel, welchen, uber dem Papst, das von den Aposteln strahlende Licht zu einer Glorie erhellt. Ein Sturmwind erhebt sich und bläst in die Fahnen, welche die Träger kaum zu halten vermögen. Die Trompeter blasen zum Ruckzuge. Die Pferde werden scheu, und unbewusstes Entsetzen scheint Menschen und Thiere bei dem Ungewitter zu ergreifen, welches die gottliche Drohung verkündet. Im Hintergrunde zeigt das hinter einem Hugel hervorlodernde Feuer die Verwustungen, welche die Barbaren auf ihrem Zuge hinterliessen.

Die Befreiung des heil. Petrus.

Das Gemälde von der Befreiung des heil. Petrus zerfällt in drei Abtheilungen, die eben so viele Momente derselben Begebenheit vorstellen.

Die mittlere, uber dem Fenster, gewährt durch ein eisernes Gitter die Einsicht in das Innere des Gefängnisses. Der heil. Petrus ruht schlafend auf dem Boden, zwischen zwei an ihn gefesselten Wachtern, die, stehend auf ihre Lanzen gestützt, ebenfalls in Schlaf versunken sind. Ein Engel, dessen Glorie die Gegenstande erleuchtet, weckt den Apostel zu seiner ihm von Gott ertheilten Befreiung.

Vom Beschauer rechts führt der Engel den Apostel aus dem Gefangniss die Treppe hinab, an deren Anfange sich zwei schlafende Krieger befinden. Auch hier erfolgt die Beleuchtung durch das von dem Engel strahlende Licht.

Vom Beschauer links sieht man die Wächter aus dem Schlafe erwachen und die Flucht des Gefangenen bemerken. Auf dem Vorgrunde erhebt sich ebenfalls eine Treppe. Hier verkündet ein Soldat, mit einer Fackel in der Hand, seinen so eben erwachten Gefahrten die vorgefallene Begebenheit. Zwei andere Krieger erscheinen mehr im Hintergrunde. Der eine erhebt sich ebenfalls aus dem Schlafe: der andere eilt herbei, den Arm vor das Gesicht haltend, um es vor dem Scheine der erwahnten Fackel zu schützen. Die letztgenannte Figur erhalt dabei noch ein schwaches Licht von dem halben Monde, der zwischen Wolken vorscheint.

Durch die Darstellung der Wachter im Kriegercostume seiner Zeit wollte der Kunstler in diese vielleicht den Gegenstand ubertragen, der, nach Bellori's wahrscheinlicher Vermuthung, auf die Befreiung Leo's X. aus der Gefangenschaft der Franzosen deutet, in die er als Cardinal-Legat in der Schlacht bei Ravenna gerieth.

Zufolge der Anzeige im Fenster dieser Wand fällt die Vollendung dieses Gemaldes in das J. 1514, das zweite des Pontificats Leo's X.

Die betrachteten Wandgemälde dieses Zimmers, insbesondere die drei ersterwahnten, zeigen Raphaels Kunst im eigentlich Dramatischen, und demnach im Ausdruck starker Gemuthsbewegungen, da hingegen in den Werken der Stanza della Segnatura das Allegorische und Symbolische vorherrscht, dem das Dramatische nur dienstbar ist, und im Ausdruck sich die Starke des Kunstlers vornehmlich in den ruhigeren Bewegungen der Seele zeigt. Der Styl der ersteren ist freier und grossartiger, aber weniger streng als in den letztgenannten.

Im Colorit dürfte die Frescomalerei nie grössere Vollkommenheit als im Gemälde der Messe von Bolsena gezeigt haben, in welchem die bluhende Carnation an die des Tizian erinnert. Die Farbengebung der Gruppe des Papstes im Attila ist nicht minder ausgezeichnet. Im Heliodor herrscht ein mehr brauner und dunkler Ton als in jenen beiden Bildern, wesswegen Einige sehr mit Unrecht die Ausfuhrung nicht dem Raphael, sondern dem Giulio Romano zugeschrieben haben. In der Befreiung des heil. Petrus ist der Effect der Nachtbeleuchtung angemessen dem höheren Style der Kunst, dem eine Illusion der Nachtstucke der späteren Niederlander ganz unentsprechend sein würde.

Die Figuren in weisser Marmorfarbe, unter dem gemalten Gesims des Sockels, sind bei der Restauration des Maratta übermalt und zum Theil ergänzt worden, ohne jedoch ihre Schönheit und den ursprunglichen Character gänzlich zu verlieren. Sie sind: eine Roma, der Ueberfluss, die Religion, der Weinbau, der Schiffbau und andere ähnliche Vorstellungen, die vermuthlich schmeichelhafte Anspielungen auf die Regierung Julius H. und Leo's X. enthalten. Die kleinen Bilder in Bronzefarbe, zwischen denselben, sind von der Erfindung des Maratta.

§. 44.

C. Stanza dell' Incendio.

Das Stanza dell' Incendio benannte Zimmer führt diesen Namen von dem vorzüglichsten Gemälde desselben.

Deckengemalde von Pietro Perugino.

Die Deckengemälde sind Werke des Pietro Perugino, deren Zerstorung Raphael aus Achtung fur seinen Lehrer verhinderte. Man sieht in ihnen in vier runden Bildern den Heiland in der Mitte der Apostel und andere religiose Gegenstande. Den übrigen Raum der Decke erfullen Arabesken auf Goldgrund, in denen man Engel und einige in weisser Marmorfarbe gemalte Profilkopfe in Rundungen bemerkt.

Wandgemälde.

Die grossen Wandgemälde scheinen durchaus nicht von Raphaels Hand, sondern von seinen Schülern nach seinen Cartonen ausgefuhrt zu sein. Ihre Gegenstande sind merkwurdige Begebenheiten aus dem Leben Leo's III. und IV., die vermuthlich zur Hindeutung der Namensverwandtschaft Leo's X. mit diesen seinen berühmten Vorgangern, die auch in seiner Person in diesen Gemälden erscheinen, zur Darstellung gewahlt wurden. Ihre Vollendung fallt, der Inschrift im Fenster zufolge, in das Jahr 1517.

Der Schwur Leo's III.

Das Gemälde an der Wand des Fensters stellt den Schwur Leo's III. vor, durch den er sich von den Verbrechen reinigte, wegen deren ihn seine Gegner bei Carl dem Grossen verklagten. Die Scene ist das Innere einer Kirche. Hinter dem Altare, der sich in der Mitte des Bildes uber dem Fenster erhebt, erscheint der Papst, die Hande zum Schwur auf das vor ihm geoffnete Evangelienbuch legend. Mehrere Bischofe stehen ihm zu beiden Seiten, und hinter ihnen drängen sich zahlreiche Zuschauer herbei. Nach dem Hintergrunde, vom Beschauer links, hält ein weiss gekleideter Kirchendiener eine Krone, die vielleicht auf die Carl dem Grossen zugedachte Kaiserwürde deutete. Dieser ist vermuthlich in dem mit einer goldenen Kette geschmuckten, vor den Bischöfen stehenden Manne vorgestellt, der, vom Rucken gesehen, mit der Rechten auf den Papst zeigt. In einem anderen, der, ihm gegenüber vom Beschauer rechts, den Arm auf die Hufte stützt, lässt sich ein angesehener Diener des frankischen Konigs vermuthen, zu dessen Gefolge wahrscheinlich auch die Krieger und Kolbenträger gehören, die den Vorgrund zu beiden Seiten des Fensters bilden.

Kaiserkrönung Carls des Grossen.

Die Kaiserkrönung Carls des Grossen, die, wenigstens scheinbar, ohne sein Vorwissen, erfolgte, ist hier als eine vorbereitete papstliche Function im Zeitalter Leo's X. vorgestellt. Der Thron des Papstes erhebt sich in der alten Peterskirche, dem Hauptaltar gegenüber. Carl der Grosse, in der Person Franz I., damaligen Königs von Frankreich, empfängt knieend die Kaiserkrone von dem Oberhaupte der Kirche. Der hinter ihm knieende Edelknabe, der seine Königskrone hält, ist nach Vasari das Bildniss des Neffen Leo's X., des nachmaligen Cardinals Hippolytus von Medici. Vier Diaconen, von denen der eine das Gefass mit dem heiligen Oele zur Salbung des Kaisers hält, stehen dem Throne zur Rechten oberhalb der Stufen, und zur Linken, unterhalb derselben, vier Bischofe mit Mitren in den Händen. Zwei Personen, rechts von ihnen, in rothen Mänteln mit weissen Ueberschlagen, sind vermuthlich geheime Kammerer (Camerieri Segreti) des Papstes. Der Thron ist, in einem weiteren Bezirke, von meistens sitzenden Bischöfen und Cardinalen umgeben. Auf dem Vorgrunde, wo sie zwei Reihen bilden, sitzen vor ihnen auf dem Fussboden die Schleppentrager (Caudatarj) der Cardinäle. Ein junger Mann, dessen Helm eine Krone schmuckt, unter den Kriegern zur Rechten des Thrones nach dem Hintergrunde, ist vermuthlich einer der Sohne Carls des Grossen. Vom Beschauer rechts erscheinen auf einem erhöhten Chore die päpstlichen Sänger; und auf dem Vorgrunde sind auf einem Tische neben dem Altare silberne Gefasse aufgestellt, die der Kaiser fur die Peterskirche bestimmte. Aehnliche Geschenke werden von einigen meist entblössten Dienern herbeigebracht, denen ein knieender Krieger anzudeuten scheint, sie vor dem päpstlichen Throne niederzulegen.

Die beiden zuletzt erwähnten Gemälde, — in denen die Darstellung des Ueblichen päpstlicher Functionen über die Idee des Gegenstandes vorherrschend ist, — sind fur den Geist minder ansprechend, als die der zuvor betrachteten Zimmer.

Incendio del Borgo.

Das unter dem Namen Incendio del Borgo berühmte Gemälde
ist, in der bedeutenden Darstellung des Gegenstandes, eine der
vortrefflichsten Compositionen Raphaels. Es stellt eine Feuersbrunst vor, die sich unter Leo IV. in der von ihm angelegten
Vorstadt des Borgo ereignete, und, wie man sagt, von diesem
Papst durch das Zeichen des Kreuzes ausgeloscht ward.

Der Sturmwind, bei dem diese Feuersbrunst der Erzählung
zufolge angenommen ist, erhoht das Furchterliche des Ereignisses,
das Schwierige menschlicher Rettung, und dadurch das Bedeutende
der göttlichen Hülfe durch den Papst, der im Hintergrunde auf
der Loggia vor der Peterskirche die Hand zum Zeichen des Heils
erhebt. Auf dem Vorgrunde, in der Mitte des Bildes, haben
mehrere Frauen mit ihren Kindern sich in das Freie gerettet.
Eine derselben, mit aufgelostem Haar, in nachlässig umgeworfener
Kleidung, treibt mit Eile und Schrecken zwei Kinder vor sich her.
Eine andere hebt, zum Papst flehend, die Hände empor, und
eine dritte ermahnt ihr Kind, ihn ebenfalls anzurufen, welches
mit kindlicher Einfalt die Hände zum Bitten faltet. Die vierte
sieht mit schreckenvollem Staunen nach den Personen, die sich
aus einem brennenden Hause retten. Eine Frau, noch innerhalb
desselben, reicht über die Mauer hinab ihren Säugling einem
Manne, vermuthlich dem Vater, zu, der sich zum Erreichen des
Kindes auf den Fusszehen erhebt. Nur dass es nicht falle, scheint
der Mutter ängstliche Sorge, ohne Rucksicht auf eigene Gefahr
durch die sie umgebenden Flammen. Daneben lässt sich ein
nackter Jüngling von der Mauer herab; und ein anderer, von
starkem Gliederbau, tragt auf den Schultern seinen alten Vater
aus diesem Gebäude, von einem Knaben und einem alten Weibe
begleitet, welche einige aus dem Feuer gerettete Kleider tragen;
eine Gruppe, bei welcher der Kunstler vermuthlich an die Beschreibung Virgils von der Flucht des Aeneas aus dem trojanischen
Brande dachte. Auf der anderen Seite des Bildes, vom Beschauer
rechts, sind ein Mann und zwei Frauen, mit vortrefflichen, vom
Winde bewegten Gewändern, im Loschen eines anderen Gebäudes
begriffen. Im Hintergrunde erscheinen auf dem durch Stufen erhöhten Platze vor der Peterskirche mehrere, den Papst um Hülfe
anflehende Personen.

Der Sieg über die Saracenen

Der Gegenstand des letzten Gemäldes in dieser Folge ist der
unter Leo IV. über die Saracenen bei Ostia erlangte Sieg. Dieser
Papst, in der Person Leo's X., ist, vom Beschauer links, unweit
vom Seeufer vorgestellt, wo ihm ein Postament von den Resten
des alten Ostia zum Throne dient. Er dankt, den Blick empor-

gehoben, Gott für den erhaltenen Sieg. Hinter ihm sind unter den Personen seines Hofstaates, der Cardinal Julius von Medici, nachmaliger Papst Clemens VII., und der Cardinal Bibiena zu bemerken. Vom Beschauer rechts sind die im Treffen gefangenen Saracenen gelandet, die von den Christen gebunden und genöthigt werden, sich vor dem Oberhaupte der Kirche zu beugen. Bei dem in der Ferne erscheinenden Hafen der Stadt sieht man die Flotte, und mehrere beim Treffen ins Wasser gefallene Menschen mit den Fluthen ringen. Am jenseitigen Ufer sind zwei christliche Reiter noch mit den Unglaubigen im Gefechte begriffen.

Sockelbilder.

Die von Giulio Romano ursprünglich ausgeführten Sockelbilder in Einer Farbe sind nun vielmehr als Werke des Carlo Maratta zu betrachten. Ihre Gegenstande sind die Figuren der um die römische Kirche besonders verdienten Fürsten, deren Namen und verdienstliche Handlungen die Schrift auf den Zetteln anzeigt, welche die zwischen denselben gemalten Hermen halten.

Holzarbeiten.

Noch sind in den drei betrachteten Zimmern die schönen, unter Leo X. von Gian Barile verfertigten Schnitzarbeiten der hölzernen Thuren zu bemerken. An der innern Seite der Thüren der beiden Eingänge zur Stanza della Segnatura befinden sich mit gefarbtem Holze eingelegte Arbeiten (Lavori d'Intarsia) von dem in diesem Fache zu Raphaels Zeiten ausgezeichneten Kunstler Fra Giovanni da Verona. In denselben ist, ausser Gebäuden und musicalischen Instrumenten, Baraballa von Gaeta auf dem Wege zum Capitol, um daselbst die Dichterkrone zu empfangen, auf dem Elephanten reitend vorgestellt, den Leo X. von dem Könige von Portugal zum Geschenk erhalten hatte. Er war ein elender Versmacher, der sich fur einen grossen Dichter hielt, und desswegen am Hofe des gedachten Papstes zur Kurzweil diente. Man liest seinen Namen auf der Decke des hier gebildeten Elephanten.

§. 45.

D. Saal Constantins (Sala di Costantino).

Die Wandgemälde des Saales Constantins, der diesen Namen von den hier vorgestellten Gegenstanden aus dem Leben dieses Kaisers fuhrt, wurden im Pontificate Clemens VII., nach den Zeichnungen des berühmten Raphael, von Giulio Romano mit Beihulfe des Francesco Penni und Raffaele dal Colle ausgeführt, wobei sich aber der erstgenannte dieser Künstler Abweichungen und Veränderungen von den Compositionen seines Lehrers erlaubte.

Die Gegenstande der vier grossen historischen Gemälde, die in diesem Saale das Ansehen von an der Wand aufgehangten Tapeten haben, enthalten die zur Begründung der sichtbaren Oberherrschaft der Kirche bedeutendsten Begebenheiten aus dem Leben Constantins des Grossen.

Die Erscheinung des Kreuzes.

In der historischen Folge das erste Gemälde stellt die Anrede des Kaisers an die Soldaten vor, in welcher er die Erscheinung des Kreuzes und den dadurch verheissenen Sieg über den Maxentius verkündet. Wir sehen ihn, vom Beschauer links, auf einem Tribunale stehend. Um ihn versammeln sich die Krieger, die theils auf seine Worte hören, theils das am Himmel erscheinende Kreuz betrachten, bei dem man in griechischer Sprache die Worte liest: in diesem siege. Mehr im Hintergrunde eilen Soldaten herbei, um dieses Wunder dem Kaiser zu verkunden. In der Ferne sieht man die Tiber mit dem Pons Aelius, die Mausoleen des August und Hadrian, und eine Pyramide, vermuthlich das sogenannte Grabmal des Romulus.

Die sonderbare Episode des nackten Zwerges, der sich auf dem Vorgrunde den Helm aufsetzt, ist von der Erfindung des Giulio Romano, der dieses Gemalde ausfuhrte. Man erklart ihn fur den in einem Gedicht des Berni ironisch gefeierten Zwerg des Cardinals Hippolytus von Medici, Gradasso Berettai von Norcia. Die beiden neben dem Kaiser stehenden Knaben, von denen der eine einen Helm, der andere ein Schwert hält, sind, so wie die Engel, die das Kreuz tragen, ebenfalls Zusätze des gedachten Kunstlers.

Die Schlacht Constantins.

Die Schlacht Constantins mit dem Maxentius, bei der Milvischen Brucke (Ponte Molle), ist nicht allein unter den Gemalden dieses Saales das vorzuglichste, sondern überhaupt eine der bewundernswürdigsten Compositionen Raphaels, und unter den Darstellungen kriegerischer Begebenheiten ein einziges Werk.

Der gewählte Moment ist die Entscheidung des Sieges, der mit Constantins Herrschaft die des Christenthums begründete. Die Besiegten sind zum Ufer der Tiber hingedrangt. Hier erscheint der Kaiser an der Spitze seines Heeres. Sein Ross, im stolzen Gefühle, den Sieger zu tragen, schreitet über niedergeworfene Feinde. Ihm folgen die Träger der Fahnen, auf denen sich das triumphirende Kreuz erhebt, und die zur Schlacht und zum Siege blasenden Trompeter. Engel schweben über ihm zum

Zeichen des göttlichen Beistandes. Zwei Reiter kommen ihm
entgegengesprengt mit den Köpfen erschlagener Feinde. Ein
dritter zeigt ihm den mit seinem Pferde in den Strom gefallenen
Maxentius, gegen den er den Speer erhebt, während derselbe im
Ausdruck der Verzweiflung eines Tyrannen und Bösewichts mit
den Fluthen des Wassers ringt, und die letzten vergeblichen
Kräfte anstrengt, dem Untergange zu entgehen. Am Ufer wehrt
sich ein Reiter des besiegten Heeres, in nachtheiliger Lage auf
seinem durch eine tiefe Wunde niedergesunkenen Pferde, mit
äusserster Hartnäckigkeit gegen einen das Schwert auf ihn zücken-
den Krieger. Sonst ist hier nur Flucht und Niederlage. Auf dem
Flusse schweben zwei mit Flüchtigen angefüllte Fahrzeuge. Das
eine droht unter der Last der Menschen zu sinken, die bei dieser
sie bedrohenden Gefahr auch von den am Ufer stehenden Bogen-
schützen beschossen werden. Auf dem anderen wehrt, um es
vor dem Sinken zu bewahren, ein Krieger zwei schwimmende
Gefährten ab, die es ersteigen wollen. Im Hintergrunde zieht ein
Theil des siegenden Heeres, den Feind verfolgend, über die Mil-
vische Brücke nach Rom. Auf der andern Seite des Bildes, vom
Beschauer rechts, erscheint noch im Schlachtgewühl der Kampf
um Leben und Tod, während ein alter Krieger einen todten
Jüngling, der eine Fahne trug, vielleicht seinen Sohn, wehmuths-
voll vom Schlachtfelde in einer vortrefflichen, mit Recht bewun-
derten Gruppe erhebt. Die Ferne zeigt die Gegend bei der
Milvischen Brucke, dem heutigen Ponte Molle.

Dieses Gemälde ist ebenfalls von Giulio Romano ausgeführt,
der in Raphaels Composition weder Figuren verändert, noch
von seiner Erfindung hinzugesetzt, aber mehrere weggelassen hat.
Die Ausführung zeigt ungemeine Meisterschaft, und ist in der
Zeichnung, und im Ausdruck der Seele und des Lebens vortrefflich. Minderes Lob verdient die Farbe, deren Ton in das Kalte
und Graue fällt.

Die Taufe Constantins.

Die Taufe Constantins ist, in Folge der irrigen ehemals herrschenden Meinung, in der Taufcapelle des Laterans vorgestellt.
In der mittleren Tiefe dieses Gebäudes, zu der einige Stufen hinabführen, ertheilt der Papst Sylvester, in der Person Clemens VII.,
dem vor ihm knieenden Kaiser die Taufe, indem er die Linke auf
ein geöffnetes Buch legt, welches ein Geistlicher hält. Man liest
in demselben: Hodie Salus Urbi et Imperio facta est. Ein Kirchendiener hält ein Tuch zum Abtrocknen des Kaisers nach der Taufe,
und ein Diaconus auf einer Schüssel das Fläschchen mit dem
heiligen Oele zu seiner bevorstehenden Salbung. Auf den Stufen

sitzt ein Edelknabe mit dem Schwerte, Schilde und Panzer desselben. Nach dem Hintergrunde sind unter mehreren anderen
Figuren zwei Knaben mit Leuchtern, der Kreuzträger (Crucifero)
und ein bejahrter, fast ganz entblösster Mann zu bemerken, der
zwei Knaben, vermuthlich zur Taufe, herbeifuhrt. An beiden
Enden des Bildes befinden sich zwei oberhalb der Stufen stehende Figuren. In der einen, einem jungen Manne in römischer
Kriegskleidung, und mit einer Krone geschmückt, ist wahrscheinlich Crispus vorgestellt, der, wie die Sage behauptet, mit
seinem Vater von dem heil. Sylvester die Taufe erhielt. Die
andere, ein ältlicher Mann, in schwarzer, der Zeit des Kunstlers
entsprechender Kleidung, ist vermuthlich der nach Vasari auf
diesem Gemalde vorgestellte Rhodiserritter und Hofcavalier (Cava-
lierino) Clemens VII., Niccolò Vespucci. Die dem Francesco Penni
zugeschriebene Ausführung dieses Werkes ist weit schwächer
als die der beiden zuvorbetrachteten Bilder dieses Saals.

Die Schenkung Roms an den Papst.

In dem letzten Gemälde dieser Folge ist Constantin der Grosse
vorgestellt, welcher, nach der auf der angeblichen Schenkungsacte
beruhenden Sage, dem Papst die Herrschaft von Rom ertheilt.
Dem heil. Sylvester, sitzend auf dem papstlichen Throne, überreicht der Kaiser knieend die goldene Bildsäule einer Roma, und
empfangt dafür den apostolischen Segen. Er ist in antiker Kriegskleidung; die meisten übrigen Figuren aber sind im Costume der
Zeit des Malers vorgestellt; und die päpstliche Schweizergarde
erscheint fast in derselben Tracht wie gegenwärtig. Ein Mann
mit einem Kreuze auf der Brust, und mit einem schwarzen, mit
Pelz aufgeschlagenen Mantel bekleidet — unter den gegen den
Thron nach dem Hintergrunde stehenden Personen, — wird für
den Grossmeister aus der flavischen Familie des angeblich von
Constantin gestifteten Ordens des heil. Georg erklart. Unter den
zahlreichen Zuschauern sind auf dem Vorgrunde einige schöne
weibliche Figuren zu bemerken. Ein Knabe, der mit einem
Hunde spielt, ist eine anmuthige Episode, die aber hier, im Inneren einer Kirche, nicht angemessen seyn durfte. Die Ausführung
dieses Bildes, nach der gewohnlichen Annahme von Raffaele dal
Colle, ist vorzüglicher als im Gemälde von der Taufe.

Zwischen den betrachteten historischen Gemalden sieht man
die Figuren heiliger Papste, auf Thronen sitzend, in Begleitung von
Engeln, Tugenden und anderen allegorischen, mit Namen bezeichneten Figuren. Die beiden in Oel gemalten Figuren der Gerechtigkeit und der Sanftmuth (Justitia und Comitas), die, nach Vasari,
unmittelbar nach Raphaels Tode, noch im Pontificate Leos X.,

ausgeführt wurden, hat man nachmals für eigenhändige Werke jenes grossen Künstlers, aber ohne hinlänglichen Grund, erklärt. Auch in dem vorzüglich gut ausgeführten Kopfe des Papstes Urbanus I. hat man die Hand desselben zu erkennen geglaubt, wogegen schon der Umstand spricht, dass er in Fresco, und nicht in Oel gemalt ist, wie Raphael die Malereien dieses Saals auszuführen gedachte. Zwischen jenen Figuren der Päpste erheben sich, auf Pfeilern stehend, männliche und weibliche Figuren, welche das Gesims unter dem Deckengewölbe zu unterstutzen scheinen. Bei ihnen sind die Sinnbilder der Familie Medici, eine Glaskugel mit dem Motto: Candor illaesus, und das Joch mit dem Motto: Suave zu bemerken.

Sockelbilder.

Die kleinen Sockelbilder in Bronzefarbe sind bei der Restauration des Maratta ubermalt und ergänzt, zum Theil auch nach dem ganzlichen Untergange der ursprünglichen ganz neu gemalt worden. Ihre auf die grossen historischen Gemalde bezüglichen Gegenstände sind folgende:

Unter der Erscheinung des Kreuzes: Soldaten mit Verschanzungen des Lagers beschaftigt. — Unter der Schlacht: ebenfalls Kriegsverrichtungen der alten Romer. — Der Kaiser Constantin auf dem Schlachtfelde, nach dem Siege über den Maxentius. Ihn kront die Siegesgöttin; vor ihn werden Gefangene gebracht, und im Hintergrunde gehen die Christen aus den Catacomben hervor, zur Andeutung der durch diesen Sieg erlangten Freiheit der Kirche. — Ein Schiff, auf dem man den Kopf des Maxentius auf einer Stange tragt. — Unter der Taufe: Constantin, der die Edicte gegen die Christen zu verbrennen befiehlt, und der von ihm veranstaltete Bau der Peterskirche. — Bei der Thür zum Zimmer des Heliodor: Die Apostel Petrus und Paulus, die dem Constantin empfehlen, sich zur Heilung von seinem Aussatze an den heil. Sylvester zu wenden. — Die Entdeckung des Kreuzes durch die heil. Helena. — Der Kaiser Constantin, den der Segen des heil. Sylvester von der gedachten Krankheit heilt.

Zu derselben Folge gehören auch die an den Seitenwänden der beiden Fenster ebenfalls in Bronzefarbe gemalten Bilder. Ihre Gegenstände sind: Der heil. Sylvester, welcher den Drachen durch das Zeichen des Kreuzes bindet. — Constantin, welcher seine Mutter, die heil. Helena, nach ihrer Zurückkunft von Jerusalem bewillkommt. — Die Zerstorung der heidnischen Götterbilder; — und ein schreibender Mann, den man für den heil. Gregor erklart. Diese Bilder sind sehr verdorben, aber ohne Restauration von neueren Händen. Unstreitig übermalt sind hingegen die beiden Gemälde des Giulio Romano an den oberen Fensterwänden. Ihre Gegenstände sind schmeichelhafte Allegorien auf Clemens VII. und auf die Regierung dieses Papstes.

In den nicht bedeutenden, unter den Pontificaten Gregors XIII. und Sixtus V. von Tommaso Laureti verfertigten Deckengemälden, sind die heil. Helena, das Kreuz verehrend, die personificirten Inseln Sardinien und Corsica, deren Oberherrschaft vormals der päpstliche Stuhl behauptete, und andere allegorische Figuren vorgestellt. Das mittlere Bild zeigt, im Inneren einer Kirche, ein vor einem Crucifix umgestürztes Götzenbild, welches auf den Umsturz des Heidenthums durch das Christenthum deutet, auf den sich die Wandgemälde dieses Saals beziehen.

Zu der ehemaligen Wohnung der Päpste gehörten auch die beiden vor dem Saale Constantins liegenden Zimmer. An den Wanden des einen, welches ehemals zum Aufenthalte der Schweizergarde diente, sind mittelmässige Malereien von Paris Nogari, Arpino und andern Künstlern aus den spatern Zeiten des 16ten Jahrhunderts. Das zweite, ehemals für die päpstlichen Bedienten bestimmte Zimmer, heisst gegenwärtig Stanza de Chiariscuri, von den an den Wanden in einer Farbe von Taddeo und Federigo Zucchero gemalten zwölf Aposteln, in denen die zuvor von Raphael dargestellten erneuert wurden, welche durch die unter Paul IV. in diesem Zimmer vorgenommenen Veranderungen zu Grunde gegangen waren. Reste der ehemaligen Malereien Johann's von Udine in demselben sind zwei von neueren Händen übermalte Papageien, uber dem Eingange zu jenem ehemaligem Zimmer der Schweizergarde.

§. 46.

Capelle des heil. Laurentius, mit Gemälden von Angelico da Fiesole.

Die kleine Capelle des heil. Laurentius, die Nicolaus V. zum Hausgottesdienst der Päpste bei ihrer hier von ihm angelegten Wohnung erbaute, ist sehr merkwürdig wegen der Gemälde des Fiesole, der bedeutendsten Werke in Rom aus der fruheren Epoche der Malerkunst, die jedoch durch Restauration gelitten haben.

An den Wänden sieht man in zwei Reihen übereinander Gegenstände aus dem Leben der beiden heiligen Diaconen Stephanus und Laurentius, deren irdische Reste eine Grabstätte in der Kirche S. Lorenzo fuori le mura vereint, und deren Andenken daher auch die christliche Kunst vereinigt zu erhalten pflegte.

Die historische Folge dieser Bilder beginnt vom Eingange

rechts. Die Gegenstände der oberen Reihe, aus dem Leben des heil. Stephanus sind folgende:

1) Seine Weihe zum Diaconus; durch den Kelch bezeichnet, den er im Beiseyn der Apostel von dem heil. Petrus empfangt, weil die Aufbewahrung der heiligen Gefässe ehemals zu dem Amte der Diaconen gehörte. — 2) Der heil. Stephanus Almosen vertheilend, nach dem ursprünglichen Berufe dieses Amtes. — 3) Seine Predigt vor dem Volke. — 4) Derselbe vor dem Rathe zu Jerusalem; — und 5 und 6) Der Heilige, welcher zum Thore der Stadt hinausgestossen wird, um gesteinigt zu werden, und seine Steinigung. Beide Vorstellungen sind nur durch das Thor der Stadt in zwei Bilder getheilt.

Die Figuren dieser Bilder sind im Costume der Zeit der Apostel vorgestellt, die Gegenstände aus dem Leben des heil. Laurentius hingegen mehr in die Zeit des Kunstlers übertragen. Dieser Heilige tragt das noch in der katholischen Kirche ubliche Diaconenkleid. Und der in diesen Gemälden vorkommende Papst Sixtus II. erscheint in der Person Nicolaus V. Ihre Gegenstande sind folgende:

1) Die Ernennung des heil. Laurentius zum Diaconus; ebenfalls durch die Ertheilung des Kelches bezeichnet, den ihm aber hier der Papst von seinem Throne herab uberreicht. — 2) Der Papst ubergiebt dem heiligen Laurentius die Kirchenschätze zur Vertheilung an die Armen, weil der Präfect von Rom sich ihrer bemachtigen wollte; hier angedeutet durch zwei Soldaten, die im Begriff sind, die Thur der Kirche zu erbrechen. — 3) Der heil. Laurentius, welcher die Kirchenschätze an die Armen vertheilt. — 4) Derselbe gebunden vor dem Richterstuhle des Kaisers, der ihn mit den auf dem Boden liegenden Marterwerkzeugen bedroht. — 5) Sein Märtyrertod. In dem den Hintergrund bildenden Gebäude erscheint durch ein Gitterfenster des Gefangnisses der Heilige mit seinem Gefangenwarter, den er zum Christenthume bekehrte.

In den beiden Bogen, uber dem Fenster an der Wand, wo der Altar steht, und uber dem Eingange oben, die vier grossen lateinischen Kirchenväter, und unten die Heiligen Thomas von Aquino, Bonaventura, Athanasius und Johannes Chrysostomus. An der Decke, in den vier Abtheilungen des Kreuzgewolbes, die vier Evangelisten.

§. 47.

Drittes Stockwerk der Loggien.

Das dritte Stockwerk der Loggien enthält nichts für die Kunst vorzüglich Merkwürdiges. Die Deckengewölbe der ersten und zweiten Arcadenreihe sind mit Stuccaturen und Gemalden von Roncalli, Nogari, Arpino und andern Malern der späteren Zeiten des 16ten Jahrhunderts geschmückt. Man sieht in der ersten Reihe die Jahreszeiten und andere allegorische Vorstellungen, in der zweiten christliche Gegenstande, die sich meistens auf das jungste Gericht beziehen, nebst Zierrathen im Geschmack der Arabesken.

An den untern Wänden befinden sich gemalte Landkarten nach Zeichnungen des damals in der Mathematik ausgezeichneten Dominicaners Ignazio Danti. Ueber denselben sind in der ersten Reihe sehr verdorbene Landschaften von Paul Brill, und in der zweiten Gemalde von Antonio Tempesta, welche die feierliche Procession vorstellen, in welcher im Pontificate Gregors XIII. der Leichnam des heil. Gregorius Nazianzenus aus dem Nonnenkloster di Campo Marzo in die Peterskirche gebracht wurde. Die Ausschmuckung der dritten Reihe dieses Stockwerkes ist unterblieben.

Von der ersten Reihe gelangt man in ein kleines Zimmer, welches ehemals zum Baden diente und den Namen Bagno di Giulio II. fuhrt. Es ist mit gemalten Arabesken und kleinen Bildern mythologischer Gegenstände nach Raphaels Erfindung geschmückt, die zwar sehr gelitten haben, aber nichts desto weniger Aufmerksamkeit verdienen.

§. 48.

Das Belvedere.

Neben der Sala Borgia ist der Eingang zu dem Flügel des vaticanischen Palastes, welcher wegen seiner vortrefflichen Aussicht auf die Stadt und die umliegende Gegend mit Recht den Namen il Belvedere erhalten hat, und gegenwärtig die sämmtlichen so bedeutenden Kunstsammlungen des Vaticans nebst der Bibliothek in sich schliesst. Er wurde — wie wir bereits in der allgemeinen Geschichte dieses Palastes erwahnten — unter Julius II. angefangen. Im Hofe, der unter Paul IV. um das Jahr 1560 seine heutige Gestalt erhielt, steht ein Springbrunnen mit einer Schale von orientalischem Granit, die uber 30 Palm im Durchmesser hat. Sie wurde unter Julius II. in den Thermen des Titus gefunden.

§. 49.

Galleria Lapidaria.

Durch den erwähnten Eingang gelangt man zunachst zu dem langen von Bramante angelegten Corridor, der unter Pius VII. durch eine eiserne Gitterthür in zwei Abtheilungen geschieden worden ist. Die vordere derselben fuhrt den Namen Galleria

Lapidaria von der bedeutenden hier aufbewahrten Inschriften-Sammlung, die von Clemens XIV. angefangen, von Pius VI. fortgesetzt und unter Pius VII., in dessen Pontificate sie in diese Abtheilung des Corridors gebracht wurde, noch bedeutend vermehrt worden ist. Die Zahl der ganzen aus christlichen und heidnischen Inschriften bestehenden Sammlung beläuft sich auf 3000 Stück. Man sieht sie, nach der Anordnung des gelehrten Gaetano Marini, in den Wänden des Corridors eingemauert, in 35 Abtheilungen, über welchen die Classification, unter die sie gehören, angezeigt ist. Unter denselben befinden sich auch mehrere Sculpturen antiker Grabmonumente. Ueberdiess ist hier, an beiden Seiten des Corridors, eine bedeutende Anzahl von antiken Denkmalern von mancherlei Art aufgestellt, unter denen sich mehrere Cippen, Sarcophage und einige antike Brunnen befinden. Besonders zu erwähnen ist unter diesen Monumenten: eine Aedicula, gefunden bei Todi, deren Gewolbe die Form einer Muschel zeigt; uber dem Bogen sind zwei Delphine, und an beiden Seiten, so wie an der hinteren Fronte Sumpfvogel, welche Schlangen fressen, gebildet. — Desgleichen eine sonderbare mannliche Figur, sitzend mit einer Bulla, und einer über das Haupt gezogenen Lowenhaut. Man erklart sie gewöhnlich fur den Typhon.

§. 50.

Museo Chiaramonti.

Die hintere der erwähnten Abtheilungen des Corridors bewahrt den grosten Theil der von Pius VII. angelegten Antikensammlung, die von ihm den Namen Museo Chiaramonti fuhrt. An dem oberen Theile der Wande befinden sich erhobene Arbeiten, meistens Fragmente. Unten wechseln je drei grossere Statuen oder Bruchstücke derselben mit Marmorgestellen ab, welche in zwei Reihen ubereinander gesetzt sind, und Busten, kleine Bildsäulen, Thiere und andere Sculpturen von geringer Grosse tragen. Die untere Reihe dieser Gestelle wird durch Bruchstücke von antiken Gesimsen und dergl. gebildet, und von Cippen, gröstentheils aus der Villa Giustiniani (jetzt Massimi) und antiken Fragmenten verschiedener Art getragen. An den Wänden unter derselben sind ebenfalls Reste von kleinen erhobenen Werken eingemauert. Folgende Bildwerke haben uns hier vorzüglich bemerkenswerth geschienen.

In der Folge vom Eingange rechts: (oben an der Wand) Apollo sitzend, bis auf den halben Leib bekleidet, und mit Lorbeeren bekranzt; schönes Fragment eines erhobenen Werkes;

gefunden im Colosseum bei der Ausgrabung desselben unter Pius VII. — Bildsaule des Schlafes; vorgestellt als ein stehender Jungling, der mit dem linken Arme auf einem Baumstamme ruht, neben ihm eine flammende Ara. Die Fackel in seiner Rechten ist neu. — Kleine Statue des Pluto. — Kleine Statue der Ceres mit einem Hunde. — Verstümmelte Statue eines jungen Hercules, den Kopf mit der Löwenhaut eingehullt, von guter Arbeit. — Verstummelte Statue einer Tochter der Niobe, mit einem vom Winde bewegten, und mit vielem Leben ausgeführten Gewande. — (Oben an der Wand) Relief von einem Grabsteine; vorstellend einen mit Petasus und Chlamys bekleideten Reiter, der gegen einen Altar sprengt, bei dem eine kleine ins Gewand eingehullte Figur steht. — Colossaler Kopf der Minerva, mit eingesetzten Augen von Metall; gefunden in den Ruinen von Laurentum. — Sitzende mannliche Statue, mit einem Mantel bekleidet; fur den Lysias erklart, wegen der Aehnlichkeit des Kopfes mit den authentischen Bildnissen dieses Redners. — Sitzende Bildsaule des Tiberius, in colossaler Grosse. — Colossale Bildsäule eines stehenden Hercules; gefunden in der Gegend von Orvieto. — Kleine Gruppe eines zu Boden gesunkenen Fechters, der einem Lowen das Schwert in die Brust stosst. — (Oben an der Wand) ein marmornes Votivschild, auf welchem vier Amazonen in erhobener Arbeit gebildet sind. — Statue der Venus auf einem Felsen sitzend. Auf dem Boden sind Wellen, Bogen und Köcher, und die Reste von zwei Amoru zu bemerken. — (Oben an der Wand) Relief, die drei Grazien im Tempelstyle vorstellend; gefunden bei dem Hospitale des Lateran. — Schönes Relieffragment eines Reiters; ehemals im Besitz des Malers Camuccini. — Schone colossale Büste des August. — Stehende Bildsäule des Mercur, neben einer Pansherme. — Ein Phonix auf einem brennenden Holzstoss, einzige bekannte Vorstellung. — Jugendlicher Kopf des August, in Ostia gefunden. — Eine andere sitzende Bildsaule des Tiberius von colossaler Grösse. — Zwei Exemplare der ofter wiederholten Statue des den Bogen spannenden Amor. — Kopf des Antoninus Pius mit Eichenlaub bekränzt. — Kopf der Venus, gefunden in den Thermen des Diocletian. — (Oben an der Wand) Viereckige Platte, vermuthlich Trapezophor eines Grabmals, in schonem Geschmack verziert. In der Mitte ein mit einem Medusenhaupte geschmucktes Schild und Speer, am Rande eine Gartenansicht mit Hermeneinzaumung. — Viereckige Ara, mit mittelmassigen und sehr verwitterten, aber wegen ihrer Vorstellungen merkwürdigen Reliefs. Man sieht auf der einen Seite dieses Monumentes Apollo und Diana, auf der zweiten Mars und Mercur, auf der dritten Hercules und Silvan, und auf der vierten Spes und Fortuna. — (Oben an der Wand) Relief von guter Sculptur, zwei weibliche Figuren, die eine sitzend, die andere stehend vorstellend; ein Gegenstand, den man für die Juno erklart, welche die Thetis zur Vermahlung mit dem Peleus uberredet. — Fragment eines sehr schönen Reliefs, Frauen im festlichen Tanze vorstellend; gefunden in der Villa Palombara. Die eine dieser Figuren ist noch ganz erhalten, der zweiten fehlen Kopf und Arme; und von der dritten ist nur ein Unterarm mit der Hand erhalten, die einen Opferkrug ausgiesst. — Kopf eines Centauren. — Bildsäule des Atys als Knabe. — Büste des Cicero, gefunden zu Roma vecchia. — Kleine Statue des Ulysses, der dem Cyclopen den Becher reicht. — Colossale Bildsäule eines liegenden Hercules, aus der Villa d'Este in Tivoli.

Im weiteren Fortgange an der gegenüberstehenden Seite: Herme des Solon, mit griechischer Inschrift des Namens. — Fragment einer sitzenden Statue der Penelope, wie sie in einem Relief in gebrannter Erde vorkommt. — Grabmonument, mit der Vorstellung einer Mühle und Bäckergerathe. — Bildsäule der Vestalin Tuccia, durch das Sieb in ihren Händen bezeichnet. — Zwei kleine Statuen des Ganymed, in der einen wird derselbe von dem Adler emporgetragen. — Verstummelte Statue, vermuthlich eine Tochter der Niobe, von guter Arbeit. — Statue des Typhon mit eingesetzten Augen. — (Oben an der Wand) Relief einer der bekannten mithrischen Vorstellungen. — Sturz einer Statue des Apollo; merkwurdig wegen seines Brustgürtels mit den Zeichen des Thierkreises. — Sehr colossale Buste der Isis. — Statue der Pallas, hier ohne Aegis, und mit einem Lorbeerkranze um den Helm vorgestellt. — Grabstein, auf welchem eine Muhle und eine Lampe gebildet ist. — Bildsäule einer Parce mit modernen Attributen. — Statue des Aesculap, über halb lebensgross, gefunden zu Ostia. — Büste des Hadrian, merkwürdig wegen der Zierrathen der Rüstung, welche ganz denen auf einer anderen Büste dieses Kaisers in der Villa Albani entsprechen. Auf dem Panzer sieht man ein Medusenhaupt, und auf den Achselbedeckungen zwei bartige männliche Figuren, die sich in Arabesken endigen. — (Unter einem Marmorgestell) Drei Fragmente von sitzenden Musen, von denen die eine als Melpomene durch die tragische Maske, die andere als Calliope durch die Rolle bezeichnet ist. — Kleine Statue des Apollo im Tempelstyle. — Sehr colossale Maske eines Wassergottes. — Schöne Doppelherme des Silen mit Epheu bekränzt. — Sarcophag, auf welcher die Sage der Alceste gebildet ist. Die Gemahlin des Admet zeigt das Bildniss der Verstorbenen mit einem falschen Haaraufsatz. Auf diesem Monumente steht ein kleiner Sarcophag mit der Vorstellung von Knaben und Mädchen, die mit Nussen spielen. — Bildsäule eines schlafenden Fischerknaben. — Viereckige Ara, gefunden bei den Gabinischen

Ausgrabungen im Jahr 1792. Man sieht auf derselben acht Bacchantinnen, einige mit Messern und zerstückten Thieren, und zwei in der Gestalt der Figuren der Villa Albani, die Zoega für Tanzerinnen erklarte. Zwischen den beiden an der vordern Fronte erscheint Venus im Tempelstyle, mit der gewöhnlichen Blume in der Hand, ein schwebender kleiner Amor ordnet ihr die Locken. — Ein kleine merkwurdige bacchische Doppelherme, die eine mit Hörnern, die andere behelmt.

§. 51.

Neuer Saal des Museo Chiaramonti, il Braccio nuovo.

Der Saal, welcher den neuen Flügel des Belvedere begreift (il Braccio nuovo), wurde unter Pius VII. nach dem Plane des Architecten Raphael Stern erbaut. Er ubertrifft an Reichthum von schonen kostbaren Marmorarten alle übrigen Sale des vaticanischen Museums, und gehort auch in Hinsicht der Architectur unter die besten in unserer Zeit in Rom aufgefuhrten Bauwerke. Dieser Saal wird durch Fenster von oben herab erleuchtet. Die Gewolbe, in welchen sie angebracht sind, werden von zwolf antiken Marmorsaulen, deren Capitelle neu sind, getragen. Acht dieser Saulen, im Hauptschiffe, von Cipollino, gehoren unter die vorzuglich schönen dieses Marmors. Zwei andere, von einer seltenen Art dunkelgrauen ägyptischen Granits, ehemals in der Vorhalle der Kirche S. Sabina, erheben sich unter dem Bogen der Tribune, und ihnen gegenüber, an der Wand des Querschiffes gegen den Garten, stehen zwei beim Grabmale der Caecilia Metella entdeckte Saulen von Giallo antico. Zwei von schonem orientalischem Alabaster, die bei Acqua traversa in den Trummern der angeblichen Villa des Lucius Verus gefunden wurden, sieht man unter dem Giebel uber dem Garteneingange, und die beiden Frontspitzen uber den Eingängen vom Corridor des Belvedere und der Bibliothek werden von vier grauen Granitsaulen getragen.

Der Fussboden ist mit schönem Marmor verschiedener Art und mit Mosaiken geschmuckt. Die auf dem Boden des Hauptschiffes aus schwarzen und weissen Steinen gebildeten sind, einige Stucke ausgenommen, nur sorgfältige Nachahmungen antiker Mosaiken, die man bei Tor Marancia vor Porta S. Sebastiano entdeckte. Ihre Gegenstande, auf dem ersten grossen Felde, zunächst vom Eingange, beziehen sich auf die Seefahrt des Ulysses. Man sieht denselben am Mastbaume seines Fahrzeuges festgebunden, bei den Inseln der Sirenen vorbeischiffend, von denen eine am Ufer erscheint, und mit der Cither ihren verführerischen Gesang begleitet. — Scylla, ein mit Flossen, drei Köpfen und mehreren Armen gebildetes Ungeheuer, welches zwei von des Ulysses Gefährten ergreift; gegenuber sitzt auf einem Seegreife Leucothea, mit der Binde, Kredemnon genannt, welche dem Ulysses zur Rettung diente. In dem auf einem Delphine sitzenden Knaben ist vermuthlich der Sohn dieser Gottin Melicertes oder Palämon vorgestellt. — Auf dem zweiten der drei grossen Felder, mitten unter dem Querschiffe, sieht man bacchische Figuren nebst einigen Vögeln und Arabeśken, und auf dem dritten einen Triton mit fünf Meerwundern. Die Gegenstande der sechs kleinen Felder sind zwei Vasen, aus denen Weinranken entspriessen, Mäander und andere architectonische Verzierungen. — Das colorirte Mosaik des Fussbodens der Tribune, welches im Jahr 1801 zu Poggio Mirteto im Sabinerlande gefunden wurde, zeigt nebst Bäumen und Vögeln eine ephesische Diana, über welcher der Adler Jupiters mit dem Donnerkeile in den Klauen schwebt, und vier andere Donnerkeile in den Ecken der mit Arabesken geschmückten Einfassung.

Die hier aufbewahrten Statuen sind grösstentheils in den Nischen und Blenden der Wände des Saales aufgestellt. Zwischen denselben stehen oben auf Tragsteinen 36 Busten und darunter 36 andere auf Saulenstürzen von Granit. Als die merkwürdigsten Bildwerke dieses Saales sind folgende zu erwahnen:

In der Folge vom Eingange links: Gute Bildsäule Mercurs, mit der Chlamys vorn und hinten bekleidet. Der antike, aber ihr fremde Kopf wurde bei den Ausgrabungen des Colosscums unter Pius VII. gefunden. — Nackte Bildsäule des Lucius Verus. — Bildsaule Domitians, auf dem Panzer ein Amor auf einem Stier reitend, eine Nymphe mit Blumen im aufgeschurzten Gewande, und eine Nereide auf einem Meerwunder. — Statue eines stehenden Satyrs, eine der vermuthlichen Nachahmungen des berühmten Werkes des Praxiteles. — Die beruhmte Statue der Minerva, ehemals im Palast Giustiniani; ein schones Werk, welches aber, wie die meisten Antiken der Giustinianischen Sammlung durch Ueberarbeitung von neueren Handen gelitten hat. Sie wurde wahrscheinlich nicht, nach der gemeinen Sage, bei dem sogenannten Tempel der Minerva medica, sondern bei S. Maria sopra Minerva gefunden, wo sich das Minervium befand. Die Schlange neben dieser Figur ist ohne Zweifel die auf den Erichthonius bezügliche athenische Burgschlange, die sich auch bei der beruhmten Minerva Parthenos des Phidias befand. Der rechte Arm mit der Hand, welche den Speer halt, ist neu.

Unter dem Bogen der Tribune: Die vortreffliche Gruppe des Nil, gefunden bei der Kirche S. Stefano del Cacco, und unter Leo X. im Belvedere aufgestellt. Der in colossaler Grosse und mit mächtiger Grossheit der Formen gebildete Flussgott ruht liegend mit dem linken Arme auf einer Sphinx. Die Aehren in der rechten und das Füllhorn in seiner linken Hand deuten auf die durch ihn hervorgebrachte Fruchtbarkeit Aegyptens. Die Anzahl der Kinder, die ihn scherzend umgeben, und deren hier 16 erscheinen, bedeuten das Höhenmass, zu welchem das Nilwasser bei der jährlichen Ueberschwemmung emporzusteigen pflegt, und werden daher Ellen (Cubiti) genannt. Sie tragen den Character kindlicher Anmuth und Naivität. Eines derselben ragt aus dem Füllhorne hervor, und während einige auf dem Flussgotte umher klettern, spielen andere mit einem Crocodile und einem Ichneumon. Das Meiste an ihnen ist modern; aber die antiken Reste waren grosstentheils hinlänglich, dem Ergänzer ihre ursprungliche Stellung anzuzeigen. Auf der oberen Flache und an der Vorderseite der Basis sind Wellen gebildet, und an den drei übrigen Seiten ist die Geschichte dieses Flusses durch die Geschöpfe, welche ihn beleben, geschildert. Zuerst erscheinen Nilpferde mit Crocodilen im Kampf, später pygmäenartige Tentyriten in Barken auf der Crocodiljagd, endlich Rinder, die auf die Nähe menschlicher Cultur anspielen.

An den mittleren Pfeilern des Querschiffes: Drei colossale Medusenmasken, gefunden bei der Ausgrabung des von Hadrian erbauten Tempels der Venus und Roma. — Eine vierte ist von Gyps, nach jenen geformt.

In der Mitte des Saales: Grosse Vase von schwarzem ägyptischen Basalt, gefunden im Garten des Klosters S. Andrea di Monte Cavallo. Sie ist mit vier bacchischen und zwei tragischen Masken, acht Thyrsusstaben und andern Zierrathen in erhobener Arbeit geschmuckt. Die zwei gedoppelten in einander verschlungenen Henkel zeigen die Gestalt der Ferula graeca, einer dem Bacchus geheiligten Pflanze.

In der weiteren Folge links: Aus dem Bade kommende Venus (Venus Anadyomene), eine schone Bildsäule unter Lebensgrösse. Der Leib ist nackt, Schenkel und Beine sind mit einem unter der Scham zusammengeknüpften Gewande bekleidet. — Bildsaule der Fortuna, mit dem Steuerruder in der einen und dem Füllhorn in der anderen Hand, in Ostia gefunden. — Weibliche Figur, deren Gewand einen schönen Faltenwurf zeigt; der ihr fremde Kopf scheint der Sabina ahnlich. — Statue einer Amazone. Der Köcher hängt ihr an der linken Seite; dem Baumstamme zur Rechten Streitaxt und Schild.

In der weiteren Folge an der gegenüberstehenden Seite des Saales: Eine gute Bildsäule des Demosthenes. — Männliche Statue mit einem fremden Kopfe des Euripides. Vom Kopfe ist nur das Gesicht antik, der Hals demnach eingesetzt. — Weibliche Statue in langer Tunica und kurzem unter der Brust gebundenen Oberkleide, vermuthlich Diana, wie sie den schlafen-

den Endymion betrachtet. — Bildsäule einer Amazone, Wiederholung
der Statue des Sosicles im capitolinischen Museum, aber ohne die
Wunde, die man an jener bemerkt. — Flotenspielender Satyr im
Knabenalter, mit übereinander geschlagenen Beinen, ein gutes
Exemplar dieser oft wiederholten Statue, gefunden in den Trümmern der Villa des Lucullus im Lago Circeo. — Eine Isispries-
sterin mit einem gut angeordneten Franzengewande, ein Werk
vermuthlich aus den Zeiten Hadrians. — Schöne Bildsäule des
Ganymed mit Kanne und Schaale ergänzt, stehend mit ubereinander geschlagenen Beinen, den linken Arm auf einen Baumstamm
gestützt, welcher eine Oeffnung zum Ausfluss des Wassers und
den Namen des Künstlers Phaidimos in griechischer Inschrift zeigt.
Sie wurde in den Ruinen des alten Ostia, in einer mit Mosaik
geschmückten Nische entdeckt, und diente dort zu einer Brunnenmündung. — Bildsaule des Titus mit der Toga bekleidet. — Eine
schön gedachte weibliche Statue, in langer Tunica und Mantel,
der über das Haupt gezogen ist, wie bei den Figuren der Pudicitia auf römischen Munzen. Unter ihrem Gewande ist am rechten
Oberarme ein Armband in Form einer Schlange zu bemerken.
Der Kopf ist neu. — Männliche Statue, deren Kopf ein Bildniss
zeigt, als Aesculap vorgestellt., vermuthlich ein berühmter Arzt.
— Silen mit dem kleinen Bacchus auf den Armen, Wiederholung
der schönen Gruppe der ehemals Borghesischen Sammlung. —
Canephore in langer Tunica. Der Kopf, der ein Gefass trägt
und beide Vorderarme sind von Thorwaldsen erganzt.

Unter den Büsten sind drei colossale Kopfe gefangener Barbaren zu bemerken, von denen zwei im Forum Trajans, und der
dritte in dem Hafen dieses Kaisers unweit von Ostia gefunden wurde.

§. 52.
Giardino della Pigna.

Vom Corridor des Museo Chiaramonti führt eine eiserne Gitterthür in einen kleinen Garten des Belvedere, Giardino della
Pigna von dem grossen Pinienapfel benannt, den man hier über
einem Brunnen zwischen zwei Pfauen sieht, so wie jener,
antike Denkmäler von Bronze, die sich ehemals im Vorhofe
der alten Peterskirche befanden. In diesen Garten ist vor einiger
Zeit aus dem grossen Garten des Vaticans das Postament der
Saule des Antoninus Pius gebracht worden, welches unter Clemens
XI. im Garten der Vater der Mission, bei Monte Citorio, ausgegraben wurde. Die Hauptfronte zeigt die Inschrift: Divo Antonino
Aug. Pio Antoninus Augustus et Verus Augustus Filii. Die erhobenen Arbeiten an den drei übrigen Seiten dieses Monumentes
sind sehr beschädigt. Auf der der Hauptfronte gegenüber stehenden Seite ist die Vergotterung des Antoninus Pius und seiner

Gemahlin Faustina vorgestellt. Den 'das kaiserliche Paar emportragenden Jungling scheint die Himmelskugel und die Schlange
in seiner Hand als den Genius der Ewigkeit zu bezeichnen. Unten
hebt eine sitzende Roma, mit Trophäen erbeuteter Waffen umgeben, die rechte Hand empor, als ob sie die neuen Gotter der
Stadt verkündete. In dem ihr gegenuber sitzenden Jüngling mit
dem Obelisken ist das Marsfeld angedeutet, wo dieses Monument
errichtet war, und wo der von August errichtete Obelisk stand,
den man jetzt auf Monte Citorio sieht. An den beiden Querseiten
sind in zwei Reliefs von gleicher Composition Aufzüge von Soldaten zu Pferde und zu Fuss gebildet.

§. 53.

Museo Pio-Clementino.

Den Anfang zu dieser Antikensammlung, der ersten in der
Welt, machten die Papste Julius II., Leo X., Clemens VII. und
Paul III., indem sie im Belvedere Denkmäler der Kunst des Alterthums, unter denen sich der beruhmte Torso, Laocoon und Apollo
befanden, aufstellen liessen. Der Plan Clemens XIV. zur Anlegung einer grosseren Sammlung und eines neuen Locals fur dieselbe kam erst unter seinem Nachfolger, Pius VI., zur völligen
Ausfuhrung. Von diesen beiden Päpsten fuhrt diese Sammlung
den Namen Museo Pio-Clementino. Nach dem im Jahre 1797
mit der damaligen französischen Republik geschlossenen Vertrage
wurden die vorzüglichsten Stücke nach Paris gebracht, kamen
aber grösstentheils 1816 wieder zurück. Die Architectur des weitläuftigen Locals, obgleich nicht schon im strengsten Sinne, macht
doch durch Pracht und Geraumigkeit der Anlage einen grossartigen Eindruck.

Eingang. Man gelangt über einige Stufen am Ende des
Corridors des Museums Chiaramonti zuerst in eine Art von Vorhalle, die durch zwei Bogen in drei Abtheilungen geschieden wird.
In der ersten derselben steht das unter dem Namen il Torso del
Belvedere berühmte Fragment der Statue eines sitzenden Hercules.
Die Lowenhaut bezeichnet diesen Helden, der hier in seiner Vergötterung vorgestellt ist, wie der ideale, gottlichen Bildungen entsprechende Styl zeigt. Es fehlen Kopf und Arme und die Beine
bis an die Schenkel; auch das Meiste der Brust und die Hinter-
backen sind herabgeschlagen. Bei dieser grossen Verstummlung
mochte sich die Stellung, in der die ganze Figur erschien, schwerlich ganz genau bestimmen lassen, und verschiedene Meinungen
haben darüber geherrscht. Ein deutlicher Ansatz am linken Knie
macht ihre ursprüngliche Verbindung mit einer anderen Figur

wahrscheinlich, vermuthlich Hebe, die hier dem Hercules die Weihe der Unsterblichkeit reichte. Auf dem Sitze steht der Name des Meisters: Apollonius des Nestor Sohn von Athen. Man fand dieses berühmte Fragment unter Julius II. im Campo di Fiore, wo das Theater des Pompejus stand. — Auch sieht man hier die ehrwürdigen Denkmaler aus dem im Jahre 1780 entdeckten Familiengrabe der Scipionen. Das vorzüglichste derselben ist ein grosser Sarcophag von Peperin, das Grabmal des Lucius Cornelius Scipio Barbatus, Consul im Jahre Roms 456. Die auf diesem Monumente stehende Buste eines mit Lorbeeren gekrönten Jünglings, ebenfalls von Peperin, und in jener Gruft gefunden, wird von Einigen fur den Kopf der Bildsaule des Ennius, die nach Livius das gedachte Grab verzierte, von Anderen fur einen der Scipionen gehalten, mit deren Bildnissen, wie Cicero sagt, ebenfalls dasselbe geschmuckt war. An der Wand sind die Inschriften eingemauert, welche von den übrigen Sarcophagen derselben Gruft abgesagt wurden.

In der zweiten Abtheilung: Cippus mit einer nackten männlichen Figur, die sich eine Stirnbinde anlegt, auf den Namen eines Diadumenus anspielend, dem dieses Monument errichtet wurde, merkwürdig, weil mit diesem Namen Siegerstatuen des Phidias und Polyclet bezeichnet waren. — Beine und Schenkel bis an die Huften von einer guten mannlichen Bildsaule bei einem Baumstamme mit einem Fullhorne, gefunden zu Roma vecchia. — (Oben an der Wand) Ein gutes erhobenes Werk, gefunden in Ostia. Der Gegenstand ist Pluto auf dem Throne sitzend, neben der Proserpina, die eine Fackel halt. Ihnen zu beiden Seiten ein Amor ebenfalls mit einer Fackel in der Hand, und eine Danaide. Auf dem Altare vor dem Fenster steht eine antike Windrose, mit dem Namen der Winde in griechischer und lateinischer Sprache.

In der dritten Abtheilung: Die bekannte Bildsaule des Meleager aus dem Palaste Picchini, von guter, jedoch ihrem Rufe nicht entsprechender Sculptur. Neben ihr, auf der einen Seite ein Hund, und auf der anderen, auf einem Baumstamme der Kopf des calydonischen Ebers. Sie wurde, nach Aldrovandi, im 16ten Jahrhundert auf dem Janiculus gefunden. — Fragment, welches an der Fronte ungefahr die Hälfte einer Biremis mit dem einen Ende derselben zeigt. Vermuthlich ist dieses für die Kenntniss der Schiffe der Alten merkwürdige Monument das Votivdenkmal eines Kriegers, welches er nach einem glucklich überstandenen Seetreffen der Fortuna in ihrem beruhmten Tempel zu Praneste weihte, in dessen Trummern dasselbe im 17ten Jahrhundert gefunden wurde. Auf diesem Monumente steht ein Kopf Trajans, Rest einer colossalen Bildsaule, gefunden in dem von diesem Kaiser angelegten Hafen bei dem heutigen Porto. Kopf und obere

Hälfte der Bildsäule eines bärtigen Bacchus. — Sturz einer männlichen Statue mit einem Netzgewande, wie über den Dreifussdeckeln des Apollo. — An der hinteren Wand ist eine sehr merkwürdige Inschrift, welche Mummius nach der Zerstörung von Corinth, einem im Kriege gethanen Gelübde zufolge, hat setzen lassen, eingemauert. Sie ist ein Geschenk des Hrn. Campana, der sie in seiner Villa bei S. Giovanni in Laterano entdeckte. Die jetzt verschlossene Thür an dieser Wand führte ehemals zu einer schönen, nach Angabe des Bramante erbauten Wendeltreppe, die, von Granitsäulen getragen, von Backsteinen ohne Stufen errichtet ist. Man gelangt jetzt zu ihr durch einen Umweg, vermittelst einer Thür von dem Eingange der Vorhalle des Museums.

Cortile di Belvedere.

Der unter Julius II. nach Angabe des Bramante gebaute Hof ist im Pontificate Clemens XIV. mit einer von sechszehn Granitsäulen getragenen Halle in achteckiger Form umgeben worden. Die vier mit Thüren verschlossenen Gemächer in derselben wurden im Jahr 1803 angelegt. In der Mitte des Hofes ist ein Brunnen, dessen Wasser aus einer antiken Brunnenmündung emporspringt. In den Giebeln der acht Arcaden der Halle sind eben so viele colossale antike Masken, und über den Säulen acht antike Reliefs eingemauert, unter deren Gegenstanden sich zwei bacchische Züge und die Entdeckung des unter den Töchtern des Lycomedes in Frauenkleidern verborgenen Achilles befinden. An den Seiten des Hofes stehen vier Sarcophage, und sechszehn nicht bedeutende Statuen sind daselbst auf antiken Aren und Cippen aufgestellt. Unter den Aren ist eine dem Hercules geweihte, in der Form eines knotigen Baumblockes, zu bemerken. An der Fronte sieht man Bogen und Köcher und einen Schweinskopf; links eine Figur des jungen Hercules, der die Schlangen erwürgt, und rechts ein verstümmeltes Schwein in einer Höhle.

Unter den in der Halle des Hofes befindlichen Denkmälern bemerken wir folgende:

An der Wand zu beiden Seiten des Einganges sind zwei erhabene Werke von ganz gleicher Form und mit gleichen Vorstellungen eingemauert, welche zu einem Trapezophor oder Tischgestelle gehorten. Man sieht auf jedem derselben zwei Satyrn im Begriff den Saft einer Traube in einen Crater auszupressen, nebst zwei kreuzweis liegenden Thyrsusstaben, Tympanen, den bei den Bacchusfesten üblichen Klingeln, und zwei Griffen an den beiden Enden.

In der Folge vom Eingange rechts: Ein grosser ovaler Sarcophag, gefunden im Jahre 1777 beim Graben der Fundamente der heutigen Sacristei der Peterskirche, auf welchem, zwischen zwei grossen Löwenköpfen, ein bacchischer Tanz von Satyrn und Mänaden gebildet ist.

Im ersten der vorerwähnten Gemächer: Die Bildsäulen des Perseus und der beiden Faustkämpfer Creugartes und Damoxenus von Canova. — In zwei kleinen Nischen daselbst, einander gegenüber: Zwei antike Statuen unter Lebensgrösse, eine Pallas, gefunden im Garten der Mendicanti, und ein Mercur, gefunden bei der Ausgrabung des pränestinischen Forums.

In der offenen Halle folgt: Ein Sarcophag mit der Vorstellung des Bacchus, welcher die Ariadne auf Naxos findet, dabei ein dem bärtigen Bacchus dargebrachtes Opfer, gefunden zu Ora bei der neuen Erbauung der Cathedralkirche. — Sarcophag, an dessen Vorderseite ein sitzender Feldherr gebildet ist, vor welchen, während ihn die Siegesgöttin krönt, gefangene Barbaren gebracht werden. Die Querseiten zeigen das Gepränge römischer Triumphe mit Trägern von Schaugerüsten, auf denen Bilder von Gefangenen und besiegten Provinzen erscheinen. Auf dem nicht zu diesem Monumente gehörenden Deckel sind die Göttinnen der Jahreszeiten nebst Grazien gebildet. — Oben an der Wand: Erhobenes Werk, Diana und Hecate im Kampfe mit den Giganten vorstellend. — In der folgenden Nische: Bildsäule einer romischen Matrone, als Venus mit dem Cupido vorgestellt, gefunden in der Vigna des Klosters S. Croce in Gerusalemme, in den Ruinen des angeblichen Tempels dieser Gottheiten. Die Inschrift auf dem Piedestale zeigt, dass sie Sallustia und Helpidus der Venus felix weihten. — Grosser Sarcophag. An der Vorderseite eine Amazonenschlacht, in welcher Achilles, die getödtete Penthesilea haltend, die Hauptgruppe bildet. Beide Köpfe sind die Bildnisse der Verstorbenen; und die Königin der Amazonen trägt einen falschen Haaraufsatz aus der späteren Kaiserzeit. An den Querseiten ist rechts eine Amazone, die ihr Pferd beim Zaume hält, und links ein Trojaner in phrygischer Mütze, welcher, die Kniee der Penthesilea umfassend, sie um die Befreiung seiner Vaterstadt bittet. — An der Seite gegen den Hof: Merkwürdige Ara des Ti. Claudius Faventinus, an allen vier Seiten mit erhobenen Arbeiten geschmückt, deren auf die Gründung Roms bezügliche Gegenstände folgende sind: Vulcan und der Sonnengott, welcher den Liebeshandel des Mars mit der Venus entdeckt. — Das Urtheil des Paris. — Mars, der mit dem Hercules kämpft, um den von dem Letzteren erschlagenen Cycnus, seinen Sohn, zu rächen. — Der Kampf des Achilles mit Hector. — Achilles, der Hectors Leichnam um Troja schleift. — Opferzüge, vermuthlich in Beziehung auf Hectors Leichenfeier. — Die Erscheinung des Mars bei der Rhea Sylvia. — Acca Laurentia, welche den Romulus und

Remus säugt. — Die Aussetzung dieser Zwillinge an der Tiber, und wie sie von der Wölfin gesaugt werden.

Im zweiten Gemache: Die berühmte, ehemals unter dem Namen des Antinous von Belvedere bekannte, Bildsaule, gefunden unweit der Kirche S. Martino dei Monti. Eine Wiederholung derselben im Palast Farnese, an welcher noch Reste von dem Caduceus und von Flügeln an den Füssen erscheinen, hat in ihr die Vorstellung des Mercur ausser Zweifel gesetzt. Ihr fehlt der rechte Arm und die linke Hand. — In demselben Gemache sieht man an der Wand einen der Isis geheiligten Festzug in erhabener Arbeit und zwei in Nischen einander gegenüberstehende Statuen, von denen die eine einen langbekleideten Priapus, gefunden in den Ruinen von Castrum novum, die andere einen jungen Hercules mit einem Fullhorne vorstellt.

In der weiteren Folge der offenen Halle: Ein Sarcophag, auf welchem Nereiden mit den Waffen des Achilles in einer schönen Composition vorgestellt sind, der vielleicht Vorstellungen des Scopas zum Vorbilde dienten. — Schönes Fragment der Bildsäule einer auf einem Meerwunder reitenden Nereide. — Zu beiden Seiten des Einganges zum Saale der Thiere: Zwei schone grosse molossische Hunde. — An der Wand über dem gedachten Eingange: Ein Relief vom Giebelfelde eines kleinen Herculestempels im tiburtinischen Gebiet, wo es unter Pius VI. gefunden wurde. Der Gegenstand ist Hercules stehend mit der Keule in der rechten, und den Aepfeln der Hesperiden in der linken Hand. Ihm zur Rechten sein Kocher, und zur Linken der Scyphus und ein Schwein mit einer Opferbinde. — Sarcophag, auf welchem bacchische Genien gebildet sind, in ihrer Mitte der Verstorbene ebenfalls im Kindesalter, dessen Gesichtszüge zur Vorstellung seines Bildnisses unausgeführt gelassen sind. — Oben an der Wand: Ein Mithrasopfer in einem kleinen Relief, durch gute Arbeit unter diesen Vorstellungen ausgezeichnet.

Im dritten Gemache: Die berühmte Gruppe des Laocoon mit seinen beiden Söhnen, die man im Jahre 1506 bei den sogenannten Sette Sale, Wasserbehältern der Thermen des Titus, entdeckte. Sie wurde von den Künstlern Agesander, Polydorus und Athenodorus von Rhodus verfertigt, deren Zeitalter die Geschichte nicht erwähnt. Dass sie einer späteren Epoche als der des Phidias angehören, zeigt der im Vergleich mit den Parthenonischen Werken abstract-ideale Styl in der Bildung des menschlichen Körpers. Eben so wenig aber dürften sie in die Kaiserzeiten zu setzen seyu, aus denen sich kein diesem an Vortrefflichkeit gleiches Originalwerk historisch beurkunden lässt. Bedeutend unter den Denkmalern des Alterthums ist der Laocoon vornehmlich durch die ächt tragische Darstellung und durch die

Vollkommenheit im Ausdruck des Pathetischen. Wir sehen ihn von mörderischen Schlangen ergriffen, welche die Rache einer erzürnten Gottheit sendet; erzürnt auf ihn, weil er, ihrem Willen entgegen, das Verderben seines Vaterlandes abzuwenden suchte; und bei diesem Leiden, das nicht nur ihn, sondern auch seine Kinder trifft, bewahrt ·dennoch die Kraft seines Geistes Fassung und Anstand. Der Ausdruck des Schmerzes ist gemildert durch eine gegenwirkende Kraft, die sich im Kunstwerke selbst offenbart, und die nicht, wie Lessing meint, zu Gunsten der Schönheit unter den Grad der naturlichen Aeusserung herabgestimmt ist. Denn in den Regungen, die ausser der Herrschaft des Geistes liegen, in den unwillkürlichen Verzuckungen, in der krampfhaften Anstrengung der Muskeln, zeigt sich der Schmerz in seiner vollsten Starke, und ist bewundernswürdig im ganzen Körper durchgefuhrt. Die zur Figur des Vaters unverhältnissmässige Kleinheit der Söhne, besonders des älteren, dessen Bildung den Character eines ganz erwachsenen Jünglings zeigt, kann in Werken der Alten nicht befremden, da diese, wie viele Beispiele zeigen, auf das der Natur angemessene Grössenverhältniss der Gegenstände zu einander wenig Rucksicht zu nehmen pflegten, und dieses Verhältniss vielmehr nach der Bedeutung derselben, als der Naturwahrheit gemäss bestimmten; und so sollten hier die Söhne auch durch Dimension dem Vater_ als der Hauptfigur untergeordnet erscheinen. Der ergänzte rechte Arm des Vaters ist nur von Stuck. Zwei Arme der Söhne sind ebenfalls neu. — Von den beiden in den Wanden dieses Gemaches eingemauerten Sarcophagplatten stellt die eine einen bacchischen Zug, die andere den Triumph des Bacchus über die Inder vor. Das letztere dieser erhobenen Werke gehört unter die gut ausgeführten Sarcophagarbeiten, ist aber sehr verstümmelt.

Im weiteren Fortgange der offenen Halle (oben an der Wand): Hercules, der den jungen Telephus auf den Armen hält, und Bacchus auf einen Satyr gestützt; ein stark erhobenes Werk. — Cinerarium eines Clodius Apollinaris, an der Vorderseite eine Grabthür, die zwei Victorien eröffnen. — Darunter: Sarcophag mit waffentragenden Amoren, von denen zwei ein Schild halten, unter welchem Pan und Eros in sehr kleinen Figuren zu bemerken sind. — (Oben an der Wand): Ein gutes erhobenes Werk, vermuthlich von einem Triumphbogen, einen römischen Triumphzug vorstellend. — Weibliche Bildsäule mit einem ihr fremden antiken Kopfe, den die beiden Schlangen an der Stirnkrone als Isis Salutaris bezeichnen. — (Oben an der Wand): Roma, die einen siegenden Kaiser begleitet; schönes erhobenes Werk, wahrscheinlich ebenfalls von einem Triumphbogen. — Sarcophag, welcher die Vorstellung der Nereiden und Tritonen zeigt, die, von Amoren begleitet, sich auf des Oceans Wellen ergötzen. Zwei der Töchter des Nereus, an beiden Enden der Fronte, scherzen mit einem Meerstiere und einem Meerwidder. Auf dem Vorgrunde Delphine und Kinder, in denen man menschliche Seelen vermuthet, die in Begleitung der Meergöttinnen nach den seligen Inseln wandeln.

Im folgenden und letzten Gemache: Die unter dem Namen Apollo di Belvedere berühmte Statue; gefunden in den Ruinen des alten Antium, gegen das Ende des 15. Jahrhunderts. Der Gott ist in vorwärts schreitender Stellung, mit Chlamys und Köcherband bekleidet, vorgestellt, und scheint so eben einen Pfeil abgeschossen zu haben. Neben ihm ein Baumstamm, von der pythischen Schlange umwunden. Stellung und Ausdruck der Gesichtsbildung erinnert an den zürnenden Apollo des Homer, der durch seine Pfeile die Pest im Lager der Griechen verbreitet. Dass diese Statue ein Werk der Kaiserzeiten sey, macht schon die Arbeit wahrscheinlich, in der sich zwar grosse Vollkommenheit, aber zugleich eine gewisse, späteren Zeiten eigenthumliche Eleganz, wenn man so sagen darf, offenbart, wodurch die Kunst nach und nach Ernst und Strenge verliert, und in Weichlichkeit verfällt. Unbestreitbar aber würde es sein, dass sie nicht in Griechenland, sondern in Italien verfertigt worden, wenn die Meinung, dass sie von carrarischem Marmor sei, bis jetzt ausser allen Zweifel gesetzt wäre. Der rechte Vorderarm ist neu. Die Bewegung der Hand desselben, gewiss verschieden von der, welche sie ursprünglich hatte, giebt durch ihre affectirte, auswärts gekehrte Richtung der ganzen Figur ein etwas theatralisches Ansehen. — An der Wand ist ein Relief zu bemerken, welches zwei Frauen vorstellt, die einen sich sträubenden Stier zum Opfer führen. Eine Wiederholung desselben ist unlängst auf der Acropolis von Athen entdeckt worden.

Beim Ausgange aus diesem Gemache, in der offenen Halle: Zwei geriefelte Sarcophage. Auf dem einen ist, in der Mitte der Fronte, Ganymed, der dem Adler Jupiters Nectar reicht, und die Nymphe des Berges Ida gebildet; an beiden Enden zwei Genien mit emporgetragenen Fackeln. — Auf dem andern, gefunden an der Via Cassia, unweit vom sogenannten Grabmale des Nero, sieht man inmitten der Vorderseite Bacchus von Methe und einem Satyr unterstützt, einen Panther, und die Cista mystica; und an dem einen Ende einen Satyr, der ein Satyrkind trägt, an dem andern eine die Cymbeln schlagende Bacchantin.

Wir bemerken noch unter den in der Halle des Hofes befindlichen Denkmälern vier antike Badewannen von Granit, von denen zwei von besonderer Grösse sind, zwei von Basalt, ein Stück Säule von sehr schönem afrikanischem Marmor, und zwei andere Säulenfragmente von seltenem grünlichem und rothem Porphyr, Porfido brecciato benannt.

Sala degli Animali.

Der auf die Halle des Hofes folgende Saal führt den Namen Sala degli animali, weil die meisten daselbst aufbewahrten Bildwerke Thiere vorstellen. Diese haben grosstentheils bedeutende Ergänzungen von der Hand des Franzoni erhalten, und einige derselben sind ganz von diesem zur Zeit Pius VI. in Rom in einigem Ansehen stehenden Bildhauer verfertigt. In der Mitte dieses Saales bilden zwei Pfeiler und zwei graue Granitsaulen eine Art von Vorhalle. Vier rothe Granitsäulen stehen an beiden Enden des Saales. Der Fussboden ist mit antiken Mosaiken ausgelegt. In der Vorhalle sieht man einen Wolf in einer viereckigen Einfassung, entdeckt zu Fallerone in der Mark Ancona, und darauf ein aus schwarzen und weissen Steinen verfertigtes Mosaik, welches Arabesken, Vögel, Masken und einen Adler mit einem geraubten Hasen vorstellt; gefunden bei der Ausgrabung des pränestinischen Forums unter Pius VI. Die Vögel, Fische und Fruchte vorstellenden Mosaiken in den beiden Abtheilungen des Saales wurden zu Roma vecchia gefunden.

. Unter der grossen Zahl der hier aufbewahrten Bildwerke bemerken wir folgende. Vom Eingange links: Ein Greif von geblumtem Alabaster (Alabastro fiorito). — Gruppe von zwei Jagdhunden. — Zwei Windhunde; eine schöne Gruppe, gefunden in der angeblichen Villa des Antoninus Pius, unweit von Civita Lavigna. — Ein Reiher von Rosso antico. — Ein Storch mit ausgebreiteten Flügeln, der eine Schlange im Schnabel hält. — Gruppe des Mithras, nach Reliefs dieses Gegenstandes ergänzt. — Ein Hirsch von Alabastro fiorito; gefunden auf dem Quirinal, im Garten der Monache Barberine. — Schlafender junger Hirt mit einigen Ziegen; ein kleines, sehr schönes Werk. — Ein geschlachteter Widder auf einer Ara, mit heraushängenden Eingeweiden zur Opferschau; ein wegen der Seltenheit des Gegenstandes merkwürdiges Werk. — In einem Fenster, einander gegenüber: Zwei kleine Reliefs. Auf dem einen sieht man einen Amor auf einem von zwei Ebern bespannten Wagen, nebst einer Ara. Das andere, gefunden bei den otrulanischen Ausgrabungen unter Pius VI., stellt eine Kuh mit einem säugenden Kalbe bei einem Brunnen vor, welche, nach Visconti's Erklärung, ein vor ihr stehender Landmann zur Lustration bringt; im Hintergrunde ein Tempel. — Ein Eselskopf mit Epheu bekränzt, von Marmo bigio. — Eine Sau mit ihren Jungen, vermuthlich das Mutterschwein von Alba, mit viel Natur und Wahrheit dargestellt; gefunden im Garten des Monache Barberine. — Grosser schöner Kamelkopf von einer Brunnenmündung. —

Eselskopf von Rosso antico. — Büste des Minotaurus; Fragment einer Statue. — Deckel von einem ovalen Sarcophage, um und um mit Reliefs von roher Arbeit, aber schöner Erfindung geschmuckt. Ihr Gegenstand ist ein bacchischer Festzug im Character der ihm entsprechenden Frohlichkeit. Bacchus erscheint auf einem von Panthern bespannten Wagen, und Silen auf einem andern, der von Eseln gezogen wird; ein dritter ist mit Satyrmasken, Trinkgeschirren und einer Syrinx beladen. Zwei Kamele und ein Elephant sind im Gefolge des Bacchus zur Andeutung seiner Siege im Orient. Nymphen werden von lüsternen Panen überfallen; und Hercules ruht mit der Trinkschale in der Hand, sich erfreuend im Genusse des Weins. — Auf diesem Monumente steht die Gruppe eines Triton mit einer geraubten Nymphe. — Eine kleine Gruppe; ein Mann in einer der priesterlichen Mütze ähnlichen Hauptbedeckung, einen Stier bändigend, indem er ihn mit der einen Hand bei den Hoden, mit der andern an dem um das Horn gebundenen Stricke fasst.

Unter den an den Querseiten des Saales aufgestellten Monumenten befinden sich vier Gruppen mit Figuren unter Lebensgrosse, Thaten des Hercules vorstellend; gefunden in den Ruinen von Ostia. — In der Mitte desselben Saales steht eine antike Schale von Paonazzetto, deren drei Füsse mit eben so vielen bacchischen Doppelhermen geschmückt sind; von denen die eine wegen der seltenen Erscheinung der Flugel über der Stirn des einen der beiden Kopfe des bärtigen Bacchus bemerkenswerth ist.

Galleria delle Statue.

In dem vom Saale der Thiere rechts liegenden Corridor, Galleria delle Statue genannt, befinden sich einige der ausgezeichnetsten Denkmäler der antiken Sculptur. Als vorzüglich bemerkenswerth sieht man hier in der Folge vom Eingange rechts:

Römische Kriegerstatue, mit einem aufgesetzten Kopfe des Clodius Albinus; zu bemerken wegen der zwei geflugelten, vor dem Palladium tanzenden Hierodulen, die auf dem Panzer gebildet sind. — Kopf und Körper von der Bildsäule eines Junglings, unter dem Namen des vaticanischen Amor bekannt; gefunden bei Centocelle an der Via Labicana, ein sehr vorzügliches Werk. An den Schulterblattern sind die Löcher zu bemerken, in welche die Flügel vielleicht von Metall eingesetzt waren. — Statue eines sitzenden Paris, in colossaler Grösse. — Schöne Gewandfigur, die männlich scheint, aber als Minerva Pacifera ergänzt ist, mit einem antiken, aber ihr fremden Kopfe. — Statue der Penelope, Wiederholung des vorerwähnten Sturzes im Museo Chiaramonti. — Nackte Bildsäule des Caligula; gefunden unter Pius VI. in den Trümmern der otriculanischen Basilica. Auf dem Postamente ein erhobenes

Werk, einen in seiner Werkstatt arbeitenden Goldschmied vorstellend. — Statue des Apollo Sauroctonos (des Eidechsentòdters),
gefunden auf dem Palatin in der ehemaligen Villa Spada. —
Schöne Bildsäule einer Amazone; im Capitol wiederholt; beides
vermuthlich Nachahmungen der Amazone des Praxiteles. Auf
dem Piedestale die Inschrift: Translata de Schola Medicorum. Die
Arme sind neu. — Stehende Bildsäule der Juno; gefunden in den
Ruinen der otriculanischen Thermen. — Schöne weibliche Bildsäule, sitzend gebildet in halber Lebensgrosse, mit modernen
Attributen der Urania; gefunden in der angeblichen Villa des
Cassius bei Tivoli. Der Kopf, der, wie die Sirenenfeder zeigt,
irgend einer Muse gehörte, ist antik, aber dieser Figur fremd.

Zu beiden Seiten des Bogens, der zum Eingang in
die Zimmer der Büsten führt: Die beiden vortrefflichen
Statuen der berühmten Comodiendichter Posidippus und Menander; gefunden unter Sixtus V. bei der Kirche S. Lorenzo in Panisperna. Beide sind auf Sesseln sitzend vorgestellt. Die Bildsäule
des Posidippus ist auf dem Sockel mit dem Namen bezeichnet:
die andere ist ohne Namen, und lässt daher die vorgestellte
Person nicht mit gleicher Sicherheit bestimmen. Jedoch fand
Visconti in dem Kopfe derselben entschiedene Aehnlichkeit mit
einem kleinen Bildnisse des Menander in erhobener Arbeit, welches sich jetzt in Neapel befindet. Und da auch beide Statuen,
die von demselben Künstler ausgeführt scheinen, ganz das Ansehen
von Gegenstücken haben, so könnten sie, als solche, keine Personen schicklicher vorstellen, als jene fast gleichzeitigen und gepriesenen Comodiendichter Griechenlands. Nichts dürfte hindern,
diese geistvoll und meisterhaft ausgefuhrten Werke in das Zeitalter Alexanders des Grossen, in welchem diese Dichter lebten,
zu setzen. An den Fussen sind Spuren von Bronze, vermuthlich
Reste einer ehemaligen Sandalenbekleidung, zu bemerken. Auf
den Köpfen beider Figuren ist ein grosser eiserner Nagel im
Haarwirbel eingeschlagen, der vermuthlich zur Befestigung eines
sogenannten Meniscus diente, einer Art runder Schirme von Metall, mit denen die Griechen die Köpfe der im Freien stehenden
Statuen zu bedecken pflegten, um sie gegen die Witterung zu
schützen und vor dem Unrathe der Vögel zu bewahren, worauf
eine Stelle in der die Vögel benannten Comödie des Aristophanes
anspielt. Die linke Hand mit Ring und Rolle an der Figur des
Menander ist neu.

In der weiteren Folge: Gute weibliche Bildsäule, auf
dem Boden sitzend und mit einer leichten Tunica bis an die Knie
bekleidet; gefunden in Civitavecchia. Visconti erkannte in dieser
Statue, so wie in einer Wiederholung derselben im Palast Barberini, die Darstellung einer trauernden Dido. — Nackte Bildsäule

Neptuns. — Sitzende Statue des Apollo in halber Lebensgrösse; Nachahmung des älteren Styls. — Statue eines liegenden Jünglings, fur den Bacchus erklärt, und mit einem antiken Kopfe dieses Gottes ergänzt; gefunden in der angeblichen Villa des Cassius bei Tivoli. — Gruppe des Aesculap und der Hygiea; gefunden bei der Ausgrabung des pränestinischen Forums. Die antiken Kopfe beider Figuren gehören ihnen nicht. — Bildsäule einer Danaide; gefunden bei der Ausgrabung des pränestinischen Forums. Beide Arme und das Gefäss in ihren Händen sind neu. — Statue eines Satyrs, eine der vermuthlichen Nachahmungen der berühmten Bildsäule des Praxiteles; gefunden zu Fallerone in der Mark Ancona.

Unter dem Bogen am Ende dieses Saales: Die ehemals unter dem Namen der Cleopatra bekannte Bildsaule, die schon unter Julius II. im Belvedere aufgestellt wurde. Sie zeigt eine schlafende, aber keineswegs mit dem Tode ringende Frau; jene Benennung wurde nur durch die vermeinte Schlange, offenbar nur ein Armband in der Form derselben, veranlasst. Hochst wahrscheinlich ist in dieser colossalen Figur — einem der vorzuglichsten Denkmaler des Museums — die von Theseus verlassene Ariadne vorgestellt. Sie ist im grossen Style, das Haupt auf den Arm gestutzt, mit ungemeinem Ausdruck des Lebens gebildet. Und die Gewänder zeigen nicht minder Phantasie in der Erfindung, als Geist und Meisterschaft in der Ausfuhrung. Der Umstand, dass der Künsler die ganze Hinterseite dieser Statue unausgeführt gelassen hat, zeigt, dass sie zur Aufstellung an einer Wand oder in einer Nische bestimmt war. An der Wand neben ihr liest man die auf dieselbe von Castiglione und Favorito gedichteten Verse, welche auf den Brunnen anspielen, an dem sie sich ehemals in dem heutigen Corridor des Museo Chiaramonti befand. Ihr dient zum Postamente ein sehr grosser Sarcophag, auf welchem der Gigantenkampf gebildet ist.

Zu beiden Seiten jener Statue stehen zwei Candelaber, die schönsten und merkwurdigsten dieses Museums, beide von sehr ähnlicher Gestalt; vermuthlich Werke aus den Zeiten Hadrians, in dessen Villa bei Tivoli sie im 17ten Jahrhundert gefunden worden sind. Ihre auf dreieckigen Basen ruhenden Schäfte haben mehrere mit Acanthusblättern geschmuckte, corinthischen Capitellen ähnliche Abtheilungen, auf deren Gipfel eine runde Schale ruht. Die in schoner erhobener Arbeit auf den gedachten Basen gebildeten Götterfiguren — denen wohl ohne Zweifel Vorbilder früherer Zeiten zum Grunde liegen — zeigen den sogenannten Tempelstyl. Sie sind, auf dem einen dieser Candelaber, Mars, Minerva und Venus; auf dem andern, Jupiter, Juno und Mercur. Mars, nur mit der Chlamys bekleidet, hält den Speer in der Linken;

den Helm, der sein Haupt bedeckt, schmükt eine Chimäre zwischen zwei Löwen. Minerva hat eine zwischen zwei Pegasen vorgestellte Sphynx zum Helmschmuck; und die Schlange, der ihre Rechte eine Schale reicht, ist wahrscheinlich die athenische Burgschlange. Venus, mit einer Blume in der einen Hand, und mit der andern das Gewand emporziehend, erscheint in der Gestält der auch als Spes erklärten Figuren. Jupiter hält mit der einen Hand den Scepter und mit der andern den Donnerkeil. Juno ist mit einer Stirnkrone auf dem Haupte und einem Scepter in der Hand gebildet. Mercur, hier als Stifter der Opfer, hält in der Rechten eine Schale, indem er mit der Linken einen Widder herbeischleppt.

In der weiteren Folge: Eine Bildsäule Mercurs; merkwürdig wegen des nicht gewöhnlichen Attributs der aus einer Schildkrötenschale verfertigten Leyer am Palmenstamme bei dieser Figur; — und zuletzt, zur Linken vom Eingange des Saales: eine römische Kriegerstatue mit einem ihr fremden Kopfe des Lucius Verus; zu bemerken wegen der auf dem Panzer gebildeten Vorstellung einer behelmten Victoria, die, mit einem Füllhorne und einem Palmenzweige, zwischen Trophäen und Waffen und über der aufschauenden Figur einer Provinz erscheint.

An der obern Wand des Saales, den Fenstern gegenuber, sind mehrere Reliefs, meistens Fragmente, eingemauert. Wir bemerken unter ihnen, in der Folge links vom Eingange des Saals der Thiere: Eine Bacchantin, die das Tympanum schlägt, und einen Satyr, welcher die Flote bläst: der auf der Sackpfeife blasende Pan ist neu. — Fragment einer Vorstellung der Diana mit dem Endymion. Die Gottin erscheint auf ihrem Wagen, ein Amor auf einem der beiden Pferde, und dabei eine geflügelte Hora. Oben Hesperus mit der Fackel, und noch höher das Zeichen des Krebses, aus welchem eine nackte weibliche Figur mit einem kreisförmig wallenden Schleier, vermuthlich Venus, hervorgeht. — Relief, unstreitig von einem Grabmale; in neueren Zeiten aus Griechenland nach Rom gekommen. Der Gegenstand ist ein sitzender Mann, von seiner Frau und seinen Söhnen umgeben, nebst den Personen seiner Dienerschaft, die als solche durch Figuren in kleinerer Dimension bezeichnet sind. — Eine mit langer Tunica und Schleier bekleidete Frau auf einer Quadriga. — Ein schönes erhobenes Werk, Laodamia und Protesilaus benannt; vermuthlich eine der auf Grabmonumenten vorkommenden Vorstellungen des Abschiedes. Es ist aus zwei antiken Fragmenten, die, wie die ganz gleiche Arbeit zeigt, zu einem und demselben Werke gehörten, und einigen modernen Ergänzungen zusammengesetzt. Man sieht hier einen stehenden Jüngling vor einer ebenfalls stehenden Frau, die sich an einen von einer Schlange umwundenen Baum lehnt.

Noch ist an der gegenüber stehenden Wand, ebenfalls in erhobener Arbeit, eine Frau in halber Figur zu bemerken, in welcher, der Inschrift zufolge, eine Laberia Felicta, Priesterin der Cybele, vorgestellt ist.

Stanze de' Busti.

. Der hinterste Theil dieser Gallerie ist durch drei Bögen in eben so viele Abtheilungen geschieden, welche die Zimmer der Busten (Stanze de' Busti) genannt werden. Die Bögen werden von sechs mit Giallo antico bekleideten Säulen getragen, denen Pilaster von buntem Marmor, Breccia delle Sette bassi genannt, gegenüber stehen. Die Busten sind an den Wanden in zwei Reihen aufgestellt. Wir bemerken unter den hier befindlichen Bildwerken folgende:

Im ersten Zimmer: Büste des August; merkwürdig wegen des Aehrenkranzes, der ihn als arvalischen Bruder bezeichnet. — Guter Kopf des Saturn, halb verhüllt, wie gewöhnlich die Köpfe dieser Gottheit. — Kopf des Menelaus, von der Gruppe dieses Helden mit dem Leichnam des Patroclus, nebst den Schultern und Beinen des letztern; Fragmente von ausgezeichneter Schönheit aus den besten Zeiten der griechischen Kunst, gefunden im Jahr 1777 in der Villa Hadrians. Der Helm des Kopfes ist an jeder Seite des Hintertheils mit einem Lapithen- und Centaurenkampfe und an der linken Helmklappe mit einem Panther geschmuckt. Der an dem Vordertheile dieses Helms von dem Erganzer angebrachte Adler beruht auf unsicheren antiken Anzeichen. Die Brust ist neu. Wiederholungen der gedachten Gruppe sieht man in dem sogenannten Pasquino und in zwei besser erhaltenen Exemplaren zu Florenz. — Schöne Büste der Minerva, gefunden unter Alexander VI. bei der Anlegung der Festungswerke der Engelsburg. — Schöne Gruppe von Mann und Frau, die einander die Hände geben, von einem römischen Grabmale; bekannt unter der falschen Benennung Cato und Porcia. — Ein Silenskopf von Rosso antico, auf einer schönen gewundenen Säule von Nero antico.

Im zweiten Zimmer: Schöne Büste des Serapis von schwarzem Basalt. — Gute Büste des Caracalla; gefunden im Garten der Mendicanti. — Schone aber an mehreren Stellen erganzte Buste des August im höheren Alter, mit einem Lorbeerkranze und einer Gemme mit einem Profilkopfe geschmuckt. — Kopf des Nero, mit Lorbeeren bekränzt, als Apollo vorgestellt. — Büste des Hercules uber Lebensgrosse, mit der Corona tortilis, in einem von den gewöhnlichen Bildungen dieses Heros abweichenden Character; gefunden beim Lateran. — Weibliche Gewandfigur in der Stellung der Pietas; von Visconti für die Livia erklart; gefunden in den

Trümmern der Basilica zu Otriculum. — Metallener Kopf des
Trebonianus Gallus, mit Lorbeeren bekränzt, auf einer Brust von
Alabastro a rosa. — Schöner idealer Frauenkopf, vielleicht Diana;
gefunden zu Roma vecchia. — Scheibe mit dem Brustbilde der
Diana in erhobener Arbeit.

Im dritten Zimmer: Kopf einer maskirten Sängerin; gefunden zu Tivoli. — Kopf mit einer Maske, deren langer Bart
sich in geringelten Reihen endigt. — Büste eines lachenden Satyrs.
— Kopf eines Pan. — Büste eines Satyrweibes. — Büste der Isis
mit eingehülltem Haupte und einer Stirnkrone, worauf man die
Mondscheibe zwischen zwei Schlangen bemerkt. — Büste eines
Silen mit menschlichen Ohren und einem unter dem Halse zusammengeknüpften Fell. — Colossale Bildsäule eines sitzenden
Jupiter; ehemals im Palast Verospi, von mittelmässiger Arbeit,
aber höchst wahrscheinlich die Nachahmung eines griechischen
vorzuglicheren Werkes, wie auch eine Wiederholung derselben
von geringer Grösse vermuthen lässt, die zu Visconti's Zeiten bei
Corinth gefunden wurde, und darauf nach England kam. Auf
dem Postamente dieser Statue sieht man ein gutes kleines Relief,
welches einen trunkenen Silen vorstellt, den ein Satyr unterstützt,
während ein anderer, mit einem Schlauche auf der Schulter, seinen Mantel ergreift. — Kopf eines Flamen, mit der priesterlichen
Mütze. — Kopf des Nerva. — Kopf eines Barbaren, bei dem
Constantinsbogen gefunden.

Loggia Scoperta.

Von den Zimmern der Büsten gelangt man zu einer unbedeckten Loggia, in der sich mehrere antike Bildwerke, und darunter einige nicht unbedeutende befinden, die aber meistens durch
den Einfluss des Wetters sehr verdorben sind. Unter den zwischen
dem Marmorgeländer gegen den Garten aufgestellten Statuen sieht
man: eine sitzende Juno mit einem Knaben an der Brust, Hercules nach Winckelmann, nach Visconti wahrscheinlicher Mars. —
Einen sitzenden Pluto mit dem Modius auf dem Haupte und dem
Cerberus zur Seite, gefunden zu Tivoli; — und eine stehende
Juno, mit einem schön gedachten Gewande bekleidet, den Kopf
eingehüllt, und mit der Stirnkrone geschmückt; gefunden in den
Ruinen des alten Lorium.

Unter den an den Wänden eingemauerten Reliefs sind folgende zu bemerken: (Ueber dem Eingange zu dem Gabinetto delle Maschere.) Eine Priesterin der Isis und ein mit
der Toga bekleideter Mann opfernd vor einem Altare. Eine verstümmelte lateinische Inschrift zeigt den Namen der Priesterin
Galatea. Sie hält einen Eimer in der linken Hand, und trägt
über der linken Schulter eine mit Sternen und halben Monden

besetzte Stola. — An der Seitenwand, von dem gedachten Eingange rechts: Ein Gelübde an den Aesculap. Der Genesene, von Mercur herbeigefuhrt, kniet vor diesem Gotte. Rechts sind die Grazien, die hier, wie auf einem capitolinischen Relief, den Dank bezeichnen. — Paris, den Cupido zur Helena fuhrt; neben ihr Venus, und über derselben das Idol der Peitho, der Gottin der Ueberredung; ein sehr verwittertes und verstümmeltes Relief, gefunden unter dem Aventin. Es ist die Wiederholung eines vorzüglicheren und wohlerhaltenen Werkes im Museum zu Neapel, von welchem sich das unsere durch die hinzugefügte Apollostatue, als Schutzbildes von Troja, auszeichnet. — Fragment einer Vorstellung des Triumphes des Bacchus über die Inder, mit einem Elephanten, der einen Gefangenen trägt. Die Figur des Bacchus fehlt. — Vorstellung der Circusspiele, merkwürdig wegen der sonst bei diesen Vorstellungen nicht vorkommenden Buhne, auf welcher der Prätor erscheint, der mit einer Mappa das Zeichen zum Auslaufen der Wagen gibt. — Belagerung einer Stadt; ein kleines erhobenes Werk in sehr gutem Style. Links eilen einige Krieger mit Fackeln herbei, sie in Brand zu stecken. Zur Rechten ein fechtender Krieger mit zwei niedergeworfenen Feinden. In der Mitte erscheint die Schutzgottin der Stadt, zur Hülfe derselben. Sie zeigt das Jagdcostum der Diana, dabei aber Seepter und Stirnkrone, dieser Göttin ungewöhnlich. — Relief von schlechter Arbeit, jedoch wegen der Seltenheit des Gegenstandes zu bemerken: Bacchus und Hercules in einem mit sprengenden Centauren bespannten Wagen. Auf dem älteren Centauren steht ein nackter Knabe, die Syrinx spielend, vermuthlich ein Amor, obgleich ungeflügelt. Die Frau mit entblösster linker Brust, die von dem Wagen abgewandt, ein Trophaum oder Vexillum hält, erklärt Visconti für die Victoria. — Neptun, mit einer langen Tunica bekleidet, den Dreizack und einen Delphin haltend; ein erhabenes Werk in älterem Style. — Bacchischer Zug, ein erhobenes Werk, unweit Neapel an der Seeküste von Campanien gefunden, welches, obgleich sehr verwittert und verstümmelt und durch schlechte Ergänzungen verunstaltet, vorzügliche Aufmerksamkeit verdient. Es zeigt in einer schönen Composition den Character muthwilliger trunkener Fröhlichkeit, und einen sehr guten Styl in der Bildung der Figuren. Den Zug eroffnet ein mit einem zottigen Fell geschürzter Silen. Demselben folgt Bacchus trunken, von einem Satyr unterstützt. Eine Centaurin, auf deren Rucken ein Satyr die Crotalen ihren Händen zu entreissen strebt. Ein wie der vorige geschurzter Silen, der einem Satyr die Fackel nehmen zu wollen scheint. Zwei Knaben, welche in der einen Hand den Thyrsus halten, und mit der andern eine kleine runde Ara auf einem dreifussigen Gestelle tragen. Ein Silen, der eine

Fackel trägt, und zuletzt eine Centaurin, die einen auf ihren Rücken gestiegenen Satyr zurückstösst, indem ihn ein anderer Satyr aus Eifersucht herabzuziehen strebt. — Bassorilievo, von T. Claudius und Cácilius Asclepiades den Nymphen geweiht, wie die lateinische Inschrift zeigt. Man sieht hier drei dieser Göttinnen, von denen jede vor sich eine grosse Muschel hält, in Vereinigung mit Hercules, Diana und Silvan. Der letzte ist durch die Sichel in seiner Rechten und den Baumzweig in der Linken bezeichnet.

Gabinetto delle Maschere.

Das kleine Zimmer, Gabinetto delle Maschere benannt, führt diesen Namen von den Masken auf dem antiken Mosaik des Fussbodens. An der Wand, vor dem Eingange desselben von der Gallerie der Statuen, ist ein kleines erhobenes Werk zu bemerken, welches in neueren Zeiten aus Griechenland nach Rom kam. Es stellt drei nur mit der Chlamys bekleidete Jünglinge vor, deren Namen in griechischer Inschrift beigefügt sind. Zwei dieser Namen, Demetrius und Menestheus, sind deutlich: der dritte aber ist verstümmelt. Die Züge der Inschrift, so wie der Styl der Sculptur, deutet auf die Kaiserzeiten. Die Scene ist ohne Zweifel eine Palästra, obgleich die diesen Ort bezeichnende Herme neu ist. Der erste der gedachten Jünglinge hält eine Palme als Sieger der Kampfspiele. Von den beiden übrigen hat der eine ein Schild und der andere ein kurzes Schwert. Am Boden liegt ein Helm und ein Preisgefáss.

Das genannte Zimmer ist mit acht Säulen und eben so vielen Pilastern von Alabaster aus Monte Circeo geschmückt. Der mit Kindern, Blumengewinden und Palmetten geschmückte Fries von weissem Marmor besteht zum Theil aus antiken, in der Gegend von Palestrina gefundenen Fragmenten. Die mythologischen Vorstellungen der Deckengemalde, von Domenico de Angelis, beziehen sich auf die vorzüglichsten der hier aufbewahrten antiken Bildwerke. Die aus vier Bildern bestehenden Mosaiken des Fussbodens wurden um das Jahr 1780 in der Villa Hadrians gefunden. Auf dem ersten dieser Bilder sieht man vier komische Masken nebst einer Leyer und zwei Preisgefassen. Auf dem zweiten eine Landschaft mit Schafen und Ziegen, und eine mit Laub bekränzte Statue einer sitzenden Landgöttin. Auf dem dritten, auf einem Felsen zwischen Baumen, eine Bacchusmaske, und einen mit einem Tympanum spielenden Panther. Auf dem vierten eine mit Lorbeer bekränzte Maske des Apollo, welche Lorbeeren ein Greif, eine Leyer, Bogen und Köcher, als Attribute dieses Gottes, umgeben.

Die in diesem Zimmer aufgestellten Statuen sind, vom Eingange rechts, folgende: Eine mit Epheu bekränzte Tänzerin;

ehemals im Palast Colabrano zu Neapel; gefunden in Campanien. — Venus im Bade, auf einem Salbengefäss sitzend, niederkauernd vorgestellt; eine schöne Figur unter Lebensgrösse; gefunden in der Tenuta di Salone an der Via Praenestina. Eine dabei entdeckte Basis, die, wie man glaubte, zu dieser Statue gehörte, zeigte in der auf das moderne Piedestal gesetzten griechischen Inschrift die Worte: „Bupalus machte mich." Jedenfalls konnte dieser Künstler, nach dem Style unseres Werkes, nicht jener Bupalus seyu, der vor Phidias lebte. Die Arme und der Scheitel mit den Haaren sind neu. — Bildsäule der Diana, als Lucifera ergänzt. — Satyr von Rosso antico; gefunden in der Villa Hadrians. — Ein Jüngling in phrygischer Kleidung; gefunden in einer Steingrube vor Porta Portese. Er ist als Paris mit dem Apfel in der Hand ergänzt, lässt aber wahrscheinlicher einen von jenen Dienern des Mithras erkennen, die in den bekannten Reliefs ihm zu beiden Seiten mit Fackeln erscheinen. — Stehende Figur der Minerva; gefunden in der Villa des Cassius bei Tivoli. Bemerkenswerth wegen der auf ihrem Helme gebildeten Eulen. — Ganymedes, dessen Haupt eine phrygische Mutze bedeckt; gefunden in der Tenuta del Quadraro, vor Porta S. Giovanni. — Nackte Jünglingsfigur; gefunden in der Tenuta delle Centocelle vor Porta Maggiore.

An den oberen Wänden des Zimmers sind einige erhobene Werke eingesetzt. Das mittlere von geringer Grösse, an der Wand vom Eingange rechts, welches aus Griechenland nach Rom kam, erklärte Visconti fur die Vergötterung Hadrians, wegen angeblicher Aehnlichkeit der mit dem Scepter in der Hand auf dem Throne sitzenden Figur mit den Bildnissen dieses Kaisers. — In dem Relief jenem zur Linken sieht man den Sonnengott auf einer Quadriga; über den Pferden schwebt Lucifer mit der Fackel; vor dem Wagen sprengt ein Reiter, wahrscheinlich Castor; unter ihm das Meer und der Himmel; dieser personificirt als ein Mann mit einem sein Haupt kreisformig umwallenden Schleier, jenes unter dem Bilde einer Frau, die mit dem einen Arm auf einem Wassergefasse ruht. Dem sprengenden Reiter entgegen erscheinen die drei capitolinischen Gottheiten: Jupiter, Juno und Minerva, denen hier Fortuna, als Fortuna Augusta, die Städtebeschützerin der Kaiser, beigesellt ist. Ein anderes Relief, an derselben Wand, zeigt denselben Gegenstand mit einigen Veränderungen, unter denen zu bemerken, dass nicht, wie auf jenem, Himmel und Meer, sondern die Tiber personificirt ist. — An den beiden gegenuberstehenden Wänden dieses Zimmers, an denen sich die beiden Eingänge desselben befinden, sieht man vier Reliefplatten, die sehr verstümmelt im Gebiet von Palestrina gefunden worden sind. Sie stellen Gegenstände aus dem Leben des Hercules vor. Ihre

modernen Ergänzungen beruhen zum Theil mehr auf Muth-
massungen, als auf bestimmten Anzeichen durch antike Reste.
Zwei derselben, wahrscheinlich Fragmente von dem Fries eines
Gebäudes, in sehr erhobener Arbeit, haben das Ansehen eines
mit Statuen und Reliefs geschmückten Porticus. Jedes dieser beiden Stücke zeigt drei von Säulen getragene Arcaden mit den Bildsäulen der auf Hercules bezüglichen Gottheiten; und zwischen
den Arcaden, in den Feldern, welche die Hinterwand der Halle
bilden, sind Begebenheiten dieses Heros vorgestellt. — Die beiden
andern jener Reliefplatten gehörten vermuthlich zu einem Friese
mit den zwölf Thaten des Hercules, von denen aber nur acht noch
übrig sind. — Ein schönes kleines Relief, an der Wand des einen der beiden Fenster dieses Zimmers, ist erst unlängst in das
Museum gekommen. Die Gegenstände desselben sind: ein Silen,
der mit der Rechten eine Fackel, und mit der Linken ein Gefäss
hält; Bacchus, den Thyrsus haltend, von einem Satyr unterstützt;
und ein mit der Nebris bekleideter Satyr mit dem Thyrsus in
der Hand; bei ihm ein Panther.

Noch sieht man hier: Ein schönes viereckiges Gefäss von
Rosso antico, dessen vier Henkel durch Schwane gebildet sind;
gefunden in der Villa Hadrians. — Eine sogenannte Sella stereo-
raria; ein Sessel, ebenfalls von Rosso antico, mit einer Oeffnung
im Sitze; wahrscheinlich zum Gebrauche in den Badern der Alten.
— Ein kleines Mosaik, welches den Nil mit einer Barke und einigen Wasserthieren vorstellt; — und drei reich geschmückte Cippen.
Auf dem einen ist der Sonnengott mit einer Biga, auf dem andern Amalthea mit dem Jupiter, und auf dem dritten die Wölfin
mit Romulus und Remus gebildet.

Sala delle Muse.

Der Saal, welcher von den in demselben aufgestellten Bildsäulen der Musen den Namen führt, hat an beiden Enden zwei
rechtwinklich gebaute Arme. Das mittlere Hauptgebäude von
achteckiger Form ist mit einer Kuppel bedeckt, welche Malereien
von Tommaso Conca verzieren. Unter der Decke des Saales stehen
16 weisse Marmorsäulen, meistens mit antiken, in der Villa
Hadrians gefundenen Capitellen. Auf dem Fussboden unter dem
Bogen, welcher den Eingang vom Saale der Thiere bildet, sieht
man einen Tiger in einem antiken Mosaik, entdeckt zu Fallerone
in der Mark Ancona. Der Fussboden des Saals ist ebenfalls mit
Mosaiken ausgelegt, welche theatralische Gegenstände vorstellen,
und auf der Tenuta di Porcareccia, unweit vom alten Lorium, gefunden worden sind. In ihrer Mitte ist ein mit Arabesken umgebenes Medusenhaupt, gefunden in den unterirdischen Gemächern
des Palastes Gaetani auf dem Esquilin.

Beim Eingange, in einer Art von Vestibulum dieses Saales, sind an den oberen Wanden, einander gegenüber, zwei gute Reliefs eingemauert. In dem einen, in der Gegend von Palestrina gefunden, ist ein Waffentanz, in dem andern die Geburt des Bacchus in einer schönen Composition vorgestellt. Der neugeborne Gott hebt, neben dem sitzenden Jupiter, aus dessen Hüfte er entsprang, die Hände nach dem Mercur empor, der bereit ist, ihn in einem Pantherfelle aufzunehmen, um ihn der Pflege der Nymphen zu übergeben. In den drei dabei gegenwärtigen Göttinnen in ähnlicher Bekleidung, jede mit einem Scepter in der Hand, sind vermuthlich die Grazien vorgestellt. — An den unteren Wänden des Vestibulums stehen folgende antike Denkmaler: Eine kleine Herme des Sophocles, mit dessen Namen in griechischer Inschrift; gefunden im Garten der Mendicanti. — Zwei Hermen, deren verloren gegangene Köpfe, wie die griechischen Inschriften zeigen, den Thales und den Cleobulus vorstellten; gefunden in der angeblichen Villa des Cassius bei Tivoli. — Bildsäule eines stehenden Silens; gefunden in der Tenuta di Torragnola, an der Via Praenestina; — und eine Statue des Bacchus in Frauenkleidern.

Im Hauptgebäude des Saals: Die bereits erwähnten Statuen der Musen. Sieben derselben wurden, nebst dem hier ebenfalls aufgestellten Apollo Citharoedus, unter Pius VI. in der angeblichen Villa des Cassius ausgegraben: die zwei fehlenden erhielt, zu einer vollständigen Sammlung der Bildsäulen dieser Gottinnen, der genannte Papst von dem Prinzen Lancellotti zum Geschenk. — Melpomene, stehend, den linken Fuss erhoben, auf einen Stein gestutzt, ist durch die tragische Maske bezeichnet. Das ihr Haupt bekränzende Weinlaub deutet auf die Verbindung der Tragodie mit bacchischen Festen. Der Dolch in ihrer linken Hand ist neu. — Thalia, als Muse der Comodie durch die comische Maske, und als Muse des bucolischen Gedichts durch den Hirtenstab bezeichnet. — Die ehemals als Fortuna ergänzte Statue mit den modernen Attributen der Urania, dem Stabe und dem Globus, erklärte man fur diese Muse nur wegen ihrer Aehnlichkeit mit einer Bildsäule im Palast der Conservatoren mit der Namensinschrift derselben. Sie hat einen ihr fremden antiken Kopf, der in der Villa Hadrians gefunden wurde. — Clio, die Muse der Geschichte, ist als solche durch die noch zum Theil antike Schriftrolle zu erkennen. Der mit einer Haube bekleidete Kopf ist antik, aber dieser Figur nicht angehörend. — Polihymnia, die Muse des Gedächtnisses, die auch der Pantomime vorstand, ist stehend in einem weiten Gewande, mit Rosen bekranzt, ohne alle Attribute gebildet, wie sie auch in einem herculanischen Gemälde mit ihrem Namen vorkommt. — Calliope, sitzend, ist durch

Anmuth der Bewegung und durch ein schön gedachtes Gewand
vor den übrigen dieser Statuen ausgezeichnet. Die Wachstafeln
(Pugillares), auf denen die Alten zu schreiben pflegten, ein Attribut, mit dem wir die Muse des Heldengedichts auf mehreren
alten Denkmälern sehen, sind nach den Anzeichen antiker Reste
ergänzt. — Apollo Citharoedus trägt ein langes breit gegürtetes
Untergewand und einen rückwärts herabhängenden, an beiden
Schultern durch Schnallen befestigten Mantel. Auf dem antiken
Theile der an einem Schulterbande hängenden Leyer ist Marsyas
gebildet. — Terpsichore, die Muse der höheren, im Gesange
heiliger Festchöre sich aussprechenden Lyrik, spielt, sitzend, auf
einer Leyer mit krummen Hornern, deren Korper die Schale einer
Schildkrote bildet. Der antike Kopf ist der Figur fremd. — Die
letzte dieser Statuen, die man bei ihrer Aufnahme in das Museum
durch eine ihr in die Hand gegebene Flote als Euterpe bezeichnete, ist auf einem Felsen sitzend vorgestellt.

Die zwischen diesen Statuen aufgestellten Hermen führen wir
mit den ihnen ertheilten Benennungen an, von denen jedoch die
nicht auf antiken Namensinschriften beruhenden unsicher sind. —
Epicur; gefunden zu Roma vecchia vor Porta Maggiore. — Zeno
der Stoiker. — Demosthenes. — Antisthenes, mit dessen Namen;
gefunden in der Villa des Cassius. — Metrodorus. — Alcibiades, mit
dem Namen desselben, gefunden auf Monte Celio. — Socrates;
ein zu Roma vecchia gefundener Kopf dieses Philosophen, gesetzt
auf den Sturz einer antiken Herme mit der Inschrift seines Namens. —- Epimenides; ein bärtiger Kopf mit geschlossenen Augen.
— Themistocles. — Zeno, durch diesen Namen bezeichnet; vermuthlich der Eleat. — Euripides. Antik ist nur das Gesicht bis
herab zur Oberlippe. — An den oberen Wänden sieht man, einander gegenüber, zwei von einem Sarcophage abgesägte Reliefs.
In dem einen sieht man einen Faustkampf zwischen Centauren
und Satyrn, wobei zwei Hermen an beiden Enden den Kampfplatz
bezeichnen. In dem andern ist der Kampf der Lapithen mit den
Centauren vorgestellt.

Im hintern Arme des Saals: Herme der Aspasia, mit
ihrem Namen; gefunden bei der Ausgrabung von Castrum novum
unter Pius VI.; merkwurdig als das einzige ächte Bildniss jener
berühmten Frau. — Hermen des Pericles und des Bias von Priene,
beide mit Namensinschrift; gefunden in der Villa des Cassius. —
Stehende Bildsäule eines bärtigen halbbekleideten Mannes, den
Visconti für den Lycurg erklärte; gefunden an der Via Praenestina
vor Porta Maggiore. — Herme des Periander, mit der griechischen
Inschrift seines Namens und seines Wahlspruches: „Uebung ist
Alles." — An den oberen Wänden, einander gegenüber, zwei Reliefs: das eine zeigt die Vorstellung eines römischen Vermählungs-

zuges; in dem anderen, der Fronte eines Sarcophages, ist der Raub der Proserpina vorgestellt. In der Mitte erscheint Pluto auf einer Quadriga, die verzweiflungsvolle Jungfrau umfassend. Zwei geflügelte Knaben, die den Wagen umschweben, erklart Welcker für Hesperus und Lucifer. Unter den Pferden die sitzende Figur der Erde, mit einem Stier und einem Fruchtkorbe. Das Vierge-spann hält Mercur: vor ihm Cerberus, von dem Ergänzer in einen geflügelten Löwen verwandelt. Eine Gefahrtin der Proserpina, neben einem umgestürzten Fruchtkorbe, scheint den Mercur, und eine andere den Gott der Schatten selbst anzuflehen. Minerva eilt dem Gespann entgegen; hinter ihr ist die Platte abgebrochen. Auf der andern Seite folgt auf den Wagen des Pluto das Schlan-gengespann der Ceres, wobei eine geflugelte Frau, vielleicht eine Hora, die Zügel ergreift.

Unter den Statuen dieses Saales stehen neun antike Cippen und zwei viereckige Aren. Die eine unter der Calliope, mit einer Grabschrift, zeigt an der Fronte den als ein geflügelter Jung-ling gebildeten Schlafgott, der mit der einen Hand einen Mohn-stengel halt und mit der anderen ein Horn ausgiesst. An den Querseiten die wiederholte Vorstellung des Bacchus und der Ariadne, einander die Hände reichend. Die andere dieser Aren ist eine von denen, die nach Augusts Eintheilung der Stadt, den Laren der Strassen (Lares viales) an den Kreuzwegen errichtet wurden. Reliefs und Inschrift haben sehr gelitten. Man sieht an der vorderen Fronte den Genius des August mit einer Opfer-schale in der Hand, und zwei Lares viales, die mit der einen Hand einander fassen, und mit der andern Trinkhorner empor-halten. An den beiden Seiten des Monuments sind Opfer in Wie-derholung derselben Composition vorgestellt. Die vier opfernden Männer sind vermuthlich die vier Vicorum magistri.

Zu beiden Seiten des Einganges zur Sala rotonda: Hermen des Pittacus und des Solon, mit den Namen dieser Wei-sen in griechischer Inschrift; gefunden ohne Köpfe in der Villa des Cassius bei Tivoli. — Kleine Statue der Mnemosyne, durch den Namen auf dem Sockel in antiker Inschrift bezeichnet. — Darunter: Fronte von einem Aschengefasse, worauf Thalia, Euterpe und Polihymnia, jede mit einem Dichter, gebildet sind.

Sala rotonda.

· Der hierauf folgende runde, mit einer Kuppel bedeckte Saal (Sala rotonda) wurde unter Pius VI. nach Angabe des Michela-gnolo Simonetti erbaut. Zwischen acht grossen Nischen und den beiden Arcaden der Eingänge erheben sich zehn Pilaster von car-rarischem Marmor. Der ganze Fussboden ist mit antiken Mosai-ken ausgelegt. Das mittlere, von 32 Palm im Durchmesser, wurde um das Jahr 1780 in den Ruinen der otriculanischen Thermen gefunden, wo es den Fussboden eines Saales von achteckiger Form bedeckte, welche auch die äussere Einfassung von Mäandern zeigt, den hier eine Rundung von neueren Händen umgibt. Acht Maander, die von den Ecken gegen den Mittelpunct laufen, von einem Blumengewinde mit Masken und Gefassen und zwei anderen Mäandern von verschiedener Form in der Runde durchschnitten, theilen das Mosaik in zwei Reihen Bilder, von denen die äussere Nereiden, Tritonen und Meerwunder, und die innere den Kampf der Lapithen und Centauren vorstellt. Neu ist das Medusenhaupt in der innersten Rundung, die ursprünglich, vielleicht zur Aufstellung eines Gefässes, leer gelassen war. Dieses colorirte Mosaik ist von anderen Mosaiken aus schwarzen und weissen Steinen umgeben, die zu Scrofano entdeckt wurden, und den Neptun auf einem sprengenden Viergespann, Meergottheiten und Meerwunder und das Schiff des Ulysses, bei den Sirenen vorbeifahrend, vorstellen.

In der Mitte des Saales steht, auf einem modernen Gestell von vergoldeter Bronze, eine schöne runde Porphyrschale von besonderer Grosse, indem ihr Umfang 42½ Fuss betragt. Sie wurde in den Thermen des Titus gefunden und war ehemals in der Villa di Papa Giulio vor Porta del Popolo. — Am Eingange vom Saal der Musen stehen zwei grosse weibliche Hermen; ohne Zweifel Werke aus der Zeit Hadrians, in dessen Villa bei Tivoli sie am Eingange des Theaters, auf zwei Pfeilern von Porta Santa stehend, entdeckt wurden. Man erklärt sie fur die Tragödie und Comodie, fur die letztere die mit Weinlaub bekranzte; worunter hier nicht die Musen, sondern die personificirten Vorstellungen dieser Dichtungsarten zu verstehen sind.

Vor den Pilastern des Saales stehen, auf zehn Stürzen von Porphyrsäulen, eben so viele colossale antike Büsten: — Jupiter, der schönste uns bekannte Kopf dieses Gottes; gefunden bei den otriculanischen Ausgrabungen unter Pius VI. — Die ältere Faustina, Gemahlin des Antoninus Pius; entdeckt in der Villa Hadrians. — Kopf des Hadrian; bei der Engelsburg gefunden, und daher vermuthlich der Rest einer Bildsäule, welche das Grabmal jenes Kaisers schmückte. — Antinous; ausgegraben in der Villa Hadrians im Jahre 1790. — Hermenbüste eines Meergottes; gefunden zu Pozzuoli. Er ist mit Weinlaub bekränzt, hat zwei Hörner auf dem Scheitel, Delphine im Bart und Schuppen im Gesicht und auf der Brust, auf der auch Wellen gebildet sind. — Serapis, ein schöner Kopf; gefunden an der Via Appia in der Tenuta del Colombaro, unweit der Fratocchie. — Claudius, mit einer Burgerkrone von Eichenlaub; gefunden bei den otriculanischen Ausgrabungen. — Julia Pia, Gemahlin des Septimius Severus; ausgegraben im vorigen Jahrhundert in der Tenuta del Quadraro vor Porta S. Giovanni. — Plotina, Gemahlin Trajans. — Helvius Pertinax.

In den Nischen stehen folgende Statuen: — Hercules mit dem Telephus auf dem Arme; gefunden in Campo di Fiore, und ehemals unter der grundlosen Benennung des als Hercules vorgestellten Commodus mit seinem Lieblingsknaben bekannt. — August im Opferkleide, oder vielleicht der Genius dieses Kaisers in seinem Bildniss vorgestellt, wie in einer dieser sehr ähnlichen Figur auf der im Saale der Musen erwähnten Ara. — Colossale, schön gedachte Bildsäule einer stehenden Frau in langer Tunica; vermuthlich Ceres, als die sie der Ergänzer durch die Attribute dieser Göttin bezeichnet hat. — Römische Kriegerstatue mit einem aufgesetzten Kopfe des Antoninus Pius. Auf dem Postamente: ein Relief, die Circusspiele vorstellend, von schlechter Arbeit, aber merkwürdig wegen einiger Gegenstände, die auf anderen dieser Vorstellungen nicht vorkommen; wie die Federn, welche die Köpfe der Pferde schmucken, und das durch die Mauerkrone und den Löwen bezeichnete Bild der Cybele auf der Spina. Die Wagenlenker sind hier nicht, wie meistens, als Genien, sondern in dem ihnen eigenen Costüme vorgestellt. — Sitzende Statue des Nerva, aus zwei höchst wahrscheinlich nicht zusammengehörenden Fragmenten zusammengesetzt. Der obere Theil der Figur wurde bei den Stadtmauern Roms, zwischen dem Lateran und S. Croce ausgegraben; wo der untere Theil gefunden wurde, ist unbekannt. Auf dem Postamente: Fragment eines erhobenen Werkes, welches den Vulcan mit zwei Frauen vorstellt; gefunden zu Ostia. — Stehende Bildsaule der Juno, ehemals im Palast Barberini; gefunden auf dem Viminal bei der Kirche S. Lorenzo in Panisperna. — Juno Sospita, gebildet wie sie in ihrem beruhmten Tempel zu Lanuvium verehrt wurde. Sie trägt, wie auf römischen Münzen, uber dem Unterkleide ein Ziegenfell, welches die Stelle eines Panzers vertritt, Haupt und Körper bedeckt, unter dem Halse zusammengebunden und über den Hüften mit einem Gurtel befestigt ist. Die Attribute dieser Göttin: Schild und Speer, und die Schlange, die auf den Drachen deutet, der im heiligen Hain bei dem erwähnten Tempel verehrt ward, sind neu. — Gruppe des Bacchus mit einem Satyr, nebst einem Panther, welcher die Klauen auf einen Thierkopf setzt; gefunden in den Ruinen eines antiken Gebäudes in der Tenuta di Morena, im Gebiete von Frascati.

Sala a Croce greca

Der zunächst folgende, ebenfalls nach Angabe des Simonetti erbaute Saal, wird Sala a Croce greca benannt, weil er die Form eines griechischen Kreuzes zeigt. Die Pfosten der grossen Thur

sind aus antiken Fragmenten von rothem Granit, aus den Ruinen
der Bäder des Nero, verfertigt. Zu beiden Seiten dieses Einganges stehen zwei colossale männliche Bildsäulen im ägyptischen Styl
aus der Zeit Hadrians, in dessen Villa sie gefunden worden sind.
Die beiden antiken Gefässe auf ihren Häuptern zeigen, dass sie
ursprünglich zu Telamonen dienten, so wie gegenwärtig hier, wo
sie den Architrav der Thur unterstützen. Auf diesem Architrave
stehen zwei Gefasse von Granit; und zwischen denselben ist, an
der Wand uber dem Eingange, ein antikes Bassorilievo eingemauert, welches zwei mit einem Löwen und einem Tiger kämpfende
Fechter vorstellt. — Das antike Mosaik in der Mitte des Fussbodens zeigt ein der Pallas geweihtes Schild mit dem Brustbilde
dieser Gottin. Unter den mannigfaltigen Zierraten, die es in der
Runde umgeben, ist ein blauer Kreis, welcher den Himmel bedeutet, und auf dem zwölf Sterne und mehrere Bilder des Mondes in den verschiedenen Gestalten seiner Erscheinung gebildet
sind. Der Raum zwischen diesem Schilde und dem viereckigen
Rahmen, der es umgibt, ist mit Laubgewinde geschmückt, und in
den Winkeln erscheinen vier blaucolorirte Telamonen. Die runde
Einfassung, welche das Viereck einschliesst, ist neu, so wie das
Laubgewinde und die vier Medusenhäupter in den Segmenten.
Jenes Mosaik ist nur das Mittelstück von einem grösseren, auf
welchem, ausser den erwahnten Gegenständen, Victorien, Waffen
und Arabesken, von einer zweiten Einfassung umgeben, gebildet
waren, und welches den ganzen Fussboden eines Saales in der
angeblichen Villa des Cicero zu Tusculum bedeckte, wo es im
Jahre 1741 gefunden ward. Noch sieht man zwei kleinere Mosaiken auf dem Fussboden dieses Saales, von denen das eine einen
Bacchus, der einen Cantharus über eine Pflanze ausgiesst, das
andere einen Blumenkorb vorstellt. Dieses wurde zu Roma vecchia,
jenes zu Fallerone in der Mark Ancona gefunden.

Unter den an den Wänden des Saales aufgestellten Statuen
bemerken wir folgende: — Halbnackte Bildsäule des August, im
jugendlichen Alter. — Lucius Verus, ganz nackt, ebenfalls im
jugendlichen Alter; zu seinen Füssen ein Helm, auf dem ein Pegasus gebildet ist; gefunden bei der Ausgrabung des praenestinischen
Forums. Auf dem Postamente: ein Relief, welches den Hercules
bei der Mahlzeit, von einem Satyr bedient, vorstellt. — Hercules
mit der Keule in der einen und einem Füllhorn in der andern
Hand. — Schone Bildsäule der Venus, in der Stellung der cnidi-
schen des Praxiteles. Schenkel und Beine bedeckt ein modernes
Gewand von Bronze. — August als Pontifex Maximus vorgestellt;
gefunden in der otriculanischen Basilica. — Auf dem Postamente
einer als Euterpe ergänzten Statue ist ein kleines Relief zu bemerken, einen Krieger vorstellend, der vor einer alterthümlichen

Statue des Apollo diesem Gotte einen erbeuteten Helm darbringt.

Zwei in diesem Saale stehende Sarcophage von Porphyr sind
aus den Zeiten des Verfalls der Kunst, merkwürdig jedoch als
Werke von besonderer Grösse aus diesem schwer zu bearbeitenden Steine. Der eine stand ursprünglich in der heutigen Kirche
S. Costanza, die wahrscheinlich zu einer Grabcapelle der Familie
Constantins des Grossen diente, und bewahrte daselbst vermuthlich die Gebeine der Constantia, Tochter dieses Kaisers, welche
die Sage fur eine Heilige erklarte. Der Kasten dieses Sarcophags
ist aus einem einzigen Stück Porphyr ausgehöhlt, und der Deckel
ebenfalls aus einem Stück verfertigt. Die schlechten erhobenen
Arbeiten, die ihn verzieren, deuten auf christliche Zeiten, indem
die ohne alle bacchische Beziehung wie hier vorgestellte Weinlese
ein haufig in der altchristlichen Kunst vorkommender Gegenstand
ist. An den beiden Fronten sind Knaben, welche Trauben sam-
meln, und einige Vogel in einem Arabeskengewinde gebildet.
Darunter: Widder nebst Pfauen, ebenfalls einem altchristlichen
Symbole. An jeder der beiden Querseiten drei Kinder, welche
Trauben keltern. Am Deckel ein Blumengewinde und vier Masken. — Der andere der gedachten Sarcophage war ursprunglich
das Grabmal der heil. Helena in ihrem Mausoleum, der sogenannten Tor Pignattara, an der Via Labicana vor Porta Maggiore.
Die Sculpturen dieses Monumentes, in sehr erhobener Arbeit, sind
nicht allein weit besser als die des vorerwähnten, sondern dürften
auch vor denen am Bogen Constantins aus der Zeit dieses Kaisers
den Vorzug verdienen. Ihre Gegenstände sind Züge von Soldaten
zu Pferde mit Gefangenen, vermuthlich auf Constantins Siege
deutend. Auch sieht man, an beiden Fronten wiederholt, das
Brustbild dieses Kaisers und seiner Mutter, der heil. Helena. Am
Deckel Kinder, Löwen und Blumengewinde.

Noch sieht man hier zwischen den Statuen, auf Tragsteinen,
zehn unbekannte antike Busten; und an den Wänden einige
Fragmente von erhobenen Arbeiten, nebst einer Inschrift aus den
Thermen der heil. Helena. — Auch stehen in diesem Saale zwei
colossale Sphinxe von Granito brecciato.

Das Gewolbe der von hier zur Bibliothek hinabfuhrenden
Treppe wird von zwanzig Granitsäulen getragen, von denen die
meisten bei der Ausgrabung des praenestinischen Forums gefunden
worden sind. Zwei andere Treppen, jener zu beiden Seiten, führen zum oberen Stockwerk hinauf. Vor einer derselben, am
Fenster, steht die schöne Bildsaule eines Flussgottes von colossaler Grosse, den man wegen eines Tigerkopfes in dem ergänzten
Wassergefässe den Tigris benennt. Die Restaurationen derselben
im Style des Michelagnolo sind vielleicht nicht von seiner Hand.

sondern unter seiner Aufsicht von Montorsoli ausgeführt, von dem auf seine Empfehlung Clemens VII. die damals im Belvedere vorhandenen Statuen ergänzen liess.

Im oberen Stockwerke führt eine Treppe, deren Gewölbe acht Säulen von Breccia tragen, zu einer Erhöhung, von der man durch ein grosses Fenster in den zuvor erwähnten Saal hinabsieht. Davor steht auf einem modernen Postamente eine Vase mit vier Silenenmasken an den Henkeln, von grünem Granit; und zu beiden Seiten erheben sich zwei schone seltene Saulen von grünem Porphyr. An den Wanden sind drei Reliefs zu bemerken: Ein stehender Jüngling mit langen Haaren, im harenen Gewande; neben ihm Waffen; vermuthlich ein gefangener Barbar. — Cybele sitzend zwischen zwei Lowen; — und ein Fragment der Vorstellung der Sage der Medea. Diese erscheint sitzend in Trauer versunken; hinter ihr zwei Frauen. Vor ihr ihre beiden Kinder mit den vergifteten Geschenken fur Creusa. Der hinter ihnen stehende Jüngling, durch den Mohnstengel und den Rest einer gesenkten Fackel als Genius des Todesschlafes bezeichnet, deutet auf das tragische Schicksal der neuen Gemahlin Jasons. Von der Darstellung des Todes der Creusa, dem folgenden Moment der Fabel, ist nur noch die Figur des Creon, ihres Vaters, im Ausdruck des Schmerzes vorhanden.

An der Wand neben dem Eingange des Gregorianischen Museums: Ein reich geschmücktes Wandgefass, in Form eines Dreifusses, welches vermuthlich zum Lustrationswasser eines Herculestempels diente; gefunden in der Vigna Casali an der Via Appia. Zwischen den drei Fussen desselben ist Hercules im Kampfe mit vier Junglingen in ganz erhobener Arbeit dargestellt. Visconti erkannte in ihnen die Söhne des Hippocoon. Da jedoch Hercules im Nachtheil erscheint, so sehen wir ihn hier wahrscheinlicher im Kampfe mit den Ligurern. Auf der antiken Basis dieses stark ergänzten Monumentes sind zwei Tritonenweiber und zwei Masken gebildet; die eine der letzteren, die bartig ist, wird durch die Krebsscheeren als der Ocean bezeichnet.

Sala della Biga.

Der kleine runde Saal mit einer Kuppel, beim Aufgange der Treppe vom untern Stockwerk rechts, ist nach Angabe des Camporesi erbaut. Seinen Namen erhielt er von der in der Mitte stehenden Biga von weissem Marmor, an welcher nichts antik ist als der Körper des einen Pferdes und der schön mit Laubwerk geschmückte Sitz, der ehemals zum bischöflichen Stuhle der Kirche S. Marco diente.

Die hier aufgestellten Statuen sind, vom Eingange rechts, folgende: Eine weibliche Gewandfigur von mittelmässiger Arbeit.

— Bildsäule des Sardanapalus, durch den Namen in griechischer Inschrift auf dem Mantel dieser Figur als jener schwelgerische assyrische König bezeichnet, der hier in der Gestalt des bartigen Bacchus, als der seinem Character entsprechenden Gottheit, erscheint; gefunden zwischen Monte Porzio und Frascati, in den Ruinen der angeblichen Villa des Lucius Verus, mit den vier Canephoren der Villa Albani. — Statue des Bacchus; nur Kopf und Körper, die aber nicht ursprunglich zusammengehörten, sind antik. — Nackte männliche Figur, für den Alcibiades erklart, wegen einiger Aehnlichkeit des Kopfes mit der Herme dieses beruhmten Atheners im Saale der Musen. — Ein romischer Priester uber Lebensgrosse, eine der schönsten antiken Togafiguren; ehemals im Palast Giustiniani zu Venedig, wohin sie aus Griechenland gekommen seyn soll. Der antike Kopf ist zwar fremd, aber am Halse zeigt der Gang der Falten, dass die Toga auch ursprunglich, dem Opfercostume gemass, über das Haupt gezogen war. — Apollo mit der Leyer. Antik ist nur der Körper mit dem rechten Schenkel, gefunden auf Piazza di S. Silvestro in Capite. Das Postament ist eine runde sehr verwitterte Ara, worauf opfernde Jungfrauen gebildet sind, unter denen sich eine behelmte, Fruchte im Schurz tragende Frau befindet, die man für die Fortuna erklart. — Ein schöner Discobolus, vermuthlich Nachahmung einer bronzenen Bildsaule des Naucydes, stehend mit der Wurfscheibe in der Hand; gefunden in den Trümmern eines antiken Gebäudes an der Via Appia, ungefahr acht Miglien von Rom. — Schöne Bildsäule eines stehenden Kriegers im griechischen Costume; behelmt und mit der vorn und hinten herabhangenden Chlamys bekleidet; gefunden bei der Vergrosserung des Palastes Gentili. — Ein Discobolus, gefunden an der Via Appia; wahrscheinlich eine Nachahmung des berühmten bronzenen Werkes des Myron, dessen Namen man auf dem Stamme liest. Der ergänzte Kopf sollte nicht wie hier vorwarts, sondern rückwärts gewandt seyu, wie an einer dieser ähnlichen Figur im Palast Massimo. — Ein Wagenlenker der Circusspiele. Antik ist nur der Korper und der nicht zu demselben gehorende Kopf. Der Leib ist mit Gurten umwunden, in denen ein sichelformiges Messer steckt, um damit die um den Korper gewundenen Zügel, im Fall der Wagen stürzte, abzuschneiden. — Schöne mannliche Gewandfigur, mit einem ihr fremden antiken Kopfe; nach einer irrigen Benennung Sextus von Chaeronea, Lehrer des M. Aurelius. — Diana als Jägerin, neben ihr ein Hund; gefunden im Garten der Mendicanti, in einer mit Alabaster und Mosaik ausgelegten Nische.

Vier Sarcophage: Auf dem einen — der zuvor im Appartamento Borgia stand — ist der Wettlauf des Pelops und Oenomaus vorgestellt. Pelops ist auf der vorderen Quadriga; und von der

hinteren stürzt Myrtilus, der Wagenlenker des Oenomaus, herab.
Zwei Meten an den Enden der Fronte bezeichnen einen Circus
als den Schauplatz der Begebenheit. — Die drei übrigen Sarcophage zeigen Vorstellungen der Circusspiele, in denen die Wagenlenker und Beireiter (Desultores) Amoren sind. Das eine dieser
Monumente, auf 'dessen Deckel fünf Desultoren gebildet sind,
denen bei der Meta ein Genius mit einem geflochtenen Gefässe
entgegenkommt, ist hinsichtlich der Sculptur das beste. Auf einem
anderen von ovaler Form sind, unter den Gebäuden der Spina,
ausser dem Obelisken und den gewöhnlichen auf Säulen ruhenden
Architraven zur Aufstellung der Eier und Delphine, noch drei
andere Gebäude, nebst einer Victoria auf einer corinthischen Säule
zu bemerken.

In der Gallerie des obern Stockwerkes:

In der Folge vom Eingange rechts: Zwei Vogelnester,
jedes mit fünf Kindern angefullt, auf einem Baumstamme, der
sich in mehrere Aeste verzweigt; ein anmuthiges, von neueren
Händen grossentheils ergänztes Werk von weissem Marmor. —
Jason, den einen verlorenen Schuh anziehend; eine kleine Wiederholung eines grösseren Werkes im Pariser Museum und in Mun-
chen. — Sarcophag, an dessen Fronte der Verstorbene, ein Knabe,
inmitten der Genien der Musen vorgestellt ist; gefunden im Gottesacker der heil. Cyriaca an der Via Salaria. — Zwei kleine
Hermen; zu bemerken wegen des in viereckiger Hermengestalt
gebildeten menschlichen Körpers. — Antiochia, vorgestellt als eine
weibliche Figur mit einer Mauerkrone, Kornähren in der Hand,
und der halben Figur des Flusses Orontes zu Fussen; gefunden
in der Tenuta del Quadraro vor Porta S. Giovanni. — Zwei runde
Aren von gleicher Grosse mit Gegenständen des ägyptischen
Gottesdienstes, aus spater römischer Zeit. — Zwei Candelaber von
gleicher Form und Grösse, auf dreieckigen mit erhobenen Arbeiten geschmückten Basen. Die Gegenstände der einen derselben
sind auf den Apollo, und insbesondere auf den Sieg dieses Gottes
uber den Marsyas bezüglich; auf der anderen ist, in Beziehung auf
den Bacchus, ein Satyr, eine Bacchantin, und ein Silen mit einer
Fruchtschüssel in der einen, und einem Kruge in der andern
Hand gebildet. — Ein Satyr, dem ein Pan einen Dorn aus dem
Fusse zieht; eine kleine, schön gedachte Gruppe von einer Brunnenmündung, von sehr wahrem und naturlichem Ausdruck. —
Sarcophag, an dessen Fronte der Muttermord des Orest gebildet
ist. Links sieht man den Aegisth von Pylades getödtet, rechts
steht Orest beim Leichnam der ermordeten Mutter; und hinter
einem das Innere des Hauses bezeichnenden Vorhange erscheinen
die strafenden Erinnyen mit Fackeln und Schlangen. Die Gruppen
an beiden Enden beziehen sich auf die Flucht des Orestes nach

Delphi, wo Apollo, der ihn zur Mordthat verleitete, die ihn verfolgenden Furien einschläferte. Rechts ergreift Orest den delphischen Dreifuss, bei einer der schlafenden Rachegottinnen; und drei andere sieht man zur Linken am Ende der anderen Fronte des Sarcophages. — Kleine Statue der Roma, auf einem Harnisch sitzend. — Eine runde Schale, von drei Silenen getragen. — Sitzender Mercur; bei ihm ein Hahn und ein Widder. — Vier Candelaber, auf deren dreieckigen Basen Kinder, die sich in Arabesken endigen, gebildet sind. — Ein antikes Mosaik von guter Arbeit, geschlachtete Huhner, Fische, Artischocken und Spargel vorstellend. — Kleine Statue einer behelmten Victoria. — Sarcophag mit einem zum Theil von Gyps erganzten Relief von sehr schoner Composition. Man sieht, vom Beschauer links, den Bacchus, der die Ariadne auf Naxos findet; der Wagen des Gottes ist mit einem Centaur und einer Centaurin bespannt, die ihrem Kinde die Brust reicht. Rechts ein dem bärtigen Bacchus dargebrachtes Opfer. — Zwei runde Aren mit sehr verstümmelten erhobenen Arbeiten. Auf der einen ist Charon, der die Seelen in die Unterwelt führt, vorgestellt; auf der andern die Strafe des Ocnus in der Unterwelt, verurtheilt, ein Seil von Binsen zu flechten, welches fortwährend ein Pferd oder ein Esel verzehrt; dabei sechs Danaiden, von denen die eine Wasser in ein grosses Gefass giesst, welches unten durch ein Loch wieder herausfliesst. — Ein Cippus mit der Vorstellung eines Bildhauers, welcher das Brustbild einer Frau nach dem Leben verfertigt. — Ein Candelaber; gefunden in der Villa Verospi. Der Schaft besteht aus vier Abtheilungen von Acanthusblättern; und auf der dreieckigen Basis ist der Streit des Apollo mit dem Hercules wegen des delphischen Dreifusses vorgestellt. Die Figuren sind grösstentheils neu. — Bildsäule einer Siegerin im Wettlaufe, als solche durch die Palme am Stamme bei derselben bezeichnet. Sie erscheint in einem dünnen Unterkleide, mit einer breiten Binde unter den Brüsten umgurtet. — Statue eines comischen Schauspielers unter Lebensgrösse; gefunden bei der Ausgrabung des praenestinischen Forums. — Ein Candelaber; gefunden bei den otriculanischen Ausgrabungen. Am Schafte, in Form einer nach oben verjüngten Säule, sind zwei Tauben gebildet: an der viereckigen Basis die Figuren des Jupiter, der Minerva, des Apollo und der Venus. Die letztere ist neu. — Statue eines Kriegers in halber Lebensgrösse, der mit dem einen Knie niedergesunken auf seinem Schilde ruhet und dasselbe zu vertheidigen scheint. Die phrygische Mütze auf seinem Haupte lässt in ihm einen Barbaren erkennen. — Sarcophag, den Pius VI. von dem Cardinal Cesi zum Geschenk erhielt, in dessen Villa vor Porta S. Sebastiano er gefunden wurde. An der Fronte ist der Besuch der Diana bei Endymion vorgestellt. Der Letztere

ruht im Schoosse des Schlafgottes; zur Rechten ein schlafender
junger Hirt. Ein Amor schreitet mit der Fackel in der Hand vor
der Luna her. Oben, auf einem Felsengrunde, die Nymphe des
Berges Latmos. Ein anderer Amor steht im Wagen der Gottin,
und ein dritter auf einem der beiden Rosse, deren Zugel er halt,
und deren Lauf durch eine geflügelte Hora aufgehalten wird. An
jeder der beiden Ecken des Monumentes ist ein auf die Fackel
gestutzter Genius mit einem Todtenkranze gebildet. An den
Querseiten die Vorstellung eines Hirten mit einem Schafe und
einem Hunde. Auf dem Deckel Lorbeergewinde, die von schwebenden aber ungeflügelten Knaben gehalten werden. — Bildsaule
des Ganymed mit dem Adler; gefunden zu Fallerone in der Mark
Ancona. — Korper und Kopf des Saturnus in Lebensgrösse, Fragment einer Statue, zuvor im Appartamento Borgia. Er hat, wie
in der sitzenden Figur dieses Gottes auf der capitolinischen Ara,
uber das Haupt ein Gewand gezogen, an dem noch ein Theil der
Hand erhalten ist. — Sarcophag, worauf der Raub der Tochter
des Leucippus gebildet ist. In der mittleren Hauptgruppe der
Fronte erscheinen die Dioscuren mit den geraubten Madchen.
Eine derselben fasst vor Schrecken das Gewand einer Frau, vermuthlich ihrer Mutter Philodice. Drei andere weibliche Figuren,
im Ausdruck der Bestürzung, sind vielleicht Jungfrauen, welche
die Blumen zur Hochzeit brachten, die in einem umgesturzten
Korbe zu Boden liegen. Rechts ist Leucippus bewaffnet, und
links sind des Aphareus Söhne begriffen, den an ihren Bräuten
begangenen Frevel zu ahnden. An jedem Ende der Fronte eine
Victoria mit einem Fruchtgewinde. An den Querseiten des Monumentes ist rechts die Vermählung des Castor mit der Phoebe,
und links die des Pollux mit der Hileaera vorgestellt. — Eine sehr
schöne Gewandfigur in halber Lebensgrösse, durch Aehren in der
ergänzten Hand als Ceres bezeichnet. Der Kopf ist antik, aber
fremd. — Weingefäss, von dem nur das Stuck antik ist, worauf
zwei Satyrn, im Begriff, Trauben mit einem grossen Steine zu
keltern, und ein auf der Doppelflote blasender Silen gebildet sind.
— Statue eines Negerknaben. — Weingefäss, von welchem nur
ein Stück antik ist, welches im Jahr 1796 in Ostia gefunden
wurde. Man sieht auf demselben einen tanzenden Satyr, mit dem
Thyrsus in der einen und einem Epheukranze in der andern
Hand, zwischen zwei einander gegenüber stehenden Waffentänzern;
ganz ähnlich denen des im Saale der Musen erwähnten Reliefs. —
Zwei sitzende Statuen comischer Schauspieler. — Bildsäule des
Apollo, als Diana in Frauenkleidern vorgestellt, nebst einem Hunde.
— Sarcophag; gefunden in der Vigna Casali vor Porta S. Sebastiano.
Die Bassirilievi stellen den Tod der Niobiden vor. Der Kasten
zeigt die Vorstellung ihres Todes durch die erzurnten Gottheiten

Apollo und Diana; und der Deckel des Monumentes den tragischen Anblick ihrer Leichname in schöner Composition. An der einen Querseite sind zwei fliehende Töchter der Niobe, und an der anderen einer ihrer Söhne gebildet, der seinen getödteten Bruder hält und rückwarts nach der ihn selbst bedrohenden Gefahr schaut. — Rundes Gefäss, nach oben etwas erweitert, auf welchem drei Satyrn und zwei Bacchantinnen gebildet sind. — Eine kleine runde Ara, auf welcher die Roma mit dem Bilde der Victoria in der Hand vorgestellt ist; die Insel Sicilien, als die Kornkammer Roms, in dem Brustbilde einer Frau mit der Triquetra (drei Menschenbeine, die aus einem Kopfe wie Strahlen hervorgehen), und die, die ewige Stadt begleitende Fortuna, mit der Mauerkrone, und dem Steuerruder in der einen, und einer Rolle in der andern Hand abgebildet. — Colossale Bildsäule des Bacchus; neben ihm eine Silensmaske auf der Cista mystica, und ein Panther mit einem Widderkopfe in den Klauen. — Ganymed als Knabe, mit dem der Adler zu scherzen scheint. — Candelaberfragment; gefunden in der Villa Hadrians. Man sieht darauf die Dioscuren, deren Haupt der Pileus bedeckt, mit ihren Rossen, und zwischen ihnen der Schwan, in dessen Gestalt Jupiter diese Heroen mit der Leda erzeugte. — Eine kleine Gruppe, den Ganymed vorstellend, den der Adler zum Olympus erhebt. — Sarcophag; gefunden in einem antiken Grabmale auf der Strasse nach Albano, etwas über zwei Miglien von Rom. In den etwas verstummelten Reliefs ist die Fabel des Protesilaus vorgestellt. An der Querseite des Monumentes, vom Beschauer links, sieht man den Abschied des Helden von seiner neuvermahlten Gattin Laodamia, als er mit dem Heere der Griechen in den trojanischen Krieg zog. Es folgt, an der Fronte: die Landung der Griechen am asiatischen Ufer mit dem Leichnam des getodteten Protesilaus; Mercur, der seinen Schatten empfangt, um ihn in die Unterwelt zu geleiten; der Götterbote, der ihn von da seiner Gattin zurückfuhrt, nachdem diese die Gotter gebeten hatte, ihr noch eine Unterredung mit ihm zu gewähren; der Moment des Wiedersehens der beiden Ehegatten; Laodamia schmerzensvoll auf ihrem Lager, zu dem Schatten des Protesilaus gewendet, dessen Vater Iphicles vermuthlich in dem zu ihren Füssen sitzenden Alten vorgestellt ist; Mercur, der den Protesilaus wieder zu dem Nachen des Charon zuruckfuhrt; zuletzt, an der Querseite, eroffnet sich ein Blick in die Unterwelt durch die vorgestellten Strafen des Sisyphus, Ixion und Tantalus. — Bildsäule eines liegenden Satyrs von schwarzem Basalt.

§. 54.

Das ägyptische Museum.

Das von dem gegenwärtigen Papst Gregor XVI. angelegte ägyptische Museum begreift die Zimmer und Säle des unteren Stockwerkes des Torre di Borgia genannten Theils des vaticanischen Palastes. Der Haupteingang ist in der Sala a Croce greca: ein anderer Eingang fuhrt in dieses Museum am Ende des Corridors des Museums Chiaramonti. Die in den päpstlichen Antikensammlungen zuvor zerstreut aufgestellten ägyptischen Monumente sieht man hier vereinigt und durch neue Erwerbungen vermehrt. Da es nicht erlaubt ist, diese Sammlung zu beschreiben, weil eine Beschreibung derselben auf Verordnung des Papstes erscheinen soll, so beschränken wir uns nur auf die Anzeige der vorzüglichsten schon bekannten Denkmäler.

In dem vom ersten Zimmer links gelegenen Saale stehen die folgenden vier colossalen Bildsäulen, die sich zuvor im Capitol befanden: Eine weibliche Figur von schwarzem Granit; ein altägyptisches, durch vorzügliche Arbeit ausgezeichnetes Werk, gefunden in der Villa Verospi; nach Rosellini's Erklärung der Hieroglyphenschrift Twea, die Mutter des Königs Ramses III., von den Griechen Sesostris genannt. — Eine andere weibliche Figur von rothem Granit, mit jener an demselben Orte gefunden, ist, nach Rosellini, aus den Zeiten der Ptolemaeer; von der in derselben vorgestellten Person gewähren die Hieroglyphen auf ihrem Rückenpfeiler keine Anzeige. — In der dritten und vierten der gedachten Statuen, die man in den Trümmern der Garten des Sallust entdeckte, ist, in Folge der Hieroglyphenschrift, Ptolemaeus Philadelphus und dessen Gemahlin Arsinoe vorgestellt. Beide sind ebenfalls von rothem Granit. — Auch sieht man hier die beiden schönen Lowen von grünlichem Basalt, die in den Thermen des Agrippa gefunden worden sind und zuvor am Fontanone a Termini standen. Die auf ihren Basen zu bemerkenden Hieroglyhen erklären sie für Werke aus der Zeit des Königs Nectanebus I., welcher in der Periode der Befreiung Aegyptens von dem persischen Joche (nach Rosellini 377—339 v. Ch. G.) regierte und der letzte der Pharaonen ist, von dem wir Monumente besitzen.

Im dritten Zimmer sieht man die colossale Bildsäule des Antinous von weissem Marmor im ägyptischen Style, die in der Villa Hadrians gefunden ward und zuvor im capitolinischen Museum stand. — Desgleichen eine colossale Bildsäule des Nil, zuvor in der Sala a Croce greca. Die meisten der übrigen in diesem und in dem folgenden Saale befindlichen Bildwerke standen zuvor theils in dem von den ägyptischen in' der Villa Hadrians entdeckten Denkmalern Stanza del Canopo benannten Zimmer des Capitols, theils in der oberen Gallerie des vaticanischen Museums. In der weiteren Folge sieht man, in dem halbzirklichen Gange der sogenannten Torre de' venti, zehn lebensgrosse Statuen der ägyptischen Gottin Pascht; vier stehend und sechs sitzend vorgestellt; gefunden zu Karnak in Oberagypten, wo das alte Theben stand, in den Trummern eines Tempels. Sie sind mit Lowenkopfen, der Sonnenscheibe auf dem Haupte, dem sogenannten Nilschlussel in der rechten, und einem Stabe in der linken Hand gebildet. Die Restaurationen dieser sämmtlich aus schwarzem Granit verfertigten Statuen sind nur von Gyps, dem man die Farbe des Granits gegeben hat. — Auch befinden sich hier zehn ägyptische Mumien und zwei steinerne Sarge. — Die beiden ersten der folgenden Zimmer enthalten eine ansehnliche Sammlung von kleinen ägyptischen Idolen. Im dritten bewahrt man unter Glas Handschriften auf ägyptischem Schilfpapiere; und im vierten befinden sich mehrere Tafeln mit eingegrabenen Figuren, und verschiedene andere Denkmäler.

§. 55.

Das Museo Gregoriano etrusco.

Diese von dem regierenden Papst Gregor XVI. gegründete Sammlung etruskischer Alterthümer verdankt ihre Entstehung der wunderbaren Ergiebigkeit der Ausgrabungen, welche in den Jahren 1828 bis 1836 an der Westküste des alten Etruriens, namentlich aber in Vulci veranstaltet worden sind. Obwohl man ursprunglich die Absicht gehabt zu haben scheint, nur Denkmaler etruskischen Fundorts hier aufzustellen, so hat man sich später doch veranlasst gefuhlt, auch römische Werke mit aufzunehmen, besonders solche, welche in neueren Zeiten ans Licht gezogen worden sind, und die in den anderen Abtheilungen des grossen vaticanischen Museums keinen schicklichen Platz finden konnten.

Beim Eintritt in das Vorzimmer stösst der Blick auf einige jener langen Särge von gebrannter Erde, auf deren Deckel die Bildnisse der Verstorbenen in ganzer Figur ausgestreckt liegen. Sie stammen aus den Gräbern von Toscanella, wo dergleichen häufig im Gebrauch gewesen sind. — Zwei Pferdeköpfe aus einem vulkanischen Tuff, Nenfro genannt, wurden vor einem in Vulci geöffneten Grab zu beiden Seiten des Eingangs entdeckt. In der zweiten Kammer sind mehrere von jenen Todtenurnen aus Alabaster und Travertin aufgestellt, die in Perugia, Chiusi und Volterra besonders häufig vorzukommen pflegen. Sie

zeigen meist rohe Vorstellungen griechischer Mythen mit häufiger
Einmischung etruskischer Todtendaemonologie. So z. B. das Opfer
der Iphigenia, der Tod des Oenomaus, der Raub der Helena u. dgl.

In dem dritten Zimmer ist ein merkwurdiger Sarcophag
von Nenfro aufgestellt, der aus Toscanella stammt und auf allen
vier Seitenflächen mit flachen Bildwerken geschmuckt ist. Vorn
der Muttermord des Orest, nebst dessen Verfolgung durch die
Furien; auf der schmaleren Seitenflache vielleicht das Opfer der
Iphigenia; auf der Rückseite der thebanische Brudermord, dabei
Oedipus in die Unterwelt zurückgefuhrt; auf der vierten Seite
Telephus, der mit dem kleinen Orestes auf den Hausaltar des
Agamemnon geflohen ist. Auf dem Deckel liegt der Verstorbene
in Flachrelief gebildet, auffallend an mittelalterliche Grabmäler
erinnernd. — In den Ecken des Zimmers mehrere jener so-
genannten antediluvianischen Todtenhäuschen, welche man bei
Albano unter einem Lavalager entdeckte, das jedoch einen künst-
lichen Zugang hatte. Sie ähneln den Schweizerhäusern.

Das vierte Zimmer ist für die Terracotten bestimmt.
Etruskisch ist daran nur der kleinste Theil. Das Wichtigste sind
drei Fragmente von lebensgrossen Statuen weiblicher Figuren,
welche bei dem Graben des Durchstichs in Tivoli gefunden worden
sind. Sie werden von den Kunstlern überaus bewundert.

Links an der Wand sind Reliefs von Terracotta angebracht,
darunter der Raub der Leucippiden durch die Dioscuren. Hier
sowohl als an der folgenden Rückwand sind mehrere Reliefs
mit Thaten des Hercules, z. B. die Bändigung des Stiers, der
Kampf mit der Hydra, mit dem Lowen und dergl. eingelassen. —
An der Rückwand steht zuerst ein Sarcophag, welcher von dem
Bett eines entschlafenen Jägers gebildet ist. Die Wunde an seinem Schenkel lasst einen Adonis in demselben erkennen. Zu
Füssen liegt sein treuer Hund. Dieses merkwurdige und seltene
Denkmal, welches deutliche Spuren von Bemalung zeigt, stammt
aus Toscanella. — Es folgt hierauf neben der Statue des Mercur
ein Sarcophag von gebrannter Erde, mit Kampfvorstellungen auf
der Vorderseite und einer liegenden Figur auf dem Deckel; aus
Chiusi stammend. Die erwähnte lebensgrosse Statue des Mercur
ist ein romisches Werk, an mehreren Stellen ergänzt, aber als
ein Werk von Terracotta in dieser Grosse merkwürdig. — Ausserdem ist hier noch eine Menge von kleinen Aschenkisten, Stirnziegeln, Ornamenten, Basrelieffragmenten und Votivdenkmälern
aufgestellt, die wir nicht einzeln auffuhren wollen. — In dem
Glaskasten am Fenster werden mehrere interessante Anticaglien aus etruskischen Gräbern aufbewahrt, namentlich Arbeiten
aus farbigem Glas.

In dem fünften Zimmer stehen mehrere Amphoren mit

schwarzen Figuren auf rothem Grund rund umher. Bei weitem das interessanteste und schönste Gefäss ist der in der Mitte des Zimmers auf einem Saulensturz aufgestellte Crater, dessen zarte Malereien die Uebergabe des Bacchuskindes an den Silen vorstellen. Der Grund, auf welchem diese Malereien in einem seltenen und eigenthumlichen Stile aufgetragen sind, ist weisslich. Auf der Ruckseite erscheinen die musischen Nymphen oder die Grazien, die eine mit der Leier. — Ein anderes Gefäss mit rothen Figuren auf schwarzem Grund stellt ein Treffen zwischen Amazonen und Griechen vor. — N e b e n d e m F e n s t e r die grossgriechische Vase mit der comischen Darstellung des Besuchs des Jupiter bei der Alcmene, die er in der Gestalt des Amphitruo täuscht. — I n d e m G l a s k a s t e n a m F e n s t e r ähnliche Anticaglien wie in dem vorhergehenden Zimmer.

In dem darauf folgenden s e c h s t e n Z i m m e r sind vorerst sämmtliche auf Saulenstürzen aufgestellte Vasen merkwurdig: 1) Dreihenkliges Gefass mit der Darstellung von sechs Musen, in deren Mitte ein Poet erscheint, welcher sich von seinem Sitze erhoben hat. 2) Gefäss gleicher Form mit dem Tod des Hector. Seinem Gegner steht Minerva zur Seite, wahrend Apollo sich von seinem Schützling abwendet, den Pfeil der Rache erhebend, durch den auch der Pelide einst sterben soll. 3) Prachtvolle Amphora mit dem Namen des Künstlers Exekias. Die eine Seite stellt den Aias und Achilles beim Würfel- oder Brettspiel vor; dieser hat vier, jener drei geworfen, wie durch Inschriften angezeigt ist. Auf der Rückseite erscheint die ganze Dioscurenfamilie. Castor kehrt mit seinem Ross Kylaros heim; Polydeuces spielt mit dem treuen Hund des Hauses; Lede halt ein Reis in der Hand. Sämmtliche Figuren sind mit Namen versehen und in einem alterthumlichen aber äusserst feinen Stil gezeichnet. 4) Grosses kesselformiges Gefäss, auf einem beweglichen Fuss aufgestellt. Es zeigt auf bräunlichem Grund alterthumliche Figuren. Die Hauptvorstellung ist eine Eberjagd. Die übrigen Kreise füllen phantastische und wirkliche Thierbildungen. Dieses auch durch sein Ornament auf ein hohes Alter zuruckweisende Gefäss stammt aus Cerveteri.

A u f d e n M a r m o r t a f e l n d e r S e i t e n w ä n d e sind zahlreiche Vasen aufgestellt, von denen wir nur folgende auszeichnen: 1) Dreihenkliges Gefass mit der Darstellung des Apollo, welcher auf einem geflugelten Dreifuss sitzend uber das Meer hin getragen wird. 2) Dreihenkliges, sehr alterthumliches Gefäss mit dem Zweikampf des Aias und Aeneas, dem Hector zum Beistand herbeieilt. Die Inschriften zeigen eine uralte Form. 3) Amphora mit der doppelten Darstellung eines Zwiegesprächs. Auf der einen Seite fleht ein Oelbauer oder ähnlicher Landwirth den Zeus um Reichthum an, auf der Rückseite wünscht ihm sein Gefährte Glück, da ja des Wohlstands die Fulle da sei, da es ja schon überlaufe. Letzteres Gespräch findet beim Ausmessen der Oelernte statt, das erstere unter dem Baum, dem die reiche Ernte verdankt wird.

Von den anderen zahlreichen Gefässen heben wir keine weiteren Beispiele aus, da wir uns aus Mangel an Nummerbezeichnung nicht verständlich machen und daher den Leser nur ermüden würden.

In den Glaskasten an den Fenstern befinden sich mehrere interessante Rhytons, das sind Gefasse aus gebrannter Erde, die allerlei Thierbildungen, wie einen Adlerkopf, selbst einen menschlichen Schenkel zeigen. Auch schöne feine Gefasse aus gebrannter Erde verdienen Aufmerksamkeit.

Ueber den Thüren sind Mosaiken eingemauert, von denen namentlich eine Gladiatorendarstellung sehr merkwurdig ist.

In dem langen halbrunden Corridor befinden sich die vorzüglichsten und zahlreichsten Gefässe, von denen wir nur die wichtigsten Darstellungen ausheben. 1) Darstellung des Zweikampfs des Hercules und Cycnus, ersterer von der Minerva, dieser von seinem Vater Mars unterstutzt. 2) Reiche Darstellung eines Gigantenkampfs: Hercules befindet sich mit Zeus auf derselben Quadriga und schiesst mit dem Bogen unter die Gegner. 3) Poseidou verfolgt die Aethra, welche mit einem Korb auf die Blumenlese gegangen ist. Nach einer Sage zeugte er mit ihr den Theseus. 4) Zwei panathenaeische Preisgefässe mit der solennen Inschrift. Auf der einen Seite erscheint Athene zwischen zwei Säulen mit Kampfhähnen, auf der Ruckseite ist der Wettlauf oder ein sonstiger Wettkampf vorgestellt, in welchem der Sieger den Preis davongetragen ·hat. 5) Prachtvolle Amphora mit der Vorstellung der Minerva, des Hercules und des Jolaus. Hercules reicht der Minerva die Rechte und ruft ihr Lebewohl zu. Auf der Ruckseite zwei tanzende und ein leierspielender Mann. 6) Der Wettkampf des Thamyras mit den Musen, schönes dreihenkliges Gefass mit Inschriften. 7) Der todte Memnon von der Aurora betrauert. 8) Hector zwischen dem greisen Priamus und der Hecuba, welche ihm einen Labetrank in eine Schale giesst, wahrend jener trauernd in die unheilschwangere Zukunft hinausblickt. 9) Zeus, welcher die Aegina zu rauben im Begriff ist. Auf der Rückseite erzahlen die heimkehrenden Schwestern dem greisen Asopus die wunderbare Mähre. 10) Herrliche Amphora mit der Heldengestalt des Achilles, der auf seinem Harnisch eine Medusenmaske trägt. Auf der Rückseite eine ebenfalls schön gezeichnete aber fragmentirte Frauengestalt.

Auf der Rückseite der Wand sind mehrere interessante Gefässe auf Halbsäulen aufgestellt. Darunter zeichnen wir folgende aus: Achilles einen jungen Krieger verfolgend, welcher mit zwei Rossen seiner Schwester zur Quelle gefolgt ist. Diese flieht erschrocken nach der anderen Seite hin, nachdem sie ihr Wassergefass hat zu Boden fallen lassen. — Aurora auf einem Viergespann bei einer Saule, auf welcher ein Dreifuss steht. — Amazonengefecht in rothen Figuren. — Vorstellung einer merkwurdigen Kelterung, der Dionysos selbst beiwohnt. Die Trauben sind in ein Tuch eingeschlagen und werden von einem Satyr zertreten. — Ausserdem sind hier noch mehrere jener grosseren Gefässe aufgestellt, die sich vorzugsweise in den Gräbern von Apulien und Basilicata zu finden pflegen. Das mit dem von den Furien verfolgten und zum Altar des Apollo gefluchteten Orestes verdient darunter ausgezeichnet zu werden.

Die Trinkschalen befinden sich in dem folgenden Corridor. Unter diesen sind die feinsten Malereien zu bemerken. Da uns auch hier nur eine sehr gedrangte Auswahl vergönnt ist, so beschränken wir uns auf die Angabe des Bedeutendsten und Merkwürdigsten: 1) Vase mit der Vorstellung eines Grabmonuments, welches eben angemalt wird. Ein Mann auf einem Wagengespann sprengt darauf zu. 2) 3) Die Vorstellung des Oedipus, welcher vor der Sphinx erscheint, zweimal wiederholt. Die eine zeigt eine Carricatur: Oedipus als bärtiger Dickkopf, die Sphinx als Affe oder Katze. 4) Ein auf einem Triclinium liegender Mann, der unter der Wirkung eines Brechmittels leidet und dabei von einer Frau unterstutzt wird. 5) Jason von dem Drachen ausgespieen, dabei Minerva als die Schutzgottheit des Helden. 6) Am Ende der ersten Reihe: die Schale, welche die feinste Zeichnung liefert, die bis jetzt auf Thongefassen zum Vorschein gekommen ist. Sie stellt Gruppen von Palaestriten dar.

In dem darauf folgenden Schrank werden mehrere sehr kostbare Kleinodien aufbewahrt: 1) Eine kleine Vase mit einem sehr anmuthig behandelten Hahnenkampf. 2) Der Perserkönig, dem die Königin einen labenden Trank reicht. 3) Ein sublimes Giessgefass mit der Begegnung des Menelaus und der Helena. Diese ist zum Palladium geflohen, Venus ist zwischen den erzürnten rachesuchtigen Gemahl und ihren Liebling getreten, während ein kleiner Amor ihm mit einem Kranz entgegenschwebt. Links folgt Peitho, die Gottin der süssen Ueberredung. — Ausserdem werden hier zahlreiche andere Gefässe, namentlich auch jene schwarzen alterthümlich gebildeten aufbewahrt, deren Aufzählung die Grenzen dieses Werkes überschreiten wurde.

In der weiteren Reihe zeichnet sich besonders eine Schale aus, deren inneres Gemälde den Raub der Proserpina durch Pluto vorstellt. An der Aussenseite erscheint beidemale Pluto auf einem Sessel, umgeben von nackten Jünglingen, von denen der eine ihm eine Granatblüthe zur Mahnung an die Rückkehr der Proserpina auf die Oberwelt, der andere eine Granatfrucht zur Erinnerung an ihre Heimkehr zu dem Fürsten der Schatten ihm darreicht. Beidemale ist Pluto mit einem Armband von Granatäpfeln geschmuckt, welches in der Hauptvorstellung Proserpina trägt.

Unter den Schalen auf den Repositorien der Rückwand zeichnen wir folgende aus: 1) Der Rinderdiebstahl des kleinen Mercur. Apollo sucht auf der einen Seite den Dieb der ihm entwendeten Rinder; auf der Ruckseite sieht sich Maia nach ihrem neugeborenen Knaben um. Dieser, voller Schalkheit, hat sich, mit dem Petasus bekleidet, in seine Wiege zurückgezogen, die in einer Höhle verborgen steht. 2) Schale mit dem Tod des Achilles. Aias trägt den entseelten Helden auf den Schultern hinweg. 3) Hercules in dem Gefass, welches ihm der Sonnengott geschenkt, das Meer durchschiffend. An der Aussenseite die doppelte Wiederholung der Vorstellung mit dem Tod des Hector, wie wir sie an der dreihenkligen Vase in dem grosseren Vasenzimmer gesehen haben. 4) Konig Midas auf einem Thron sitzend mit Eselsohren. Vor ihm steht sein vertrauter Diener mit einem Rohrstengel in der Hand, der an den Verrath des Geheimnisses durch denselben erinnert.

Da wir darauf verzichten müssen, hier einen Catalog aller der zahlreichen Gefässe, die diese Sammlung so kostbar machen, zu liefern, so haben wir uns nur auf die Erwähnung derer beschränkt, die in ihrer Art einzig sind, und von denen sich in keinem anderen Museum Wiederholungen vorfinden.

Nachdem man aus den mit den Vasen geschmückten Räumen zurückgekehrt ist, wird man in einen grossen Saal gefuhrt, der die kostbarsten Schätze dieses Museums aufbewahrt. Vor Allem ist der grosse, in der Mitte desselben aufgestellte Glastisch zu bemerken, in welchem sich die Kostbarkeiten von Gold und Silber befinden, die in den letzten 15 Jahren in Etrurien ausgegraben worden sind. Der obere Aufsatz desselben befasst den merkwürdigen Schatz, welchen im Jahr 1836 der General Galassi und Arciprete Regulini in Cerveteri fanden. Das Grab, in dem er vor Jahrtausenden niedergelegt worden war, zeigte eine sehr alterthumliche Construction und war von anderen ebenfalls uralten Grabern in einer Weise umschlossen, dass man sich zu der Annahme genöthigt sah, es fur alter noch als diese zu erklären. Er wird dadurch in eine sehr hohe Epoche hinaufgerückt. Die Hauptstücke sind: 1) eine Art von Piviale, welches gepresste oder getriebene Ornamente zeigt. 2) Eine hochst eigenthümlich gestaltete Agraffe mit vielen kleinen Ecken in Relief. 3) Mehrere Tazzen und Schalen von Silber, die Graffit- und Reliefvorstellungen zeigen, welche sehr an ägyptische erinnern. Ausserdem eine grosse Menge von Schmuck, Ambra in Gold gefasst, und dergleichen.

In dem unteren Kasten sind vorzüglich diejenigen Goldsachen ausgestellt, welche die Necropole von Vulci geliefert hat. Lorbeer- und Myrtenkranze, goldene Ketten, Amulette, Kapseln mit Relieffiguren, Ringe u. s. w. bilden den Hauptbestandtheil dieser kostbaren Sammlung. Auch ist darunter eine romische Bulle besonderer Grosse zu bemerken.

Unter den Bronzen sind ebenfalls diejenigen die merkwürdigsten, welche aus dem erwähnten Grab von Cerveteri stammen. Das Bett, worauf der Verstorbene gelegen, Sessel mit phantastischen Verzierungen, Schilder, Pfeile, Rauchpfannen und die Handhaben von Cedernadeln gehören zu diesem merkwurdigen Funde. Ausserdem sind eine Menge von Waffen, Candelaber, Gefasse u. dergl. in bunter Ordnung aufgestellt. Besondere Auszeichnung verdient eine ovale Ciste mit getriebenen Reliefvorstellungen von Amazonenkampfen, welche aus Vulci stammt. Dass sie die Bestimmung eines Badgerathes hatte, zeigten die darin aufgefundenen Gegenstande, als Spiegel, Kamme, Nadeln etc. Unter den Spiegeln mit Graffitvorstellungen sind folgende besonders merkwurdig: 1) Zeus von Thetis und Aurora um die Erhaltung ihrer Sohne angefleht. 2) Odysseus vor dem Tiresias in der Unterwelt, dabei der chthonische Hermes. 3) Heracles bei dem Atlas. 4) Eine rathselhafte Vorstellung, die sich auf den Thamyris oder Adonis bezieht. 5) Calchas bei der Opferschau. 6) Neptun, der Sonnengott und die Aurora im nächtlichen Verein. 7) Peleus und Atalante mit einander ringend bei den Leichenspielen des Pelias. Auch befindet sich unter diesen Spiegeln einer mit einer Reliefvorstellung, Aurora vorstellend, die den schonen Memnon raubt.

Ferner ist hier auch eine jener Cisten mit Graffitvorstellungen zu bemerken, ein schöner Dreifuss mit Gruppen, die auf die Vergötterung des Heracles Bezug haben, eine Kohlpfanne mit der Feuerzange und dem Feuerhaken und zahlreiche andere höchst merkwurdige Anticaglien, deren Aufzählung sehr weit fuhren würde.

Ein Wagen von Bronzeblech, der früher im Gabinetto Borgia aufgestellt war, ist jetzt ebenfalls hierher gebracht.

Unter den grosseren Sculpturen zeichnet sich der Mars aus Todi aus, eine sehr wohlerhaltene fast lebensgrosse Figur, die sehr geschickt gegossen, aber schlecht zusammengesetzt ist. Die technische Ausführung ist besser als die Erfindung. Auf dem Gurtel ist eine unentzifferte Inschrift eingegraben. — Ferner ist der kleine Knabe aus Tarquinii, der fruher in der vaticanischen Bibliothek stand, hieher gebracht worden. Man hat ihn für Tages erklären wollen.

Ein colossaler Bronzearm wurde nebst einem Delphinschwanz und einem Scepter bei Civitavecchia aus dem Meere gefischt, und man' vermuthet, dass er zu einer Statue des Trajan gehort hat. Die Arbeit ist wundervoll.

Auf dem Durchgang in den letzten Saal, wo die Copien der tarquinischen Wandgemalde aufgestellt sind, kommt man an einem Rahmen mit merkwurdigen getriebenen Bronzereliefs vorbei, die aus Bomarzo stammen und zum Theil Opfer, zum Theil eine Gigantomachie vorstellen.

Ausser den erwähnten Copien nach Wandmalereien befinden sich in dem letzten Saale einige interessante Denkmäler, unter denen sich die berühmte Triptolemosvase, ein Geschenk des Fursten Poniatowski an die vaticanische Bibliothek, besonders auszeichnet. Auch muss die Inschrift hervorgehoben werden, welche den Namen der Stadt Vulci zeigt und dadurch die Benennung jener berühmten Necropole bei Ponte d'ell Abbadia ausser allen Zweifel gesetzt hat.

Bevor man dieses Museum verlässt, pflegt den Fremden gewöhnlich noch das Modell einer jener Graber gezeigt zu werden, denen wir die hier aufgehauften, in der That staunenswerthen Schätze verdanken. Vor demselben ist einer jener wunderlichen Candelaber aufgestellt, die aus Cerveteri stammen.

§. 56.

Galleria Geografica.

Die Galleria geografica führt diesen Namen von den Landkarten der Provinzen und Inseln Italiens, die hier an den Wanden nach den Zeichnungen des Dominicaners Ignazio Dante gemalt sind. Die Deckenmalereien sind im Pontificate Gregors XIII. von Antonio Tempesta und andern Malern dieser Zeit ausgefuhrt worden. Sie enthalten biblische und andere geistliche Gegenstande, nebst Arabesken und Landschaften. Die letzteren sind Werke des Paul Brill. An· den Wanden sind antike Büsten und Hermen aufgestellt, von denen uns folgende bemerkenswerth scheinen:

Doppelherme eines bartigen Bacchus mit einer Frau; vielleicht Libera. — Doppelherme, nach Visconti Hercules und Mercur, über der Corona tortilis mit Weinlaub geschmuckt. — Bärtiger Kopf, nur zu bemerken wegen des Namens Pisistratus in griechischer Inschrift auf dem Hermensockel, auf welchem sich der moderne Schaft erhebt. — Doppelherme, gefunden in der Villa Fonseca auf Monte Celio. Der eine Kopf derselben entspricht dem Bildniss des Bias in der Herme mit dem Namen dieses Weisen im Saale der Musen. Dass in dem andern Kopfe Thales vorgestellt sei, gründet sich auf die allerdings nicht unwahrscheinliche Vereinigung des Bildnisses dieses Philosophen mit dem des Bias, da diese beiden nicht nur zu den sieben Weisen Griechenlands gehorten, sondern auch Priene ihre gemeinsame Vaterstadt war. — Doppelherme des Homer und Archilochus, ebenfalls in der gedachten Villa Fonseca gefunden. Den letzteren der beiden genannten Dichter glaubt man hier zu erkennen, weil sein Gedachtniss mit dem des Homer in Griechenland an Einem Tage gefeiert wurde. — Kopf des Antisthenes, gefunden in der Villa Hadrians. — Männlicher Kopf mit einer dichtanschliessenden Mütze bedeckt; für den Vulcan erklart. — Herme mit einem bärtigen Kopfe, den ein mit einer bacchischen Stirnbinde befestigtes Tuch bedeckt; für den Schlafgott erklart. — Doppelherme eines pinienbekranzten Satyrs und einer mit Epheu bekränzten Frau. — Kopf des Hercules, mit der Lowenhaut bedeckt. — Doppelherme des Liber (des bärtigen Bacchus) und der Libera. Diese ist mit einer gewundenen Stirnbinde, und jener mit der Stirnkrone bekränzt. — Doppelherme des Ammon und des gehornten Bacchus. — Doppelherme eines kahlköpfigen Silen und eines Satyrs; beide mit Epheu und herabhangenden Bändern bekränzt. — Doppelherme des bärtigen Liber und der Libera. Die letztere hat eine Schnur um die Stirn gebunden. — Jugendlicher Satyrkopf mit einem Epheuzweige uber der Stirnbinde. — Hermenkopf eines Comikers. — Kopf des Socrates. — Kopf des Metrodor. — Jugendliche Herculesherme von guter Sculptur; gefunden in der Villa Hadrians: am Schafte das männliche Glied. — Herme des jugendlichen gehörnten Bacchus, mit der Corona tortilis bekranzt; eine in antiken Denkmalern seltene Vorstellung.

§. 57.

Raphaels Tapeten.

Die berühmten, nach Raphaels Compositionen in Flandern gewirkten Tapeten bestehen aus zwei verschiedenen Reihen. Die Gegenstände der einen sind Geschichten der Apostel, die der anderen Begebenheiten aus dem Leben Christi. Die erstere, welche zehn Tapeten von derselben Hohe, aber nicht von gleicher Breite begreift, liess Leo X. für die Sixtinische Capelle verfertigen, deren Wände sie noch im vorigen Jahrhundert bei den papstlichen Functionen schmückten. Raphael verfertigte zu diesen Werken, in denen wir ihn auf dem Gipfel seiner Grösse in Composition und Zeichnung finden, die Cartone in Wasserfarben in den Jahren 1515 und 1516 und erhielt dafur eine Belohnung von 434 Ducati, gleich 737 Scudi 80 Bajocchi. Die Cartone zu den Vorstellungen, welche die Hauptbilder als Zierraten umgeben, wurden vermuthlich nicht von Raphael, sondern von seinen Schulern nach des Meisters Entwurfen ausgefuhrt. Die Seitenfriese sind, im Geschmack der Arabesken, mit sehr schon gedachten, meistens nackten Figuren, die grossentheils mythologische Gegenstande vorstellen, in naturlicher Farbe geschmückt. Hochst wahrscheinlich hatte an der Ausfuhrung ihrer Cartone Johann von Udine bedeutenden Antheil. An den Sockeln unter den Hauptbildern sind kleine Bilder in Bronzefarbe. In einigen derselben sieht man auf jene bezügliche Geschichten der Apostel, in den meisten aber Begebenheiten aus dem Leben des Cardinals Giovanni de' Medici, nachmaligen Papstes Leo X. Die letzteren sind moglichst in den Character des classischen Alterthums, selbst mit gänzlicher Entfernung von dem Costume ihrer Zeit ubertragen. Die Krieger sind in antiker Rüstung gebildet, der Arno und die Tiber als Flussgotter personificirt, und Rom erscheint als die Gottin dieser Stadt; auch Berg- und Waldgottheiten sind hier zu bemerken. Auf drei Sockeln sind zwischen den historischen Bildern zwei Löwen vorgestellt, die Oelzweige oder mediceische Sinnbilder halten, und ausser ihrer gewohnlichen Bedeutung der Starke vermuthlich auch auf den Namen des gedachten Papstes anspielen. Nach dem Bericht des Ceremonienmeisters Leo's X., Paris de Grassis, kostete ein jedes Stück dieser Tapeten 3400 Piaster nach heutiger Munze.

Die vortreffliche Arbeit dieser aus Wolle, Seide und Gold gewirkten Tapeten ist in ihrem jetzigen, sehr beschadigten Zustande nur noch in einigen besser erhaltenen Theilen zu erkennen. Ihre ersten und wahrscheinlich bedeutendsten Beschädigungen veranlasste wenige Jahre nach ihrer Entstehung die Plunderung Roms, bei der sie den Truppen Carls V. zur Beute wurden. Der Connetable Anne Montmorency, der darauf, man weiss nicht wie, zu ihrem Besitze gelangte, stellte sie, nachdem er sie hatte ausbessern lassen, Julius III. im Jahre 1553 als papstliches Eigenthum zuruck. Aber die untere Halfte der Tapete, welehe die Geschichte des Zauberers Elymas vorstellte, war verloren, und vermuthlich des eingewirkten Goldes wegen verbrannt worden. Auch die Seitenfriese, die jetzt an einigen Tapeten fehlen, ursprunglich aber wohl an allen vorhanden waren, dürften dasselbe Schicksal erlitten haben. Von Raphaels Cartonen sind gegenwartig nur noch sieben vorhanden, die sich, wie bekannt, in England befinden.

Die Tapeten der anderen von den beiden oben erwähnten Reihen, welche grössere Bilder und in colossaleren Figuren als jene zeigen, sind fast unstreitig aus späterer Zeit. Sie sind ohne Bezeichnung durch Namen und Wappen, die auf Werken, deren Verfertigung die Papste veranlassten, nicht zu mangeln pflegt, und wurden daher vermuthlich von ihnen fertig angekauft, oder bei

irgend einer Gelegenheit als ein Geschenk erworben. Sie sollen
ursprunglich zur Verzierung des bis auf Paul V. stehen gebliebenen Theils der alten vaticanischen Basilica gedient haben. In
späteren Zeiten schmückten sie die Vorhalle der heutigen Peterskirche bei den Functionen der Heilig- und Seligsprechungen. Die
Cartone zu denselben wurden höchst wahrscheinlich von niederlandischen Künstlern, in denen man Van Orley und Michael
Coxis vermuthen durfte, nach kleinen Zeichnungen Raphaels ausgefuhrt. Sie zeigen nicht, wie jene aus der Zeit Leo's X., Raphaels Umrisse, sondern nur seinen Stil mehr oder minder glücklich nachgebildet, und seine Composition; die letztere jedoch nur
in sehr wenigen von so ausgezeichneter Vortrefflichkeit, als in jenen
fast ohne Ausnahme. Die Arbeit der Tapeten ist ungleich und
von verschiedenen Handen, meistens jedoch schlecht, zum wenigsten in den Köpfen und nackten Theilen.

Beide Tapetenreihen waren in den letzten Zeiten nur am
Frohnleichnamsfeste sichtbar, an welchem sie in der Gallerie des
Petersplatzes vor der Scala Regia aufgehängt wurden. In der
Zeit der französischen Revolution geriethen sie in die Hände von
Barbaren, welche, um das in dieselben eingewirkte Gold zu gewinnen, ihre Vernichtung beschlossen, auch eine von den Tapeten
der zweiten Reihe, das Hinabsteigen Christi in den Limbus vorstellend, deswegen verbrannten. Da aber die Ausbeute nicht ihrer
Erwartung entsprach, so verkauften sie die ubrigen in Genua, wo
sie nach einigen Jahren fur Pius VII. wieder angekauft und dann
im Jahre 1808 nach Rom zurückgebracht wurden. Im Jahre 1814
wurden sie an den Wanden der von Pius V. benannten Zimmer
aufgehängt, aus welchen die meisten vor einigen Jahren in
die obere Gallerie des Belvedere gebracht worden sind. Da ihnen
vielleicht in Kurzem eine abermalige Ortsveränderung bevorsteht,
so betrachten wir sie nach ihren beiden verschiedenen Reihen,
abgesehen von ihrer dermaligen ortlichen Folge.

Erste Reihe.

1. Der heil. Paulus, der den Zauberer Elymas mit
Blindheit schlägt. Der untere Theil dieser Tapete ist, wie
wir bereits erwahnten, verloren gegangen. Wir sehen in diesem
vorzuglich gut erhaltenen Fragmente noch den oberen Theil der
sammtlichen Figuren dieser bewundernswürdigen, höchst ausdrucksvollen Composition, von welcher der Originalcarton in England noch ganz erhalten ist. — Auf dem Seitenfriese sieht man
eine weibliche Figur als Statue in einer Nische.

2. Die Steinigung des heiligen Stephanus. Er hebt
knieend den Blick zu der ihm erscheinenden Glorie des Himmels
empor, Gott um Barmherzigkeit für seine Mörder bittend. Auf

dem Vordergrunde scheint Saulus, bei dem die Kleider der Blut-
zeugen liegen, mit Wohlgefallen an der Marter auf den Heiligen
zu zeigen. — Auf dem Sockel ist die Ruckkehr des Cardinals
Johann de' Medici von Rom nach Florenz, nach dem Ableben
seines Vaters, vorgestellt.

3. Der heil. Petrus, der einen Lahmen im Tempel
zu Jerusalem heilt. Er hebt, in der Mitte des Bildes, neben
dem heil. Johannes, die Hand des Lahmen empor und scheint
die Worte zu sprechen: „im Namen Jesu von Nazareth, stehe auf
und wandele." Ein anderer, ebenfalls an den Fussen kranker
Bettler, ein Mann im Ausdruck des Erstaunens, und eine Frau
mit einem Kinde sehen, vom Beschauer links, auf die Apostel.
Mehr nach dem Hintergrunde kommen zwei Frauen in den Tempel. Die eine bringt einen Korb mit Fruchten zur Opfergabe,
und ein sie begleitender Knabe tragt ein paar Tauben zu derselben
Bestimmung. Auf dem Sockel, vom Beschauer rechts, Johann
von Medici, der sich als Cardinal-Legat in der Schlacht bei Ravenna zum Kriegsgefangenen ergiebt, und links seine Flucht aus
dieser Gefangenschaft.

4. Der heil. Paulus im Gefängnisse zu Philippi während des Erdbebens, welches durch einen Riesen angedeutet ist,
welcher in der Oeffnung der von ihm erschütterten Erde erscheint.
Innerhalb des Gefängnisses sieht man den Apostel betend vor
einem Gitterfenster, und ausserhalb desselben einen Soldaten mit
einem Manne, vermuthlich dem Kerkermeister, den der h. Paulus
nach diesem Wunder bekehrte. — Das Sockelbild dieser sehr
schmalen Tapete stellt einen sitzenden Krieger vor, der in der
einen Hand einen Stab halt, und die andere nach einem vor ihm
knieenden Manne ausstreckt.

5. Die Bekehrung des heil. Paulus. Er liegt zu Boden
vom Pferde gestürzt, vom Schrecken über die Erscheinung des
Heilandes ergriffen, die nur er allein sieht, wahrend seine bewaffneten Begleiter die drohende Gegenwart der Gottheit nur durch
ihre Wirkung in der Natur und durch das Schrecken ihres Füh-
rers gewahren. — Die Gegenstände des Sockelbildes beziehen sich
auf die Christenverfolgungen, die Saulus vor seiner Bekehrung
verübte.

6. Der heil. Petrus, der, im Beiseyn der übrigen
Apostel, von dem Heilande die Schlussel empfängt, in-
dem der Erlöser ihm seine durch eine Heerde Schafe angedeutete
Gemeinde empfiehlt. — Am Sockel, vom Beschauer rechts: der
Cardinal Johann von Medici, als Franciscaner verkleidet, auf der
Flucht aus Florenz bei der Vertreibung seiner Familie aus dieser
Stadt. Zur Linken die bei dieser Revolution erfolgte Plünderung
der Kostbarkeiten des mediceischen Palastes. Auf den Friesen zu

beiden Seiten des Hauptbildes rechts die Parzen und links die Jahreszeiten.

7. **Der Tod des Ananias.** Der heil. Petrus steht unter den in der Mitte des Bildes versammelten Aposteln auf einem erböbten Platze. Vor ihm liegt Ananias in den Verzuckungen des Todes, welche die nachsten Personen mit Schrecken erfullen. Andere kommen mit Bündeln, vermuthlich ihrer Habe, herbei, welche sie der Gemeinde ubergeben wollen. Aus dem entfernteren Hintergrunde nähert sich des Ananias Frau, die Geldsumme überzahlend, die sie lugenhaft den Aposteln als den Betrag ihres ganzen Vermögens zu entrichten gedenkt. Vom Beschauer rechts vertheilt der heil. Johannes den Schatz der Gemeinde unter die Gläubigen, die von ihm dabei den Segen empfangen. — Am Sockel, vom Beschauer rechts: Die Zuruckkunft des Cardinals Johann von Medici nach Florenz, nach seiner Verbannung aus dieser Stadt; und links die darauf veranstaltete Volksversammlung, durch welche die Medici wieder zur Herrschaft des florentinischen Staates gelangten. Unter den Zierraten des nur an einer Seite vorhaudenen Frieses befinden sich die drei theologischen Tugenden.

8. **Der Fischzug des heil. Petrus.** Zwei Fahrzeuge erscheinen auf dem See Genezareth. Auf dem einen ziehen zwei junge Männer das mit Fischen angefullte Netz aus dem Wasser, in dem anderen kniet der heil. Petrus vor dem sitzenden Heilande und scheint die Worte zu sprechen: „Herr ziehe aus von mir, ich bin ein sündiger Mensch." Auf dem Vorgrunde, am diesseitigen Ufer des Sees, stehen drei grosse Fischreiher, und am jenseitigen ist Volk in mehreren Gruppen versammelt. — Am Sockel, vom Beschauer links: Die Reise des Cardinals Johann von Medici zum Conclave nach Rom; und rechts die ihm als Papst von den Cardinälen bezeigte Adoration. Die Zierraten des Seitenfrieses bestehen aus Arabesken mit menschlichen Figuren und Thieren.

9. **Die Predigt des heil. Paulus zu Athen.** Der Apostel verkündet seine Lehre auf einem durch Stufen erhöhten Platze, vom Beschauer rechts. Die im Halbkreise um ihn versammelten Zuhörer offenbaren die ihrem Character entsprechende Verschiedenheit des Eindrucks. Am Ende des Bildes, vom Beschauer links, hebt Dionysius Areopagita glaubig die Hande zum Prediger des göttlichen Wortes empor. Die Frau hinter ihm ist vermuthlich seine mit ihm zugleich bekehrte Gattin Damaris. In den beiden darauf folgenden Zuhörern dürfte man Philosophen erkennen. Der eine, in einen weiten Mantel gehullt, vermuthlich ein Epicuraer, scheint mit gesenktem Blicke an den Worten des Apostels zu zweifeln. Der andere, wahrscheinlich ein Stoiker, schaut, gestützt auf seinen Krückenstab, mit stolzem Selbstgefühle auf den Verkunder des Evangeliums. Der Mann ihm zur Linken, von sanftem,

ruhigem Ansehen, dürfte nicht ohne Erbauung zuhören, während ein anderer, ihm zunächst, im ernsten Nachdenken uber die Predigt verloren scheint. In der weiteren Folge sind funf Männer über dieselbe im lebhaften Gespräche begriffen. In den drei Figuren hinter dem Apostel ist vornehmlich die gemeine Behaglichkeit des vierschrötigen Mannes zu bemerken, der die seinen Leib umgürtende Binde mit der Hand ergreift. Der Tempel im Hintergrunde, vor dem die Statue des Mars steht, zeigt die Form der Capelle des Bramante im Hofe des Klosters S. Pietro in Montorio. — Am Sockel: der heil. Paulus, welcher das Teppichmacherhandwerk treibt; — derselbe von den Juden umgeben, die seine Lehre zu verspotten scheinen; — wie er den Neubekehrten die Hande auflegt; — und wie er vor den Richterstuhl des Gallion, Landvogts von Achaja, gebracht wird. Unter den schönen, meistens nackten Figuren der Seitenfriese befindet sich Hercules, der fur den Atlas die Himmelskugel tragt.

10. Die Heiligen Paulus und Barnabas, denen das Volk zu Lystra wegen der wunderbaren Heilung eines Lahmen opfern will. In der Mitte des Bildes erscheint das ihnen dargebrachte Stieropfer, zu welchem der Künstler das Motiv von einem Relief am Bogen der Goldschmiede entlehnte. Vom Beschauer links drängt sich das Volk zur Verehrung der Apostel herbei, die ihm Götter scheinen. Der geheilte Lahme hebt dankend zu ihnen die Hände empor: seine Krucken liegen zu Boden und ein Mann betrachtet mit Erstaunen seine genesenen Beine. Vom Beschauer rechts zerreisst der heil. Paulus seine Kleider, entrüstet beim Anblick des Opferdieners, der ihm durch Darbringung eines Widders wohlgefällig zu sein wähnt, wahrend Barnabas flehend das Volk ermahnt, von der Abgötterei sich abzuwenden, durch die es die Verkünder des wahren Gottes zu ehren vermeinte. In der freien Aussicht zwischen den Gebauden des Hintergrundes erhebt sich die Bildsäule des Mercur, den die Einwohner von Lystra in dem heil. Paulus zu erkennen glaubten. — Am Sockel vom Beschauer rechts der heil. Paulus, der in der Schule der Juden lehrt, und links der Abschied des heil. Marcus (Johannes mit dem Zunamen Marcus) von seinen Gefahrten zu Antiochien. Auf dem Seitenfriese: Arabesken mit menschlichen Figuren.

Die Gegenstände der zweiten der oben erwähnten Reihen der Tapeten sind folgende:

1. Die Anbetung der Hirten; eine der vorzüglichsten Compositionen dieser Reihe. Die heil. Jungfrau kniet in der Hütte vor ihrem gottlichen Kinde, welches liebevoll zu ihr die Hände erhebt, indem die Hirten zur Verehrung des Erlösers herbeikommen, über dessen Geburt sich die zu beiden Seiten der Hütte

schwebenden Engel erfreuen. — 2. Die Darstellung Christi im Tempel. — 3. Die Anbetung der Könige in einer schönen und reichen Composition, in welcher bedeutend der irdische Glanz gebeugt vor der gottlichen Hoheit dargestellt ist. Die Könige kommen in orientalischer Pracht, mit Kamelen und Elephanten und einem zahlreichen Gefolge von Dienern, zur Verehrung des göttlichen Kindes, dessen ärmliche Hutte kaum ein Obdach gewährt, dessen Gottheit aber der vom Himmel auf sie herabstrahlende Stern verkündet. — 4. 5. 6. Drei Vorstellungen des Kindermordes in drei verschiedenen Tapeten. Eine derselben, deren Hintergrund Gebäude von prachtiger Architectur bilden, ist vorzuglich zu bemerken als ein erschutternd tragisches Bild der Mordgier fühlloser Henker und der durch mütterliche Liebe erregten Wuth der Frauen in der Vertheidigung ihrer Kinder. — 7. Die Auferstehung Christi; eine ebenfalls sehr bedeutende Composition. Der aus seinem Grabe hervortretende Heiland hebt die Rechte zum Segen über die Welt empor und hält mit der Linken die Fahne mit dem Zeichen des Kreuzes, zum Triumphe der vollbrachten Erlosung. Die Wächter entfliehen oder stürzen vor Schrecken zu Boden, mit Ausnahme des Hauptmannes, der, auf seine Lanze gestutzt, sich durch Standhaftigkeit vor den übrigen auszeichnet. Die landschaftlichen Gegenstande, vornehmlich die Gebirge der Ferne, tragen den Character des Nordens und sind daher ohne Zweifel von der Erfindung des niederländischen Künstlers, der den Carton zu dieser Tapete verfertigte. — 8. Christus, welcher der Magdalena nach seiner Auferstehung als Gärtner erscheint; eine Composition wahrscheinlich nicht von Raphael, sondern von Giulio Romano. — 9. Der Heiland mit den beiden Jüngern zu Emaus bei der Mahlzeit in einer Weinlaube. Das Tischgeräthe und andere Nebenwerke zeigen, wie die unstreitig zu Raphaels Composition hinzugesetzte Episode des Hundes, der mit einem Knochen im Maule sich gegen eine Katze zur Wehr setzt, sehr auffallend den Charakter der niederländischen Kunst. — 10. Die Himmelfahrt Christi. — 11. Die Ausgiessung des heiligen Geistes. Die beiden zuletzt erwahnten Tapeten sind von sehr schlechter Arbeit, vornehmlich in den ausserst entstellten Kopfen.

§. 58.

Die vaticanische Gemäldesammlung.

Die Entstehung der nicht durch ihre Anzahl, aber durch die Vortrefflichkeit der Stücke hochst bedeutenden vaticanischen Gemäldesammlung veranlassten die durch den Vertrag von Tolentino nach Paris gebrachten Gemälde, die durch die Verwendung der verbündeten Machte dem Papst zurückgegeben wurden, und mit denen darauf nach und nach mehrere andere hier vereinigt worden sind. Diese Bilder befinden sieh gegenwärtig, nach dreimaliger Veränderung ihres Locals, in den nach Pius V. benannten Zimmern. Da sie aber vielleicht in kurzer Zeit eine abermalige Ortsveränderung erleiden dürften, so betrachten wir sie, wie in unserem grösseren Werke der Beschreibung Roms, nach ihren Meistern, möglichst in chronologischer Folge derselben.

Von Giovanni da Fiesole. Zwei kleine Bilder von einer Predella der Kirche S. Domenico zu Perugia, Gegenstande aus der Legende des heil. Nicolaus vorstellend. Auf dem einen derselben sieht man die Geburt dieses Heiligen; — denselben der Predigt eines Bischofs zuhorend; — und wie er einem Manne, den ausserste Armuth zu dem Entschluss brachte, die Ehre seiner Tochter preis zu geben, von ihm unbemerkt, Geld zu ihrer Ausstattung durch ein Fenster in seine Wohnung steckt. — Auf dem anderen Bilde: der Heilige, welcher den betenden Seeleuten eines auf dem Meere vom Sturme bewegten Schiffes erscheint; — und derselbe Getraide kaufend bei einer Hungersnoth in seinem Vaterlande Lycien.

Von Melozzo da Forlì. Ein von der Mauer eines Saales des ehemaligen Locals der vaticanischen Bibliothek abgesägtes Frescogemälde, dessen Gegenstand sich auf die Verlegung dieser Buchersammlung in jenes Local durch Sixtus IV. bezieht. Der Papst sitzt auf einem Lehnstuhle, von einigen Personen seines Hofes umgeben. Von den beiden neben ihm stehenden Cardinälen, welche Rollen halten, die vermuthlich die auf die Bibliothek bezüglichen Breven bedeuten, ist wahrscheinlich der eine in Franciscanerkleidung sein Neffe Pietro Riario. In dem vor ihm knieenden Manne sehen wir ohne Zweifel den berühmten Platina, der, indem er dem heiligen Vater nach seiner Ernennung zum Bibliothecar die Huldigung bezeugt, hinab auf die wahrscheinlich von ihm zur Verherrlichung Sixtus IV. verfasste Inschrift zeigt. Hinter ihm stehen zwei päpstliche Kammerherren mit goldenen Halsketten. Dieses schöne Bild war sehr beschädigt, als es von der Mauer abgenommen wurde. Das Abnehmen fugte ihm keinen Schaden zu; desto verderblicher aber ist ihm eine in unseren Zeiten unternommene Restauration gewesen, der es gelungen ist, die Züge des Meisters nicht wenig zu verwischen.

Von Andrea Mantegna. Der todte Heiland von seinen Freunden umgeben, unter denen die heil. Magdalena seine Wunden salbt; ein durch Bestimmtheit der Zeichnung und Ausdruck der Seele vorzügliches Bild.

Von Pietro Perugino. 1. Maria mit dem Kinde auf dem

Throne sitzend, ihr zu beiden Seiten die Schutzheiligen von Perugia: Laurentius, Ludovicus, Herculanus und Constantius. Dieses
Gemälde befand sich ehemals in der Capelle des Rathhauses
(Palazzo publico) der genannten Stadt. Es zeigt ungemeine Kraft
und Klarheit der Farbe, und in den Köpfen jener vier Heiligen
Schönheit und Lebendigkeit des Characters. Schwach hingegen
ist Zeichnung und Character in den Figuren des Christuskindes
und der heil. Jungfrau. — 2. Der heil. Benedictus, dessen Schwester, die heil. Scolastica, und der heil. Placidus, in drei kleinen
in Einen Rahmen gefassten Bildern; ehemals in der Benedictiner-
kirche S. Pietro in Perugia. — 3. Die Auferstehung Christi; aus
der Kirche S. Francesco der mehrerwähnten Stadt. In dem
schlafenden Jünglinge, vom Beschauer rechts, glaubt man den
Raphael, und in einem anderen der Wächter im Ausdruck des
Schreckens den Meister dieses Gemäldes zu erkennen.

Von Bernardino Pinturicchio. Die Aufnahme der heil.
Jungfrau; ein vorzügliches Gemälde dieses Meisters; ehemals in
der Kirche eines Franciscanerklosters in Fratta, einem kleinen
Orte zwischen Spoleto und Città di Castello. Die Mutter Gottes
erscheint, von dem Heilande gekrönt, in einer Glorie in Rauten-
form mit geflugelten Engelskopfen. Ihr zu beiden Seiten zwei
Engel, der eine die Geige, der andere die Harfe spielend. Unten
die zwölf Apostel, der heil. Franciscus, der heil. Bonaventura in
Cardinalskleidung und drei andere Heilige des Franciscanerordens,
die gottliche Erscheinung verehrend.

Ein schones Gemalde aus der Peruginischen Schule,
welches von verschiedenen Händen ausgefuhrt scheint und in der
Composition an ein Gemälde Raphaels, jetzt in der Sammlung des
Königs von Preussen, erinnert. Maria, Joseph und drei Engel
verehren knieend das Christuskind. In der Ferne nahern sich zwei
Hirten und die drei Konige mit ihrem Gefolge. Oben drei auf
Wolken stehende Engel, die das Gloria singen.

Von Raphael. 1. Die Krönung der heil. Jungfrau; eines
der in Perugino's Schule verfertigten Werke des Künstlers. Die
Mutter Gottes, die von dem Heilande die Krone empfängt,
durfte hier mehr ihrem Character entsprechen, als in manchen
Werken aus der Epoche seiner vollendeten Meisterschaft. Nicht
minder vortrefflich sind die Engel, von denen einige die Freude
über ihre Verherrlichung durch Musik und Tanz bezeugen. Unter
den an Mariens Grabe versammelten Aposteln ist Johannes, den
Gürtel haltend, den ihm dieselbe hinterliess, vorzüglich durch
Schonheit ausgezeichnet. Der Heiland befriedigt wegen seiner
unbedeutenden Gesichtsbildung am wenigsten unter den Figuren
des Bildes.

2. Die Geburt Christi, die Anbetung der Könige und die

Darstellung im Tempel; drei kleine Bilder der Vorderseite der Predella des Altars, auf dem sich das vorerwahnte Gemälde befand. Ihre Ausfuhrung zeigt eine noch unvollkommenere Ausbildung der Kunst als jenes.

3. Die drei theologischen Tugenden, in drei kleinen grau in grau gemalten Bildern, die zu der Predella des Altars der Kirche S. Francesco in Perugia gehorten, den ehemals die Grablegung des Kunstlers im Palast Borghese schmückte, nachmals aber von einander gesägt und uber einander gesetzt worden sind. Die Ausfuhrung derselben ist zwar nicht fleissig, aber ungemein geist- und seelenvoll. Der Glaube ist durch den Kelch mit der Hostie bezeichnet, die Liebe unter dem Bilde einer zärtlichen, von mehreren Kindern umgebenen Mutter, und die Hoffnung als eine Frau im Ausdruck frommer Zuversicht vorgestellt. Zu beiden Seiten einer jeden dieser in Rundungen erscheinenden Figuren sind zwei auf dieselben deutende Genien. Die bei dem Glauben zeigen auf zwei Tafeln, in den Buchstaben IHS und XPC, den Namen des Erlosers. Neben der Liebe trägt ein Genius eine Gluthpfanne, zur Bezeichnung der Warme, mit der diese Tugend das Gemuth erfullt, während der andere Geld ausschüttet, zur Andeutung der aus derselben hervorgehenden Aufopferung der irdischen Guter zum Wohle des Nächsten. Die Genien bei der Hoffnung zeigen den ihr entsprechenden Ausdruck der Ruhe und Zuversicht.

4. Das unter dem Namen la Madonna di Fuligno bekannte Gemalde, welches um das Jahr 1512 der Secretär Julius II., Sigismondo Conti, fur den Hauptaltar der Kirche Araceli verfertigen liess, das aber von da nachmals nach Fuligno in die Kirche des Klosters S. Anna delle Contesse gebracht wurde. Der Gegenstand desselben ist die heil. Jungfrau mit dem Christuskinde in einer Glorie, von Engeln in grauer Wolkenfarbe umgeben. Unten der heil. Hieronymus, welcher der Mutter Gottes den sie verehrenden Sigismondo Conti empfiehlt, — der heil. Franciscus in Entzückung über die göttliche Erscheinung, — Johannes der Taufer, der auf das Christuskind als auf den Erlöser zeigt, — und mitten in dieser Versammlung ein schöner Engel in Kindesgestalt, der, zur Glorie des Himmels emporschauend, eine Tafel hält, auf der sich ursprunglich eine Inschrift befand. Die Stadt im Hintergrunde, in die eine glühende Bombe fallt, soll sich auf die Gefahr beziehen, in der sich Sigismondo bei einer Belagerung seiner Vaterstadt Fuligno befand. Auch scheint hierauf der Regenbogen über dieser Stadt, als Sinnbild der Versöhnung mit Gott, zu deuten. — Dieses vortreffliche Bild zeigt Raphaels Kunst mehr von Seiten der Anmuth und des sinnlichen Effectes, als in Ernst und Tiefe des Geistes. Die heil. Jungfrau entspricht vielmehr einer schonen, züchtigen Frau der irdischen Welt, als einer Konigin des Himmels.

Auch das Christuskind erhebt sich im Character nicht über den eines gewöhnlichen hübschen Knaben. Der Engel mit der Tafel hingegen offenbart in kindlicher Anmuth ein himmlisches Wesen. Nicht minder vortrefflich ist bei Sigismondo Conti Jndividualität des Characters mit Ausdruck der Andacht verbunden. Die am wenigsten befriedigende Figur ist unstreitig Johannes der Täufer. Das Colorit dieses Gemäldes ist sowohl in der Carnation als in der Totalwirkung bewundernswürdig. Die in Paris unternommene Uebertragung desselben von einer hölzernen Tafel auf Leinwand hat Restaurationen an mehreren Stellen nach sich gezogen.

5. Das berühmte Gemälde der Transfiguration; wie bekannt, Raphaels letztes Werk. Der Cardinal Julius von Medici (nachmaliger Papst Clemens VII.) hatte es für eine Kirche in Narbonne, seinem bischöflichen Sitze, bestellt, schenkte es aber nachmals der Kirche S. Pietro in Montorio, auf deren Hauptaltar es sich bis zu seiner Wegfuhrung nach Paris befand. In der Glorie zuoberst des Bildes erscheint der Heiland schwebend zwischen Moses und Elias. Unter ihnen ruhen auf dem Berge Tabor die Heiligen Petrus, Johannes und Jacobus, die ihre sterblichen Augen vor dem Glanze des Erlosers zu schutzen suchen. Die ubrigen Apostel sind am Fusse des Berges versammelt. Zu ihnen wird ein besessener Knabe gebracht. Seine Angehörigen bitten sie, ihn zu heilen; sie aber zeigen zu dem Herrn als zu dem empor, der allein vom bösen Geiste zu befreien vermag, und deuten durch das Bekenntniss ihres menschlichen Unvermögens mittelbar auf die Verklarung des Sohnes Gottes. Der heil. Laurentius, der mit dem heil. Stephanus, seinem gewöhnlichen Begleiter in den christlichen Kunstwerken, auf dem Berge vom Beschauer links die himmlische Glorie verehrt, ist vermuthlich hier als Schutzheiliger des berühmten Lorenzo Magnifico, Oheims des Cardinals, für den das Bild verfertigt wurde. Wir haben uns in unserem grösseren Werke der Beschreibung Roms (2. B. 2te Abth. S. 426 u. folg.) erklart, dass wir der lange Zeit herrschend gewesenen Meinung, welche in diesem Gemälde den Gipfel von Raphaels Kunst erkannte, nur in Hinsicht der technischen Meisterschaft, der Kraft der Farbe und der Totalwirkung, die jedoch durch das Nachdunkeln der Schatten gelitten hat, beitreten können. Die Gewander und die Bildungen der Apostel des unteren Theils nähern sich dem Stile der späteren Kunst, da hingegen die Glorie an ältere Vorstellungen dieses Gegenstandes erinnert.

6. Die Aufnahme der heil. Jungfrau, ehemals in der Kirche des Nonnenklosters S. Maria di Monte Luce zu Perugia; ein Gemälde, welches aus zwei zusammengesetzten Tafeln besteht. Die obere, die Krönung der Maria, ist von Giulio Romano, und die untere, welche die um ihr Grab versammelten Apostel zeigt, von

Francesco Penni (genannt il Fattore) ausgeführt. Die Zeichnung, die Raphael zu diesem bei ihm bestellten Bilde bereits um das Jahr 1508 verfertigt hatte, können seine beiden genannten Schüler höchstens nur in dem oberen Theile einigermassen benutzt haben: denn der untere zeigt in den theatralischen Bewegungen der Apostel einen dem Raphael durchaus fremdartigen Character.

Von Tizian. Maria mit dem Kinde zwischen zwei Engeln. Ueber ihr der heilige Geist in Gestalt der Taube. Unten die Heiligen Sebastian, Franciscus und Antonius von Padua, dieser durch die Lilie, jener durch das Kreuz bezeichnet, der heil. Nicolaus in bischöflicher Kleidung und die heil. Catharina mit der Märtyrerpalme; ein grosses Gemälde, welches Clemens XIV. aus Venedig erhielt, und das dann im Palast des Quirinals aufbewahrt wurde. Poetische Erfindung darf man in diesem Bilde nicht suchen; und die Farbe, welche durch Zeit und Restauration sehr gelitten hat, zeigt jetzt nur unvollkommen die Kunst des Meisters. — Das Bildniss eines venetianischen Dogen, mit dem Gesicht im Profil, wird ebenfalls dem Tizian zugeschrieben, ist aber wahrscheinlicher von einem anderen vorzüglichen Meister der venetianischen Schule.

Die heil. Helena; neben ihr ein Engel, der das von ihr entdeckte Kreuz verehrt; ein mittelmässiges Bild, angeblich von Paolo Veronese, wahrscheinlicher aus seiner Schule.

Von Benvenuto Garofalo. 1. Die heil. Jungfrau zwischen dem heil. Joseph und der heil. Magdalena. — 2. Die Sibylle, die dem Kaiser August die Erscheinung der Mutter Gottes zeigt. Beide Bilder gehören unter die guten Werke dieses Meisters.

Von Federigo Baroccio. 1. Die heilige Michelina in andächtiger Entzuckung auf dem Calvarienberge. — 2. Die Verkündigung der heiligen Jungfrau. Zwei sehr unerfreuliche Gemälde, welche besonders auffallend die aus der verungluckten Nachahmung des Correggio hervorgegangene Manier des Kunstlers zeigen.

Von Caravaggio. Die Grablegung Christi, ehemals in der Chiesa Nuova; ein Gemälde, welches man für das Meisterwerk des Künstlers erklarte, dessen Geiste aber nur die Darstellungen des gemeinen niedrigen Lebens entsprechend waren. Hier lässt sich die Darstellung des Gegenstandes als eine Parodie desselben betrachten. Wir sehen einen Todten aus dem Pobel, den seine Angehörigen zur Erde bestatten. Davon abgesehen, zeigt dieses Bild Leben in dem höchst gemeinen Character und Ausdruck der Figuren, Meisterschaft in der Ausfuhrung, Kraft der Farbe und jene Klarheit derselben, durch welche sich die Oelgemalde des Caravaggio vor denen der meisten späteren italienischen Maler auszeichnen.

Von Guido Reni. 1. Die Kreuzigung des heil. Petrus in

einem Gemälde, in welchem Guido den künstlichen Effect des Caravaggio nachzuahmen suchte, aber in Kraft und Klarheit der Farbe weit hinter diesem Künstler zurückgeblieben ist. — 2. Die heil. Jungfrau mit dem Kinde in einer Glorie: unten die Heiligen Thomas und Hieronymus; ein Bild in dem kalten und grauen Farbentone der späteren Werke des Künstlers.

Von Domenichino. Die letzte Communion des heil. Hieronymus; ehemals in der Kirche S. Girolamo della Carità. Wie bekannt, setzte man dieses Bild unter die vorzuglichsten Gemälde Roms; und Poussin und Andrea Sacchi standen nicht an, es der Verklärung Raphaels an die Seite zu setzen, worin ihnen in unserer Zeit wohl schwerlich Jemand beistimmen dürfte. Jedoch kann es in Beziehung auf die spätere italienische Kunst, in Hinsicht der einfachen und ausdrucksvollen Composition, als ausgezeichnet betrachtet werden. Die Figur des Heiligen ist gut gedacht, gewährt aber durch den abgelebten Körper, den sich der Kunstler in seiner fast ganz entblossten, hier nicht angemessenen Gestalt zu zeigen bemühte, einen unerfreulichen Anblick. Ueberhaupt ist die Ausfuhrung des Bildes weit minder als die Erfindung zu loben. Es zeigt einen kalten, in das Braune fallenden Farbenton, eine rohe Behandlung und schwerfallige Fuhrung des Pinsels. Merkwurdig ist, dass der im Verfall der Kunst redlich nach dem Bessern strebende, aber während seines Lebens sehr verfolgte Künstler, für dieses nachmals unstreitig uberschatzte Gemalde nicht mehr als 50 Scudi erhielt.

Von Guercino. 1. Die büssende Magdalena, welcher Engel die Passionsinstrumente zeigen. — 2. Der heil. Thomas, der den Finger in Christi Seite legt.

Von Nicolaus Poussin. Die Marter des heil. Erasmus; ein Gemälde von guter Zeichnung, welches aber durch die Darstellung des Heiligen, dem die Gedärme aus dem Leibe gehaspelt werden, einen gräuelhaften Eindruck gewahrt.

Von Valentin. Die Marter der Heiligen Processus und Martinianus.

Von Andrea Sacchi. 1. Der heil. Romualdus, der seinen Mönchen die Himmelsleiter zeigt, auf der die Abgeschiedenen seines Ordens emporsteigen; ein ehemals sehr bewundertes Gemälde, vordem in der Kirche S. Romualdo. — 2. Der heil. Gregor, der einem Ungläubigen ein durch ein Wunder blutig gefärbtes Tuch zeigt, das auf dem Grabe des heil. Petrus gelegen hatte.

Ein dem Correggio zugeschriebenes Gemälde, welches den Heiland sitzend mit Engeln umgeben vorstellt, ist, nach unserer Ueberzeugung, schwerlich für eine Copie, geschweige für ein Originalwerk dieses Meisters zu halten, und jedenfalls ein sehr mittelmässiges Werk.

Unter den in den letztverflossenen Jahren zu dieser Sammlung hinzugekommenen Bildern ist das bedeutendste eine Predella, welche dem Benozzo Gozzoli zugeschrieben wird und jedenfalls ein Werk eines vorzüglichen italienischen Malers des 15ten Jahrhunderts ist. Man sieht auf derselben in kleinen, sehr fleissig, mit Geist und Character, mit Kraft und Klarheit der Farbe ausgeführten Figuren Gegenstände aus dem Leben des heil. Hyacinthus vom Orden der Dominicaner. Vom Beschauer rechts ist die Taufe desselben vorgestellt, wobei er sich durch wunderbare Kraft stehend im Taufbecken erhob. Der mittlere Theil des Bildes zeigt eine Feuersbrunst, bei welcher ein Knabe, der auf der Hohe eines in Trümmern zusammengestürzten Gebaudes verlassen blieb, durch den in der Luft schwebenden Heiligen seine Rettung erhält. Und unten sieht man denselben ebenfalls in seiner Ordenskleidung, wie er eine Frau von den Todten erweckt, die bei jener Feuersbrunst das Leben verlor. Am Ende des Bildes, vom Beschauer links, erscheint auf ihrem Krankenbette eine mit Krebsschäden behaftete Frau, welche die Fürbitte des heil. Hyacinthus zu ihrer Genesung erfleht.

Ein Gemälde, welches die heil. Jungfrau mit dem Kinde zwischen dem heil. Augustinus und Johannes dem Evangelisten vorstellt, wird hier für ein Werk des Cesare da Sesto erklärt, dessen Namen man auf dem Zettel nebst der Jahrzahl 1521 liest. Richtiger dürfte die Meinung derjenigen sein, die dieses Bild für eine Copie nach jenem vorzüglichen Schüler des Leonardo da Vinci erklären.

Die vaticanische Bibliothek.

§. 59.

Geschichte derselben.

Die päpstliche Bibliothek erhob zu einer vorzüglichen Bedeutung zuerst Nicolaus V. durch die von ihm in mehreren Ländern Europens gemachten Ankäufe von Handschriften. Auch fasste dieser ausgezeichnete Papst den Plan, seine Büchersammlung zum öffentlichen Gebrauch einzurichten, wurde aber durch den Tod daran verhindert; die von ihm gesammelten Handschriften wurden darauf zum Theil wieder zerstreut, und jener Plan wurde erst durch Sixtus IV. ausgeführt, der daher als der eigentliche Stifter der berühmten Bibliothek des Vaticans zu betrachten ist. Er liess zu ihrem Local einige Zimmer im Erdgeschosse des alten vaticanischen Palastes einrichten, ernannte den berühmten Platina zum ersten Bibliothecar und bestimmte eine Rente zu Ankäufen neuer Bücher und zur Besoldung der Beamten der Bibliothek. Zugleich wurde in dasselbe Local auch das päpstliche Archiv gebracht, welches den Namen Biblioteca secreta erhielt, weil es in abgesonderten, dem Publicum nicht geoffneten Zimmern aufbewahrt wurde.

Durch die bedeutenden Ankäufe Sixtus IV. gelangte nun die Vaticana zu dem Rufe der ersten der italienischen Bibliotheken. Darauf aber scheint dieselbe lange Zeit wenig bedeutenden Zuwachs erhalten zu haben. Innocenz VIII. erhielt von der Königin von Cypern die kostbare Handschrift der Apostelgeschichte. Julius II. legte zu seinem Privateigenthume eine von der Vaticana abgesonderte Sammlung von Buchern an. Die von Leo X. gesammelten Handschriften gereichten vielleicht mehr zum Vortheil der mediceischen Bibliothek, der nachmaligen Laurentiana, die sich damals in Rom befand, als zur Vermehrung der Sammlung des Vaticans. Hadrian VI. achtete nur theologische Bücher. Und unter seinem Nachfolger Clemens VII. — der sich, obgleich ein Mediceer, wenig um die Bibliothek bekümmert zu haben scheint — litt dieselbe bei der bekannten Plünderung Roms nicht unbedeutenden Schaden. Als der erste Papst, welcher nach jenem Unfalle wieder auf ihre Vermehrung bedacht war, wird Pius IV. genannt. Er beauftragte den berühmten Onofrio Panvinio und Francesco Avanzati mit dem Ankaufe von Handschriften. Auch kam wahrscheinlich in seinem Pontificate ein Theil der Bibliothek des Cardinals Ridolfo Pio da Carpi in die Vaticana. Gregor XIII. bereicherte sie ebenfalls sowohl mit Handschriften als gedruckten Buchern. Sixtus V. verlegte dieselbe in das heutige prachtige Local in dem von ihm nach Angabe des Domenico Fontana erbauten Quergebäude zwischen dem Hofe des Belvedere und dem Giardino della Pigna. Zur Vermehrung der Handschriften aber hat dieser Papst nichts beigetragen.

Mit dem Anfange des 17ten Jahrhunderts beginnt die Reihe der Erwerbungen, wodurch sich diese Bibliothek, hinsichtlich der Handschriften, zu der ersten in der Welt erhob. Die erste war die Sammlung des im Jahre 1600 verstorbenen Fulvius Ursinus, die ihr durch ein Vermächtniss dieses berühmten Gelehrten zufiel. Unter Gregor XV. wurden mit ihr die Handschriften des Benedictinerklosters Bobbio vereinigt, unter denen sich ein grosser Theil jener zwiefach beschriebenen Manuscripte befand, durch die es dem ehemaligen Custos der Bibliothek und gegenwärtigen Cardinal, Angelo Mai, gelang, in der classischen Literatur so bedeutende Entdeckungen zu machen. Und noch in dem kurzen Pontificate des vorerwahnten Papstes, im Jahre 1623, erhielt sie von dem Kurfürsten Maximilian von Baiern die beruhmte, von ihm erbeutete Heidelberger Bibliothek, welche die Vaticana in ihrem damaligen Zustande an Werth ubertraf. Unter Alexander VII., im Jahre 1657, wurde mit der letzteren die ausgezeichnete Büchersammlung der Herzoge von Urbino vereinigt, die im Jahre 1626 mit dem Herzogthume dem päpstlichen Stuhle zugefallen war. Noch erhielt sie in diesem Jahrhundert die Bibliothek der Konigin Christina von Schweden, welche von dem Universalerben derselben, dem Cardinal Azzolini, der Papst Alexander VIII. im Jahre 1690 fur die geringe Summe von 8000 Scudi ankaufte.

Die bedeutenden Erwerbungen der vaticanischen Bibliothek dauerten noch im 18ten Jahrhundert fort. Clemens XI. bereicherte sie mit einer beträchtlichen Anzahl morgenländischer, coptischer und athiopischer Manuscripte, auch ward durch ihn mit ihr die ehemalige Privatbibliothek Pius II. vereinigt. Benedict XIV. kaufte fur dieselbe die Bibliothek des zu dieser Zeit verstorbenen Cardinals Ottoboni. Auch erhielt sie im Pontificate dieses Papstes, durch Vermächtniss, die mehr an gedruckten Büchern als an Manuscripten reiche Sammlung des Marchese Alessandro Gregorio Capponi. Ausser diesen ansehnlichen Bereicherungen waren zu verschiedenen Zeiten Handschriften aus mehreren Klosterbibliotheken in die Vaticana gekommen. Clemens XIII. kaufte fur dieselbe über 180 orientalische Manuscripte aus dem Nachlass der beiden Gebrüder Assemani; und viele andere derselben waren ihr durch die Propaganda und auf andere Weise zugekommen.

So wie die Kunstwerke Roms, erlitt auch die vaticanische Bibliothek bedeutenden Verlust durch die französische Revolution. Durch den Vergleich von Tolentino im Jahre 1797 mussten 500 Handschriften den Franzosen zur Auswahl ihrer Commissarien überlassen werden; und unter der Herrschaft Napoleons wurden noch 343 andere, ebenfalls vorzüglich schätzbare, nach Paris gebracht. Doch kamen sie 1815 wieder nach Rom zurück, mit Ausnahme von 38 Manuscripten aus der Heidelberger Bibliothek, die auf Verwendung der alliirten Mächte der Universität dieser Stadt zurückgegeben wurden, und einiger wenigen anderen. Durch dieselbe Verwendung erhielt Heidelberg im Jahre 1816 von der päpstlichen Regierung die Rückgabe von 848 deutschen Handschriften, denen nachmals noch vier lateinische, die Geschichte der Heidelberger Bibliothek betreffend, hinzugefügt wurden. Nachdem durch den Sturz Napoleons Pius VII. wieder zum Besitz von Rom gelangte, war die päpstliche Regierung auch wieder auf die Vermehrung der Bibliothek bedacht. Als die wichtigsten Erwerbungen seit dieser Zeit sind die 162 griechischen Manuscripte des Klosters S. Basilio und die im Jahre 1821 angekaufte Sammlung der Familie Colonna zu erwahnen. Mit Inbegriff derselben beläuft sich die gesammte Zahl der Handschriften auf ungefahr 24,000. In Hinsicht der gedruckten Bücher ist die Vaticana von keiner ausgezeichneten Bedeutung. Sie erhielt die meisten derselben.

deren Anzahl auf 30,000 Bände angegeben wird, durch die Samm-
lungen des Cardinals Zelada und des Marchese Capponi. Nach
dem Tode Pius VII. sind die Bücher der Privatbibliothek dieses
Papstes hinzugekommen. Nachmals hat sie noch einen wichtigen
Zuwachs durch den Ankauf der Sammlung der kunstgeschichtlichen
Werke des Grafen Cicognara erhalten.

Die Beamten der Bibliothek sind der Cardinal-Bibliothecar,
zwei Custoden und sieben Gehulfen (Scrittori). Dabei sind im
Dienste der Bibliothek zwei Bediente (Scopatori) und zwei Buch-
binder. Der Cardinal-Bibliothecar steht an der Spitze der ganzen
Verwaltung. Die beiden Custoden sind nicht von gleichem Range:
der zweite steht unter dem ersten (Custode primario); und dieser
hat die eigentliche Administration. Von den sieben Scrittori sind
zwei für die lateinische Sprache, zwei für die griechische, zwei
für die hebräische und einer für die arabische und syrische Sprache
angestellt. Der Zweck derselben ist theils die Beförderung philo-
logischer Bildung, theils die Anwendung ihrer Kenntnisse zum
Nutzen der Bibliothek, des Staates und der Kirche. Ihre vorzüglichste Verpflichtung ist das Studium der Handschriften, damit sie
zur Herausgabe nützlicher, besonders theologischer Werke gebraucht
werden und auf Verlangen Nachweisungen aus Manuscripten geben
können; zugleich sollen sie Verzeichnisse derselben verfertigen,
und solche, die schadhaft geworden, durch Abschriften vor ganz-
licher oder theilweiser Vernichtung bewahren. Die Bibliothek ist
jetzt drei Stunden des Vormittags, von 9—12 geoffnet, mit Ausnahme der Ferien, deren allerdings so viele sind, dass jährlich
nur 100 Arbeitstage übrig bleiben.

§. 60.

Das Local der Bibliothek.

Zu dem Eingange der vaticanischen Bibliothek führen zwei
Thüren von dem Corridor der Inschriften. In dem zweiten und
grösseren der beiden Vorzimmer hangen an den Wänden, in Rahmen unter Glas, mehrere ägyptische Papiere. Auch sieht man
hier eine Copie der jetzt in Neapel befindlichen Saulen aus dem
Triopium des Herodes Atticus, mit alterthümlich gehaltenen Inschriften. An den Wänden des darauf folgenden Lesezimmers
hängen die Bildnisse der Cardinal-Bibliothecare, unter denen das
des Cardinals Giustiniani, von Domenichino, zu bemerken ist.
Unter den Deckenmalereien befinden sich einige Landschaften von
Paul Brill.

Von diesem Zimmer tritt man in den grossen Saal, den sechs
Pfeiler in zwei Schiffe mit Kreuzgewölben theilen. Die Fresco-

gemälde an den Wänden desselben, deren Gegenstände sich auf
die allgemeinen Concilien und auf die Geschichte der Wissenschaften beziehen, sind unbedeutende Werke von verschiedenen
Malern aus den späteren Zeiten des 16ten Jahrhunderts. Die
Vorstellungen der von Sixtus V. unternommenen Bauten und anderen Unternehmungen dieses Papstes, in den Gemälden über dem
Eingange und den Fenstern, sind merkwürdig, weil sie mehrere
Theile der Stadt in der damaligen Beschaffenheit und zum Theil
ganz verschwundene Denkmäler zeigen. Die kleinen Figuren,
welche nebst Arabesken den Raum der Decke ausfüllen, enthalten
ebenfalls Anspielungen auf den gedachten Papst; und in einem
Oelgemälde von Scipione Gaetani, neben dem Eingange, ist derselbe vorgestellt, wie ihm Domenico Fontana den Plan zu dem
Gebäude der Bibliothek überreicht. Die Handschriften dieses
Saales befinden sich in 46 Wandschränken. In demselben stehen
zwei Tische mit Platten von ägyptischem Granit von ausserordentlicher Grösse, und reich mit Bildwerken von vergoldeter Bronze
geschmückten Fussgestellen, aus der Zeit Pius VI.; zwei Candelaber von Porcellan von Sèvres, welche Napoleon Pius VII. schenkte;
ein sehr grosses und prächtiges Porcellangefäss, welches Leo XII.
von dem Könige Carl X. zum Geschenk erhielt; und ein grosses viereckiges Gefäss von Malachit. — Merkwürdig ist ein rutheni-
scher oder altrussischer Kalender, den die Bibliothek durch den
oben erwähnten Marchese Capponi erlangte, und den man an dem
vorletzten der gedachten Pfeiler, unter Glas, in einem verschlossenen Kästchen aufbewahrt. Er besteht aus funf, in Form eines
griechischen Kreuzes zusammengefügten Tafeln aus Cedernholz,
jede von 1²₃ Fuss Länge und Breite, mit sehr kleinen ungemein
fleissig ausgefuhrten Miniaturen. Die vier Tafeln, welche die vier
Arme des Kreuzes bilden, enthalten den vollstandigen Kalender,
vom September (dem Anfange des griechischen Kirchenjahres) be-
ginnend; die fünfte, in der Mitte, hat die beweglichen Feste mit
den Sonntagen von Septuagesima bis zum ersten Sonntage nach
Pfingsten (dem griechischen Feste Allerheiligen). Jeder Tag ist
durch die ihm entsprechende Darstellung aus dem Leben des Erlosers oder durch das Bild des Heiligen, dem er geweiht ist, bezeichnet; daruber der Name des Heiligen oder des Sonntages in
slavonischer Kirchensprache und Schrift. Die durch Namen angezeigten Künstler sind Russen. Ein vor mehreren Jahren hier
anwesender russischer Staatsmann, Alexander Turgeneff, verdient
durch Kenntniss der Geschichte und Literatur seines Vaterlandes,
hat dem Character der Schrift zufolge behauptet, dass dieses Werk
nicht vor die Zeit des Vaters Peters des Grossen gesetzt werden
konne, da hingegen der Character der dem byzantinichen Styl
entsprechenden Bilder auf eine mehrere Jahrhunderte frühere Zeit

deuten sollte. — Hinter dem vorerwähnten Pfeiler steht ein antiker Sarcophag, auf dem zwei mannliche Brustbilder und bacchische Amoren in sehr roher Arbeit gebildet sind. Man entdeckte ihn 1702 in einer Vigne an der alten praenestinischen Strasse, unweit von der sogenannten Torre de' Schiavi. Die in demselben gefundene unverbrennliche Leinwand von Asbest, in der die Leichname verbrannt wurden, um ihre Asche rein zu erhalten, wird hier in einem Glaskasten aufbewahrt. Daneben steht eine antike Säule mit gewundenen Cannelirungen von weissem orientalischem Alabaster, die an der appischen Strasse gefunden wurde.

Am Ende dieses Saales eröffnet sich zu beiden Seiten die Aussicht eines langen Corridors, der einen Theil der durch Julius II. angelegten Gallerie begreift, die nach und nach zur Bibliothek eingerichtet worden ist. In dem rechten Flügel befinden sich, in den ersten Zimmern, die von Clemens XI. erworbenen Handschriften und die Bibliotheken des Cardinals Ottoboni und des Marchese Capponi. Die Frescogemälde dieser Zimmer, aus der Zeit Pauls V., beziehen sich theils auf die Begebenheiten der Regierung dieses Papstes, theils auf die Stiftung berühmter Bibliotheken des Alterthums und auf die Geschichte der vaticanischen Büchersammlung. — Der folgende Saal ist durch vier von Säulen getragene Bögen in funf Abtheilungen geschieden. Die ersten beiden dieser Säulen sind von rothgelblichem Marmor (occhio di pavone) und die übrigen von Porphyr. An zweien der letzteren ist oben eine Gruppe von zwei Figuren römischer Kaiser von sehr kurzer Proportion zu bemerken. In den Wandgemälden sind Begebenheiten aus dem Leben der Päpste Pius VI. und VII. vorgestellt. In dem vorletzten dieser Zimmer stehen zwei Statuen des Aeon. Die eine ist von Visconti unter der Zoëga zufolge irrigen Benennung des Mithras bekannt gemacht: die andere bezeichnet eine Inschrift als ein unter Commodus im J. 190 n. Chr. verfertigtes Werk.

In dem letzten unter Clemens XII. eingerichteten Zimmer wird in mehreren Schränken eine Sammlung von antiken Gerathen und kleinen Kunstwerken aufbewahrt, unter denen vornehmlich eine Reihe von Elfenbeinarbeiten einzig ist. Sie bestehen aus einer bedeutenden Anzahl kleiner Reliefs und einigen kleinen Büsten von vorzüglicher Schonheit. Unter den hier aufbewahrten Bronzearbeiten befinden sich mehrere kleine Idole und Hausgeräthe von mancherlei Art, nebst etrurischen Spiegeln mit Vorstellungen in eingegrabenen Umrissen. Uebrigens sind hier zu bemerken: drei bronzene Inschrifttafeln aus später Kaiserzeit, die sich auf die Erwählung von Patronen fur Provincialgemeinden, und einige Täfelchen ebenfalls von Bronze mit Inschriften, die sich auf die Entlassung von Soldaten beziehen, die unter dem Namen der honestae missiones bekannt sind. — Ein silbernes rundes Schild mit einer Eberjagd von getriebener Arbeit. — Ein Discus von Marmor mit zwei Figuren in erhobener Arbeit, die man fur Ulysses und Diomed erklart. — Ein antikes Mosaik mit zwei Vögeln und einem Hirsche; — und eine Sammlung von Elfenbeinarbeiten des Mittelalters, christliche Gegenstände vorstellend. — Auch befinden sich hier gegenwärtig die Glasabdrucke der bedeutenden Gemmensammlung zu Wien, die Pius VII. von dem Kaiser Franz I. zum Geschenk erhielt. — In demselben Zimmer stehen einige grosse metallene Busten, unter denen sich ein schöner Kopf des August befindet. An der Wand links sieht man zwei antike Mosaiken, von denen das eine eine Landschaft mit verschiedenen wilden Thieren, das andere eine blosse Verzierung vorstellt.

Der linke Flugel besteht aus sieben Zimmern und Sälen, deren Thürpfosten und Schwellen aus Marmor oder Granit verfertigt sind. In den beiden ersten Zimmern, die Sixtus V. einrichten liess, werden vornehmlich orientalische Handschriften aufbewahrt. In den Gemälden aus der Zeit jenes Papstes sind auf seine Regierung bezugliche Gegenstände vorgestellt, unter denen sich die Aufrichtung des vaticanischen Obelisken und die Peterskirche nach dem Plane des Michelagnolo befinden. — Der darauf folgende Saal dient zur Aufbewahrung der Heidelberger Bibliothek (Biblioteca Palatina) und der von Urbino. Benedict XIV. liess diesen Saal mit Gemälden verzieren und in denselben die christlichen Inschriften bringen, die man in den Fensterbrüstungen eingemauert sieht. Auf Veranstaltung desselben Papstes sind auch — vor dem Eingange des folgenden Zimmers, zwischen den vier Säulen des hier errichteten Portals — die beiden Statuen des Rhetors Aristides und des Hippolytus, Bischofs von Porto, aufgestellt worden. Die erstere zeigt auf der Basis den Namen jenes Rhetors in griechischer Inschrift: von der zweiten — die man 1551 im Ager Veranus entdeckte — ist nur der untere Theil der sitzenden Figur nebst dem Bischofsstuhl alt, der merkwürdig ist wegen der Inschrift, welche den von Hippolytus erfundenen Ostercyclus enthalt. An der Wand zur Rechten sieht man hier ein armenisches Kreuz, welches, der Inschrift zufolge, eine armenische Familie zur Erfullung eines Gelubdes im Jahre 1245 verfertigen liess. — Das vierte Zimmer enthalt das von Benedict XIV. angelegte christliche Museum, von dem weiter unten die Rede seyn wird. — Das funfte, unter Clemens XIV. mit grosser Pracht ausgeschmückte Zimmer fuhrt den Namen Stanza de' papiri, von den hier in Glasschränken aufbewahrten, auf ägyptisches Schilfpapier geschriebenen Documenten von Schenkungen und Contracten, meistens aus Ravenna, vom 5ten bis zum 6ten Jahrhundert. Die Wände dieses Zimmers sind, so wie der Fussboden, mit Porphyr,

Granit und verschiedenen Arten von buntem Marmor ausgelegt. Die Decke ist mit Frescomalereien von Mengs geschmückt. Der Gegenstand des mittleren Bildes ist eine auf die Bestimmung dieses Zimmers und auf das von Clemens XIV. angelegte Museum des Vaticans bezügliche Allegorie. Ueber den beiden gegenüberstehenden Thüren sieht man die Figuren des Moses und des heil. Petrus, jede zwischen zwei Genien in Jünglingsgestalt; an den beiden anderen Seiten des Deckengewölbes vier Kinder, die mit einem Ibis und einem Pelican spielen. Die Sphinxe, die ägyptischen Götterbilder und die Arabesken sind von dem Schuler von Mengs, Christoph Unterberger, ausgefuhrt. — Im sechsten Zimmer befindet sich die durch die Bemuhung des gegenwärtigen Custos der Bibliothek, Monsignor Laureani, zusammengebrachte Sammlung von Gemälden christlicher Gegenstände aus der Epoche der italienischen Kunst vom 13ten bis zum 15ten Jahrhundert. Unter denen aus der Periode des Giotto befinden sich mehrere von nicht geringer Bedeutung. Vereinigt sind mit dieser neuen Sammlung, von der wir durch die Veranstaltung des vorerwähnten Monsignor Laureani ein erklärendes Verzeichniss zu hoffen haben, einige kleine Bilder italienischer Maler, die sich zuvor im christlichen Museum befanden, mit welchem jene Sammlung in Verbindung steht, in sofern sie einen Beitrag zur Kenntniss der Entwicklung der älteren christlichen Kunst gewährt. — In der Mitte desselben Zimmers stehen zwei Tische mit grossen Granitplatten, die unter Pius VI. von dem Fussboden der Vorhalle des Pantheons weggenommen worden sind.

Zur Rechten ist hier der Eingang zu einem Nebenzimmer, in welchem gegenwärtig die ehemals im Appartamento Borgia befindlichen antiken Gemälde aufbewahrt werden. Sie sind folgende:

Die sogenannte Aldobrandinische Hochzeit; abgesägt von einer Wand eines antiken Zimmers, welches man unter Clemens VIII. bei der kleinen Kirche S. Giuliano, unweit des Bogens des Gallienus entdeckte. Der Gegenstand ist die Vorstellung einer Hochzeit im Character der mythischen Zeit, die vermuthlich einem römischen Brautpaare zugeeignet wurde. Auf dem in der Mitte des Bildes erscheinenden Hochzeitbette sitzt die Braut mit niedergebeugtem Haupt, in ein weites Gewand bis auf das Gesicht verhullt. Neben ihr zur Rechten sitzt die Pronuba, die ihr vor dem Einlass des Bräutigams zuzusprechen scheint. Der Braut zur Linken, hinter dem Bette, ist der Bräutigam, fast ganz entblosst, sitzend auf einer Erhöhung vorgestellt, welche die Schwelle des Brautgemachs bezeichnet. Zur Linken, noch im Raume der Brautkammer, steht eine weibliche Figur auf eine Säule gestützt; sie halt mit der Linken eine Schale, in die sie mit der Rechten ein Flaschchen, vielleicht zum Salben der Braut, ausgiesst. Im Vorgemach,

vom Beschauer rechts, bringen drei Frauen ein Opfer zum Heile
der Vermählten, wobei sie das Epithalamium singen und mit
Saitenspiel begleiten. Die eine scheint aus einer Patera eine Ob-
lation in ein auf einem dreifussigen Gestelle ruhendes Gefass zu
giessen. Die zweite, mit einem den Hierodulen in der Villa Albani
ähnlichen Hauptschmuck, ist wahrscheinlich eine Sängerin. Die
dritte hält eine Leyer in der einen und das Plectrum in der
anderen Hand. Die Figuren vom Beschauer links, wo das Gemach
hinter der Brautkammer angedeutet ist, sind beschäftigt der Braut
ein Fussbad zu bereiten, welches diese, bevor sie zu Bette geführt
wurde, zu erhalten pflegte. Eine Matrone taucht die rechte Hand
in ein Gefäss, um, wie es scheint, die Temperatur des Wassers zu
prüfen: das Geräth in ihrer Linken ist vermuthlich ein Facher zum
Abkühlen der Braut im Bade. Von zwei anderen Figuren hält die eine
eine Tafel, vielleicht zur Verzeichnung des Ehecontracts; die andere
scheint kälteres Wasser in das Bad zu giessen. Die der decorations-
mässigen fluchtigen Ausführung weit überlegene Erfindung lässt in
diesem Bilde die Nachahmung eines weit besseren Werkes vermuthen.

Fünf weibliche Figuren, mit ihren antiken Namen; abgesägt von den Wanden eines zu Tor Marancio vor Porta S. Sebastiano entdeckten Zimmers. Sie stellen lauter solche Frauen
vor, die durch unzüchtige oder widernatürliche Leidenschaften ein
tragisches Todesloos fanden, und sind folgende: Canace, nur in
Umrissen mit braunrother Farbe; das Haupt auf den linken Arm
gestutzt, dessen Hand das Schwert halt, mit dem sie sich entleibte. — Myrrha vorwärts eilend. — Pasiphae stehend, den rechten
Arm auf den Stier gelegt. — Scylla, die rechte Hand in das
Fenster legend, indem sie mit der linken die Purpurlocke ihres
Vaters zu halten scheint. — Phaedra stehend, in der Rechten den
Strick emporhaltend, mit dem sie sich erwurgte.

Weibliche Figur in langem violettem Obergewande, das bis
an die Arme reicht, wo von dem Unterkleide die Aermel eines
sehr dünnen weissen Zeuges zum Vorschein kommen. Der untere
Theil der Figur fehlt. Sie wurde an der Via Nomentana, ungefahr
vier Miglien von Rom gefunden.

Hinzugekommen ist zu diesen Bildern ein Gemälde, welches
die Vorstellung eines Wagenrennens von Amoren zeigt. Von den
Wagen sind zwei mit Panthern, der dritte mit Gazellen, und der
vierte — die rohe Arbeit macht es ungewiss — mit Pferden oder
Eseln bespannt, deren Häupter mit Federn geschmückt sind.

Von dem zuvor betrachteten Zimmer ist der Eingang zu einem
andern, in dessen Wände die alten Ziegelstempel eingemauert
sind, welche die Bibliothek von Gaetano Marini zum Geschenk
erhielt. Auch sieht man hier ein angebliches Bildniss Carls des
Grossen; ein von der Mauer abgesägtes Frescobild, welches sich

zuvor im christlichen Museum befand; — einige aus den Catacomben abgesägte Gemälde; — und zwei altchristliche Statuen des guten Hirten.

Das siebente und letzte Zimmer in der Reihe dieses Flügels des langen Corridors war ursprünglich eine von Pius V. angelegte Capelle. In den hier aufgestellten Schränken bewahrt man die neue Münzsammlung, die seit einigen Jahren nach und nach zusammengebracht worden ist, aber freilich die ausgezeichnete Sammlung nicht ersetzt, welche die vaticanische Bibliothek ehemals besass. Ein Theil derselben wurde im Jahr 1797 nach Paris gebracht: ein andrer verschwand unter den diebischen Händen der Commissarien; und es ist in Rom allgemein bekannt, dass selbst ein französischer Maler, von nicht unbedeutendem Verdienst als Künstler, dessen Ableben hier vor einigen Jahren erfolgte, die Barbarei so weit trieb, die schönsten antiken Goldmünzen einzuschmelzen. — Hier zur Linken ist der Eingang zu dem ersten der sieben Zimmer, in welchem gegenwärtig die gedruckten Bücher der Bibliothek und die Bände der vornehmlich durch die Bemühungen Pius VI. zusammengebrachten Kupferstichsammlung aufbewahrt worden. Zu den gedachten Zimmern gehören auch drei des nun mit dem Locale der Bibliothek vereinigten Appartamento Borgia. Im grossen Saale desselben und in dem zunächst folgenden Zimmer sieht man noch die meisten der hier aufbewahrten antiken Denkmäler, von denen als die merkwürdigsten folgende zu erwähnen sind:

Im Saale: Eine römische Procession mit Lictoren. — Zwei Faustkämpfer, Dares und Entellus genannt: Figuren bis an die Knie. — Zwei schöne Friesfragmente. Das eine zeigt einen in Arabesken auslaufenden Amor, der einer Chimaera Wein eingiesst; das andere zwei ebenfalls in Laubwerk auslaufende Amoren, in derselben Handlung begriffen, ohne jenes Thier. Zwischen ihnen ein bacchischer Crater, worauf ein bartiger thyrsustragender Satyr und zwei Mänaden in Relief gebildet sind. Diese sämmtlich stark erhabenen Werke von schöner Arbeit waren in der Villa Aldobrandini und sind vermuthlich aus dem benachbarten Forum Trajans dahin gebracht worden. — Die Entführung der Helena durch den Paris; ein Relief von roher Arbeit, merkwurdig nur wegen der Vorstellung. Es ist hier unter einem Camin von einer Art hartem Sandstein eingemauert, welches den Stil des 15ten Jahrhunderts zeigt und mit kleinen menschlichen Figuren, Trophäen, Fruchtgewinden und Arabesken von schöner Arbeit geschmückt ist.

Im zweiten Zimmer: Schönes Relief von einem Grabmale. Einer sitzenden Frau mit halb verhülltem Haupte reicht zum Abschiede die Hand ein stehender junger Krieger, mit griechischem

Helme und einem Wurfspiesse in der Linken. Hinter ihm ein
Pferd und ein Waffenträger mit einer Lanze. Rechts ein Lorbeer-
baum, von einer grossen Schlange umwunden; vermuthlich als
Symbol des Verstorbenen. — Relief, von der Vorderseite eines
Sarcophages, welcher die Gebeine eines Ehepaares bewahrte, wes-
wegen hier in Bezug auf den Mann Peleus, der zu der schlafenden Thetis kommt, und in Bezug auf die Frau der Besuch der
Luna bei Endymion vorgestellt ist. — Prachtvolles Friesstück
mit Arabeskenlaubgewinden, ebenfalls von dem Forum des Trajan.
— Ein grosses Relief, die Pflege des jungen Zeus vorstellend.
Das auf einem Felsen sitzende Kind trinkt aus einem Horne,
welches ihm die vor ihm stehende Nymphe, vielleicht Adrastea,
darreicht. Es hat Ziegenohren, den Widderhornern des Zeus
Ammon entsprechend. Sein Felsensitz liegt ausserhalb einer Grotte,
in welcher ein junger Pan mit Pedum und Syrinx steht. Vor ihm,
unter dem Sitze des Kindes, befinden sich zwei Ziegen. Um den
Stamm eines Baumes, dessen Zweige die Höhle beschattet, ist
eine Schlange gewunden, welche ein Vogelnest bedroht, in dem
man vier Junge bemerkt, nach denen die beiden elterlichen Vögel
schauen. — Ein Relief, dessen Vorstellung ebenfalls fur die Pflege
Zeus erklärt wird; ein bärtiger bekleideter Mann mit einem Trinkhorn in der einen und einer Kanne in der andern Hand, stehend
vor einem zu Boden kauernden Knaben: oben eine dodonaische
Taube bei einem Eichbaum. — Die in der Mitte dieses Zimmers
aufgestellte Brunnenmundung, die lange Zeit für antik gehalten
wurde, ist unstreitig ein modernes Werk, dessen erhabene Arbeiten
nach antiken Vorbildern, aber sehr frei, ausgeführt sind.

§. 61.

Miniaturen der Handschriften der vaticani-
schen Bibliothek.

Unter den Handschriften der Bibliothek befinden sich einige
Curiositäten, die den Fremden gewöhnlich ohne besonderes Verlangen vorgezeigt werden. Dahin gehören Handschriften des heil.
Carlo Borromeo und des Cardinals Baronio; einige eigenhändige
Liebesbriefe Heinrichs VIH. an die unglückliche Anna von Boleyn,
und desselben Monarchen Buch über die Sacramente gegen Luther
— welches ihm den Titel Defensor Fidei erwarb — mit seiner
eigenhändigen Unterschrift. Weit mehr aber sind die Miniaturen
der Aufmerksamkeit werth, die mehrere Handschriften der Vaticana
verzieren. Wir haben diejenigen, die uus durch inneren Kunstwerth, oder hinsichtlich ihrer Geschichte die merkwürdigsten

schienen, in unserem grösseren Werke (2. Band, 2. Abth. S. 343 u. folg.) mit einigen Bemerkungen über dieselben, möglichst nach der Zeitordnung, angefuhrt. Hier erlaubt uns die Beschränktheit des Raumes nur ihre Anzeige in moglichster Kurze.

A. Abendländische Miniaturen aus den Zeiten des Verfalls der Kunst.

I. Antike und deren Nachbildung.

1. Die Malereien der berühmten Handschrift des Virgil, aus dem vierten oder funften Jahrhundert (Nr. 3225 der Vaticana), bestehend aus 50 Bildern, von denen sechs sich auf das Gedicht vom Landbau und die übrigen auf die Aeneis beziehen. — 2. Das ebenfalls berühmte Manuscript des Terenz aus dem 9ten Jahrhundert (Vaticana Nr. 3868), dessen Gemälde, welche Scenen der Comödien nebst dem Bildniss des Dichters vorstellen, sich als Nachahmungen von Bildern aus der Zeit des classischen Alterthums erweisen. Der in dieser Handscrift genannte Schreiber derselben, Hrodgarius (Rodgar), bewies durch diesen Namen seine deutsche Abkunft. 3. Die Malereien einer Handschrift des Virgil aus dem 12ten oder 13ten Jahrhundert (Vaticana Nr. 3867), welche in 16 theils auf das Gedicht vom Landbau, theils auf die Aeneis bezüglichen Gemälden nebst dem dreimal wiederholten Bildnisse des Virgil bestehen. Sie zeigen sich ebenfalls als Nachahmungen antiker Vorbilder, in der Tracht jedoch nicht ohne Einfluss von dem Costume des Mittelalters.

II Originalminiaturen des abendländischen Mittelalters.

1. Die bekannte Handschrift des von Donizo auf die Gräfin Mathilde im Jahr 1125 verfertigten Lobgedichts (Vaticana Nr. 4922). Das Hauptbild derselben bezieht sich auf die von dem Urgrossvater jener berühmten Frau, Otto Herrn von Canosa, erlangten Reliquien. In den ubrigen Bildern sieht man die Absolution Heinrichs IV. durch Gregor VII. und die Vorfahren der Mathilde von dem gedachten Otto an. — 2. Ein Manuscript der lateinischen Uebersetzung des neuen Testamentes, spätestens aus dem Anfang des 13ten Jahrhunderts (Vaticana Nr. 39). Die Gemalde zeigen den Einfluss der byzantinischen Kunst auf die italienische, durften aber in der Ausfuhrung kaum den schlechtesten byzantinischen Miniaturen an die Seite zu setzen seyu. — 3. Die Bilder von drei französischen Handschriften aus dem 12ten und 13ten Jahrhundert (Vaticana Nr. 375, 2209, 5895). — 4. Die Gemälde einer in Frankreich verfertigten Handschrift, die ein

Compendium der Geschichte in italienischer Sprache enthält (Vaticana Nr. 3839). — 5. Ein Manuscript der Tragödien des Seneca, mit dem Commentar eines englischen Dominicaners, Nicolaus Treveth, und mit Miniaturen vielleicht ebenfalls von der Hand eines Engländers (Nr. 355 der Bibliothek von Urbino). — 6. Die Bilder einer Handschrift von dem Werke Kaiser Friedrichs II. über die Falkenjagd (Nr. 1071 der Palatina). Sie zeugen von dem Aufleben der Kunst im 13ten Jahrhundert, besonders in den gut gezeichneten und in Bewegung und Flug characteristisch dargestellten Vögeln. Das Bild jenes Kaisers, dem ein Falkonier einen abgerichteten Falken überreicht, ist nicht unmerkwurdig wegen der Vorstellung des kaiserlichen Schmuckes damaliger Zeit.

B. Byzantinische Miniaturen.

Von diesen, welche die gleichzeitigen des Abendlandes der vorerwähnten Epoche weit übertreffen, besitzt die vaticanische Bibliothek einen reichen Schatz in byzantinischen Handschriften. Mehrere derselben, die in ihrer Art vortrefflich genannt werden können, unter die insbesondere die aus der Zeit der Comnenischen Kaiser (1056—1204) gehören, werden, was die Feinheit und technische Geschicklichkeit der Ausführung betrifft, kaum von den vorzüglichsten Miniaturen der Italiener des 15ten Jahrhunderts übertroffen.

1. Die Bilder aus der Geschichte des Josua, auf einer 32 Fuss langen Pergamentrolle (Vaticana Nr. 405), die man den Zügen der griechischen Inschriften zufolge in das .7te oder 8te Jahrhundert setzt, sind vermuthlich Copien älterer Werke, in denen Vorbilder aus den Zeiten des classischen Alterthums, denen Stil und Costum entspricht, benutzt worden sind. Sie sind flüchtig behandelte Aquarellzeichnungen, in denen, weil die Farben grossentheils erloschen sind, die mit dem Pinsel gezeichneten Umrisse und die Anlage der Schatten erscheinen. — 2. Das bekannte Menologium (Vaticana Nr. 1613), welches nach den Versen am Anfange des Buches der Kaiser Basilius II. (989—1025) verfertigen liess. Diesen Codex, der nur die Hälfte des griechischen Kalenders, vom Monat September bis zum Februar begreift, schmucken 430 auf Goldgrund gemalte Miniaturbilder, deren Gegenstände sich auf die in denselben enthaltenen Geschichten Christi und der Heiligen beziehen, deren Andenken in den Tagen des Kalenders gefeiert wird. Die Namen der bei den Gemalden angezeigten Künstler sind: Pantaleon, Simeon, Michael Blachernita, Georgius, Menas, Simeon Blachernita, Michael Mikros und Nestor. — 3. Eine Handschrift der Homilien des heil. Gregorius von Nazianz (Vaticana Nr. 463), nach der Anzeige in derselben, beendigt im Jahr 1063,

unter der Regierung des Kaisers Constantinus Ducas; ein auch in kalligraphischer Hinsicht ausgezeichnetes Manuscript, dessen Miniaturen in einem Bilde, welches den Verfasser des Werkes schreibend vorstellt, und in heiligen Gegenständen in sehr kleinen Figuren, Thieren und Arabesken, von ungemein zierlicher Ausfuhrung, bestehen. — 4. Eine Handschrift der auf Befehl des Kaisers Alexius Comnenus (1081—1118) geschriebenen Dogmatica Panoplia (Vaticana Nr. 666). In den Gemälden im ersten Bande dieses Werkes, die unter die vorzuglichsten byzantinischen Miniaturen gehören, ist der Kaiser Alexius, dem die griechischen Kirchenvater die Materialien zur Verfassung des Werkes uberbringen, und derselbe, wie er es dem Erloser darbringt, vorgestellt. — 5. Ein Codex der vier Evangelien, verfertigt unter dem Kaiser Johannes Comnenus, auf Veranstaltung von zwei Prinzen dieses Hauses, im Jahre 1128, mit Gemälden folgender Gegenstande: Der Heiland zwischen den Figuren der Gerechtigkeit und Liebe, den Kaiser Johannes und dessen Sohn Alexius segnend; — die Figuren der Evangelisten im Schreiben begriffen; — die Geburt des Erlösers; — seine Taufe; — die Geburt Johannes des Taufers; — und Christus, der die Seelen aus dem Limbus befreit. (Biblioteca d'Urbino Nr. 2). — 6. Ein Manuscript von dem Werke des heil. Johannes Climacus, welches den Namen der Leiter führt; nach dem Character der Schrift ebenfalls aus den Zeiten der Comnenen (Vaticana Nr. 394). Die Bilder mit sehr kleinen ungemein fleissig und zierlich ausgefuhrten Figuren, zu deren Erklarung die griechischen Beischriften dienen, beziehen sich auf den Inhalt des Werkes, in dem der Verfasser die Tugenden als Stufen zu der Leiter des Himmels betrachtet. Nebst den Tugenden sind auch hier die Laster personificirt, die den Sturz von dieser Leiter verursachen. — 7. Ein griechischer Codex der Evangelien, mit Gemalden der Figuren des Heilandes und der Evangelisten; aus derselben Epoche (Vaticana Nr. 756). — 8. Ein anderer griechischer Codex der Evangelien mit goldener Handschrift und schönen Miniaturen, welche die Figuren der Heiligen Matthäus, Lucas, Judas, Petrus, Paulus und Johannes den Evangelisten vorstellen.

Die vorerwahnten byzantinischen Handschriften schienen uns in Hinsicht der Gemälde die bedeutendsten dieser Bibliothek. Unter die Gemälde von minder guter Ausfuhrung gehören die eines evangelischen Lectionsverzeichnisses und Kalenders der griechischen Kirche (Vaticana Nr. 1156), welches man in das 12te Jahrhundert setzt, und das demnach ebenfalls in die Epoche der comnenischen Kaiser fallen würde. — Unter den entschieden mittelmässigen Malereien der Byzantiner sind die Bilder der griechischen Handschriften Nr. 699 und 746 der Vaticana anzuführen. Die erstere, welche die christliche Topographie des Cosmas enthält, wird in das 9te Jahrhundert gesetzt, die zweite, ein Theil der Bibel mit Quaestionen über die Genesis, in das 12te Jahrhundert. — Höchst barbarischen Styl und rohe Ausführung zeigen die Gemälde eines, der Anzeige zufolge, in Cypern geschriebenen Manuscripts (Vaticana Nr. 1231), eine Sammlung der Stellen der griechischen Kirchenväter über das Buch Hiob enthaltend. — Wohl ohne Zweifel sind ebenfalls byzantinische Arbeiten — allerdings aus sehr später Zeit — die sehr schlechten Gemälde der von dem bulgarischen Konige Johannes Alexander (1330—1353) veranstalteten Uebersetzung des Constantinus Manasses in die slavische Sprache (Nr. 1 der slavischen Manuscripte der Vaticana).

Lateinische Handschriften des 14ten Jahrhunderts.

Die lateinischen Handschriften des 14ten Jahrhunderts bieten in dieser Bibliothek keine Miniaturen von ausgezeichneter Bedeutung für die Stufe der Kunst dieses Zeitalters dar. Wir bemerken unter denselben: 1. Einen Commentar über das neue Testament (Vaticana Nr. 2639) mit der Anzeige seiner Verfertigung zu Bologna im Jahre 1358. Die Gemälde desselben sind Werke eines sonst nicht bekannten Malers, Nicolaus von Bologna, dessen Name in der Handschrift erscheint. Auf einem Blatte vor dem Text sieht man mehrere Bilder, welche die Passion des Erlösers, seine Himmelfahrt und die Ausgiessung des heiligen Geistes vorstellen, und in der weiteren Folge des Buches Brustbilder der Heiligen und Propheten, nebst arabeskenartigen Verzierungen. — 2. Ein Manuscript der Tragödien des Seneca (Biblioteca d'Urbino Nr. 356), der Anzeige zufolge von einem Kalligraphen aus Nürnberg geschrieben; die Gemalde aber zeigen mehr florentinischen als deutschen Character. Die Personen der Tragödien des römischen Dichters erscheinen im Costume des Mittelalters. — 3. Ein Pontificale (Vaticana Nr. 3747) mit mehreren Gemälden, deren Gegenstände geistliche Functionen sind. Durch eine Umschrift auf dem letzten dieser Bilder, welches Bonifacius IX. den apostolischen Segen ertheilend vorstellt, ist die Verfertigung dieser Handschrift auf Veranstaltung des genannten Papstes (1389—1404) angezeigt.

Fünfzehntes Jahrhundert.

1. Ein Pontificale aus der Bibliothek Ottoboni (Nr. 501), mit 25 vorzüglichen Miniaturbildern, welche dem Pietro Perugino zugeschrieben werden, wahrscheinlich aber einem, demselben im Style verwandten Zeitgenossen beizulegen sind. Ihre Gegenstände sind: die Priesterweihe, die Firmelung, die Einweihung zum Nonnenstande, und andere bischöfliche Functionen. — 2. Die Handschrift einer lateinischen Uebersetzung des Buches des Aristoteles über die Thiere, nebst einer Vorrede von Theodor von

Thessalonich, mit einigen ebenfalls vorzüglichen Malereien, welche an den Styl des Alessandro Botticelli erinnern. Das Titelblatt der Vorrede ist mit dem Bilde des Verfassers und mit einer Einfassung von Arabesken geschmuckt, in welcher zwei Genien das Familienwappen Sixtus IV. halten, dem das Buch zugeeignet ist. Auf dem Titelblatte des Werkes selbst erscheint Aristoteles schreibend von Menschen beider Geschlechter und Thieren mancherlei Art als den Gegenständen seines Buches umgeben; desgleichen eine Medaille in Bronzefarbe mit dem Bildnisse Sixtus IV. und das Wappen dieses Papstes zwischen zwei geflügelten Jünglingen, nebst Arabesken und Genien. Auf den Blättern, mit denen die Abtheilungen beginnen, sind ebenfalls schone arabeskenartige Zierrathen. — 3. Eine lateinische Bibel, in zwei Banden in Gross-Realfolio, von ausgezeichneter Pracht. Am Ende des zweiten Bandes steht das Datum 1478 und der Name des Kalligraphen Hugo de Cominellis, der dieses Manuscript fur den Herzog Friedrich von Urbino schrieb. Die Malereien bestehen aus Darstellungen von Begebenheiten der heil. Schrift und Brustbildern von Heiligen und Propheten, mit Blumenwerk geschmuckten Buchstaben, und reichen durch Blumen, Thiere und Kinderfiguren gebildeten Zierrathen, welehe die Schrift auf mehreren Blattern ganz oder zum Theil umgeben. Diese von verschiedenen Kunstlern ausgefuhrten Gemälde — die jedoch sämmtlich dem Character der florentinischen Schule zur Zeit der Verfertigung der Handschrift entsprechen — sind von ungleichem Werth. Die des zweiten Bandes sind durchaus unter denen des ersten und zum Theil sehr mittelmässig. — 4. Das bekannte Breviar des beruhmten Königs von Ungarn, Matthias Corvinus (Biblioteca d'Urbino Nr. 112). Die Handschrift wurde, nach der Angabe am Ende, von einem Presbyter, Martinus Antonius, im Jahr 1487 beendigt. Aber die Jahrzahl 1492, unter dem Bilde cart. 345, scheint zu erweisen, dass die Vollendung der Gemälde erst um diese Zeit, und folglich nach dem Tode des gedachten Konigs, erfolgte. Die Gegenstände dieser Gemalde sind heilige Geschichten, Brustbilder der Heiligen, Genien, nebst reichen Blumengewinden, die mit grosser Farbenpracht alle Blatter dieser kostbaren Handschrift schmucken. — 5. Die Gemalde einer Handschrift der göttlichen Komödie des Dante (Biblioteca d'Urbino Nr. 365), verfertigt für den Herzog Friedrich von Urbino zwischen den Jahren 1476 und 1482, sind sehr mittelmässig, obgleich man sie den Fremden als ausgezeichnete Miniaturen zu zeigen pflegt. Derselbe Maler, der die Bilder zu der Holle verfertigte, scheint auch die des Purgatoriums ausgeführt zu haben, ausgenommen die zu den letzten Gesängen, welche, nebst denen des Paradieses, an die Zucchari und an den Baroccio erinnern und daher unstreitig aus einer spätern Epoche sind.

Sechszehntes Jahrhundert.

1. In einer Sammlung lateinischer Lobgedichte auf Julius II. und seine Neffen (Vaticana Nr. 1682) ist ein für das Zeitalter Raphaels mittelmässiges Gemälde, merkwürdig jedoch wegen des Gegenstandes, welche die damals in Italien herrschende Vermischung christlicher Ideen mit denen des classischen Alterthums zeigt. Wir sehen in demselben den Triumph Julius II. nach der Einnahme von Bologna. Der kriegerische Papst erscheint auf einem Triumphwagen, umgeben von Soldaten und im Siegesgepränge aufgeführten Gefangenen. Die personificierte Stadt Jerusalem lässt zu dem Oberhirten der Kirche eine Rolle hinab, auf der man die Worte liest: Hierusalem miserere tuæ; und eine Inschrift auf diesem Bilde deutet auf den damals gefassten Vorsatz des Papstes zur Befreiung des heiligen Landes. Auf dem folgenden Blatte befinden sich einige Medaillen mit den Bildnissen Julius II., seines Bruders, seiner Nepoten, und des Casar und Augustus. — 2. Fünf Gemalde von dem als Miniaturmaler berühmten Giulio Clovio, in einer Lebensbeschreibung des Herzogs Francesco von Urbino. — 3. Die Gemälde der Lebensbeschreibung des Herzogs Friedrich von Urbino, von Girolamo Muzio, die ebenfalls dem Clovio zugeschrieben werden, aber eine von der seinigen verschiedene und schlechtere Manier zeigen und vielmehr an den Maler der vorerwähnten Miniaturen zu dem Paradies des Dante erinnern.

§. 62.

Beschreibung des christlichen Museums.

Das Museum sacrum oder Christianum, dessen wir schon bei der Beschreibung des Bibliothekgebäudes erwahnten, eine Sammlung von Denkmälern von christlichen Alterthümern und Werken der Kunst, wurde von Benedict XIV. angelegt, und ist nachmals durch die hinzugekommenen Monumente des Museums des Cardinals Carpegna und andere Erwerbungen, unter andern durch das Vermächtniss des um die Kunstgeschichte verdienten d'Agincourt, vermehrt worden. Wie in unserem grösseren Werke (Band II. Abth. 2. S. 364 u. folg.) betrachten wir auch hier die Merkwurdigkeiten dieser bedeutenden Sammlung nach zwei Classen, nämlich erstens die Denkmäler der ältesten christlichen Zeiten, und zweitens die aus den Zeiten des Mittelalters.

Zu den Denkmälern der ersten Classe, die grösstentheils in christlichen Grabstätten gefunden worden sind, gehören, ausser den hier und in der Gallerie vor dem Museum unter den Fenstern eingemauerten Grabschriften, 36 Sarcophagplatten, welche die meisten bis auf unsere Zeit erhaltenen altchristlichen Reliefs begreifen. Wir geben nur die Anzeige ihrer Vorstellungen, die sich ohne bedeutende Veränderungen wiederholen, und von denen sich meistens mehrere auf einer Platte befinden. 1. Der Sundenfall. — 2. Die ersten Eltern nach dem Sündenfall. Gott Vater — wie fast in allen altchristlichen Monumenten — in der Gestalt des Heilandes, als Jungling und bartlos, reicht dem Adam Kornahren, der Eva ein Lamm; jene beziehen sich auf den Ackerbau, auf den Adam nach dem Sündenfalle verwiesen ward; das Lamm wird auf die häusliche Arbeit des Wollespinnens gedeutet. — 3. Das Opfer Caius und Abels. Gott ist hier als ein bärtiger Alter vorgestellt; Caiu bringt ihm eine Weintraube und Abel ein Schaf. — 4. Noah, der die Taube mit dem Oelzweige in der Arche empfängt. — 5. Isaaks Opfer. — 6. Der Untergang Pharaos im rothen Meer. — 7. Moses, der Wasser aus dem Felsen schlägt. — 8. Moses, der die Gesetztafeln von Gott empfängt. — 9. Elias, der gen Himmel fahrt. — 10. Daniel in der Löwengrube. Der Prophet steht zwischen zwei Löwen mit ausgebreiteten Armen. — 11. Eine kleine mannliche Figur, die über einem flammenden Altar einige kleine Brode einer um einen Baum gewundenen Schlange reicht; vermuthlich Daniel, der den Drachen zu Babel tödtet. — 12. Die Geschichte des Jonas, wie er ins Meer geworfen, — von dem Wallfisch verschlungen, — und von ihm wieder ausgespieen wird; — desgleichen derselbe unter der Kürbislaube. — 13. Die drei Jünglinge im Feuerofen. — 14. Die Geburt des Heilandes. — 15. Die Anbetung der Weisen aus dem Morgenlande. — 16. Die Verwandlung des Wassers in Wein bei der Hochzeit zu Cana; auf allen diesen Darstellungen hält, zur Andeutung des Wunders, der Erlöser seinen Stab gegen einige vor ihm stehende Krüge. — 17. Die wunderbare Speisung. Der Heiland erscheint gewohnlich zwischen zwei Aposteln, von denen der eine eine Schussel mit zwei Fischen und der andere einen Korb mit Broden hält. Sechs andre Brodkorbe, gegen die er seinen Stab hält, stehen vor ihm auf dem Boden. — 18. Die Heilung des Blindgebornen. — 19. Das blutflüssige Weib. — 20. Die Heilung des Gichtbruchigen, der jederzeit sein Bette tragend vorgestellt ist. — 21. Die Auferweckung des Lazarus. In der gewohnlichen Vorstellung dieses Gegenstandes steht der Tode in Leichentücher eingewickelt, ähnlich einer ägyptischen Mumie, in der Thür des Grabes, welches ein tempelahnliches Gebäude ist. Christus berührt ihn mit seinem Stabe. Auf den meisten befindet sich dabei die heil. Magdalena, welche knieend den Heiland anfleht. — 22. Der Einzug Christi in Jerusalem. Teppiche werden vor ihm ausgebreitet; ein Mann auf einem Baume bricht Zweige, den Weg zu bestreuen. — 23. Der Heiland vor Pilatus. — 24. Die Verleugnung

des heil. Petrus, wobei der Hahn niemals fehlt. — 25. Christus
als guter Hirt. — 26. Der Angelfischer als Symbol des Heilandes.
— 27. Christus auf einem Felsen stehend, aus dem die vier Flusse
des Paradieses quellen, mit dem Kreuze in der Hand; eine Vorstellung, die sich in der Mitte zu befinden pflegt. — 28. Die Gefangennehmung des heil. Petrus. Man würde geneigt seyn, diese
Vorstellung für die Gefangennehmung des Heilandes zu erklären,
wenn die Gesichtsbildung des Gefangenen nicht vielmehr dem gedachten Apostel als dem Character des Erlösers auf den ältesten
christlichen Denkmälern entspräche. — 29. Die Auferstehung der
Todten, nach dem Gesicht des Propheten Ezechiel. — 30. Eine
stehende Frau, nach altchristlicher Sitte betend mit ausgebreiteten
Armen; unstreitig das Bild der Verstorbenen, deren Gebeine der
Sarcophag bewahrte. Die Stellung entspricht ganz der der Pietas
in Denkmalern des heidnischen Alterthums. — 31. Brustbilder
eines Mannes und einer Frau, die in dem Sarcophage bestatteten
Ehegatten vorstellend, wie auf heidnischen Monumenten.

Denkmäler in den Schränken.

· Die in den Schränken aufbewahrten Denkmäler dieses Museums
haben seit der Beschreibung desselben in unserem grösseren Werke,
in welchem wir die Schränke, in denen sie sich befinden, anzeigten,
eine bedeutende Ortsveranderung erlitten; und da ihre gegenwärtige Stelle ebenfalls nicht als bleibend gesichert seyn dürfte,
so scheint uns am angemessensten, jene besondere Anzeige ihres
Ortes hier wegzulassen.

Von denen der e r s t e n C l a s s e, a u s d e r ä l t e s t e n c h r i s t-
l i c h e n E p o c h e, bemerken wir folgende: — 1. Fragmente von
Glasgefässen, mit Bildern, die in Gold gezeichnet sind. Man bemerkt
in ihnen Reste einer rothen Flussigkeit, die fur Blut der Martyrer
gehalten wird, welches die Glaubigen sammelten und aufbewahrten.
Unter den Gegenständen ihrer Bilder befinden sich — ausser
mehreren der vorerwahnten auf den Sarcophagen ublichen Vorstellungen — Tobias mit dem Fisch, — der siebenarmige Leuchter
des Tempels in Jerusalem, — die Bilder der Apostel Petrus und
Paulus, Johannes und andrer Heiligen, wie des Timotheus, Xystus,
Laurentius und Cyprianus. Besondere Erwahnung verdient, wegen
der Seltenheit der Vorstellung, ein in dem Gottesacker des heil.
Saturninus im Jahre 1731 gefundenes Fragment. Man sieht auf
demselben den guten Hirten, von Menschen umgeben, die mit
Tischlerarbeit beschaftigt sind, nebst der Umschrift: PIE ZESES
DEALI...ISPES TVA. — 2. Werkzeuge von auffallender Form,
die fur Marterinstrumente gehalten werden; eine Erklärung, welche
der Umstand zweifelhaft macht, dass ähnliche Werkzeuge in den
heidnischen Grabern bei Corneto entdeckt worden sind. — 3. Lampen

von gebrannter Erde und von Metall, auf denen Kreuze, das Monogramm Christi und andere christliche Symbole gebildet sind. — 4. Drei mit erhobener Arbeit verzierte gottesdienstliche Gefässe von Metall. Auf dem einen, einem silbernen Henkelgefässe, ist um den Hals herum eine Reihe von Tauben gebildet, und unten, um den Bauch, eine Reihe von Schildern mit mannlichen Brustbildern, ohne allen Typus, daher es zweifelhaft bleibt, ob sie den Heiland und die Apostel, für die man sie erklarte, vorstellen. Unter ihnen folgt eine Reihe von Lämmern. Die beiden anderen der gedachten Gefasse sind von Bronze. Auf dem einen sieht man, in erhobener Arbeit, das Brustbild des Erlosers, auf dem anderen das des Apostels Paulus. — 5. Christliche Gemmen und Glaspasten, mit den Vorstellungen der Siebenschläfer, der Anbetung der Weisen, der Geburt des Heilandes, des Fisches und anderen christlichen Symbolen. — 6. Zwei kleine runde Metallscheiben mit vertiefter Arbeit. Auf der einen ist der gute Hirt vorgestellt, auf der anderen eine betende Frau; zwischen beiden das Monogramm; eine dritte Metallscheibe zeigt den guten Hirten in flachem Relief. — 7. Ein altes, aber stark ergänztes Mosaik, den Erloser vorstellend; gefunden in einem christlichen Gottesacker. — 8. Ein elfenbeinernes Gefass, das vielleicht zur Aufbewahrung von Reliquien bestimmt war, mit erhobenen Arbeiten, welche die Auferweckung des Lazarus, die Gefangennehmung Christi und andere heilige Gegenstände vorstellen. — 9. Zwei runde Metallscheiben mit erhobenen Arbeiten. Auf der einen ist der gute Hirt, umgeben von den Darstellungen des Sundenfalles, des Jonas unter der Kürbislaube und ahnlichen Gegenständen, vorgestellt; auf der anderen die Apostel Petrus und Paulus mit dem Monogramm Christi. — 10. Glaserne Gefässe und Schalen, aus den Katakomben. — 11. Eben daselbst gefundene Kreuze und Stempel. — 12. Löffel, die zum gottesdienstlichen Gebrauche dienten; entweder beim Abendmahl, oder um den Weihrauch in das Rauchfass zu schutten. — 13. Tauben, Widder und ähnliche Symbole von Bronze. — 14. Gefasse von Ambra, mit erhobenen Bildwerken geschmuckt, von denen wegen der schonen Arbeit zweifelhaft ist, ob sie in diese Epoche gehoren.

Die zweite der von uns angegebenen Classen begreift die Denkmäler des Mittelalters. Sie bestehen aus kleinen Gemälden, kleinen Statuen, erhobenen Werken von Elfenbein, Holz und Metall, eingegrabenen und Schmelzarbeiten, nebst verschiedenen anderen Gegenstanden, die nicht als Kunstwerke, sondern nur als Alterthümer Bedeutung haben. Die Gemälde und erhobenen Werke finden wir besonders haufig auf kleinen, zum Zusammenlegen eingerichteten Altartafeln, die, wenn sie aus zwei mit einander verbundenen Theilen bestehen, Diptychen, wenn sie aber

drei derselben haben, Triptychen genannt werden. Wir betrachten zuerst die byzantinischen Werke, von denen dieses Museum
einen reichen Schatz besitzt, und über deren allgemeinen Character wir auf den Aufsatz in unserem grösseren Werke (a. a. O.
S. 372 u. folg.) verweisen.

Die vorzuglichen byzantinischen Gemälde sind folgende:
1. Ein durch Grösse und Reichthum der Composition vorzüglich ausgezeichnetes Bild, der Tod des heil. Ephrem, des bekannten syrischen Heiligen des 4ten Jahrhunderts. Sowohl der Gegenstand als der Name des Meisters, Emanuel Tzanfurnari, sind auf
dem Gemälde durch griechische Inschriften angezeigt, deren Schrift-
zuge aus dem 11ten Jahrhundert scheinen. Zu unterst des Bildes
sieht man den Leichnam jenes Heiligen auf der Bahre liegend,
mit einer zahlreichen Versammlung von Mönchen umgeben. Mehrere Personen kommen von entfernten Orten zu dieser Leichenfeier: sie sind theils Monche, theils Kruppel, die vermuthlich von
der wunderthätigen Kraft des Leichnams ihre Heilung erwarten.
Den Hintergrund bildet eine öde Felsengegend mit den Grotten
der Anachoreten, in denen sie in ihren Beschaftigungen vorgestellt
sind. Ein Monch auf einer Säule ist vermuthlich der berühmte
Simeon, Stifter der Anachoreten, die von dem Acte ihrer strengen
Busse den Namen Styliten (Saulensteher) fuhrten. Zuoberst des
Bildes tragt ein Engel die Seele des heil. Ephrem zum Himmel
empor. In Hinsicht des Umstandlicheren dieses merkwurdigen
Gemäldes, welches eine sehr characteristische Darstellung des
Anachoretenlebens gewährt, verweisen wir auf unsere ausfuhrliche
Beschreibung (a. a. O. S. 376 u. folg). — 2. Ein Gemälde fast ganz
ohne Angabe der Schatten, in Folge der griechischen Inschrift den
heil. Sylvester vorstellend. Er ist mit der papstlichen Krone geschmuckt und hält in der einen Hand ein Buch, während er die
andere segnend erhebt. — 3. Eine holzerne viereckige Tafel mit
griechischen Inschriften. In der Mitte das Brustbild des heiligen
Nicolaus, Bischofs von Mira, der die eine Hand zum Segen erhebt
und mit der andern ein Buch hält. In der mit Silberplatten be-
legten Einfassung umgeben ihn kleine Bilder heiliger Geschichten.
— 4. Ein Triptychon mit sehr kleinen Gemälden, deren Gegenstände durch griechische Inschriften angezeigt sind. Das mittlere
stellt den Heiland sitzend vor, von einer zahlreichen Versammlung
von Heiligen im Kreise umgeben; eine Composition, die an eine
ähnliche Vorstellung der Dalmatica in der Sacristei der Peterskirche erinnert. Auf der inneren Seite der Thüren zwei Stamm-
bäume mit Brustbildern von Heiligen; in ihrer Mitte erscheint
auf dem einen der Heiland, und auf dem andern die heil. Jungfrau mit dem Kinde. An der Aussenseite der Thüren: der Berg
Sinai mit den ihn bewohnenden Mönchen und einer Caravane.

Auf dem mittleren Bilde der Rückseite steigen die Seligen auf einer Leiter zum Himmel empor, wo sie von dem Heilande empfangeu werden, wahrend die Teufel die Verdammten hinab zur Hölle ziehen. An der inneren Seite der einen Thür ist die gedachte Vorstellung des Berges Sinai wiederholt; an der andern das Nicàische Concilium, wo in der Mitte der Kaiser Constantin, und unter ihm Arius auf dem Boden erscheint. — 5. Ein kleines Triptychon, dessen Gemälde sehr sorgfältig ausgeführte Umrisse, aber mit geringer Andeutung der Schatten zeigen. Auf dem mitleren Bilde ist Christus zwischen Maria und Johannes vorgestellt, und auf den Thüren die heil. Nicolaus und Maximus, mit den Namen derselben in griechischen Inschriften. — 6. Ein altrussisches Bild, den Tod der heil. Jungfrau im Beiseyn der Apostel und heiligen Frauen vorstellend, in deren Mitte der Heiland die Seele seiner Mutter in Gestalt eines Kindes aufgenommen hat. Der Gegenstand ist durch die Worte: das Entschlafen der Mutter Gottes, angezeigt. Die Einfassung des Gemäldes ist mit Silberplatten, welche eingegrabene Arbeiten schmücken, ausgelegt.

Plastische Denkmäler der byzantinischen Kunst.

1. Kleine erhobene Werke von gebrannter Erde und vergoldet; nach dem Character der griechischen Schrift aus dem 12ten oder 13ten Jahrhundert. Ihre Gegenstände sind Brustbilder von Heiligen und Darstellungen heiliger Geschichten. Sie zeigen bei ziemlich roher Arbeit einen guten Styl. — 2. Drei metallene Reliquienkastchen mit giebelformigen Dächern und sehr flach gehaltenen Reliefs, deren Figuren vergoldet sind. Auf dem Deckel des einen sieht man den Heiland, von den symbolischen Bildern der Evangelisten umgeben; zwei ihm zu beiden Seiten stehende Figuren sind vermuthlich die Apostel Petrus und Johannes. Darunter, auf dem Kasten, Christus am Kreuze zwischen Maria und Johannes. Zu beiden Seiten dieser Vorstellung zwei Figuren des Erlosers, sitzend auf dem Firmament. Er ist hier bartlos gebildet, da er hingegen auf dem Deckel bartig erscheint. Auf dem zweiten dieser Kästchen ist auf dem Deckel die Flucht nach Aegypten vorgestellt, und auf dem Kasten das verlassene Grab des Heilandes mit dem Engel und den drei Marien, von denen hier nur zwei erscheinen. Auf dem dritten, am Deckel, der heil. Stephanus, wie er ergriffen wird, um gesteinigt zu werden, und Saulus mit den Kleidern der Zeugen; unten die Steinigung selbst. Diese Vorstellungen befinden sich auf den Rückseiten dieser Kästchen; an den Querseiten sind Figuren von Heiligen, die Vorderseiten aber sind ohne Bildwerke.

Vornehmlich ausgezeichnet sind durch Kunstwerth die folgenden byzantinischen Elfenbeinarbeiten:

1. Ein Triptychon, ein sehr vorzügliches Werk byzantinischer

Sculptur. Auf der mittleren Tafel, in der oberen Reihe, Christus auf dem Throne sitzend; hinter ihm zwei stehende Engel; demselben zu beiden Seiten Maria und Johannes; an jedem der beiden Enden zwei Heilige in Rüstung. In der mittleren Reihe Brustbilder, und in der unteren stehende Figuren von Aposteln und Heiligen. Auf den beiden Thuren ebenfalls Heilige in derselben Anordnung, wie auf der mittleren Tafel. Auf der Rückseite ein geschmücktes Kreuz mit Arabesken umgeben, in denen sich Pfauen, Perlhühner und Tauben befinden; auf den beiden Thüren Heilige in der Anordnung wie an der Vorderseite. Die Namen der sämmtlichen Heiligen sind durch griechische Inschriften angezeigt. Die Rüstungen, Säume der Gewänder und andere Zierrathen sind bemalt, meistens mit blauer Farbe, und mit Vergoldungen geschmückt. — 2. Zwei kleine Scheiben, etwas vertieft und Tellern ähnlich, mit sehr kleinen, ungemein fleissig und zierlich ausgefuhrten Figuren und griechischen Inschriften. Auf der einen ist das Brustbild der heil. Jungfrau, von anderen Brustbildern umgeben, welche Heilige mit Schriftrollen vorstellen; auf der andern erscheinen in der mittelsten Rundung drei Engel an einem Tische sitzend, vielleicht die Gäste des Abraham, der aber hier nicht vorgestellt ist; in den übrigen Rundungen Begebenheiten aus dem Leben Christi. — 3. Zwei viereckige Tafeln, ebenfalls von zierlicher Ausfuhrung, mit griechischen Inschriften. Auf der einen der Heiland in einer Glorie, von Engeln umgeben; unten Heilige; im Hintergrunde Architectur; — auf der anderen Figuren von Heiligen und heilige Geschichten.

Von den byzantinischen Metallarbeiten dieses Museums erwähnen wir noch:

1. Ein metallenes Kreuz, auf dem die heilige Jungfrau mit dem Kinde und die vier Evangelisten in erhobener Arbeit gebildet sind. — Eine kleine Metallplatte mit Reliefs, welche den Heiland am Kreuze, seine Grablegung und die drei Marien an seinem Grabe vorstellen. — 3. Ein kleines Triptychon von Metall, auf dem man einen Heiligen in bischöflicher Kleidung, mit einem Schwerte in der einen, und einem Gebaude, ohne Zweifel einer Kirche, in der anderen Hand, und mehrere Brustbilder, ebenfalls von Heiligen, bemerkt. — 4. Eine kleine metallene Tafel, mit Schmelz ausgelegt, auf welcher der Heiland mit einer Krone geschmückt, auf dem Firmament ruhend, in erhobener Arbeit gebildet ist.

Von den italienischen Bildwerken sind zu erwähnen:

1. Ein Diptychon von Elfenbein, welches, der lateinischen Inschrift zufolge, Agiltruda, Gemahlin des Guido, Herzogs von Spoleto und nachmaligen Kaisers, zu Ehren der heil. Gregorius, Sylvester und Flavianus, dem von ihr gestifteten Kloster zu Rambona

in der Mark Ancona auf Veranstaltung des Abts Odelricus schenkte; ein Werk in hochst barbarischem Style, aber merkwürdig wegen der Vorstellungen, und als eine historisch beurkundete Arbeit des 9ten Jahrhunderts. Man sieht auf dem einen Flugel dieser Altartafel oben das Brustbild des Heilandes, von zwei Engeln getragen; in der Mitte den Erlöser, mit vier Nägeln an das Kreuz geheftet, zwischen Maria und Johannes, wobei die durch Inschriften bezeichneten Figuren der Sonne und des Mondes erscheinen, von denen jede eine Fackel halt; und unten die Wolfin mit Romulus und Remus. Auf dem anderen Flugel oben die heil. Jungfrau zwischen zwei Cherubimen mit sechs Flügeln; in der Mitte die oben erwähnten Heiligen; unten eine schwebende weibliche Figur mit der Fackel in der einen, und einem Palmzweige in der anderen Hand. — 2. Eine holzerne Altartafel, ehemals im Museum des Camaldulenserklosters von S. Michele de Muriano zu Venedig; ein Werk mit dem vorerwahnten von ähnlichem Style, und demnach wohl aus derselben Epoche. Die Gegenstande der erhobenen Arbeiten sind: Christus, der, auf dem Throne sitzend, die Hand zum Segen erhebt, von drei Engeln umgeben; unten die heiligen Gervasius und Protasius, durch lateinische Inschriften bezeichnet. — 3. Ein Diptychon von Elfenbein mit Gegenständen aus dem Leben Christi; ein Werk, welches aus dem 12ten oder dem Anfange des 13ten Jahrhunderts zu seyn scheint und ebenfalls einen sehr schlechten Styl und rohe Arbeit zeigt. — 4. Eine vergoldete Platte von Metall, mit der Vorstellung des heil. Sebastian in eingegrabener Arbeit; den Zügen der lateinischen Schrift zufolge aus dem 12ten oder 13ten Jahrhundert.

Dem Style zufolge sind ebenfalls italienische Arbeiten, vermuthlich des 12ten oder 13ten Jahrhunderts:

5. Ein anderes elfenbeinernes Diptychon, von der Grösse des vorerwähnten, mit Figuren von kurzer Proportion. Es sind auf demselben die Geburt Christi, die Kreuzigung, und die Kronung der heil. Jungfrau gebildet. — 6. Ein Triptychon von Holz, mit kleinen erhobenen Figuren, Darstellungen heiliger Gegenstande. — 7. Zwei Gerathe von Elfenbein. Auf dem einen ist die Geburt Christi und der Engel mit den drei Marien am Grabe des Erlosers, auf dem andern die Taufe Christi vorgestellt. — 8. Eine Tafel mit eingelegter Holzarbeit, die Passion des Heilandes vorstellend, von Engeln mit den symbolischen Bildern der Evangelisten umgeben.

Die folgenden Kunstarbeiten zeigen den Styl des 15ten Jahrhunderts:

9. Eine kleine metallene Platte, worauf die Abnahme vom Kreuze, schön in Composition und Ausfuhrung gebildet ist. — 10. Ein kleines erhobenes 'Werk, ebenfalls von Metall, die

Grablegung Christi vorstellend, erinnert an den Styl des Antonio Pollajuolo. — 11. Eine Tafel mit eingelegter Holzarbeit, welche ein Tabernakel mit der Vorstellung der Taufe Christi zeigt. — 12. Eine kleine runde Scheibe mit erhobener Arbeit von schöner Composition und fleissiger Ausführung könnte in die ersten Zeiten des 16ten Jahrhunderts gesetzt werden. Der Gegenstand ist zufolge der Inschrift: Fortis fortiori succumbit (der Starke unterliegt dem Starkern), eine Allegorie, die durch Reiter und kämpfende Thiere ausgedruckt ist.

Noch erwähnen wir zuletzt folgende Gegenstände, die nicht sowohl als Kunstwerke, als in der Eigenschaft kirchlicher Alterthümer bemerkenswerth sind:

1. Drei Processionskreuze von Metall, mit dem Erlöser und den symbolischen Bildern der Evangelisten in eingegrabener Arbeit. — 2. Mehrere metallene Crucifixe, auf denen, mit Ausnahme des einen, die Füsse des Heilandes nach der ältesten Weise gesondert angenagelt sind. Das eine, mit einem durch Baumstämme gebildeten Kreuze, ist durch die seltsame, der Mutze der ägyptischen Sphinxe ähnliche Kopfbedeckung des Heilandes ausgezeichnet. — 3. Zwei Kreuze von Holz mit heiligen Gegenständen in erhobener Arbeit, deren Einfassungen von Eisen sind. — 3. Zwei elfenbeinerne Fragmente von Bischofsstaben; in der Krümmung des einen ist ein Hirsch dargestellt. — 4. Ein Trinkhorn von Elfenbein mit architectonischen Zierrathen und deutscher Inschrift; den Schriftzügen zufolge aus dem 13ten oder 14ten Jahrhundert. — 5. Abendmalskelche von Metall, von denen einige mit Edelsteinen geschmückt sind, und kleine Tabernakel, ebenfalls von Metall und vergoldet: eines derselben ist mit Edelsteinen und eingegrabenen Arbeiten verziert. — 6. Mehrere bischöfliche Ringe. — 7. Die Mitra Johanns XXII. und ein Agnus Dei aus der Zeit dieses Papstes. — 8. Andere Agnus Dei, kleine Reliquienkästchen zum Tragen, und ähnliche Denkmäler.

§. 63.

Vasensammlung der Bibliothek.

Die Zahl der vornehmlich auf den Schränken der Bibliothek aufgestellten antiken Gefässe von gebrannter Erde beläuft sich ungefähr auf 400 Stuck. Diese Sammlung lässt sich, hinsichtlich des Werthes der Stücke, keineswegs mit der des Gregorianischen Museums vergleichen, in welches auch aus der Bibliothek zwei ihrer merkwürdigsten antiken Gefässe, das mit der Vorstellung des Besuches des Jupiter bei der Alcmene, und die beruhmte Triptolemusvase, gekommen sind, die wir beide bei der Beschreibung des gedachten Museums erwähnt haben.

Die Mosaikfabrik.

§. 64.

Das heutige Local der Mosaikfabrik (Studio di Musaico) ist im Erdgeschosse des Palastes, unter dem Inschriftencorridor. Der Eingang ist, von dem Hofe des Bramante aus, in der Ecke rechts von dem Eingange zum Museum.

Die grossen Mosaikarbeiten, zum Schmuck der Kuppeln und Altäre der Peterskirche, haben zur Gründung dieser Anstalt Veranlassung gegeben und ihre fortwährende Erhaltung nothwendig gemacht. Sie ist zugleich eine Bildungsanstalt für diese Kunstubung, in der auch andere Arbeiten, ausser den für die Kirche bestimmten, wie die Mosaiken, die der Papst als Ehrengeschenke zu geben pflegt, verfertigt werden. Man bedient sich bei diesen Arbeiten nicht, wie meistens die Alten, und wie noch gegenwärtig zu der sogenannten Florentinerarbeit (lavoro di pietre commesse), der natürlichen Steine, sondern farbiger Glascompositionen, welche den doppelten Vortheil eines wohlfeileren und hinsichtlich der Farben nach Belieben zu erzeugenden Materials gewähren. Durch die Mannigfaltigkeit der verschiedenen Tinten — deren Zahl man in dieser Anstalt auf 18,000 gebracht hat — wurde es allein möglich, den Mosaikbildern der Peterskirche jene täuschende Nachahmung der Oelgemalde zu ertheilen. Gegenwärtig ist diese Zahl nicht mehr vollständig; und die Arbeiter in dieser Fabrik vermögen daher, wegen der geringeren Zahl der Abstufungen der Farben, nicht mehr dasselbe zu leisten, was sie früher zu leisten vermochten. Die Anstalt ist überhaupt seit der französischen Revolution ins Sinken gerathen. Dagegen sind unabhängig von der Fabrik der Peterskirche die kleineren Mosaikarbeiten einer der vorzüglichsten Gegenstände der römischen Betriebsamkeit geworden. Man hat diese Kunst auf alle Gegenstände, selbst auf Landschaften, angewendet, und in den sehr kleinen Arbeiten zur Verzierung von Dosen, Halsbändern u. dgl. mit der Miniaturmalerei zu wetteifern gesucht.

Der grosse vaticanische Garten, genannt il Boscareccio.

§. 65.

Der grosse vaticanische Garten, il Boscareccio genannt, liegt hinter den Gebäuden des Belvedere und erstreckt sich von da bis zu den Mauern der Leoninischen Stadt.

Gartenhaus Pius IV.

Unter einer mit Bäumen bepflanzten Anhöhe dieses Gartens, vom Eingange links, steht das Gebäude, welches von Pius IV. — unter dem es vollendet ward — den Namen Casino di Pio IV. führt. Pirro Ligorio hat es, wenn nicht in einem ganz reinen, doch zierlichen und anmuthigen Style angegeben. Die Aussenwände sind reich mit Bildwerken und Mosaiken, und die inneren Wände mit Gemälden von Federico Zucchero, Baroccio und anderen Malern geschmückt. Unter den antiken Denkmälern, die sich hier befinden, sieht man eine Herme des Sophocles, durch die antike Inschrift bezeichnet; — eine kleine Statue des Aesopus; — eine Minerva mit Gorgonenhelm; — ein erhobenes Werk, die Sage der Medea vorstellend; — einen Kopf des Socrates; — eine Herme mit einem aufgesetzten Frauenkopfe, an ihrem Schafte, unter Laubwerk, einen schlafenden Todesgenius. — Eine schlafende Brunnennymphe mit einem Wassergefässe; Bildsäule in halber Lebensgrösse; — und zwei antike Mosaiken, von denen das eine eine Eberjagd, das andere einen bacchischen Tanz nebst einigen anderen Gegenständen vorstellt. — Auch sind hier gegenwärtig die von d'Agincourt gesammelten antiken Bildwerke in gebrannter Erde, die sich zuvor im Appartamento Borgia befanden, nebst einigen anderen, die ehemals im Besitz des Bildhauers Canova waren, aufgestellt.

Während der Residenz im Vatican empfängt der Papst in diesem anmuthigen Gartenhause gewöhnlich die Damen, welche eine Audienz von ihm erhalten.

Der Borgo und seine Umgebungen.

§. 66.

Noch sind in der Beschreibung des vaticanischen Gebietes einige bemerkenswerthe Gegenstände des Borgo zu betrachten, wie jetzt diese ganze Vorstadt genannt wird, die erst unter Sixtus V. als die 14te Region zur Stadt gezogen wurde.

Der Borgo Piazza di S. Marta. Seminarium der Peterskirche.

Der Platz hinter der Tribune der Peterskirche heisst Piazza di S. Marta, von der kleinen 1537 erbauten Kirche dieses Namens. Unweit derselben steht das Gebäude des von Urban VIII. gestifteten Seminariums der Peterskirche, in welchem zwölf angehende Geistliche unterhalten werden, die den Dienst bei der Messe in dieser Kirche versehen.

Palast der Inquisition.

Der Palast, in welchen Paul V. das von Paul III. 1536 auf den Antrieb des Caraffa gestiftete Tribunal der Inquisition verlegte, ist ein ansehnliches, in einem guten Style aufgeführtes Gebaude. Der Präfect der Congregation dieses Tribunals ist der Papst. Die Stelle des Secretars bekleidet ein Cardinal. Unter den Beisitzern befinden sich mehrere Cardinäle und Geistliche von verschiedenen Orden. An das Hintergebäude jenes Palastes, bei Porta Cavallegieri, stösst die alte, gegenwärtig verlassene und verfallene Kirche S. Salvatore in Magello (auch in Torrioni).

S. Michele in Sassia.

Die Kirche S. Michele in Sassia, die ursprünglich den Friesen gehörte, wurde der Sage zufolge von Leo IV. zu Seelenmessen der bei der Vertheidigung Roms gegen die Saracenen Gebliebenen erbaut. Sie liegt auf einer Anhohe, zu der 23 Stufen fuhren. Seit ihrer Erneuerung im vorigen Jahrhundert tragt nur der Glockenthurm noch alterthümlichen Character. In dieser Kirche ist das Grabmal des Malers Anton Raphael Mengs.

S. Lorenzo in Borgo vecchio, ehemals in Piscibus.

Ihr fast gegenüber, in der Via del Borgo di S. Spirito, ist der Eingang zu einer anderen, ebenfalls alten, dem heil. Laurentius geweihten Kirche, die ehemals den Beinamen in Piscibus hatte, gegenwärtig aber S. Lorenzo in Borgo vecchio, oder in der Volksbenennung S. Lorenzuolo benannt wird. Sie zeigt noch die Form einer Basilica mit drei Schiffen, die von 12 antiken Säulen getheilt werden; die Tribune ist bei ihrer auf Kosten der Familie Cesi im Jahre 1659 erfolgten Erneuerung verloren gegangen. Diese Kirche erhielten zu derselben Zeit die Padri delle Scuole Pie, welche in dem mit ihr verbundenen Gebaude, der Bestimmung ihres Ordens gemäss, armen Kindern unentgeldlichen Unterricht ertheilen.

Kirche und Hospital di S. Spirito.

Das ursprüngliche Gebäude des Hospitals von S. Spirito erbaute Innocenz III. bei der Kirche S. Maria in Sassia, deren Erbauung dem angelsächsischen Könige Ina, zwischen den Jahren 715 und 731, zugeschrieben wird. Der Papst bestimmte es, ausser der Krankenpflege, zur Aufnahme von Findelkindern, bewogen durch die traurigen, zu dieser Zeit nicht seltenen Beispiele von Säuglingen, die todt in der Tiber gefunden wurden, und erwarb sich dadurch den Ruhm des ersten Stifters einer solchen Anstalt in der christlichen Welt. Er übergab das Hospital im Jahre 1204 dem kurz zuvor in Frankreich gestifteten Orden des heil. Geistes

und ernannte den Stifter desselben, Guido von Montpellier, zum
Vorsteher. Von diesem Orden erhielt die vorerwähnte Kirche,
die seitdem zum Hospitale gehörte, den Namen S. Spirito. Paul III.
liess die alte Kirche niederreissen und an ihrer Statte die heutige,
nach dem Plane des Antonio da Sangallo erbauen; die Vorderseite wurde erst im Pontificate Sixtus V. nach Angabe des Ottaviano Mascherini aufgefuhrt. Der Glockenthurm, im Style des
15ten Jahrhunderts, ist aus der Zeit Sixtus IV., wie das Wappen
dieses Papstes mit seinem Namen beweist. Die Gemälde im Innern der Kirche sind meistens von Marcello Venusti, Livio Agresti
und anderen Nachahmern des Michelagnolo. An der Aussenseite
derselben, unter dem Glockenthurme, ist eine Inschrift zum Andenken eines Goldschmieds, Bernardino Passerini, zu bemerken,
der unweit von hier bei der Vertheidigung der Stadt gegen die
Kriegsvölker Carls V. das Leben verlor.

Das Hospital ist von sehr grossem Umfange und begreift
mehrere im Verlaufe der Zeit aufgefuhrte Gebäude. Den unter
Gregor XIII. nach Angabe des Mascherini erbauten Palast bewohnt
der Commendatore des heil. Geistordens, der uber das Hospital
die Aufsicht fuhrt. Auch befindet sich in demselben die von dem
berühmten Arzt, Gio. Maria Lancisi, angelegte Bibliothek, die aus
medicinischen, naturwissenschaftlichen und mathematischen Werken besteht, nebst einer Sammlung von physicalischen, mathematischen und astronomischen Instrumenten. Das lange Gebaude,
welches die ganze Seite der Strasse von dem vorerwähnten Palaste bis zur Engelsburg einnimmt, ist zum Theil unter Benedict XIV.
unter der Leitung des Fuga erbaut worden. In dem gesammten
Hospitale war bis zum Jahre 1835 Raum für 1616 Kranke. Es
kann aber jetzt, nach den nach dieser Zeit stattgefundenen Ver-
grösserungen des Locals, noch weit mehrere derselben aufnehmen.
Unter Pius VII., im Jahre 1805, wurde in demselben eine clini-
sche Schule gestiftet. Die im Findelhause unterhaltenen Ammen
sind zu der grossen Anzahl der Kinder nicht hinreichend, daher
viele derselben aus Mangel an Nahrung sterben, wie es leider
auch in Findelhäusern anderer Orte geschieht. — Dem Hospitale
gegenuber ist das Oratorium der ebenfalls zur Krankenpflege von
Guido von Montpellier gestifteten Brüderschaft des heil. Geistes,
welche Pius V. zu einer Archiconfraternität erhob.

Porta di S. Spirito.

Von demselben Hospitale führt das Thor, von dem man aus
dem Rione del Borgo in die Via della Lungara gelangt, den Namen Porta di S. Spirito. Es ist ein unvollendet gebliebenes Werk
des Antonio da Sangallo aus der Zeit Pauls III.

S. Giacomo di Scossacavalli.

S. Giacomo di Scossacavalli ist eine sehr alte Kirche, die aber in ihrer heutigen modernen Gestalt nichts Merkwürdiges zeigt.

Palast Giraud, jetzt Torlonia.

Die Seite des nach dem Beinamen dieser Kirche benannten Platzes, in der Via di Borgo nuovo, bildet der schöne Palast, den der berühmte Bramante für den Cardinal Hadrian von Corneto erbaute. Er kam zu Anfang des vorigen Jahrhunderts in den Besitz der Grafen Giraud, und gehört jetzt dem Banquier Torlonia. Das in dem gedachten Jahrhundert hinzugefugte Portal ist von schlechtem Geschmack.

Gebäude der Beichtväter der Peterskirche.

Das diesem im Borgo vecchio gegenüberstehende Gebäude dient gegenwärtig zur Wohnung der Beichtväter (Penitenzieri) der Peterskirche.

Ospizio degli Eretici convertiti.

In dem grossen Palast, der Kirche S. Giacomo di Scossacavalli gegenüber, ist das Institut, Ospizio degli Eretici convertiti genannt, welches im Jahre 1675 zur Unterweisung der Fremden gestiftet wurde, die sich zum katholischen Glauben bekennen wollen. — In der Via del Borgo nuovo, weiter nach der Peterskirche zu, sieht man rechts ein nicht grosses, sehr schmales Gebäude von zwei Stockwerken über einem von rauhen Quadersteinen (alla Rustica) gebauten Erdgeschosse. Es wurde unter Leo X. für dessen Leibarzt erbaut und gehört jetzt der Familie Colonna. Dem Baldassare Peruzzi, dem die Angabe desselben zugeschrieben wird, scheint es nicht zu entsprechen.

Palast chemals Rusticucci, jetzt Accoramboni.

Es folgt darauf der grosse Palast, den der Cardinal Girolamo Rusticucci nach Angabe des Carlo Maderno erbaute. Er gehört jetzt der Familie Accoramboni.

S. Maria Traspontina.

Der Bau der heutigen Kirche S. Maria Traspontina erfolgte im Jahre 1566 unter der Leitung des Ottavio Mascherini und Papparelli. Die Vorderseite hat Gio. Sallustio Peruzzi angegeben. Die Gemalde und Bildhauerarbeiten dieser Kirche sind von keiner Bedeutung. In der dritten Kapelle, vom Eingange links, werden zwei Säulen aufbewahrt, an denen, wie man behauptet, die Apostel Petrus und Paulus gegeisselt wurden. Auf dem in sehr schlechtem Geschmack nach Angabe des Carlo Fontana errichteten Hauptaltare ist ein verehrtes Marienbild, welches die Karmeliter, denen die Kirche gehört, aus dem heiligen Lande brachten.

§. 67.

Das Mausoleum Hadrians, oder die Engelsburg.

Der Bau des grossen und prächtigen Grabmals, den der Kaiser Hadrian nach der Zurückkunft von seiner langen Reise durch die Provinzen des römischen Reichs in den Gärten der Domitia unternahm, wurde, wie eine Inschrift an diesem Gebäude zeigt, erst unter seinem Nachfolger Antoninus Pius im Jahre 140 n. Chr. vollendet. Hadrian hatte es für sich und die nachfolgenden Kaiser bestimmt, die auch bis zu Septimius Severus, dessen Beisetzung Herodian ausführlich beschreibt, hier mit den Ihrigen ihre Grabstätte erhielten; und hochst wahrscheinlich auch mehrere der folgenden. Wenn nicht schon unter Aurelian, so wurde doch gewiss unter Honorius durch Schenkelmauern, die es mit der zu demselben führenden Brucke verbanden, dieses Grabmal in die Befestigung Roms gezogen. Durch die wiederholten Angriffe und Zerstorungen, die es als die Hauptfestung der Stadt im Laufe von mehreren Jahrhunderten erlitt, ist es bis auf den heutigen, von seiner ursprunglichen Pracht ganz entblössten Rest vernichtet worden, welcher den Kern der heutigen Engelsburg bildet.

Nach der im Mittelalter aufgekommenen Benennung dieses Gebäudes, des Hauses oder Kerkers des Theodorich, sollte es scheinen, dass dieser König sich desselben zur Aufbewahrung von Staatsgefangenen bediente. In dem Kriege Justinians mit den Gothen vertheidigten sich in demselben im Jahre 537 gegen diese Feinde die Soldaten des byzantinischen Kaisers und warfen die Statuen, welche das Grabmal schmückten, auf die Belagerer hinab. Totila, nachdem er Rom im Jahre 546 erobert hatte, liess es zu noch stärkerer Befestigung mit Mauern umgeben, uberliess es jedoch nachmals dem Narses nach einer nur kurzen Vertheidigung. Gegen das Ende des 10ten Jahrhunderts befestigte sich in diesem Gebäude der bekannte Crescentius, der aber von dem Kaiser Otto III. in demselben belagert und im Jahre 998 zur Uebergabe der Festung gezwungen wurde, die von ihm seitdem den Namen des Thurms oder der Burg des Crescentius erhielt. In dem Kriege zwischen Heinrich IV. und Gregor VII. hielten die Römer von der kaiserlichen Parthei diesen Papst hier eingeschlossen. Später sollen die Orsini eine Zeit lang im Besitz dieser Festung gewesen seyn. So viel auch das Grabmal durch jene öfteren Belagerungen gelitten haben mochte, so wurde doch seine eigentliche Zerstörung erst durch das lange Schisma veranlasst, welches nach der Papstwahl Urbans VI. im Jahre 1378 begann. Ein französischer Feldherr, im Dienste des Gegenpapstes Clemens VII., besetzte die Burg und beunruhigte von derselben aus die Stadt, deren Einwohner die Parthei Urbans ergriffen hatten. Nach einer langen Belagerung wurde er durch Hunger von den Romern zur Uebergabe gezwungen, und diese beschlossen nun in ihrer Erbitterung die gänzliche Vernichtung einer Festung, durch die sie so bedeutenden Schaden erlitten hatten. Sie zerstörten das Gebäude bis auf die noch gegenwärtig vorhandene Masse des Rundbaues, der durch seine massive Bauart der Anstrengung des Volkes widerstand und dadurch die vollige Vernichtung des Mausoleums verhinderte. Bonifacius IX. (1389—1404) liess diese Festung — die ihm bei dem unruhigen Geiste der Romer zur Behauptung seiner Herrschaft uber die Stadt dienlich schien — unter der Leitung des Niccolò von Arezzo, durch eine auf dem antiken Rundgebäude aufgeführte Befestigung wieder herstellen, Nicolaus V. verstarkte diese Befestigung durch Aussenwerke; und dasselbe that Alexander VI. im Jahre 1495, nach Angabe des älteren Antonio da S. Gallo, wobei auch der heutige Eingang in das Mausoleum bedeutend höher als der ursprungliche angelegt wurde. Zwei Jahre darauf aber schlug der Blitz in die Pulverkammer, wodurch fast der ganze obere, unter Bonifacius IX. aufgeführte Theil des Gebäudes in die Luft flog, in welchem Nicolaus V. und Alexander VI. auch Zimmer angelegt hatten. Dass die Burg zur Zeit Clemens VII. von diesem Unfalle wieder hergestellt war, beweist die Belagerung, die dieser Papst in derselben von den Kriegsvölkern Carls V. aushielt. Das obere Gebaude in seiner heutigen Gestalt ist ein Werk aus der Zeit Pauls III., und die grossen Aussenwerke, die wir gegenwärtig sehen, sind unter Urban VIII. angelegt worden.

Die noch vorhandenen Reste dieses prächtigen Denkmals sind nicht hinreichend, um uns einen sicheren Begriff von seinem ehemaligen Zustande zu geben; und daher mussten die vielfach versuchten Herstellungen grossentheils auf Hypothesen beruhen. Mehr Licht als zuvor, vornehmlich uber die Construction des Innern des Gebäudes, haben wir durch die in den Jahren 1822 bis 1826, durch die Verwendung eines papstlichen Officiers, des Majors Bavari, unternommenen Ausgrabungen erhalten. Das von Travertin aufgefuhrte Rundgebaude, von 329 Palm im Durchmesser, ruht auf einer viereckigen, ebenfalls aus Travertinquadern bestehenden Basis, deren Hohe 15 Palm betragt, und die, wie sich gefunden hat, mit einem Canale, zur Abfuhrung des Regenwassers in die Tiber, umgeben war. Von dieser Basis führte ohne Zweifel eine Treppe

zu dem ursprünglichen Eingange des Grabmals, welche gerade
nach dem Mittelpuncte der Brücke hin lag. Von der Bekleidung
mit parischem Marmor, mit der nach Procopius und den Schriftstellern des Mittelalters das ganze Gebäude uberzogen war, sind
kaum noch Spuren zu erkennen. Nach einer wahrscheinlichen
Annahme hatte das Rundgebäude ein Kugelgewölbe, dessen Mitte,
wie man glaubt, der grosse in dem kleinen Garten des Vaticans
erwähnte Pinienapfel schmückte. Auch hat man eine das Rundgebäude umgebende Colonnade angenommen, zu der, nach einer
unverbürgten, erst im 16ten Jahrhundert aufgekommenen Sage,
die 24 herrlichen Säulen von phrygischem Marmor der ehemaligen
Pauluskirche gehörten. Dass das Mausoleum auch mit Statuen
geschmuckt war, setzt der oben erwähnte von Procopius ange-
führte Umstand ausser Zweifel, dass die Kriegsvölker Justinians
sich derselben als Steine, zur Vertheidigung gegen die Gothen
bedienten. Auch fand man bei diesem Gebäude — ausser dem
in unserer Beschreibung des Pioclementinischen Museums angeführten Kopf des Hadrian — unter Urban VIII. die unter dem
Namen des Barberinischen Fauns berühmte Statue. Nach der allerdings nur auf einer unverbürgten Tradition beruhenden Beschreibung des Mausoleums von Petrus Mallins, einem Domherrn aus
der Zeit Alexanders III., standen an den vier Ecken dieses Gebäudes vier Pferde von vergoldetem Erz. Auf die ausserordentliche Höhe desselben sollte man von der Benennung einer kleinen
im 9ten oder 10ten Jahrhundert auf seinem Gipfel zu Ehren des
Engels Michael erbauten Kirche: Ecclesia Sancti Angeli usque ad
cœlos, schliessen.

Das Innere des Mausoleums war bis zu den letzten oben
erwähnten Ausgrabungen mit Schutt angefüllt und daher unbekannt. Von dem alten Eingange trat man in einen hohen gewölbten Gang, der von grossen Travertinquadern aufgeführt ist:
die Wande waren, wie noch Spuren zeigen, mit Giallo antico
bekleidet. Dem Eingange gegenüber ist eine grosse Nische, wahrscheinlich zur Aufstellung einer Statue bestimmt. Oben sieht
man vier grosse von der Höhe des Rundgebäudes in pyramidalischer
Erweiterung herabgefuhrte Licht- und Luftlöcher, in viereckiger
Gestalt. Links ist eine von einem Castellan unter Clemens XII.
gemachte Oeffnung, durch welche sich derselbe in einem Sessel
herabliess und so zu dem alten Eingange gelangte. Sie wurde
aber auf Befehl des genannten Papstes bald wieder zugemauert.
Rechts führt ein schneckenformiger gewölbter Gang empor, durch
welchen man in einen horizontalen gelangt, der gerade in den
Mittelpunct des Gebäudes fuhrt, wo sich die Grabkammer befindet.
Zu dieser gelangt man jetzt vermittelst der neuen, über den
letzterwähnten Gang unter Alexander VI. angelegten Treppe des

Castells. Die Grabkammer, von viereckiger Gestalt, misst 37 Palm ins' Gevierte und 48½ Palm von dem Fussboden bis zur Mitte des Gewölbes. Rechts und links sind grosse viereckige Nischen und Bänke zur Aufstellung von Aschengefassen: in der Mitte ist Raum fur Sarcophage. Das Licht erhält diese Kammer durch antike schräg aufgehende Oeffnungen an beiden Seiten des Gewolbes.

Noch haben wir den oberen modernen Theil des Gebäudes zu betrachten. Die vorerwähnte unter Alexander VI. angelegte Treppe führt auf einen, Cortile di campana benannten, Hof. Ueber demselben erhebt sich ein thurmartiges Gebäude, dessen Gemächer die Wappen Julius II. und Pauls III. zeigen. An den Seiten jenes Thurms sind die' Zimmer für den hier wohnenden Commandanten, ein anderes ursprünglich fur die Päpste bestimmtes Zimmer und mehrere Gefängnisse. An der Flussseite und ihr gegenüber nach dem Felde zu befinden sich zwei kleine anmuthige Loggien, jede von zwei Säulen getragen. In der letzten sieht man Stuckarbeiten von Raffaello da Monte Lupo und Malereien von Sermoneta. Der grosse Saal, der jetzt zur Wohnung des Commandanten gehört, ist mit historischen und allegorischen Malereien geschmuckt, die theils von Perin del Vaga, theils nach seinen Cartonen von Schulern dieses Meisters aufgefuhrt sind. Die Fensterhöhlungen dieses Saales und eine Reihe von Zimmern, die an den Hof stossen, sind mit Arabesken verziert. In einem Zimmer, bekannt als der Ort, in welchem der Cardinal Caraffa auf Befehl Pius IV. hingerichtet wurde, sieht man in einem Friese schöne Malereien von Perin del Vaga, welche mythologische Gegenstände vorstellen. Den colossalen Engel von Bronze, auf dem Gipfel des Gebäudes, liess Benedict XIV. nach dem Modell des Niederländers Verschaffelt verfertigen. Er ist das Schwert in die Scheide steckend vorgestellt zur Andeutung des Engels, der Gregor dem Grossen zum Zeichen des Aufhorens der Pest auf diesem Mausoleum erschienen seyn soll. Von dieser Sage erhielt das Castell, jedoch, wie es scheint, erst im spateren Mittelalter, — den Namen der Engelsburg (Castello di S. Angelo). Es dient zur Aufbewahrung von Staatsgefangenen und eines Theils der in Rom mit Zwangsarbeit beschäftigten Galeerensclaven. Am Vorabende des St. Peterstages und am Abend dieses Festes, in den neuesten Zeiten auch am Osterfeste und bisweilen bei der Anwesenheit fürstlicher Personen wird auf der Engelsburg ein Feuerwerk abgebrannt, welches durch die Lage und Umgebung und insbesondere durch die sogenannte Girandola (Pfauenschwanz) — einer durch gleichzeitiges Auffliegen von 4500 und zuweilen doppelt so vielen Raketen hervorgebrachten Nachahmung eines vulcanischen Ausbruches — einen ungemein schönen und grossartigen Eindruck

gewährt, obgleich die Kosten dieses Feuerwerkes gewöhnlich nicht
mehr als 500 Scudi betragen.

Die von Hadrian erbaute Brücke, von der man zu der Engelsburg gelangt, ehemals von ihrem Erbauer Pons Aelius, gegenwartig Ponte di S. Angelo von jener Burg benannt, hat drei grössere
Bogen in der Mitte und zwei kleinere an jeder Seite. Am Anfange derselben stehen die Bildsäulen der Apostel Petrus und
Paulus. Die erstere ist ein Werk des bekannten Bildhauers Lorenzetto: die zweite, welehe Paolo Romano, ein Meister des 15ten
Jahrhunderts ausführte, stand ehemals vor der Sixtinischen Capelle.
Die auf der modernen Ballustrade der Brücke stehenden Bildsäulen
der Engel, welche die Passionsinstrumente halten, sind von Schulern
Berninis nach seinen Modellen verfertigt, mit Ausnahme des von
ihm selbst ausgefuhrten Engels mit dem Kreuze.

§. 68.

Der.Monte Mario.

Der anmuthige Hügel, welcher ausserhalb des Borgo jenseit
der Tiber, der Engelsburg gegenuber liegt, hiess im Alterthume
Clivus Cinnæ, wurde aber auch unter dem Namen des mit ihm
verbundenen Janiculus begriffen. Ueber denselben fuhrte die
Triumphalstrasse des alten Roms. Die Schriftsteller des Mittel-
alters, und zum Theil noch die des 16ten Jahrhunderts, nennen
ihn Monte Malo: doch kommt er auch mit dem Namen Monte
Gaudio und Monte Aureo vor. Seine heutige Benennung, Monte
Mario, wird von Mario Melini hergeleitet, der zur Zeit Sixtus IV.
hier die Villa besass, die noch jetzt von seiner Familie den
Namen führt. Wenn man diesen Berg auf dem Wege von Porta
Angelica besteigt, so erhebt sich zur Linken die Kirche S. Maria
del Rosario, bei der sich ehemals ein Dominicanerkloster befand.
Gegenwärtig ist sie die Pfarrkirche der Bewohner dieser Umgegend
von Rom. Bald/ darauf folgt, auf demselben Wege rechts, die
kleine Kirche, oder vielmehr Capelle, welche Pietro Melini im
Jahre 1470 erbaute. Dann gelangt man zu der vorerwähnten Villa,
die, auf dem Gipfel des Berges liegend, die weiteste Aussicht gewahrt, übrigens aber nichts Merkwurdiges zeigt.

Villa Madama.

Weiter gegen Ponte Molle liegt, am Abhange des Berges, die
Villa, welche von dem Cardinal Julius von Medici, nachmaligem

Papst. Clemens VII., unter der Leitung des Giulio Romano angelegt wurde, der auch, gemeinschaftlich mit Johann von Udine,
das Gartenhaus mit Malereien und Stuccaturen schmückte. Sie
erhielt den Namen Villa Madama von Margaretha von Oesterreich,
Gemahlin des Herzogs von Parma Ottavio Farnese, und Regentin
der Niederlande unter Philipp II., welche diese Villa, nach Ein-
ziehung der Güter der Medici in Rom durch Paul III., von dem
Capitel S. Eustachio kaufte. Die Herzoge von Parma aus dem
farnesischen Hause besassen sie darauf, bis nach dem Aussterben
dieser Familie im Jahre 1731 die neapolitanische Regierung sie
erhielt. Diese lässt sie verpachten und betrachtet sie, unbe-
kummert um die Erhaltung ihrer Schönheit, als ein der Zinsen
wegen nutzbares Grundstück. Die schönen Anlagen, welche mehrere Gärten, Wälder und Springbrunnen begriffen, sind bis auf
wenige Spuren verschwunden. Das Gartenhaus, das vorzüglichste
Werk der Baukunst des Giulio Romano in Rom, scheint seinem
Untergange mit schnellen Schritten entgegen zu gehen; und die
mit schönen Malereien geschmückten Zimmer desselben sind jetzt
verfallene Rumpelkammern, die dem Vignarol zur Wohnung dienen.
Jedoch verdient dieses Gebäude auch noch in seinen Ruinen bedeutende Aufmerksamkeit. Vor dem Eingange ist ein halbzirkliger Bau, der aus einer einfachen Mauer von Backsteinen mit
Fenstern und jonischen Säulen besteht. Die Façade des Gartenhauses gegen die durch Substructionen erhöhte Terrasse zeigt
Pilaster und Gebalke von jonischer Ordnung; und die vom Beschauer rechts durch drei Arcaden gebildete Halle ist mit Frescomalereien und Stuccaturen verziert, die an den Deckengewölben
noch meistens wohl erhalten sind. Sie bestehen aus Arabesken
und kleinen Bildern und Reliefs mythologischer Gegenstände. In
der Lunette über der Thür, am Ende der Halle, sieht man ein
sehr verdorbenes Gemälde von Giulio Romano, welches den Polyphem in colossaler Grösse vorstellt. In den beiden ersten Zimmern,
zu denen man durch die gedachte Thür gelangt, befinden sich
unter der Decke gemalte Friese mit Arabesken und Laubwerk.
Bedeutender sind die Deckengemälde des dritten und grösseren
Zimmers. Ihre Gegenstände sind: Opfer, Figuren von Priestern
und Priesterinnen, Thiere, das Mediceische Sinnbild der Glaskugel,
und bei dem Wappen der Medici, in der Mitte der Decke, Apollo
und Luna auf Wagen, diese von zwei Stieren, jener von vier
Pferden gezogen. In dem unter der Decke herumlaufenden Friese
sind auf blauem Grunde gemalte Blumen- und Fruchtgewinde,
mit Candelabern, Victorien und Amoren. — Auf der oben erwähnten Terrasse sieht man noch, von der Erfindung des Johann
von Udine, einen ehemaligen Brunnen in einem in einer Nische
stehenden, aus weissem Marmor verfertigten Elephanten, aus dessen

Rüssel sich das Wasser ergoss. — Die Aussicht ist von diesem Puncte minder ausgedehnt aber malerischer als von der Villa Melini, von welcher die Gegenstände schon etwas in Vogelperspective erscheinen.

Das Capitol.

§. 69.

Aufgang, Platz und Gebäude desselben.

Die flachen Treppen (Cordonate) der jetzt gewöhnlichen Aufgänge zum Capitol an der Süd- und Nordseite, vom Campo Vaccino und von Piazza Araceli, wurden im Pontificate Pauls III., beim Einzuge Carls V. in Rom im Jahre 1536, nach Angabe des Michelagnolo angelegt. An dem der Nordseite stehen zwei schöne altägyptische Löwen von Basalt, die Wasser speien, und die zuvor bei der Kirche S. Stefano del Caceo standen. Am Ende der Treppe erheben sich zwei antike Statuen der Dioscuren von colossaler Grösse. Auf dem Säulengelander, welches den Platz des Capitols zu beiden Seiten der Treppe begrenzt, stehen die beiden berühmten Trophäen, die an ihrem ehemaligen Orte, auf dem Castell der Aqua Julia, Cimbri genannt wurden, weil man sie für die Siegeszeichen des Marius hielt, die Sylla zerstörte, Julius Caesar aber wieder aufrichten liess. Ihre vortreffliche Arbeit erinnert an die besten Zeiten der Kunst unter den Kaisern. Sie wurden unter Sixtus V. mit den ihnen zu beiden Seiten stehenden Statuen hier aufgestellt, welche letztere in den Thermen Constantins des Grossen gefunden wurden und, wie die Inschriften zeigen, diesen Kaiser und dessen Sohn vorstellen. Am Ende des Seitengeländers, gegen den Palast der Conservatoren, steht die Columna milliaria des Vespasian und Nerva, die man an der Via Appia an derselben Stelle entdeckte, an der sie die erste Miglie vor der Porta Capena des alten Roms anzeigte. Die metallene Kugel auf derselben ist ebenfalls antik, ihr aber nicht angehörend. Die ihr gleichförmige Säule am anderen Ende, bei der Kirche Araceli, ist modern.

Platz des Capitols. Statue des Marcus Aurelius.

Der viereckige Platz des Capitols wird im Hintergrunde von dem Palast des Senators und zu beiden Seiten von den Palästen des Museums und der Conservatoren begränzt. In seiner Mitte erhebt sich die berühmte bronzene Reiterstatue Marc Aurels, die noch bedeutende Reste ihrer ehemaligen Vergoldung zeigt. Sehr

würdig ist die Gestalt des philosophischen Fürsten, der mit dem
ausgestreckten Arme Frieden uber sein Volk verbreiten zu wollen
scheint. Der individuelle Character des Pferdes, von etwas dickem
Körperbau, lässt vermuthen, dass demselben ein wirkliches Indi-
viduum, vielleicht ein Lieblingspferd des Kaisers, zum Vorbilde
diente. Diese Bildsaule — in der man ehemals Constantin den
Grossen zu erkennen glaubte — stand zuvor bei dem alten Lateranischen Palaste, wo sie Clemens III. im Jahre 1187 hatte aufrichten lassen. Ihre Aufstellung auf dem Capitol erfolgte im Jahre
1538 unter der Leitung des Michelagnolo.

Palast des Senators.

Der Palast des Senators, der Sitz des Senates im Mittelalter,
ist auf den Trümmern des Tabulariums des alten Roms erbaut,
über welches wir auf die allgemeine Einleitung §. 5. verweisen
und hier nur hinzusetzen, dass durch spätere Untersuchungen noch
bedeutende Entdeckungen hinsichtlich der Construction dieses merkwürdigen und grossartigen Gebäudes aus den Zeiten der Republik
gemacht worden sind. Unter anderen hat man sowohl die nach
dem verloren gegangenen oberen Stockwerk führenden Treppen
gefunden, als auch die Stufen, von denen man durch das Erdgeschoss hinab zum Forum gelangte. — Der vorerwähnte Palast
wurde im Jahre 1390 auf Veranlassung Bonifacius IX. erneuert.
Die heutige Vorderseite ist unter der Leitung des Giacomo della
Porta, vermuthlich nach dem Plane des Michelagnolo, aufgeführt
worden, der auch die Doppeltreppe angegeben hat, die zu einem
kleinen erhöhten Platze vor dem Eingange des Palastes führt. In
einer Nische an der Façade dieser Treppe steht die angebliche
Statue einer Roma, die aber die Aegis als Minerva bezeichnet.
Sie wurde in Cori gefunden. Kopf und Arme sind von weissem
Marmor, das Uebrige ist von Porphyr. Vor ihr ergiesst sich ein
Brunnen, und ihr zu beiden Seiten stehen die colossalen Bildsäulen des Nils und der Tiber, die auf dem Quirinal, bei den Trümmern des angeblichen Sonnentempels, während des ganzen Mittelalters unverschuttet geblieben waren. Der im Pontificate Gregors XIII.
erbaute Glockenthurm hat ein flaches, mit einem Säulengelander
umgebenes Dach, auf dessen Gipfel sich die Statue einer Roma
erhebt, und welches eine weite und vortreffliche Aussicht auf die
ganze Stadt und die Umgegend gewährt.
Die in Grösse und Gestalt einander ganz entsprechenden Sei-
tengebáude des Platzes, die Paläste der Conservatoren und des
Museums, wurden — vermuthlich nach dem Plane des Michelagnolo, aber mit Zusätzen des Giovanni del Duca — in den Pontificaten Innocenz X. und [Alexanders VII. vollendet. Die beiden

einander gegenüberstehenden Hallen, am Ende der beiden Treppen, die von dem Platze des Capitols auf Monte Caprino und nach
dem Kloster Araceli führen, sind von der Erfindung des Vignola.

§. 70.

Palast der Conservatoren.

Von den beiden vorerwähnten Palästen betrachten wir zuerst
den der Conservatoren. Die antiken Denkmäler im Hofe und auf
der Treppe sind folgende:

In der Vorhalle des Hofes: Statuen des Julius Cäsar und
des August, in Kriegskleidung; letzterer mit dem Schiffsschnabel,
zur Erinnerung an den Sieg von Actium. — Eine Bacchantin mit
Blumengewinden, die kreuzweise über die Brust hinlaufen. —
Fragment der Inschrift der unter Tiberius verfertigten Nachbildung
der Columna rostrata des C. Duilius; eingesetzt in das Postament
einer mit Schiffsschnäbeln geschmückten Säule im Style des 16ten
Jahrhunderts.

An beiden Seitenwänden des Hofes: Fragmente einer
sehr colossalen Bildsäule von weissem Marmor, die ehemals hinter
dem Friedenstempel lagen. — Der Kopf und eine Hand einer
ebenfalls sehr colossalen Bildsäule von Bronze.

In der Halle an der Hinterseite des Hofes: Die Bildsäule einer sitzenden Roma, auf einem Postamente, in welchem
der Schlussstein eines Triumphbogens mit der Figur einer besiegten Provinz in erhabener Arbeit eingesetzt ist. — Ihr zu beiden
Seiten zwei schone Statuen gefangener barbarischer Könige von
grauem Marmor, ohne Hände gebildet. Winckelmann erklärte sie
für die Könige der Scordisker, denen Licinius M. Lucullus wegen ihres
meineidigen Verfahrens die Hände abhauen liess. — Ein Löwe,
der ein Pferd zerreisst; eine schöne, aber stark ergänzte Gruppe,
die man zur Zeit Pauls III. in dem kleinen Flusse Almo fand. —
An der Wand zur Linken steht das Aschengefäss der älteren
Agrippina, welches im Mittelalter zum Fruchtmaass gedient, und
ein Piedestal mit dem Relief einer Provinz, gefunden auf Piazza
di Pietra. Vergl. eine ähnliche im capitolinischen Museum und
zwei andere im Palazzo Odescalchi.

Auf der Treppe des Palastes: Statue der Euterpe, ergänzt
nach der Namensinschrift auf der Basis. — An den Wänden
eines kleinen Hofes, hier zur Rechten: Vier antike Reliefs,
die sich ehemals in der Kirche S. Martina befanden. Sie zeigen
das Bildniss des M. Aurelius und gehörten daher wahrscheinlich
zu einem Triumphbogen dieses Kaisers. Ihre Gegenstände sind

folgende: Marcus Aurelius, welcher dem Jupiter Capitolinus opfert, dessen Tempel im Hintergrunde erscheint. — Der Kaiser auf einem Triumphwagen, von der Victoria begleitet. — Derselbe zu Pferde, wie er den vor ihm knieenden Barbaren den Frieden bewilligt; — und seine Zurückkunft nach Rom, wo ihn die Göttin dieser Stadt empfängt. — Im weiteren Fortgange der Treppe: Ein kleines erhobenes Werk, welches den Mettius Curtius vorstellt, der sich mit dem Pferde in den Sumpf sturzt; gefunden an dem Orte der heutigen Kirche S. Maria Liberatrice. — Eine mittelalterliche Inschrift, die sich auf den Caroccio bezieht, den der Kaiser Friedrich II. in der Schlacht bei Cortenova von den Mailandern erbeutete und dem römischen Senate zum Geschenk machte.

An den Wänden des Ganges, vor dem Eingange zum grossen Saale dieses Palastes: Zwei grosse Reliefs von dem unter Alexander VII. zerstörten Triumphbogen des M. Aurelius bei dem Palast Fiano im Corso. Ihre Gegenstände beziehen sich auf die Vergötterung der Gemahlin dieses Kaisers, der jungeren Faustina. Das eine derselben deutet auf den hierauf bezüglichen Senatsbeschluss. In dem anderen wird die halbverschleierte Kaiserin von der Ewigkeit, unter dem Bilde einer weiblichen Figur mit einer Fackel in der Hand, emporgehoben.

Die Zimmer der Conservatoren.

Der grosse Saal des Palastes ist mit Frescogemälden von Arpino geschmückt, welche Gegenstände aus der romischen Geschichte vorstellen. Auch sind hier einige antike Busten und die Bildsäulen der Papste Leo's X., Urbans VIII. und Innocenz X.; die zweite ist von Bernini, die dritte von Algardi verfertigt. — Ein Stör in Relief, mit einem Schnitt am Halse, bezieht sich auf ein ehemaliges Privilegium der Conservatoren, nach welchem ihnen von allen diesen in Rom verkauften Fischen, welche die Länge des hier gebildeten überschritten, die Köpfe eingeliefert werden mussten.

Die Wandgemälde des zweiten Zimmers, die ebenfalls Gegenstände aus der römischen Geschichte vorstellen, sind von Tommaso Laureti. Man sieht in diesem Zimmer zwei grosse Säulen von Verde antico, die in dem Tabularium des alten Roms gefunden worden sind. — Eine Herme Mercurs, durch den Caduceus bezeichnet, mit einem derselben fremden Kopfe; — und vier oben ausgehöhlte Steinpfeiler die im Mittelalter, zum Maasse des Weins und Oels dienten. Zwei derselben, von runder Form und mit Löwenköpfen geschmuckt, sind antik: die Inschriften aber sind aus dem Mittelalter. — Unter den hier aufgestellten modernen Bildnissstatuen befinden sich die des beruhmten Feldherrn Alexander Farnese und des Marco Antonio Colonna, Befehlshabers der päpstlichen Flotte in der Schlacht bei Lepanto.

Im dritten Zimmer (Zimmer der Wölfin) verdienen die
Frescomalereien des Frieses unter der Decke, welche den Triumph
des Marius über die Cimbern vorstellen und dem Daniel von
Volterra zugeschrieben werden, Aufmerksamkeit. Merkwurdig
aber sind vornehmlich hier drei antike Denkmäler von Bronze:
1. Ein schöner, sehr charactervoller männlicher Kopf, den der
römische Magistrat im 16ten Jahrhundert von dem Cardinal
Ridolfi Pio da Carpi zum Geschenke erhielt. Dass in ihm, wie
man glaubt, L. Junius Brutus vorgestellt sey, lässt sich nicht
erweisen, da er weder durch eine Inschrift als solcher bezeichnet
wird, noch mit den Bildnissen des ersten römischen Consuls auf
Munzen vollkommene Aehnlichkeit zeigt. — 2. Die bekannte Wölfin;
ein Werk in etruskischem Styl; höchst wahrscheinlich dieselbe,
welche die curulischen Aedilen Cneius und Quintus Ogulnius im
Jahre der Stadt 458 bei der Ficus Ruminalis errichten liessen,
und demnach ein ehrwürdiges Denkmal aus den grossen Zeiten
der Republik. Die Figuren des Romulus und Remus unter dieser
Wölfin sind neu. — 3. Statue eines nackten Knaben, der sich
einen Dorn aus dem Fusse zieht; eines der vorzuglichsten Werke
von Bronze, die aus dem Alterthume auf uns gekommen sind;
ausgezeichnet durch schöne Auffassung der individuellen Wirklich-
keit und natürlichen Ausdruck der Handlung.

Das folgende (vierte) Zimmer enthält ein sehr ehrwürdiges und wichtiges Denkmal des römischen Alterthums in
den an der Wand eingemauerten Inschriften der capitolinischen
Fasti (Jahresverzeichnissen der Consuln). Sie wurden im Pontificate
Pauls III. bei dem Gebäude der drei Säulen unter dem Palatin gefunden und kamen darauf in den Besitz des Cardinals Alexander
Farnese, von dem sie der römische Magistrat zum Geschenk erhielt. Unter Pius VII. sind noch einige andere Fragmente derselben hinzugekommen, die in den Jahren 1817 und 1818
ebenfalls bei jenem Gebäude ausgegraben wurden. Die Wandgemälde dieses Zimmers, die um den Anfang des 16ten Jahrhunderts verfertigt scheinen, sind grösstentheils zu Grunde gegangen.
Einige antike Bildwerke, die sich hier befinden, sind von keiner
besonderen Bedeutung. Eine mit Trophäen geschmückte Marmortafel zeigt eine auf den Sieg bei Lepanto bezügliche Inschrift.

Im fünften Zimmer sind am Friese unter der Decke Gemälde gymnastischer Spiele von einem unbekannten Maler des
16ten Jahrhunderts zu bemerken. Auch sieht man hier zwei auf
Monte Celio gefundene Enten von Metall, die am Bauche eine
Oeffnung zum Ausflusse des Wassers zeigen. — Ein kleines metallenes Gefäss in Form eines Kopfes der Isis, gefunden in den
Ruinen der Gärten des Sallust. — Die Büste eines jugendlichen,
mit Lorbeeren bekränzten Mannes von Rosso antico, dem die

eingesetzten Augen fehlen, und in dem man deswegen den Appius Claudius Caecus zu erkennen glaubte. — Zwei Tische, deren Platten Mosaiken aus der Villa Hadrians verzieren. — Das Bildniss des Michelagnolo in einem schönen Kopfe von Bronze. — Zwei kleine bronzene Statuen in mittelalterlicher Rüstung, vermuthlich Werke des 15ten Jahrhunderts; — und eine Copie von einer heiligen Familie Raphaels im Museum zu Neapel; angeblich von Giulio Romano.

Im sechsten Zimmer, in welchem die Conservatoren ihre Sitzungen halten, sind am Friese unter der Decke Frescogemälde von Annibale Caracci, welche Begebenheiten des Scipio Africanus vorstellen, zu bemerken. Auch sieht man hier eine Herme des Socrates und eine weibliche Herme mit dem Namen Sappho, in einer sehr verdachtigen griechischen Inschrift.

Die Wandgemälde des siebenten und letzten Zimmers, die man für Werke des Perugino erklärt, erinnern vielmehr an den Styl des Sodoma. Ihre Gegenstände sind: der Sieg des Lutatius Catulus im ersten punischen Kriege; — der Triumph desselben; — der Uebergang Hannibals über die Alpen; — und der von ihm gehaltene Kriegsrath. — Es stehen in diesem Zimmer funf grosse weibliche Statuen, deren Benennungen sehr unsicher seyn durften, da ihre sämmtlichen Attribute neu sind; — zwei männliche Togafiguren, die man ohne Grund Virgil und Cicero benannte; — und drei Statuen von Genien der Jahreszeiten. — Fin mannlicher Kopf, den die Inschrift des modernen Piedestals Lucius Cornelius Praetor benennt, wurde im 16ten Jahrhundert zu Tivoli bei der merkwurdigen Inschrift des Senatusconsultes gefunden, die sich ehemals im Palaste Barberini befand. Visconti, der diese Inschrift in die Zeit des marsischen Krieges setzt, glaubte in jenem Kopfe den in ihr genannten Praetor zu erkennen. Nach Niebuhr hingegen ist sie aus der Zeit des zweiten samnitischen Krieges, und dieser Praetor Cornelius Scipio Barbatus, der demnach schon aus dem Grunde hier nicht vorgestellt seyu kann, weil sein bartloses Gesicht der Sitte der Römer vor den punischen Kriegen ganz unentsprechend seyn würde.

In einer kleinen Capelle, zu welcher der Eingang von dem vorerwähnten Zimmer fuhrt, ist über dem Altare ein gutes Bild von Pinturicchio zu bemerken, welches die heilige Jungfrau zwischen zwei Engeln vorstellt, welche das auf ihrem Schoosse liegende Christuskind verehren.

§. 71.

Gemäldesammlung des Capitols.

Die Gemäldesammlung des Capitols wurde von Benedict XIV. bei der von ihm hier errichteten Zeichenacademie zum Studium angehender Künstler angelegt. Die von diesem Papste für dieselbe angekauften Bilder befanden sich, zuvor grösstentheils in den Palästen Sacchetti und Pio da Carpi. Sie wird von mehreren Privatsammlungen sowohl in Hinsicht der Anzahl als des Werthes der Stücke übertroffen. Wir beschränken uns hier nur auf die Anzeige der merkwürdigsten.

Erster Saal. Ein Gemälde im Style der florentinischen Schule des 15ten Jahrhunderts, angeblich von Sandro Botticelli. Der Gegenstand ist Maria mit dem Christuskinde auf dem Throne sitzend zwischen zwei Bischofen, welche die Namen auf den Säumen ihrer Gewänder als die heiligen Martinus und Nicolaus bezeichnen. Der Letztere reicht dem Heilande Früchte auf seinem Gebetbuche.

Zwei Gemälde, angeblich von Giovanni Bellini, wahrscheinlicher von einem Zeitgenossen dieses Künstlers aus der venetianischen Schule. In dem einen ist ein heiliger Bischof, in dem andern der heilige Sebastian vorgestellt. Das erstere zeigt ein vortreffliches Colorit: das zweite scheint durch unvorsichtige Reinigung die Lasuren verloren zu haben.

Die heilige Jungfrau mit dem Kinde auf dem Throne sitzend: ihr zu beiden Seiten die Heiligen: Andreas, Johannes der Evangelist, Franciscus, Petrus, Paulus und Johannes der Täufer. Zufolge der Inschrift auf dem Schemel des Thrones der heiligen Jungfrau liess Albertus Malaspina im Jahre 1513 dieses Gemälde verfertigen. Es ist dem Character der fruheren bolognesischen Schule, aber nicht dem des Francesco Francia entsprechend, dem man es beilegen will. Die Farbe ist ungemein kräftig: in der Zeichnung sind die drei Figuren, vom Beschauer links, vor den übrigen ausgezeichnet.

Ein kleines Gemälde von Garofalo, welches unter die vorzüglicheren dieses Künstlers gehort. Man sieht in demselben die heilige Jungfrau mit dem Kinde, nebst dem kleinen Johannes dem Täufer, der heiligen Elisabeth, den heiligen Zacharias und Joseph. Dieser zeigt in ein Buch, vermuthlich um jenem eine auf den Erloser bezügliche Stelle bemerklich zu machen. — Unter den übrigen kleinen, ebenfalls dem Garofalo beigelegten, Bildern dieses Saales, dürften mehrere unter die bedeutende Anzahl von Gemälden der römischen Gallerien gehören, die von Schulern und Nachahmern dieses Meisters herrühren, aber fur Werke von seiner Hand ausgegeben werden.

Die Figuren des Apollo und eines bärtigen Mannes mit einem

Buche in der Hand; zwei grau in grau gemalte Bilder von Polidoro da Caravaggio.

Der Streit des Heilandes mit den Schriftgelehrten von Dosso Dossi. — Bildniss eines Mannes in schwarzer Kleidung von demselben Künstler.

Die heil. Jungfrau mit dem Christuskinde, welches der heil. Franciscus verehrt; oben einige Engel; ein hubsches kleines Bild von Annibale Caracci.

Eine kleine Landschaft, auf deren Vorgrunde die Marter des heil. Sebastian erscheint, und (53) die cumäische Sibylle; zwei Gemälde von Domenichino. Das letztere ist ein schwaches Werk dieses Künstlers.

Die persische Sibylle in halber Figur; eines der vorzüglich gepriesenen Gemälde des Guercino.

Der Triumph der Flora; eine Composition mit vielen Figuren von Nicolaus Poussin.

Der Hirt Faustulus, welcher den Romulus und Remus bei der Wölfin findet; ein von Rubens, vermuthlich wahrend seines Aufenthaltes in Italien verfertigtes Gemälde, welches nicht nur in der Farbe, sondern selbst in der Zeichnung, vor so·manchen gepriesenen italienischen Bildern dieser Sammlung den Vorzug verdienen durfte.

Im zweiten Saale: Brustbild des Giovanni Bellini, in halber Lebensgrösse, mit dem Namen dieses Kunstlers; eines der schätzbarsten Bilder dieser Sammlung. — Die Darstellung Christi im Tempel; ein ebenfalls schones Gemälde mit Figuren in Lebensgrosse, welches man jetzt fur ein Werk des Fra Bartolomeo erklärt, nachdem es zuvor mit noch wenigerem Grunde dem Gio. Bellini zugeschrieben worden war. In dem heil. Sebastian und dem das Christuskind verehrenden heil. Hieronymus, vom Beschauer rechts, sind vermuthlich die Schutzheiligen der Person, welche dieses Bild verfertigen liess, vorgestellt.

Von Tizian: Die Ehebrecherin vor Christo; halbe Figuren. — Bildniss eines Mannes in schwarzer Kleidung mit weisser Halskrause. Die Ausführung des erstgenannten dieses Bildes ist unvollendet geblieben: die Färbung des letzten ist von ausgezeichneter Vortrefflichkeit. — Die Taufe Christi: in dem Manne auf dem Vorgrunde, der den Kopf im Profil zeigt, glaubt man das Bildniss des Kunstlers zu erkennen.

Zwei Gemalde von Cola della Matrice, die ohne Zweifel der obere und untere Theil ein und desselben Bildes sind. Auf dem einen sieht man die heil. Jungfrau auf der Bahre liegend, von den Aposteln und einigen Heiligen des Dominicanerordens umgeben: auf dem anderen erscheint sie in einer Glorie von Engeln. Merkwürdig sind diese Bilder, weil sie — allerdings mehr in der

Form als im Geiste — den Character der früheren Epoche der Kunst zeigen, obgleich der Künstler um die Mitte des 16ten Jahrhunderts lebte.

Schönes Bildniss des Michelagnolo Buonarroti, welches man ohne Grund für ein Werk dieses grossen Künstlers erklärt. Wahrscheinlicher dürfte es dem Marcello Venusti zugeschrieben werden.

Eine Frau, die einem jungen Manne aus seiner Hand wahrsagt; ein vorzügliches Gemalde des Caravaggio. Der Ausdruck, und vornehmlich der lüsterne Blick, den die Wahrsagerin bei der Ausübung ihrer Kunst auf den wohlgestalteten Jüngling wirft, ist ungemein treffend.

Eine kleine Landschaft von Domenichino: auf dem Vorgrunde sitzt Hercules bei dem von ihm erlegten Löwen.

Das grosse Gemälde des Guercino vom Tode der heil. Petronilla; ein ehemals sehr berühmtes Werk dieses Künstlers.

Ein Jahrmarkt mit einer grossen Anzahl kleiner mit Leben und Character ausgefuhrten Figuren, von Johann Breughel.

Auch sieht man hier, so wie in dem vorerwähnten Saale, mehrere Bilder von Garofalo.

Noch bewahrt man in einigen gewöhnlich verschlossenen Zimmern, welche aber auf Ansuchen bei dem Director der Kunstsammlungen des Capitols geöffnet werden, eine nicht unbeträchtliche Anzahl von Gemälden, von denen wir nur folgende bemerken:

Eine nackte weibliche Figur in halber Lebensgrösse, auf einem Bette liegend, als die Vanitas durch eine Inschrift bezeichnet; ein Gemalde von Tizian, welches durch Restauration sehr gelitten zu haben scheint. — Drei Gemalde von Guido Reni: Die Zusammenkunft des Bacchus und der Ariadne auf Naxos; ein grosses Bild mit mehreren Figuren in Lebensgrösse, von sehr schwacher Farbe, — Fortuna auf dem Erdball schwebend, wahrend ein Amor ihr fliegendes Haar ergreift; ein seinem Rufe nicht entsprechendes Werk; — und das Brustbild der heil. Magdalena, aus der fruheren und besseren Zeit des Künstlers, und von weit kräftigerer Farbe als die beiden zuvor erwähnten Gemälde. — Bildniss eines Knaben, der Inschrift zufolge, aus der mailändischen Familie Sforza Cesarini, merkwürdig, weil diese Inschrift einen, soviel wir wissen, nicht bekannten Maler, Bernandino de Comitibus nennt, der dieses Bild im Jahre 1496 verfertigte.

§. 72.

Das capitolinische Museum.

Der Palast, welcher dem der Conservatoren gegenübersteht, begreift das capitolinische Museum (il Museo Capitolino), die bedeutendste Antikensammlung nach der des Vaticans in Rom. Sie wurde von Innocenz X. angelegt und dann durch Clemens XII., Benedict XIV. und Clemens XIII. vermehrt. Die ägyptischen Denkmäler, die sich in dieser Sammlung noch zur Zeit unserer im grossern Werke gegebenen Beschreibung befanden, sind seitdem in das von dem gegenwärtigen Papst im Vatican angelegte ägyptische Museum gebracht und durch andere Monumente, meistens aus dem vaticanischen Palaste, ersetzt worden, wodurch hier auch die Aufstellung der Bildwerke Veranderungen erlitten hat.

Der Hof

Am Brunnen der Hinterseite des Hofes: Die colossale Bildsaule eines Flussgottes, welcher Marforio benannt und in den sogenannten Pasquinaten redend eingefuhrt wurde. Sie stand vor ihrer im Pontificate Sixtus V. hier erfolgten Aufstellung, wahrend des ganzen Mittelalters, am Fusse des capitolinischen Hugels, dem Carcer Mamertinus gegenuber. Einige glaubten in dieser grossartigen Figur den Flussgott des Rheins zu erkennen, der auf dem Forum Romanum unter der Bildsäule Domitians stand. — Ihr zu beiden Seiten stehen die Statuen zweier Pane als Telamone vorgestellt, einander gleich in Stellung und Character des Styls; gefunden auf der von ihnen benannten Piazza de' Satiri, wo die Orchestra des Theaters des Pompejus gestanden haben soll.

Vorhalle

· In der Vorhalle bemerken wir in der Folge vom Eingange links: Ein Bein des Hercules mit der Hydra; schönes Fragment einer die Erlegung dieses Ungeheuers vorstellenden Gruppe. — Die Figur einer Provinz; ein erhobenes Werk, gefunden ' auf Piazza di Pietra. Die Inschrift, die sie fur Ungarn erklart, ist neu. — Die Beine eines gefangenen Barbaren von Paonazzetto; Rest einer Statue des Constantinsbogens, an deren Stelle jetzt eine moderne Bildsaule von weissem Marmor steht. Auf dem Piedestale liest man die Inschrift: ad Arcum. — Fragment eines erhobenen Werkes, auf welchem das Mutterschwein von Alba und die Beine einiger Kriegerfiguren erscheinen. — Gruppe Polyphems mit einem Gefahrten des Ulysses. Dem Ersteren hat der Erganzer eine Syrinx in die Hand gegeben. — Fragment einer weiblichen Gewandfigur von Porphyr; merkwurdig als ein vorzuglich gearbeitetes Werk aus diesem schwer zu bearbeitenden Steine. — Gruppe des Hercules mit der Hydra, deren Köpfe er mit brennender Fackel vertilgt. Nur Kopf und Körper sind antik: das Uebrige ist von Algardi erganzt, der dabei auch das Antike seiner Manier gemass überarbeitete. Zu dieser Gruppe gehort ursprunglich das oben angefuhrte Bein des Hercules, welches erst nach

der Ergänzung der Statue gefunden wurde. — Colossale Kriegerstatue; gefunden auf dem Aventin. Man erklärt sie für den Mars,
nachdem man zuvor, wegen der Elephantenköpfe unter den Zierrathen der Rustung, deu Pyrrhus in ihr zu erkennen vermeinte.
Arme und Beine sind neu. — (Unter einem colossalen männlichen
Sturze) Cippus mit Inschrift: Auf den Querseiten sieht man links
die Fortuna, welehe die vom Meere Herkommenden mit dem
Gluckwunsche Salvos venire bewillkommt, und rechts die personificirte Heerstrasse mit Rad und Peitsche, bei einem Meilen-
steine mit dem Glückwunsche zu guter Reise Salvos ire.

Zimmer des Erdgeschosses.

Im ersten Zimmer des Erdgeschosses: Grosse viereckige Ara von pentelischem Marmor, mit schonen aber leider
sehr verstümmelten erhobenen Arbeiten geschmuckt, welche die
Thaten des Hercules in folgender Ordnung vorstellen: — Hercules,
welcher in der Hand die Haut des nemeischen Löwen hält. —
Der Kampf mit der Hydra. — Die Bezwingung des erymanthischen
Ebers. — Der Fang der Hirschkuh der Diana. — Die Erlegung
der Stymphaliden. — Die Reinigung der Ställe des Augias, angedeutet durch einen Kuhel, auf welchem der Heros sitzt, und
durch eine zweizinkige Gabel, die er in der Hand hält. — Der
cretische Stier. — Die Bestrafung des Diomedes. — Die Erlegung
des Geryon. — Die Erbeutung des Wehrgehänges der Hippolyta,
Konigin der Amazonen. — Die Heraufführung des Cerberus aus
der Unterwelt. — Der Raub der Hesperidenäpfel.

Im zweiten Zimmer, welches den Namen Stanza lapidaria
von 122 hier in den Wänden eingemauerten Inschriften führt:
Ein grosser Sarcophag; gefunden in der Vigna Ammendola an der
Via Appia. An der Vorderseite des Kastens ist, so wie an den
Querseiten, eine Schlacht der Romer mit Barbaren vorgestellt,
welche die gewundenen Halsbänder, deren Griffe grösstentheils
die Form von Schlangenkopfen haben, als Gallier zu bezeichnen
scheinen. Auf dem Deckel sieht man die besiegten Feinde gebunden, nebst ihren gefangenen Frauen und Kindern.

Grabstein, der Inschrift zufolge einem Statilius Aper, Aus-
messer der Gebäude, von seinen Eltern Statilius Proclus und
Argentaria Eutychia errichtet; auf dem Janiculus gefunden. An
der Vorderseite ist derselbe in ganzer Figur vorgestellt. Ihm zur
Rechten sieht man einen Knaben und einen liegenden Eber, und
zur Linken einen Kasten, vermuthlich zur Aufbewahrung von Instrumenten. Auf dem Deckel das Brustbild der Ehefrau des Aper,
Octavia Antia. An den Querseiten der Maassstab des romischen
Fusses und andere Werkzeuge. An der Hinterseite des jetzt

freistehenden Monumentes sind die Oeffnungen, in denen sich die Aschenkrüge befanden, zu bemerken.

Im dritten Zimmer: Ein sehr grosser Sarcophag; gefunden im 16ten Jahrhundert in einem antiken Grabmale, drei Miglien vor der Porta S. Giovanni, zwischen der Via Latina und Labicana. Die erhobenen Arbeiten, an allen vier Seiten des Kastens, stellen Gegenstände aus dem Leben des Achilles vor. An der Vorderseite seine Entdeckung auf Scyros, unter den Töchtern des Lycomedes; an der Querseite, vom Beschauer rechts, sein Abschied von der Deidamia; — und links, wie er die Waffen ergreift, um den Tod des Patroclus zu rächen; — an der Hinterseite Priamus, der den Achilles um Hectors Leichnam bittet. Auf dem Deckel sind die Figuren des Ehepaares gebildet, dessen Gebeine der Sarcophag, wie es scheint, ein Werk des 3ten Jahrhunderts, bewahrte.

Grosse Marmorscheibe; ehemals am Ambo der Epistel der Kirche Araceli. Die Porphyrplatte und die mittelalterliche Steinarbeit ist mit kleinen Reliefs umgeben, die von sehr schlechter Arbeit sind, aber Gegenstande aus dem Leben des Achilles in nicht unverdienstlichen Compositionen zeigen. Es sind folgende: Die Geburt dieses Helden; — derselbe, den seine Mutter in den Styx taucht; — wie ihn Thetis dem Chiron zum Unterricht übergiebt; — dieser Centaur, der ihn in der Lowenjagd unterweist; — die Entdeckung des Achilles auf Scyros; — der Kampf desselben mit Hector; — und wie er Hectors Leichnam um die Mauern Trojas schleift.

Antikes Mosaik; gefunden bei Porto d'Anzo 1749. Es stellt den Hercules in Frauenkleidern am Rocken spinnend vor. Auf dem Vorgrunde deutet ein von Amoren bezwungener Löwe auf den Sieg der Liebe uber die Stärke.

Relief aus Palmyra, in Form einer Aedicula, welches, nach der darauf befindlichen Inschrift in palmyrenischer Sprache, ein Burger dieser Stadt zu Ehren der Gottheiten Aglibolus und Malacbelus im Jahre der palmyrenischen Zeitrechnung 547 (235 nach Chr. G.) verfertigen liess. Durch eine andere griechische Inschrift ist angezeigt, dass ein Lucius Aurelius Heliodorus, Sohn des Antiochus Hadrianus von Palmyra, ein Bildwerk von Silber jenen Gottheiten weihte. Diese — hochst wahrscheinlich die Gottheiten der Sonne und des Mondes bei den Palmyrenern — sind auf diesem Monumente vorgestellt. Die eine ist in barbarischer Tracht mit dem Hauptschmuck des Diadems, die andere in römischer Kriegskleidung gebildet: das Haupt der letzteren schmückt eine Strahlenkrone; und der halbe Mond hinter ihren Schultern bezeichnet sie als die Gottheit dieses Gestirns, die bei den Orientalen beiderlei Geschlechts war.

Ein Archigallus, oder Oberpriester der Cybele, halbe Figur

in Lebensgrösse; ein Relief von ziemlich roher Arbeit, aber merkwürdig wegen der Vorstellung. Es wurde 1736 zwischen Genzano
und Civita Lavigna, in der angeblichen Villa des Antoninus Pius
gefunden. Den Priestern der grossen Gottermutter entsprechend,
ist der hier vorgestellte in weiblicher Kleidung mit langen Aermeln,
Ohrengehangen und einem Halsbande mit Schlangenköpfen gebildet.
Sein Hauptschmuck besteht in einem Lorbeerkranze und drei
kleinen Medaillons, auf denen man ein Bild des Jupiter Idaeus,
und zwei Bilder des Attys bemerkt, der auch auf dem Brust-
schilde dieses Priesters erscheint. Bezuglich auf jenen Liebling
der phrygischen Göttin ist der Granatapfel in der Rechten des
Archigallus, weil aus dieser Frucht die Zeugungsglieder desselben
entsprungen seyn sollen, so wie der Pinienapfel und die Mandeln
in dem Gefässe, welches der Priester in der Linken hält, indem
Attys sich unter einem Pinienbaume entmannte, und Cybele aus
seinem Blute Mandeln erzeugte. Noch sieht man auf diesem
Monumente, als auf den Dienst dieser Gottin bezüglich, eine über
der Schulter des Priesters herabhangende Geissel mit eingefloch-
tenen Menschenknochen, Cymbeln, zwei phrygische Floten, eine
Trommel und die Cista mystica.

Treppe.

Auf der Treppe, die nach dem oberen Stockwerke des
Museums fuhrt, sind in den Wänden die merkwürdigen Fragmente
von dem Plane des alten Roms eingemauert, die, wie man glaubt,
aus der Zeit des Septimius Severus herruhren. Sie wurden im 16ten
Jahrhundert in der Kirche SS. Cosma e Damiano entdeckt, wo
sie zur Marmorbekleidung der Wände angewendet worden waren.

Gallerie.

In der Gallerie, welche die ganze Länge des Gebäudes
durchläuft, vom Eingange rechts (oben an der Wand): Ein
erhobenes Werk, welches sich wahrscheinlich an einem Grabmale
befand und vermuthlich die Verhandlung eines Testamentes vorstellt. Der Testator, auf einem Bette liegend, hält in der einen
Hand einen Beutel, in der anderen eine geöffnete Rolle. Ihn
umfasst mit dem Arme eine neben ihm sitzende Frau; wahrscheinlich seine Gattin. Ein junger Mann, vermuthlich der Geld-
schätzer (Libripens) hält eine Tafel, auf welcher Münzen liegen,
zum Scheinverkaufe an die Erben, durch welche bei den Römern
die Testamente gemacht wurden. Ueber dem Bette ein Brustbild, vielleicht das des Verstorbenen. — Amor, der den Bogen
spannt; ein schon gearbeitetes Exemplar dieser öfter wiederholten
Statue. — Achteckiges mit schönen Sculpturen geschmücktes
Aschengefäss; der Inschrift zufolge einer Saturnina geweiht. Es

sind auf demselben sieben Amoren in sehr anmuthigen Figuren gebildet. Zwei von ihnen halten Fackeln: zwei andere blasen auf Floten: ein funfter spielt die Cither, und ein sechster halt eine Laterne. — Weingefäss, auf welchem zwei Satyrn, zwei Bacchantinnen und ein tanzender Silen, mit einem grossen Gefäss auf der Schulter, gebildet sind. — Statue der Psyche mit Schmetterlingsflügeln. — Gute Bildsäule Jupiters; ihm zu Füssen der Adler. Darunter eine sehr merkwürdige Ara mit Votivinschrift; gefunden an der Tiber, unter dem Aventin. An der Fronte ist in erhabner Arbeit die Vestalin Claudia Quinctia gebildet, welche das Schiff mit dem von dem Konige Attalus aus Pessinunt nach Rom gesandten Bilde der Cybele vermittelst ihres Gürtels zieht. An der einen Querseite des Monumentes ein Pedum nebst Crotalen, an der anderen eine Priestermütze. — Statue der Minerva, gefunden zu Velletri; in Stellung und Motiv des Gewandes ähnlich der beruhmten Pallas Giustiniani, aber ohne die Aegis, womit jene bekleidet ist. Sie stand zuvor im Braccio nuovo des vaticanischen Museums.

Eine antike Brunnenmundung; sehr merkwurdig wegen der erhabenen Arbeiten im sogenannten Tempelstyle. Ihre Gegenstande sind die zwölf oberen Gottheiten. Jupiter ist durch den Scepter in der einen und den Donnerkeil in der andern Hand bezeichnet; Juno durch die Stirnkrone; Minerva durch Aegis und Speer und den Helm in ihren Handen; Hercules durch die Keule und den Bogen und durch die über den Kopf gezogene Lowenhaut, die ihm zur Haupt- und Leibbedeckung dient; — Apollo hält die Leyer; — Diana den Bogen; — Mars, mit Panzer und Beinharnischen gerüstet, hat Schild und Speer in der einen und den Helm in der andern Hand; — Venus ist mit einer Blume in jeder Hand gebildet; — Vesta mit dem Scepter in der Rechten; — Mercur, mit dem Petasus auf dem Haupte, hält in der einen Hand den Caduceus, indem er mit der andern einen Bock bei den Hornern herbeischleppt; — Vulcan, bartlos gebildet, ist durch den Hammer in seinen Händen bezeichnet. — Auf diesem Monumente steht eine grosse, mit Weinlaubgewinden und vier Silensmasken verzierte Vase, die an der Via Appia, unweit von dem Grabmale der Caecilia Metella, gefunden ward.

Bildsäule einer sitzenden Frau; gefunden 1817 an der Via Appia, unweit der kleinen Kirche Domine quo vadis, in einem antiken Grabmale; nicht fleissig ausgeführt, aber schön gedacht und im grossen Style, vornehmlich in Hinsicht des Faltenwurfes gebildet. — Sarcophag, an dessen Vorderseite bacchische Gegenstande in schönen Compositionen gebildet sind. Vom Beschauer rechts ist der neugeborne Gott unter seinen Pflegerinnen, den Nymphen, vorgestellt. Links erscheint er, ebenfalls im Kindesalter, als Stifter des Weinbaues, einen Weinstock, im Beiseyn eines Satyrs und eines Silens, pflanzend. Die mittlere Gruppe zeigt die Feier der Ascolien, in der Vorstellung eines Satyrs, den ein Silen wegen seines verfehlten Sprunges auf den Schlauch mit Schlagen straft. — Sarcophag mit Reliefs von schlechter Arbeit, nur wegen der Vorstellung der Fabel der Proserpina zu bemerken, die an der Vorderseite in drei verschiedenen Momenten erscheint; namlich: Pluto, welcher die Jungfrau, wahrend sie Blumen sammelt, raubt; — Derselbe, welcher sie auf seinem Wagen entfuhrt, wo als Proserpina die Verstorbene gebildet ist, wie sowohl die individuelle Gesichtsbildung als der nicht ideale Haarputz zeigen (vor dem Wagen erscheint Hercules und eine Victoria); — und Ceres, ihre Tochter aufsuchend, auf ihrem mit geflugelten Schlangen bespannten Wagen. — Flotenspielender Satyr im Knabenalter, von schöner Arbeit. Bei einer minder guten Wiederholung derselben Figur in dieser Gallerie ist ein Stier zu bemerken. — Statue eines Silens auf einer Cista sitzend; zuvor im Appartamento Borgia. — Unter den an den Wanden eingemauerten Inschriften befinden sich die aus dem Columbarium der Freigelassenen der Livia, welches man im Jahre 1726 an der Via Appia, unweit der kleinen Kirche Domine quo vadis, entdeckte.

Zimmer der Vase.

In einem an die Gallerie anstossenden Zimmer, genannt Stanza del Vaso: — Schöne Statue eines Camillus oder Opferknaben von Bronze, auf einer dreieckigen Ara, auf welcher eine Bacchantin, welche das Tympanum schlagt und zwei Satyrn gebildet sind, von denen der eine auf der Doppelflote spielt, der andere den Thyrsus hält: bei dem letzteren ist ein Panther. — Schones Gefass von Bronze, gefunden zu Porto d'Anzo. Auf dem Rande desselben zeigt eine griechische, durch Puncte gebildete, Inschrift, dass es der berühmte Mithridates den Eupatoristen schenkte, einer nach seinem Beinamen benannten gymnasiastischen Gesellschaft. — Dreigestaltige Hecate von Bronze, von deren Vergoldung noch Reste erscheinen; ein schones kleines Werk. Hecate ist in ihrer dreifachen Bedeutung, als Luna im Himmel, als Diana auf Erden, und als Proserpina in der Unterwelt vorgestellt. Die Erste ist durch den halben Mond auf dem Haupte und die Fackeln in den Händen bezeichnet. Die Zweite, deren Haupt eine phrygische Mütze mit einer Strahlenkrone bedeckt, halt in der einen Hand ein Messer, von dem nur der Griff erhalten ist, und in der anderen zwei Schlangen. Die Dritte, durch den Hauptschmuck eines Lorbeerkranzes als Konigin des unterirdischen Reichs bezeichnet, halt die Schlussel zur Unterwelt und einen Strick, mit welchem man den Verschluss der Thuren vor Alters zu versichern pflegte. — Die beruhmte ilische Tafel

(Tabula Iliaca) von Stuck; gefunden ungefahr 10 Miglien von Rom, auf dem Gebiete der Fratocchie, an der Via Appia in den Ruinen von Bovillae. Sie diente, wie Werke ähnlicher Art, in den Schulen, um den Schülern den Inhalt der epischen Gedichte zur Anschauung zu bringen. Auf diesem schätzbaren Monumente, von dem leider ein Theil verloren gegangen ist, sind Gegenstände der trojanischen Heldensage, durch griechische Inschriften erklart, nach den Gesangen der cyclischen Dichter, in sehr kleinen Reliefs gebildet. Den Mittelpunct bildet des Aeneas Flucht nach dem Westlande: eine fur den römischen Nationalsinn sehr schmeichelhafte Anspielung auf die Gründung der Siebenhügelstadt (oben an der Wand der Hinterseite des Zimmers). — Ein erhobenes Werk von einem Sarcophage, welches den Triumph des Bacchus über die Inder vorstellt. — Ein sehr colossaler Fuss von Bronze, gefunden unter Alexander VII. bei der Pyramide des Cestius, und demnach vermuthlich der Rest von einer Bildsaule desselben.

Sarcophag mit Inschrift. In dem Relief der Vorderseite ist die Fabel des Endymion in einer schonen Composition vorgestellt. Luna, durch den halben Mond bezeichnet, wird von einem mit der Fackel leuchtenden Amor ihrem im Schoosse des Schlafgottes ruhenden Geliebten zugefuhrt. Ein anderer Amor steht im Wagen der Gottin, und ein dritter halt, stehend auf dem einen ihrer beiden Rosse, mit der einen Hand die Zugel und mit der andern die Peitsche. Oben erscheint der Berg Latmos in der Gestalt eines liegenden Jünglings, mit einem Kranze in der Hand. — Merkwürdige Doppelherme von zwei Tritonen; der eine ist bartig, der andere jugendlich und bartlos; beide haben Ziegenohren, und Flossfedern an der Brust, so wie an mehreren Theilen des Gesiehtes. — Hermathene, mit dem Doppelkopfe der Minerva, als Gottin der Künste des Krieges und des Friedens. Als diese ist sie auf dem Schafte durch einen Schleier, als jene durch die Aegis bezeichnet.

Kleiner Sarcophag, der die Gebeine des auf dem Deckel gebildeten Knaben bewahrte; ein Werk aus dem dritten Jahrhundert, mit Reliefs von schlechter Arbeit, aber merkwurdig durch ihre Gegenstande, die sich auf die Bildung des Menschen durch Prometheus beziehen. An der Querseite vom Beschauer links, an welcher die Reihe derselben beginnt, sind Deucalion und Pyrrha als die Stammeltern des zweiten Menschengeschlechts nach der Vertilgung des ersten durch die grosse Wasserfluth vorgestellt. Es folgen, an der Vorderseite, die vier Elemente. Die Schmiede Vulcans bedeutet das Feuer, — der Ocean mit dem Ruder und dem Seedrachen das Wasser, — der aus einer langen Muschel blasende Windgott die Luft, — und die Erde eine sitzende Frau mit einem Füllhorn. Amor und Psyche, die unter diesen Bildern

der Elemente erscheinen, deuten durch ihre Umarmung vermuthlich auf die Verbindung der Liebe mit der Seele und die aus
derselben hervorgehende Vereinigung und Belebung jener Ur-
stoffe des korperlichen Seyns. In der weiteren Folge formt Prometheus den Menschen, auf dessen Haupt Minerva einen Schmetterling setzt, welcher die Seele bezeichnet, durch die ihn die
Göttin belebt. Die Schicksalsgottinnen sind bei seiner Erzeugung
gegenwartig. Clotho spinnt seinen Lebensfaden; Lachesis zeichnet
mit dem Griffel die ihm durch den Lauf der Gestirne bestimmten
Schicksale auf die Himmelskugel; und bei der in einen Mantel gehull-
ten Atropos deutet die Sonnenuhr auf das Mass der Zeitdauer des
menschlichen Lebens. Es folgen sodann die auf das Abscheiden
des Menschen vom irdischen Daseyn und auf seine gegenseitigen Schicksale bezüglichen Vorstellungen. Der Todesgenius
loscht die Fackel des Lebens auf der Brust des Abgeschiedenen,
über dem die aus dem Korper entflohene Seele in Gestalt des
Schmetterlinges schwebt. Der abwarts lenkende Wagen der Luna
deutet als Sinnbild des Abends hier auf das Ende, so wie der
ihm gegenuber hinter dem Ocean sich erhebende Wagen der
Aurora auf den Anfang des Lebens. Nemesis als Richterin der
Seele sitzt neben der von derselben verlassenen Hülle des Menschen,
das Buch aufrollend, in welchem seine Thaten verzeichnet sind.
Mercur fuhrt die Seele, in Gestalt der Psyche mit Schmetterlingsflügeln, in die Unterwelt. — Zuletzt, der an den Caucasus gefesselte
Prometheus, den Fuss auf das Haupt der personificirten Erde
setzend. Ihm naht der ihn befreiende Hercules, den Bogen gegen
den Geier spannend, der seine Leber zernagte. Die Vorstellung
der Befreiung des Titanen soll vielleicht hier auf die Erlosung
der Seele nach ihrer vollbrachten Reinigung deuten.

Zwei antike Mosaiken: Das eine, von vorzüglich schöner
Arbeit, stellt vier auf einem Wassergefässe sitzende Tauben vor
und wurde in der Villa Hadrians, bei einer von dem Cardinal
Furietti veranstalteten Ausgrabung, entdeckt. In dem andern,
uber dem Sarcophag des Endymion, gefunden bei S. Prisca im
Jahre 1828, sind zwei comische Masken, eine alte und eine jugendliche, nebst zwei Floten vorgestellt.

In ein kleines erst vor wenigen Jahren angelegtes Zimmer,
zu welchem der Eingang von der vorerwahnten Gallerie fuhrt, sind
nun drei Monumente dieses Museums wegen ihrer vermeinten
Unanstandigkeit verwiesen worden. Wer sie sehen will, muss sich
dieses Zimmer von dem Custoden aufschliessen lassen. Das eine
ist die Statue der Leda, die man zuvor in dem von dem Satyr
aus Rosso antico benannten Zimmer sah. Die anderen beiden sind
zwei der ausgezeichnetsten Denkmäler dieser Sammlung, die zuvor
in dem Zimmer des sogenannten sterbenden Fechters standen: die

vortreffliche, ungemein schön gedachte Gruppe des Amor und der Psyche; und die unter dem Namen der capitolinischen Venus beruhmte Bildsäule; nachst der mediceischen, in Hinsicht der Ausfuhrung, die schönste der ofter wiederholten Figuren jener Gottin, in denen sie im Ausdruck der Schamhaftigkeit erscheint. Ihre vortreffliche Arbeit wird noch durch die besondere Schonheit des parischen Marmors erhöht, aus dem sie verfertigt ist. Sie wurde in einem Hause bei der Subura gefunden, wo sie vermuthlich eines der Bader schmuckte, die sich in dieser Gegend befanden.

Zimmer der Kaiser.

Das Zimmer der Kaiser (Stanza degl. Imperatori), führt diesen Namen von der hier in chronologischer Ordnung aufgestellten Busten derselben, ihrer Gemahlinnen und Anverwandten; der vollstandigsten bis jetzt vorhandenen Sammlung, wegen der wir auf das grossere Werk (III. B. 1. Abth. S. 198 u. ff.) verweisen. Hier bemerken wir nur als vorzüglich ausgezeichnet, nicht nur durch den Stein, sondern auch durch schöne Arbeit, einen Kopf des Caligula von grünem Basalt. In der Mitte des Zimmers steht die Bildsaule der auf einem Sessel ruhenden Agrippina. Unter den in den oberen Wanden eingemauerten Reliefs sind folgende vorzüglich zu bemerken: — Die Befreiung der Andromeda durch den Perseus; ein sehr schönes Werk, gefunden beim Graben der Fundamente des Palastes Muti auf Piazza de' SS. Apostoli. — Der schlafende Endymion, ein ebenfalls schönes Relief; gefunden auf dem Aventin, im Pontificate Clemens XI. — Eine Votivtafel, der Inschrift zu Folge, von einem Freigelassenen des M. Aurelius Epitynchanus, den Quellen und Nymphen geweiht. In der Mitte dieses Reliefs stehn Mercur und Hercules, als Beschutzer der Wege und Reisenden, an einem Trivium, um den Weg zu zeigen, der nach einem Bade fuhrt. Vom Beschauer rechts zwei den Hylas raubende Nymphen, und der Gott des Flusses Ascanius, bei dem dieser Raub erfolgte. Links die Grazien, die hier, wie in einem von uns angefuhrten Pioclementinischen Relief, als Symbol des Dankes in der wortlichen Bedeutung ihres Namens erscheinen.

Zimmer der Philosophen

Das Stanza de Filosofi benannte Zimmer führt diesen Namen von den in demselben aufgestellten Busten der Philosophen, unter denen sich auch Dichter und andere berühmte Manner befinden. Wir ubergehen in der folgenden Anzeige alle diejenigen, deren Benennungen grundlos oder doch wenigstens sehr unsicher sind. Drei Kopfe des Socrates. — Kopf des Seneca. — M. Aurelius, hier auch in der Reihe der Philosophen des Alterthums aufgestellt. — Asclepiades, durch den Namen in antiker griechischer

Inschrift bezeichnet; gefunden in einem Grabmale an der Via Appia. — Theon der Platoniker; so benannt in der antiken griechischen Inschrift auf dem Piedestale der Buste, die aus Smyrna, dem Geburtsorte dieses Philosophen, nach Rom gekommen ist. — Zwei Hermen des Sophocles; hier für Pindar gegeben. — Drei Büsten des Euripides. — Drei des Homer. — Büste des Scipio Africanus, mit der ihn bezeichnenden Narbe, und dessen Namen in antiker Inschrift. — Der Kopf des Domitius Corbulo; zuvor im Pioclementinischen Museum. — Zwei Busten des Epicur, und eine Doppelherme dieses Philosophen und seines Schülers Metrodor, beide durch ihre Namen in griechischer Inschrift bezeichnet; gefunden im Jahre 1742, bei dem Baue der Vorhalle von S. Maria Maggiore. — Buste des Antisthenes; gefunden unter Benedict XIV., bei der Anlegung der Strasse von S. Maria Maggiore nach S. Croce. — Büste des Cicero von vorzüglicher Arbeit. — Drei Kopfe, die hier für den Apollonius Tyaneus gegeben werden, sind, nach Visconti, Bildnisse Homers in dem auf Münzen von Amastris vorkommenden Typus.

In der Mitte dieses Zimmers steht gegenwärtig die vortreffliche, vornehmlich durch den schönen Styl des Faltenwurfes ausgezeichnete Bildsäule eines sitzenden mit der Toga bekleideten Mannes, den man mit wenigem Grunde für Marcellus erklarte. — Sie befand sich zuvor im Museo Chiaramonti, wohin sie aus dem Palast Giustiniani gekommen war. — Unter den in den oberen Wänden eingemauerten Reliefs erwähnen wir folgende:

Einen Satyr, durch das Pedum und die Nebris bezeichnet, und drei Frauen, vermuthlich die Horen. Eine griechische Inschrift nennt den Callimachus als den Meister dieses Werks, welches den altgriechischen Styl zeigt. — Erhobenes Werk von Rosso antico, welches eine Frau vor der Bildsäule der Hygiea vorstellt, die sich auf einem Altare in Form eines Tisches erhebt. — Relief von schlechter Sculptur, die Verbrennung des Leichnams des Meleager vorstellend. Die vor dem Todten knieende Frau ist Althaea, die aus Verzweiflung, den Tod ihres Sohnes bewirkt zu haben, sich selbst entleibte. Rechts Diana oder Atalante mit zwei Hunden. — Ein Todter, der von einigen Männern getragen wird, in einer schönen Gruppe; Fragment eines Reliefs der öfter wiederholten Vorstellung der Leichenbestattung des Meleager. — Das Ende dieses Helden, in einer schönen und ausdrucksvollen Composition. Die Darstellung zerfällt in drei Momente. Der erste ist der von Meleager an seinen Oheimen verübte Mord; der zweite Althaea, welche den verhängnissvollen Feuerbrand den Flammen übergiebt; und der dritte der sterbende Heros, von seinen Verwandten und Freunden umgeben. — Sechs Friesverzierungen, von denen zwei, die sich einander gegenüber an den Wänden bei dem Eingange des

Zimmers befinden, neu sind. Die vier übrigen, die sich ehemals in der Kirche S. Lorenzo fuori le mura befanden, sind vermuthlich Friesfragmente von einem Tempel des Neptun. Ihre Gegenstände sind Anker, Steuerruder, Rostra, Aplustren und andere Schiffstheile, nebst Stierschadeln und Opfergerathen.

Der grosse Saal.

In der Mitte des grossen Saales: Die Statuen des Jupiter und Aesculap von Nero antico. Die erstere wurde zu Porto d'Anzo gefunden, wo man auch die runde Ara entdeckte, die ihr zum Postamente dient, und auf welcher Mercur, Apollo und Diana, die auf einen flammenden Altar zu gehen, im sogenannten Tempelstyle gebildet sind. — Die Bildsäulen zweier Centauren von Bigio morato, gefunden in der Villa Hadrians im Jahre 1736. Sie sind, den Inschriften zufolge, Werke des Aristeas und Papias von Aphrodisium; der eine dieser Centauren ist jugendlich, mit Ziegenohren, im Character der Satyrn als ein Gefahrte des Bacchus, der andere mit bartigem Haupt im bejahrten Alter vorgestellt. — Colossale Bildsäule des Hercules im Knabenalter, von grünem Basalte; auf dem Aventin gefunden. Ihr dient zum Postament eine sehr merkwurdige dem Jupiter geweihte Ara, auf welcher folgende Gegenstände im Tempelstyle gebildet sind: Die Geburt Jupiters, von der nur die Figur der Rhea erhalten ist; — Rhea, die dem Saturn statt des neugeborenen Kindes einen in ein Tuch gewickelten Stein zum Verschlingen giebt; — das Götterkind, von der Ziege Amalthea gesäugt, zwischen zwei Corybanten, die mit den Schwertern auf ihre Schilde schlagen (in der sitzenden Frau, mit einer Mauerkrone, kann Rhea oder Cybele, oder vielleicht auch die Insel Creta vorgestellt seyn); — Jupiter, auf dem Throne sitzend, von den oberen Gottheiten umgeben, die ihm als ihrem Oberherrn zu huldigen scheinen. An den Wänden vom Eingange rechts: Statue einer Amazone mit einer Wunde unter der rechten Brust. Auf dem Baumstamme, neben derselben, ist der Name des Meisters, Sosicles, in griechischer Inschrift angezeigt. — Eine gute Bildsäule des Harpocrates, aus der Zeit Hadrians, in dessen Villa bei Tivoli sie gefunden ward. — Statue eines nackten Jagers von guter Arbeit; gefunden vor der Porta Latina. Er hat einen Spiess in der Linken und halt mit der Rechten einen Hasen empor. Durch die Inschrift auf dem Piedestale: Polytimus Lib. ist, nach Visconti, der Name des Kunstlers angezeigt. — Eine ebenfalls gute männliche Statue; entdeckt in der Villa Hadrians. Sie steht mit vorgebeugtem Leibe, halt den Zeigefinger der rechten Hand erhoben und hat den linken Fuss auf ein Felsenstuck gesetzt. Ihr Kopf erinnert an die Bildung Mercurs, von dem sie ubrigens keine Attribute zeigt. —

Statue einer Amazone, welche wie die vorerwähnte eine Wunde
an der Brust zeigt. — Colossale Bildsäule des Hercules von Bronze;
gefunden im Pontificate Sixtus IV. im Forum boarium, in einer
unterirdischen Grotte, uber welcher, wie man glaubte, die Ara
maxima stand. Sie ist merkwürdig wegen des fur ein Werk des
Alterthums auffallend manierirten Styls. Ihr dient zum Postamente
eine Ara der Fortuna, auf welcher, an der Vorderseite, diese
Gottin auf dem Throne sitzend, und an jeder der beiden Querseiten ein Caduceus zwischen zwei kreuzweis zusammengebundenen
Füllhornern gebildet ist. — Colossale Bildsäule des pythischen Apollo,
mit dem Dreifusse und der um denselben gewundenen Schlange,
wovon jedoch das Meiste neu ist. — Bildsäule eines Satyrs von
weissem Marmor; Wiederholung des Fauno di Rosso antico.

Zimmer des Fauns.

Das folgende Stanza del Fauno di Rosso antico benannte
Zimmer fuhrt diesen Namen von der in der Mitte desselben aufgestellten Statue, die in der Villa Hadrians gefunden ward. Ein
grosser Theil derselben ist neu. Sie ruht auf einer merkwürdigen
Ara, die man 1745 an der Via Appia, unweit der Kirche S. Sebastiano
entdeckte. In Folge der Inschrift an der Hinterseite weihte sie
der Augur Scipio Orfitus — vermuthlich derselbe, der im Jahre
nach Ch. 148 unter Antoninus Pius Consul war — dem Jupiter
Serapis. Ihre Reliefs beziehen sich, wie man glaubt, auf die Bezwingung von Aegypten nach der Emporung dieses Landes unter
dem vorerwähnten Kaiser. An der Vorderseite sprengt auf einem
Stiere ein mit Lorbeeren bekränzter Krieger, mit Blumen in der
einen und einem Fullhorne in der andern Hand, nach einer vor
dem Thore einer Stadt sitzenden Frau, die ebenfalls ein Fullhorn
halt. An der einen Querseite ein Stieropfer; an der andern,
eine auf einem Baumstamme errichtete Trophae, zwischen einer
Victoria und einer auf Waffen sitzenden Roma.

Sarcophag, auf welchem die Fabel des Endymion vorgestellt
ist. Hinter dem schlummernden Jünglinge, vom Beschauer rechts,
erscheint der Gott des Schlafes mit Schmetterlingsflügeln; ihm
zur Rechten der Berg Latmos, in Gestalt eines bärtigen, mit einer
Stierhaut bekleideten Mannes. Luna steigt vom Wagen zu ihrem
Liebling herab, den ihr zwei Amoren enthullen. Bei ihren Pferden
steht eine geflügelte Hora mit einem Kranze in der Hand, als
ihre gewöhnliche Wagenfuhrerin. Im Hintergrunde erhebt sich
die Nacht, unter dem Bilde einer Frau mit einem sie kreisförmig
umwallenden Schleier, aus den Armen des Krebses, der die Con-
stellation anzeigt, unter der die Begebenheit erfolgte. Ein Hirt
und eine Heerde deuten auf das Hirtenleben des Endymion. Vom
Beschauer links besteigt die zurückkehrende Luna· ihren Wagen,

indem ihr die unter den Pferden aufsteigende Aurora, von dem Schleier der Nacht umgeben, den Anbruch des Tages verkündet. — Der diesem Sarcophag nicht zugehorende Deckel gehort, den Gegenstanden der Reliefs zufolge, zu einem Marmorsarge, den ein Ehemann für den Leichnam seiner verstorbenen Gattin bestimmte. Vom Beschauer rechts sitzt das Ehepaar in zartlicher Eintracht, indem Mercur erscheint, die Frau in die Unterwelt abzurufen. Zur Linken flehen beide Gatten die unerbittlichen Schicksalsgöttinnen um Aufschub ihrer Trennung; und in der Mitte der Fronte sitzt Pluto auf dem Throne neben Proserpina. Amor scheint ihn durch Geschenke vergebens zur Lebensverlängerung der geliebten Frau bewegen zu wollen: denn schon erscheint hier ihre vom irdischen Daseyn abgeschiedene Seele.

Eine der Isis geweihte Ara; gefunden beim Graben der Fundamente der Bibliothek des Klosters S. Maria sopra Minerva. An der Vorderseite ist die Cista mystica gebildet; an der einen Querseite Harpocrates mit einem Fullhorne, und an der andern Anubis mit einer Palme; der Caduceus des Letzteren ist neu. — Figur eines Knaben, der uber sein Haupt eine Silensmaske hält, die er sich aufsetzen zu wollen scheint. — Ein Knabe den Hals eines Schwans umfassend; von vorzüglicherer Ausführung als die Wiederholung dieser schönen Gruppe im Pioclementinischen Museum; gefunden 1741 bei der Anlegung der Strasse von S. Croce nach dem Lateran. Sie steht auf einer merkwürdigen dem Sonnengotte geweihten Ara. An der Vorderseite erscheint, uber einem Adler, das mit Strahlen umgebene Haupt dieses Gottes; an der einen Querseite derselbe auf einem mit Greifen bespannten Wagen, von der Victoria gekront; und an der andern Saturn mit verhulltem Haupte und einer Sichel, als Sinnbild der Zeit. — Sarcophag, gefunden zu Salona, einem dem Capitel von S. Maria Maggiore zugehorigen Meierhofe. An der Vorderseite ist in schöner Composition eine Schlacht der Amazonen gebildet; an beiden Enden zwei Victorien, die eine mit einem Lorbeergewinde, die andere mit einer Trophäe. An den Querseiten sieht man ebenfalls Amazonenkampfe, und auf dem Deckel die besiegten Heldinnen, als Gefangene bei den Trophaen der von ihnen erbeuteten Waffen. — Drei merkwürdige Aren, die dem Neptun, den Winden und der Windstille geweiht sind, sämmtlich rund, von gleicher Grosse und Arbeit, und jede derselben mit einem herausstehenden Schiffsschnabel gebildet. Sie wurden in den Trümmern des alten Antium, an der Mündung des ehemaligen Hafens, gefunden, wo sie zu den Opfern bestimmt waren, die, vor der Abfahrt der Schiffe, wie nach ihrer glucklichen Heimkehr, den Meergottheiten gebracht wurden. Auf dem einen dieser Monumente, mit der Inschrift: A r a N c p t u n i ist Neptun mit dem Dreizack in der einen und einem Delphin in der andern Hand gebildet; auf dem zweiten, mit der Inschrift: Ara Ventorum ein Windgott, der in eine Muschel bläst; und auf dem dritten, mit der Inschrift: Ara Tranquillitatis ein bei günstigem Winde ruhig segelndes Schiff.

Unter den an den Wanden dieses Zimmers eingemauerten Inschriften ist vornehmlich die sogenannte Lex Regia zu bemerken, welche die dem Kaiser Vespasian von dem Senate ertheilten Privilegien enthalt, aber nicht ganz erhalten ist. Sie kam unter Gregor XIII. aus der Laterankirche in das Capitol.

Zimmer des sterbenden Fechters.

Das letzte Zimmer führt den Namen von der berühmten, unter der irrigen Benennung des sterbenden Fechters bekannten Statue, die in der Mitte dieses Zimmers aufgestellt ist. Sie stellt einen schwer verwundeten, mit dem Tode ringenden Barbaren vor, als welchen sie der Character der Gesichtsbildung, das struppige Haar, der Knebelbart und das wie ein Strick gewundene Halsband bezeichnet, welches den Halsbandern der Barbaren auf dem im zweiten Zimmer des Erdgeschosses erwähnten Sarcophage entspricht. Er ist ganz nackt, im Ausdruck des Schmerzes von der unter der rechten Brust empfangenen Wunde, sitzend auf einem ovalen Schilde gebildet, auf welchem ein zerbrochenes krummes Blashorn liegt. Der rechte Arm mit dem Schwerte ist neu. Der Werth dieser Statue besteht in der schönen Darstellung einer gemeinen individuellen Natur, die, so wie in dem Kopfe, auch in den Formen des Körpers durchgefuhrt ist.

An den Wänden, rechts vom Eingange des Saales: — Kopf des Marcus Junius Brutus von schöner Arbeit. — Statue einer Isispriesterin, als solche durch die Lotosblume und durch das mit Fransen besetzte Gewand bezeichnet. — Statue einer mit langer Tunica und Mantel bekleideten Frau, deren Haupt ein Blumenkranz schmückt; gefunden in der Villa Hadrians. Bottari hat sie fur die Flora erklart. Winckelmann hingegen glaubte in ihr irgend eine schöne Frau als Gottin der Jahreszeiten vorgestellt zu sehen. — Die unter dem Namen des capitolinischen Antinous berühmte Bildsäule; gefunden in der Villa Hadrians. Der Kopf ist den übrigen für jenen Liebling des genannten Kaisers erklärten Bildnissen wenig entsprechend. — Ein Satyr; die vorzüglichste unter den in Rom befindlichen Statuen, die für Nachahmungen des berühmten Satyrs von Praxiteles gehalten werden. — Anmuthige Figur eines kleinen Mädchens, das mit einer Taube spielt. — Schöne Statue eines bärtigen Mannes, den ein um den nackten Leib geworfener Mantel bekleidet; nach einer unbegrundeten Erklarung Zeno der Stoiker; gefunden in der angeblichen Villa des Antoninus Pius. — Bildsäule des Apollo mit der Leyer und einem

Greif zu Füssen; gefunden an der Solfatara bei Tivoli. — Bekleidete weibliche Statue, die ein Gefäss mit beiden Hánden trägt, und in der man bald die Pandora, bald eine Danaide, bald eine Isispriesterin zu erkennen glaubte. Sie steht auf einer runden im Forum boarium entdeckten Ara, die, der Inschrift zufolge, C. Ulpius Fronto dem siegenden Hercules weihte, und auf welcher vier Keulen zwischen Eichenlaubgewinden, jener Heros mit dem Cerberus, die grosse Trinkschale und Bogen und Köcher desselben, und ein Opferschwein gebildet sind. — Ein Kopf von ausgezeichneter Schönheit, von Winckelmann für die Leucothea, von Anderen fur die Ariadne erklärt. Gegenwärtig glaubt man in demselben den Bacchus zu erkennen, in dessen Zugen sich die Mannweiblichkeit dieses Gottes characteristisch offenbart. — Eine Amazone; Wiederholung der schonen Bildsäule einer dieser Heldinnen in der Gallerie der Statuen des Pioclementinischen Museums. — Schöner Kopf Alexanders des Grossen, als Sonnengott vorgestellt, wie die an der Hauptbinde zu bemerkenden Löcher zeigen, in die ohne Zweifel Strahlen von Metall eingesetzt waren. — Colossale weibliche Bildsäule, von grossartigem Character, majestatischem Anstande und vortrefflichem Style des Faltenwurfes. Visconti glaubte in ihr, wahrscheinlicher als eine Juno, die Melpomene zu erkennen, welcher die dem tragischen Cothurne ähnlichen Sandalen dieser schönen Figur zu entsprechen scheinen. — Wir bemerken zuletzt noch in diesem Zimmer eine schöne 20 Palm hohe Saule von weissem orientalischem Alabaster, welche in der la Marmorata benannten Strasse zwischen dem Aventin und der Tiber gefunden wurde.

§. 73.

S. Maria Araceli.

Die der heiligen Jungfrau geweihte Kirche des Capitols, die ursprunglich den Namen S. Maria in Capitolio führte, erhielt um das Ende des 13ten Jahrhunderts den Beinamen Araceli von einem in ihr verehrten Altare. Die Zeit ihrer Erbauung ist unbekannt. Ihre erste Erwähnung geschieht im 10ten Jahrhundert. Sie gehörte den Benedictinern bis zum Jahre 1250, in welchem sie von Innocenz IV. die Franciscaner erhielten. Als Kirche des Senates, dem Eugen IV. 1445 das Patronat derselben ertheilte, fanden in ihr mehr als in anderen romischen Kirchen Versammlungen zu weltlichen Angelegenheiten statt. Noch im Jahre 1521 wurde in dieser Kirche Gericht gehalten, wozu ein Stuhl in derselben fur den Senator stand. Auch war sie, so lange der Senat noch einige Bedeutung hatte, durch prächtige in ihr gefeierte Feste ausgezeichnet. Leo X. erhob sie zum Titel eines Cardinals. Zu ihrer Vorderseite fuhrt, von dem nach ihr Piazza Araceli

benannten Platze, eine Treppe von 124 Stufen empor, zu welcher
die Kosten von den Almosen bestritten wurden, welche die Kirche
durch das in ihr verehrte Marienbild erhielt, als dasselbe bei der
berühmten Pest im Jahre 1348 in Procession in der Stadt herumge-
tragen wurde. Der weisse Marmor, aus welchem die Stufen bestehen, wurde, nach Andreas Fulvius, von dem Tempel des Quirinus
auf dem quirinalischen Berge genommen. Eine andere Treppe
fuhrt von dem Platze des Capitols zu einem Nebeneingange empor.

Die einfache Vorderseite bewahrt noch ihren alterthümlichen
Character. Die drei Eingange an derselben haben Thurverkleidungen von weissem Marmor. In den Spitzbógen über den beiden
Seiteneingängen sieht man die Figuren der Evangelisten Matthaus
und Johannes in erhobener Arbeit; vermuthlich zu Anfang des
15ten Jahrhunderts verfertigte Werke.

Die Basilikenform des Inneren der Kirche ist entstellt durch
Veränderungen und Zierrathen im neueren Geschmack. Das
mittlere der drei Schiffe erhebt sich auf 22 antiken Säulen, meistens von Granit. Oben, unter dem Capitelle der dritten derselben vom Haupteingange links, steht die antike Inschrift: A.
CVBICVLO AVGVSTORVM. Die mit Trophäen und anderen vergoldeten Zierrathen reich geschmückte Decke liess der Senat und
die Burgerschaft Roms zu Ehren der heiligen Jungfrau, wegen
des beruhmten Sieges über die Türken bei Lepanto, verfertigen.
Die beiden Ambonen dieser Kirche sieht man, nach der Vernichtung ihres alten Chors, hinter den beiden Pfeilern des Bogens am
Ende des Hauptschiffs, aus mangelhaften, zum Theil nicht zu einander gehorigen Stücken zusammengesetzt. Eine zerrissene und
mangelhafte Inschrift, — an dem Ambo` der Epistel vom Haupt-
eingange rechts, — zeigt als Meister derselben den Laurentius
und dessen Sohn Jacobus, aus der Familie der Cosmaten. An
dem Pfeiler, uber dem gedachten Ambo, ist der Grabstein der im
Jahre 1461 zu Rom verstorbenen Catharina, Königin von Bosnien.

In dem Tabernakel des im Jahre 1723 erneuerten Hauptaltares bewahrt man das oben erwahnte verehrte Marienbild,
welches dem Evangelisten Lucas zugeschrieben wird. Der heutige
Chor, in Gestalt eines länglichen Vierecks, wurde unter Pius IV.
nach dem Niederreissen der ehemaligen Tribüne erbaut. An der
gewölbten Decke dieses Chors sind Malereien von Niccolò Tro-
metta da Pesaro; und an der Seitenwand, links vom Eingange,
ist das Grabmal des im Jahre 1498 verstorbenen Cardinals Johann
Baptista Savelli wegen seiner vorzuglichen Sculpturen zu bemerken.
Hinter dem Tabernakel des Hauptaltares sieht man die Copie des
Gemäldes einer heiligen Familie von Raphael.

Die freistehende Capelle, im Querschiffe vom Eingange links,
ist nach ihrer Zerstörung zur Zeit der französischen Revolution,

im Jahre 1833 in runder Tempelform wiederhergestellt worden. Ihre Kuppel ruht auf acht Saulen von rothlichem orientalischem Alabaster. Sie ist der heil. Helena geweiht, deren Reliquien in der antiken Porphyrwanne unter der Platte des Altares aufbewahrt werden. Unter diesem Altare ist die Vorderseite jenes alten Altares zu bemerken, von dem die Kirche den Beinamen Ara celi erhielt, und den bereits Schriftsteller des 12ten Jahrhunderts erwähnen. In den im höchst barbarischen Style ausgefuhrten Sculpturen dieses Denkmals ist ein Agnus Dei und der Kaiser August vorgestellt, wie er der heil. Jungfrau, die ihm nach der bekannten Sage von der tiburtinischen Sibylle gezeigt wurde, eine Krone darbringt.

In der ersten Seitencapelle, vom Haupteingange rechts, sind die Frescogemalde von Pinturicchio bemerkenswerth, obgleich sie durch eine in unseren Zeiten unternommene Restauration viel von ihrem ursprunglichen Character verloren haben. Ihre Gegenstande an den Wänden, aus dem Leben des heil. Bernhardinus von Siena, dem die Capelle geweiht ist, sind folgende: Die Einkleidung des Heiligen zum Franciscanermönch. — Derselbe mit einigen Personen, denen er fromme Ermahnungen zu geben scheint. — Seine Entzückung uber das ihm erscheinende Bild des Gekreuzigten. — Der Heilige in einer Landschaft, in einem Buche lesend. — Sein Leichnam auf einer Bahre liegend, von seinen Ordensbrüdern und anderen Leidtragenden umgeben, in denen viel Character und Ausdruck herrscht; dabei ein Senator, dem ein Edelknabe das Schwert vorträgt. — Der heil. Bernhardinus in der Glorie des Himmels, zwischen den heil. Ludwig Bischof von Toulouse und Antonius von Padua. — Am Deckengewolbe die vier Evangelisten.

In der Capelle der Savelli, an der rechten Seite des Querschiffs, steht das Grabmal Honorius IV., und, demselben gegenuber, das des Lucas und Pandulphus Savelli, Vaters und Bruders des genannten Papstes. Die Basis dieses Monumentes ist ein antiker Sarcophag mit bacchischen Gegenständen und Laubgewinden; und der Aufsatz, im gothischen Style, zeigt das Wappen der Savelli nebst einigen Zierrathen von Mosaik und einer kleinen Bildsaule der heil. Jungfrau. In der fünften Capelle vom Eingange links ist ein Gemalde des heil. Paulus von Muziano, und in der sechsten die Himmelfahrt Christi von demselben Kunstler zu bemerken.

An der linken Seitenwand des Querschiffs erhebt sich ein Grabmal ohne Inschrift, mit der Bildsaule des Verstorbenen zwischen vier stehenden Engeln, welches nach Melchiorri die Gebeine des in der Geschichte bekannten Cardinals Matthaeus von Acquasparta, Generals der Dominicaner, bewahrt, den auch Dante (Paradiso Cant. XII. V. 124—26) erwähnt. Unter den übrigen alten Grabmälern dieser Kirche bemerken wir noch wegen der guten Sculpturen das des Cardinals Ludovicus von Loreto, vom Jahre 1465, an der vorderen Wand der Kirche, vom Haupteingange rechts. Auf dem Fussboden sieht man mehrere alte Grabsteine und Reste von mittelalterlicher Steinarbeit.

Das Kloster, der Sitz des Pater Generals der Franciscaner, diente im Mittelalter zu einer Festung, und den Richtern des Capitols nicht nur zur Rechtspflege, sondern auch zu ihrer Wohnung. In demselben wurden im Jahre 1264 die Bedingungen abgeschlossen, unter denen Carl von Anjou die Senatorwürde erhielt. Es besitzt eine ansehnliche Bibliothek, die aber nicht mehr, wie ehemals, zum öffentlichen Gebrauche dient. Das an dasselbe anstossende, mit dem venetianischen Palast verbundene Gebäude, welches Paul III. zum Sommeraufenthalt der Päpste erbaute, ertheilte Paul IV. den Mönchen dieses Klosters. Die Loggia auf dem Gipfel jenes Gebäudes gewährt eine vortreffliche Aussicht.

§. 74.

Gebäude am Abhange des Capitols.

Das Mamertinische Gefängniss (S. Pietro in Carcere).

Das Gefängniss des alten Roms, Carcer Mamertinus oder Tullianus, am Fusse des capitolinischen Berges, am Anfange der Via di Marforio, (Vicus Mamertinus), ist wegen der Tradition, dass es den heil. Petrus vor seinem Märtyrertode bewahrte, in ein Gotteshaus verwandelt worden. In diesem Gefängnisse wurden die Staatsverbrecher und die im Siegesgepränge aufgeführten Fürsten und Feldherren der Feinde erdrosselt. Die Leichname der Letzteren — deren Hinrichtung gewöhnlich erfolgte, wenn der Triumphzug das Capitol erreicht hatte — wurden mit Haken herausgezogen und zur Schau an die Gemonischen Treppen geschleift. An welcher Seite des Forums diese Treppen waren, ist ungewiss.

Das Gefängniss besteht aus einem oberen und unteren Gemache. Das erstere wurde in einer Tufgrube (in lautumiis) von Ancus Martius, das letztere, welches in den capitolinischen Berg eingehauen ist, von Servius Tullius angelegt und daher von diesem auch Tullianum genannt. Gegen das Forum, innerhalb der zum Andenken des hier in Banden gelegenen Apostels errichteten Capelle, steht noch die antike Vorderseite des Gefängnisses, deren Mauer von sehr grossen Travertinquadern aufgeführt ist. An derselben liest man in einer antiken Inschrift die Namen Caius Vibius Rufinus, Sohn des Caius, und des Marcus Cocceius Nerva, Consuln im Jahre Roms 775, die vermuthlich das Gebäude auf Verordnung des Senats ausbessern oder erweitern liessen. Mit dem oberen Gemache waren wahrscheinlich noch andere Gemächer verbunden, die unter der Kirche S. Giuseppe de' Falegnami fortgingen. In dem unteren Kerker mussten ohne Zweifel diejenigen ihr Leben enden, die wie Jugurtha zum Hungertode verurtheilt waren. An der aus grossen Peperinsteinen, die mit eisernen Klammern verbunden sind, bestehenden Decke ist eine runde Oeffnung, welche der an der Decke des oberen Gemaches entspricht und, wie man bemerkt hat, ehemals viereckig war. Nach dem Bericht des Calpurnius Flaccus erhielt dieser Kerker das Licht durch schmale längliche Oeffnungen. Auf dem modernen Fussboden ist ein Quell, der auf das Gebet des heil. Petrus entsprungen seyn soll, um die Centurionen, die ihn bewachten, die Heiligen Processus und Martinianus, nebst 47 seiner Mitgefangenen zu taufen. An der Wand ist der Eingang zu einer nicht antiken Schleuse. Die Treppen, die in das obere und untere Gefangniss von der Strasse und von S. Giuseppe hinabführen, sind neu, so wie die heutigen Eingänge, die in die 7 Palm dicken Mauern eingehauen sind. Vor dem alten Eingange, der vermuthlich gegen das Forum lag, war ohne Zweifel das von Livius erwähnte Vestibulum dieses Kerkers.

S. Giuseppe de' Falegnami.

Die über demselben aufgeführte Kirche S. Giuseppe de' Falegnami hat Giacomo della Porta angegeben. Man sieht in derselben ein Gemalde von Carlo Maratta, welches die Geburt Christi vorstellt, sonst aber nichts Bemerkenswerthes.

Der Saturnustempel (falscher Jupiter Tonans).

Die drei Säulen, die sich am Clivus Capitolinus erheben — in denen man die Reste des von August zu Ehren des Jupiter Tonans erbauten Tempels zu erkennen glaubte — hat zuerst Niebuhr für den Tempel des Saturnus erklärt, der mit dem anstossenden Tabularium zur Schatzkammer (Aerarium) des alten Roms diente. Die gedachten Säulen, die sich auf Substructionen von Peperin erheben, bildeten die Ecke der Vorhalle des Tempels an der ostlichen Seite. Sie sind von weissem Marmor, cannelirt und von corinthischer Ordnung. Man gelangte zu dem Tempel vermittelst mehrerer Treppen, die zwischen den Säulenweiten der Vorderseite angelegt waren, wie die Reste von einer derselben zwischen den beiden hier noch vorhandenen Säulen zeigen. Die Treppe, die wir jetzt daselbst sehen, ist modern. Die architectonischen Zierrathen sind schön gearbeitet, aber etwas überladen, indem man sogar an der Platte der Saulencapitelle Verzierungen bemerkt. - Am Friese der Seitenfronte sind ein Stierschädel, zwei Opfergefasse und eine mit einem Donnerkeile verzierte Mütze

(Galerus) gebildet; und am Friese der Vorderseite liest man e s t i -
t u e r, den Rest einer Inschrift, die sich, wie durch den Anonymus
von Einsiedeln erhellt, auf eine von Septimius Severus unternommene Ausbesserung des Tempels bezieht.

Der Vespasianstempel (falsche Concordia).

Zur Linken des Clivus Capitolinus erheben sich auf einer
Substruction von Travertin acht jonische Säulen, die man den
Tempel der Concordia nannte, bis in unseren Zeiten die wahren
Reste desselben entdeckt worden sind, und eine Notiz des Anony-
mus von Einsiedeln uns in diesen acht Säulen den Tempel des
Vespasian hat erkennen lassen. Durch die Inschrift am Architrave
des Gebälkes ist eine Wiederherstellung des Gebäudes nach einer
erlittenen Feuersbrunst angezeigt. Dass diese Restauration in den
Zeiten des tiefen Verfalls der Kunst erfolgte, zeigt die schlechte
Bauart dieser Halle, indem die Säulen aus fremdartigen, nicht
zusammen passenden Bruchstücken bestehen. Ihre Schäfte sind
von Granit, von weissem Marmor ihre sämmtlich schlecht gearbeiteten Capitelle, so wie die Basen und das Gebälke. Poggio sah
dieses Gebäude um das Jahr 1420 noch ganz erhalten. Bald darauf aber wurden Steine desselben zum Kalkbrennen oder Bauen
weggenommen, bis seine Vernichtung bis auf die heutigen Reste
im 16ten Jahrhundert erfolgte. Der Umstand, dass man an der
noch vorhandenen Halle keine Treppe bemerkt, zeigt, dass sie
sich an der Hinterseite des Tempels befand, und dass demnach
der Eingang mit der Vorhalle an der nach dem Hospitale der
Consolation gelegenen Westseite des Gebäudes war.

Der Tempel der Concordia.

Der Tempel der Concordia wurde in Folge eines Gelübdes
erbaut, welches der berühmte M. Furins Camillus dieser Göttin
im Jahre Roms 388 für die erflehte Einigung der Patricier und
Plebejer gethan hatte, die durch das den Letzteren ertheilte Recht
zur Consulwurde erfolgte. In den Zeiten der Republik versammelte sich der Senat in diesem Gebäude zur Berathschlagung
wichtiger Angelegenheiten, wie unter anderen bei der Verschwörung des Catilina. Ein neuer Bau wurde vermuthlich von August
unternommen, da Tiberius, noch bei Lebzeiten dieses Kaisers,
diesen Tempel weihte. Die Zerstörung eines Theils desselben
wurde durch die Erbauung der ehemaligen Kirche SS. Sergio e
Bacco veranlasst, die, wie sich gefunden hat, auf seinen Funda-
menten ruhte. Dass er jedoch im 12ten Jahrhundert noch grossentheils stand, zeigen seine Erwähnungen zu dieser Zeit in der
Schrift de Mirabilibus Urbis Romae und im Ordo Romanus.
Nach seiner gänzlichen Zerstörung verschwand selbst das Andenken

seiner Stelle, bis man seine Trümmer bei den auf dem Forum im Jahre 1817 unternommenen Ausgrabungen an dem Palast des Senators zur Linken der Treppe. entdeckte, die von dem Bogen des Severus auf das Capitol fuhrt. Sie wurden ausser Zweifel ge‿ setzt sowohl durch vier in denselben gefundene Inschriften, die der Concordia erwähnen, als durch die Uebereinstimmung mit den Angaben der alten Schriftsteller von der Lage dieses Gebäudes. Man fand den Fussboden der Cella mit phrygischem, numidischem und africanischem Marmor ausgelegt, von dem aber jetzt das Meiste wieder verschwunden ist. Fragmente von Statuen, von Säulen von numidischem und phrygischem Marmor, von reich und schön verzierten Säulenfüssen und von Capitellen und Gebalken, deren mehrere hier umherliegen, sind die auf uns gekommenen Reste dieses prächtigen Tempels, der, wie wir aus Plinius wissen, mit ausgezeichneten Werken griechischer Sculptur und Malerkunst geschmuckt war.

Gebäude im Forum und in seiner Nachbarschaft.

§. 75.

Der Triumphbogen des Septimius Severus.

Der Triumphbogen des Septimius Severus wurde diesem Kaiser und seinen Söhnen Caracalla und Geta, wegen seiner Siege über die Parther, Araber und Adiabener, im 11ten Jahre seiner Regierung, 203 nach Christi Geburt, von dem Senate errichtet, wie die in der Attica an den beiden Hauptfronten wiederholte Inschrift anzeigt. Der untere Theil dieses Bogens, der lange Zeit verschüttet war, ist nach der im Jahre 1803 unternommenen Ausgrabung wieder sichtbar. Er ist noch ganz erhalten, hat aber durch Feuer und andere Beschädigungen sehr gelitten. Derselbe ist von pentelischem Marmor gebaut und hat drei gewölbte Durchgänge, einen grösseren in der Mitte und zwei kleinere zu beiden Seiten. Zu den letzteren fuhren, nach der Seite des Forums, funf Stufen empor, die erst in unsern Zeiten ausgegraben worden sind. Von diesen Durchgängen fuhren zwei andere zu der mittleren Arcade. Die sämmtlichen Bogengewölbe sind mit Rosetten verziert. Jede der beiden Hauptfronten schmücken vier cannelirte Saulen, die, so wie die ihnen entgegenstehenden Pilaster, von römischer Ordnung sind. Die erhobenen Arbeiten dieses Ehrendenkmals zeigen den Verfall der Kunst. Die Reliefs an den beiden Hauptfronten über den Seitenarcaden stellen glorreiche Begebenheiten der Kriege vor, zu deren Gedächtniss das Monument errichtet wurde. Sie sind äusserst verstümmelt: Santi Bartoli hat sie in seinen Kupferstichen grösstentheils nach willkürlicher Einbildung erganzt; und demnach beruhen die nach denselben gegebenen Erklärungen ihrer Gegenstände auf unsicherem Grunde. Jeder der vier unter diesen Reliefs vorgestellten Triumphzüge ist nach einer Roma gerichtet, vor der die ihr zugeführten Gefangenen um Gnade flehen; und auf jedem derselben erscheint in der Mitte das besiegte Parthien als eine Figur in Barbarenkleidung. In den Winkeln der mittleren Arcade sieht man Victorien mit Trophäen, und unter denselben Göttinnen der Jahreszeiten; an den Schlusssteinen eine bewaffnete Figur, in den Winkeln der Seitenarcaden Flussgötter, und auf den Postamenten der Säulen Römer mit gefangenen Barbaren.

Im Inneren dieses Gebaudes führt eine Treppe auf das flache Dach desselben, zu der man von einem Eingange an der nach Westen gelegenen Seitenfronte vermittelst einer Leiter gelangt. Eine Abbildung dieses Monumentes auf einer Münze des Caracalla zeigt das Dach mit einem Triumphwagen geschmückt, in welchem zwei Figuren wahrscheinlich den Septimius Severus und seinen so eben genannten Sohn vorstellen.

Die Saule des Phocas.

Die uber 78 Palm hohe Säule von weissem Marmor, die sich unweit von dem Triumphbogen des Septimius Severus erhebt, gab, während ihr Postament unter dem Boden des alten Roms vergraben war, zu manchen grundlosen Vermuthungen der Antiquare Gelegenheit, bis man dieses Postament im Jahre 1813 entdeckte (oder eigentlich wieder entdeckte, denn dem Gamucci, einem gelehrten Architecten des 16ten Jahrhunderts, war es bekannt). Die Inschrift desselben zeigt, dass diese Säule dem Kaiser Phocas von dem Exarchen Smaragdus in seinem dritten Postconsulate, welches man in das Jahr Christi 608 setzt, errichtet ward. Sie ist cannelirt und von corinthischer Ordnung. Ihre Arbeit, die den guten Zeiten der Kaiser entspricht, setzt ausser Zweifel, dass sie von einem älteren Gebaude genommen worden ist. Auf ihrem Gipfel stand die Bildsaule des Phocas von vergoldeter Bronze, wie aus der gedachten Inschrift erhellt. Ihr Postament ruht auf einer viereckigen Substruction von Backsteinen; und diese erhebt sich auf einem pyramidenformigen Unterbau, an dessen vier Seiten Stufen hinaufführen, die zum Theil aus Fragmenten von älteren Gebäuden bestehen und an der Westseite fast ganz, und an der Nordseite ungefähr bis zur Hälfte noch erhalten sind.

Neben dieser Säule sind seit dem Jahre 1818 drei viereckige Postamente von Backsteinen ausgegraben worden, auf denen vermuthlich ebenfalls Ehrensäulen errichtet waren, deren Fragmente man in den ebenfalls hier entdeckten Säulenstücken von rothem orientalischem Granit erkennen dürfte, welche daselbst mit mehreren zerbrochenen Säulen und anderen bei jener Ausgrabung gefundenen Fragmenten antiker Gebäude liegen.

Das Gebäude der drei Säulen

Die drei corinthischen, 65 Palm hohen Säulen von parischem Marmor, die ehemals für Reste des Tempels des Jupiter Stator, dann, ebenfalls nach einer unsicheren Annahme, für die des Tempels des Castor und Pollux erklärt wurden, [1] sind ohne Zweifel aus den besten Zeiten der Kunst unter den Kaisern und ausgezeichnet durch gute Verhältnisse und schöne Arbeit der Verzierungen, die man vornehmlich an dem noch wohlerhaltenen Gebalke bemerkt. Nach den, bei der im Jahre 1817 unternommenen Ausgrabung gefundenen Anzeichen war die Cella des Tempels, die ein längliches Viereck bildete, um und um von Saulen umgeben, von denen sich acht an der Vorder-, sowie an der Hinterseite, und dreizehn an jeder der beiden Seitenfronten befanden. An der nach Osten gelegenen Vorderseite war eine Vorhalle. Die Stufen, die zu diesem Tempel fuhrten, sind noch grossentheils zu erkennen. Die Treppe an der Fronte, von gleicher Breite des Gebäudes, hatte, wie man sieht, einen Absatz, auf dem zwei andere Treppen zu beiden Seiten hinaufgiengen. An beiden Enden dieses Absatzes waren Reste von Postamenten zu bemerken, auf denen vermuthlich Statuen standen. Von den Pilastern von Travertin, an der Substruction unter den Säulen sind noch sechs an der südlichen Seite des Gebäudes vorhanden, von denen drei sich unter den noch vorhandenen Säulen befinden.

§. 76.

Kirche SS. Luca e Martina.

Das Gebäude von SS. Luca e Martina besteht aus einer oberen und unteren Kirche. Die letztere, der heil. Martina geweihte, erwahnt Anastasius mit dem Beinamen in tribus Fatis. Alexander IV. weihte sie von Neuem im Jahre 1255, nach einer zuvor von ihm unternommenen Ausbesserung. Im Jahre 1588 ertheilte dieselbe Sixtus V. der Academie von S. Luca.

Die obere, dem heil. Lucas geweihte Kirche wurde erst im Pontificate Urbans VIII. nach Angabe des Pietro da Cortona erbaut, welcher dabei auch auf eigene Kosten die untere Kirche

---

[1] Sie gehören, wie sich aus der Unterschrift mehrerer Militärdiplome bei Marini Frat. Arvali p. 458 sqq.: in muro post templum Divi Augusti ad Minervam ergibt, einem von Domitian am Fusse des Palatins erbauten Tempel der Minerva an.　　　　　　　　　　　　　　　　　　　　　U.

erneuerte. Man sieht in der letzteren, an der Wand links von
der zu ihr hinabführenden Treppe, die bekannte, aber sehr be-
zweifelte Inschrift, nach welcher ein Christ, Namens Gaudentius,
Baumeister des Colosseums gewesen seyn würde. In der Capelle
der heil. Martina stehen zwölf Säulen von Paonazzetto, die Wände
sind mit Marmor und Alabaster bekleidet; und der Altar, unter
dem man die Gebeine jener Heiligen in einem alabasternen Gefasse aufbewahrt, ist, nebst dem Ciborium desselben, von vergoldeter Bronze. Auch steht in dieser Capelle der bischofliche
Stuhl der alten Kirche. In einer anderen, an jene anstossenden
Capelle sieht man drei von Algardi aus gebrannter Erde verfertigte
Statuen. Die obere Kirche, deren Vorderseite einen sehr schlechten Geschmack zeigt, enthält nichts, was besondere Erwahnung
verdiente.

Academie von S Luca

An diese Kirche stosst das Gebäude der Academie von
S. Luca, die im Sinne ihrer ursprünglichen, im Jahre 1478 erfolgten Stiftung eine Brüderschaft der Maler war, die von jenem
Evangelisten als ihrem Schutzheiligen den Namen fuhrte. Nach
ihrer heutigen, im Pontificate Gregors XIII. erhaltenen Verfassung
sind auch die Bildhauer und Architecten mit ihr vereinigt. Sie
zählt unter ihren Mitgliedern auch fremde Künstler, die sich in
Rom aufhalten. An den Wänden der Treppe des gedachten Gebändes sieht man Gypsabgusse der Trajanssaule, deren Abformung
Ludwig XIV. veranstaltete, und die nicht unwichtig sind, weil die
Originale wegen der grossen Entfernung, von der sie gesehen
werden, zu sehr dem Auge verschwinden. In den Zimmern des
ersten Stockwerks befinden sich Zeichnungen und Modelle in gebrannter Erde, von Mitgliedern der Academie. Im Saale des
zweiten Stockwerks ist vornehmlich ein Gemalde Raphaels zu bemerken, welches ehemals auf dem Hauptaltare der vorerwähnten
Kirche war, wo man jetzt eine Copie desselben sieht. Es stellt
den heil. Lucas vor, welcher die heil. Jungfrau abmalt, indem er
sie knieend mit begeisterter Andacht verehrt. Dabei hat sich der
Kunstler selbst vorgestellt, dem Evangelisten bei der Arbeit zu-
sehend, gleichsam um von ihm die wurdige Darstellung der Mutter Gottes zu lernen. Auch sieht man in demselben Saale einige
Landschaften von Caspar Poussin und Salvator Rosa, nebst mehreren anderen Oelbildern und Sculpturen, die meistens von den
Mitgliedern der Academie bei ihrer Aufnahme geschenkt wurden.
Desgleichen befinden sich hier Copien der Malerbildnisse, welche
dermalen in der florentinischen Sammlung sind, und welche die
Academie ehemals besass.

§. 77.

Forum des August.

Von dem Forum des August steht noch ein beträchtlicher Theil der colossalen, unregelmassig laufenden Mauer, von der es eingeschlossen war. Sie ist aus grossen Peperinquadern aufgefuhrt, die roh behauen und ohne Kalk, nur durch Hölzer in Gestalt von Schwalbenschwänzen verbunden sind, die durch die Zeit nichts gelitten haben. Wo sie noch ihre ursprüngliche Hohe hat, trägt sie noch ein Gesims von Travertin; und in ihrer Mitte lauft ein Streif von demselben Stein. Von der Strasse, die von hier zu der kleinen Kirche S. Maria in Campo Carleo führt, da wo jene colossale Mauer sich an ein Gemäuer aus dem früheren Mittelalter anschliesst, erscheint dieselbe doppelt: so dass vor ihr eine andere niedrigere, aber ganz in gleicher Weise gezogen ist, welche Fenster hatte und einen leeren Raum von 8 bis 10 Palm zwischen sich und der Hauptmauer lässt. Wo sich die niedrige endigt, wendet sich jene in einem rechten Winkel einwärts. Dann sieht man vier halb in der Erde vergrabene und vermauerte Bogen und die Eingange zu dem im Umfange dieser Mauer gebauten Kloster der Nunciata und der dazu gehörenden Kirche, deren Fenster mit Spitzbögen in dieselbe Mauer gebrochen sind. Weiter gelangt man zu dem grossen Bogen, Arco di Pantano genannt, durch den die Via Bonella nach dem Campo Vaccino führt. Ausgrabungen haben gezeigt, dass man auf Stufen zu diesem jetzt zum Theil in der Erde vergrabenen Bogen emporstieg.

Tempel des Mars Ultor.

Beim Eintritt von demselben in die Via Bonella sieht man rechts die Reste des Tempels, in dem man jetzt den im Forum des August erbauten Tempel des Mars Ultor erkennt. Er war, nach dem hergestellten Plane desselben, mit Säulenhallen auf drei Seiten umgeben. Es stehen davon noch drei grosse Säulen von der rechten Seitenhalle nebst dem Eckpfeiler, dem Gebälke und einem geringen Theil der Cellenmauer. Diese Säulen, die unter die schonsten Denkmäler der römischen Baukunst gehören, sind von carrarischem Marmor, cannelirt und von corinthischer Ordnung.

Forum des Nerva.

Von dem an Augusts Forum anstossenden Forum des Nerva, von den Antiquaren gewöhnlich Foro Palladio genannt, ist ebenfalls noch ein Rest in einer aus Peperinquadern bestehenden Mauer und zwei vorspringenden, mit derselben verbundenen Säulen vorhanden, die, wie man glaubt, zu der Halle gehörten,

welche sich zu beiden Seiten des Einschlusses dieses Forums befand. Diese Säulen, von corinthischer Ordnung — in der Volksbenennung le Colonnacce genannt — sind grossentheils in der Erde
vergraben. Die architectonischen Verzierungen des Gesimses zeigen in einem überladenen Geschmack vorzügliche Ausführung.
Die in erhobener Arbeit gebildeten Figuren des Frieses, die sich
auf die Pallas beziehen, sind äusserst verstümmelt. Besser erhal-,
ten ist das Relief der Figur der genannten Göttin in der Attica
über dem Säulengebälke. Man erkennt die Schönheit dieser
Sculpturen besser in den Gypsabgüssen der französischen Academie
und der Sapienza als in dem sehr beschmutzten Marmor der
Originale.

§. 78.

Das Trajansforum mit der Säule.

Das Forum Trajans, welches dieser Kaiser nach Angabe des
Apollodorus von Damascus erbaute, war, nach den Berichten der
alten Schriftsteller, unter allen Foren Roms das prächtigste und
gehörte unter die vorzüglichsten Zierden der Stadt. Aber von
diesem prächtigen Bau ist die berühmte Ehrensäule jenes Kaisers
das einzige Denkmal, welches sich unzertrümmert bis auf unsere
Zeiten erhalten hat. Nachdem in verschiedenen Epochen Piedestale der in diesem Forum aufgestellten Statuen berühmter Männer, auch Säulen und andere Ueberreste desselben aus dem Schutt
hervorgezogen worden waren, wurde unter der französischen Regierung im Jahre 1812 ein beträchtlicher Theil desselben ausgegraben, wodurch ein grosser, vertiefter Platz gebildet worden ist,
zu dem einige Treppen hinabführen, seitdem er nach der Zuruk-
kunft Pius VII. nach Rom durch eine Mauer eingeschlossen worden
ist. Die bedeutendste Entdeckung bei dieser Ausgrabung sind
die Reste einer in fünf Schiffen gebauten Basilica, in der sich
wohl ohne Zweifel die berühmte Basilica Ulpia dieses Forums erkennen lässt. Man sieht von derselben hier noch die Fundamente
der beiden Seitenmauern von Travertin, welche quer durch den
ganzen ausgegrabenen Platz hinlaufen. Da sie von demselben an
beiden Enden abgeschnitten sind, so bleibt die Länge des Gebäudes zweifelhaft; seine ganze Breite beträgt ungefähr 170 Fuss.
Von den Säulen der Schiffe sind die Spuren, und von einigen
selbst die Basen an ihrer ursprünglichen Stelle gefunden worden.
Diesen Anzeigen zufolge hat man die hier ausgegrabenen Fragmente von grauen Granitsäulen daselbst aufgerichtet. Ob aber
diese Fragmente zu den Säulen gehörten, die ursprünglich hier
gestanden, ist nicht nur durchaus unerwiesen, sondern es lässt

sich vielmehr, bei der ehemaligen Pracht dieser Basilica, mit
Wahrscheinlichkeit vermuthen, dass, wie im Innern des Pantheons,
so auch hier sich kostbarere Säulen von phrygischem und numidischem Marmor befunden haben, von denen Bruchstücke sowohl
bei der letzten Ausgrabung als schon in vormaligen Zeiten gefunden worden sind. Die noch zum Theil erhaltene Bekleidung
des Fussbodens besteht aus starken Platten von den gedachten
Marmorarten. Gegen Mittag, und demnach an einer der langen
Seiten des Gebaudes, fuhrte eine Treppe zu drei Eingängen, ganz
gegen die sonst in den Basiliken gewöhnliche Weise, zu denen
man an der Vorderseite einzugehen pflegte. Die Stufen der gedachten Treppe waren, wie die noch vorhandenen Reste zeigen,
aus Giallo antico gearbeitet. Von den Piedestalen, auf denen,
über diesen Stufen, sich vermuthlich Statuen oder Trophäen erhoben, steht eines noch an seiner ursprünglichen Stelle, und von
drei anderen sind noch die Fragmente gefunden worden. Auf
jedem derselben steht eine Inschrift, welche die XVI. tribunicische
Gewalt Trajans anzeigt.

Man sieht in dem ausgegrabenen Platze des Forums und in
den Gemächern unter den vorerwähnten Treppen viele in demselben gefundene Fragmente von Statuen, Säulen und architectonischen Verzierungen von vortrefflicher Arbeit. Vier Korper von
Bildsäulen gefangener Dacier von Paonazetto und zwei Köpfe derselben Statuen von weissem Marmor fand man im mittleren Schiffe
der Basilica; und vor der Treppe derselben einige andere Fragmente von dacischen Gefangenen.

Ehrensäule Trajans.

Die bereits erwähnte Ehrensäule dieses Forums liess, wie die
Inschrift auf ihrem Piedestale zeigt, der Senat und das Volk dem
Trajan zum Denkmale seiner bewundernswürdigen Bauten errichten.
Sie besteht aus 34 Stücken von weissem Marmor, von denen 23
dem Schafte gehoren, und eben so viele schneckenformige Kreise
bilden. Ihre ganze Höhe beläuft sich, mit Inbegriff der heutigen
Statue auf ihrem Gipfel, auf 195 Palm. Der Schaft hat unten
ungefahr 16, und unter dem Capitelle 14 Palm im Durchmesser.
An den vier Seiten des Piedestals sieht man in wenig erhobener
Arbeit zwei Victorien, und aus den Waffen besiegter Barbaren
errichtete Trophäen. Der Schaft ist durchaus mit erhobenen
Werken geschmückt, welche die Begebenheiten des dacischen
Krieges vorstellen. Man zahlt in ihnen allein 2500 menschliche
Figuren, deren Grösse ungefähr 3 Palm beträgt, mit Ausnahme
der obersten, die einige Zoll grösser sind. Allerdings ist in diesen
Sculpturen — die unter die vortrefflichsten der Kaiserzeit, vor-
nehmlich in Hinsicht der charakteristischen Mannigfaltigkeit der

Gesichtsbildungen gehören — die Kunst verschwendet, da sie sich durch die Entfernung, von der sie gesehen werden, allzusehr dem Auge entziehen und daher nur in ihren Gypsabgüssen wahren Genuss gewähren können.

Diese Säule war, wie die letzten Ausgrabungen gezeigt haben, von einem kleinen Hofe umgeben, der gegen Mittag von den Mauern der Basilica Ulpia, an den übrigen drei Seiten aber von Säulenhallen eingeschlossen war. Man kann sie vermittelst einer in derselben angebrachten und durch kleine Fenster erleuchteten Wendeltreppe bequem bis zu der mit einem eisernen Geländer umgebenen Platte besteigen. Ihr Schaft hat, bis auf die an mehreren Gebäuden des alten Roms befindlichen Löcher, wenig gelitten. Mehr ist das Postament beschädigt. Sixtus V. liess dieses ausgezeichnete Monument des kaiserlichen Roms ausbessern, bis auf den alten Boden der Stadt ausgraben und auf dem Gipfel desselben die metallene Statue des heil. Petrus aufstellen, wo, wie Abbildungen der Säule auf Münzen zeigen, ursprünglich die Bildsäule Trajans stand. Bei derselben Restauration wurde auch, wegen der Gefahr, die durch einen in dem Postamente entstandenen Riss zu besorgen war, der Eingang zu der Grabkammer zugemauert, welche die Asche jenes Kaisers bewahrte.

Kirchen S Maria di Loreto und del Nome di Maria e S. Bernardo.

Unweit von dieser Säule, gegen den Platz SS. Apostoli, stehen zwei kleine Kirchen in geringer Entfernung von einander. Die eine, S. Maria di Loreto, mit dem Beinamen de' Fornari, weil sie der Brüderschaft der Bäcker gehört, wurde im Jahre 1507 nach Angabe des Antonio da Sangallo erbaut. Ihre Kuppel hat, wie die der Peterskirche, ein doppeltes Gewölbe mit einer sehr geschmacklosen Laterne von der Erfindung des Giovanni del Duca. Das Gemälde des Hauptaltars, auf dem man ein altes Marienbild verehrt, ist von einem Maler aus der Schule des Perugino. In der zweiten Capelle vom Eingange rechts steht die Bildsäule der heil. Susanna, von Franz du Quesnoy, il Fiammingo genannt. Die andere der gedachten Kirchen, welche dem heil. Bernhard und dem Namen der heil. Jungfrau geweiht ist, gehört einer zum Andenken des Entsatzes von Wien im Jahre 1683 gestifteten Brüderschaft. Das heutige Gebäude derselben, ebenfalls mit einer Kuppel, wurde 1738 nach Angabe des französischen Architecten Derizet aufgeführt.

Sogenannte Bäder des Paulus Aemilius.

Hinter dem Trajanischen Forum, in einigen Häusern in der Gegend der Kirche S. Maria di Campo Carleo, sieht man die Ruinen eines antiken Gebäudes von Backsteinen, welches in halbzirklicher Form eine Reihe von Nischen zeigt. Man benannte es

Bagni di Paolo Emilio, wovon man den Namen Magnapoli ableiten wollte, welchen die Strasse des Aufganges von dem gedachten Forum zum Quirinalischen Berge fuhrt. Aber Bädern ist dieses Gebäude ganz unentsprechend. Nach einer wahrscheinlicheren Annahme diente es zu Soldatenquartieren, worauf sich auch die Benennung: le Milizie Trajane oder auch Tiberiane, die es im Mittelalter bis zum Ende des 15ten Jahrhunderts führte, zu gründen scheint.

§. 79.

S. Adriano.

Die am römischen Forum gelegene Kirche S. Adriano erbaute, dem Anastasius zufolge, Honorius I. zwischen den Jahren 625 und 638. Hadrian I. machte sie zu einer Diaconie, von der noch jetzt ein Cardinal den Titel führt. Vermuthlich nach einer vorhergegangenen Restauration erfolgte eine neue Einweihung dieser Kirche durch Gregor IX. am 16. März des Jahres 1228. Man hat die Vorderseite nebst einem Theile der Seitenmauern für den Rest eines Gebäudes des alten Roms gehalten: aber der ganze Ziegelbau ist zu schlecht selbst für die Theodosische Zeit. Das Innere des Gebäudes hat durch die von dem Cardinal Cusani, im Pontificate Sixtus V., und von Alexander VII. veranstalteten Erneuerungen einen durchaus modernen Character erhalten. Den Hauptaltar schmücken zwei schöne Porphyrsäulen.

Tempel des Antoninus und der Faustina.

Von dem Tempel des Antoninus Pius und seiner Gemahlin, der älteren Faustina, steht noch das Meiste der Vorhalle und ein Theil der Mauern der Cella. Der untere Theil der Halle, der lange verschüttet war, ist in den Jahren 1807 und 1810 ausgegraben worden. Man entdeckte dabei die gepflasterte Strasse der Via sacra und die noch zum Theil erhaltene Treppe des Tempels, die man aber bald darauf wieder mit Erde bedeckte. Sie besteht aus 21 Stufen und misst in der Höhe 15 Fuss. Die gedachte Vorhalle hat zehn Säulen von Cipollino, von denen sechs die Fronte bilden. Ihre Hohe beträgt 43½ Fuss. Die Capitelle derselben sind sehr verstümmelt. Am Architrave und am Friese der Fronte liest man die Inschrift: Divo Antonino et Divae Faustinae ex S. C. Von dem Hauptgesims ist wenig mehr vorhanden. Die Mauern der Cella sind aus Peperinquadern aufgeführt. Von ihrer ehemaligen Marmorbekleidung sieht man noch das Capitell von einem Pilaster. Der marmorne Fries an beiden Seiten derselben ist mit Greifen, Candelabern und arabes-kenartigen Zierrathen von vortrefflicher Arbeit geschmückt.

S Lorenzo in Miranda.

Wann in die Ruinen dieses Tempels die Kirche S. Lorenzo in Miranda gebaut wurde, ist nicht bekannt. Wir finden sie zu-erst im Jahre 1430 erwähnt, in welchem sie Martin V. der Brü-derschaft der Apotheker zertheilte. Das Gemälde des Hauptaltars, welches die Marter des heil. Laurentius vorstellt, ist von Pietro da Cortona.

SS. Cosma e Damiano.

Die Kirche der Heil. Cosmas und Damianus, die seit Julius II. die Franciscaner besitzen, erbaute Felix IV. zwischen den Jahren 526 und 530. Hadrian I. verband mit ihr eine Anstalt zur Armen-pflege, wodurch sie den Namen einer Diaconie erhielt, von der noch jetzt ein Cardinal den Titel fuhrt. Die tiefe und feuchte Lage, welche diese Kirche durch die Erhöhung des sie umgebenden Bodens der Stadt im Laufe der Zeit erhalten hatte, bewog Urban VIII., mehr als 20 Palm über ihren alten Fussboden einen neuen an-legen und auf demselben Capellen und Altäre errichten zu lassen, wodurch das Gebäude nun aus einer oberen und unteren Kirche besteht. In der ersteren' wird seitdem der gewöhnliche Gottes-dienst gehalten.

Ein antikes Rundgebäude, in welchem einige Antiquare den Tempel des Romulus, andere, mit eben so wenigem Grunde, den des Romulus und Remus zu erkennen glaubten,[1] ist mit der Kirche verbunden und dient ihr zu einer Art von Vorhalle. Eine vor-stehende Mauer an derselben, vom Beschauer rechts, ist vermuth-lich der Rest der ehemaligen Vorhalle dieses Gebäudes. Die Kuppel, die es gegenwärtig bedeckt, ist neu. Vor dem Eingange der oberen Kirche ist ein Portal, welches durch zwei antike Por-phyrsäulen und einen ebenfalls antiken Architrav gebildet wird. Auch die Thürpfosten bestehen aus Fragmenten eines antiken Gebäudes. Die antiken Thüren von Metall sind dieselben, die unter Hadrian I. an den ehemaligen Eingang gebracht worden waren, den man jetzt zugemauert in der unteren Kirche sieht.

Das Merkwürdigste in der oberen Kirche sind die Mosaiken am Boden und am Gewölbe der Tribune, die, wie die Inschrift zeigt, aus der Zeit Felix IV. sind. Ueber dem Boden sieht man den Heiland unter dem Sinnbilde des Lammes, zwischen den sieben Leuchtern, vier Engeln und den symbolischen Bildern der Evangelisten, nach der Vision der Apocalypse. Von den letzteren sind zwei durch die in der oberen Kirche angelegten Seitencapellen

---

[1] Das aber von Bunsen u. A. mit Recht für den Tempel der Penaten erklärt wird. U.

verdeckt; und die unten, zu beiden Seiten des Bogens, ehemals
vorgestellten 24 Aeltesten sind bis auf zwei Figuren verloren gegangen. In der Mitte des Gewölbes erscheint der Erlöser in einer
schön gedachten Figur, dem zu beiden Seiten zwei Heilige, wahrscheinlich Cosmas und Damianus, von den Aposteln Petrus und Paulus
zugeführt werden. An beiden Enden des Bildes, vom Beschauer
rechts, sieht man den heil. Theodorus und links den Papst Felix IV.,
beide durch ihre Namen bezeichnet. Die Figur des Letzteren, der
ein Gebäude zur Bezeichnung dieser von ihm erbauten Kirche
hält, ist bei der Restauration dieser Mosaiken unter Alexander VII.
neu verfertigt worden. Oben, dem Heilande zur Rechten, ist bei
einem Sterne der Phönix als Sinnbild der Unsterblichkeit zu bemerken. Auf dem Vordergrunde der Jordan. Darunter der Heiland und die zu demselben aus Jerusalem und Bethlehem kommenden Apostel unter dem Bilde von Lämmern; eine in den alten
Mosaiken der römischen Kirchen fast nie fehlende Vorstellung.

Die übrigen Ausschmückungen der oberen Kirche sind aus
der Zeit Urbans VIII. und verdienen keine besondere Aufmerksamkeit. Den Hauptaltar, auf dem man ein altes Marienbild verehrt, verzieren zwei Säulen von schwarzem Marmor mit weissen
Adern. In den Seitencapellen sind Malereien von Speranza und
Baglioni. Unter dem ersten Altare, vom Eingange rechts, steht
ein antikes Gefass von Porphyr, in dem Reliquien aufbewahrt
werden.

Die untere Kirche, in der nur an den Festtagen der Heiligen
Cosmas und Damianus und des heil. Papstes Felix II. Gottesdienst
gehalten wird, steht auf gleichem Plane mit dem des Tempels
des Antoninus und der Faustina. Noch sieht man in derselben
den alten Hauptaltar nebst zwei anderen alten Altären und einen
alten Brunnen, unweit vom heutigen Eingange. Auf dem Fussboden sind noch Reste von mittelalterlicher Steinarbeit. Mehrere
Stufen fuhren von dieser Kirche zu einem unterirdischen Gewölbe
hinab, welches, wie man sagt, der Aufenthalt des heil. Felix
während seiner Verbannung war. Man zeigt hier den Altar, auf
dem er Messe gelesen, und einen Quell, der auf sein Gebet zur
Taufe der Glaubigen entsprungen sein soll.

§. 80.

Das Forum und die Basilica des Friedens.

In dem grossen Gebäude, dessen Ruinen man zur Linken
sieht, bevor man von dem römischen Forum zu der Kirche S.
Francesca Romana gelangt, glaubte man seit Jahrhunderten den
von Vespasian erbauten Friedenstempel zu erkennen, bis in unseren Zeiten zuerst Nibby auf die Unhaltbarkeit dieser Meinung

aufmerksam machte. ʹ Dieser Tempel wurde bei der grossen Feuersbrunst unter der Regierung des Commodus gänzlich zerstört.ʹ
Von seiner nochmaligen Herstellung finden sich nicht nur keine
Nachrichten, sondern Procopius sagt ausdrucklich, dass er zu seiner
Zeit in Trümmern lag; und daher konnte eine Wiedererbauung
durch Septimius Severus, nur zu Gunsten jener Benennung des
fraglichen Gebäudes, zur Erklärung der für die Zeiten der Flavier
viel zu schlechten Bauart desselben, behauptet werden. Auch ist
der in den Ruinen noch sehr deutlich zu erkennende Plan des
Gebäudes einem Tempel ganz unentsprechend.

Nach der gegenwärtigen, und wie es scheint, nicht mehr be-
strittenen Meinung sehen wir hier die von Maxentius erbaute
Basilica, die nach seinem Tode Constantin dem Grossen geweiht
wurde und von ihm den Namen Basilica Constantiniana erhielt.
Die letzten Ausgrabungen haben gezeigt, dass das Gebäude von
einem freien, 25 bis 30 Fuss breiten Platze umgeben war, in
welchem sich hier ein Forum erkennen lasst, zu welchem die
Basilica gehörte, und welches vermuthlich das zuerst von Ammianus
Marcellinus erwähnte Forum Pacis war. Die Basilica, die wir
hier vor uns sehen, erinnert hinsichtlich ihrer Anlage an die
antike Basilica zu Otricoli. Sie wird in drei Schiffe, nicht wie
gewohnlich durch Saulenreihen, sondern durch grosse Mauermassen
getheilt, über denen sich Bogengewölbe mit achteckigen Cassettoni
erheben. Das Gebäude misst ungefähr 296 Fuss in der Länge
und 220 in der Breite. Das Mittelschiff ist ungefähr $^1/_3$ höher
als die beiden Seitenschiffe. Die Vorderseite war nach Süden
gegen das Colosseum gelegen. Von hier war der Eingang in die
Basilica vermittelst einer zum Theil noch erhaltenen Vorhalle,
welche Kreuzgewölbe hatte, von denen an der Seite rechts, wo
später eine Capelle angelegt wurde, noch Spuren erschienen. Von
der Halle fuhrten, vermittelst zwei Stufen, funf Thuren in das
Innere des Gebäudes. Im Mittelschiffe standen, an den grossen
Pfeilern unter den Deckengewölben, acht $58^1/_2$ Fuss hohe Säulen
von corinthischer Ordnung. Die Anzeichen ihres Gebälkes sind
an der noch erhaltenen Seite dieses Schiffes deutlich zu erkennen;
und eine dieser Säulen stand hier noch bis zur Zeit Paulus V.,
der sie auf dem Platze vor S. Maria Maggiore aufrichten liess, wo
man sie gegenwärtig sieht. Von der Tribune am Ende des Mittelschiffes sieht man noch den Rest in einem Kornmagazine. Von
den beiden Seitenschiffen ist das eine, vom Haupteingange rechts,
noch ganz erhalten: von dem anderen sind nur noch Reste von
den unteren Mauern vorhanden. Jedes derselben bildete drei
verschiedene Abtheilungen, welche durch Durchgange mit einander
verbunden waren. In jeder dieser Abtheilungen waren ursprunglich drei grosse gewölbte Eingänge, und darüber eben so viele

ebenfalls gewölbte Fenster. Denn die Tribune in dem noch vorhandenen Schiffe ist, wie man deutlich sieht, später hineingebaut
worden. Und derselben gegenüber, an der Via sacra, hat sich
eine dabei angelegte Treppe von 11 Stufen gefunden, welche auf
dieser Seite zu dem Gebäude fuhrte. Hier war eine Halle, die
von vier grossen Porphyrsäulen getragen wurde, deren Reste man
im Hofe des Palastes der Conservatoren sieht. Vor dem Eingange
der gedachten Tribune standen zwei Säulen, von deren Gebälke
hier noch Fragmente auf dem Boden liegen. In derselben sieht
man noch das Tribunal oder die erhohte Aufmauerung für die
Vorsitzenden, und Reste der Sitze der Geschworenen, in einer
Reihe von marmornen Kragsteinen, die mit schlecht gearbeiteten
Victorien verziert sind. Später diente diese Tribune zum christlichen Gottesdienste, wie die Gegenstände der noch zu erkennen-
den alten Wandgemälde beweisen. Der Fussboden der Basilica
war mit Platten von verschiedenen Marmorarten ausgelegt, von
denen noch ein grosser Theil bei der im Jahre 1817 unternommenen Ausgrabung zum Vorschein kam, aber gegenwärtig bis
auf wenige Reste verschwunden ist.

S. Francesca Romana

Die jetzt gewöhnlich S. Francesca Romana benannte Kirche
heisst auch S. Maria nuova, in Beziehung auf eine vormalige
Kirche S. Maria antiqua, an der Via sacra, an deren Stelle, nach
Anastasius Leo IV. 847—855 die heutige Kirche erbaute. Sie
erhielt die heutige Vorderseite nach Angabe des Carlo Lombardi,
bei ihrer Erneuerung unter Paul V., der sie der von ihm heilig
gesprochenen Francesca weihte.

In der Vorhalle liegt ein antikes Fragment von einem grossen
schön gearbeiteten Hauptgesims, das wahrscheinlich zum Tempel
der Venus und Roma gehorte, dessen ehemalige Stelle zum Theil
die Kirche einnimmt. Im Vestibulum des Seiteneinganges steht
links das Grabmal des im Jahre 1322 verstorbenen Cardinals
Vulcani, mit den Figuren der drei theologischen Tugenden von
schlechter Sculptur geschmückt; und rechts das Grabmal des
1475 verstorbenen Antonio Rido von Padua, Commandanten der
Engelsburg unter Eugen IV. und Feldhauptmann unter Nicolaus V., mit dem Bildnisse desselben zu Pferde in erhabener
Arbeit. Im Inneren der Kirche sieht man aus den Zeiten des
Mittelalters noch Steinarbeiten des Fussbodens und die Mosaiken
am Gewölbe der Tribune, welche die heil. Jungfrau mit dem
Kinde zwischen den Heiligen Johannes, Jacobus und Petrus vorstellen. In einem Gemälde, welches an den Styl des Perugino
erinnert, der Tribune zur Rechten ist die heil. Jungfrau, ebenfalls
mit dem Kinde, und vier Heiligen vorgestellt. An der Wand der

Tribune zur Linken steht das dem Papst Gregor XI. im Jahre
1574 errichtete Grabmal, ein Werk des Pietro Paolo Olivieri. Auf
dem Hauptaltare verehrt man ein altes Marienbild, welches Angiolo
aus der Familie der Frangipani u. d. J. 1100 aus Troja nach Rom
brachte, und welches bei einer unter Honorius III. in dieser Kirche
entstandenen Feuersbrunst unversehrt blieb. Vor diesem Altare
ist das von Bernini angegebene Grab der heil. Francesca, die aus
der jetzt erloschenen römischen Familie der Ponziani war. Das
mit der Kirche verbundene Kloster wird von den Olivetanern
bewohnt.

Der Tempel der Venus und Roma.

Die grossen Ruinen von Ziegelmauern hinter dem vorerwähnten
Kloster, die man ehemals Tempel der Sonne und des Mondes
benannte, sind ohne Zweifel die Reste des von Hadrian im Jahre
135 nach seinem eigenen Plane erbauten Tempels der Venus und
Roma. Denn aus der von Dio Cassius angeführten Antwort des
Architecten Apollodorus an den gedachten Kaiser, der jenem den
Plan zu diesem Tempel überschickte, als der Bau schon vollendet
war, erhellt, dass derselbe nahe bei dem Amphitheater und
der Via sacra erbaut war; und Prudentius Worte: „Mit gleichem Giebel erhebt sich der Roma- und der Venustempel,
und zugleich wird den Doppelgöttinnen Weihrauch dargebracht,"
passen vollkommen auf die beiden zum Theil noch erhaltenen
Cellen, die in Tribunen von gleicher Grosse endigen, deren Curven
sich einander entgegengesetzt beruhren. Offenbar also waren zwei
sich vollkommen entsprechende Tempel in Einem Gebäude von
länglich viereckiger Form vereinigt, wie denn auch beide vom
dritten Jahrhundert an als Ein Tempel, Templum Urbis genannt
wurden. Zu ihm fuhrten von den beiden den Tribunen gegenüber liegenden Seiten zwei Eingänge, von denen der eine nach
dem Capitol, der andere nach dem Colosseum hinlag. Die in unseren Zeiten gemachten Ausgrabungen haben eine genauere Kenntt-
niss von dem Plane dieses weitläuftigen Gebäudes gewahrt, welches
an Grosse alle uns bekannten Tempel in Rom, selbst den des
capitolinischen Jupiter übertraf. Die äussere Halle, welche als
heiliger Bezirk den eigentlichen Tempel umgab, hatte ungefähr
500 Fuss in der Länge und 300 in der Breite; und zu derselben
gehorten ohne Zweifel die grossen Granitsäulen, von denen viele
Bruchstücke von 3 Fuss 7 Zoll im Durchmesser in dieser Gegend
umherliegen. Sie erhob sich auf einer Substruction, welche auf
der einen Seite die Via sacra, auf der anderen die Strasse be-
grenzte die von dem Titusbogen nach dem Colosseum führt, und
die man jetzt, aber entblösst von ihrer ehemaligen Travertinbe-
kleidung, ausgegraben sieht. Zwei Treppen von Marmor fuhren

zu dieser Halle empor; die eine an der Fronte gegen das Amphitheater, die andere an der gegen das Capitol. Die erste ist bis auf die Fundamente zerstort gefunden worden; von der zweiten aber sieht man noch einen Theil von sechs Stufen zwischen S. Francesca Romana und dem Bogen des Titus. Von der Halle des heiligen Bezirkes war eine andere, welche die beiden Cellen des Tempels umgab, eingeschlossen. Nach Abbildungen dieses Tempels auf Munzen war diese zweite Halle — deren Länge 333 und deren Breite 160 Fuss betrug — von 10 Säulen an jeder der beiden Fronten, nach dem Colosseum und nach dem Capitol hin, gebildet; und nach dieser Zahl sind demnach an jeder der beiden Làngenseiten 20 Saulen, mit Inbegriff der Ecksaulen, anzunehmen. Vor den Eingangen der beiden Cellen war noch überdiess eine Vorhalle, die an der Fronte von 4 Saulen und zwei Pfeilern an beiden Enden getragen wurde. Die Säulen sowohl dieses Pronaos als der gedachten inneren, den Tempel auf allen vier Seiten umgebenden Halle waren, wie zwei Bruchstücke zeigen, die in dem ehemaligen Bezirke dieses Gebaudes liegen, cannelirt, von griechischem Marmor, und hatten ungefahr 6 Fuss im Durchmesser. Auch sind Reste von ihrem Gesims gefunden worden, an denen man Lowenkopfe zum Abfluss des Regenwassers bemerkte. Von den beiden Cellen, die, von ganz gleicher Form und Grösse, sich auf einem erhöhten Unterbau erhoben, stehen noch fast ganz die Hinterseiten und die nach dem Palatin gelegenen Seitenmauern. In den Tribunen, deren Gewolbe rautenformige Cassettoni verzieren, standen die zwei Bildsäulen der Gottinnen, denen der Tempel geheiligt war; und Statuen standen ohne Zweifel auch in den abwechselnd viereckigen und gewolbten Nischen der Seitenmauern der Cellen. Zwischen diesen Nischen erhoben sich Porphyrsaulen, von denen einige Fragmente gefunden worden sind. An der Seitenmauer der einen Cella, im Hofe des Klosters S. Francesca Romana, ist auch noch ein Theil des Gewolbes dieser Cella mit viereckigen Cassettoni vorhanden. Nach den gefundenen Bruchstucken zu schliessen, waren die Säulen von corinthischer Ordnung. Die Aussenseiten der Cellen waren mit viereckigen Massen von weissem Marmor bekleidet, deren Dicke ungefahr 5½ Fuss betrug, und die ohne irgend eine Verbindung mit der Masse der Seitenwande eigentlich eine eigene Mauer bildeten, die von der einen Façade des Tempels zu der anderen reichte und die jetzt sichtbaren Aussenwande der Tribunen und die Winkel an denselben verbarg, so dass an jeder Seite sich eine gerade Marmorwand zeigte. Zu der Bekleidung der inneren Wände gehorten unstreitig einige hier gefundene Fragmente von Serpentin und Giallo antico. Flaminico Vacca erzahlt, dass noch zu seiner Zeit Incrustaturen von Alabastro cotognino sichtbar gewesen waren, und dass damals der Fussboden der Tempel, welcher aus griechischen Marmorblöcken, 13 Palm lang, 9 breit und 3 hoch, bestand, aus dem Schutt hervorgezogen worden war.

Der Triumphbogen des Titus.

Der Triumphbogen, welcher dem Titus wegen der Bezwingung der Juden errichtet wurde, ist unter Pius VII., im Jahre 1821, nach den noch vorhandenen Anzeichen des verlorenen Theils, erganzt worden. Antik ist der mittlere Theil mit dem Durchgangsbogen dieses Monumentes. Aus der an demselben vorgestellten Apotheose, so wie aus der Inschrift der Attica sollte erhellen, dass dieses Ehrendenkmal erst nach dem Tode des Titus vollendet worden sei. Die Sculpturen desselben lassen in ihrem sehr verstümmelten Zustande noch vorzügliche Werke der Kunst erkennen. Am Friese des Gebälkes sieht man den bei den Triumphen gewöhnlichen Opferzug, bei welchem der Jordan, in Gestalt eines Greises, auf einer Bahre getragen wird. In den Bogenwinkeln sind vier Victorien gebildet; und von den beiden verstümmelten Figuren an den Schlusssteinen des Bogens hält man die nach dem Colosseum hin für eine Roma. In der Mitte des mit Rosetten verzierten Bogengewolbes ist die Vergötterung des Titus durch den ihn emportragenden Adler vorgestellt. An der einen der beiden Seitenwande des Bogens erscheint Titus in Begleitung von Lictoren und anderem Gefolge, von der Siegesgöttin gekrönt, auf einem von vier Pferden gezogenen Triumphwagen, deren Zügel Roma ergreift. Das diesem gegenüberstehende Relief ist besonders merkwürdig wegen der Vorstellung der im Triumphe aufgefuhrten Heiligthümer des Tempels zu Jerusalem. Sie sind: der goldene Leuchter und Tisch, die silbernen Trompeten zur Verkündigung des Jubeljahres und der Kasten, in welchem die heiligen Schriften aufbewahrt wurden.

§. 81.

Gebäude im Thale zwischen dem Palatin, Cälius und Esquilin.

Meta sudans.

Auf dem Wege von dem Titusbogen nach dem Colosseum sieht man die Reste der Meta sudans, eines grossen Springbrunnens des alten Roms, der diese Benennung wahrscheinlich von seiner den Meten der Cirken ähnlichen Kegelform erhielt. Man sieht davon noch einen Rest des Kegels von Backsteinen, der durch neuere Ergänzung das Ansehen einer antiken Ruine verloren hat, nebst der ebenfalls von Ziegelwerk gebauten runden Mauer, die das Becken bildete. Cassiodorus nennt diesen Springbrunnen unter den Bauten Domitians.

Der Triumphbogen Constantins.

Den Triumphbogen Constantins des Grossen errichtete der Senat diesem Kaiser, wegen seiner Befreiung des Staates von der Tyrannei des Maxentius, wie die Inschrift an beiden Fronten der Attica zeigt. Er besteht grossentheils aus Fragmenten eines zerstörten Triumphbogens des Trajan, zu denen eine bedeutende Anzahl vorzuglicher Sculpturen gebören, deren Gegenstände sich auf diesen Kaiser beziehen. Dieses Monument hat, wie der Severusbogen, drei Arcaden: eine grössere in der Mitte, und zwei kleinere zu beiden Seiten. An jeder der beiden Fronten stehen vier cannelirte Säulen von corinthischer Ordnung, denen an den Wänden eben so viele Pilaster gegenüberstehen. Die Säulen sind von Giallo antico, eine einzige ausgenommen, die Clemens VIII. zur Verzierung der Laterankirche wegnehmen und durch eine Saule von weissem Marmor ersetzen liess. Auf dem Gebälke uber diesen Saulen stehen sieben Statuen gefangener Dacier aus der Zeit Trajans; die achte verfertigte Pietro Bracci unter Clemens XII., nebst den Köpfen der ubrigen, deren ursprüngliche Häupter Lorenzino von Medici zur Zeit Clemens VII. entwendet hatte. Die Gegenstände der Reliefs aus der Zeit Trajans sind folgende:

An der Attica, wenn man an der südlichen Fronte vom Beschauer links anfängt: — 1) Trajans Einzug in Rom nach dem ersten dacischen Kriege. — 2) Die von Trajan veranstaltete Fuhrung der Via Appia durch die pontinischen Sumpfe bis nach Brundusium. Die Strasse ist durch eine liegende weibliche Figur personificirt, welche den linken Arm auf ein Rad stützt und den rechten gegen den Kaiser erhebt. — 3) Trajan, der Waisenkinder durftiger freier Eltern erhalten und erziehen lässt. — 4) Derselbe auf dem Tribunal, vor den ein vornehmer Barbar, vermuthlich Parthamasires der Armenier gefuhrt wird, der durch die Gunst der Parther das Königreich Armenien erlangt hatte. — 5) Trajan, welcher dem Parthamaspates das Diadem als König der Parther verleiht. — 6) Der Kaiser, vor den seine Krieger zwei gefangene Barbaren schleppen, in denen man die von dem dacischen Könige Decebalus gegen ihn ausgesandten Meuchelmörder zu erkennen glaubt. — 7) Eine Anrede Trajans an seine Soldaten. — 8) Der Kaiser, der fur sein Heer die Suovetaurilien (Opfer eines Stiers, Schafes und Schweines) darbringt. Die sämmtlichen Köpfe Trajans dieser acht Bildwerke in stark erhobener Arbeit sind neu. Unter denselben sind, in acht runden Reliefs, abwechselnd Jagden und Opfer an verschiedene Gottheiten vorgestellt. An den Querseiten der Attica sieht man, in zwei grossen sehr schönen Reliefs, Schlachten gegen die Dacier. Zwei andere sind zu beiden Seiten unter dem mittelsten Bogen. Auf dem einen flehen Besiegte den Kaiser um Gnade an, auf dem anderen kront ihn die Siegesgöttin.

Folgende sind die in sehr roher Arbeit ausgeführten Reliefs aus der Zeit Constantins: — Die vier Victorien und die vier Genien in den Winkeln des grösseren Bogens. — Die acht Flussgotter in den Winkeln der beiden kleineren Arcaden. — Die Bassirilievi, welche diese Arcaden als einen Fries umgeben. In denen an der Fronte, gegen die Via Appia, ist links die Belagerung von Verona, rechts die Schlacht bei der Miloischen Brucke vorgestellt. An der anderen Fronte rechts Constantin, der das Volk von den Rostris aus anredet, und links eine Geldspende (Congiarium). An den schmalen Seiten zwei Triumphzuge; der des Constantin über den Maxentius, und, wie man glaubt, ein Triumph des Crispus uber die Franken und den Licinius. — Zwei runde Bassirilievi, welche den Sonnengott auf einer Quadriga und die Luna auf einer Biga vorstellen; ebenfalls an den schmalen Seiten des Monumentes. — An den Piedestalen der Saulen: Soldaten und Gefangene. — In den kleineren Durchgangen acht äusserst verstümmelte Brustbilder, die fur Bildnisse der Familie Constantins gehalten werden.

In das Innere des Gebaudes kann man, vermittelst einer Leiter, durch ein Fenster gelangen. Von da fuhrt eine Treppe auf das flache Dach empor, auf dem vermuthlich ein Triumphwagen stand. Der Bogen steht nun ganz frei, seitdem die Mauer weggenommen worden ist, die ihn nach der Ausgrabung des unteren Theils des Monumentes umgab.

Das Colosseum

Der Name Colosseum kommt zuerst im achten Jahrhundert vor. Ob derselbe von dem colossalen Bau des mit demselben benannten Amphitheaters, oder von dem vormals benachbarten Coloss des Nero herruhrt, dürfte nicht zu entscheiden, jedoch die erstere dieser Ableitungen die wahrscheinlichere seyn. Ursprünglich wurde dieses Gebaude, nach Vespasian und Titus, Amphitheatrum Flavii oder Flavium, gewöhnlich aber schlechthin Amphitheatrum genannt, weil es zur Zeit seiner Erbauung nicht nur das grosste, sondern auch das einzige steinerne Amphitheater in Rom war. Der von Vespasian begonnene Bau desselben wurde von Titus im Jahre 80 n. Ch. G. beendigt. Die Spiele bei seiner Einweihung währten 100 Tage; und es wurden dabei 500 wilde Thiere getödtet. Auch ward vermittelst des in die Arena geleiteten Wassers das Schauspiel eines Seegefechtes gegeben, bei welchem allerdings nur sehr kleine Fahrzeuge erscheinen konnten.

Ein anderes Seegefecht veranstaltete Domitian daselbst. Als unter Macrinus die vulcanischen Spiele in diesem Gebaude gefeiert wurden, litt dasselbe durch die Feuersbrunst, welche ein Blitzschlag in die obere Gallerie, wo vieles Holzwerk war, verursachte, eine solche Beschädigung, dass die Fechterspiele mehrere Jahre im Circus gehalten werden mussten. Alexander Severus vollendete die unter Heliogabal angefangene Wiederherstellung des Amphitheaters, in welchem darauf Philippus, im Jahre Christi 248, im 1000sten Jahre Roms, mit grosser Pracht die sacularischen Spiele feierte. Nach der ganzlichen Aufhebung der mit dem Geiste des Christenthums unverträglichen Fechterspiele durch den Kaiser Honorius, im Jahre 405, dauerten noch die Thierkampfe bis in die Zeiten Theodorichs in diesem Gebaude fort, welches erst mit dem Ende aller öffentlichen Volksvergnügungen, welches der verheerende Krieg Justinians mit den Gothen herbeiführte, seine Bestimmung ganzlich verlor,

Im Mittelalter diente es zu einer vorzüglichen Festung der römischen Barone. Die Frangipani besassen es im 12ten Jahrhundert; und eine Region der Stadt erhielt von dem Colosseum den Namen, von der die Frangipani als Hauptleute derselben benannt wurden. Doch besassen sie es nicht ohne Unterbrechungen; und vornehmlich machten es ihnen die Annibaldi streitig, die sich im Besitz desselben im Jahre 1312 befanden, in welchem sie es dem Kaiser Heinrich VII. überlassen mussten, der es dem Senate und dem Volke übergab. Das Andenken an seine ursprüngliche Bestimmung wurde im Jahre 1332 durch ein Stiergefechte erneuert, welches der römische Adel in diesem Amphitheater veranstaltete. Nach dieser Zeit aber wurde es als eine Fundgrube von Steinen zum Bauen und Kalkbrennen betrachtet. Zwischen den Jahren 1362 und 1370 wurden von dem Bischof von Orvieto, päpstlichen Legaten zu Rom zur Zeit des Aufenthaltes der Päpste in Avignon, Steine von diesem Gebäude zum Verkauf ausgeboten, und 1381 stellte der Senat und das Volk den dritten Theil zur Verfügung der Brüderschaft der Capelle Sancta Sanctorum. Fortwahrend dauerte auch nachher die Zerstorung des Gebändes durch Benutzung der Steine. Paul II. nahm von denselben — ob herabgefallene oder auch andere, ist streitig — zum Bau des Palazzo di S. Marco (di Venezia), der Cardinal Riario zur Erbauung des heutigen Palastes der Cancellaria, und Paul III. zum Palast Farnese. Sixtus V. wollte eine Tuchfabrik im Colosseum anlegen, wurde aber durch den Tod daran verhindert. Clemens XI. liess die unteren Bogengange zumauern und zur Erzeugung des Salpeters mit Mist ausfullen. In seinem Pontificate wurde 1703 ein Bogen, an der nach Monte Celio gelegenen Seite, durch ein Erdbeben herabgeworfen. Jenen öconomischen Benutzungen des

Gebäudes entgegen, weihte Benedict XIV das Innere desselben, aus
Verehrung wegen des 'daselbst geflossenen Martyrerblutes, der
Passion Christi, und liess für die wochentlichen Processionen der
Bruderschaft der Via Crucis die kleinen Capellen in der Arena
erbauen, nebst einem Geruste für den Capuciner, von dem jeden
Freitag dort zum Schlusse der Andacht eine Predigt gehalten wird.
Erst unter Pius VII. fing man an, auf die Erhaltung der noch
ubrigen Reste dieses ausserordentlichen Gebäudes bedacht zu seyn.
Der drohende Einsturz der ausseren Mauer gegen den Lateran
wurde durch Auffuhrung eines mächtigen einfachen Strebepfeilers
verhindert. Ein anderer, aber in der Form der Architectur des
Gebäudes, ist an der anderen Seite jener Mauer, gegen den Titusbogen, unter Leo XII. aufgeführt worden; und noch gegenwärtig
ist man mit der Restauration mehrerer Theile des Colosseums
beschäftigt, zu dessen Beschreibung wir nun übergehen.

Das Amphitheater erhebt sich in elliptischer Form auf einer
ringsum acht Fuss breit vorliegenden Basis von Travertin. Es hat
in der Länge 845 und in der Breite 700 Palm im Durchmesser;
seine Hohe beträgt 221 Palm. Nach aussen waren zwei Reihen
von Hallen, von denen jede aus mehreren Stockwerken bestand,
und von denen die innern mit den Bogen verbunden waren, auf
denen sich die Sitze erhoben. Von der durch diese Reihen gebildeten Aussenseite steht nur noch der nach dem Esquilin gelegene Theil. Sie zeigt vier Stockwerke, von denen die drei ersten
durch Arcaden gebildet werden, deren Pfeiler mit Halbsäulen, im
ersten Stockwerke von dorischer, im zweiten von jonischer, und
im dritten von corinthischer Ordnung geschmückt sind. Das vierte
Stockwerk zeigt eine Mauer mit Fenstern zwischen jonischen Pilastern. Dass in den Arcaden des zweiten und dritten Stockwerkes
Statuen aufgestellt waren, erhellt sowohl aus den noch in der
Mitte derselben vorhandenen Resten von Piedestalen als aus der
Abbildung dieses Amphitheaters auf Munzen. An den Enden der
vier Axen sind die vier Haupteingange, durch grössere Breite von
den übrigen ausgezeichnet. Die an den beiden kleineren Axen,
gegen den Esquilin und den Cälius, waren für den Kaiser, die
beiden übrigen fur den feierlichen Aufzug, mit dem die Spiele
jedesmal eroffnet wurden, und zum Hereinschaffen der Thiere
und Maschinen bestimmt. Zu den Eingängen der Zuschauer dienten
die übrigen Arcaden des untersten Stockwerkes. Die Nummern,
die man inmitten über ihren Bögen bemerkt, dienten zur Anzeige
der Treppen, auf denen jeder zu dem ihm angewiesenen Platze
gelangte. Sie sind noch von Nro. XXIII bis LIV vorhanden; die
Arcaden von I bis XXIII und von LV bis LXXX sind verloren
gegangen.

Der innere, nach der Arena (dem Platze, auf welchem die

Spiele gehalten wurden) gelegene Theil ist dergestalt zerstört, dass man nur durch mühsames Nachsuchen der noch vorhandenen Anzeichen und mit Hulfe anderer, in diesem Theile noch erhaltenen Amphitheater zu einem anschaulichen Begriffe der Construction gelangen konnte. Die Sitze, welche in der Form von Stufen die Arena umgaben, waren durch erhöhte Zwischenmauern in mehrere Abtheilungen geschieden. Die vorderste, die sich in einer beträchtlichen Höhe von der Arena befand, wurde das Podium genannt. Hier, als auf den ersten Plätzen, sassen die Senatoren und Vestalinnen, nebst der Familie und dem Gefolge des Kaisers, für dessen Person daselbst eine erhohte Loggia (mit dem Namen Pulvinar oder auch Suggestum) errichtet war, zu welchem der Weg von den beiden vorerwahnten Eingangen durch einen gewolbten Saal mit drei Schiffen fuhrte. Derselbe ist, an der gegen den Esquilin gelegenen Seite, unter Pius VII. da, wo er durch den Einsturz der Mauern unterbrochen war, nach dem ursprünglichen Plane wieder hergestellt worden. Von den Stuckarbeiten, die ihn ehemals schmuckten, und deren Andenken uns durch Kupferstiche in dem Werke des Crosat, nach Zeichnungen von Johann von Udine, erhalten worden ist, sind gegenwärtig nur noch wenige Spuren vorhanden. An der Seite nach dem Càlius ist dieser Saal ganzlich zerstort. Hingegen ist daselbst noch ein unterirdischer Gang erhalten, den man bei den letzten Ausgrabungen des Gebäudes entdeckte. Da er, wie man gefunden, bis zum Pulvinar des Kaisers fuhrt, so diente er offenbar zu einem geheimen Wege fur denselben; und man glaubt in ihm den dunkeln Gang im Amphitheater zu erkennen, in welchem, nach Herodians Erzählung, Commodus bei der Verschwörung des Claudius Pompejanus von Quintianus angefallen wurde.

Ueber dem Podium erhoben sich drei andere Abtheilungen von Sitzen, von denen die erstere für die Ritter bestimmt war. Man gelangte zu denselben durch Mündungen (Vomitoria), aus denen zwischen den Stufen Treppen fuhrten. Ueber der dritten jener Abtheilungen war noch für die Zuschauer aus der geringeren Classe des Volkes eine das ganze Amphitheater umlaufende Saulenhalle, deren Decke eine Terrasse bildete. Auf der letzteren befanden sich die Matrosen der kaiserlichen Flotte, welche die Segeltucher zur Bedeckung des Amphitheaters auszuspannen hatten, um die Zuschauer vor den brennenden Strahlen der Sonne zu bewahren. Die zu dieser beweglichen Bedeckung erforderlichen Stricke waren an Balken befestigt, welche durch die an dem obersten Gesims des noch erhaltenen Theils der Aussenseite deutlich zu bemerkenden Löcher gesteckt waren und auf den diesen Löchern entsprechenden Kragsteinen ruheten, die uber den Fenstern des obersten Stockwerkes zwischen den corinthischen Pilastern angebracht sind.

Die vermuthlich durch einen Bretterboden gebildete Arena ruhete auf Mauern, die bei den in den Jahren 1812—1814 unternommenen Ausgrabungen entdeckt, nachmals aber wegen der schädlichen Ausdünstungen des sich in denselben sammelnden Wassers wieder verschüttet worden sind. Diese Mauern bildeten vier Reihen·kleiner Gemächer, in welchen sich nach wahrscheinlicher Vermuthung die reissenden Thiere in Käfigen befanden, die durch dazu getroffene Vorrichtungen heraufgeschnellt werden konnten. Jedenfalls hat sich die dadurch veranlasste Annahme von Anlagen unter der Arena durch die seitdem in dem Amphitheater von Capua und Puzzuoli gemachten Entdeckungen bestätigt. Hier, in dem unterirdischen Raume des römischen Amphitheaters, deutete die schlechte Construction der Ziegelmauern auf eine sehr späte Restauration, die wahrscheinlich bei der im 5ten Jahrhundert von dem Präfecten von Rom, Decius Marius Venantius Basilius veranstalteten Herstellung des Podiums erfolgte.

Bei den vorerwähnten Ausgrabungen wurde auch der Unterbau des Colosses des Nero vor der nach dem Amphitheater liegenden Seite des Tempels der Venus und Roma entdeckt, wo Hadrian jenes ungeheure, über 100 Fuss hohe Standbild, ein Werk des Zenodoros von Erz, aufstellen liess. Es stand ursprünglich in dem Umfange des sogenannten goldenen Hauses des Nero, auf dem Platze, wo nachmals Vespasian den Friedenstempel erbaute.

Der Palatin.

§. 82.

Der Palatinische Hügel, auf dessen Umfang sich die angeblich von Romulus angelegte Stadt beschränkte, die sich im Verlaufe von mehreren Jahrhunderten zur Beherrscherin der Welt erhob, begriff nach dem Verlust ihrer Freiheit die von den weltbeherrsehenden Cäsaren zu ihren Wohnungen aufgefuhrten Prachtgebäude. Noch sieht man hier bedeutende Trümmer dieser Bauten, deren Plan aber grossentheils nicht mit Sicherheit aufgefunden werden kann, und deren besondere Bestimmung meistens auf grundlosen Hypothesen beruht.

Farnesische Gärten.

Auf der nach dem römischen Forum gelegenen Seite des Palatins liegen die von Paul III. angelegten Gärten, die nach dem Aussterben des Hauses Farnese an den König von Neapel gekommen sind und gegenwärtig nur noch Spuren von ihrer ursprünglichen Pracht zeigen. Die bedeutenden Denkmäler der Kunst des

Alterthums, die sich ehemals hier befanden, sind nach Neapel gebracht worden. Das nach dem sogenannten Friedenstempel gelegene Portal des Einganges ist von der Erfindung des Vignola, nach dessen Angabe vermuthlich auch die Gartengebaude aufgeführt worden sind. Von den Ruinen der Kaiserpaläste sieht man in diesen Gärten, vom Eingange links fortgehend, die Reste eines sehr grossen Saales mit zwei kleineren Salen zu beiden Seiten, denen man die grundlose Benennung Bibliotheca Palatina gegeben hat. Die von dem mittleren dieser Sale noch vorhandenen Reste lassen noch seinen Umfang erkennen. Von den durch den gelehrten Bianchini ausgegrabenen Säulen, Marmorbekleidungen und Bildwerken, welche die ursprüngliche Pracht des Baues zeigten, ist nichts mehr vorhanden. In dem vorzüglichen Ziegelbau der Mauern hat man den Stempel: Felicis Flaviae Domitill. gefunden. Von dem westlichen der kleineren Säle sind nur noch geringe Reste, von dem östlichen hingegen noch die gesammten unteren Mauern vorhanden. Hinter einem Basamente in der Mitte dieses Saales ist eine Treppe mit doppelten Armen: der eine fuhrt zu den Resten der Kaiserpaläste in der Villa Spada hinab, der andere zu kleinen unterirdischen Kammern, in denen mehrere thonerne Amphoren gefunden wurden, und die daher vermuthlich zu Weinkellern dienten.

Vorzüglich sehenswerth sind unter den Trümmern der Gebäude der Casaren in den Farnesischen Gärten vornehmlich die sogenannten Bäder der Livia; eine Benennung, die keineswegs auf sicherem Grunde beruht. Es sind kleine Gemächer, deren Gewolbe sich unter dem heutigen sie umgebenden Boden befinden. Man fand in denselben weder Thür noch Fenster: der Eingang, zu welchem man jetzt durch mehrere Stufen hinabsteigt, ist neu. Die Höhlungen für Röhren in den vorzuglich construirten Ziegelmauern lassen allerdings Bäder in diesen Gemachern vermuthen. Noch sieht man in denselben Reste von Malereien, welche auf die beste Zeit der Kunst unter den Kaisern deuten. Am Gewölbe des ersten Gemachs sind goldene Blumenverzierungen auf weissem Grunde, und in dem zweiten kleine Felder mit Arabesken und schön gezeichneten Figuren, die theils golden auf himmelblauem Grunde, theils himmelblau auf Goldgrunde erscheinen. Fruher sah man hier noch einige Blumen von Lapislazuli und an den Wänden Bekleidung von kostbarem Marmor, die aber gegenwärtig ganz verschwunden ist.

Villa Spada (jetzt Mills).

In der vornehmlich wegen ihrer herrlichen Aussicht anmuthigen Villa des Palatins, die ehemals der Familie Spada gehorte, wurde bei einer im Jahre 1775 von dem damaligen Besitzer, dem

französischen Abte Rancoureuil, veranstalteten Ausgrabung ein
grosses Prachtgebäude entdeckt, dessen Umfang den ganzen hintern
Theil dieser Villa begriff. Nur drei Zimmer desselben sind offen
geblieben und mit einer Treppe zum Hinabsteigen versehen worden: das Uebrige wurde wieder verschüttet, nachdem aller der
Zerstörung bis dahin noch entgangene Schmuck und selbst das
Ziegelwerk verkauft worden, war. Unter allen Ruinen des Palatins
waren diese die erhaltensten. Der Plan derselben ist von dem
Architecten Barberi, der die Ausgrabung leitete, vor ihrer Zer-
störung und Verschüttung gezeichnet und in einem seltenen Werke
in Folio bekannt gemacht worden. Jene drei Zimmer gehören
zum unteren Stockwerke; von dem oberen sind noch mehrere
Mauerreste gegen den Circus Maximus vorhanden, so dass die
Ausdehnung des Gebäudes nach dieser Seite bis zum Rande des
Berges keinen Zweifel leidet. Zwei tribunenartige Vorsprünge
waren ohne Zweifel zum Beschauen der Circusspiele bestimmt.
Der eine derselben, rechts, war vermuthlich das kaiserliche Pulvinar.
Sowohl die Ruinen in dieser Villa als die zuvor betrachteten in
den Farnesischen Gärten gehorten vermuthlich zu einem von Do-
mitian-aufgefuhrten Gebäude, wie auch der Name dieses Kaisers
auf einer Bleirohre anzuzeigen scheint, die nach dem Zeugniss
des oben genannten Architecten neben dem sudlichen der drei
mehrerwahnten Zimmer gefunden wurde.

Im Gartenhause sind in einem Saale des Erdgeschosses, mit
einer von vier Granitsäulen getragenen Vorhalle, einige Frescogemälde, mythologische Gegenstände vorstellend, aus der Schule
Raphaels zu bemerken. Sie sind unter der Aufsicht des bekannten Malers Vincenzo Camuccini restaurirt worden. Die in dem
Theile der Villa von dem gedachten Gebäude bis zum Eingange
unternommenen Ausgrabungen haben keine Reste von Mauern
gezeigt; ein Umstand, durch welchen Bianchinis Vermuthung
Wahrscheinlichkeit erhält, dass sich hier die von Domitian im
morgenlandischen Geschmack angelegten Gärten befanden.

Gebäude zwischen Palatin und Tiber.

§. 83.

Circus Maximus.

Das jetzt mit Gartenanlagen bepflanzte Thal,' welches längs
des Palatins die Via de' Cerchi benannte Strasse durchläuft, zeigt
noch die Form der -Arena des Circus Maximus, von dem in der
Einleitung §. 11 gesprochen worden ist.

S. Teodoro.

Die kleine runde Kirche am Fusse des palatinischen Bèrges, S. Teodoro, in der Volkssprache S. Toto genannt, war nach einer noch bis in unsere Zeiten erhaltenen Meinung ursprünglich ein Tempel des alten Roms, eine Annahme, der jedoch die Construction der Ziegelmauern widerspricht. Sie wird zuerst im Pontificate Gregors des Grossen unter den römischen Diaconien erwähnt. Nach ihrem Verfall, während des Aufenthaltes der Päpste in Avignon, veranstaltete Nicolaus V. ihre Wiederherstellung. Bei ihrer letzten Erneuerung unter Clemens XI., im Jahre 1703, wurde das zum Theil in Schutt vergrabene Gebäude bis auf seinen ursprünglichen Boden ausgegraben und die marmorne Doppeltreppe mit einer Mauer angelegt, die jetzt der Kirche zu einer Art von Vorhof dient, auch der Hauptaltar erneuert und zwei neue Seitenaltäre errichtet. Bis auf diese Zeit stand in dieser Kirche die heidnische Ara, die man jetzt vor ihrem Eingange sieht. Jetzt sind in ihr nur bemerkenswerth, wegen ihres Alterthums, die Mosaiken der Tribune, welche den Heiland, die Apostel Petrus und Paulus, den heil. Theodorus und einen andern Heiligen vorstellen.

Noch in unseren Zeiten hat sich der alte Gebrauch erhalten, in diese Kirche kranke Kinder zu bringen, denen mit Anrufung des heil. Theodorus von dem Priester die Hände zu ihrer Genesung aufgelegt werden, die das heidnische Rom durch Anrufung seiner Götter in dem Tempel des Romulus erwartete.

S. Anastasia.

Die Kirche S. Anastasia führte wegen ihrer Lage unter dem palatinischen Berge, unter dem Palast der Cäsaren, ehemals den Beinamen sub palatio. Der Tradition zufolge lag hier das Haus und der Garten der Apollonia, in welchem von dieser frommen Matrone der Leichnam der heil. Anastasia nach ihrem unter Domitian erlittenen Märtyrertode begraben wurde.

Das hohe Alterthum dieser Kirche beweist ihre Erwähnung in den Acten des Conciliums des Symmachus vom Jahre 499. Leo III. unternahm eine gänzliche Erneuerung derselben und vielleicht einen neuen Bau in grösserem Umfange als zuvor. Spätere Ausbesserungen veranstaltete zuerst Sixtus IV. und dann der Cardinal di Vitré im Jahre 1510. Der durch Blitzschläge baufallig gewordene Glockenthurm wurde 1598 abgetragen; und die 1606 auf Kosten des Cardinals Sandoval y Roias neu erbaute Vorderseite und Vorhalle stürzte nach 28 Jahren durch einen heftigen Windstoss wieder ein, worauf Urban VIII. die heutige Façade mit zwei Glockenthürmen, aber ohne Vorhalle, nach Angabe des Domenico Cappello auffuhren liess.

Eine gänzliche Erneuerung des Inneren der Kirche erfolgte durch den portugiesischen Cardinal Nuno da Cunha Attayde im Jahre 1721. Sie zeigt seitdem nicht viel Merkwurdiges. An den modernen Pfeilern des Mittelschiffes stehen noch die zwölf antiken Säulen, die es ehemals unterstützten. Sieben derselben sind von Paonazzetto, vier von Granit und eine von Cipollino. Zwei Säulen von grauem Marmor stehen unter der Emporkirche an der Vorderwand des Gebäudes, zwei andere unter dem Bogen des Hauptschiffs und zwei Saulen von Porta Santa unter dem Bogen der Tribune. Das einzige noch vorhandene Denkmal des Mittelalters — vermuthlich aus dem 12ten Jahrhundert — ist im linken Seitenschiffe ein zu den Seelenmessen privilegirter Altar, über den sich ein marmornes Tabernackel auf vier Säulen erhebt. Er führt den Namen Altare di S. Girolamo, weil auf demselben der heil. Hieronymus Messe gelesen haben soll, der, wie man behauptet, Cardinalpriester dieser Kirche war. An der Seitenwand vom Eingange rechts sieht man in einem in einen Rahmen gefassten Gemalde der Kreuztragung Christi vermuthlich den Rest von den Frescomalereien der alten Kirche. Unter den ubrigen Gemälden ist nur ein Oelbild von Guercino zu erwahnen, welches den heil. Hieronymus in halber Figur in Verehrung eines Crucifixes vorstellt. Es hangt an der Seitenwand vom Eingange rechts.

S. Giorgio in Velabro.

Die Kirche S. Giorgio, eine der ältesten römischen Diaconien, führt den Beinamen in Velabro von Velum aureum, der im Mittelalter verstummelten Benennung des Velabrums des alten Roms. Leo II. erbaute sie um das Jahr 682 zu Ehren der Heiligen Georg und Sebastian. Die Vorhalle, noch im alterthümlichen Style, ist vermuthlich dieselbe, die, nach Anastasius, Gregor IV. (824—44) an dieser Kirche erbaute. Sie wird von vier antiken Säulen und zwei Pfeilern von Backsteinen an beiden Enden getragen. Am Architrave ist durch eine alte Inschrift ohne Jahrzahl eine Erneuerung der Kirche von einem sonst nicht bekannten Stephanus, Prior des Klosters derselben, angezeigt. Der Eingang der Kirche hat eine mit Laubwerk geschmuckte Thurbekleidung von weissem Marmor, die aus antiken Bruchstücken besteht. Von den 16 antiken Säulen, welche das Hauptschiff tragen, ist die erste vom Eingange links vermauert. Von den sichtbaren sind 11 von Granit, 2 von Paonazzetto und 2 von weissem Marmor. Das Hauptschiff hat eine flache Decke; die beiden Seitenschiffe zeigen noch den Dachstuhl. Der Hauptaltar und sein Tabernakel, welches sich auf vier weissen Marmorsäulen erhebt, sind vermuthlich aus dem 12ten Jahrhundert. Es ist aus Platten von weissem

Marmor und Paonazzetto zusammengesetzt, und so wie die Confession unter demselben mit mittelalterlicher Steinarbeit geschmückt.
Das Gemälde am Gewolbe der Tribune ist vielleicht die Nachahmung eines alten Mosaiks, das sich ehemals an seiner Stelle
befand. Seine Gegenstande sind der Heiland, auf der Weltkugel
stehend, zwischen der heil. Jungfrau und den Heiligen Petrus,
Georg und Sebastian. Die Figur des Erlösers entspricht der des
Mosaiks in SS. Cosma e Damiano. An einigen Stellen der Wände
der Kirche sind Fragmente von alten Inschriften und alten Bildwerken eingemauert. Das mit ihr verbundene Kloster, welches
bis zur Zeit der französischen Revolution die Augustiner bewohnten, ist seitdem verlassen.

Bogen der Goldschmiede.

Neben der gedachten Kirche steht ein kleines Ehrendenkmal,
welches nur sehr uneigentlich ein Bogen genannt wird, weil der
Durchgang desselben keine gewölbte, sondern eine flache Decke
hat. Die Inschrift an der Vorderseite zeigt, dass es die Goldschmiede und Kaufleute des Forum Boarium dem Kaiser Septimius
Severus, seiner Gemahlin Julia Pia und seinen Sohnen Caracalla
und Geta errichten liessen. Der Name und die Bildnisse des
Letzteren sind, wie man deutlich wahrnimmt, vertilgt, indem auch
hier, wie auf dem Triumphbogen des genannten Kaisers, Caracalla das Andenken seines Bruders zu vernichten suchte. Ein
Theil dieses Monumentes ist von der angebauten Kirche verdeckt.
Ursprünglich befanden sich an jeder Längenseite vier, und an
jeder der beiden Querseiten zwei Pilaster von romischer Ordnung.
Die Sculpturen, die es schmucken, sind von roher Arbeit und
sehr verdorben. Neben der Inschrift ist auf der einen Seite Hercules gebildet; auf der anderen, welche die Kirche verdeckt, vermuthlich Bacchus vorgestellt, da aus Münzen erhellt, dass diese
beiden die Schutzgottheiten der Familie des Severus waren. In
den unteren Feldern zwischen den Pilastern sieht man noch ziemlich erhalten: an der noch sichtbaren Querseite einen Gefangenen
mit einigen Soldaten; — im Durchgange rechts Severus opfernd
und neben ihm Julia Pia mit dem Caduceus in der Hand; — und
links Caracalla ebenfalls im Opfern begriffen: in der bei ihm, wie
der Anschein zeigt, fehlenden Figur war ohne Zweifel Geta vorgestellt. In einer unteren Reihe sind Geräthe und andere auf
Opfer bezügliche Gegenstände gebildet, mit Ausnahme der Hinterseite, wo ein Ackersmann pflügend mit zwei Rindern, vielleicht
zur Anspielung auf die Grundung Roms, erscheint. Die Pilaster
sind mit Feldzeichen geschmückt, unter denen man neben der
Kirche die Bildnisse des Severus und Caracalla, und unter dem

Letzteren eine leere Stelle bemerkt, an der sich das Bildniss des Geta befand.

Janus Quadrifrons.

Der Janus Quadrifrons, gewöhnlich der Janusbogen (Arco di Giano) genannt, der sich unweit der Kirche S. Giorgio in Velabro erhebt, diente vermuthlich hier, in dem ehemaligen Forum Boarium, den Kaufleuten bei ihren Geschaften zum Obdache. Dieses aus Quadern von griechischem Marmor aufgeführte Gebäude bildet ein gleichseitiges Viereck. Vier Arcaden, die sich auf mächtigen Pfeilern erheben, bilden eben so viele Durchgänge. An jeder Seite befinden sich, zu beiden Seiten des Durchganges, zwölf kleine Nischen in zwei Reihen über einander, zwischen denen ein jetzt grösstentheils zerstörtes Gesims das ganze Gebäude umläuft. Acht derselben an der Morgenseite und eben so viele an der Abendseite des Monumentes sind maskirt; eine andere, an der Seite gegen Westen, dient zum Eingange in das Innere des Gebändes, zu dem man vermittelst einer Leiter gelangt. Von da fuhrt eine unbequeme Treppe zu einem oberen Gemache, in welchem man das Tabularium oder Archiv der Kaufleute zur Abschliessung ihrer Handelscontracte vermuthet hat. Das Gesims über den Arcaden ist, so wie das vorerwähnte untere, meistens zu Grunde gegangen. Die schlechte Bauart und die Fragmente von anderen Gebäuden, aus denen zum Theil die Gesimse bestehen, zeigen dieses Monument als ein Werk der späteren Kaiserzeiten.

S. Maria in Cosmedin.

Die Kirche S. Maria in Cosmedin, in der Volksbenennung Bocca della Verità benannt, von der auch der Platz vor derselben den Namen erhielt, gehörte ursprünglich einer griechischen Colonie in Rom und hiess daher S. Maria in Schola Græca oder in Schola Græcorum. Ihr Beinahme in Cosmedin — den auch andere italienische Kirchen fuhren — ist, nach Niebuhr, von der Bezeichnung eines Platzes in Constantinopel hergenommen. Hadrian I. erbaute sie gegen das Ende des 8ten Jahrhunderts in den Ruinen eines antiken Tempels, dessen Zerstörung dieser Bau veranlasste. Einige Antiquare haben in diesem Gebäude den von dem Consul Aemilius erbauten Tempel der Pudicitia, andere den der Fortuna oder der Matuta zu erkennen geglaubt. Die noch vorhandenen Reste zeigen, dass es die Form eines länglichen Vierecks hatte. Die Cella des Tempels war von einer Halle umgeben, die von 8 Säulen an der Fronte und an beiden Seiten wahrscheinlich von 15 getragen wurde. Von denselben stehen noch 8 in den Wänden der Kirche und des Vorgemachs der Sacristei, unter deren Bogengewölbe auch noch die untere Halfte einer neunten an ihrer ursprünglichen Stelle vorhanden ist. Diese 31 Palm hohen Säulen sind von weissem Marmor, cannelirt und von romischer Ordnung. Von der Cella sieht man noch Travertinmauern in einem an der Hinterseite der Kirche, vom Eingange rechts, angebauten Schuppen. Erneuerungen dieser Kirche haben unter Nicolaus I. (858—867) und unter Calixtus II. (1119—1124) vornehmlich auf Kosten eines gewissen Alphanus, Kämmerers (Camerlengo) dieses Papstes, statt gefunden. Aus dieser Zeit sind vermuthlich die meisten hier noch vorhandenen Alterthumer des Mittelalters. Durch die letzte, im Pontificate Clemens XI. erfolgte Erneuerung, welche den Verlust mehrerer dieser Alterthumer veranlasste, wurde die moderne Gestalt vollendet, in die man im 17ten Jahrhundert angefangen hatte, das Gebäude umzuformen.

Aus der Zeit des letztgenannten Papstes sind der Springbrunnen auf dem Platze vor der Kirche und die von Giuseppe Sarti angegebene Vorderseite derselben. Von dem alten Vestibulum stehen noch vier antike Säulen, zwischen denen eiserne Stangen mit Ringen zu bemerken sind, die ehemals zur Befestigung von Vorhängen dienten. Das Dach dieses Vestibulums ist modern. Der Glockenthurm trägt noch den alterthumlichen Character. An den Wänden des Inneren der Halle sind Inschriften eingemauert, unter denen sich einige des Mittelalters befinden. Rechts neben dem Haupteingange der Kirche steht ein marmornes Grabmal, welches — nach der Inschrift am Architrave des von zwei Säulen getragenen Giebeldaches — dem oben erwähnten Alphanus errichtet wurde. An der Seitenwand der Halle, vom Eingange links, lehnt eine colossale antike Brunnenmaske eines Wassergottes, von welcher die Kirche die oben erwähnte Volksbenennung, Bocca della Verità, durch eine Sage des Mittelalters erhielt, der zufolge diese Maske, zur Zeit des alten Roms, die Wunderkraft falsche Schwüre anzuzeigen dadurch besass, dass, wer beim Schwören die Hand in ihren offenen Mund steckte, sie nach einem falschen Eide nicht wieder herauszuziehen vermochte. — An der Decke der Vorhalle sind die Kinnbacken eines grossen Seethiers aufgehängt, die, wie die Inschrift ex voto zeigt, die Kirche als ein Gelubde zum Geschenk erhielt. An den Marmorpfosten der mittleren Kirchthüre, vermuthlich aus der Zeit Calixtus II., sind in sehr barbarischem Geschmack architectonische Zierrathen, und an der Unterseite der Querpfosten über dem Eingange Christus als Lamm, die Evangelisten unter den Bildern der Apocalypse und andere symbolische Gegenstände in sehr kleinen Figuren in erhobener Arbeit gebildet.

Das Innere des Gebäudes zeigt eine Basilica mit drei Schiffen, aber verunstaltet durch spätere Veränderungen, zu denen vornehmlich das Tonnengewölbe des Hauptschiffs gehört. Die Arcaden dieses Schiffes erheben sich auf 4 Pfeilern und 18 antiken Saulen, von denen sechs zunächst der Tribune in die Bretterwände des neuen Chors eingeschlossen sind. Die Steinarbeit des Fussbodens liess der mehrerwähnte Alphanus zu Ehren der heiligen Jungfrau verfertigen, wie eine Inschrift in Versen über der Erhöhung anzeigt, welche die Grenze des ehemaligen Chors vor dem Hauptaltare bezeichnet. Die beiden von diesem Chore noch erhaltenen Ambonen sind höchst wahrscheinlich gleichzeitig mit der gedachten Steinarbeit. Sie bestehen aus Platten von weissem Marmor und Paonazzetto: der Ambo des Evangeliums hat auch Porphyrplatten und ist mit eingelegter Steinarbeit und Laubwerk in erhobener Arbeit geschmückt. Auf einem kleinen Pfeiler neben diesem Ambo nennt eine Inschrift einen Paschalis als den Meister des nicht mehr vorhandenen Leuchters der Osterkerze, der aus orientalischem Alabaster verfertigt war. Er stand hier auf dem Postamente, welches ein Löwe mit seinen Tatzen umfasst, und auf dem sich jetzt eine gewundene, mit Mosaik ausgelegte Säule aus der Zeit des Mittelalters erhebt.

Der Hauptaltar ist durch eine antike Wanne von rothem Granit und eine auf derselben ruhende Marmorplatte gebildet, auf welcher eine Inschrift die den 11. Mai des Jahres 1123 erfolgte Weihe dieses Altars von Calixtus II. anzeigt. Ueber demselben erhebt sich auf vier Säulen von rothem Granit ein Tabernakel im sogenannten gothischen Style, welches der Cardinaldiaconus dieser Kirche, Francesco Gaetani, Neffe Bonifacius VIII., verfertigen liess. Die Inschrift nennt den Deodatus, aus der Familie der Cosmaten, als den Meister dieses Werks, auf welchem die Verkündigung der heil. Jungfrau nebst anderen Zierrathen und dem Wappen der Gaetani in Mosaik gebildet sind.

Der bischöfliche Stuhl, der sich auf zwei Stufen am Ende der Tribune erhebt, ist, nach der Inschrift auf demselben, ebenfalls ein Geschenk jenes Alphanus zu Ehren der heil. Jungfrau. Er ist von weissem Marmor, und mit Porphyrplatten, Mosaikarbeit und zwei Löwenfiguren an den Seitenlehnen verziert. In einem Schranke über diesem Sessel bewahrt man ein verehrtes Marienbild, welches die vor den Bilderstürmern geflüchteten Griechen nach Rom gebracht haben sollen. Die griechische Inschrift zeigt es als ein byzantinisches Werk. Es ist aber entweder eine Copie aus spater Zeit, oder ganz übermalt von neueren Händen.

Die zwei Capellen, zu beiden Seiten der Tribune, erhielten ihre heutigen geschmacklosen Verzierungen gegen das Ende des 17ten Jahrhunderts. In der einen derselben, der des heil. Sacraments, verehrt man ebenfalls ein wunderthatiges Marienbild, Madonna delle Grazie genannt. Der Taufstein steht vom Eingange links in der ersten der beiden Seitencapellen, die vermuthlich das Triclinium begriffen, welches Nicolaus I. bei dieser Kirche erbaute; auf ihrem Fussboden sieht man noch mittelalterliche Steinarbeit. Ueber dem Weihwasser ist, an der Vorderwand der Kirche, ein kleines auf einer weissen Marmorplatte in Mosaik gebildetes Kreuz eingemauert, welches vermuthlich zum Andenken der Kirchweihe verfertigt wurde. In der Sacristei ist ein Mosaik aus der ehemaligen von Johann VII. in der alten Peterskirche erbauten Capelle zu bemerken. Der Gegenstand ist die heil. Jungfrau mit dem Kinde zwischen einem Engel und einem Geistlichen, der vermuthlich den genannten Papst vorstellt. Die übrigen Kunstwerke dieser Kirche verdienen keine besondere Erwähnung.

Im linken Seitenschiffe fuhrt eine Treppe zu einer kleinen Kirche unter dem Presbyterium der oberen hinab. Sie trägt den Character eines sehr hohen Alterthums und ist höchst wahrscheinlich das von Anastasius erwähnte Gotteshaus, welches in dem oben erwähnten heidnischen Tempel, nach einer grundlosen Sage, von dem heil. Dionysius erbaut worden war. Bei ihrer sehr geringen Grosse zeigt dieselbe vollkommen die Gestalt einer Basilica. Sie hat eine Tribune und sechs Saulen, vier von Granit und zwei von weissem Marmor, die sie in drei Schiffe theilen. Die corinthischen Capitelle der Säulen verrathen durch sehr rohe Arbeit den tiefen Verfall der Kunst. Sechs kleine Nischen sind an jeder der beiden Seitenwande und zwei andere zu beiden Seiten des Einganges. Die unverhaltnissmassig niedrige, sehr murbe mit Mortel beworfene Decke, ruht unmittelbar auf dem Architrave der Saulen, vermuthlich weil das obere Gebälke weggenommen worden ist, um dadurch Raum für den Fussboden der oberen und spateren Kirche zu gewinnen. Der Altar ist aus der Zeit Clemens XI, unter dem auch die Tribune erneuert wurde.

Der sogenannte Vestatempel (S. Stefano delle Carozze oder S. Maria del Sole).

Die kleine auf Piazza di Bocca della Verità gelegene Kirche S. Stefano delle Carozze, auch S. Maria del Sole genannt, war nach der seit langer Zeit gewohnlichen, aber ungegrundeten Meinung der Tempel der Vesta. Nachdem Piale der schon früher vorgekommenen Annahme des Tempels des siegenden Hercules beigetreten war, hat Bunsen (Beschreib. der Stadt Rom Bd. III. Abth. I. S. 664) dieses antike Gebaude fur den Tempel der Cybele erklart. Es erhebt sich, in runder Form, auf einer ebenfalls runden Basis, zu welcher vier Stufen empor fuhrten, die jetzt grösstentheils zerstort und im Schutte vergraben sind. Die zwanzig 47 Palm hohen, aus weissem Marmor verfertigten Säulen, die den Tempel umgebende Halle, stehen noch mit Ausnahme einer einzigen, von der nur noch die Basis vorhanden ist. Sie

sind cannelirt und von corinthischer Ordnung. Das verloren gegangene Saulengebälke war durch die Decke der Halle, wie an
dem sogenannten Sibyllentempel zu Tivoli, mit der Cella verbunden; und Reste von den Cassettoni dieser Decke und von jenem
Gebälke befinden sich unter den Fragmenten, die unweit von
diesem Gebaude 1715 ausgegraben worden sind und in demselben aufbewahrt werden. Von der antiken Cella steht nur noch
der untere Theil: den oberen hat man, bei der Einrichtung des
Tempels zu einer Kirche, mit Ziegelmauern ergänzt. Sie besteht
aus grossen Quadern von weissem Marmor, an denen zum Theil
noch die antike Bekleidung von Stuck erscheint. Ungefahr 12 Fuss
hoch von der Basis lauft ein Gesims um die Cella herum. Die
ursprüngliche Hohe der Oeffnung des Einganges, die gegenwärtig
fast die Hohe der Saulen hat, lässt sich nicht bestimmen, weil
oben ein Theil der antiken, ebenfalls marmornen Thurpfosten
mangelt. Die beiden jetzt zugemauerten Fenster der Cella, zu
beiden Seiten des Einganges, sind ebenfalls antik. Ein nach der
Mitte zugespitztes Dach bedeckt gegenwärtig dieses Gebäude, auf
dem sich ehemals wohl ohne Zweifel eine Kuppel erhob. Hinter
demselben führt eine Treppe zu seinen aufgegrabenen Funda-
menten hinab. Im Innern der Cella ist keine Stuckbekleidung
der Quadern zu bemerken, die aber unstreitig hier ebenfalls vorhanden war, weil die Steine zum besseren Halte der Uebertunchung roh bearbeitet sind. Die Zeit der Einrichtung dieses
Tempels zu einer christlichen Kirche ist nicht bekannt. Eine Inschrift auf dem Fussboden zeigt eine Ausbesserung des Gebäudes
zur Zeit Sixtus IV., auf Veranstaltung des Giorgio della Rovere,
eines Verwandten des genannten Papstes, an. Auf dem Altare
verehrt man das S. Maria del Sole benannte Marienbild, von
welchem die Kirche die oben erwahnte Volksbenennung erhielt.
Aus derselben Zeit, aber von neueren Händen ubermalt, ist wahrscheinlich das Wandgemälde uber diesem Altare, welches den
heil. Stephanus und einige andere heilige Manner vorstellt, uber
denen Johannes der Taufer, Johannes der Evangelist und die
Apostel Petrus und Paulus in halben Figuren erscheinen.

Angeblicher Tempel der Fortuna Virilis, jetzt S. Maria Egiziaca.

In der heutigen Kirche S. Maria Egiziaca glaubte man den
Tempel der Fortuna Virilis zu erkennen, den Servius Tullius am
Ufer der Tiber erbaute. Obgleich nun ein so hohes Alterthum
diesem Gebäude keineswegs zuzuschreiben seyn dürfte, so tragt
es doch den Character der Zeiten der Republik, denen auch das
aus Tuff, Peperin und Travertin bestehende Material entspricht.
Es bildet ein längliches Viereck, in der Form der von Vitruv
Pseudoperipteros benannten Tempel; namlich nur scheinbar um

und um mit Säulen umgeben, weil dieselben, mit Ausnahme der Vorhalle, nur zum Schmuck angebrachte Halbsäulen sind, die in der Mauer der Cella zu stehen scheinen. Diese Säulen, deren Hohe 38 Palm beträgt, sind cannelirt und von jonischer Ordnung. Die unter der Herrschaft Napoleons unternommene Ausgrabung der Basis hat an der Vorhalle nicht Statt gefunden, und daher ist die Treppe, die zu derselben fuhrte, noch unter dem durch die Erhöhung des Bodens verursachten Schutt vergraben. Die Zwischenweiten der sechs Säulen der Halle, von denen vier an der Fronte stehen, sind, bei der Umwandlung des Gebäudes in eine Kirche, mit Ziegelmauern ausgefullt worden. Die funf Halbsaulen an jeder der Längenseiten sind nur noch an einer vorhanden, indem die an der andern — mit wenig Achtung für ein ehrwürdiges Denkmal des Alterthums — bei dem Anbau des Hospitiums der Armenier, im Pontificate Clemens XI., heruntergeschlagen worden sind. Der Zahl der Säulen der Vorhalle entsprechend sind an der Hinterseite vier Halbsäulen. Der Fries des Gebälkes war, wie noch Reste zeigen, mit Stierschädeln, Candelabern und Blumengewinden, die von Genien gehalten werden, in Stuccaturarbeit geschmuckt. Am Kranzleisten des Hauptgesimses sind Löwenkopfe zu bemerken, und auf diesem Gesimse ruht ein Giebeldach, welches das ganze Gebäude bedeckt.

Die Einweihung desselben zu einer christlichen Kirche, die gegenwärtig die Armenier besitzen, erfolgte im Pontificate Johannes VIII. (872—882). Sie hat im Innern, seit ihrer Erneuerung unter Clemens XI., ein unbedeutendes modernes Ansehen und zeigt nichts von besonderer Merkwürdigkeit.

Pons Palatinus, jetzt gewöhnlich Ponte rotto genannt.

Die jetzt zerstörte Brücke, die dem vorerwähnten Gebäude gegenuber über die Tiber führte, ist der Pons Palatinus des alten Roms, dessen Bau von dem Censor M. Fulvius angefangen und von den Censoren Scipio Africanus und L. Mummius vollendet wurde. Im Mittelalter erhielt sie den Namen Ponte di S. Maria, vermuthlich von einem Marienbilde, welches man ehemals in einer kleinen Capelle auf dieser Brücke verehrte. Honorius III. liess dieselbe nach einer in seinem Pontificate wahrscheinlich durch Ueberschwemmung erfolgten Zerstörung wieder herstellen. Ihre abermalige Baufalligkeit veranlasste im Jahre 1552 eine neue, aber so schlecht ausgeführte Restauration, dass funf Jahre darauf bei der Ueberschwemmung der Tiber zwei Bögen der Brücke durch die Gewalt des Wassers fortgerissen wurden. Keinen besseren Erfolg hatte die von Gregor XIII. im Jahre 1575 veranstaltete Herstellung dieser Bögen, indem sie bei der Ueberschwemmung vom Jahre 1598 abermals zu Grunde gingen. Da sie seitdem unaufgebaut geblieben sind, so führt die Brücke nun den Namen Ponte rotto. Die noch stehenden Bögen dienen gegenwärtig hinter einem Hause in Trastevere zu einer Art von Loggia.

Das Haus des Crescentius (Casa di Pilato).

Unweit von der Kirche S. Maria Egiziaca steht die Ruine eines Gebäudes, welches den Styl des fruheren Mittelalters zeigt, und zu dessen Schmuck antike Fragmente mit Bildwerken angewendet worden sind. Die Volksbenennung Casa di Pilato, die es erhielt, beruhte vermuthlich auf der fabelhaften Nachricht von der Anwesenheit des Pilatus in Rom. Und nicht minder grundlos erklärte man es, zuerst im vorigen Jahrhundert, für das Haus des berühmten Cola de' Rienzi. Es ist der Rest eines viereckigen Thurmes, welcher Torre di Monzone hiess, und im Jahre 1313 durch Arlotto degli Stefaneschi, damaligen Capitano della Plebe, abgetragen wurde, um die Gewalt der Orsini und ihrer Verbundeten zu brechen, die diese Feste inne hatten. Eine lange Inschrift bei dem alten Eingange, hart neben der Ecke, neben der alten Strasse, zeigt, dass dieses Gebäude Nicolaus, Sohn des Crescens und der Theodora, Vater eines Sohnes David fur jenen erbaute, der wohl kein anderer seyn durfte, als der bekannte Crescentius, der im 10ten Jahrhunderte sich der Herrschaft Roms bemachtigte, und dessen Gemahlin Theodora hiess. Der heutige Eingang des Gebäudes, dessen Erdgeschoss jetzt zu einem Stalle, und das obere Stockwerk zu einem Heuboden dient, liegt an der Seite gegen den Fluss.

Der eigentliche Aventin.

§. 84.

Die sehenswürdigen Gebäude dieses Berges bestehen in den folgenden vier Kirchen.

S. Sabina.

Die bedeutendste derselben ist die der heil. S. Sabina geweihte, die, nach der Inschrift in Mosaik über ihrem Haupteingange, von einem römischen Presbyter Peter von Illyrica, zur Zeit Cölestins I. (um das Jahr 428), nach Anastasius hingegen unter dem Nachfolger jenes Papstes, Sixtus III. (432—440) erbaut wurde. In dem Concilium des Symmachus vom Jahre 499 wird sie unter den römischen Pfarrkirchen erwahnt. Ihre meisten Alterthümer gingen durch die von Sixtus V. in ihr vorgenommenen Veränderungen verloren, der in derselben die päpstliche Messe zu halten beschloss. Es fuhrt in diese Kirche jetzt ein Seiteneingang mit einer von zwei Säulen getragenen Halle, indem der Haupteingang sehon langst in den Bezirk des Klosters eingeschlossen ist. Acht Säulen (vier von Granit und vier von weissem Marmor mit gewundenen Cannelirungen), von denen diese vor der mittleren Thure, jene links nach der Seitenhalle hin stehen, trugen vermuthlich die ehemalige Vorhalle, stehen aber nicht mehr an ihrer Stelle. Die marmornen Pfosten mit architectonischen Zierrathen, am mittleren Eingange, sind Fragmente antiker Gebäude. An den Thürflügeln sind die Holzarbeiten, wahrscheinlich aus dem 12ten Jahrhundert, zu bemerken, die vor einigen Jahren ausgebessert wurden, wobei die Einfassungen ihrer Reliefs grossentheils neu gemacht worden sind. Ihre biblischen Gegenstände an der Aussenseite erinnern zum Theil an die älteste Vorstellungsweise. Die menschlichen Figuren sind von kurzer Proportion und unbeholfen gearbeitet; von ungleich besserer Arbeit hingegen sind die Zierrathen, sowohl an den erwähnten Einfassungen, als an der inneren Seite der Thüren. Das Innere der Kirche, in der gewöhnlichen Form der Basiliken, wird von 24 corinthischen Saulen von parischem Marmor in drei Schiffe getheilt. Sie sind (was ungewohnlich in den alten romischen Kirchen) alle von gleicher Form und Arbeit und gehörten demnach unstreitig zu einem und demselben antiken Gebäude. Die Decke aller drei Schiffe zeigt den blossen Dachstuhl. Zu beiden Seiten der oben erwahnten Mosaikinschrift ist, in derselben Arbeit, die aus dem Juden- und Heidenthum entsprossene Kirche in zwei weiblichen Figuren personificirt, wie die Inschriften unter denselben: Ecclesia ex circumcissione, und: Ecclesia ex gentibus anzeigen. Der obere Theil dieses Mosaiks, welcher die Apostel Petrus und Paulus und die symbolischen Bilder der Evangelisten vorstellte, ist verloren gegangen. Auf dem Fussboden des mittleren Schiffes sieht man das Grabmal des im Jahre 1299 verstorbenen Munio von Zamora, Generals der Dominicaner, mit seinem ebenfalls in Mosaik von Jacob della Turrita verfertigten Bildnisse. Unter dem Hauptaltare, welcher die Reliquien der heil. Sabina bewahrt, ist eine kleine unter Sixtus V. angelegte Capelle. Am Gewölbe der Tribune sind Malereien von Federico Zuccari. Ueber dem Altare der Capelle, am Ende des rechten Seitenschiffes, verdient eines der besten Gemälde des Sasso Ferrato Aufmerksamkeit. Der Gegenstand desselben ist Maria mit dem Kinde auf dem Throne sitzend. Vor ihr knieen der heil. Dominicus und die heil. Catharina von Siena. Diese empfängt von dem Heilande, und jener von der heil. Jungfrau einen Rosenkranz: oben schweben einige Engel. An der Wand desselben Schiffes steht das Grabmal des 1483 verstorbenen Cardinals d'Ausia dal Poggio di monte Reale mit der Bildsaule des Verstorbenen und einigen Reliefs, welche die heil. Jungfrau mit dem Kinde zwischen zwei heiligen Frauen und die vier Cardinaltugenden vorstellen.

Das mit dieser Kirche verbundene Dominicanerkloster stiftete der heil. Dominicus in dem von Honorius III. aus dem Hause Savelli bewohnten Palaste, welcher ihm dazu von diesem Papste ertheilt worden war. Der Hof dieses Klosters ist mit Hallen umgeben, die auf kleinen Saulen von weissem Marmor ruhen. Der Garten desselben, von der Kirche rechts, ist von den Mauern und Thurmen der Burg eingeschlossen, welche hier ehemals die Savelli besassen.

S Alessio.

Nach der Tradition stand an der Stelle der Kirche S. Alessio das väterliche Haus des heil. Alexius und eine von der heil. Aglae zu Ehren des heil. Bonifacius im Jahre 305 erbaute Kirche, welche auch den Namen von dem erstgenannten Heiligen erhielt, nachdem in derselben seine Gebeine von dem Papst Innocenz I. und dem Kaiser Honorius bestattet worden waren. Nach der Wiederauffindung dieser Gebeine im Jahre 1217 wurde diese Kirche nach ihrer vorhergegangenen Ausbesserung von Honorius III. von Neuem geweiht. Ihre gegenwärtige, ganz moderne Gestalt erhielt sie durch die im Pontificate Benedicts XIII. von dem Cardinal Querini veranstaltete Erneuerung. Vorhof und Porticus sind mit Arcaden in schlechtem Geschmack gebaut, und jeder mit sechs Säulen, dort von Cipollino, hier von Granit verziert. Der Eingang der Kirche hat eine mit mittelalterlicher Steinarbeit geschmuckte Thürbekleidung von weissem Marmor. Reste von ähnlicher Arbeit befinden sich auch noch auf dem Fussboden im Innern des Gebaudes, welches zwei Reihen Pfeiler mit Arcaden in drei Schiffe theilen. Ein Brunnen unter einer dieser Arcaden, welchem Heilkräfte zugeschrieben werden, soll in dem Hause des heil. Alexius gestanden haben. Das mit vier Saulen von Verde antico geschmuckte Tabernakel des Hauptaltars liess der Cardinal Ottavio Pallavicino im Jahre 1603 verfertigen. Auf dem Altare im Querschiffe rechts verehrt man ein dem heil. Lucas zugeschriebenes Marienbild. In der Tribune sind, an einem holzernen Sessel, zwei kleine mit Mosaik zierlich ausgelegte Marmorsäulen zu bemerken, die zu dem in der französischen Revolution zerstorten Bischofsstuhle gehörten. Sie sind, wie die Inschrift an einer derselben zeigt, die Reste von 19 Säulen, welche Jacobus, des Laurentius Sohn, aus der bekannten Künstlerfamilie der Cosmaten verfertigte. Da die Worte, die man hier liest: Jacobus Laurentii fecit has decem et novem columnas cum capitellis suis, am Ende einer langen Inschrift vom Jahre 1140 wiederholt sind, die sich ehemals in S. Bartolomeo all' Isola befand, so dürfte kein Zweifel seyn, dass sie ursprünglich zu einem aus jener Kirche längst verschwundenen Werke gehörten. Zu der Capelle der Confession, deren Gewölbe zehn Säulen unterstützen, führen zwei Treppen hinab. Der Altar, in welchem die Gebeine der Heiligen Alexius und Bonifacius aufbewahrt werden, wird zu beiden Seiten von einer Ballustrade aus der Zeit des Mittelalters eingeschlossen. Demselben Altare gegenuber steht ein bischoflicher Stuhl von weissem Marmor, der aber von der Feuchtigkeit ganz grün angelaufen ist. Auf einem Gange fortgehend, der aus dem Presbyterium nach der Sacristei fuhrt, sieht man die Bildsäule des 1661 verstorbenen Cardinals Bagni; ein gutes Werk fur die damalige Zeit. Das mit dieser Kirche verbundene Kloster, welches im 10ten Jahrhundert der Heilige Adalbert, Erzbischof von Prag, bewohnte, ertheilte Martin V. den Hieronymiten, die es noch gegenwärtig besitzen. Die Hallen des Hofes desselben werden von 20 kurzen Säulen, meistens von Granit, getragen.

S. Maria Aventina, genannt S. Maria del Priorato.

An der Abendseite des Aventin steht eine andere, ebenfalls sehr alte Kirche, die Anfangs den Namen des heil. Johannes (wir wissen nicht, ob des Täufers oder des Evangelisten) fuhrte, dann aber der heil. Jungfrau geweiht wurde und von dem Berge, auf welchem sie liegt, den Beinamen erhielt. Die Zeit ihrer Erbanung ist nicht bekannt. Sie gehörte ehedem zu einem Kloster der 20 privilegirten Abteien, dann aber zu einer Comturei der Malteser, die sie noch gegenwärtig besitzen, unter der Verwaltung eines Ordens-Cardinals mit dem Titel eines Grosspriors von Rom. Seitdem fuhrt sie gewohnlich den Namen S. Maria del Priorato. Ihre letzte Erneuerung erfolgte auf Veranstaltung des Neffen Clemens' XIII., des Cardinals Gio. Battista Rezzonico, der jene Wurde bekleidete, nach Angabe des durch seine Werke uber die romischen Alterthumer bekannten Piranesi, der aber in den Verzierungen derselben wenig Geschmack gezeigt hat. Doch verdient sie wegen einiger alten Denkmaler besucht zu werden. Das Grabmal eines Bischofs aus dem Hause Spinelli ist ein antiker Sarcophag, an dessen Vorderseite der Verstorbene mit einer Bucherrolle in der Hand, neben der Minerva, inmitten der Musen gebildet ist. An der einen Querseite Homer, an der anderen Pythagoras die Himmelskugel betrachtend. Drei andere Grabmäler, mit den Bildsäulen der Verstorbenen, sind Werke des 15ten Jahrhunderts. Sie sind: die des Fra Bartolomeo Caraffa, gestorben 1405, nachdem er die Wurden eines Senators, Grosspriors von Rom und Maestro di Camera bei Innocenz VII. bekleidet hatte; des Ricciardo Caracciolo, Grossmeisters der Malteser; und des Seripando, eines Ritters desselben Ordens, gestorben 1465. Noch sieht man in dieser Kirche ein Werk des fruheren Mittelalters in einem viereckigen Gefässe von weissem Marmor zur Aufbewahrung von Reliquien, auf welchem ein von den symbolischen Bildern umgebenes Kreuz in sehr barbarischem Style gebildet ist. Auf dem Kreuze ist eine Hand zu bemerken, die auf griechische Weise segnet. Von dem anmuthigen, zum Priorate gehorenden Garten bei dieser Kirche hat man eine schöne Aussicht auf die Gegend jenseits der Tiber.

S. Prisca.

An der Stelle der Kirche S. Prisca, die schon in den Acten des erwähnten Conciliums vom Jahre 499 vorkommt, stand, nach der Legende, das Haus der Heiligen Aquila und Prisca, wo den Quell des Faunus der heil. Petrus durch die Taufe heiligte. Das Letztere sagt auch eine hier an der Wand links vom Hauptaltare eingemauerte metrische Inschrift des Papstes Calixtus III. (1455 bis 1458), welcher diese Kirche nach ihrem gänzlichen Verfall wieder herstellte. Ihre heutige moderne Gestalt erhielt dieselbe durch die von dem Cardinal Benedetto Giustiniani um das Jahr 1600, und von Clemens XII. 1734 veranstalteten Erneuerungen. Der Erstere liess die heutige Vorderseite derselben nach Angabe des Carlo Lombardi aufführen. Zur Zeit der französischen Revolution wurde sie sammt dem Kloster verkauft und Alles aus ihr geraubt, was sich wegnehmen liess. Sie zeigt dermalen wenig Merkwürdiges. Unter dem Hauptschiffe sieht man 14 antike Granitsäulen, auf drei Seiten von Pfeilern eingeschlossen. Die Frescomalereien an den Wänden dieses Schiffes sind von Anastasio Fontebuono. Das Gemälde des Hauptaltars ist von Passignani. In der Confession steht ein aus einem antiken Capitelle verfertigtes Gefass, auf dem eine barbarische mittelalterliche Inschrift (Baptismus Sancti Petri) anzeigt, dass es dem heil. Petrus zum Taufbecken gedient habe. Das Kloster, ehemals eine der zwanzig sogenannten privilegirten Abteien, gehört gegenwärtig den Augustinern von S. Maria del Popolo, welche die Kirche wieder zum Gottesdienst eingerichtet haben.

Die Höhen von S. Saba und S. Balbina.

§. 85.

S. Saba.

Wann die dem in Palästina 582 verstorbenen Abte, dem heil. Sabas von Cappadocien geweihte Kirche erbaut wurde, ist nicht bekannt. Das mit ihr verbundene, ursprünglich von griechischen

Mönchen bewohnte Kloster erwähnt Johannes Diaconus im Leben Gregors des Grossen. Man gelangt zu dieser Kirche durch ein altes Vestibulum, den Eingang ihres ehemaligen jetzt zu einem Garten umgewandelten Vorhofes. Am inneren Bogen dieses Einganges ist eine Verzierung von eingelegter Steinarbeit, und Christus als Lamm in Relief, aus der Zeit des Mittelalters, zu bemerken. Die Vorderseite der Kirche bildet eine doppelte Halle, eine obere und eine untere. Die obere, die wegen ihrer herrlichen Aussicht bestiegen zu werden verdient, ruht auf zwolf kleinen Saulen mit Arcaden, die untere hingegen auf Pfeilern. In der letzteren steht ein grosser antiker Sarcophag von sehr mittelmässiger Arbeit, auf welchem eine Vermählung unter dem Beistand der Juno Pronuba gebildet ist. Die marmorne, mit Mosaik ausgelegte Verkleidung des Haupteinganges der Kirche ist, nach der Inschrift der oberen Thürpfoste, ein Werk des Jacobus aus der Familie der Cosmaten. Das Innere des Gebaudes wird von vierzehn antiken Saulen, - sechs von Granit und acht von weissem Marmor, in drei Schiffe getheilt. Von alten Wandgemalden des Hauptschiffes sind noch Reste über dem Bogen desselben und in einem Friese unter der Decke zu bemerken. An einer Wand, welehe die Tribune von dem vorderen Theile des durch einige Stufen erhöhten Presbyteriums scheidet, stehen zwei Säulen von weiss und schwarz geflecktem Marmor mit Capitellen von Serpentin und zwei von Granit; zwei andere von Stuck ruhen auf einer mit mittelalterlicher Steinarbeit und Mosaik geschmückten Basis. Arbeiten des Mittelalters sind auch ein Kreuz und einige andere Verzierungen von Mosaik uber dem Altare der Confession. Ueber der Thür der Sacristei ist ein Fragment eines schönen antiken Frieses eingemauert. Hier und da sieht man alte christliche Grabschriften. Diese seit Gregor XIII. mit dem Collegium Germanicum verbundene Kirche steht unter der Aufsicht der Jesuiten. Das Kloster ist gegenwärtig verlassen.

S. Balbina.

Die Zeit der Erbauung der Kirche S. Balbina lässt sich ebenfalls nicht bestimmen. Sie wird als Pfarrkirche zuerst unter Gregor dem Grossen erwahnt, von dem sie auch geweiht wurde, aber vielleicht erst lange Zeit nach ihrer Erbauung. Im Jahre 1488 liess dieselbe der Cardinal Marco Barbo, Neffe Pauls II., aus einem sehr baufälligen Zustande wieder herstellen. Eine andere Erneuerung unternahm der Cardinal Pompeo Arrigoni im Jahre 1600; und die letzte erfolgte bei Gelegenheit des Jubiläums des Jahres 1825. Nur die Aussenseite der Kirche trägt noch den alterthumlichen Character. Die Vorhalle ruht auf drei Arcaden von Backsteinen. Das Innere des Gebäudes hat nur ein Schiff. Ueber einem der Seitenaltäre vom Eingange links sieht man den Heiland am Kreuze zwischen dem heil. Johannes und der heil. Jungfrau, in einem erhobenen Werke, welches sich ehemals in der alten Peterskirche auf dem Altare des Cardinals Pietro Barbo befand. An der gegenüberstehenden Wand steht das Grabmal eines päpstlichen Capellans, Stephan Surti, von weissem Marmor mit Mosaik verziert und mit der Bildsäule des Verstorbenen; der Inschrift zufolge ein Werk des Johannes, Sohn des Jacobus aus der Familie der Cosmaten. Die Malereien am Gewölbe der Tribune, von Anastasio Fontebuono, sind aus der Zeit Clemens VIII. Dem Hauptaltar gegenüber, am Ende der Tribune, steht ein alter Bischofsstuhl mit eingelegter Steinarbeit. Diese Kirche gehört dem Domcapitel von S. Peter, welches dieselbe von Pius IV. erhielt. Ein alter Thurm, in der Vigne des seit der französischen Revolution verlassenen Klosters, verdient wegen der Aussicht bestiegen zu werden, die unter die schönsten in Rom gehört.

Ebene des Testaccio und ihre Umgebung mit dem Tiberufer.

§. 86.

Monte Testaccio.

Der Theil der Ebene, welcher unmittelbar unter dem Aventin sich ausbreitet, heisst von dem Hügel, der sich daselbst erhebt, Campo Testacceo oder Testaccio. Wir verweisen uber diesen Hugel auf die allgemeine Einleitung §. 12. Im späteren Mittelalter war diese Gegend durch die Volksspiele beruhmt, welche hier am Sonntage des Carnevals gegeben wurden und von dem mehrerwähnten Hügel den Namen Testaccesi fuhrten.

Porta di S. Paolo (Porta Ostiensis des alten Roms).

Die Porta Ostiensis des alten Roms, jetzt Portá di S. Paolo genannt von der Kirche, zu welcher dieselbe fuhrt, ist in ihrer gegenwartigen Gestalt aus den Zeiten des Honorius. Sie hatte ursprunglich zwei Thore, von denen das eine vermuthlich zum Ausgehen, das andere zum Eingehen bestimmt war. Das eine derselben ist gegenwärtig zugemauert. Der untere antike Theil des Gebaudes besteht aus Travertinquadern; das obere Mauerwerk von Backsteinen ist aus späterer Zeit.

Pyramide des Cestius.

Das an der Via Ostiensis, neben dem gedachten Thore errichtete Grabmal des Cajus Cestius ist durch die Erweiterung Aurelians in die Stadtmauern eingeschlossen worden. Dieses in

Form einer Pyramide aufgeführte Monument ist das einzige noch
ganz erhaltene Grabmal des alten Roms und gewährt dieser Gegend der Stadt eine schone und malerische Zierde. Die Inschriften
an der ostlichen und westlichen Seite desselben zeigen, dass C.
Cestius das ehrenvolle Amt eines Septemvir der Epulonen bekleidete, und dass dieses Denkmal unter der Fürsorge der Erben des
Verstorbenen, eines Lucius Pontius und seines Freigelassenen Po-
thus, der Verordnung seines Testamentes zufolge, in 330 Tagen
vollendet ward. Der untere Theil der Pyramide war lange Zeit,
und an einigen Stellen 22 Palm tief verschuttet, bis Alexander VII.
dieses merkwürdige Monument, dessen Bekleidung theilweise sehr
gelitten hatte, ausbessern und bis auf den Boden des alten Roms
ausgraben liess. Bei dieser Gelegenheit wurden die beiden cannelirten Saulen von weissem Marmor gefunden, die jetzt vor der
Pyramide auf ihrem Sockel mit Basen von Travertin stehen, nebst
noch zwei anderen Basen von demselben Steine. Auf einer derselben befand sich der colossale Fuss von Bronze, den wir jetzt
sammt den beiden letzterwahnten Basen im Capitolinischen Museum sehen. Jener Fuss, sowie der dabei entdeckte ebenfalls
colossale Arm von Bronze, gehörte, wie die Inschrift der Basis
zeigt, zu einer Bildsaule des C. Cestius, und da man dieselbe In-
chrift auf dem andern dieser Postamente liest, so ist kein Zweifel,
dass auch auf diesem die Bildsaule des Verstorbenen errichtet war.
Das Zeitalter des Letzteren erhellt in diesen Inschriften aus der
Erwahnung des M. Agrippa, dessen Tod im Jahre Roms 741 erfolgte.

Die von Backsteinen aufgefuhrte Pyramide ist mit Quadern
von weissem Marmor bekleidet. Sie erhebt sich auf einem $3\frac{1}{4}$
Palm hohen Sockel von Travertin, in einer Höhe von 164 Palm,
und an der Basis 130 Palm im Gevierten, an welcher Stelle die
Starke der Mauern 34 Palm beträgt. Den heutigen Eingang an der
Abendseite liess Alexander VII. hineinbrechen, obwohl der antike
Eingang an der Mitternachtseite schon im 16ten Jahrhundert
entdeckt worden war. Dieser besteht in einer so hoch uber dem
Boden angebrachten Oeffnung, dass man nur mit Leitern, wie zu
den Eingängen der Triumphbögen, gelangen konnte. Die Grabkammer misst 24 Palm in der Lange, 18 in der Breite und 19
in der Hohe. Die Decke ist ein Tonnengewölbe, und die Wande
sind mit einem Anwurf von feinem und festem Stuck überzogen.
Von den Malereien, die ehemals dieses Zimmer schmuckten, ist
wenig mehr zu sehen. An der Decke bemerkt man noch vier
Victorien, von denen jede einen Kranz hält, und an den Wanden
den Rest eines gemalten Frieses und einige Candelaber. Von den
vier weiblichen Figuren daselbst, die noch zu den Zeiten des
Santi Bartoli, der sie in Kupferstichen bekannt machte, zu erkennen waren, sind jetzt nur sehr schwache Spuren noch vorhanden.

Weg nach S. Paul.

In der Entfernung von ungefahr einer Viertelmillie vom Thore sieht man zur Linken die Ruinen eines runden antiken Grabmals, auf denen ein kleines Winzerhaus aufgefuhrt worden ist. Nicht weit davon steht an derselben Seite der Strasse eine kleine, unter Pius IV. erneuerte Capelle, die auf der Stelle erbaut worden ist, wo, der Sage zufolge, die Heiligen Petrus und Paulus vor ihrem Martyrertode von einander schieden. Diese Scene ist über dem Eingange der gedachten Capelle in einem kleinen Relief vorgestellt, wobei in italiänischer Sprache die gegenseitigen letzten Worte jener beiden Apostel stehen, die in dem bekanntlich untergeschobenen Briefe des h. Dionysius Areopagita angeführt werden. — Im weitern Fortgange kommt, ebenfalls der Strasse zur Linken, durch einen Seitenweg, der in der Geschichte des alten Roms bekannte Almo, ein kleiner unbedeutender Bach, zum Vorschein.

S. Paolo fuori le mura.

Die dem h. Paulus an der Strasse von Ostia, — an der Stelle, wo sich der Tradition zufolge die Grabstätte des Apostels befand, — demselben zu Ehren erbaute Kirche, stand, in dem auf Veranstaltung der Kaiser Valentinian II., Theodosius und Honorius errichteten Gebaude, bis auf unsere Zeiten. Ein am 17ten Julius des Jahres 1823 ausgebrochener Brand, veranlasst durch die Sorglosigkeit der mit Ausbessern und Löthen der Dachröhren beschaftigten Klempner, welche nach ihrer am Abend vollbrachten Arbeit ihre Kohlpfannen auf dem Dache hatten stehen lassen, machte dieses Gebaude grosstentheils zu einem Raube der Flammen. Die Kirche, vor der Erbauung der Peterskirche die grosste in Rom, und die bedeutendste der noch bis auf diese Zeit erhaltenen christlichen Basiliken, wurde in fünf Schiffe durch vier Colonnaden getheilt, von denen jede aus 20 Marmorsaulen bestand. Unter denen, welche das Hauptschiff trugen, befanden sich 24 der schonsten antiken Saulen von phrygischem Marmor, die mit den ubrigen Saulen dieses Schiffes durch die herabgefallenen brennenden Balken des Daches verkalkten, und bis auf einige Fragmente sämmtlich zu Grunde gingen. Wir verweisen übrigens, hinsichtlich der Geschichte und ehemaligen Beschaffenheit dieser merkwurdigen Kirche, auf die in unserem grosseren Werke (III. Band 1te Abth. S. 440 und folg.) gegebene Beschreibung, die wir kurz nach jenem traurigen Brande vollendeten.

Zu derselben Zeit, als Rom diesen unersetzlichen Verlust erlitt, war der vortreffliche Papst Pius VII. von der Krankheit befallen, durch die sein Tod bald darauf, am 20. August, erfolgte. Sein Nachfolger Leo XII. war bald nach seiner Gelangung zur päpstlichen Würde auf die Wiederherstellung dieser Kirche bedacht und liess deswegen durch ein an die Bischofe der catholischen Welt gerichtetes Rundschreiben die Glaubigen zu Beisteuern der dazu nothigen Kosten auffordern. Nachdem dadurch von vielen Orten bedeutende Geldsummen zusammen gekommen waren, wurde noch aus dem päpstlichen Schatze ein jahrlicher Beitrag bestimmt, und darauf das Unternehmen begonnen. Nach dem in dem gedachten Rundschreiben ausgesprochenen Plane sollte die Kirche ganz in ihrer vormaligen Gestalt wieder hergestellt werden, nachdem diess der nun verstorbene, in der gelehrten Welt rühmlich bekannte Fea, durch uneigennützigen Eifer um die Erhaltung der Alterthümer und Kunstschätze Roms hochverdient, in einer kleinen Schrift als angemessen sich zu zeigen bemuht hatte. Jedoch ist dieser lobenswerthe Plan nur sehr unvollkommen befolgt worden. Der Bau zog sich in die Länge, mehr als man glauben konnte erwarten zu dürfen. Und bis jetzt ist nur der hintere Theil der Kirche vollendet, welcher das Querschiff, die Tribune und die Capellen zu beiden Seiten derselben begreift, und weniger durch den Brand als der vordere Theil des Gebäudes gelitten hatte. Derselbe ist, als ein einstweilen fur sich bestehendes Gebäude provisorisch durch Mauern nach der Seite der noch unvollendeten vordern Kirche verschlossen, und von dem gegenwärtigen Papst Gregor XVI. am 3. October 1840 zum Gottesdienste geweiht worden. Man hat es hier an Pracht, an Aufwand von Marmor und Vergoldungen · nicht fehlen lassen; auch zeigt die Arbeit der Verzierungen nicht unbedeutende Geschicklichkeit. Aber an die versprochene Wiederherstellung des Gebándes in seinem ursprunglichen Style hat man gar nicht gedacht; und die Architectur entspricht vielmehr einem Prachtsaale als dem einer Kirche angemessenen Character. Auch gewahrt der in der Tribune, über dem bischoflichen Stuhle, auf vier Saulen ruhende Architrav, weil er in paralleler Richtung die halbzirkliche Form der Tribune durchschneidet, einen sehr ungunstigen Eindruck. Ein diesem ganz ähnlicher Bau, der eine Art von Tabernakel bildet, ist auch an jedem der beiden an den Querseiten des Gebaudes einander gegenüberstehenden Altäre angebracht. Die Saulen sind aus Bruchstücken der obenerwahnten Säulen der alten Kirche von phrygischem Marmor zusammengesetzt; und die Gemalde der gedachten Altare sind Werke der Maler Vincenzo Camuccini und Agricola. Das merkwurdige reich mit Sculpturen geschmückte Tabernakel des Hauptaltares der alten Kirche, welches Arnulphus gegen das Ende des 13ten Jahrhunderts verfertigte, hatte durch den Brand nur wenig gelitten und steht jetzt, gereinigt und ausgebessert und mit neuen Vergoldungen verziert, wieder an seiner ursprunglichen Stelle. Auch sind wieder her-

gestellt die unter Honorius III. angefangenen und durch den Abt
von S. Paul Gaetano Orsini, nachmaligen Papst Nicolaus III., been-
digten Mosaiken der Tribune, die durch die Feuersbrunst zwar
sehr gelitten hatten, aber doch nicht gänzlich zu Grunde gegangen
waren. Von dem Brande ganz unversehrt geblieben sind zwei alte
Capellen, die vor demselben sich im verfallenen Zustande befanden. Die eine derselben ist aus dem 15ten Jahrhundert; die
andere, von sehr hohem Alterthume, führt den Namen Oratorio
di S. Giuliano. Beide sind bei der Herstellung der Kirche erneuert,
und die Gemälde derselben übermalt worden, wodurch sie allerdings sehr viel von ihrer ehemaligen Bedeutung verloren haben.

Da bei dem neuen Bau der vordern Kirche der Fussboden
um ungefähr 4 Palm erhöht wurde, so folgte daraus nothwendig eine erhöhte und neue Aufstellung der unversehrt gebliebenen Saulen der Seitenschiffe. Die 42 neuen Saulen des Mittelschiffes, von denen zwei bestimmt sind den grossen Bogen am
Ende dieses Schiffes zu tragen, sind von schönem, schwarz und
weiss geflecktem Granit vom Simplon und bereits sämmtlich aufgestellt. In der bei dem Brande unbeschadigt gebliebenen Vorhalle der Kirche aus der Zeit Benedict's XIV. sieht man noch den
antiken Sarcophag, der ehemals zum Grabmale des Peter Leo diente,
eines getauften Juden, der in den ersten Zeiten des 12ten Jahrhunderts in Rom in bedeutendem Ansehen stand. Es sind auf diesem
Monumente die neun Musen, der Wettstreit des Apollo mit dem
Marsyas, die Bestrafung des Letztern und drei Schiffe mit Genien
in erhobener Arbeit gebildet.

Das mit dieser Kirche verbundene Kloster, welches seit dem
Jahre 1422 die Benedictiner besitzen, hat einen schonen Hof, von
Hallen umgeben, welche von kleinen zum Theil gewundenen Marmorsaulen unterstützt werden, die, so wie das Gebälke, mit bunter Mosaik und Steinarbeit ausgelegt sind. Eine ebenfalls musi-
vische Inschrift am Friese des Gebälkes zeigt, dass dieser Hof unter
Peter II. von Capua (Abt des Klosters vom Jahre 1193 — 1208)
und unter Johann V. (Abt von 1208—1241) vollendet wurde. In
den Hallen stehen mehrere Altare und andere antike Denkmäler.
An den Wanden sind hier einige Fasces Consulares und eine bedeutende Anzahl christlicher und heidnischer Inschriften eingemauert.

Abtei alle tre Fontane, oder ad Aquas Salvias.

§. 87.

Ungefähr ¼ Millie von der Paulskirche theilt sich bei einer
kleinen Brucke, Ponticello di S. Paolo genannt, der Weg in zwei

Strassen. Die zur Rechten ist die alte Via Ostiensis; die zur Linken ist modern, und auf ihr gelangt man, nach einem Wege von ungefähr einer Millie, zu der berühmten Abtei alle tre Fontane oder ad Aquas Salvias, zu welcher drei Kirchen gehören, die jetzt wegen ihrer feuchten Lage fast ganz verlassen sind. Der Weg zu denselben geht durch einen alten Bogen, in welchem noch Reste von ebenfalls alten Malereien zu bemerken sind.

SS. Vincenzo ed Anastasio.

Die grösste der gedachten Kirchen, SS. Vincenzo ed Anastasio, welehe Honorius I. (625 — 638) erbaute, wurde 'im Jahre 1221 von Honorius III. ausgebessert und von Neuem geweiht, wie eine Inschrift rechts vom Hauptaltar zeigt. Dieses Gebäude hat von aussen noch ein vorzuglich alterthümliches Ansehen vornehmlich wegen der Fenster im Character des früheren Mittelalters, welche aus Marmorplatten mit kleinen runden Oeffnungen bestehen, die vielleicht erst spater Glasscheiben erhielten. Die Vorhalle wird von vier Granitsäulen und an beiden Enden von zwei Pfeilern getragen. Die Pfeiler, welche das Innere des Gebäudes in drei Schiffe theilen, sind mit Gemälden der zwölf Apostel geschmückt, die vermuthlich nicht nach Raphaels Zeichnungen, sondern nach den bekannten Kupferstichen derselben von Marc Antonio ausgeführt wurden. Das mit dieser Kirche verbundene Kloster hat einen Hof, dessen Hallen im alterthümlichen Style von kleinen Marmorsäulen getragen werden. Die Cistercienser, die dieses Kloster im Jahre 1140 erhielten, sind noch im Besitze desselben. Es steht aber gegenwärtig verlassen.

S. Maria Scala Coeli.

Die zweite Kirche führt den Namen S. Maria Scala Coeli von der Sage, dass dem h. Bernhard, als er hier Seelenmesse las, eine Leiter erschien, auf welcher Engel die durch sein Gebet aus dem Fegfeuer befreiten Seelen zum Himmel führten. Das heutige runde mit einer Kuppel bedeckte Gebäude dieser Kirche wurde von dem Cardinal Alessandro Farnese im Jahre 1582 nach Angabe des Vignola angefangen und von dem Cardinal Pietro Aldobrandini unter der Leitung des Giacomo della Porta geendigt. Die Mosaiken am Gewölbe der Tribune sind von Francesco Zucca nach Zeichnungen des Giovanni de' Vecchi del Borgo ausgeführt. Mit derselben Kirche ist der Gottesacker der Heiligen Zeno und Anastasius verbunden, wo über 10,000 Märtyrer begraben seyn sollen. Auch wird hier ein kleines Gemach gezeigt, in welchem man angeblich den h. Paulus vor seiner Enthauptung bewahrte.

S. Paolo alle tre Fontane.

Die dritte Kirche, S. Paolo alle tre Fontane, ist an dem Orte errichtet, wo nach der Legende der h. Paulus den Märtyrertod erlitt. Die Zeit ihrer ersten Erbauung ist, so wie die der vorerwähnten Kirche unbekannt. Der Cardinal Pietro Aldobrandini, auf dessen Veranstaltung ihr heutiges Gebäude nach Angabe des Giacomo della Porta aufgeführt wurde, liess in dieselbe die weisse Marmorsäule bringen, an welche der Sage zufolge der h. Paulus bei seiner Enthauptung gebunden ward. Ueber den drei Quellen, welche durch die drei Sprünge, welche der Kopf des Apostels bei der Hinrichtung that, entstanden, und von denen die Kirche den Beinamen erhielt, sind eben so viele mit Säulen geschmuckte Altare errichtet worden.

§. 88.

Denkmäler des eigentlichen Caelius.

S. Gregorio.

Die Kirche S. Gregorio, die sich auf dem Monte Celio, dem Palatin gegenuber erhebt, soll an der Stätte eines Klosters erbaut worden sein, welches der h. Gregor in dem Palaste der Anicier, aus deren Familie er war, vor seiner Gelangung zur päpstlichen Würde stiftete. Zu welcher Zeit aber ihre Erbauung erfolgte, ist nicht bekannt. Man gelangt zu derselben von dem Platze am Fusse des Berges vermittelst einer aus 32 Stufen bestehenden Treppe, welche der Cardinal Scipio Borghese nebst dem heutigen Vorhofe dieser Kirche, im Jahre 1633 aufführen liess. Das Vordergebäude des Hofes hat zwei mit Pilastern geschmuckte Stockwerke; den Hof umgeben Hallen mit Arcaden, über denen sich ein Stockwerk mit Fenstern erhebt. Die Halle vor der Kirche wird von sechs antiken Säulen getragen, von denen zwei von Breccia, zwei von Porta santa und zwei von grauem Marmor sind. An den Wanden der Halle sieht man mehrere Grabmäler, welche sich in der Kirche bis zu ihrer letzten Erneuerung befanden, welche der Cardinal Quirini im Jahre 1734 unter der Leitung des Francesco Ferrari unternahm, und durch welche sie den Character einer alten Basilica gänzlich verlor.

Das mittlere der drei Schiffe ruht jetzt auf Arcaden, an deren Pfeilern die 16 antiken Säulen stehen, von denen es ehemals getragen wurde. Die meisten derselben sind von Granit. Auf dem Fussboden sieht man noch mittelalterliche Steinarbeit. Das Gemälde des Hauptaltars ist von Balestra, das Deckengemälde des Mittelschiffes von Placido Costanzi, und die Bilder der

Seitencapellen sind Werke von verschiedenen andern Malern des vorigen Jahrhunderts. Das Bild des h. Gregorius in der ihm geweihten Capelle, von der Tribune rechts, wird dem Sisto Badalocchi zugeschrieben. An der Vorderseite des Altares dieser Capelle sind in erhobenen Arbeiten, die aus dem 15ten Jahrhundert scheinen, einige Wunder vorgestellt, welche die Gebete des h. Gregor zur Errettung der Seelen aus dem Fegfeuer bewirkt haben sollen. Von hier tritt man in ein kleines Zimmer, welches, wie man glaubt, die Cella war, die er als Mönch in dem oben erwähnten Kloster bewohnte. Man sieht daselbst einen antiken Sessel von weissem Marmor, der ehemals zum bischoflichen Stuhle der Kirche diente. Von dem linken Seitenschiffe führt eine Thür in eine an die Kirche angebaute Capelle, welche der Cardinal Salviati im Jahr 1600 erneuern liess. Die Frescomalereien derselben sind von Ricci da Novara. Das Gemalde des Altars, welches den h. Gregor betend mit Engeln umgeben vorstellt, ist ein Werk des Annibale Caracci. An der Seitenwand, vom Eingange rechts, ist ein altes Marienbild, welches mit dem h. Gregor gesprochen haben soll. An der gegenüberstehenden Wand verdient Aufmerksamkeit ein mit guten Sculpturen geschmucktes Tabernakel eines zerstörten Altares, welches, der Inschrift zufolge, ein Abt des Klosters dieser Kirche im Jahre 1469 verfertigen liess; derselbe ist ohne Zweifel hier in dem Monche vorgestellt, welcher die h. Jungfrau verehrt, die mit dem Christuskinde auf dem Throne sitzend, von Engeln umgeben erscheint. Unter den uhrigen heiligen Gegenstanden dieses Tabernakels ist die Vorstellung der von dem h. Gregor veranstalteten Procession zu bemerken, bei der ihm, auf dem Grabmale Hadrians, der Engel, das Schwert in die Scheide steckend zum Zeichen des Aufhörens der Pest, erschien.

Das Gebäude unweit der Kirche, links vom Eingange derselben, begreift drei grosse Capellen, deren neuen Bau, von dem Cardinal Baronius veranstaltet, durch den Cardinal Scipio Borghese im Jahr 1608 vollendet wurde. Die mittlere, die des h. Andreas, mit einer von vier Cipollinsäulen getragenen Vorhalle, wurde in der Kunstwelt durch die beiden grossen Frescogemalde des Guido Reni und des Domenichino beruhmt, die unter die ausgezeichnetsten Werke der Malerkunst in Rom gezahlt wurden, aber diesem Rufe nicht entsprechen dürften. In dem einen, von Domenichino, an der rechten Seitenwand, ist die Geisselung des h. Andreas vorgestellt, und in dem andern, an der Wand gegenüber von Guido Reni, jener Heilige, der das Kreuz anbetet, das ihm von einer fernen Anhöhe erscheint, wahrend man ihn zum Richtplatze fuhrt. Auf dem mit zwei Säulen von Verde antico geschmuckten Altare sieht man die Mutter Gottes mit den Heiligen Andreas und Gregorius in einem Gemälde von Roncalli.

Die andere Capelle, der vorerwähnten zur Rechten, ist der h. Sylvia, Mutter Gregors des Grossen, geweiht. Der Altar ist mit zwei grünen Porphyrsäulen, zwei Säulen von buntem Alabaster und der Bildsäule der gedachten Heiligen geschmückt, die Niccolò Cordieri, angeblich nach einem Bildnisse derselben verfertigte, welches ihr Sohn in dem hier von ihm errichteten Kloster hatte malen lassen. Am Gewölbe ber Tribune ist in einem Frescogemälde von Guido Reni der ewige Vater und ein Musikchor von Engeln vorgestellt. Die dritte Capelle, die der h. Barbara, war vermuthlich ein Triclinium, dem der Plan vollkommen entspricht. In der Tribune steht eine gute Bildsäule Gregors des Grossen, in der, wie man sagt, Cordieri ein von Michelagnolo angefangenes Werk vollendete. Die Gegenstände der Wandgemälde von Antonio Viviani da Urbino, beziehen sich auf die durch den h. Gregor bewirkte Bekehrung der Angelsachsen. In dem in der Mitte der Capelle stehenden Marmortische mit antiken Fussgestellen glaubt man den Tisch zu besitzen, an welchem der h. Gregor täglich zwölf Arme speiste, und unter denen sich eines Tages der dreizehnte in einem Engel in der Gestalt eines Jünglings einfand.

Das mit der Kirche S. Gregorio verbundene Kloster, welches gegenwärtig die Camaldolenser besitzen, wurde ursprünglich von den Benedictinern bewohnt.

SS. Giovanni e Paolo.

Die Kirche der Heiligen Johannes und Paulus wird zuerst in dem Concilium des Symmachus vom Jahr 499 mit dem Namen Titulus Pammachii erwähnt, wie sie von Pammachius ihrem Erbauer benannt wurde. Ein Jahrhundert darauf, unter Gregor dem Grossen, führte sie schon den Namen von den beiden genannten Heiligen. Unter Hadrian IV. (1154 — 1159) erbaute, wie die Inschrift zeigt, ein Cardinalpriester dieser Kirche, Johannes von Sutri, ihre heutige Vorhalle mit 6 antiken Säulen, von denen zwei durch die beiden später in diese Halle hineingebauten Gemächer, von denen das eine zur Sacristei dient, vermauert worden sind. Auch sind aus der Zeit des Mittelalters die marmornen Thürpfosten des Einganges mit einigen Zierrathen von Mosaik, unter denen man an der obern Querpfoste einen Adler bemerkt, der ein Lamm in den Klauen hält, und zwei marmorne Löwen zu beiden Seiten der Thüre. Das Innere der Kirche hat durch die im Jahre 1726 vollendete Erneuerung des Cardinals Paolucci einen ganz modernen Character erhalten. Unter den Bögen zwischen den Pfeilern, die gegenwärtig das mittlere Schiff tragen, stehen 16 antike Granitsäulen. Zwei Säulen von weiss und grau geflecktem Marmor unterstützen das Sängerchor, auf welchem die Orgel mit zwei andern Säulen von africanischem Marmor

geschmückt ist. Auf dem Fussboden des Hauptschiffes, mit Stein_
arbeit des Mittelalters, ist durch eine weisse Marmorplatte, mit
einem eisernen Gitter umgeben, der Ort bezeichnet, wo die Hei_
ligen Johannes und Paulus enthauptet wurden, deren Reliquien
man in einem schönen Porphyrgefässe unter dem reich verzierten
Hauptaltare bewahrt. Die Malereien am Gewölbe der Tribune,
von Niccolò Circignani dalle Pomarance, sind, so wie die übrigen
von verschiedenen neueren Malern verfertigten Gemälde dieser
Kirche, von keiner besonderen Bedeutung. Die von einer Reihe
kleiner Marmorsäulen mit Arcaden umgebene Aussenseite der
Tribune zeigt noch den alterthümlichen Styl und bildet mit dem
ebenfalls noch alten Glockenthurme und dem Kloster, von der
nach dem Palatin gelegenen Seite, eine schöne und malerische
Gruppe von Gebäuden. Der Thurm ruht nebst dem an denselben
anstossenden Flügel des Klosters auf den Trümmern des Vivariums,
uber welches wir auf die allgemeine Einleitung § 13 verweisen. Man
gelangt zu diesen Ruinen jetzt nur vermittelst eines Einganges
neben dem Kloster, zu welchem die Passionisten, welche dasselbe
bewohnen, den Schlüssel besitzen. Die Pfeiler der aus grossen
Travertinquadern aufgeführten Arcaden jenes antiken Gebäudes
sind mit Pilastern von toscanischer Ordnung verziert, die mit
Ausnahme des obersten Theiles, rustik behauen sind. Das auf
dem höchsten Gipfel des Monte Celio gelegene Kloster und der
geraumige mit demselben verbundene Garten, gewahren eine der
herrlichsten Aussichten auf die Ruinen des alten Roms und die
Umgegend der Stadt.

Bogen des Dolabella.

Weiter auf dem Caelius fortgehend gelangt man zu dem von
Travertin errichteten Bogen, den der Inschrift zufolge P. Cornelius Dolabella und C. Silanus, Consuln im Jahre 12 n. Ch., erbauten. Dass über denselben die von dem Palatin uber den Caelius
geführte Wasserleitung, sey es die Marcia oder die Julia, fortging,
zeigt über diesem Bogen einer der bedeutenden Reste derselben,
die noch auf diesem Berge vorhanden sind.

S. Tommaso in Formis.

Unmittelbar vor dem gedachten Bogen sieht man rechts die
kleine Kirche S. Tommaso, mit dem Beinamen in formis, den sie
von der erwähnten Wasserleitung führt. Einen andern Beinamen,
del Riscatto, erhielt sie von dem zur Befreiung der Christen aus
der Gefangenschaft der Ungläubigen gestifteten Mönchsorden, dem
sie Innocenz III. im Jahre 1198 ertheilte. Die Kirche zeigt nichts
Merkwürdiges. Aber von dem ehemals mit ihr verbundenen Hospitale hat sich noch der Rest eines Portals (gegenwärtig der

Eingang der Villa Mattei) erhalten, welches, wie die Inschrift zeigt, Jacobus und dessen Sohn aus der bekannten römischen Kunstlerfamilie der Cosmaten verfertigten. Das alte Mosaik über dem Bogen stellt den Heiland zwischen einem Christen und einem Mohren vor, um ihre gegenseitige, durch jene Monche vollbrachte Auswechslung anzudeuten, und ein blau und rothes Kreuz, welches dieselben auf ihrer Kleidung tragen.

Villa Mattei.

Die von dem Duca Ciriaco Mattei im Jahre 1582 angelegte Villa gewahrt wegen ihrer hohen Lage eine herrliche Aussicht auf die Ruinen des alten Roms und die umliegende Gegend. Die vorzuglichen Antiken, die sie ehemals beruhmt machten, sind nicht mehr in derselben vorhanden. Im Garten steht ein kleiner ägyptischer Obelisk, von dem aber nur der obere Theil antik ist. Von Wichtigkeit sind zwei grosse Cippen mit Inschriften, in denen das Corps der von Augustus eingesetzten Vigiles verzeichnet sind, und welche sich gegenwartig in der Halle des Casino befinden. Aueh sieht man hier einen grossen Sarcophag mit der Vorstellung der Musen, der zu unsern Zeiten daselbst gefunden wurde, nebst einigen andern antiken Denkmalern und Fragmenten antiker Gebäude.

S. Maria in Domnica, gewöhnlich S. Maria della Navicella genannt

Die Kirche S. Maria in Domnica erhielt den Beinamen della Navicella von einem jetzt verschwundenen antiken Schiffe von weissem Marmor, nach dessen Vorbilde Leo X. ein neues verfertigen liess, welches gegenwärtig auf dem Platze vor dieser Kirche steht. Das heutige Gebäude derselben, aus der Zeit Paschalis I. (817 — 824) wurde durch ihren Cardinaldiaconus Johann von Medici, nachmaligen Papst Leo X., und wie man sagt, nach Angabe des berühmten Raphael, aus einem verfallenen Zustande wiederhergestellt, wobei die heutige Vorhalle, deren Arcaden auf Pfeilern ruhen, erbaut wurde. Das mittlere der drei Schiffe des Innern der Kirche wird von 18 schönen antiken Granitsäulen getragen, deren Farbe in das Blauliche spielt. Der grau in grau gemalte, an den Wänden des Hauptschiffs unter der Decke ringsum laufende Fries — der arabeskenartige Genien, welche Lowen tränken, nebst dem Joch und dem Diamantenringe, den Emblemen der Familie Medici, vorstellt — wird dem Giulio Romano und dem Perin del Vaga zugeschrieben, ist aber unstreitig ubermalt. In der Confession unter dem Hauptaltare bewahrt man die Gebeine der h. Balbina. An der Tribune, deren Bogen sich auf zwei grossen Porphyrsaulen erhebt, sind noch die Mosaiken aus der Zeit Paschalis I. vorhanden. Ueber dem Bogen sieht man den Heiland zwischen zwei Engeln und den zwölf Aposteln. In den beiden Figuren an den beiden Seitenwänden des Bogens sind vermuthlich Propheten vorgestellt. Am Gewölbe erscheint die h. Jungfrau mit dem Christuskinde auf dem Throne sitzend. Engel stehen ihr zu beiden Seiten, und zu ihren Füssen kniet der Papst Paschalis, der Erbauer dieser Kirche.

S. Stefano rotondo.

Die Kirche des heil. Stephanus auf Monte Celio, von ihrer runden Gestalt S. Stefano rotondo genannt, war nicht, wie man lange Zeit glaubte, ursprünglich ein heidnischer Tempel, denn die sehr schlechte Bauart und insbesondere die ungleichen von verschiedenen alteren Gebauden weggenommenen Säulen, mit frcmden Basen und Capitellen, erweisen sie unwidersprechlich als ein Bauwerk aus der Zeit nach dem Untergange des Heidenthums in Rom. Ob ihre von Anastasius erwahnte Einweihung durch Simplicius (468 — 483) nach der von diesem Papst oder einem seiner nächsten Vorganger unternommenen Erbauung erfolgte, ist ungewiss. Im Jahre 499 kommt sie unter den Pfarrkirchen in dem mehrerwahnten Concilium des Symmachus vor. Um die Mitte des 15ten Jahrhunderts wurde sie von Nicolaus V. aus einem sehr verfallenen Zustande wieder hergestellt, wobei sie aber einen kleineren Umfang als zuvor erhielt. Aus der von vier Granitsäulen getragenen Vorhalle tritt man in eine andere Halle, in welcher ein antiker Badesessel von weissem Marmor steht, der ehemals zum Bischofsstuhle der Kirche diente, und auf dem, wie hier eine Inschrift zeigt, Gregor der Grosse Predigten an die versammelten Glaubigen hielt. Vierunddreissig Säulen, meistens von Granit, stehen theils in der Mauer, welche seit der gedachten Herstellung des Gebäudes unter Nicolaus V. den äussern Umfang desselben beschreibt, theils frei vor den Capellen; und eine innere Reihe bilden 20 grossere Granitsäulen, über deren Architrave sich eine Art von Kuppel erhebt. Diese Kuppel wird von einer Zwischenwand und drei Bogen unterstützt und durchschnitten, welche von zwei noch grosseren Granitsaulen und eben so vielen Pfeilern getragen werden. Unter dem mittleren der drei gedachten Bogen steht der Hauptaltar mit einem modernen, in schlechtem Geschmack aus Holz verfertigten Tabernakel. Auf jedem der Würfel uber den acht Säulen am Eingange der beiden gegenüberstehenden Capellen, von denen die eine der heil. Jungfrau geweiht ist, ist nach innen und nach aussen ein Kreuz ausgehauen, welches ebenfalls zum Beweis dienen kann, dass dieses Gebaude nicht zu einem heidnischen Tempel, sondern zu einer christlichen Kirche erbaut wurde. Die Decke des ganzen Gebäudes ist mit Ausnahme der Capellen von Holz und ohne Verzierungen. Die àn den Wänden von Tempesta und Pomerancio zur Zeit Gregor's XIII.

gemalten Frescobilder, welche die mannigfaltigen ausgesuchten Martern der ersten Christen vorstellen, gewähren einen sehr widerlichen Anblick. Die Mosaiken am Gewölbe der Tribune liess der im Jahre 640 erwählte Papst Theodorus verfertigen. Sie stellen die Heiligen Primus und Felicianus — deren Reliquien durch den gedachten Papst in diese Kirche gebracht wurden — zu beiden Seiten eines Kreuzes vor, auf dessen Gipfel das Brustbild des Heilandes erscheint. Gregor XIII. ubergab diese Kirche den Jesuiten, die sie noch gegenwärtig besitzen.

Die Strasse, welche über den Platz zwischen S. Stefano und S. Maria in Domnica nach der Stadtmauer fuhrt, ist ohne Zweifel die alte Via Metronis oder Metrovia, an deren beiden Seiten jene Kirchen lagen. Dicht neben der Stelle, auf welche die genannte Strasse hinführt, fliesst ein Bach, gewöhnlich die Marrana benannt. Ueber dem Bogen, unter welchem derselbe durchfliesst, wird durch eine Inschrift die Restauration dieses Theils der Stadtmauer im Jahre 1157 angezeigt.

Villa Casali.

Dem neuen Eingange von S. Stefano gegenüber liegt die Villa Casali. In der Halle des nach Angabe des Tommaso Mattei erhauten Gartenhauses befinden sich einige antike Denkmäler, unter denen vornehmlich der berühmte Sarcophag zu bemerken ist, welcher bei Tor di Testa in einem der Graber an der Appischen Strasse entdeckt wurde. Auf dem Kasten dieses Monuments ist, nach der Erklärung Visconti's, die Vergötterung der Semele vorgestellt mit einer episodischen Darstellung des Streits des Pan und des Eros. Auf dem Deckel sieht man ein bacchisches Festgelage in einer reichen Composition, und an der rechten Querseite einen bacchischen Amor mit Panther und einer bärtigen Maske. In den Zimmern des obern Stockwerkes ist ein grosses Mosaik von einem antiken Fussboden zu bemerken, welches Arabesken und einige kleine Bilder zeigt, von denen das mittlere und grössere die Entfuhrung der Europa vorstellt.

SS. Quattro Coronati.

Die Kirche SS. Quattro Coronati wird so von vier Märtyreru (mit der Märtyrerkrone Gekrönten) benannt, deren Namen zur Zeit ihrer Erbauung unbekannt waren, nachmals aber wieder entdeckt wurden. Sie heissen Severianus, Carpophorus, Severus und Victorinus. Die Erbauung dieser ihnen geweihten Kirche wird von Anastasius dem Papst Honorius I. (625 — 638) zugeschrieben. Da sie aber schon früher, unter Gregor dem Grossen, vorkommt, so ist vielleicht anzunehmen, dass jener Papst, aus einer angesehenen römischen Familie, sie vor seiner Gelangung zum päpstlichen Stuhle erbaute. In der grösseren und prächtigeren Gestalt, in der sie Leo IV. um die Mitte des 9ten Jahrhunderts auffuhren liess, stand sie vermuthlich bis zu ihrer im Jahre 1084 durch Robert Guiscard erfolgten Zersorung. Paschalis II. veranstaltete ihre Wiederaufbauung und weihte sie im Jahre 1111. Von ihrem Verfall während des Aufenthaltes der Päpste in Avignon wurde sie unter Martin V. durch den spanischen Cardinal Alfonso Carillo wieder hergestellt. Dass sie, und wahrscheinlich schon bei dem von Paschalis II. unternommenen Bau, verkleinert wurde, gibt der Augenschein. Denn das gegenwärtige Gebäude hat wider allen Gebrauch zwei Vorhöfe mit zwei Vorhallen, einen hinter dem andern; und die längs der rechten Seitenwand des zweiten Vorhofes und der zweiten Vorhalle eingemauerten Säulen zeigen, dass die Kirche in ihrer ursprünglichen Länge jenen Vorhof mit einbegriff und die Breite des ehemaligen Hauptschiffes die des ganzen heutigen Gebäudes ubertraf. In der Halle des ersten Vorhofes ist rechts der Eingang zu einer dem heil. Sylvester geweihten Capelle, welche gegenwärtig der Brüderschaft der Bildhauer und Steinmetzen gehört und gewöhnlich verschlossen ist. Eine Inschrift in derselben zeigt, dass sie Stephanus, Cardinalpriester von S. Maria in Trastevere, um das Jahr 1245 im Pontificate Innocenz IV. erbaute. Ihr Fussboden ist mit mittelalterlicher Steinarbeit ausgelegt. Die alten Wandgemälde sind vermuthlich aus der Zeit der Erbauung dieser Capelle. An der Wand der einen Querseite, dem Altare gegenüber, ist der Heiland auf dem Throne sitzend inmitten der heil. Jungfrau, Johannes des Täufers und der zwölf Apostel vorgestellt. In den Bildern an den Seitenwänden sieht man Gegenstande aus der Legende des heil. Sylvester.

Das mittlere Schiff der Kirche wird von vier Granitsäulen an jeder Seite, nebst einem Pfeiler am Ende nach der Tribune hin getragen. Darüber erhebt sich die Emporkirche, auf acht kleinen Säulen und vier Pfeilern. Die flache Decke des gedachten Schiffes liess der Cardinal Heinrich, nachmaliger König von Portugal, verfertigen. Auf dem mit Steinarbeit des Mittelalters ausgelegten Fussboden sind einige Fragmente von alten christlichen Inschriften. Ehemals befand sich auf demselben auch eine des Papstes Damasus, die von Gruter bekannt gemacht und jetzt an der Seitenwand rechts unweit der Tribune eingemauert ist. Auf dem Altare am linken Pfeiler des grossen Bogens ist ein Ciborium mit vier Engeln in erhobener Arbeit, im Style des 15ten Jahrhunderts, zu bemerken. Der jetzige Hauptaltar ist modern. Der Chor, in dem ein Bischofsstuhl von weissem Marmor steht, ist mit Malereien von Giovanni da S. Giovanni verziert. Hinter der im Jahre 1624 neu erbauten Tribune geht ein gewolbter

Gang umher, zu dem auf beiden Seiten Stufen hinabführen, und welcher zu der von Leo IV. erbauten Kirche gehörte, wie aus dem Namen dieses Papstes erhellte, der noch im 16ten Jahrhundert am Gewolbe desselben sichtbar war. Das von Paschalis II. erbaute Kloster bei dieser Kirche übergab Pius IV. den Nomen des Conservatoriums der Waisenmädchen, die es noch gegenwärtig besitzen.

§. 89.

Die Lateranische Basilica (S. Giovanni Laterano).

Die dem heiligen Johannes dem Täufer geweihte Basilica des Laterans (Basilica Lateranensis) ist, als die bischöfliche Kirche Roms, dem Range nach die erste Kirche der catholischen Welt und wird daher aller Kirchen der Welt und Stadt Mutter und Haupt (omnium Urbis et Orbis Ecclesiarum Mater et Caput) genannt. Sie fuhrt jenen Namen von dem Palaste der römischen Familie der Lateraner, der nachmals in den Besitz der Kaiser kam, und in welchem sie Constantin der Grosse im Pontificate des heil. Sylvester erbaute. Von diesem ihrem Erbauer heisst sie auch Basilica Constantiniana; auch kommt sie unter der Benennung Basilica Salvatoris vor.

Ob die Kirche bei ihrer Erbauung von Constantin den heutigen Umfang hatte, ist, wenn nicht zu bezweifeln, doch zum Wenigsten ungewiss; und es dürfte wahrscheinlicher seyn, dass sie diesen Umfang erst durch den neuen von Sergius III. (904 — 911) unternommenen Bau erhielt, in welchem sie eine Basilica zeigte, die durch vier Saulenreihen in funf Schiffe getheilt war. Eine sehr bedeutende Beschädigung erlitt dieselbe durch eine Feuersbrunst im Jahre 1308; und nach ihrer von Clemens V. veranstalteten Wiederherstellung erfolgte 1360 ein abermaliger Brand, durch welchen der Einsturz des Daches die Säulen des Hauptschiffs beschädigte und das offene Gebaude vier Jahre der Witterung bis zu seiner von Urban V. unternommenen Herstellung ausgesetzt blieb. Durch die von Pius XII. veranstalteten Veränderungen hat die Kirche den Character einer alten Basilica gänzlich verloren und ist im Wesentlichen zu einem Gebäude im modernen Geschmack umgewandelt worden.

Die Vorderseite wurde unter Clemens XI. nach Angabe des Alessandro Galilei aufgefuhrt und gehört unter die besseren Bauwerke aus dieser Zeit. Sie begreift zwei Hallen, eine obere und eine untere; diese ist die Vorhalle der Kirche, in jener ist in der Mitte die Loggia, von welcher der Papst am Himmelfahrtstage den Segen ertheilt. Am Friese zwischen diesen beiden Hallen ist die Inschrift in Versen der ehemaligen Vorhalle der Kirche übertragen. In der heutigen Vorhalle steht, an der Querseite vom Eingange links, die Bildsäule Constantins des Grossen, die in den Thermen dieses Kaisers gefunden worden ist. Die Kirche hat funf Eingänge, der Zahl ihrer Schiffe entsprechend. Die heilige Thure — die letzte vom Eingange rechts, die nur im Jubeljahre offen steht — hat, wie die der Peterskirche, Pfosten von dem schönen Marmor, der von dieser Anwendung zu den heiligen Thüren den Namen Porta Santa führt. Die antiken metallenen mit Laubwerk geschmückten Thurflügel des mittleren Einganges wurden unter Alexander VII. von der Kirche S. Adriano hieher gebracht und erhielten dabei eine diesem Eingange angemessene Vergrösserung.

Ausser den gedachten Eingängen befinden sich noch drei andere an der nach dem Platze des Obelisken gelegenen Seite des Gebaudes. Hier liess zuerst Gregor XI. einen Seiteneingang der Kirche eröffnen. Die Façaden vor diesen Eingängen bilden zwei übereinander stehende Reihen von Hallen mit Arcaden aus der Zeit Sixtus V. In der untern derselben steht die metallene Bildsaule Heinrich's IV. Königs von Frankreich, welche ihm das Domcapitel aus Dankbarkeit wegen der von ihm zum Geschenk erhaltenen Abtei Clerac errichten liess. Die beiden über jenen Hallen sich erhebenden Glockenthürme mit pyramidalformigen Dachern wurden unter Pius IV. erneuert, zeigen aber noch den alteren Styl.

Die Pfeiler der fünf Schiffe des Innern der Kirche wurden unter Innocenz X. nach Angabe des Borromini aufgefuhrt. An denen des Hauptschiffs stehen in den mit Säulen von Verde antico geschmuckten Nischen, die unter Clemens XI. von Stephan Monnot, Le Gros und anderen Bildhauern dieser Zeit ausgefuhrten Bildsaulen der zwölf Apostel. Ueber diesen Statuen sind in Reliefs, nach Modellen von Algardi und andern mit diesem gleichzeitigen Bildhauern, biblische Geschichten und, in runden Oelbildern von verschiedenen Malern aus derselben Zeit, Propheten vorgestellt. Die mit vergoldeten Schnitzwerken reich geschmuckte Decke wurde unter Pius IV. verfertigt. Der Bogen am Ende dieses Schiffes erhebt sich auf zwei 34 Fuss hohen Säulen von rothem Granit. Auf dem Fussboden desselben sieht man noch die unter Martin V. verfertigte Steinarbeit und unweit vom Hauptaltar das Grabmal dieses Papstes, ein Werk des Antonio Filarete, welches auf dem bronzenen Deckel das Bildniss des Verstorbenen zeigt, und an der marmornen Einfassung das von Genien gehaltene Wappen seiner Familie Colonna.

Unter den Capellen der beiden letzten Seitenschiffe ist nur die erste, vom Eingange links, wegen ihrer ungemeinen Pracht hier besonders zu erwahnen. Clemens XII. erbaute sie, nach Angabe des Alessandro Galilei, zu Ehren seines Vorfahren, des heil. Andreas Corsini, und zur Grabstätte seiner Familie. Sie zeigt die Form eins griechischen Kreuzes, über dem sich eine Kuppel erhebt. An jeder der drei Wände derselben ist eine mit zwei Porphyrsäulen geschmückte Nische oder Tribune. In der einen, vom Eingange links, erhebt sich die metallene Bildsäule des genannten Papstes zwischen den marmornen Statuen von zwei Tugenden; und darunter ruhen die Gebeine des Verstorbenen in einer schönen antiken Porphyrwanne, die zuvor in der Vorhalle des Pantheons stand. In der gegenüberstehenden Nische sieht man das Grabmal des Cardinals Neri Corsini, Oheims Clemens XII., ebenfalls mit der Bildsäule des Verstorbenen und zwei personificirten Tugenden. Der Altar, an der Hinterwand der Capelle, ist mit zwei Säulen von Verde antico und einem Mosaikbilde des heil. Andreas Corsini, nach dem Gemälde des Guido Reni im Palast Barberini, geschmückt. Bezüglich auf jenen Heiligen sind die an den beiden Seitenwänden in vier Nischen stehenden Statuen der sogenannten Cardinaltugenden und einige Reliefs. Bekleidungen verschiedener Marmorarten schmücken die Wände und den Fussboden dieser Capelle, deren Eingang ein reich verziertes Gitter von gegossenem Metall verschliesst. Von derselben führt eine Treppe zu der allgemeinen Grabstätte der Familie Corsini hinab.

An den Wänden zwischen den Capellen dieses Schiffes sind die Grabmäler, aus dem 13ten und 14ten Jahrhundert, der Cardinäle Riccardo Annibaldesi della Molara, Gherardo Bianchi von Parma und Pietro von Piperno, mit den Bildnissen der Verstorbenen zu bemerken. Am zweiten Pfeiler des ersten der beiden Seitenschiffe, vom Haupteingange rechts, ist ein von der Mauer der ehemaligen Loggia des alten Lateranischen Palastes abgesägtes Bild von Giotto eingesetzt, welches Bonifacius VIII., das erste Jubeljahr verkündigend, zwischen zwei Cardinälen vorstellt. Unter den Grabdenkmälern in diesem Schiffe befinden sich die Grabschriften Sylvesters II. und Alexanders III. Die des erstgenannten Papstes wurde ihm von Sergius IV. (1009 — 1012) gesetzt; die des zweiten ist aus der Zeit Alexanders VII. — Im letzten Schiffe derselben Seite sieht man, nebst mehreren andern Grabmonumenten, das Grabmal des 1447 verstorbenen portugiesischen Cardinals Antonio Martino de Chaves, ein Werk des 15ten Jahrhunderts, mit der Bildsäule des Verstorbenen und einigen andern Figuren.

In dem Hauptaltare ist ein einfacher hölzerner Altar eingeschlossen, dessen sich die Päpste, wie man behauptet, vom heil. Petrus an bis zum heil. Sylvester zum Messopfer bedienten. An der Hinterwand der Confession unter diesem Altare ist unlängst ein merkwürdiges Frescogemälde zum Vorschein gekommen, welches lange Zeit mit einer Tafel bedeckt und dadurch ganz in

Vergessenheit gekommen war. Es scheint ein Werk des 14ten Jahrhunderts zu seyn, indem es an die Epoche des Giotto erinnert. Der Gegenstand desselben ist der heil. Sylvester, dem das Brustbild des Heilandes zwischen vier schwebenden Engeln erscheint. Unten sieht man bei jenem heil. Papst die heil. Helena, knieend das Bild des Erlösers verehrend, nebst mehreren andern Personen. Die Wiederentdeckung dieses Gemäldes hat Veranlassung zu der Erneuerung dieser kleinen, seit langer Zeit vernachlässigten Capelle gegeben.

Das grosse reich geschmückte Tabernakel des Hauptaltars, im sogenannten gothischen Style, liess Urban V. (1362 — 1370) mit den Beisteuern des Konigs von Frankreich, Carls V. und Peters, Grafen von Belleforte, nachmaligen Papstes Gregors XI., verfertigen. Der Sockel des obern von Säulen getragenen Gebäudes ist mit Gemälden heiliger Gegenstände geschmuckt, die dem Berna von Siena zugeschrieben werden. Unter den Sculpturen dieses Tabernakels ist, an dem pyramidenformigen Dache desselben, das Brustbild des Heilandes zu bemerken. Innocenz X. liess es bei Gelegenheit des Jubiläums im Jahr 1560 erneuern; wobei vermuthlich die Sculpturen einiger Engelfiguren im modernen Style hinzugefugt wurden und die Uebermalung der vorerwahnten Gemälde von neueren Händen erfolgte.

Das unter Clemens VIII., nach Angabe des Giacomo della Porta, erneuerte Querschiff, hat eine der des Hauptschiffs ahnliche Decke mit reichen vergoldeten Zierrathen. Die Gemalde an den Wänden, welche Gegenstände aus dem Leben Constantins des Grossen und des heil. Sylvester vorstellen, sind Werke des Paris Nogari, Baglioni, Roncalli und anderer Maler dieser Zeit. An dem einen Ende dieses Schiffes, vom Haupteingange rechts, erhebt sich eine prächtig verzierte Orgel auf zwei grossen antiken Säulen von Giallo antico, von denen die eine von dem Constantinsbogen weggenommen ward, die andere im Forum Trajans gefunden worden seyu soll. Am anderen Ende des Querschiffes ist die Capelle des heil. Sacraments, welche von vier grossen Säulen von vergoldeter Bronze und einem auf dem Gebälke derselben ruhenden Giebeldache, ebenfalls von vergoldetem Metall, gebildet wird. Die gedachten Saulen — die sich in der alten Kirche befanden und für antik gehalten werden — sind cannelirt und von römischer Ordnung. Auf dem mit vier Säulen von Verde antico geschmückten Altare steht ein mit kostbaren Steinen besetztes Ciborium. Das Wandgemälde über diesem Altare ist von Arpino.

In der Tribune sind noch die wegen ihrer Vorstellungen merkwürdigen Mosaiken vorhanden, welche Nicolaus IV. (1288—92) von Jacob della Turrita, bei der Erneuerung dieser Tribune, verfertigen liess. Am Gewölbe erhebt sich ein grosses mit Edelsteinen besetztes Kreuz, auf welchem die Taufe Christi gebildet ist. Zur Linken sieht man: die heil. Jungfrau, die Apostel Petrus und Paulus, den heil. Franciscus und den vorerwähnten Papst, den Letzteren knieend vorgestellt; — zur Rechten Johannes den Täufer, Johannes den Evangelisten, den heil. Andreas und den heil. Antonius, den Letztern in einer bei der Restauration des Mosaiks neu gemalten Figur. Ueber dem Kreuze ist das colossale Brustbild des Heilandes eingesetzt, welches sich an der vormaligen, unter. Nicolaus IV. niedergerissenen Tribune befand und hier mit einer Glorie von Engeln umgeben erscheint. In den auf dem Vorgrunde angedeuteten Jordan ergiessen sich die vier Strome des Paradieses aus dem Schnabel der über dem Kreuze stehenden Taube, des Sinnbildes des heil. Geistes. In der Mitte unter dem Kreuze ragt aus einer Stadt eine Palme hervor, auf welcher der Phönix als Symbol der Unsterblichkeit sitzt. Ein Engel mit blossem Schwerte steht zur Beschutzung dieser Stadt vor dem Thor derselben, welche das neue Jerusalem oder die Kirche bedeutet, deren Zinnen die Fursten der Apostel huten. An den Ufern des Flusses spielen Kinder zwischen Blumen und Vögeln; Schwane und Boote mit Menschen bewegen sich auf den Wellen; und Lämmer und Hirsche (Sinnbilder der Gläubigen aus Juden und Heiden) trinken zu beiden Seiten des Kreuzes von dem von dem heil. Geiste ausfliessenden Wasser des Lebens. Zwischen den Fenstern unter dem Gewolbe sind die Figuren von neun mit Namen bezeichneten Aposteln, unter denen man zwei Franciscanermonche in sehr kleiner Gestalt bemerkt. Der zur Linken ist der Meister dieses Werkes, Jacob della Turrita, und der zur Rechten sein Gehülfe, Jacob von Camerino.

Die Tribune ist an der Hinterseite von einem halbzirklichen Gange umgeben, den man, nach der grundlosen Meinung, dass ihn Leo I. erbaute, Portico Leoniano benennt. Ihn theilen sechs Granitsaulen, welche das Kreuzgewölbe unterstützen. Man sieht in demselben mehrere alte Denkmäler. Beim Eingange rechts von der Tribune sind an den Wanden einander gegenuber zwei Inschrifttafeln in Mosaik, welche den von Nicolaus IV. in dieser Kirche unternommenen Bau und die Reliquien des Hauptaltares betreffen. Wie diese Inschriften, sind aus der alten Kirche auch die Bildsäulen eines knieenden Papstes und der Apostel Petrus und Paulus. Die beiden Letzteren stehen zu beiden Seiten des Altares hinter der Tribune, über dem sich ein grosses Crucifix erhebt. Im weiteren Fortgang nach dem anderen Eingange sieht man ein mit Sculpturen geschmücktes Tabernakel zur Aufbewahrung des heiligen Oels, und darunter einen Papst, der vor dem den Abendmahlskelch haltenden Heilande kniet. Daneben ist, in einer Mosaikinschrift, das grosse Reliquienverzeichniss der

Kirche (Tabula magna Lateranensis). An der gegenüberstehenden Wand ist eine antike Wanne von grauem Marmor, welche einem Canonicus dieser Kirche, Gio. Muti Papazurri zum Grabmale dient. Auch stand in diesem Gange das Grabmal des beruhmten Philologen des 15ten Jahrhunderts, Laurentius Valla, mit der Bildsäule desselben, welches unter Clemens VIII. von hier weggenommen, und in den Klosterhof — von dem in der Folge die Rede seyn wird — gebracht wurde, wo es liegen blieb, bis es in unseren Zeiten durch die Fürsorge des gelehrten Cancellieri einen ehrenvollen Platz in der Capelle der Hinterseite der Kirche, neben der Orgel, erhalten hat. — Die andere Capelle der Hinterseite, vom Haupteingange links, die der Prinz Filippo Colonna nach Angabe des Rinaldi erbaute, dient zu den Functionen der Domherrn. Das Gemalde des Altares ist ein Werk des Arpino, und die Deckenmalereien sind von Baldassare Croce ausgefuhrt.

Von dem vorerwähnten Gange hinter der Tribune gelangt man zu der unter Clemens VIII. erneuerten Sacristei vermittelst eines Ganges, dessen eherne Thüre, die sich ursprünglich im alten Lateranischen Palaste befand, der Inschrift zufolge, der bekannte Cardinal Cencius Camerarius unter Colestin III. 1194, von zwei Brüdern aus Piacenza, Ubertus und Petrus, verfertigen liess. In dem gedachten Gange sieht man, uber einem Fenster, drei bleierne Platten eingemauert, die in den Trummern des oben erwähnten Palastes der Familie der Lateraner gefunden worden sind. Auf zweien dieser Platten liesst man: Sexti Laterani, und auf der dritten: Torquati et Laterani. Man tritt darauf zunächst in die Sacristei der Beneficiaten. Zu bemerken ist hier ein Gemälde der Verkündigung der heil. Jungfrau, nach einer Zeichnung von Michelagnolo. Den der heil. Magdalena geweihten Altar, vom Eingange links, liess der beruhmte Gelehrte Fulvius Ursinus errichten, der, wie Laurentius Valla, Canonicus dieser Kirche war. Auf dem Fussboden vor diesem Altare ist sein Grabstein mit einer sehr unleserlich gewordenen Inschrift. In der darauf folgenden Sacristei der Domherrn sieht man, an den Wanden, Frescomalereien von Ciampelli, und an der Decke Gemälde von Durante Alberti und dessen Bruder Cherubino. An der Vorderseite des Altars sind vier in Nischen stehende Figuren in erhobener Arbeit eingesetzt, die aus dem 15ten Jahrhundert scheinen. Sie stellen Johannes den Täufer und den Evangelisten, den heil. Franciscus und den heil. Augustinus vor. — Zur Linken ist der Eingang zu einer kleinen Capelle. In einem kleinen Zimmer neben derselben sieht man die Zeichnung eines die heil. Jungfrau mit dem Christuskinde und dem kleinen Johannes vorstellenden Gemäldes von Raphael, welches sich gegenwärtig in England befindet. Diese Zeichnung hing ehemals sehr hoch und in einem ganz ungunstigen Lichte. Die genauere Beobachtung, die sie an ihrem gegenwärtigen Orte gestattet, erlaubt uns ferner nicht in ihr ein Originalwerk jenes grossen Meisters anzuerkennen, fur welches dieselbe ausgegeben wird. Auch ist hier ein gutes Gemälde von einem unbekannten Maler des 16ten Jahrhunderts zu bemerken. Der Gegenstand desselben ist ein Wunder, welches einem Canonicus dieser Kirche das Leben rettete, als über ihn die Räder seines Wagens gingen, von dem er herabgestürzt war.

Von dem alten Klostergebäude des Laterans ist noch ein schöner Hof vorhanden, zu welchem man von der letzten Capelle am zweiten Seitenschiffe der Kirche gelangt. Er ist ganz ähnlich dem von uns erwähnten Klosterhofe von S. Paolo fuori le mura und vermuthlich mit demselben ungefähr gleichzeitig. So wie jener ist er mit Hallen umgeben, die von kleinen theils schlichten, theils gewundenen Säulen getragen werden, von denen die letzteren zum Theil mit Mosaik ausgelegt sind. Der Fries zeigt eine verstümmelte Mosaikinschrift und ist, so wie der Architrav, sehr zierlich mit Steinarbeit geschmückt. Man sieht in diesen Hallen mehrere Sculpturen, Inschriften und andere Denkmäler der alten Kirche, unter denen sich drei Fragmente eines Giebeldaches im sogenannten gothischen Style von einem Tabernakel befinden, von denen das eine die Inschrift: Magister Deodatus fecit hoc opus und das Wappen der Familie Colonna zeigt. Desgleichen befindet sich hier ein bischöflicher Stuhl von weissem Marmor und ein alter Altar, über dem sich ein Tabernakel auf vier gewunden cannelirten Säulen von weissem Marmor erhebt.

Baptisterium und dazu gehörige Capellen.

Das Baptisterium des Laterans, S. Giovanni in Fonte genannt — welches nach einer unstreitig irrigen Meinung Constantin der Grosse erbaute — ist wahrscheinlich aus der Zeit Sixtus III. (432—440), der nach Anastasius die Porphyrsäulen dieses Gebäudes errichten liess und dadurch den vielleicht schon von seinem Vorgänger Cölestin begonnenen Bau vollendete. Seine modernen Ausschmückungen erhielt es durch mehrere Päpste seit dem Pontificate Gregors XIII. Es ist von achteckiger Form und hat zwei Eingänge: den einen von Piazza S. Giovanni, den andern von dem Hofe hinter der Kirche. In seiner Mitte steht der Taufstein, eine antike Wanne von grünem Basalt mit einem modernen Deckel von vergoldeter Bronze, in einer mit einem Marmorgeländer umgebenen Vertiefung. Sie ist von den vorerwähnten Porphyrsäulen, acht an der Zahl, umgeben; und über dem Gebälke derselben erheben sich eben so viele kleine Säulen von weissem Marmor, wie jene mit antiken Capitellen und Gebälke. Von diesen Säulen wird eine unter dem Dache umherlaufende achteckige Wand getragen, die mit acht Gemälden aus dem Leben der heil. Jungfrau von Andrea Sacchi geschmuckt ist. An den Wänden des Gebäudes, zwischen denen und den Säulen sich ein Umgang befindet, sieht man, in Frescogemälden von Carlo Maratta und anderen späteren Malern, Gegenstände aus dem Leben Constantins des Grossen, der hier, wie man fälschlich glaubte, seine Taufe erhielt. Zu beiden Seiten dieser Taufcapelle wurden unter dem Papst Hilarius (462—468) zwei andere Capellen angebaut. Die zur Rechten von dem vorderen Eingange des Baptisteriums fuhrt den Namen Oratorio di S. Gio. Battista. Ueber ihrem Eingange steht, noch mit Muhe zu erkennen, die ursprüngliche Inschrift: Hilarius Episcopus Sanctae plebi Dei; und auf den bronzenen Thüren, die ebenfalls noch die ursprunglichen sind, liest man: In honorem B. Joannis Baptistae Hilarius Episcopus Dei famulus offert. Auf dem modernen Altare steht, zwischen zwei Säulen von Serpentin mit gewundenen Cannelirungen, die Bildsäule Johannes des Täufers, angeblich von Donatello. Am Deckengewölbe sind arabeskenartige Verzierungen von Mosaik. — Die andere der gedachten Capellen, Oratorio di S. Gio. Evangelista benannt, erbaute Hilarius Johannes dem Evangelisten nach einem Gelübde für seine Rettung auf dem zweiten Ephesinischen Concilium, wo sein Leben von den wüthenden Monchen bedroht wurde. Man liest über dem Eingange, in einer modernen Inschrift, die aber die Worte der ursprunglichen enthalt: Liberatori suo B. Joanni Evangelistae Hilarius Episcopus famulus Christi. Die bronzene Thür, die sich ursprünglich im alten lateranischen Palaste befand, liess der Inschrift zufolge der Cardinal Cencius Camerarius gleichzeitig mit der bei der Sacristei der Kirche erwähnten Thür und von den dabei genannten Meistern verfertigen. Der Altar ist mit zwei Saulen von orientalischem Alabaster, und einer bronzenen Statue Johannes des Täufers von Gio. Battista della Porta geschmuckt. An den Wanden sind Malereien von Tempesta und Ciampelli. Eine dritte Capelle, die des heil. Venantius (Oratorio di S. Venanzio), die ein Gang mit dem Baptisterium verbindet, erbaute Johann IV. zwischen den Jahren 640 und 42. Die Mosaiken an der hinteren Wand dieser Capelle sind vermuthlich aus derselben Zeit. Ihre Gegenstände sind: über der Tribune die symbolischen Bilder der Evangelisten und die Städte Jerusalem und Bethlehem; darunter, der Tribune zu beiden Seiten, die Figuren von acht mit Namen bezeichneten Heiligen, deren Reliquien hier unter dem Altare aufbewahrt werden; — und am Gewölbe der Tribune, oben der Heiland zwischen zwei Engeln, und unten die heil. Jungfrau inmitten der Heiligen Petrus, Paulus, Johannes des Täufers und des Evangelisten, Venantius und Donizo. Auch ist, an dem einen Ende dieser Reihe, der Papst Johannes IV. mit einem

Gebäude in der Hand, als Erbauer dieser Capelle, und an dem anderen, sein Nachfolger Theodorus, der vermuthlich den Bau vollendete, mit einem Buche vorgestellt. Die Figuren dieser beiden Päpste waren durch Namen bezeichnet, die vermuthlich bei der Restauration der Mosaiken verloren gegangen sind. An dem modernen Tabernakel des Altares stehen zwei Säulen von schwarzem Marmor.

Von der vorerwähnten Capelle erhielt die benachbarte Halle vor dem hinteren und ursprünglichen Eingange des Baptisteriums den Namen Porticus S. Venantii. Sie ist durch zwei grosse Säulen und zwei Pilaster von Porphyr mit antiken Capitellen und Gebälke gebildet. Anastasius IV. (1154) liess die Saulenweiten zumauern, und in dieser Halle die zwei im vorigen Jahrhundert erneuerten Altäre, in den beiden Tribunen der Querseiten, errichten. Ueber dem Eingange von hier zu dem Baptisterium sieht man ein gutes erhabenes Werk mit der Jahrzahl 1492, welches den Heiland am Kreuze zwischen Maria und Johannes vorstellt.

Capelle Sancta Sanctorum.

Von dem alten lateranischen Palaste (Patriarchium Lateranense) — der, bis zur Verlegung des päpstlichen Sitzes nach Avignon, die gewöhnliche Wohnung der Papste war — ist gegenwärtig nur noch die dem heil. Laurentius geweihte Capelle vorhanden, die zum Hausgottesdienste der Päpste diente. Ihr hohes Alterthum beweist die Nachricht, dass Pelagius II. (578—590) die Gebeine der Heiligen Lucas und Andreas in derselben aufbewahrte. Den Namen Sancta Sanctorum, den sie jetzt gewöhnlich führt, erhielt sie von den besonders heiligen in ihr aufbewahrten Reliquien, vornehmlich aber von einem sehr alten hochverehrten Bilde des Heilandes, in dem wir, nach einer alten Sage, ein Werk des heil. Lucas sehen, welches durch Engel seine Vollendung erhielt. Das heutige Gebäude dieser Capelle ist aus der Zeit Nicolaus III. Der durch die Inschrift: Magister Cosmatus fecit hoc opus an der Wand links unweit vom Eingange, angezeigte Baumeister ist vermuthlich der zu dieser Zeit lebende Deodatus, aus der Familie der Cosmaten, der das Tabernakel des Hauptaltares in S. Maria in Cosmedin verfertigte, und dessen Namen wir oben an dem Fragmente eines Tabernakels im Klosterhofe bemerkten. Die Architectur unserer Capelle zeigt den sogenannten gothischen Styl mit den Modificationen, die er gewöhnlich in Italien erhielt. Ueber dem mit weissem Marmor bekleideten Sockel sind die Wände mit 55 gewundenen Säulen umgeben, von denen je zwei und zwei durch einen Giebel verbunden sind und 28 Bildern von Heiligen des alten und neuen Testaments zur Einfassung dienen. In den oberen Wandgemälden sieht man: den Märtyrertod der Heiligen

Petrus, Paulus, Stephanus und Laurentius; — Nicolaus III., welcher
knieend jenen beiden Fürsten der Apostel diese von ihm erbaute
Capelle überreicht; und die heil. Jungfrau auf dem Throne sitzend;
— am Kreuzgewölbe die symbolischen Bilder der Evangelisten.
Die vorerwähnten Gemälde sind wohl ohne Zweifel gleichzeitig mit
der Architectur der Capelle, aber ganz übermalt von neueren
Händen. Ueber dem der Inschrift zufolge von dem gedachten
Papst geweihten Altare erhebt sich auf zwei Porphyrsäulen eine
Art von Emporkirche, in welcher die Reliquien der Capelle aufbewahrt werden. In dem Gemache unter derselben sieht man,
an der Decke, den Heiland von Engeln getragen, und, in den
Lunetten der hintern Wand, einige Heilige, in ebenfalls mit der
Capelle gleichzeitigen, aber im Jahre 1625 ausgebesserten Mosaikbildern. Die Vergoldungen sowohl der vier Säulen in den Ecken,
von denen sich die Kreuzbogen der Decke erheben, als der oben
erwähnten an den Wänden sind aus der Zeit Clemens XI. Das
gedachte Wunderbild des Heilandes ist in eine silberne mit heiligen
Gegenständen in erhobener Arbeit geschmückte Tafel eingefasst,
die im Pontificate Innocenz III. verfertigt wurde.

Sixtus V. liess an jeder Seite dieser Capelle eine andere an-
banen und vor diesen drei Capellen zwei übereinanderstehende
Hallen mit Arcaden auffuhren. Die mittlere der fünf Treppen,
die zu den Capellen führen, befand sich im alten lateranischen
Palaste und wird die heilige genannt, weil man in ihr dieselbe
zu besitzen glaubt, die Christus im Palaste des Pilatus bestieg.
Andächtige pflegen sie daher auf den Knieen zu ersteigen. Von
ihr führt dieses Gebäude den Namen SS. Salvatore delle Scale
Sante.

Bis zur Zeit Clemens XII. war neben der Capelle Sancta Sanctorum noch ein anderes Denkmal des alten lateranischen Palastes,
in einer Tribune des von Leo III. erbauten Tricliniums, vorhanden.
Die insbesondere wegen ihrer Vorstellungen merkwürdigen Mosaiken dieser Tribune gingen zu Grunde, als man dieselbe von
ihrer ursprünglichen Stelle versetzen wollte. Zur Erhaltung ihres
Andenkens liess Benedict XIV. bei dem Gebäude der Scala Santa
hier eine neue noch jetzt vorhandene Tribune erbauen, mit einer
genauen Copie der gedachten Mosaiken, nach einer in der vaticanischen Bibliothek aufbewahrten Zeichnung derselben.

§. 90.

Der heutige Palast des Laterans.

Der heutige lateranische Palast wurde von Sixtus V. nach
Angabe des Domenico Fontana, zur Wohnung der Päpste, wenn

sie in der Laterankirche Functionen zu verrichten haben, erbaut. Die Gewölbe der den Hof umgebenden Hallen sind mit Malereien von Nogari und anderen Malern aus der Zeit des erwähnten Papstes verziert. In diesem Palaste, der nachmals, erst zu einem Conservatorio der Waisenmadchen und dann zu einem allgemeinen Waisenhause diente, ist seit einigen Jahren der Anfang zu einem neuen päpstlichen Museum gemacht worden. In einigen Zimmern des Erdgeschosses befinden sich mehrere antike Bildwerke, und darunter einige von nicht geringer Bedeutung. Da ihre Aufstellung bis jetzt nur provisorisch scheint, so erwähnen wir dieselben ohne genaue Anzeige des Locals.

Ein Hirsch von Marmo bigio in natürlicher Grösse; gefunden im Garten der Väter der Mission auf Monte Citorio. Die an demselben zu bemerkenden Ansätze zeigen, dass er mit einer anderen Figur verbunden war, in welcher sich Apollo oder Diana vermuthen lässt.

Römische Kriegerstatue, in welcher man den Drusus zu erkennen glaubt. Auf dem Panzer ist der Sonnengott auf einem mit zwei Pferden bespannten Wagen gebildet; darunter zwei Greife, vor jedem ein knieender Barbar, zwischen beiden Gruppen ein Candelaber. — Weibliche Gewandfigur mit einem Scepter und einer Schaale in den erganzten Händen. — Männliche Gewandfigur, welche in der Linken eine Bücherrolle hält. — Schönes Fragment einer colossalen Bildsäule des Claudius, von welcher es den Kopf, den Körper und einen geringen Theil der Schenkel zeigt, auf welche das den Rücken bekleidende Gewand hinabfallt. Es wurde mit den drei vorerwähnten Statuen in Cerveteri ausgegraben.

Bei derselben Ausgrabung wurde ein hier aufgestelltes Basrelief entdeckt, welches wahrscheinlich die Basis einer jener Statuen geschmuckt hat. Es stellt drei etruskische Städte dar, die hier durch ihre Wahrzeichen angedeutet sind; die Vetulonienser durch den Neptun als schifffahrtliebendes am Meere gelegenes Volk, die Vulcenter durch eine Statue der Venus und die Tarquinienser durch einen Augur, welcher an Tages und die Tagetischen Bücher, auf die diese Stadt stolz war, erinnern mag.

Schone Bildsäule eines stehenden Mannes, mit einem Mantel im vortrefflichen Faltenwurfe bekleidet: zu seinen Füssen ein Scrinium. Man erklärt ihn für den Sophocles, wegen der Aehnlichkeit des Kopfes mit den mit dem Namen dieses grossen Tragikers bezeichneten Hermen. Diese merkwürdige Statue wurde in Terracina gefunden.

Eine bedeutende Anzahl von Fragmenten, meistens von Gebäuden. Bemerkenswerth ist unter denselben vornehmlich eine dreieckige Candelaberbasis von beträchtlicher Grösse, auf welcher neun schöne, aber leider sehr verstümmelte bacchische Figuren gebildet sind, unter denen sich ein Satyr mit einem Thyrsus und eine leyerspielende Bacchantin befindet. Man entdeckte dieses Monument bei den Ausgrabungen des römischen Forums, wo auch die meisten übrigen der gedachten Fragmente gefunden worden sind.

Zwei Fragmente mit Stierschädeln, Laubgewinden und andern Zierrathen: an einem derselben sind auch zwei Delphine zu bemerken; gefunden bei Vicovaro.

Ein grosser christlicher Sarcophag; gefunden in einer Vigna vor der Porta S. Sebastiano. An drei Seiten dieses Monumentes sind Gegenstande der Weinlese gebildet. Auch sieht man in der Mitte und an beiden Enden der Vorderseite die dreimal wiederholte Vorstellung des guten Hirten.

Auch sieht man hier gegenwärtig die Gypsabgüsse der parthenonischen Sculpturen und die der aeginetischen Bildwerke, die der Papst von dem Konig von Bayern zum Geschenk erhielt, in dessen Antikensammlung sich, wie bekannt, die Orginale befinden. — Desgleichen ist aus dem Capitol der Carton des Giulio Romano zu dem Gemälde dieses Künstlers von der Steinigung des heil. Stephanus in Genua hierhergebracht worden. Er ist grösstentheils von neueren Händen ergänzt, nachdem er durch eine unglückliche in unseren Zeiten unternommene Restauration bis auf wenige Reste zu Grunde gegangen war.

Im oberen Stockwerke sieht man den am besten erhaltenen Theil der Mosaiken, welche den Fussboden eines grossen halbzirklichen Saales in den Thermen des Caracalla bedeckten, und in denen eine bedeutende Anzahl Athletenfiguren in Lebensgrösse vorgestellt sind. Sie bedecken jetzt einen grossen Saal dieses Palastes, mit Ausnahme einiger Figuren derselben, die sich auf dem Fussboden eines Zimmers des Erdgeschosses befinden.

Weit bedeutender ist ein in der Vigna Lupi auf dem Aventin gefundenes Mosaik, welches den Fussboden eines ungefegten Speisezimmers (Asaroton) darstellt. Es ist noch zum grossen Theil unter den Händen der Restauratoren. Die hier aufgestellten bereits zusammengefügten Stucke lassen jedoch den Werth dieses sehr feinen Werkes, auf welches der Künstler seinen Namen gesetzt hat, deutlich und genugsam erkennen.

Hospital des Laterans, genannt Archiospedale del SS. Salvatore.

Das Hospital des Laterans, nachmals von der Brüderschaft, welche uber dasselbe die Aufsicht fuhrte, Archiospedale del SS. Salvatore genannt — wurde im Jahre 1216 von dem Cardinal Johannes Colonna gestiftet, und mit beträchtlichen Einkünften versehen, welche im Verlaufe der Zeit mehrere Päpste, Cardinäle und andere Personen vermehrten. Es besteht aus zwei an der Strasse, welche von dem Lateran nach dem Colosseum führt, einander gegenüberliegenden Gebauden. Das eine war ehemals für die Männer, das andere für die Frauen bestimmt, gegenwärtig aber werden in beiden nur Frauen aufgenommen, die nun von dem von der Prinzessin Teresa Doria Panfili im Jahre 1821 gestifteten Orden der Hospitalschwestern (Sorelle ospitaliere) verpflegt werden. Die Anstalt ist zur Aufnahme von 578 Kranken eingerichtet.

Der Obelisk.

Der Obelisk, der sich in der Mitte des grossen Platzes zwischen dem Hospitale und dem Palaste erhebt, stand ursprünglich vor dem Sonnentempel zu Heliopolis in Aegypten, wo ihn der König Thutmosis hatte errichten lassen, wie der durch Champollions Erklärung der Hieroglyphenschrift gefundene Name desselben zeigt. Der Kaiser Constantius liess ihn nach Rom bringen und auf der Spina des Circus Maximus aufrichten, wo er nach seinem Umsturze unter dem Schutt vergraben blieb, bis man ihn im Jahre 1587 24 Palm tief unter der Erde in drei Stücke zerbrochen wieder entdeckte. Seine Aufrichtung auf diesem Platze erfolgte auf Veranstaltung Sixtus V. den 10. August des Jahres 1588, unter der Leitung des Domenico Fontana. Er ist der grosste von allen Obelisken in Rom und unter denselben auch durch die schöne Arbeit der Hieroglyphen vorzüglich ausgezeichnet. Seine ursprüngliche Länge betrug 148 Palm, von der aber unten 4 Palm abgesägt werden mussten, weil er hier so beschädigt war, dass man ihn nicht zu erganzen vermochte. Die unterste Breite beträgt gegenwärtig 14 Palm und die ganze Höhe des Monumentes von dem Fusse des neuen Postamentes bis zum Gipfel des metallenen Kreuzes 204. Man fand mit dem Obelisken auch sein ehemaliges Postament, aber so zerbrochen und beschädigt, dass es nicht wieder zusammengesetzt werden konnte.

Villa Massimo, ehemals Giustiniani.

Dem heutigen lateranischen Palaste gegenüber ist der Eingang zu der ehemaligen Villa Giustiniani, die gegenwärtig dem Prinzen Massimo gehört. An den Aussenwänden des Gartenhauses sind antike erhobene Werke, meistens Fragmente, eingemauert. Die drei vorderen Zimmer des Erdgeschosses sind, auf Veranstaltung des vormaligen Besitzers der Villa, des verstorbenen Marchese Carlo Massimo, in den Jahren 1821 bis 1828 von einigen ausgezeichneten deutschen Künstlern unserer Zeit mit Frescogemälden geschmückt worden, welche Darstellungen der drei berühmten italienischen Dichterwerke, der göttlichen Comodie von Dante, des rasenden Roland von Ariosto und des befreiten Jerusalem von Tasso enthalten.

Im ersten dieser Zimmer, in dem sich die Vorstellungen aus der gottlichen Comodie befinden, sieht man an den Wänden auf die Hölle und das Purgatorium bezugliche Gegenstände von Koch, dem nun verewigten genialen Künstler, der aber nicht sowohl in historischen Vorwurfen, als in der grossartigen und poetischen Darstellung der Landschaft der Kunstwelt unserer Zeit eine höchst bedeutende Erscheinung gewährte. In der an der Decke von Philipp Veith ausgeführten Darstellung des Paradieses sieht man die Personen, welche dem Dichter in den die verschiedenen Stufen der Seligkeit bezeichnenden Himmelskreisen erscheinen. Diese Bilder umgeben das mittlere Gemälde, welches den Schlussstein des ganzen Gedichts enthält, indem hier der heil. Bernhard den Dichter der heil. Jungfrau empfiehlt, um durch ihre Fürbitte zur Anschauung der Gottheit zu gelangen, die in ihren drei Personen uber der Königin des Himmels erscheint.

Die Gemälde des zweiten Zimmers, aus dem Orlando Furioso, sind Werke des Julius Schnorr. Die Bilder der hintern Wand, so wie die der Deckengewölbe an der schmalen Spitze des Zimmers, beziehen sich auf den Kampf des Kaisers Carl mit den Saracenen, und die Wandgemälde der Querseiten auf die beiden vorzuglichsten Helden des Gedichtes, Orlando und Ruggiero. In den Figuren zwischen den Fenstern sieht man die bedeutendsten der in demselben vorkommenden Helden der Saracenen. Die in dem mittleren Deckenbilde vorgestellten Begebenheiten sind auf den Schluss und das Ziel des ganzen Gedichts bezüglich. Kaiser Carl feiert mit dem Siegesfeste über die Unglaubigen zugleich die Hochzeit des Ruggiero mit der Bradamante. Die Gesandten der Bulgaren bringen dem Ruggiero die Krone ihres Reiches; und Ariost erscheint neben dem Erzbischof Turpino, die Erzählungen desselben aufzeichnend, auf die er sich in seinem Gedichte beruft.

Die Gegenstande des befreiten Jerusalem im dritten Zimmer sind meistens Overbecks Werke. In dem mittleren Deckenbilde ist die heilige Stadt unter dem Bilde einer weiblichen Figur vorgestellt, die ein Engel entfesselt. Die vier übrigen Deckengemälde beziehen sich auf die vier Frauen des Gedichtes: Sofronia, Clorinda, Armida und Erminia. An den untern Wänden sind nur die folgenden Bilder von Overbecks Hand: der Engel Gabriel, der dem Gottfried von Bouillon die ihm im göttlichen Rathschlusse vorbestimmte Wahl zum Oberfeldherrn des christlichen Heeres verkundet, — der Bau der Kriegsmaschinen zur Belagerung von Jerusalem, wobei Peter der Einsiedler den Gottfried ermahnt, den göttlichen Beistand zu dieser Unternehmung durch gemeinschaftliches Gebet des Heeres zu erflehen, — und der Tod der Gildippe in den Armen ihres Gemahls Odoardo. Die übrigen Gemälde dieser Reihe sind von Führich ausgeführt.

In einem andern Zimmer des Erdgeschosses dieses Gebäudes
sind antike Statuen aufgestellt, von denen sich auch mehrere im
Garten, aber meistens sehr verstümmelt und stark ergänzt, befinden.

Porta S. Giovanni.

Das heutige Thor, welches von der Laterankirche den Namen
Porta di S. Giovanni erhielt, wurde unter Gregor XIII., nach
Angabe des Giovanni del Duca, im Jahre 1575 in geringer Entfernung von der Porta Asinaria erbaut. Die letztere steht noch
zugemauert, zwischen zwei runden Thürmen, rechts vom Ausgange
des neuen Thores. Auf der Strasse vor demselben gelangt man,
in einer Entfernung von ungefahr drei Miglien, zu einer dem
Domcapitel des Laterans gehorenden Vigne, in welcher sich die
Bäder des Acqua Santa benannten mineralischen Wassers befinden,
die sich in mehreren Krankheiten als heilkraftig bewährt haben.
Den anmuthigen mit Bäumen besetzten Weg, der von dem Lateran nach S. Croce fuhrt, hat Benedict XIV. anlegen lassen.

Höhe des Cäliolus.

§. 91.

S. Croce in Gerusalemme.

Nach Anastasius erbaute Constantin der Grosse die Kirche
S. Croce zu Ehren des durch die heil. Helena in Jerusalem aufgefundenen heil. Kreuzes in einem Gebäude, welches er den
Sessorianischen Palast nennt, und von dem sich nicht entscheiden
lasst, zu welcher Bestimmung es diente. Die Benennung Basilica
Heleniana, mit der diese Kirche in den Acten des in ihr von
Sixtus III. im Jahre 433 gehaltenen Conciliums vorkommt, sollte
hingegen die heil. Helena als die Stifterin derselben bezeichnen,
da, wie mehrere Beispiele zeigen, man die Kirchen nach den
Personen benannte, die sie auf ihre Kosten erbauten. Sie wurde
von Lucius II. im Jahre 1144 vorî Grund aus erneuert und erhielt
ihre heutige moderne Gestalt, durch welche mehrere merkwürdige
Alterthümer verloren gingen, unter Benedict XIV. im Jahre
1743. Die Vorderseite mit der Halle, die zu dieser Zeit nach
Angabe des Domenico Gregorini aufgefuhrt wurde, ist von ausgezeichnet schlechtem Geschmack. In der Halle stehen vier Granitsäulen, wahrscheinlich die der ehemaligen Vorhalle der Kirche.
Von den zwölf antiken Granitsäulen von besonderer Grösse und
Schönheit, unter dem mittleren der drei Schiffe des innern Gebäudes, sind nur noch acht sichtbar, nachdem die ubrigen barbarischer Weise bei der letzten Erneuerung in geschmacklos verzierte
Pfeiler eingemauert worden sind. Auf dem Fussboden ist noch

an den meisten Stellen die Steinarbeit des Mittelalters erhalten. Das Deckengemälde ist von Corrado, einem Maler aus der Zeit Benedicts XIV. Unter dem Hauptaltare steht eine antike mit vier Löwenköpfen geschmückte Wanne von Basalt, in welcher die Reliquien der Heiligen Caesarius und Anastasius aufbewahrt werden. Das geschmacklose Tabernakel dieses Altares ruht auf vier Säulen von röthlichem Marmor, Breccia corallina genannt. Ein anderes Tabernakel zur Aufbewahrung des heil. Sacramentes, an der unteren Wand der Tribune, wurde im Jahre 1537 durch den Cardinal Francesco Quignoni erneuert und mit Sculpturen geschmückt, welche die Könige David und Salomo und zwei Engel vorstellen. Am Gewölbe der Tribune sind noch die im Pontificate Alexanders VI. auf Kosten des Cardinals Bernardino Carvajal von Pinturicchio verfertigten Malereien, aber von neueren Händen übermalt, vorhanden. Ihre Gegenstände sind die Auffindung des Kreuzes und die Zurückbringung desselben nach Jerusalem von dem Kaiser Heraclius. In der Mitte des Bildes kniet vor der heil. Helena, welche das von ihr aufgefundene Kreuz hält, der gedachte Cardinal Carvajal. Oben erscheint der Heiland in einer Glorie von Engeln. Die Malereien unter dem Gewölbe sind von Niccolò da Pesaro.

Die Seitencapellen zeigen nichts vorzüglich Bemerkenswerthes. Die hinter der Tribune tiefer als der heutige Boden der Stadt liegenden Capellen der heil. Helena und des heil. Gregor bezeichnen wahrscheinlich allein die ursprungliche Kirche, obgleich sich von einem späteren Anbau des oberen Gebäudes keine Nachricht findet. Besondere Betrachtung verdient nur die erstgenannte der gedachten Capellen. Sie hat zwei Eingänge, einen hinter der Tribune und einen andern dieser zur Rechten, wo eine Treppe zu ihr hinabführt, an deren Wänden eine lange Inschrift von Majolica ihre ganze Geschichte erzählt. Der mehrerwahnte Cardinal Carvajal liess diese Inschrift, bei der von ihm veranstalteten Erneuerung der Capelle, nebst den schonen Mosaiken ihres Deckengewölbes verfertigen, die dem Baldassare Peruzzi, wir zweifeln ob mit Grunde, zugeschrieben werden. Man sieht am Gewölbe den Heiland und die vier Evangelisten in Rundungen und vier kleine Bilder, welche die Geschichte der Entdeckung des heil. Kreuzes vorstellen; an den beiden Bögen die Figuren der Apostel Petrus und Paulus, und den heil. Sylvester und die heil. Helena, vor welcher auch hier der Cardinal Carvajal auf den Knien erscheint. Den übrigen Raum der Decke erfullen, ebenfalls in Mosaik, Vögel, Arabesken und andere Verzierungen. Die Malereien von Pomarancio, an den unteren Wänden, sind aus der Zeit einer spatern von dem Cardinal Albert von Oesterreich unternommenen Erneuerung der Capelle. Auf dem einen der drei Altäre derselben, welcher der heil. Helena geweiht ist, darf nur der Papst und der Cardinaltitular der Kirche Messe lesen. In dem Gemach zwischen dieser Capelle und der des heil. Gregor steht ein antiker Cippus, welcher in der Vigne des Klosters gefunden wurde, und dessen Inschrift anzuzeigen scheint, dass er zum Piedestale einer Bildsäule diente, welche der Comes Julius Maximilianus der h. Helena, der Mutter Constantins des Grossen, errichtete.

Das Kloster bei dieser Kirche ertheilte Pius IV. den Cisterciensern, die es noch gegenwärtig besitzen. Zwei alte mit Säulenhallen umgebene Höfe desselben, sind unter Benedict XIV. bis auf einen einzigen Corridor niedergerissen worden, an dessen Wand antike Inschriften und Fragmente von Bildwerken eingemauert sind. Die Bibliothek dieses Klosters wurde unter der Herrschaft Napoleons mit der des Vaticans vereinigt, nach der Zuruckkunft des Papstes nach Rom aber dem Kloster zurückgegeben. Von ihren bedeutenden Handschriften sind mehrere nicht mehr vorhanden.

Amphitheatrum Castrense.

Hinter dem Kloster S. Croce, von der Kirche rechts, sieht man die Ueberreste eines runden Amphitheaters von Backsteinen, dessen Durchmesser ungefähr 250 Palm beträgt, und welches die Notitia Amphitheatrum Castrense benennt. Es steht zwischen den Stadtmauern und zur Hälfte ausserhalb derselben, wo noch die Aussenseite des Gebäudes grossentheils erhalten ist. Es hatte zwei Reihen von Arcaden, eine über der andern. Die Pfeiler der untern Reihe sind mit corinthischen Halbsaulen verziert; an den Pfeilern der oberen Reihe waren Pilaster von derselben Ordnung, von denen aber nur einer noch vorhanden ist. Die Arcaden sind vermuthlich zur Zeit des Aurelian zugemauert worden, als dieses Gebäude in eine Bastion der Stadtmauern verwandelt wurde. Das Innere desselben ist grossentheils verschüttet. Vor der Stadt, diesem Amphitheater gegenüber, sieht man noch Reste von dem sogenannten Circus des Aurelian.

Nymphaeum Alexanders.

In der Vigna des Klosters, links vom Eingange der Kirche S. Croce, sind die Ruinen eines grossen antiken Gebäudes. Seitdem von demselben die Steine zum Bau der heutigen Vorderseite der gedachten Kirche genommen worden sind, ist nichts mehr davon vorhanden, als ein Theil von einer grossen Nische oder Tribune zwischen zwei Mauern in paralleler Richtung. Wir glauben in diesen Ruinen, — die man bald Tempel der Venus und des Cupido, bald der Spes vetus, bald Sessorium benannte, — die Reste des Nymphäums des Alexander Severus zu erkennen, welches die Notitia in dieser, der funften Region, kurz vor dem

Ampitheatrum Castrense erwähnt. Auch dürften die Reste von Wasserrohren fur diese Erklärung sprechen.

Seitwärts von diesen Ruinen sieht man mehrere Bögen von grossen Travertinquadern alla rustica, von der Wasserleitung des Claudius, welche von hier nach Porta Maggiore fortgeht. Sie vereinigte sich auf der andern Seite in dieser Gegend, mit der von Backsteinen aufgeführten Wasserleitung des Nero, auf der die Aqua Claudia auf den Monte Celio gefuhrt wurde. Von derselben stehen noch bedeutende Reste der Kirche S. Croce gegenuber, bis in die Gegend des Laterans. Noch ist dicht beim Amphitheatrum Castrense eine kleine von Sixtus IV. erbaute Capelle zu bemerken, wegen eines guten Marienbildes über dem Altare von einem Künstler des 15ten Jahrhunderts.

Bäder der Helena.

Am Anfang der von Sixtus V. angelegten Strasse von S. Croce nach S. Maria Maggiore, rechts in der Villa Conti sind einige Kammern, die zu den Bädern der heil. Helena gehörten, wie eine verstümmelte dort gefundene Inschrift zeigt, die sich jetzt im vaticanischen Museum befindet.

Villa Altieri.

Auf derselben Strasse weiter fortgehend liegt zur Linken die Villa Altieri von beträchtlichem Umfange und mit anmuthigen schattigen Gängen. Im Erdgeschosse des Gartenhauses sind mehrere antike Inschriften und erhobene Arbeiten eingemauert. Von den antiken Gemälden aus dem sogenannten Grabmale der Nasonen, die sich ehemals in diesem Gebaude befanden, sieht man gegenwärtig nur noch zwei daselbst, die dabei von neueren Handen ganz übermalt sind.

Porta Maggiore.

Die Porta Labicana des alten Roms erhielt ihren heutigen Namen, Porta Maggiore, hochst wahrscheinlich als das grösste Thor der Stadt, indem dasselbe von dem grossen Castell gebildet wird, welches Claudius fur die beiden von ihm aufgefuhrten Wasserleitungen der Claudia und des Anio novus, die hier in Canalen über einander flossen, im Jahre Roms 803 errichtete. Dieses colossale und prächtige, aus mächtigen Travertinblocken aufgeführte Monument erscheint nun nach dem im Jahre 1838 erfolgten Niederreissen der beiden an dasselbe angebauten Festungsthurme, die es zum Theil verdeckten, wieder ganz freistehend. Es zeigt an den beiden Fronten der Längenseiten vollkommen gleiche Gestalt. Dasselbe hat zwei grosse gewolbte Durchgänge, von denen der eine zum Stadtthore dient, der andere zugemauert ist. Drei ebenfalls gewölbte Fenster sind an beiden Enden und in der Mitte des Gebäudes; und jedes derselben erscheint zwischen zwei rustiken corinthischen Säulen, uber deren Gebälke sich ein Giebeldach erhebt, welches jedoch an den meisten dieser Fenster verloren gegangen ist. Die obere Masse des Gebäudes hat drei Abtheilungen, in welchen die Inschriften, gleichlautend an beiden Fronten, in grossen Buchstaben eingehauen sind. Die oberste ist die des Claudius; und auf diese folgen unterwärts die des Vespasian und Titus, welche sich auf die von diesen beiden Kaisern veranstaltete Wiederherstellung der Aqua Claudia beziehen.

Grabmal des Eurysaces

Bei der Zerstörung des einen der beiden gedachten Festungsthürme, aus der Zeit des Mittelalters, kam ein von demselben verborgenes Grabmal zum Vorschein, welches, den Inschriften zufolge, einem Backer, Marcus Vergilius Eurysaces, welcher die Lieferung des Brodes fur die Magistratsdiener (Apparitores) in Pacht hatte, errichtet worden war; ein in seiner Art einziges Monument, wegen seines eigenthümlichen auf das Gewerbe des Verstorbenen deutenden Characters, indem nicht nur die erhobenen Arbeiten, die es schmücken, sondern auch die Bestandtheile des Gebäudes sich grossentheils auf dieses Gewerbe beziehen. Die Zeit seiner Errichtung lässt sich nicht genau bestimmen: nur so viel ist gewiss, dass es weder vor dem Kriege mit Perseus, im Jahre der Stadt 580 — weil es vor dieser Zeit keine Backer in Rom gab — noch nach dem Jahre 742 gesetzt werden kann, weil in diesem Jahre, unter der Regierung des August, eine Verordnung des Senats gegeben wurde, nach welcher ın Zukunft bei keiner Wasserleitung, in und ausser der Stadt, neue Gebäude unter der Entfernung von 15 Fuss aufgeführt werden sollten. Da nun unser Monument nur 9 Fuss von dem Castell der Wasserleitung des Claudius entfernt steht, so folgt daraus, dass es vor jenem Senatsbeschluss errichtet worden war, weil es nach demselben, zur Zeit des letztgenannten Kaisers, nicht mehr erlaubt gewesen wäre, es ın dieser Nähe der Wasserleitung zu erbauen. Eben so wenig aber würde die Heiligkeit, in welcher die Grabmäler standen, es gestattet haben, dieses Monument wegen der Anlegung des Aquaeducten zu zerstören.

Es liegt zwischen den beiden sich hier theilenden Heerstrassen der Via Labicana und Pränestina. Seine Beschädigungen wurden vermuthlich durch den Bau des Thurmes verursacht, in den es eingeschlossen war. Die hintere nach der Stadt gelegene Seite ist noch ganz unversehrt, und die beiden Seitenfronten sind noch grosstentheils erhalten. Die Vorderseite aber, die nach dem Felde zu liegt, ist, von nicht weit über der Basis an, ganzlich zerstört;

und auch das Dach ist gänzlich zu Grunde gegangen. Dieses aus Travertin aufgeführte Grabmal beschreibt ein ganz unregelmässiges Viereck. Die unterste Basis besteht aus Quadern und die darauf folgende zweite Abtheilung aus einer um und um abwechselnden Reihe von Pfeilern und Cylindern. Jeder der letzteren ist aus drei Gefassen zusammengesetzt, in denen man Mörser erkennt, die zum Umrühren des Brodteiges dienten. Der Boden des einen dieser Gefasse ist an einem mehr als zur Hälfte verloren gegangenen der gedachten Cylinder, an der nach der Via Labicana gelegenen Seite des Monumentes, zu bemerken. An der Platte uber der zweiten Abtheilung liest man die oben erwähnten auf die Person des Verstorbenen bezüglichen Inschriften. Die vier Ecken der dritten Abtheilung waren durch Anten von coriuthischer Ordnung, aber ohne die sonst gewohnlichen Voluten der Capitelle gebildet. Erhalten sind jetzt nur noch zwei derselben, indem die beiden andern, an den Ecken der Vorderseite, verloren gegangen sind. Zwischen diesen Anten sind in Quadern Gefässe wie die oben erwähnten, aber nicht wie diese in perpendiculárer, sondern in horizontaler Richtung, die Oeffnung nach aussen gekehrt, eingesetzt. Einige hier gefundene Kugeln, mit poroser Oberflache, befanden sich vermuthlich in diesen Gefässen, in welchen sie den Teig andeuten sollten, der in ihnen bereitet wurde. Der Fries dieser Abtheilung ist mit erhobenen Arbeiten verziert, von denen aber nur die an der Hinterseite noch ganz erhalten sind. Ihre Gegenstände sind folgende: an der nach der Via Labicana gelegenen Seite, anzufangen an der Stelle, wo der Fries mangelhaft ist: eine mannliche Figur in undeutlicher Handlung, hinter ihr ein mit der Toga bekleideter Mann, vermuthlich Eurysaces. — In der weiteren Folge: ein Mann an einem Tische sitzend, vielleicht ein Schreiber, dabei drei mit der Toga bekleidete Männer, welche Borghesi mit Wahrscheinlichkeit fur die drei Deputirten der Lictoren, Viatoren und Schreiber erklart, in welche die Apparitores eingetheilt waren, fur die Eurysaces die Lieferung des Brodes hatte. — Das Malen des Korns in zwei von Eseln gezogenen Muhlen vorgestellt. — Vier mit dem Sieben des Mehles beshäftigte Sclaven; und zwischen denselben ein mit der Toga bekleideter Mann, der diesen Sclaven den Lohn zu bezahlen scheint, nebst einem Knaben, der einen Geldbeutel hält.

Gegen die Via Pränestina, in der Folge vom Beschauer links: — ein Sclave das Brod in den Ofen schiebend. — Acht Sclaven, welche auf zwei Tischen den Teig kneten: zwischen ihnen steht ein mit der Toga bekleideter Mann, vielleicht zur Aufsicht uber dieselben. — Ein Sclave mit einer durch ein Pferd bewegten Maschine beschaftigt, die, nach Borghesi, zum Umrühren des Teiges (subactio farinae) diente.

An der Hinterseite, gegen die Wasserleitung des Claudius: einige Sclaven, welche Brod in Körben tragen, und zwei andere, welche mit dem Wagen des Brodes beschäftigt sind: dabei die drei oben erwähnten Deputirten.

Naeh der höchst wahrscheinlichen Vermuthung des Cav. Canina befand sich an der zerstörten Südseite dieses Grabmals ein bei demselben entdecktes Bildwerk, welches einen Mann und eine Frau, beide mit der Toga bekleidet, vorstellt, und eine Inschrift auf einer weissen Marmortafel, die ebenfalls hier gefunden worden ist. Diese Inschrift sagt: „Es war Atistia meine Gattin, die als beste Frau lebte, und deren übergebliebene Reste ihres Leibes in diesem Panarium sind (quoius corporis reliquiae sunt in hoc panario)." Es scheint daraus hervorzugehen, dass Eurysaces die Asche seiner Gattin in diesem Grabmale bestattete, welches er bei Lebzeiten fur sich errichtet hatte, und dass das Wort Panarium auf ein hier entdecktes Gefäss von Travertin deutet, welches die Form eines Korbes zeigt und demnach die irdischen Reste der Antistia bewahrte. Dass in den Personen des vorerwähnten aus weissem Marmor verfertigten Bildwerkes Eurysaces und dessen Frau vorgestellt sind, würde, nach dieser Annahme, wohl keinem Zweifel unterworfen seyn. Die etwas über lebensgrossen Figuren desselben sind ganz erhoben gearbeitet und dürften, dem Style zufolge, nicht früher als in die letzten Zeiten der Republik zu setzen seyn. Man sieht dieses Bildwerk nebst der gedachten Inschrift und dem Aschengefässe der Antistia unter den bei dem Niederreissen der oben erwähnten Thürme gefundenen antiken Fragmenten, die sich hier an einer Mauer zur Rechten vom Ausgange der Porta Maggiore befinden. Unter denselben befinden sich auch einige Fragmente von dem grossentheils zerstörten Gebälke unseres Monumentes mit den Zahnschnitten der jonischen Ordnung. Auf diesem Gebälke ruhte, nach Canina, an der östlichen und westlichen Seite des Grabmals eine Attike mit einem mit Blattern verzierten Wulst, wovon man hier ebenfalls Bruchstücke sieht; und auf dieser Attike erhob sich das Dach, dessen Gipfel eine Zierrath in Gestalt eines ovalen, auf das Bäckerhandwerk deutenden Korbes schmückte, der sich ebenfalls unter den hier gefundenen Fragmenten befindet.

§. 92.

Thal nach dem Esquilin.

SS. Pietro e Marcellino.

Die Kirche SS. Pietro e Marcellino, an der Strasse, die von dem Lateran nach S. Maria Maggiore führt, wird zuerst in der

Synode Gregors des Grossen erwähnt. Einen neuen Bau dieser Kirche unternahm Gregor III. im 8ten Jahrhundert; und Alexander IV. weihte sie von Neuem im Jahre 1256. Das heutige unter Benedict XIV. nach Angabe des Girolamo Teodoli aufgeführte Gebäude derselben zeigt nichts Bemerkungswerthes. Das mit ihr verbundene Kloster besitzen seit dem letztgenannten Papst die Theresianerinnen.

Kirche S. Clemente.

An der unter Sixtus V. in gerader Richtung von dem Lateran nach dem Colosseum gezogenen Strasse liegt die Kirche des heil. Clemens, die bereits der h. Hieronymus in seinem 392 geschriebenen Werke über die ältesten Kirchenschriftsteller erwähnt, und die darauf unter den Pfarrkirchen bei dem Concilium des Symmachus am Ende des folgenden Jahrhunderts vorkommt. Dass das heutige Gebaude derselben nicht das ursprüngliche sey, beweisen die von dem Architecten Herrn Gau im Jahre 1818 entdeckten Reste einer früheren zwolf Fuss unter der heutigen liegenden Kirche. Wann jene erbaut wurde, ist nicht bekannt. Wir sehen sie gegenwärtig in ihren wesentlichsten Theilen noch in der Gestalt, die sie durch ihre Erneuerung unter Paschalis II. (1099—1118) erhielt, welche vermuthlich durch die Beschädigungen veranlasst wurde, die sie hochst wahrscheinlich bei der Verheerung dieses Theils der Stadt durch Robert Guiscard im J. 1084 erlitten hatte. Bei ihrer Herstellung aus einem baufalligen Zustande durch Clemens XI., zu Anfang des vorigen Jahrhunderts, erhielt sie zwar mehrere Ausschmucknngen im Geschmack dieser Zeit, aber ohne Veränderung ihrer Haupttheile und mit Schonung ihrer Alterthümer. Sie allein unter allen römischen Kirchen zeigt noch vollkommen die auf die alte Liturgie und Kirchenzucht bezugliche Einrichtung und ist unter ihnen deswegen vorzüglich bemerkenswerth.

Das Vestibulum am Eingange des Vorhofes ruht auf vier antiken Granitsaulen, und 16 andere bilden die beiden Seitenhallen des Hofes und die Halle vor der Kirche. Hier ist der Haupteingang, der aber gewohnlich verschlossen ist, weil man durch einen Seitengang einzutreten pflegt. Das mittlere der drei Schiffe der Kirche wird auf jeder der beiden Seiten von 8 ebenfalls antiken Säulen und zwei Pfeilern getragen. Am Anfange der beiden Seitenschiffe sind zwei spater hineingebaute Capellen. Auf dem Fussboden ist noch grösstentheils die mittelalterliche Steinarbeit vorhanden. Die mit vergoldeten Schnitzwerken geschmückte Decke des Hauptschiffes ist aus der Zeit Clemens XI. In der Mitte dieses Schiffes erhebt sich auf einer Stufe der alte Chor. Er bildet ein langliches Viereck und ist mit Schranken von Marmorplatten eingeschlossen, die theils mit durchbrochener Arbeit, theils mit

Mosaik und Kreuzen und anderen Figuren verziert sind. Innerhalb des Chors stehen die beiden Ambonen oder Kanzeln einander gegenüber, auf denen das Evangelium und die Epistel verlesen wurden. Bei dem Ambo des Evangeliums, dem zur Linken, steht eine gewundene mit Mosaik ausgelegte Säule, die zum Leuchter der Osterkerze diente. Ausser dem auf dem Ambo der Epistel gewöhnlichen Pulte steht am Anfange der Treppe dieses Ambo noch ein anderes Pult. Die steinernen Bänke am Fusse beider Ambonen waren zu den Sitzen für die Sänger bestimmt. Der hintere Theil der Kirche ist ebenfalls mit Marmorschranken eingeschlossen, welche einen Eingang von dem Chor zu dem Presbyterium und zwei andere Eingänge zu den beiden Capellen zu beiden Seiten der Tribune offen lassen, wo sich ehemals das Senatorium und Matroneum, nämlich die beiden Plätze befanden, die Männern von hohem Stande und den Nonnen, die nicht in Klöstern wohnten, zur Auszeichnung angewiesen waren. Die Schranken sind von gleicher Arbeit mit denen des Chors und zeigen wie diese das Monogramm Johannes, mit welchem ohne Zweifel Derjenige genannt ist, der dieses Werk verfertigen liess: wer aber derselbe war, ob einer der früheren Päpste dieses Namens, oder ein Cardinalpriester dieser Kirche, dürfte nicht zu entscheiden seyn.

Zu dem Presbyterium führen drei Stufen empor. Ueber dem neuen Hauptaltare erhebt sich auf vier Säulen ein altes Tabernakel von weissem Marmor, wahrscheinlich aus der Zeit Paschalis II. Das kleine mit Sculpturen geschmückte Tabernakel im sogenannten gothischen Styl, welches ursprünglich zur Aufbewahrung des b. Sacraments bestimmt war und jetzt zur Bewahrung des h. Oels dient — an der Wand des Pfeilers rechts an der Tribune — liess, der Inschrift zufolge, der Neffe Bonifacius VIII., Jacobus Cardinalpriester dieser Kirche, im Jahre 1290 verfertigen. Die Gegenstände der alten Mosaiken am Gewölbe und um den Bogen der Tribune sind folgende: über dem Bogen der Heiland zwischen den vier symbolischen Bildern der Evangelisten. An dem Bogen rechts die Heiligen Petrus und Clemens, links Paulus und Laurentius: unter ihnen die Propheten Jesaias und Jeremias, und die Städte Jerusalem und Bethlehem. In der Mitte des Gewölbes entspriesst aus einem Weinstocke — in Beziehung auf die Worte des Erlösers: „ich bin der Weinstock, ihr seyd die Rehen" — ein Crucifix, auf dem zwölf Tauben, die wahrscheinlich auf die zwölf Apostel deuten, gebildet sind. Zu beiden Seiten des Kreuzes Maria und Johannes: am Fusse desselben grünende Pflanzen, darunter, die vier Flüsse des Paradieses mit zwei Hirschen und zwei Pfauen, den Sinnbildern der Gläubigen und Büssenden. Ueber dem Kreuze ragt aus einer Glorie eine Hand zur Andeutung des ewigen Vaters empor. In den uber das ganze Gewölbe sich verbreitenden Zweigen des Weinstocks erscheinen die vier Kirchenlehrer, nebst mehreren andern kleinen menschlichen Figuren und Vögeln. Unter dem Gewölbe sieht man in der ersten Reihe, ebenfalls in Mosaik, den Heiland mit den Aposteln unter dem Bilde von Lämmern, und in der zweiten die Apostel in ihrer wirklichen Gestalt, in alten aber von neueren Handen übermalten Gemälden, die — wie Melchiorri, wir wissen nicht aus welcher Quelle, sagt — Giovenale da Orvieto, ein Meister, der um das Jahr 1400 lebte, verfertigte. Den an der Wand der Tribune stehenden Bischofsstuhl liess Anastasius, ein Cardinalpriester dieser Kirche zur Zeit Paschalis II., verfertigen, wie die Inschrift: Anastasius Presbyter S. Clementis hoc opus fecit, zeigt. An den Seitenwänden neben der Tribune stehen drei mit Sculpturen geschmückte Grabmäler aus den späteren Zeiten des 15ten Jahrhunderts. Unter denselben ist das des Cardinals Anton Jacob Veniero — an welchem über der Bildsäule des Verstorbenen die h. Jungfrau mit dem Kinde zwischen zwei Heiligen in erhobener Arbeit gebildet ist — durch gute Sculptur ausgezeichnet. Hingegen zeigt das Grabmal des Cardinals Rovarella einen fur diese Zeiten sehr manierirten Styl.

Mit Uebergehung der nicht bedeutenden Gemälde späterer Maler haben wir nur noch die Gemälde des Masaccio, in der bereits erwahnten Capelle vom Haupteingange links, zu betrachten. Sie haben durch Ausbesserung und Uebermalung von neueren Händen viel von ihrem ursprunglichen Character verloren. Man sieht an der Vorderseite dieser Capelle die Verkündigung und den h. Christoph mit dem Christuskinde: im Bogen die Brustbilder der zwölf Apostel. Im Innern, an der linken Seitenwand, sind folgende Gegenstände des Lebens der h. Catharina vorgestellt, der diese Capelle geweiht ist: 1. die Heilige, welche gezwungen werden soll, den Gotzen zu opfern. — 2. Die von ihr in ihrem Gefängnisse bewirkte Bekehrung der Tochter des Kaisers Maximinus, und die Enthauptung der Letzteren, deren Seele ein Engel zum Himmel emporträgt. — 3. Der Streit der h. Catharina mit den Philosophen zu Alexandrien; im Hintergrunde trostet dieselbe die Seelen im Fegfeuer. — 4. Ihre wunderbare Befreiung, indem das Rad zu ihrer Hinrichtung durch Beruhrung eines Engels zerspringt und ihre Henker zu Boden schlagt. — 5. Die Enthauptung derselben. — An der gegenüberstehenden Wand sieht man Gegenstände aus dem Leben des h. Clemens. In der Vorstellung der Kreuzigung Christi an der Hinterwand der Capelle sind mehrere Figuren, von denen nur noch Spuren vorhanden waren, bei der letzten Restauration ganz neu gemalt worden. Allein noch in ihrem ursprunglichen Zustande erhalten sind die Figuren der vier Evangelisten am Kreuzgewölbe der Decke.

Das Kloster bei dieser Kirche erhielten von Urban VIII. die irländischen Dominicaner, die es noch gegenwärtig besitzen.

Thal zwischen Cälius und Aventin und seine Fortsetzung längs der Appischen und Latinischen Strasse.

§. 93.

Thermen des Caracalla.

Von den dem kaiserlichen Rom eigenthümlichen Gebäuden der Thermen sind die des Caracalla diejenigen, von denen sich noch die bedeutendsten Reste erhalten haben. Diese Gebaude waren von den Bädern (balnea) dadurch unterschieden, dass sie als Gemeingut zur öffentlichen Benutzung offen standen, während die Balnea entweder für den eigenen Gebrauch des Hausherrn bestimmt, oder Privatspeculationen waren; und dass in ihnen mit den Bädern eine griechische Palastra, wenigstens oft, immer aber Räume für mancherlei Arten des Zeitvertreibes, unseren Museen und Gallerien entsprechende Säle mit Statuen und Gemälden, Bibliotheken u. s. w. verbunden waren. Sie gehorten zu den allerglänzendsten Gebäuden des kaiserlichen Roms. Die Wände ihrer Sale und Zimmer, sowie ihre Fussböden, waren mit den mannigfaltigsten und kostbarsten Stoffen bekleidet und die Deckengewolbe mit Stuckarbeiten und Gemälden geschmückt. Viele der Säulen, welche die neueren Gebäude Roms verherrlichen, hatten dort ihren ursprünglichen Platz und ebenso die Badewannen von Granit, Basalt und Porphyr, die sich jetzt in den Museen befinden oder in Kirchen unter den Hauptaltaren zur Aufbewahrung von Reliquien dienen, oder auch zu Springbrunnen angewendet worden sind. Auch sind in den Thermen, als in Sammlungsorten von Kunstwerken, mehrere der vorzüglichsten in Rom entdeckten Bildwerke des Alterthums gefunden worden. Von den in den Bädern dienenden Sesseln, gewöhnlich von weissem Marmor und zum Theil mit schönen Verzierungen, sind noch einige in den alten romischen Kirchen vorhanden, wo sie, nachdem die Thermen verlassen blieben, zu Bischofsstühlen angewendet wurden.

Der Bäder gab es vier Arten: kalte, laue, heisse, und trockne Schwitzbäder. Die Badezimmer waren grossentheils ohne Fenster und wurden mit Lampen erleuchtet. Unter diesen Zimmern war ein Erdgeschoss fur die Oefen, welche von unten heizten. Es durfte sich auch ohne ausdrückliche Erwähnung der Schriftsteller von selbst verstehen, dass, so wie die Pracht und Einrichtung der Badegemächer verschieden war, diese Locale auch nach den

Ständen geschieden waren, und dass Jedem dasjenige angewiesen wurde, zu welchem er sich als befugt auszuweisen vermochte.

Die von Caracalla den Namen führenden Thermen, an der Via Appia, auch schon im Alterthume Antoninianae genannt, wurden unter der Regierung dieses Tyrannen in dem J. 217 n. Chr. vollendet. Jedoch betrifft dieser unter ihm vollendete Bau nur das innere Gebäude: denn die Bauten, welche dasselbe umgaben, deren grossen Umfang die noch vorhandenen Ruinen zeigen, wurden erst unter Heliogabal angefangen und unter Alexander Severus beendigt. Dieser prächtige colossale Bau erregte das Staunen der nachfolgenden Zeit; und schon zur Zeit des Spartian vermochten die Architecten und Mechaniker nicht mehr zu begreifen, wie die Decke des grossen, Cella Solearia benannten, Saales construirt worden sey. In denselben befanden sich, nach Olympiodor, 1600 marmorne Badesessel, und aus ihren Trummern sind, ausser mehreren Badewannen und anderen antiken Monumenten, der Farnesische Hercules, die sogenannte Flora und der Farnesische Stier — drei Bildwerke von ausgezeichneter Bedeutung, die sich jetzt im königlichen Museum zu Neapel befinden — hervorgezogen worden.

Das untere Geschoss dieses Gebäudes und ein grosser Theil der Aussenwerke lag tief unter Schutt und Erde vergraben bis zu den im Jahre 1824 von dem Grafen Velo unternommenen und von der franzosischen Academie fortgesetzten Ausgrabungen, durch welche man zur genaueren Kenntniss der Einrichtung und Anordnung des Baues gelangte. Man entdeckte dadurch die Mosaiken, welche die Fussboden bekleideten, die Substructionen, welche diese unterstutzten, die Art der Marmorbekleidungen, welche sich noch an ihrer Stelle befanden, und eine grosse Anzahl von Säulenresten, Capitellen, Gebälken und Bildhauerarbeiten. Der französisehe Architect Blouet verfertigte darauf einen neuen auf diesen Untersuchungen beruhenden Plan dieses colossalen Gebäudes, der von dem Architecten Herrn Scheppig für unser grösseres Werk der Beschreibung von Rom von Neuem durchgesehen und bearbeitet worden ist.

Der ganze Bau der Thermen zerfällt, wie schon erwähnt, in zwei Hauptmassen, nämlich in das innere unter Caracalla aufgeführte Gebäude und in die weitläuftigen von Heliogabal und Alexander Severus hinzugefugten Aussenwerke, welche jenes in viereckiger Form umgeben. Beide Gebaude erhoben sich in zwei Stockwerken. Die fruher herrschend gewesene Meinung, dass das untere Geschoss der Thermen ausschliesslich zu Badegemachern, das obere hingegen ebenso ausschliesslich zu anderen Zwecken bestimmt gewesen sey, hat sich durch die gedachten Ausgrabungen als irrig erwiesen. Was die Aussenwerke betrifft, so lag die Vorderseite derselben gegen die Via Appia, von der sie durch einen Vorplatz getrennt war. Diese Façade war durch eine Saulenhalle gebildet, aus der man zuerst in Vorsäle und von diesen in Badegemächer gelangte. Die Quadratform der Aussenwerke hatte an jeder der beiden Seitenfronten eine Ausladung, die durch eine halbmondförmige Säulenhalle gebildet wurde. An der Hinterseite befand sich ein ebenfalls hervorspringender Bau einer Reihe von Wasserbehältern. In der Mitte des inneren Gebäudes, war, wie in anderen römischen Thermen, der grosse Saal, in dem man gewöhnlich die Pinacothek zu erkennen glaubte, und dessen Trümmer die Construction desselben — welche der dieses Saales in den Thermen Diocletians, der heutigen Kirche S. Maria degli Angioli, entspricht — noch sehr deutlich zeigen. Wie in jenem acht Säulen von Granit, so standen in diesem, in den Thermen des Caracalla, acht Porphyrsäulen; und die hier gefundenen Porphyrplatten beweisen, dass wenigstens ein Theil der Wandbekleidung aus demselben Steine bestand. In den grossen Räumen zwischen dem inneren und äusseren Gebäude befanden sich Baumanlagen. Da eine in das Einzelne eingehende Beschreibung der Lage und der Bestimmung der Gemacher dem Leser ohne beigegebenen Grundriss ganz unverständlich bleiben würde, so verweisen wir auf den obenerwähnten Plan und die von Hrn. Prof. Ambrosch beigefügte Erklärung (Beschreib. von Rom III. Bd. 1. Abtheil. S. 593 u. folg.).

S. Sisto.

Jenseit der Brücke, welche auf der Via Appia über die Marrana führt, sieht man zur Linken die Kirche des h. Sixtus, die zuerst mit dem Namen Titulus Tigridis in dem Concilium des Symmachus (499) vorkommt. Ein Jahrhundert darauf nennt sie Gregor der Grosse Ecclesia S. Sixti in Via Appia. Sie zeigt nach ihren in den Pontificaten Gregors XIII. und Benedict XIII. unternommenen Erneuerungen gar nichts Merkwürdiges mehr. Das Klostergebäude bei derselben dient gegenwärtig zu einer Stempelfabrik.

SS. Nereo ed Achilleo

Die Kirche SS. Nereo ed Achilleo, welehe S. Sisto gegenüber, zur Linken der Via Appia, liegt, wird in dem vorerwähnten Concilium des Symmachus Titulus Fasciolae — wahrscheinlich eine Verstummlung von Fabiola, einer frommen romischen Matrone und Freundin des h. Hieronymus — genannt. Ihren heutigen Namen erhielt sie nachmals von den in ihr verehrten Gebeinen der Heiligen Nereus und Achilleus. Nachdem die alte Kirche durch Feuchtigkeit des Ortes und Ueberschwemmungen sehr gelitten hatte, liess Leo III. (795–816) in einiger Entfernung von derselben ein neues und grösseres Gebaude auffuhren, welches nach seinem ganzlichen Verfall, gegen das Ende des 16ten Jahrhunderts, von dem beruhmten Cardinal Baronius, mit Beibehaltung der ursprunglichen Basilikenform, jedoch nicht ohne Vermischung mit Elementen des Zeitgeschmackes, wieder hergestellt wurde. Die Vorderseite ist mit Malereien in Einer Farbe von Girolamo Maffei verziert. Das Innere der Kirche wird in drei Schiffe von 12 achteckigen Saulen getheilt, die aus Ziegeln bestehen und mit Kalk ubertüncht sind. An den Wanden der Seitenschiffe sind Frescomalereien von Circiniano und Roncalli Die Tabernakel der beiden an jenen Wanden gegenüberstehenden Altare ruhen auf vier gewunden cannelirten Saulen, zwei von weissem Marmor und zwei von Paonazetto. Die vier Marmortische, neben diesen Altaren, werden von Candelabern, die mit Laubwerk im Style des 15ten Jahrhunderts verziert sind, getragen. Aehnliche Zierrathen in demselben Style zeigt der grossere marmorne Leuchter fur die Osterkerze, am Ende des mittleren Schiffes vom Eingange rechts. Demselben gegenüber steht eine mit buntem Marmor ausgelegte Kanzel auf einer porphyrnen Basis, die in den Thermen des Caracalla gefunden worden ist. Ueber dem Bogen der Tribune ist noch ein Mosaik aus der Zeit Leo's III., aber grossentheils mit Malerei ergänzt, erhalten, welches in der Mitte die Verklarung Christi, rechts die Verkundigung der h. Jungfrau und links dieselbe mit dem Kinde, nebst einem Engel vorstellt. Arbeiten des Mittelalters sind die aus weissem Marmor verfertigten und mit Porphyrplatten und Mosaik ausgelegten Schranken des Presbyteriums, so wie die vier gewundenen ebenfalls mit Mosaik ausgelegten Säulen, die auf diesen Schranken stehen und daselbst zu Leuchtern dienen. Das moderne Tabernakel des Hauptaltars ruht auf vier ausgezeichnet schonen Saulen von buntem africanischen Marmor. Auf dem Fussboden des Presbyteriums ist noch mittelalterliche Steinarbeit vorhanden. An den Basen von zwei Tischplatten zu beiden Seiten des Anfangs der ·Tribune sind zwei antike Reliefs eingesetzt, die vermuthlich die Querseiten eines Sarcophages mit der Vorstellung der Circusspiele waren. Jedes derselben zeigt eine Victoria: die eine halt ein Blumengewinde, die andere hat einen Kranz in der rechten und eine Palme in der linken Hand. Der aus Bruchstücken verschiedener Zeiten zusammengesetzte Bischofsstuhl, am Ende der Tribune, zeigt in der marmornen Nische seiner Hinterlehne die Worte einer Homilie, die von Gregor dem Grossen in dieser Kirche gehalten wurde.

Weiter auf der Via Appia fortgehend, gelangt man zu der Kirche S. Cesareo, die bereits von Gregor dem Grossen erwähnt wird und ehemals den Beinamen in Palatio, vermuthlich von den

Thermen des Caracalla, fuhrte. Sie ist, wie die Kirche SS. Nereo
ed Achilleo, ohne Vorhalle. Das Innere derselben hat nur Ein
Schiff, mit einer modernen mit vergoldeten Zierrathen geschmückten Decke. Die beiden in der vorderen Kirche einander gegenuberstehenden Altäre zeigen an den Vorderseiten Steinarbeit und
Mosaik des Mittelalters. Jedes der Tabernakel derselben, aus der
Zeit Clemens VIII., schmücken zwei Saulen von Paonazzetto. An
einer aus mittelalterlichen Fragmenten zusammengesetzten Kanzel
sieht man den Heiland als Lamm, zwei von den symbolischen
Bildern der Evangelisten und einige Sphinxe in erhobener Arbeit.
Aus der Zeit des Mittelalters sind auch die mit Porphyr und anderen Steinen ausgelegten Schranken des Presbyteriums; — der
mit Mosaik und Bildhauerarbeit geschmückte Hauptaltar, über dem
sich ein modernes Tabernakel auf vier Saulen von Paonazzetto
erhebt; — und der mit Steinarbeit und gewundenen Säulen verzierte Bischofsstuhl, am Ende der Tribune. — Zwei Engel in erhobener Arbeit, welche vor dem Gitter der Confession einen Vor-
hang erheben, zeigen den Styl des 15ten Jahrhunderts. Der
vorerwähnten Kanzel gegenüber steht ein moderner Candelaber
von Paonazzetto, zum Leuchter für die Osterkerze.

§. 94.
S. Giovanni a Porta Latina.

Unweit von der Porta Latina, zu welcher die Strasse führt,
die links von der Via Appia bei S. Cesareo anfangt, steht die alte
Kirche des h. Johannes des Evangelisten, von dem gedachten
Thore S. Giovanni a Porta Latina genannt. Die Zeit ihrer Erbauung ist unbekannt. Anastasius spricht von einer Erneuerung
der Kirche dieses Namens durch Hadrian I. (772—95): aber es
scheint ungewiss, ob hier dieses Gebäude oder die kleine Capelle
gemeint sey, von der wir in der Folge reden werden. Die Kirche
übergab Lucius II. im Jahre 1144 dem Domcapitel des Laterans,
welches sie noch gegenwärtig besitzt. Das Aeussere derselben
trägt noch den alterthümlichen Character, den das Innere durch
die von dem Cardinal Rasponi im Jahre 1686 veranstaltete Erneuerung fast ganz verloren hat. Die von vier antiken Säulen
getragene Vorhalle ist vor einigen Jahren fast ganz zugemauert
worden. Die marmorne Verkleidung des Eingangs der Kirche ist
mit mittelalterlicher Steinarbeit geschmückt. Zehn antike Säulen
— 5 von Granit und die ubrigen von verschiedenem Marmor —
theilen das Innere des Gebaudes in drei Schiffe. Das mittlere
derselben hat eine flache, mit Gemalden von Paolo Perugino geschmuckte Decke, aus der Zeit des vorerwahnten Cardinals.
Aus den Zeiten des Mittelalters sieht man noch den mit Mosaik
ausgelegten Hauptaltar, die Laubverzierungen an den beiden

Pfeilern der Tribune und die Steinarbeit auf dem Fussboden derselben. Das Klostergebäude bei dieser Kirche ist seit der französischen Revolution verfallen und verlassen.

S. Giovanni in Oleo

Die kleine oben erwähnte Capelle, rechts an der Strasse, führt den Namen S. Giovanni in Oleo, weil sie hier zum Andenken des Ortes errichtet wurde, wo der Tradition zufolge der h. Johannes auf Befehl Domitians den Märtyrertod im siedenden Oel erleiden sollte; aber davon wundervoller Weise befreit wurde. Sie zeigt, nach ihrer neuen Erbauung unter Julius II. im Jahre 1508, auf Kosten eines französischen Auditors des Tribunals der S. Rota Romana, Adam von Burgund, achteckige Gestalt. Das Innere dieser Capelle wurde unter Alexander VII. im Jahre 1688 auf Veranstaltung des Cardinals Paolucci nach Angabe des Borromini erneuert und mit Gemälden von Lazzero Baldi, einem Schüler des Pietro da Cortona, verziert.

Grabmal in der Vigna Campana

Ebenfalls an der Porta Latina, von der Strasse rechts, sieht man in der Vigna Campana ein sehr merkwürdiges Grabmal, welches im Jahre 1832 entdeckt worden ist. Es führt in dieses Columbarium eine Treppe hinab, von welcher der obere Theil neu ist. Die Wande zu beiden Seiten zeigen auf den Backsteinen noch bedeutende Reste von Stuckbekleidung. Die Wand zur Linken ist mit Taubenlöchern (Columbarien) durchbrochen. Der Treppe gegenuber erscheint eine Nische, deren Wande mit Porta Santa bekleidet sind: die Bekleidung ihres Gewolbes hingegen besteht aus Stuck in der Gestalt von Meerschwämmen. Unter derselben befindet sich eine Todtenkiste mit einer durchaus mit Mosaik bekleideten und mit Muscheln geschmückten Vorderseite, an welcher man, unter der Inschrift eines Pomp. Hylas und seiner Gemahlin Pomponia, einen Dreifuss zwischen zwei Greifen, ebenfalls in Mosaik gebildet, sieht. Der untere Raum der Gruft hat eine gewolbte Decke und wird, von der Treppe rechts, durch eine Apsis begranzt; das Licht erhielt derselbe durch eine jetzt mit Schutt ausgefullte Fensteroffnung an der Seite, von welcher die Treppe hinabfuhrt. An den Wänden befinden sich mehrere Aediculae; die beiden zunachst der Treppe sind sehr zierlich mit farbigem Stuck geschmückt, und die erstere derselben zeigt, ausser architectonischen Zierrathen, im Giebelfelde den Chiron, welcher den Achilles auf der Leyer unterrichtet, in erhobener Arbeit und am Architrave ein grosstentheils zu Grunde gegangenes Relief, von dessen auf die Unterwelt bezüglichen Gegenstanden man, vom Beschauer rechts, den Ocnus mit dem Esel und links den

Cerberus bemerkt. An der anderen jener beiden. Aediculae steht
eine kleine Herme des bärtigen Bacchus, die hier umgesturzt
gefunden wurde. Die Aedicula, die sich in der Apsis erhebt, ist
mit Gemälden geschmuckt. Im Giebelfelde sieht man einen Amor
zwischen zwei Tritonen mit Doppelfloten; am Architrave einige
kleine Figuren, unter denen die sitzende Frau, vom Beschauer
links, durch eine hinter ihr befindliche Cista mystica mit einem
Thyrsus als bacchische bezeichnet ist — und uber der Wölbung
der Nische, in der sich die Aschenkrüge befinden, eine andere
Cista mystica zwischen einer männlichen und einer weiblichen
Gewandfigur. Die Malereien am Gewolbe der Apsis stellen
Weinranken vor, mit drei weiblichen Figuren, von denen die zu
beiden Seiten durch Flugel als Victorien bezeichnet sind. Ueber
dem Bogen des Gewölbes sind ebenfalls menschliche Figuren mit
Delphinen und Meerwundern zu bemerken; und das Deckengewölbe der Gruft ist mit gemalten Weinranken geschmückt, in
denen Vogel und Amoren erscheinen, die, wie die sämmtlichen
Malereien dieses Columbariums, zwar sehr fluchtig als oberflach-
liche Decorationen behandelt, aber in dem schönen dem Geiste
des Alterthums eigenthumlichen Sinne gedacht sind. In der Vigna
sieht man, bei diesem Grabmale, mehrere in derselben gefundene
Fragmente von Saulen, Gesimsen, Reliefs und Inschriften.

Porta Latina

Die zwischen zwei Thürmen von Travertinquadern aufgeführte
Porta Latina ist wahrscheinlich ein Werk aus der Zeit des Honorius sowohl wegen ihrer für das Zeitalter Aurelians zu schlechten
Bauart, als weil man am Schlusssteine das Monogramm des Namens Christi bemerkt. Dieses Thor ist seit der Zeit der franzosischen Revolution zugemauert.

Grabmal der Scipionen

Von S. Cesareo weiter auf der Via Appia fortgehend sieht
man zur Linken dieser Strasse, in der Vigna Sassi, das merkwürdige Grabmal der Scipionen, dessen Entdeckung im J. 1780
erfolgte, als die Besitzer der Vigna eine unterirdische Grotte erweitern wollten. Unglucklicher Weise unternahm die fernere
Ausgrabung der Papst Pius VI., welcher, da er bei dieser Entdeckung kein weiteres Interesse gehabt zu haben scheint, als
dadurch Monumente zur Bereicherung seines Museums zu erhalten,
die ehrwurdigen Gebeine jener beruhmten Familie des republicanischen Roms aus ihren Särgen herausbrechen liess. Die Stimmen, die sich dagegen erhoben, fanden kein Gehor. Die heraus-
geworfenen Gebeine sammelte der venetianische Senator Quirini,
um ihnen in seiner Villa zu Padua ein Denkmal zu errichten.

Die sämmtlichen hier gefundenen Monumente sieht man im Pioclementinischen Museum, wo wir bereits von ihnen gesprochen
haben. Das Andenken der weggenommenen Grabschriften haben
die Besitzer der Vigna durch Copien von gleicher Grosse zu erhalten gesucht, die an der Stelle, wo sich die Originale befanden,
eingesetzt worden sind.

Dieses Grabmal ist in viereckiger Gestalt in den Tuf eines
Hügels gehauen. Die Schwelle des Einganges an der Via Appia
ist uber der alten Strasse, daher man vermuthlich, wie in die
Gruft der Pyramide des Cestius, vermittelst einer Leiter einstieg.
Der Raum zwischen den Peperinsteinen, welche die Schwelle bilden, ist bedeutend enger, als zwischen dem Bogen, der sich über
ihr erhebt. Dieser ist ohne strenge Regelmässigkeit aus neun
Peperinsteinen gebaut. Der Tuf ist an den Seiten dieses Einganges roth übertüncht. Auf einem ansehnlichen Gesimse, welches man über dem Bogen bemerkt, erhebt sich das obere Stockwerk, welches cannelirte dorische Halbsäulen mit attischen Basen
hatte, wie das noch erhaltene Stück eines Schaftes mit der Basis
zeigt. Die Sarcophage, jeder aus Einem Stuck Peperin, waren
theils ganz, theils halb in die Wande eingesetzt, theils nur an-
gelehnt.

Grabmäler der Furier und der Manilier

In der Vigna Moroni, der Vigna Sassi gegenüber, entdeckte
man, einige Jahre nach der Entdeckung des Grabmals der Scipionen, die Grabmäler der Furier und der Manilier, wie die daselbst gefundenen Inschriften zeigten. Von beiden Grabmalern
aber ist dermalen hier nichts mehr vorhanden.

Angeblicher Bogen des Drusus

Vor der inneren Seite der Porta di S. Sebastiano steht ein
zum Theil zerstorter antiker Bogen, in welchem die meisten Antiquare denjenigen zu erkennen glaubten, welchen, nach Tacitus
und Sueton, der Senat im Jahre der Stadt 745 dem Claudius
Drusus Germanicus auf der Appischen Strasse zu errichten beschloss. Er ist von grossen Travertinquadern aufgeführt; und nur
die Einfassungen der Wölbung, das Gebälke unter dem Gewölbe
und der Schlussstein sind von weissem Marmor. An der Fronte
gegen die Stadt sieht man oben noch Reste des Giebels, nebst
einem Theile des Gesimses mit architectonischen Verzierungen;
und an der Fronte gegen das Thor stehen zu beiden Seiten des
Bogens noch zwei Saulen von africanischem Marmor. Die römische Ordnung dieser Saulen dürfte gegen die oben erwähnte Benennung dieses Monumentes sprechen, da diese von Vitruv nicht
erwähnte Säulenordnung sich, unter den Denkmälern, deren

Zeitalter vollkommen entschieden ist, zuerst am Titusbogen zeigt.
Dass später uber diesen angeblichen Bogen des Drusus ein Aquae-
duct geleitet wurde, zeigt ein Canal über demselben, zu dessen
Wasserleitung ohne Zweifel die noch zu beiden Seiten des Bogens
erhaltenen Arcaden gehören.

§. 95.

Porta S. Sebastiano.

Das Thor, welches noch im Mittelalter den Namen Porta
Appia fuhrte, erhielt in späteren Zeiten den Namen Porta S. Sebastiano, von der Kirche zu der es fuhrt. Es ist, wie der viereckige Unterbau der demselben zu beiden Seiten stehenden Thurme, von grossen weissen Marmorquadern aufgefuhrt.

Kirche Domine quo vadis.

Ausserhalb des Thores, da, wo links der Weg nach der
sogenannten Grotte der Egeria abgeht, steht die kleine Kirche
Domine quo vadis, die zum Andenken der Sage erbaut wurde,
dass dem heil. Petrus kurz vor seinem Martyrertode der Heiland
erchien, zu welchem der Apostel sprach: Herr wo gehest du
hin? — An der Stelle dieser Erscheinung sollen sich die Fuss-
stapfen des Erlosers in einen Stein eingedrückt haben, der noch
in dieser Kirche gezeigt wird.

S. Sebastiano.

Im weiteren Fortgange der Via Appia gelangt man zu der
Kirche S. Sebastiano, einer der sieben Hauptkirchen von Rom, die
bereits zur Zeit Gregors des Grossen erwahnt wird, durch ihre
von dem Cardinal Scipio Borghese im Jahre 1612 veranstaltete
Erneuerung aber ganz moderne Gestalt erhielt. Die Vorhalle
wird von sechs antiken Granitsäulen getragen, die sich wahrscheinlich an der vormaligen Halle dieser Kirche befanden. Dieselbe hat gegenwartig nur ein Schiff. In der zweiten Capelle vom
Eingange links, wo die Reliquien des h. Sebastian aufbewahrt
werden, sieht man die von Giorgini nach einem Modell des Ber-
nini verfertigte Bildsäule jenes Heiligen, die einen weit bessern
Styl, als gewohnlich die Werke des letztgenannten Künstlers zeigt.
Die letzte Capelle, vom Eingange rechts, wurde unter Clemens
XI. nach Angabe des Carlo Maratta erneuert und mit marmornen
Säulen und Pilastern geschmückt. Das Gemälde des mit vier
Saulen von Verde antico verzierten Hauptaltares ist von Innocenzo
Tacconi, einem Schüler des Annibale Caracci. Vom Eingange
links neben dem Altare der h. Francisca Romana, fuhrt eine
Thür zu dem Gottesacker des heil. Calixtus oder den Catacomben
hinab, die von grossem Umfange, aber nur noch in einem geringen

Theile zugänglich sind, der nichts von besonderer Merkwürdigkeit zeigt. Das mit der Kirche verbundene Kloster wird von den
Cisterciensern bewohnt.

Circus des Maxentius

Zur Linken der Via Appia, jener Kirche gegenüber, liegt der
Circus, dessen Erbauung seit dem 15ten Jahrhundert dem Caracalla zugeschrieben wurde, den aber (nach den Beschreib. d. Stadt
Rom III B. erste Abtheil. S. 632 angeführten Beweisen) Maxentius erbaute. Da diese Ruine die einzige ist, welche von der
Einrichtung der römischen Rennbahnen noch einen anschaulichen
Begriff gewährt, so geben wir hier zum Verständniss derselben,
einige vorlaufige allgemeine Erörterungen über diese Gebäude.
Sie waren zwar vornehmlich zum Wagenrennen bestimmt, aber
es wurden in ihnen auch gymnastische Spiele, Fechter- und Thierkämpfe, so wie Schaugefechte ganzer Schaaren gegen einander
gehalten. Auch Seegefechte und Kämpfe mit Crocodillen und
anderen grossen Wasserthieren fanden in den Cirken statt; indem,
wenn nicht alle, doch vermuthlich die meisten unter Wasser
gesetzt werden konnten. Desgleichen sah man Tänzer in denselben auftreten, sowohl zu Waffentanzen als possenhaften Sprüngen.
Sie dienten überdiess zu Volksversammlungen in Staatsangelegen-
heiten. Oeffentliche Reden wurden in ihnen gehalten; so wie in
denselben auch die Beute besiegter Feinde ausgestellt ward. In
den Zeiten der Kaiser waren sie, wenn keine Spiele in ihnen
gehalten wurden, Versammlungsplätze des müssigen Volkes, ihre
ausseren Hallen dienten zu Kaufladen und auch zum Aufenthalte feiler
Dirnen. Hinrichtungen fanden ebenfalls in diesen Gebauden statt.
Die Cirken waren, nach der im Allgemeinen bekannten Form,
sehr schmal im Verhaltniss ihrer Länge und bildeten an der Hinterseite einen Halbzirkel. An der Vorderseite waren die Schranken
(Carceres), von welchen die Wagen zum Wettrennen auf ein Zeichen ausliefen, das mit einem weissen Tuche (Mappa) gegeben
und mit dem Schall der Tuba begleitet wurde. Zwischen den
Carceres war der Haupteingang des Circus, im Circus Maximus
die Porta Triumphalis, durch welche auch die feierliche Procession
bei der Eröffnung der Spiele (Pompa Circensis) einzog. Die Carceres waren, wie in jenem Circus, auch in dem des Maxentius
zwolf an der Zahl, nämlich sechs an jeder Seite des Einganges.
Sie lagen, wie hier die ausgegrabenen Reste zeigen, nicht in
gerader Richtung neben einander, sondern bildeten eine krumme,
nach der linken Seite mehr als nach der rechten eingebogene
Linie, deren Mittelpunct sich um ein Beträchtliches der linken
Seite näher befand; eine Einrichtung, die unstreitig zur Absicht
hatte, so viel als möglich den Nachtheil zu verhüten, in dem sich

die Wagen in den Carceres nach der links von der Spina gelegenen Seite der Arena befanden, da das Wagenrennen an der
rechten begann. Nach Abbildungen der Carceres in antiken Reliefs waren die Pfeiler zwischen denselben mit Hermensäulen
geschmückt und die Eingänge mit Gitterthüren versehen; uber
denselben, in den Bogengewolben dieser Gemächer waren Verzierungen von Rankengewinden in erhobener Arbeit. Die Wagen
waren in den fruheren Zeiten mit zwei, in den späteren gewohnlich mit vier Pferden bespannt. Jeder derselben war von einem
Beireiter begleitet.

Die Sitze der Zuschauer bestanden, wie in den Amphithea-
tern, in Stufen, die sich auf gewolbten Gangen erhoben. Rang-
ordnung in den Sitzen fand auch hier, wie in jenen Gebäuden,
Statt. Auf dem Podium, dem vordersten und vornehmsten Platze,
scheinen in den Cirken, ausser den Senatoren und Vestalen —
denen Nero das Recht ertheilte den Circusspielen beizuwohnen —
auch die Ritter ihren Platz gehabt zu haben, die sich im Amphitheater auf den nächsten Stufen über dem Podium befanden.
Denn ohne diese Annahme musste der grosse Umfang des Podiums uberflussig scheinen, welches, wie man gefunden haben
will, im Circus des Maxentius die ganze Arena mit Ausnahme der
Carceres umgab. In den Zeiten der Kaiser wurden fur dieselben,
wie im Amphitheater, prachtige erhöhte Logen (Pulvinaria) an
den Stellen errichtet, an denen die Spiele am besten zu übersehen
waren. Das Podium war mit einem eisernen Gitter versehen, um
die Zuschauer vor den wilden Thieren zu schützen; und zu gros-
serer Sicherheit wurde im Circus Maximus, unter Julius Casar,
ein zehn Fuss breiter Wassercanal (Euripus) um die Arena gezogen; eine Einrichtung, die wahrscheinlich auch in andern Rennbahnen getroffen ward.

Die Spina — wie man die schmale, in der Arena von Mauerwerk aufgefuhrte Erhöhung benennt, um welche die Wagen
herumliefen — nimmt in dem Circus des Maxentius eine betracht-
lich schiefe Richtung; nämlich so, dass an ihrem Anfange rechts,
wo das Wettrennen begann, der Raum der Arena breiter war
als an ihrem Ende, wodurch hingegen an der andern Seite derselben der Raum sich nach und nach vom Ende zum Anfange der
Spina hin verjungte. Man gab derselben diese Richtung vermuthlich
aus dem Grunde, weil die Wagen an ihrem Anfange — wohin
sie alle gleichzeitig ausliefen — mehr Raum bedurften, als im
Fortgange des Laufes, in welchem sie meistens hinter einander
fuhren, weil in demselben sehr bald einer den andern überholte.
In einer geringen Entfernung von dem Anfange und dem Ende
der Spina erhoben sich, als die zum Wettlaufe abgesteckten Ziele,
drei zusammengekuppelte Kegelsäulen (Metae), die in den früheren

Zeiten von Holz, in den späteren von Marmor waren. Unter denselben befanden sich kleine Capellen, von denen die den Carceres zunächst liegende, in welcher die Bildsäule des Consuls oder des Neptunus Equestris stand, der Murcia gewidmet war. Auf der Spina befanden sich Götterbilder, kleine Tempel und Altare zu den Opfern vor der Eröffnung der Spiele, nebst sieben Eiern und eben so vielen Delphinen auf Architraven, die sich auf Saulen erhoben. Durch die beiden letzten wurde die Zahl der zurückgelegten Umlaufe angezeigt, deren jederzeit sieben bei jedem Wettrennen Statt fanden. Die Gestalt der Eier bezieht sich unstreitig auf die aus den Eiern der Leda entsprossenen Dioscuren und die der Delphine auf den Neptun. In den Zeiten der Kaiser wurden, wenn nicht in allen, doch in den meisten romischen Rennbahnen, auf der Mitte der Spina ägyptische Obelisken errichtet.

Der Circus des Maxentius, zu dessen besonderer Betrachtung wir nun übergehen, misst in der Lange 1482 und in der Breite 244 Fuss. Er war demnach wohl nächst dem Circus Maximus der grösste der romischen Cirken, konnte aber ungeachtet dieses Umfanges vielleicht weniger Zuschauer als irgend ein anderes dieser Gebäude fassen, da sich mit Ausnahme des Podiums nur zehn Sitzstufen über der Arena erhoben, auf denen der gemachten Berechnung zufolge, ungefahr 18,000 Personen Platz finden konnten. Die Vorderseite lag gegen die Via Appia. Hier stehen zu beiden Seiten der Reste der Carceres noch grosstentheils die Mauern von zwei Thurmen, die, mit Inbegriff des Erdgeschosses, aus drei Stockwerken bestehen. Man erkennt an denselben ihre Verbindung mit den Carceres und der über denselben befindlichen Gallerie, von der noch sehr deutliche Ansatze an diesen Thürmen zu bemerken sind. Nach der gewöhnlichen und nicht unwahrscheinlichen Meinung befanden sich auf ihnen die Musiker, die mit Blasinstrumenten die Circusspiele begleiteten.

Die Mauern des Circus bestehen aus abwechselnden Schichten von Tuf und Ziegelwerk von schlechter Construction. Das Gewolbe, über dem sich die Sitzstufen erhoben, ist an den äussern Mauern — die innern sind meistens verfallen — noch zum Theil vorbauden. Es erscheinen in demselben irdene Gefässe, deren man sich in den Zeiten des tiefen Verfalls der Baukunst zur Erleichterung der Gewölbe bediente. Der Circus hat, ausser dem Haupteingange zwischen den Carceres, noch vier andere Eingänge. Zwei derselben — zu denen wie man glaubt die Wagen nach geendigtem Wettrennen hinausfuhren — befinden sich an den beiden Seitenwanden des Gebäudes neben den gedachten Thürmen. Einen dritten Eingang an der rechten Seitenwand, ungefahr den ersten Meten gegenüber, halt man fur die Porta Libitinaria oder Sandapilaria, von welcher die Leichname Derjenigen, die in den Circusspielen das Leben verloren, hinausgetragen wurden. Wir wissen, dass hierzu im Circus Maximus ein eigenes Thor bestimmt war, weil es im heidnischen Alterthume, so wie noch im Mittelalter, für eine schlimme Vorbedeutung galt, da einzugehen, wo Todte hinausgetragen worden waren. Dem vierten jener Eingänge, in der Mitte des Halbkreises, gab man den Namen der Porta Triumphalis, weil, wie man annahm, hier die Wagen hinausfuhren, die im Wettrennen den Sieg erhielten. Aber diese Annahme hat sich durch die bei den Ausgrabungen im Jahre 1825 entdeckte, aus mehreren Stufen bestehende Treppe, die hinauf zu diesem Thore führt, als nichtig erwiesen.

Von dem Euripus hat man in diesem Circus keine Spur gefunden. An den beiden äusseren Seitenmauern, in denen sich mehrere Fenster befinden, erheben sich zwei Pulvinaria, das eine von den Carceros links den ersten Meten gegenuber, das andere zur Rechten, näher der Hinterseite des Gebäudes. Das erstere und grössere, vermuthlich fur den Kaiser bestimmte, war durch keinen Zugang mit dem Circus verbunden, sondern man gelangte zu demselben von den hier angrenzenden Gebäuden, die vielleicht zu einer Villa gehörten, in welcher diese Rennbahn, wie die des Sallust, gelegen war. Das andere der gedachten Pulvinare, auf dem nach wahrscheinlicher Vermuthung die Preise vertheilt wurden, war, wie die neuesten Untersuchungen gezeigt haben, von den Sitzen der Zuschauer getrennt, mit der Arena aber durch zwei Seitentreppen verbunden.

Die zu den Basen der Meten dienenden Capellen bilden ein Oval, das aber platt und wie abgeschnitten ist nach der Seite der Spina, von der sie etwas über 10 Fuss entfernt sind. Beide haben 19 Fuss 8 Zoll im Durchmesser. In die Capelle der ersten Meten kann man nur vermittelst eines hochgelegenen Fensters gelangen, die der zweiten hat eine Thür, die, wie jenes Fenster, nach der Spina gelegen ist. Auf der erstgenannten dieser Capellen ist noch der Rest von einer der Meten vorhanden, welcher zeigt, dass sie von Backsteinen gebaut waren. Von ihrer Marmorbekleidung wurden bei der letzten Ausgrabung Fragmente entdeckt, auf denen man die Vorstellungen der Circusspiele in erhobener Arbeit bemerkte. Die Länge der Spina beträgt über 837 Fuss. Ihre ungleiche Breite dürfte in einem Gebäude aus so später Zeit eher dem Mangel an Geschick und Sorgfalt, als einer besondern Absicht zugeschrieben werden. Die grossentheils durch den Schutt verborgene Hohe derselben hat sich bei den neuesten Untersuchungen ebenfalls ungleich gezeigt. Auch hat man gefunden, dass die äusseren Wände der Spina mit Marmor begleitet waren. Auf derselben stand, an der noch zu bemerkenden Stelle, der gegenwärtig auf Piazza Navona stehende Obelisk.

Von ihren ehemaligen Zierrathen sind mehrere Fragmente ausgegraben worden.

In einer Vigna neben diesem Circus sieht man noch einen
grossen Theil der Mauern, die in viereckiger Form einen Bezirk
von beträchtlichem Umfange einschlossen, und, da sie dieselbe
Construction wie der Circus zeigen, mit demselben aller Wahrscheinlichkeit nach gleichzeitig sind. Man glaubt, dass sich in
diesem Bezirke die Wagen zu den Circusspielen versammelten.
In der Mitte desselben erhob sich ein runder Tempel, von dem
noch das untere Gewölbe steht, und der, nach Hirts Meinung,
zu Ehren Desjenigen errichtet ward, für den man auch den Circus erbaute, um die Jahresspiele zu seinem Gedächtniss zu feiern.
Dicht neben den Mauern jenes Bezirkes ist ein Grabmal zu bemerken, dessen Construction einer fruheren Zeit als der jenes Gebaudes entspricht, Die Grundlosigkeit der Annahme, dass es das
der Servilier sey, hat das ächte Grabmal dieser Familie erwiesen,
welches man eine halbe Miglie weiter von der Stadt entfernt, im
Jahre 1808 an der Via Appia entdeckte.

Grabmal der Caecilia Metella

Unweit des zuvor betrachteten Circus erhebt sich, an derselben Seite der Via Appia, das schone und grosse Grabmal, welches
der Caecilia Metella, Tochter des Metellus Creticus und Gemahlin
des Triumvirs Crassus, errichtet wurde, wie die Inschrift: Caeciliae
Q. Cretici F. Metellae Crassi anzeigt. Es besteht aus einem mit
grossen Travertinquadern bekleideten Rundgebaude von 90 Palm
im Durchmesser, welches sich auf einer viereckigen Basis erhebt,
an der, nach dem Verlust ihrer ehemaligen Bekleidung, der Kern
von Mörtel und Bruchsteinen nebst den Bändern von Travertin
zum Vorschein gekommen ist. In Mitten des mit Blumengewinden und Stierschadeln geschmückten Frieses, der oben das Gebaude umlauft, ist — vermuthlich auf die Siege des Vaters und
Gemahls der Verstorbenen bezüglich — eine Trophäe mit zwei
verstümmelten Figuren gefangener Barbaren zu bemerken. An
der mittäglichen Seite des Monumentes ist der Eingang in die
Gruft, wo man unter Paul III. den Marmorsarg der Verstorbenen
fand, der jetzt im Hofe des Palastes Farnese steht. Die Volksbenennung dieses Grabmals, Capo di Bove, beruht auf den vorerwähnten Stierschadeln. Die Zinnen, die es oben umgeben, sind
aus dem Mittelalter, in welchem es die römischen Barone mit der
Burg vereinigten, von der noch die verfallenen Mauern und die
Trümmer einer kleinen Kirche stehen. Die Gaetani erhielten es
zur Zeit Kaiser Heinrichs VII. Ihr Wappen — einen Stierkopf
zwischen zwei Schildern — sieht man an der Mauer jener
Burg, links von der Via Appia. Unter den bei diesem Wappen

eingemauerten Fragmenten antiker Bildwerke sind zwei Reste von Gladiatorenkämpfen zu bemerken.

Angeblicher Tempel des Bacchus, gegenwärtig Kirche S. Urbano.

Die kleine Kirche S. Urbano, auf einer Anhöhe über dem, Valle Caffarella genannten Thale, ist ein Gebäude des Alterthums. Die Annahme eines Tempels des Bacchus beruht lediglich auf einer diesem Gotte geweihten Ara in diesem Gebäude, die aber bei dem Mangel an Zeugnissen, dass sie ursprünglich demselben gehorte, zu keinem Beweise dienen kann. Die im untern Raume bemerkten Spuren antiker Graber machen die Vermuthung nicht unwahrscheinlich, dass derselbe zu einem Grabmal diente, und der darauf sich erhebende Tempel ein den Manen der Familie, die es besass, geweihtes Heiligthum war. Die Strebepfeiler an diesem Gebaude, deren es zu seiner Erhaltung nach dem durch ein Erdbeben erlittenen Schaden bedurfte, wurden vermuthlich bei der von Urban VIII. im Jahre 1634 unternommenen Ausbesserung aufgefuhrt. Die den untern Raum begreifende Basis des Tempels ist jetzt in der Erde vergraben. Bei der Ausgrabung derselben im Jahre 1771 ist die Treppe entdeckt worden, die von ihr zu der Vorhalle führte, deren vier cannelirte weisse Marmorsaulen jetzt in den Mauern stehen, mit denen ihre Zwischenweiten ausgefullt worden sind. Der Architrav ist ebenfalls von weissem Marmor, der Fries und das Gesims hingegen mit dem Uebrigen des Gebäudes von Backsteinen. Ueber dem Säulengebälke ist eine Attike, ebenfalls mit einem Gesims, auf welchem ein Giebeldach ruht. In der zugemauerten Vorhalle, zu der man vermittelst einer Thür gelangt, ist ein oberes Stockwerk angelegt worden, welches der Eremit bewohnt, der uber diese Kirche, in der nun kein Gottesdienst mehr gehalten wird, die Aufsicht fuhrt. Vor dem inneren Eingange, dem der ehemaligen Cella des Tempels, steht die oben erwahnte runde Ara, die hier dem Weihwasserbecken zur Basis dient. Die griechische Inschrift auf derselben zeigt, dass sie dem Bacchus von Apronianus, einem Priester dieses Gottes, geweihet wurde. Im Innern des Gebäudes lauft an den vier Wanden, in der Höhe von ungefahr 11 Fuss uber dem Fussbodèn, ein Sockel herum, auf dem sich corinthische Pilaster erheben. In den Räumen zwischen denselben sind alte Malereien, die, obgleich übermalt unter Urban VIII., doch, weil sie noch den Styl und die Darstellungsweise der Byzantiner zeigen, als christliche Alterthümer Aufmerksamkeit verdienen. Unter der Vorstellung der Kreuzigung Christi, über dem Eingange, zeigt eine Inschrift, dass ein gewisser Bonizo im Jahre 1011 diese Gemälde verfertigen liess. Gegenüber an der Hinterseite des Gebäudes ist der Heiland auf dem Throne sitzend zwischen zwei Engeln und den Aposteln Petrus und Paulus vorgestellt. Die übrigen dieser Bilder enthalten Gegenstände aus dem Leben Christi und verschiedener Heiligen. Die diese Gegenstande bezeichnenden Inschriften sind noch zum Theil erhalten. Am Tonnengewolbe, welches sich auf dem Gesimse der Attike über dem Gebalke der Pilaster erhebt, sind noch Reste von Stuccaturzierrathen aus der Zeit des Heidenthums zu bemerken. Vom Eingange rechts ist noch ein Theil des mit Waffen geschmuckten Frieses vorhanden, der über jenem Gesimse um das ganze Gebäude herumging. In dem mittleren der noch kenntlichen Cassettoni des Deckengewölbes sieht man zwei verstümmelte Figuren, von denen die eine eine Patera halt, die andere Weihrauch auf eine flammende Ara zu streuen scheint. Der Altar ist aus der Zeit Urbans VIII. Von der Kirche fuhrt eine Treppe in den unteren Raum hinab, wo man in dem Gewolbe einer Nische uber dem Altare, auf welchem der heilige Urbanus wahrend der Christenverfolgung Messe gelesen haben soll, ein altes Gemälde sieht, welches die h. Jungfrau zwischen jenem Heiligen und dem h. Johannes vorstellt.

Heiligthum des Almo. (Angebliche Grotte der Egeria)

Unter dem Hügel der Kirche S. Urbano liegt auf dem Wege nach der Stadt in dem, Valle Caffarella genannten, Thale ein grosstentheils noch erhaltenes Brunnengebäude oder Nymphaeum, welches man für die von Juvenal erwähnte Grotte der Egeria erklärte, die sich aber, nach diesem Schriftsteller, nicht hier, sondern an der Via Appia unweit der Porta Capena befand. Höchst wahrscheinlich wurde dieses Nymphaum zu Ehren des Almo errichtet, der dieses schone Thal bewassert. Dem entspricht auch die Statue des Flussgottes, der in der Hauptnische des Gebaudes als die Gottheit erscheint, der es geheiligt war. Die Construction des Netzwerkes (opus reticulatum) und der Backsteine der Mauern zeigt nicht die guten Zeiten der romischen Baukunst. Es hatte eine Art von Vorhalle, die eine Ausladung zu beiden Seiten des Hauptgebäudes bildete, und von der die eine Seite noch grossentheils erhalten ist. Das Hauptgebäude ist mit einem Tonnengewolbe bedeckt. Drei Nischen, in denen vermuthlich Statuen standen, befinden sich in jeder der beiden Seitenwande; und in der grosseren Nische der Hinterseite ruht auf drei Kragsteinen, von denen sich das Wasser ergiesst, die verstümmelte Bildsäule des vorerwähnten Flussgottes. An den Wänden sind Reste von Marmorbekleidung und in den Mauern derselben zertrümmerte Röhren von gebrannter Erde, zur Leitung des Wassers, zu bemerken. Bei den in unseren Zeiten unternommenen Ausgrabungen hat sich ergeben, dass der antike, zwei Fuss unter dem heutigen liegende Fussboden mit kleinen Serpentinsteinen ausgelegt war: auch sind dabei Reste der ehemaligen Gesimse der Nischen, von Rosso antico, gefunden worden.

Angeblicher Tempel des Deus rediculus

In dem erwähnten Thale, weiter nach der Stadt zu, liegt ein kleines antikes Gebäude, in dem man den Tempel des Deus rediculus zu erkennen glaubte, den die Römer zum Andenken an Hannibals Rückzug nach seiner Erscheinung vor Rom erbauten, der sich aber nicht hier zur Linken, sondern zur Rechten der Via Appia befinden müsste. Augenscheinlich ist dieses Gebäude, so wie das der vorerwähnten Kirche S. Urbano, ein Grabmal, dessen oberer Theil einen Tempel bildet, der den Manen der Familie, die es besass, geheiligt war. Gegenwärtig dient es zu einem Stalle. Es ist von Backsteinen aufgeführt, die eine vorzügliche Construction zeigen. Auch die aus gebrannter Erde verfertigten Zierrathen desselben sind von schöner Arbeit, verrathen aber dabei einen von dem reinen Sinne abweichenden und uberladenen Geschmack, der keineswegs an die besten Zeiten der römischen Baukunst, sondern etwa an die Epoche Hadrians erinnern möchte. Von dem Erdgeschosse, welches den Unterbau des Tempels bildete, ist auch noch der Theil vorhanden, welcher der zu Grunde gegangenen Vorhalle zur Basis diente. Zu derselben fuhrte unstreitig eine Treppe empor, von der aber keine Spur mehr erscheint. Der Eingang des Tempels, inmitten der Vorderseite, batte eine Thurbekleidung von weissem Marmor, von der man noch die obere Querpfoste sieht. Ueber demselben ist zwischen zwei Fenstern eine Nische, in der vermuthlich ein Götterbild stand, und darüber ein kleiner Giebel, der sich auf einem Gesimse erhebt, dessen Verkröpfungen am meisten unter den Verzierungen dieses Gebäudes an modernen Geschmack erinnern. Zwei Pilaster befanden sich an beiden Enden der Vorderseite, aber nur von einem derselben ist noch ein Rest vorhanden. Vier Pilaster sind an der Hinterseite und eben so viele an der nördlichen Seitenfronte des Gebäudes. Die südliche hingegen hat das Sonderbare, dass hier die Stelle der beiden mittleren Pilaster achteckige Säulen vertreten, die in der Höhlung der Mauer stehen. Diese Säulen sind, so wie die Pilaster, von corinthischer Ordnung. Die Hinterseite hat zwischen den Pilastern drei Fenster; die Seitenfronten aber haben nur eines derselben in der Mitte und zu beiden Seiten zwei viereckige Füllungen, deren Einfassungen mit architectonischen Zierrathen, so wie die sämmtlichen Verkleidungen der Fenster geschmückt sind. Unter den Fenstern läuft, zwischen den Pilastern und Säulen, ein Mäander um das ganze Gebäude herum, an der Vorderseite aber etwas tiefer als an den übrigen Seiten. Das theils rothe, theils gelbe Ziegelwerk bezeichnet, durch den Gegensatz dieser beiden Farben, die Erhöhungen und Vertiefungen der Aussenseite des Gebäudes. Im Erdgeschosse, dessen antiker Eingang sich an der Sudseite befindet, sieht man noch Spuren von dem eingefallenen Gewölbe, auf dem der Fussboden des oberen Gebäudes ruhte. An dem ganz erhaltenen Kreuzgewölbe des letzteren sind noch Reste von Stuccaturen. Das Giebeldach des Tempels ist neu.

Merkwürdigkeiten der Carinen oder der Höhe von S. Martino und der nächsten Umgebung.

§. 96.

Die Trajansthermen (Titusthermen).

Der Palast, den Titus auf dem Esquilin unter der Regierung Vespasians bewohnte, war vermuthlich eines der von Nero aufgefuhrten Gebäude. Höchst wahrscheinlich baute Titus diesen Palast zu den Thermen um, welche er nach der Einweihung des Amphitheaters sehr schnell errichtete, und zu demselben gebören die unverkennbaren Reste eines früheren Gebäudes von ganz verschiedener Bestimmung, die in dem jetzt aufgegrabenen Theile der Bäder diesen einverleibt sind. Man nennt gewöhnlich Terme di Tito alle Ruinen, die sich über den Raum zwischen S. Pietro in Vincoli, S. Francesco di Paola, S. Martino und den Sette Sale erstrecken. Jedoch erhellt sowohl aus Anastasius als aus einer bei S. Martino ausgegrabenen Inschrift, dass diese Kirche über den Thermen Trajans angelegt worden; und Mabillons Anonymus nennt Thermas Trajani ad vincula, bis zu welcher Kirche sie sich demnach erstreckt haben müssen. Der Name von Titus dürfte nur dem nach dem Amphitheater gelegenen Theil der Thermen zukommen, die aber in denen des Trajan aufgingen. Denn dass bei dem von diesem Kaiser unternommenen Bau der Thermen auch das mit denselben verbundene Gebäude des Titus eine erneuerte Gestalt erhielt, beweisen die Stempel mit dem Namen Plotina, die sich auf Ziegeln desselben befinden. Auch ist daselbst bei den letzten Ausgrabungen eine Bleirohre mit dem Namen Trajans gefunden worden. Aber die Entdeckung des Laocoon, eine Inschrift, wo Vespasians Name vorkommt, und Suetons Meldung, dass Titus die Thermen neben dem Amphitheater erbaut habe, sind Veranlassung geworden, den ganzen Ruinenbezirk mit dem Namen dieses Kaisers zu benennen.

Das Gebäude lag theils am Fuss und Abhang, theils auf der Höhe der Esquilien. Ein grosser Theil seiner Ruinen, die noch im 16ten Jahrhundert standen, als Serlio und Palladio die Grundrisse desselben aufnahmen, sind gegenwärtig wohl meistens durch

absichtliche Zerstörung verschwunden. Noch im Jahre 1796 wurde
eine bedeutende Masse zerstort, um das Local zu der Salpeter-
fabrik zu benutzen, die damals zur Verfertigung des Pulvers fur
die von Pius VI. gegen die Franzosen angeworbenen Truppen angelegt wurde.

Die Hallen und Zimmer des ersten Geschosses dieser Thermen, beruhmt durch ihre Arabeskenmalereien und Stuccaturen.
entdeckte man zuerst zur Zeit Raphaels, der sie nach der bekannten ganz grundlosen Sage in den vaticanischen Loggien nach-
bildete und darauf, um das Plagiat zu verbergen, wieder ver-
schutten liess. Dass diese und andere den Augen entzogen wurden, war Folge der Zerstörung des oberen Gebäudes, aus welchem.
nicht aber durch die jetzt geöffneten Eingange, man in diese
unteren Gemächer gekommen war. Man brach, um sich des
durch jene Zerstorung verursachten Schuttes zu entledigen, Locher
in die Gewolbe der gedachten Gemächer, wodurch dieselben nach
und nach fast gänzlich wieder verschuttet wurden. Neue Zimmer
mit Gemälden wurden hier im 17ten Jahrhundert entdeckt, und
einige nach diesen Gemalden von Bartoli verfertigten Zeichnungen
von Bellori bekannt gemacht. Jene zur Zeit Raphaels entdeckten,
aber in Vergessenheit gerathenen Zimmer wurden im Jahre 1774
wieder aufgefunden. Ein gewisser Mirri machte ihre Malereien
in colorirten Kupferstichen in damaliger Zeit bekannt, in welcher
mehr von ihnen zu sehen war, als gegenwärtig, weil sie seitdem
durch den Dampf der Fackeln, mit welchen sie den Fremden
gezeigt zu werden pflegen, und auch durch die wieder eingedrun-
gene, den antiken Gemälden verderbliche, freie Luft gelitten haben.
Mirris Abbildungen würden daher sehr schätzbar seyn, wenn sie
nicht viele willkürlich scheinende Ergänzungen erhielten. Auch
die Stuccaturen, die nach Vasari dem Giovanni da Udine bei den
ähnlichen Arbeiten in den vaticanischen Loggien zum Vorbilde
dienten, erscheinen jetzt in einem sehr verdorbenen Zustande.

Unter der Herrschaft Napoleons wurde die vollige Ausgrabung
bis auf den alten Fussboden begonnen, der Schutt weggeraumt
und ein zuvor unbekannter Gang und eine alte, neben diesen Bädern gebaute christliche Capelle entdeckt. Die Ausgrabungen aber
sind seit 1814 nicht weiter fortgesetzt worden; und die meisten
der 1776 untersuchten Gemacher sind jetzt wieder ganz unzugänglich. Die offen gelegten Räume bilden nur einen sehr
kleinen Theil des Ganzen und liegen ganz am Abhange des Berges.
Vier von den übrigen abgesonderte Kammern waren wahrscheinlich für die Dienerschaft der Thermen bestimmt. Links ausserhalb der Thermen, aber im Umfange des Palastes, in welchem
sie angelegt wurden, ist die gedachte Capelle, bei deren Errichtung sehon der Boden durch Verschüttung erhöht worden war.

Ueber dem aus drei Travertinplatten roh zusammengesetzten Altare sieht man in einer kleinen Nische die h. Felicitas mit ihren sieben Sohnen in einem Gemälde, welches bei der Ausgrabung noch wohl erhalten war, jetzt aber durch die Witterung sehr verdorben ist. Von anderen Malereien, die sich an der Wand zur Rechten befanden, ist gar nichts mehr vorhanden. Auch war daselbst ein christlicher Calender gemalt, von dem der Custode eine Zeichnung aufbewahrt.

Die äusseren Corridore, die einen Halbzirkel bilden, können nur als Substructionen, die dazu dienen, dem Ganzen eine regelmässigere Form zu geben, errichtet worden seyn. In dem lezten Corridor links bemerkt man Spuren einer Halle mit Saulen, von denen noch eine Basis vorhanden ist. Diese gehorte zu dem Palast: ihr Daseyn vor Errichtung der Bäder ist klar, da die Mauern der letzteren auf ihrem Fussboden aufgefuhrt sind. Die Mauern, welche dem Palast angehörten, unterscheiden sich von denen der angebauten Corridore durch eine Construction von Netzwerk in einer sehr schonen Cortina. Die Raume bestehen aus langen Gängen und Zimmern. Einige der letzteren hatten ursprünglich Fenster, die jetzt vermauert sind. In dem langen hinteren Gange, der erst im Jahre 1813 entdeckt wurde, sieht man am Gewolbe noch ziemlich gut erhaltene zierliche Malereien von Figuren und Arabesken, und oben Fenster, durch die das Licht hereinfallt, und die in den Badezimmern nicht vorhanden sind. In einem anderen rechts liegenden Gange sind ebenfalls noch Gemälde zu sehen, und in zwei Badezimmern Malereien auf gelbem und rothem Grunde mit ehemals vergoldeten Zierrathen. Auch sieht man in dem Zimmer, wo nach einer irrigen Angabe der Laocoon gefunden wurde, noch das angeblich den Coriolan, den seine Mutter zum Rückzuge bewegt, vorstellende Gemälde. Der Fussboden zeigt noch Spuren von Marmorbekleidung. Unter demselben befindet sich ein 7 Palm hohes Erdgeschoss, ohne Zweifel das Hypocaustum für die Oefen. In einem der vorderen Zimmer wird eine Menge der bei der letzten Ausgrabung gefundenen architectonischen Fragmente, Lampen und irdenen Gefasse aufbewahrt.

Le Sette Sale

Die Sette Sale waren Wasserbehälter, die ohne Zweifel die nahegelegenen Thermen versorgten, wiewohl von hier nach der Richtung des Hauptcanals, den Ficoroni aufgegraben sah, auch dem Colosseum und der Meta Sudans Wasser zugefuhrt ward. Und vielleicht war diess ihre ursprungliche Bestimmung. Sie bestehen aus 9 gewölbten Corridoren, von denen einer verschüttet und ganz unzugänglich ist. Alle haben eine Hohe von 12 und eine Breite von 17½ Palm; die Lange der mittelsten ist 54 Palm, und

die folgenden verjüngen sich allmählig, indem die Fronte ein
Segment eines Halbzirkels bildet. Jeder ist durch 4 offene Wöl-
bungen gegen die beiden anstossenden geöffnet. Durch diese ver-
breitete sich das Wasser, welches aus der Höhe in einen der
äussersten durch eine noch sichtbare Oeffnung eintrat, in allen
Gewölben. Um den Druck der Wassermasse gegen die Mauer zu
vermindern, sind diese Oeffnungen so angebracht, dass sie sich
nicht gerade gegenuberstehen, sondern in schräger Linie entsprechen: daher man durch sie nicht alle, sondern nur sieben Corridore sieht. Die Wände sind doppelt mit einer steinharten Masse
überzogen, welche so hoch, als das Wasser stand, vom Sinter
verdeckt ist, den dasselbe angesetzt hat. Jener Anwurf machte
die Mauern wasserdicht. Unter den sichtbaren Gewölben befindet
sich ein anderes Geschoss von durchaus gleicher Construction,
welches ganz verschuttet ist, aber von Ficoroni untersucht wurde:
aus diesem wurde die schon erwähnte Wasserleitung nach dem
Colosseum gefuhrt. Ebenso ist die mit Mosaik ausgelegte Terrasse mit Erde verschüttet. Dass Titus dieses Gebäude aufgefuhrt,
kann man als nicht zu bezweifeln annehmen, da Ficoroni unter
den Stempeln jener Wasserleitung einen fand, welcher das Sinnbild des eroberten Judäa und die Inschrift: Judaea capta, wie auf
Munzen des Titus, zeigt. An der Aussenseite sind Ueberreste
von Nischen für Statuen oder Brunnen. Die Benennung Sette Sale
entstand zu der Zeit, als nur sieben der Corridore sichtbar waren.

§. 97.
S. Pietro ad Vincula.

Die auf dem Esquilin unweit der vorerwähnten Thermen gelegene Kirche S. Pietro in Vincola führte ursprunglich den Namen
Titulus Eudoxiae, von Eudoxia, der Gemahlin Kaiser Valen-
tinians III., welche sie im Pontificate Leos I. (440—462) erbaute,
und erhielt erst später ihre heutige Benennung von den in ihr
aufbewahrten Ketten des heil. Petrus. Ausbesserungen und Erneuerungen dieser Kirche haben unter den fruheren Päpsten Pelagius I. und Hadrian II. und unter den späteren Sixtus IV. und
Julius II., die als Cardinale von ihr den Titel fuhrten, unternommen. Die heutige Vorhalle, deren Arcaden sich auf achteckigen Säulen erheben, erbaute Julius II. noch als Cardinal nach
Angabe des Baccio Pintelli. Das mittlere der drei Schiffe des
inneren Gebäudes wird von 20 antiken cannelirten Saulen von
weissem Marmor getragen, deren einfache Capitelle, nebst einem
geringen Theile der Schäfte, neu sind. Unter dem grossen Bogen,
am Ende des gedachten Schiffes, stehen zwei Granitsäulen von
beträchtlicher Grösse. Die geschmacklose Decke desselben Schiffes
wurde auf Kosten des Prinzen Panfili im Jahre 1705 verfertigt.

Beim Eingange sieht man zur Linken das Grabmal der beiden
florentinischen Kunstler, Antonio und Pietro Pollajuolo, mit ihren
Büsten und einer Grabschrift, nach welcher der Tod dieser beiden
Brüder im Jahre 1498 erfolgte. Dem Antonio wird das sehr verdorbene Frescogemälde über diesem Monumente zugeschrieben.
Die Gegenstande dieses Bildes beziehen sich auf die fürchterliche
Pest in Rom unter dem Papst Agatho im Jahre 680. Man sieht
hier, nebst der zur Abwendung derselben von dem Papst angestellten Procession, den Teufel, welcher, der Sage zufolge, des
Nachts auf den Strassen wandelte und auf Befehl des ihn begleitenden Engels mit einer Lanze so viele Stosse an die Thüren
der Hauser that, als Menschen in denselben von der Seuche da-
hingerafft werden sollten. Das Relief an der Mauer, am Anfange
des linken Seitenschiffes, schmuckte den von dem gelehrten Cardinal Cusanus im Jahre 1465 neu errichteten Altar, der ehemals
die Ketten des h. Petrus bewahrte. Es stellt diesen Apostel auf
dem Throne sitzend vor: vor ihm kniet auf der einen Seite ein
Engel, dem er seine Ketten überreicht, und auf der anderen der
gedachte Cardinal, dessen Grabstein, mit seinem demselben eingegrabenen Bildnisse, man hier auf dem Fussboden sieht. Der
zweite Altar in demselben Schiffe steht an der Stelle des Altares
welchen der Papst Agatho dem h. Sebastian bei der obenerwähnten Pest gelobte, und zu dessen Schmuck er das Bild dieses Heiligen in Mosaik verfertigen liess, welches man noch über dem
heutigen Altare sieht. Im rechten Seitenschiffe ist uber dem ersten Altare ein sehr nachgedunkeltes Bild von Guercino, welches
den h. Augustinus nebst einigen anderen Figuren vorstellt. Weiterhin befinden sich an der Wand desselben Schiffes die Grabmäler
der Cardinäle Margotti und Agucchi, mit ihren von Domenichino
gemalten Bildnissen, nach dessen Angabe diese Monumente errichtet wurden. Der mit Steinarbeit in verschiedenen Farben
ausgelegte Hauptaltar ist aus neuerer Zeit Demselben gegenuber,
am Ende der Tribune, steht der bischofliche Stuhl, ein antiker
Badesessel von weissem Marmor. Die Malereien der Tribune sind
von Giacomo Cappi, einem florentinischen Maler. Ueber dem
Altare der Capelle von dem Thore rechts sieht man die h. Mar-
gareta in einem Gemalde von Guercino.

Das merkwürdigste dieser Kirche ist das Grabmal Julius II.
von Michelagnolo. Es ist hier nur ein Ehrendenkmal, da die
Gebeine dieses Papstes in der Peterskirche ruhen. Der bizzarre
Geschmack der Architectur kann kein besonderes Lob verdienen.
Aber eine vorzügliche Bedeutung erhalt dieses Monument durch
die beruhmte Bildsaule des Moses; ein in ihrer Art einziges und
höchst bewundernswurdiges Werk. Ihre mächtige Gestalt, der
strenge gewaltige Character des Kopfes mit Hornern und einem

bis über den Nabel herabwallenden Barte gewährt der Anblick eines über die gewohnliche Menschheit erhabenen Wesens, entsprechend jenem grossen Führer des auserwählten Volkes, dem Gott nicht in der Gestalt der Liebe, sondern im feurigen Busche und mit der Strenge seiner ewigen Gesetze erschien. Auch zeigen die beiden nackten Arme und Hände einen Grad der Vollkommenheit, den ausser dem Michelagnolo kein Bildhauer neuerer Zeit erreicht haben möchte. Zu beiden Seiten dieser Bildsäule stehen die Statuen der Lea und Rahel, in der Bedeutung des thätigen und beschaulichen Lebens. Die letztere ist die schönere. Jene halt einen Spiegel und einen Kranz, wie sie in Dantes Purgatorio erscheint. Beide sind ebenfalls von Michelagnolo selbst, die Statuen hingegen zwischen der oberen Reihe der Pfeiler des Monumentes sind nach seinen Modellen aufgefuhrt. Die zwei sitzenden Figuren eines Propheten und einer Sybille sind von Raffaele da Montelupo, die auf einem Sarge liegende Bildsaule des Papstes ist von Maso dal Bosco und die hinter derselben in einer Nische stehende h. Jungfrau mit dem Kinde von Scherano da Settignano.

In der Sacristei, deren Fussboden mit marmornen Fragmenten aus den Bädern des Titus ausgelegt ist, werden die Ketten des h. Petrus in einem kleinen Schranke mit bronzenen Thuren aufbewahrt, die Sixtus IV. im Jahre 1477 von Antonio Pollajuolo verfertigen liess, und auf denen man die Befreiung des h. Petrus aus dem Gefangnisse zu Jerusalem, dessen Gefangennehmung auf Neros Befehl, mehrere Genien und andere Verzierungen in erhobener Arbeit gebildet sieht. In einem Nebenzimmer ist ein gutes Bild von Domenichino; die Befreiung des h. Petrus aus dem Gefangnisse. Eine Copie desselben sieht man in der Kirche über einem Altare des linken Seitenschiffes.

Am ersten August wird in dieser Kirche das Fest der Ketten des h. Petrus gefeiert. Das mit ihr verbundene Kloster der Canonici Regolari di S. Salvatore liess Julius II. noch als Cardinal nach Angabe des Giuliano da S. Gallo erbauen. Es hat einen schönen Hof, von einer Halle umgeben, deren Arcaden von Saulen getragen werden. Der mit Masken und anderen Zierrathen geschmückte Brunnen, in der Mitte dieses Hofes, wurde von Simon Mosca unter der Leitung des Antonio da Sangallo verfertigt.

Torre de' Conti.

Bei der Piazza delle Carrette steht noch der unterste Theil eines von Innocenz III. erbauten Thurmes, der von dem Familiennamen dieses Papstes Torre de' Conti genannt wird. Er wurde, weil er den Einsturz drohte, im Pontificate Urbans VIII. bis auf den heutigen Rest abgetragen. Man bemerkt in demselben noch Reste des von Julius Cäsar erbauten Tempels der Venus Genetrix.

Die Kirche S. Martino ai Monti, nebst der alten Kirche des
h Sylvester.

Symmachus erbaute um das Jahr 500, neben den Thermen
Trajans, eine Kirche zu Ehren des h. Martinus, Bischofs von
Tours, die später auch dem h. Papst Martinus († 655) geweiht
wurde. Sergius II. (844—847) unternahm einen neuen Bau derselben, den sein Nachfolger Leo IV. vollendete. Den alterthümlichen Character verlor diese Kirche gänzlich durch die von Gio·
Antonio Filippini, General der Carmeliter, welchen das mit ihr
verbundene Kloster gehört, im Jahre 1650 veranstaltete Erneuerung, wodurch sie ein sehr prächtiges Ansehen in dem Geschmack
der damaligen Zeit erhielt. Ihre Gestalt vor dieser Erneuerung
zeigt in derselben eine gemalte Abbildung am Ende der linken
Seitenwand.

Ausser dem Haupteingange führt zu ihr ein Eingang an der
Hinterseite, zu dem man vermittelst einer Treppe von 16 Stufen
neben der Tribune gelangt. Zu dem Haupteingange an der 1676
erneuerten Vorderseite gelangt man durch einen Vorhof. An der
inneren Vorderwand der Kirche stehen vier Säulen, eine von
Cipollino, die ubrigen von Stuck. Das Gebaude wird durch 24
antike Säulen, deren Basen sich auf Würfeln erheben, in drei
Schiffe getheilt. Die Saulen sind von verschiedenen Marmorarten:
unter den Capitellen befinden sich einige moderne von Bronze.
Der Fussboden ist von Ziegeln mit breiten Marmorstreifen durchzogen. Die reich geschmuckte Decke des Hauptschiffes liess der
h. Carlo Borromeo unter seinem Oheim Pius IV. verfertigen.
Unter den Gemälden verdienen vornehmlich Aufmerksamkeit die
an den Wanden in Wasserfarben von Caspar Poussin gemalten
Landschaften. Die Figuren derselben, die das Leben des Propheten Elias vorstellen, werden gewohnlich dem Nicolaus Poussin
zugeschrieben: man erkennt seinen Styl aber nur in den Figuren
des dritten dieser Bilder der unteren Reihe, links vom vorderen
Eingange. Die der Landschaft neben dem Altare di S. Maddalena
de' Pazzi sind von Gio. Francesco Bolognese. Das den h. Adalbert
vorstellende Gemalde des zweiten Altares vom Eingange links ist
ein Werk des Muziano. Die Capelle am Ende des linken Seitenschiffes ist reich mit schönen Marmorarten und mit zwei Gemalden
von Antonio Cavallucci, einem Maler aus den letzten Zeiten des
vorigen Jahrhunderts, geschmückt. Besonders prachtig ist das
Presbyterium, zu dem von beiden Seiten 11 Marmorstufen fuhren.
Der Fussboden desselben ist mit buntem Marmor ausgelegt; und
der sich auf fünf Stufen erhebende Hauptaltar prangt mit kostbaren Steinen und Verzierungen von vergoldeter Bronze. Zwischen den gedachten Marmortreppen fuhrt eine Treppe zu der

unteren, nach Angabe des Peter von Cortona reich mit Säulen verzierten Kirche hinab. Eine Inschrift aus dem 13ten Jahrhundert, von dem Gitter derselben rechts, enthält ein Verzeichniss der von Sergius II. unter den Hauptaltar niedergelegten Reliquien.

Links von hier liegt etwa 5 Fuss tiefer eine andere wegen ihres hohen Alterthums merkwürdige Kirche. Sie ist ohne Zweifel dieselbe, die nach Anastasius der Papst Sylvester bei den Thermen Trajans in der Besitzung eines römischen Presbyters Equitius einrichtete, und die daher den Namen Titulus Equitii erhielt. Ihr Raum zeigt ein längliches Viereck, in welchem sich in der Breite drei, in der Länge vier gewölbte Gänge befinden. Das Gebäude ist grossentheils verschuttet und wird nur spärlich von dem aus der Höhe der rechten Seitenwand hineinfallenden Lichte erhellt. Der alte jetzt vermauerte Eingang war von der Seite rechts (wo die Tribune von S. Martino ist). Ihr gegenuber erscheint die Tribune mit einer nur geringen Ausbeugung. Auf dem Fussboden sieht man noch an mehreren Stellen Mosaik von schwarzen und weissen Steinen. Antike arabeskenartige Stuckverzierungen — Blumengewinde mit Hirschen und anderen Thierfiguren — die man an einigen Gewolben bemerkt, zeigen, dass das Gebäude nicht ursprünglich zum christlichen Gottesdienst bestimmt war. Von altchristlichen Malereien sieht man noch, aber in einem sehr verdorbenen Zustande, in dem ersten Gange links die Apostel Petrus und Paulus mit den Heiligen Processus und Martinianus und gegenüber einige heilige Frauen. An dem mittleren Gewolbe ist ein grosses rothes Kreuz, an dessen vier Armen die vier Evangelisten gemalt sind. Das Mosaik über dem Altare in der kleinen Tribune, die h. Jungfrau vorstellend, vor welcher der h. Sylvester kniet, ist eine nach einer ergänzten Zeichnung verfertigte Copie, welche man hier unter Glas aufbewahrt. Ein Bischofsstuhl, dem Style zufolge aus dem Ende des 13ten Jahrhunderts, ist vielleicht aus der älteren oberen Kirche hierher gebracht worden.

Aus dem linken Seitenschiffe der Kirche tritt man in die Sacristei, in deren Mitte eine schöne Saule von orientalischem Granit mit einem corinthischen Capitelle zur Unterstützung des Kreuzgewolbes dient. Von der Sacristei gelangt man rechts in einen Theil des Klosters, Oratorio di Equizio oder di S. Silvestro genannt, wo (das heisst unter welchem) dieser Papst zur Zeit der Verfolgung gewohnt haben soll. Man sieht hier ein altes, aber von neueren Händen ganz übermaltes Gemälde, welches aus der Zeit Innocenz III. seyn soll und die h. Jungfrau mit dem Christuskinde, nebst den Aposteln Petrus und Paulus und den h. Martinus und Sylvester vorstellt. Auch ist hier ein verstümmeltes Mosaik, in dem man noch die h. Agnes und die h. Cacilie sieht, die hier zu beiden Seiten der Mutter Gottes gebildet waren.

S Prassede

Wegen des baufälligen Zustandes, in welchem sich die unter den römischen Pfarrkirchen in dem bekannten Concilium des Symmachus erwähnte Kirche der h. Praxedis befand, erbaute Paschalis I. (817—824) unweit jener älteren die heutige nach jener Heiligen benannte Kirche, die, durch spätere Erneuerungen, im Ganzen einen unbedeutenden modernen Character erhielt und nur noch merkwürdig ist wegen einiger in derselben noch vorhandenen Kunstwerke und Denkmäler des christlichen Alterthums.

Am Eingange des Vorhofes, zu dem man vermittelst einer Treppe gelangt, steht ein altes Vestibulum mit zwei antiken Granitsäulen. Die Vorderseite der Kirche erhielt ihre heutige Gestalt, nach Angabe des Martino Lunghi, bei der von dem h. Carlo Borromeo veranstalteten Erneuerung dieses Gebäudes. Von den 24 Säulen, durch die ursprünglich die Kirche in drei Schiffe getheilt war, sind nur noch 16 von grauem Granit sichtbar, indem die übrigen in die später zur Unterstützung der Wände des Hauptschiffs aufgeführten Pfeiler eingemauert sind. Das Querschiff ist durch die rechts vom Seiteneingange der Kirche in dasselbe hineingebaute Capelle und durch die beiden gegen das Ende des 15ten Jahrhunderts von dem Cardinal Antoniotto Pallavicini errichteten und nachmals erneuerten Emporkirchen für die Orgel und die Sänger verloren gegangen. Von den sechs Säulen, die ehemals die vordere Wand des Querschiffs trugen, sind noch vier vorhanden, die beiden übrigen aber weggenommen worden. Auf der an der Vorderwand des linken Seitenschiffs eingemauerten Platte von grauem Granit soll die h. Praxedis zur Kasteiung ihres Leibes geschlafen haben; und eine marmorne Brunnenmündung über dem Fussboden des mittleren Schiffes bezeichnet die Stelle, wo sie das von ihr gesammelte Blut der Martyrer aufbewahrte. Die Gemälde der Passion des Erlösers, an den Wänden des letzterwähnten Schiffes, liess der Cardinal Alessandro von Medici, nachmaliger Papst Leo XI., von Paris Nogari, Girolamo Maffei und anderen Malern damaliger Zeit verfertigen.

Die Mosaiken an der Tribune und an dem sogenannten Triumphbogen, aus der Zeit Paschalis I., haben durch mehrmalige Ausbesserungen und Ergänzungen, doch nicht gänzlich ihren ursprünglichen Character verloren. Die an den beiden Bogen gebildeten Gegenstände sind aus der Apocalypse genommen. Ueber dem Triumphbogen erscheint, in der Mitte des neuen Jerusalems, der Heiland zwischen zwei Engeln, die Weltkugel haltend, auf der sich das heilige Kreuz erhebt und ihm zu beiden Seiten eine

Reihe heiliger Männer, die ihm ihre Märtyrerkronen zum Zeichen des im Kampfe für den Glauben erhaltenen Sieges darbringen. Vier Engel stehen an den Pforten zu beiden Seiten der heiligen Stadt, um in dieselbe die Schaaren einzuladen, die herbeistromen, das Lamm Gottes zu preisen. Unter ihnen, zu beiden Seiten des Bogens, sind die Gläubigen vorgestellt, die in weissen Kleidern mit Palmen herbeikommen, um Heil dem Sohne Gottes zu rufen. Ueber dem Bogen der Tribune sieht man die gewöhnliche Vorstellung des Lammes auf dem mit Edelsteinen besetzten Stuhle, zwischen den sieben Leuchtern, vier Engeln und den symbolischen Bildern der Evangelisten: an beiden Seiten des Bogens die 24 Aeltesten, die herbei kommen, um ihre Kronen vor dem Stuhle des Lammes niederzulegen. Der Heiland am Gewolbe der Tribune zeigt eine Wiederholung der Figur desselben in der Kirche SS. Cosma e Damiano. Eine Hand zur Andeutung des ewigen Vaters hält einen Kranz über sein Haupt. Die beiden ihm zunächst stehenden Männer sind wahrscheinlich die Apostel Petrus und Paulus und die beiden darauf folgenden Frauen die h. Praxedis und ihre Schwester, die h. Pudentiana. Von den beiden männlichen Figuren, an den beiden Enden des Bildes, ist die eine, vom Beschauer rechts, vermuthlich der h. Zeno; in der anderen ist Paschalis l. mit einem Gebaude in der Hand als Erbauer dieser Kirche vorgestellt. Auf dem Palmenbaume neben demselben erscheint der Phonix als Sinnbild der Auferstehung. Den Vorgrund bildet der Jordan als Symbol der Taufe. In den beiden darunter befindlichen Abtheilungen sieht man die gewöhnliche Vorstellung des Heilandes und der Apostel unter dem Bilde von Lämmern und eine auf die Verherrlichung dieser Kirche von Paschalis I. bezügliche Inschrift. Zu beiden Seiten der zu der Confession hinabgehenden Treppe fuhren zum Presbyterium sieben Stufen von Rosso antico empor, die merkwürdig sind wegen der seltenen Grösse der Massen dieses kostbaren Steines. Der Fussboden des Presbyteriums zeigt noch die Steinarbeit des Mittelalters. Der Hauptaltar hat bei seiner im Jahre 1730 erfolgten Erneuerung ein sehr geschmackloses Tabernakel erhalten, an dem nur vier schone Porphyrsäulen Aufmerksamkeit verdienen. Unter den beiden oben erwähnten Emporkirchen stehen sechs weisse Marmorsaulen, die antik zu seyn scheinen, obgleich sie durch ihre mit Ephen geschmückten Capitelle, und vornehmlich durch die in mehreren Abtheilungen ihre cannelirten Schafte umgebenden Acanthusblätter eine ganz ungewöhnliche Form der uns bekannten Saulen des Alterthums zeigen. Das Oelgemalde an der Tribune, dem Hauptaltare gegenüber, ist von Domenico Muratori.

In der Confession stehen vier alte geriefelte Marmorsärge, in denen die Gebeine von Heiligen und insbesondere die der Heil.

Praxedis und Pudentiana aufbewahrt werden. Auf einem dieser Särge sieht man in altchristlicher Sculptur das Bildniss des Junglings, dessen Gebeine er ursprünglich bewahrte, Jonas unter der Kurbislaube und die Vorstellung des guten Hirten. Ueber dem mit zierlicher Steinarbeit geschmückten Altare, einem Werke des Mittelalters, ist ein altes auf der Mauer gemaltes Bild zu bemerken, welches die h. Jungfrau zwischen der h. Praxedis und Pudentiana vorstellt. In einem Gange neben der Confession war ehemals der Eingang zu den Catacomben bei dieser Kirche, der aber gegenwärtig zugemauert ist.

Unter den Seitencapellen ist vorzüglich merkwürdig die dritte vom Haupteingange rechts, aus der Zeit Paschalis I., mit den unter diesem Papst verfertigten Mosaiken. Sie ist dem h. Zeno geweiht und wurde daher ursprunglich Oratorium S. Zenonis, nachmals aber S. Maria libera nos a poenis inferni, und auch, weil sie fur besonders schön galt, Orto del Paradiso genannt. Gegenwärtig nennt man sie gewohnlich Cappella della Colonna, von der in ihr aufbewahrten Säule, in der man diejenige zu besitzen glaubt, an welcher der Heiland gegeisselt wurde. Der Eingang an ihrer Vorderseite ist mit einem Portale geschmückt, welches zwei Säulen von seltenem, weiss und schwarz geflecktem Granit und ein antikes Gesims von weissem Marmor bilden. Ueber der Thure liest man eine alte Inschrift zum Lobe des Papstes Paschalis wegen der Erbauung dieser Capelle. Auf dem erwahnten Gesimse steht ein antikes Gefäss von weissem Marmor vor einem mit einem metallenen Gitter versehenen Fenster, welches in Mosaik gearbeitete Brustbilder in Rundungen in zwei bogenförmigen Reihen umgeben. In der äusseren derselben sind der Heiland und die 12 Apostel und in der inneren die h. Jungfrau nebst anderen heiligen Mannern und Frauen vorgestellt. Die beiden untersten Brustbilder der ausseren Reihe sind neu. In zwei anderen, in den beiden Winkeln neben dem äusseren Bogen, glaubt man die Heiligen Pudens und Pastor zu erkennen. Im Inneren der Capelle stehen, in den vier Ecken derselben, eben so viele Granitsaulen. Die Wände sind durchaus mit Mosaiken auf Goldgrund geschmückt. In einer kleinen Nische der Hinterwand, uber dem zu den Seelenmessen privilegirten Altare, ist die h. Jungfrau mit dem Kinde auf dem Throne sitzend, zwischen der h. Praxedis und Pudentiana vorgestellt. Jene Nische ist gewohnlich von den Thoren eines neueren Tabernakels verschlossen, welche ein Portal mit zwei gewundenen cannelirten Saulen von weissem orientalischen Alabaster umgeben. An derselben Wand sieht man, zu beiden Seiten des Fensters, die Figuren der Mutter Gottes und des h. Johannes, und in dem Bogen unter dem Fenster den Heiland zwischen vier Personen, die nicht durch Namen, wie die meisten in dieser Capelle vorgestellten Figuren, bezeichnet sind. An der gegenüberstehenden Wand, über dem Eingange: der Stuhl des Erlösers aus der Apocalypse zwischen den Aposteln Petrus und Paulus; an der Seitenwand vom Eingange rechts die Apostel Johannes, Andreas und Jacobus, vom Eingange links die HH. Agnes, Pudentiana und Praxedis. In den unteren Bögen Christus unter dem Bilde des Lammes mit vier Hirschen, in der bekannten Anspielung auf die Worte des Psalmes; darunter vier Brustbilder ohne Namensinschriften. An der Decke das Brustbild des Erlosers von vier Engeln getragen. Die oben erwahnte, als ein Denkmal der Passion des Heilandes verehrte Säule ist aus Jaspis verfertigt, nur 3 Palm hoch und in ihrer Gestalt mehr einem Piedestale als einer Säule entsprechend. Der Cardinal Johannes Colonna soll sie, im Jahre 1223, aus dem heiligen Lande nach Rom gebracht haben. Unter einer runden Porphyrplatte, inmitten des mit Steinarbeit ausgelegten Fussbodens, ruhen die Gebeine von 40 Märtyrern, die auf Veranstaltung Paschalis I. hierher gebracht wurden, durch den die Kirche, zufolge der Inschriften an ihren beiden Eingängen, die Reliquien von 2300 Heiligen erhielt.

In der zunächst gelegenen Capelle ist das dem Cardinal Cetti (aus der Bretagne) im J. 1474 errichtete Grabmal wegen seiner guten Sculpturen zu bemerken, in welchen die auf dem Sarge liegende Bildsäule des Verstorbenen, die Brustbilder der Apostel Petrus und Paulus und zwei heilige Frauen, vermuthlich Praxedis und Pudentiana, nebst arabeskenartigen Zierrathen gebildet sind. Ein anderes Grabmal in der oben erwähnten, in das Querschiff hineingebauten, Capelle wurde, nach der dabei in der Wand eingemauerten Inschrift, dem 1286 verstorbenen Cardinal Anchera errichtet. Es ist mit Säulen und eingelegter Arbeit von verglaster Composition geschmückt und zeigt die Gestalt eines Ruhebettes, auf welchem der Verstorbene liegend gebildet ist. — In der zweiten Capelle des linken Seitenschiffes bewahrt man einen Stuhl des h. Carlo Borromeo und einen Tisch, an dem er die Armen speiste. — Die Frescogemälde der zunächst folgenden, von den übrigen durch Grösse ausgezeichneten Capelle der Familie Olgiati sind Werke des Arpino, und das Altarbild derselben ist von Friedrich Zucchero. — In der Sacristei sieht man die Geisselung Christi, in einem Oelgemalde von Giulio Romano, welches der in der italiänischen Literatur bekannte Cardinal Dovizio Bibiena, der von dieser Kirche den Titel fuhrte, für die Capelle Colonna verfertigen liess, aus der es weggenommen ward, weil es durch die daselbst herrschende Feuchtigkeit Schaden zu leiden begann.

Das mit derselben Kirche verbundene Kloster, welches Paschalis I. den Mönchen des h. Basilius übergab, erhielten von Innocenz III., im J. 1198, die Mönche des nach der Regel der

Benedictiner lebenden Ordens von Valombrosa, die es noch gegenwärtig besitzen.

§. 98.

Die Merkwürdigkeiten der Esquilien und ihrer Umgebungen.

S. Pudentiana

Die Kirche der h. Pudentiana — am Fusse des Esquilin zu Anfang der Via Urbana — wurde, nach der Tradition, von dem heil. Papst Pius I. (um d. J. 141) an der Stätte des Hauses des Pudens, eines römischen Senators, erbaut, in welcher der heil. Petrus das erste christliche Gotteshaus in Rom gestiftet hatte. Das gottesdienstliche Gebaude, welches gegenwärtig von der heil. Pudentiana den Namen fuhrt, begreift in sich zwei ehemals als verschieden betrachtete Kirchen. Die kleinere, die gegenwärtig nur eine Seitencapelle der grösseren bildet, ist vermuthlich dieselbe, die in dem bekannten Concilium des Symmachus mit dem Namen Titulus Pudentis vorkommt, nachmals aber Titulus Pastoris von dem h. Pastor benannt wurde. Die grossere wird mit dem Namen Titulus Pudentianae unsers Wissens zuerst von Anastasius im Leben Leos III. erwähnt.

Die Kirche hat durch die im Pontificate Sixtus V. von dem Cardinal Enrico Gaetani veranstaltete Erneuerung ihre ursprüngliche Gestalt fast gänzlich verloren. Vor dem Eingange, zu dem man durch einen kleinen Vorhof gelangt, steht noch ein altes Portal von weissem Marmor, welches bei der Kirchenvisitation des Jubeljahres 1825 mit gelblicher und weisser Farbe übertuncht worden ist. Am Friese des Gebälkes, welches sich auf zwei Säulen mit gewundenen Cannelirungen erhebt, sieht man in erhobener Arbeit Christus unter dem Bilde des Lammes, nebst den Brustbildern der HH. Pudens und Pastor und der HH. Praxedis und Pudentiana, mit einigen Versen zum Lobe des Lammes und der gedachten heiligen Männer und Frauen.

Die zwölf antiken Säulen des Hauptschiffes stehen dermalen in den Pfeilern der Capellen, in welche die beiden Seitenschiffe, mit Ausnahme des hinteren Theils des linken, verwandelt worden sind. Ausser diesen Säulen — deren Capitelle mit Palmenblättern geschmuckt sind — stehen noch zwei andere zu beiden Seiten des Einganges. An der Wand demselben zur Linken sieht man, in einem dem Ciampelli zugeschriebenen Gemälde, die heiligen Frauen Praxedis und Pudentiana beschäftigt mit dem Begräbnisse der irdischen Reste der Märtyrer. Von der Tribune ist zu beiden

Seiten ein Theil wegen der bei der vorerwähnten Erneuerung der Kirche über dem Presbyterium aufgefuhrten Kuppel abgeschnitten worden und dadurch auch ein Theil der alten Mosaiken derselben verloren gegangen. Sie sind höchst wahrscheinlich aus der Zeit Hadrians I., der diese Kirche erneuern liess, zeigen aber, nach ihren Restaurationen von neueren Händen, wenig mehr von ihrem ursprünglichen Character. Sie stellen den Heiland vor mit einem geöffneten Buche in der Hand, welches die Worte zeigt: Dominus Conservator Ecclesiae Pudentianae. Ihm zu beiden Seiten die Apostel Petrus und Paulus und zwei heilige Frauen, vermuthlich Praxedis und Pudentiana, mit Märtyrerkronen in der Hand. Hinter dem Throne des Erlosers erhebt sich ein mit Edelsteinen geschmücktes Kreuz, welchem zu beiden Seiten die Evangelisten unter den bekannten symbolischen Bildern erscheinen. Im Hintergrunde sind Gebaude zu bemerken. Die Malereien der Kuppel sind von Pomarancio. In der Capelle, in welcher der h. Petrus Messe gelesen haben soll, neben der Tribune vom Eingange links, ist dieser Apostel, dem der Heiland die Schlussel übergibt, in einer marmornen Gruppe von Gio. Battista della Porta vorgestellt. An der Decke dieser Capelle sind Frescomalereien von Baglioni. In dem noch vorhandenen Theile des linken Seitenschiffes erhebt sich über dem Fussboden, auf welchem noch altes Mosaik von weissem Marmor erscheint, die Mundung eines Brunnens, der angeblich die Reliquien von 3000 Martyrern bewahrt. Demselben gegenüber ist der Eingang zu der ehemaligen Kirche des heiligen Pastor, der heutigen, nach Angabe des Francesco da Volterra, sehr prächtig ausgeschmuckten Capelle der Familie Gaetani. Bei ihrem Eingange stehen vier schöne Säulen von Giallo antico. Den Altar verzieren zwei Säulen von einem seltenen Marmor, Marmo pidocchioso genannt, und ein erhobenes Werk von der Erfindung des Paolo Olivieri, welches die Anbetung der Könige vorstellt, denen die Capelle geweiht ist. An zwei Grabmalern der Gaetani stehen vier Saulen von Verde antico. Die in Nischen stehenden Statuen der vier Cardinaltugenden sind von verschiedenen Bildhauern der späteren Zeiten des 16ten Jahrhunderts, und die Mosaiken des Deckengewölbes nach Cartonen von Friedrich Zucchero verfertigt. Eine ältere Epoche der Kunst zeigen, an zwei Fenstern, die Glasmalereien, welche den Heiland am Kreuze und die h. Pudentiana vorstellen.

Kloster del Bambin Gesù.

Der Kirche S. Pudenziana gegenüber liegt das Kloster del Bambin Gesù, welches einem Orden geistlicher Frauen gehort, der im J. 1661 zur Erziehung von Mädchen und zur Vorbereitung derselben zur Communion gestiftet ward. Auch werden Frauen zu geistlichen Uebungen auf einige Zeit hier aufgenommen. Die mit diesem Kloster verbundene Kirche wurde im Pontificate Clemens XII. erbaut.

§. 99.

Die Kirche S. Maria Maggiore

Auf der hochsten Höhe des Esquilinischen Berges erhebt sich die grosse und schöne Kirche S. Maria Maggiore, die Sixtus III., zwisehen den Jahren 432 und 440, an der Stelle erbaute, wo zuvor eine von Liberius (352—366) erbaute Basilica stand, deren Ursprung ein Wunder veranlasst haben soll, welches hier erzählt werden muss, weil sich auf dasselbe mehrere in dieser Kirche noch vorhandene Kunstwerke beziehen. Sie ist folgende:

Johannes, ein römischer Patricier, dessen Ehe kinderlos war, bat die h. Jungfrau, ihm die ihr wohlgefallige Anwendung seines zu hinterlassenden Vermögens zu offenbaren. Sie erschien ihm darauf in der Nacht des 5ten August im Traume und gebot ihm, auf dem Platze, auf dem er am folgenden Morgen Schnee finden werde, ihr eine Kirche zu erbauen. Durch ein ähnliches Traumgesicht verkundete sie dieses Verlangen in derselben Nacht dem Papste Liberius; und da sich der verheissene Schnee an jenem Morgen auf dieser Stelle des Esquilins zeigte, so zeichnete der Papst auf demselben sogleich den Grundplan der Kirche, zu deren Erbauung der Patricier Johannes die Kosten bestritt. Zum Andenken dieses ihres wunderbaren Ursprunges, von dem sie auch S. Maria ad Nives heisst, wird noch jährlich in derselben am 5ten August ein Fest gefeiert, an welchem sowohl beim Hochamte als bei der Vesper ein von der Decke herabfallender Regen von weissen Blumenblattern den an diesem Tage in der grössten Hitze der Jahreszeit gefallenen Schnee andeutet.

Sixtus III. benannte diese Kirche S. Maria Mater Dei, weil er durch ihre Erbauung die h. Jungfrau als Gottesgebärerin verherrlichen wollte, nachdem diese ihr zukommende Benennung im Concilium zu Ephesus im J. 430 als Dogma festgesetzt worden war. Sie ist die älteste der ihr geweihten Kirchen in Rom und hochst wahrscheinlich in der christlichen Welt uberhaupt. Von der in ihr befindlichen Capelle, in der man die Reliquien der Wiege des Heilandes bewahrt, ward sie auch S. Maria ad Praesepe genannt. Ihre jetzt gewöhnliche Benennung S. Maria Maggiore erhielt sie zur Auszeichnung von anderen, im Verlauf der Zeit der h. Jungfrau in Rom geweihten Kirchen, als die grösste und erste derselben im Range. Sie ist eine der funf Patriarchalkirchen und zwar eine der vier, die im heiligen Jahre besucht werden, weshalb sie auch die heilige Thur hat. Das Gebaude hat, durch die in den letzten drei Jahrhunderten erfolgten

Erneuerungen und Anbauten, eine von der ursprünglichen sehr
veränderte Gestalt erhalten, in der wir es in der folgenden Beschreibung zu betrachten haben.

Auf dem vor der Kirche gegen den Lateran gelegenen Platze
erhebt sich die grosse Säule aus dem Friedenstempel, die Paul V.,
im J. 1614, unter der Leitung des Carlo Maderno hier aufrichten
liess. Auf ihrem Capitelle steht eine metallene Bildsäule der b.
Jungfrau, zu welcher Bartholot, ein französischer Bildhauer, das
Modell verfertigte.

Von der Aussenseite der Kirche trägt nur der Glockenthurm
noch den alterthumlichen Character. Zwei Kuppeln erheben sich
über den beiden grossen von Sixtus V. und Paul V. angebauten
Capellen. Die in schlechtem Geschmack, nach Angabe des Fuga,
im J. 1743 erbaute Vorderseite besteht aus zwei sich über einander erhebenden Hallen. In der unteren stehen acht schöne antike Granitsaulen, die sich vermuthlich an der ehemaligen von
Eugen III. erbauten Vorhalle der Kirche befanden. Rechts vom
Eingange steht jetzt hier die metallene Bildsäule des Königs von
Spanien, Philipps IV., die ihm das Domcapitel aus Dankbarkeit
wegen seiner der Kirche erzeigten Freigebigkeit im Vestibulum
der Sacristei errichten liess. In der oberen Halle — in deren
Mitte sich die Loggia befindet, von welcher der Papst den Segen
ertheilt — verdienen die Mosaiken Aufmerksamkeit, welche gegen
das Ende des 13ten Jahrhunderts die Cardinäle Johannes und
Peter Colonna verfertigen liessen. Bei ihrer im J. 1825 unternommenen Ausbesserung sind einige Theile, die zuvor durch
Malerei ergänzt worden waren, in Mosaik hergestellt worden. In
der oberen der beiden Reihen, in welche ihre Vorstellungen abgetheilt sind, hebt der Heiland, auf dem Throne sitzend, die
Rechte zum Segen empor, indem er mit der Linken ein geöffnetes
Buch hält, welches die Worte zeigt: ego sum lux mundi. Ihn
umgeben vier Engel, von denen zwei Rauchfässer und die beiden
anderen Leuchter halten. Eine Inschrift, auf dem Schemel seines
Thrones, nennt den Philippus Rusuti, einen unseres Wissens
sonst nicht bekannten Künstler, als den Meister dieser Mosaiken.
Dem Heilande zur Rechten stehen die h. Jungfrau und die Apostel
Paulus und Jacobus, zur Linken der h. Johannes der Täufer und
die Apostel Petrus und Andreas: die zwei letzten Figuren, an den
beiden Enden dieser Reihe, sind durch den Anbau der Halle verdeckt. Darüber die symbolischen Bilder der Evangelisten. Die
vier Bilder der unteren Reihe enthalten folgende auf jene wunderbare Stiftung der Kirche bezügliche Gegenstände: die h. Jungfrau,
welche dem Papste Liberius und dem Patricier Johannes im
Traume erscheint; — dieser Patricier, welcher seinen Traum dem
Papste verkündet; — und der Letztere, welcher in den Schnee

den Grundplan dieser Kirche zeichnet. Von den beiden Gebäuden
zur Wohnung der Domherren, zu beiden Seiten der Vorhalle, ist
das eine unter Paul V., das andere unter Benedict XIV. erbaut
worden. Die Hinterseite der Kirche erhielt ihre heutige Gestalt
unter Clemens X., nach Angabe des Rinaldi.

Die Kirche hat, mit Inbegriff der heil. Thür, fünf Eingänge
an der Vorderseite und zwei an der Hinterseite, zu beiden Seiten
der Tribune. Das Innere des Gebäudes zeigt in den späteren
Erneuerungen einen besseren Geschmack, als andere alte römische
Kirchen. Die beiden schönen, beim Eintritt aus der Vorhalle
vornehmlich den Blick auf sich ziehenden Saulenreihen bestehen
aus 42 Saulen von jonischer Ordnung. Achtunddreissig derselben
sind von weissem Marmor und vier von grauem Granit, auf denen
sich die Bögen erheben, durch die man aus dem Mittelschiffe zu
den beiden grossen angebauten Capellen gelangt. Noch zwei andere Säulen standen unstreitig zunächst dem Haupteingange, wo
jetzt die Grabmäler Nicolaus IV. und Clemens IX. stehen. Die
bei der Erneuerung der Kirche durch Benedict XIV. verfertigten
Basen sind um die Saulen herumgelegt und daher als Basen nur
scheinbar. Die Wände der Seitenschiffe sind mit marmornen
Pilastern geschmückt, welche den Saulen des Mittelschiffes ent-
gegenstehen. Der Bogen der Tribune ist mit dem des Hauptschiffes zur Vergrösserung des Chores verbunden worden und dadurch das Querschiff verloren gegangen. Auf dem Fussboden des
Mittelschiffes ist noch die zur Zeit Eugens III. auf Kosten des
Scotus Paparone und dessen Sohnes Johannes verfertigte Steinarbeit, nebst einer weissen Marmorplatte vorhanden, auf welcher
in eingegrabenen Umrissen jene beiden Ritter zu Pferd mit ihren
beigefügten Namen vorgestellt sind. Zwischen den Pilastern zu
beiden Seiten der Fenster sind in Frescogemälden, von verschiedenen Malern aus der Zeit Clemens VIII., Gegenstände aus dem
Leben Christi und der h. Jungfrau vorgestellt. Die flache mit
Rosetten in Cassettoni und reichen Vergoldungen geschmuckte
Decke des Hauptschiffes wurde unter Alexander VI. nach Angabe
des Giuliano da San Gallo verfertigt.

Die Mosaiken aus der Zeit Sixtus III. an dem Bogen und
über dem Saulengebälke des Hauptschiffes haben, ungeachtet
ihrer sehr bedeutenden Restaurationen, nicht gänzlich ihren ursprunglichen Character verloren, welcher den Styl der antiken
Kunst ohne die mindeste Spur des nachmaligen christlichen Typus
zeigt. Am Bogen sieht man Gegenstände des neuen Testaments
in mehrere Reihen abgetheilt. Inmitten der obersten erscheint
auf einem runden Schilde der Stuhl aus dem vierten Capitel der
Apocalypse: zu beiden Seiten die Figuren der Apostel Petrus und
Paulus und die symbolischen Bilder der Evangelisten. — In der

weiteren Folge vom Beschauer links: der Engel, welcher dem Zacharias die Geburt Johannes des Täufers verkündet, und die Verkundigung der h. Jungfrau. — Rechts, die Darstellung Christi im Tempel, der durch eine Saulenhalle mit Bögen angedeutet ist. — In der zweiten Reihe, neben dem Bogen links, die Anbetung der Weisen, wobei, was ungewöhnlich, das Christuskind allein auf einem Throne sitzt. — Rechts, Christus als Knabe, lehrend unter den Schriftgelehrten. — In der dritten Reihe: der Kindermord, vorgestellt durch einige Frauen mit Kindern, gegen die Herodes seine Henker sendet. — Rechts, Herodes, dem man das Haupt Johannes des Täufers bringt. — Zuunterst, zu beiden Seiten des Bogens, die Gläubigen unter dem Bilde von Lammern bei den Städten Jerusalem und Bethlehem. — Im Bogen steht die Inschrift: Xistus Episcopus Plebis Dei. — Die Gegenstande der sehr kleinen Mosaikbilder uber dem Säulengebälke sind Begebenheiten des alten Testamentes aus der Patriarchenzeit und aus der Geschichte des Moses und Josua. Ausser mehreren fruher zu Grunde gegangenen Bildern derselben gingen sechs durch Errichtung der Bögen vor den von Sixtus V. und Paul V. erbauten Capellen verloren. Von den ubrig gebliebenen, deren Zahl sich noch auf 31 beläuft, sind ganze Theile neu ergänzt. Ganz neu sind die beiden Bilder über dem Haupteingange, und die funf demselben zunächst an den beiden Seitenwänden des Schiffes.

Die Mosaiken der von Nicolaus IV. (1288 — 92) erneuerten Tribune wurden auf Kosten dieses Papstes und des Cardinals Jacob Colonna von Jacob della Torrita verfertigt. Inmitten des Gewolbes sieht man den Heiland die h. Jungfrau krönen in einer in ovaler Form gebildeten Glorie mit Sternen auf himmelblauem Grunde. Zu beiden Seiten der Glorie, Engel in andächtiger Verehrung: unter derselben, eine auf diese Verherrlichung der Mutter Gottes bezugliche Inschrift. Dieser Vorstellung zur Rechten, auf Goldgrund, die Heiligen Petrus, Paulus, Franciscus, und der Papst Nicolaus IV.; zur Linken, Johannes der Taufer, Johannes der Evangelist, der h. Antonius, und der Cardinal Jacob Colonna. Die genannten Heiligen sind stehend, der Papst und Cardinal aber knieend, und in kleinerer Gestalt als jene gebildet. Zu beiden Seiten des Bildes entspriesst, mit symbolischer Beziehung auf die Kirche, nach den bekannten Worten des Erlosers, ein Weinstock in schneckenförmigen Zweigen, auf denen Pfauen und andere Vögel sitzen. Der Vorgrund bildet ein Wasser, vermuthlich der Jordan als Sinnbild der Taufe, durch einen Flussgott, an jedem der beiden Enden des Bildes, personificirt. In und bei diesem Wasser befinden sich noch andere kleine menschliche Figuren, nebst Barken und mancherlei Thieren, unter denen man, unter der Glorie der h. Jungfrau, einen Hirsch zur Anspielung auf die bekannten Worte

des Psalmes bemerkt. Im Bogen sieht man, zwischen Fruchtgewinden, kleine Brustbilder von Engeln in Rundungen, und, in
der Mitte daselbst, das Monogramm des Namens Christi, zwischen
einem Hahne und einer Taube, als Sinnbilder der Busse und des
Friedens mit Gott. Die Gegenstände zwischen den Fenstern der
Tribune, — die bei der vorerwähnten Erneuerung Spitzbogen erhielten — sind: die Verkündigung, die Geburt Christi, die Anbetung der Könige, die Vorstellung Christi im Tempel, und der
Tod der h. Jungfrau.

Unter diesen Mosaiken sind vier Reliefs von dem vormaligen
auf Kosten des französischen Cardinals Estouteville, gegen das
Ende des 15ten Jahrhunderts, verfertigten Tabernakel des Hauptaltares eingemauert. Man sieht in denselben den Papst Liberius,
welcher die Fundamente dieser Kirche bezeichnet, die Geburt
Christi, die Anbetung der Könige, und die h. Jungfrau in einer
Glorie von Engeln vorgestellt. An den beiden Wanden des Chors,
welche die Tribune mit dem Bogen des Hauptschiffs verbinden,
befinden sich zwei Orgeln. Die Gewolbe über denselben sind mit
Malereien von Paris Nogari und Ricci da Novara geschmückt. In
dem gedachten Chore steht ein Leuchter für die Osterkerze, in
Form einer Saule, von sehr schönem, schwarz und weiss geﬂeck-
tem Marmor.

Vor dem Bogen des Hauptschiffs erhebt sich der unter Benedict XIV. errichtete Hauptaltar. Die Marmorplatte desselben
ruht auf einer antiken, mit modernen Zierrathen von vergoldeter
Bronze geschmückten Prophyrwanne, die ehemals beim Haupteingange der Kirche eingemauert war und fur das Grabmal ihres
angeblichen Stifters, des Patriciers Johannes, gehalten wurde. Das
grosse, mit Sculpturen von Pietro Bracci geschmückte Tabernakel
dieses Altares ruht auf vier schönen Porphyrsäulen, die vermuthlich die des ehemaligen Tabernakels sind.

Die Seitencapellen, zu deren Betrachtung wir nun übergehen,
zeigen sammtlich modernen Geschmack. Die zunachst vom Eingange rechts gegen die Vorderseite der Kirche gelegene Capelle
S. Maria ad Nives, welche der Familie Patrizi gehört, ist reich
mit Marmor und Säulen, und mit einem Gemälde von Giuseppe
del Bastaro geschmückt, welches die h. Jungfrau vorstellt, die dem
Patricier Johannes erscheint. Es folgt darauf, am Anfange des
Seitenschiffs, der Eingang zu der im Pontificate Pauls V. erbauten
Sacristei, zu der man vermittelst des Vorgemachs der ehemals zu
den Functionen der Domherrn bestimmten Capelle gelangt. Unter
den an den Wänden desselben befindlichen Grabmälern, ist, vom
Eingange rechts, das Denkmal des kurz nach seiner Ankunft in
Rom im Jahr 1608 verstorbenen Gesandten, den der König von
Congo an den Papst Paul V. geschickt, zu bemerken. Seine Büste

ist von Bernini, der Kopf aus schwarzem, das Gewand aus weissem Marmor verfertigt. Die vorerwähnte Capelle ist unter Leo XII., welcher die Pfarre aus S. Prassede in diese Kirche verlegte, zur Taufcapelle eingerichtet worden. Unter dem Bogen über dem Eingange derselben erheben sich zwei antike Säulen von rothem Granit. Die Deckengemälde sind Werke des Passignano, und das die Aufnahme der h. Jungfrau vorstellende Relief uber dem Altare ist von dem Vater des Bernini. Das Taufbecken ist eine grosse antike Schale von Porphyr, der metallene Deckel desselben ist mit der Bildsäule Johannes des Täufers und andern Sculpturen von vergoldeter Bronze geschmückt. Die Frescogemälde der Sacristei, welche Gegenstände aus dem Leben der h. Jungfrau vorstellen, sind von Passignano. Dem Eingange der Sacristei gegenuber führt eine Thür zu einer ehemaligen Capelle, auf deren Fussboden man Steinarbeit des Mittelalters bemerkt. Es steht hier eine metallene Bildsäule Pauls V., die ihm auf Kosten des Domcapitels errichtet ward. Im weitern Fortgange des Seitenschiffs gelangt man zu einer mit zehn Säulen und Pilastern von Porphyr geschmückten Capelle. Unter den in den Schränken hier aufbewahrten Reliquien befinden sich die Reste der Wiege des Heilandes. Ueber dem Altare ist ein verehrtes Crucifix. Unter den Gemälden der kleineren Capellen auf dieser Seite der Kirche befindet sich eine Verkundigung von Battoni.

Am linken Seitenschiffe ist, zunächst vom Eingange, die Capelle der Familie Cesi (jetzt Massimi) nach Angabe des Martino Lunghi angebaut. Das Altargemälde derselben ist von Sermoneta. An den Seitenwänden stehen einander gegenüber die nach Angabe des Guglielmo della Porta errichteten Grabmäler der Cardinäle Paolo und Federigo Cesi, deren metallene, nach Modellen des vorerwähnten Künstlers verfertigte Bildsäulen von vorzüglicher Sculptur sind. Die folgende Capelle der Familie Sforza, welche gegenwärtig zu den Functionen der Domherrn dient, ist nach der Zeichnung des Michelagnolo, unter der Leitung eines seiner Schüler, Tiberio Calcagni, erbaut. Das Altarbild derselben ist ebenfalls von Sermoneta.

Die beiden grossen, gegen das Ende der beiden Seitenschiffe einander gegenüber angebauten Capellen sind von gleicher Grösse und Form, welche die eines griechischen Kreuzes zeigt, in dessen Mitte sich eine Kuppel erhebt. Die Pilaster, die ihre Wände schmücken, sind von corinthischer Ordnung. Jede begreift in sich zwei kleinere Capellen und hat eine eigene zu ihr gehörende Sacristei.

Die eine derselben, welche Sixtus V. zu Ehren der Wiege des Heilandes erbaute, fuhrt von derselben den Namen Cappella del Presepio. Der Altar der einen von den beiden in ihr begriffenen

Capellen, vom Eingange rechts, besteht aus einem altchristlichen Sarcophage, auf dem Gegenstande des alten und neuen Testamentes in erhobener Arbeit gebildet sind. Die anscheinend aus dem 15ten Jahrhundert herrührende Vorderseite des Altares der gegenüberstehenden Capelle zeigt die Figuren der Apostel Petrus und Paulus von sehr mittelmassiger Sculptur. Ueber dem zur Ausstellung des heiligen Sacramentes bestimmten Altare, unter der Kuppel, erhebt sich ein Tabernakel von vergoldetem Metall, aus welchem auch die vier dasselbe tragenden Engel verfertigt sind. Bei diesem Altare fuhrt eine Treppe zu der alten Capelle del Presepio hinab, welche, auf Veranstaltung Sixtus V., Domenico Fontana durch seine Kunst der Mechanik von ihrer ursprünglichen Stelle in dieser Kirche hierher versetzte. Aus der Zeit des Mittelalters sieht man in derselben die sehr zierlich mit eingelegter Arbeit geschmückte Vorderseite des Altares und einen Rest von Steinarbeit auf dem Fussboden. Die marmorne Gruppe auf diesem Altare ist ein zur Zeit Sixtus V. verfertigtes Werk des Cecchino da Pietra Santa. Hinter dieser Capelle sieht man, in dem sie umgebenden Gange, die Anbetung der Könige in einer aus Statuen gebildeten Gruppe, vermuthlich aus dem 15ten Jahrhundert.

An den beiden Seitenwänden der grossen Capelle erheben sich die einander an Grösse und Gestalt entsprechenden Grabmaler Pius V. und Sixtus V. Jedes derselben ist mit der Bildsäule des Papstes, dem es errichtet ward, fünf Reliefs, welche merkwürdige Begebenheiten seiner Regierung vorstellen, und vier Säulen von Verde antico geschmückt. Unter der von Leonardo Sarzana verfertigten Bildsaule Pius V. ruhen die Gebeine dieses Papstes in einem mit Zierrathen von vergoldeter Bronze geschmückten Sarge von Verde antico. Die Statue Sixtus V. ist ein Werk des Valsoldo; und die gedachten erhobenen Werke dieser Monumente sind von verschiedenen Bildhauern dieser Zeit ausgefuhrt. Zu beiden Seiten der Grabmäler stehen, in Beziehung auf die Orden jener beiden Papste, die Statuen der Heiligen Dominicus und Peters des Martyrers, und Franciscus und Antonius von Padua; zunachst der Hinterwand, einander gegenüber, die Bildsäulen der Apostel Petrus und Paulus. Die Gemälde dieser Capelle sind von Paris Nogari, Gio. Battista del Pozzo, und anderen Malern aus der Zeit Sixtus V. An den Wanden der zu derselben gehörenden Sacristei sieht man einige Landschaften von Paul Brill; grossentheils in einem verdorbenen Zustande.

Die andere jener beiden Capellen, welche der Familie Borghese gehört, fur die sie Paul V., der Papst ihres Hauses, erbaute, übertrifft die erstere an Pracht, vornehmlich durch die zu ihrem Schmuck verwendeten Marmorarten und andern kostbaren Steine. Besonders ausgezeichnet ist in dieser Hinsicht der Altar der heil.

Jungfrau au der hintern Wand der Capelle. Die Platte desselben ruht auf einem mit Lapislazuli ausgelegtem Gefässe von buntem Marmor. Das Tabernakel hat vier cannelirte Säulen von orientalischem Jaspis mit Capitellen von vergoldeter Bronze. Die Basis, auf welche sie sich erheben, ist, so wie das Gebälke über denselben, mit Agat ausgelegt. Zwischen ihnen erscheint, auf einem Grunde von Lapislazuli, in einem ebenfalls mit Agat ausgelegten Rahmen, ein sehr verehrtes, dem h. Lucas zugeschriebenes Marienbild, welches gewöhnlich verschlossen ist. Gregor der Grosse trug dasselbe aus dieser Kirche nach St. Peter bei der bekannten von ihm wegen der Pest veranstalteten Procession; und in unsern Zeiten erschien dieses Bild bei einer Procession von hier nach der Kirche del Gesù, wegen der Cholera im Jahr 1837. Es ist mit Engeln von vergoldetem Metall umgeben, aus welchem auch der Giebel des Tabernakels verfertigt ist. Zu beiden Seiten jenes Altars stehen die Statuen des h. Simon und Johannes des Evangelisten. Die an den beiden Seitenwanden der Capelle einander gegenüber stehenden Grabmäler Clemens VIII. und Pauls V. sind in der Grösse und Anlage jenen in der Capelle Sixtus V. erwähnten Monumenten entsprechend. Die Bildsaulen der gedachten Papste sind von Silla, einem Mailander, die erhobenen Arbeiten aber — welche Begebenheiten ihrer Regierung vorstellen — von verschiedenen andern Bildhauern dieser Zeit ausgefuhrt. Die an beiden Seiten der Grabmäler stehenden Bildsäulen des Aaron und des h. Bernhard, des Königs David und des h. Basilius sind Werke des Cordieri. Die durch Inschriften angezeigten Gegenstände der Frescogemälde in den Bogen dieser Capelle und in den Räumen unter denselben beziehen sich grösstentheils auf die h. Jungfrau. Die über dem Eingange sind, so wie die Gemalde der beiden kleinen in jener grossen begriffenen Capellen, von der Hand des Baglioni und von keiner besondern Bedeutung. Mehr Aufmerksamkeit verdienen die des Guido Reni uber den beiden vorerwähnten Grabmälern. Die Gemälde uber dem Altare der Hinterseite und die vier Propheten in den Zwickeln unter der Kuppel durften zu den bessern Werken des Arpino gehören. Die Malereien der Kuppel sind von Cigoli, und die Frescogemalde der zu dieser Capelle gehörenden Sacristei von Passignano.

Noch haben wir in dieser Kirche einige Grabmäler zu bemerken. Die oben beiläufig genannten, am Anfange des Hauptschiffes einander gegenuber stehenden Monumente Nicolaus IV. und Clemens IX. sind von gleicher Grösse und Form, und mit den Bildsäulen dieser Päpste zwischen zwei personificirten Tugenden geschmückt. Das von Nicolaus IV., dessen Sculpturen Leonardo von Sarzana verfertigte, wurde diesem Papste von Sixtus V. noch als Cardinal, und das von Clemens IX. von dem Nachfolger desselben Clemens X. errichtet. Die Sculpturen dieses Monumentes sind von Guidi, Cosimo Fancelli, und Ercole Ferrata ausgeführt. Merkwürdiger für die Kunst ist — am Ende des rechten Seitenschiffs, vom hinteren Eingange links — das Grabmal des Cardinals Gonsalvo; ein Werk des Johannes aus der romischen Kunstlerfamilie der Cosmaten, wie die Inschrift mit der Jahrzahl 1299 anzeigt. Zu beiden Seiten des auf dem Sarge ruhenden Verstorbenen halten zwei Engel das Leichentuch und bewahren seine Seele als schutzende Geister. Ueber dem Sarge erhebt sich ein Tabernakel im sogenannten gothischen Style, dessen Inneres Mosaiken schmucken, welehe die h. Jungfrau zwischen dem h. Hieronymus und dem h. Matthäus, der ihr den abgeschiedenen Cardinal empfiehlt, vorstellen. — Bei dem anderen hinteren Eingange, an der Wand links von demselben, ist das einfache Familiengrabmal des in der gelehrten Welt beruhmten Platina, mit der Grabschrift fur seinen fruh verstorbenen Bruder zu bemerken. Am Anfange des linken Seitenschiffs, an der inneren Wand der Vorderseite der Kirche, sieht man in beträchtlicher Hohe eingemauert die Grabmäler eines französischen Cardinals Philipp des Levis, und des Erzbischofs seines Bruders, mit Sculpturen aus der Zeit gegen das Ende des 15ten Jahrhunderts. An einigen, aus spateren Zeiten herrührenden Grabmalern dieser Kirche befinden sich gut gearbeitete Busten.

In dem Gange, welcher den kleinen Hof an der Wohnung der Domherrn umgiebt, sind die alteren daselbst aufbewahrten Denkmaler der Kirche bemerkungswerth. Sie bestehen in Grabmalern, Inschriften und Sculpturen von ehemaligen Tabernakeln, die meistens den Styl des 15ten Jahrhunderts zeigen. Ausgezeichnet unter denselben ist von Seiten der Kunst ein erhobenes Werk, vom Eingange links, welches die h. Jungfrau betend zwischen zwei sie verehrenden Engeln, und über derselben das Brustbild des Heilandes mit einem geöffneten Buche in der Hand vorstellt. In dem gedachten Hofe ist die liegende Bildsaule eines Bischofs von einem Grabmale. In einem andern kleinen Hofe, von der Vorderseite der Kirche rechts, ist der Architrav der ehemaligen, von Eugen III. erbauten Vorhalle, mit einem Theile der Inschrift eingemauert.

Der Obelisk.

Den Obelisken, der sich in der Mitte des Platzes vor der Hinterseite der Kirche S. Maria Maggiore erhebt, liess Sixtus V. unter der Leitung des Domenico Fontana im Jahre 1587 daselbst aufrichten. Er stand ehemals vor dem Mausoleum des August, wo er in den ersten Zeiten des 16ten Jahrhunderts in vier Stucke zerbrochen ausgegraben wurde. Diese waren zum Theil mangelhaft,

und bedurften daher der Ergänzung an einigen Stellen. Seine
Höhe beträgt 66, die unterste Breite 6, und die obere etwas über
4 Palm. Das gesammte Postament ist etwas über 36 Palm hoch.
Der an einigen Stellen ergänzte mittlere Theil desselben, an wel-
chem sich die Inschriften von Sixtus V. befinden, diente ihm zur
Basis im alten Rom, und ist, wie der Obelisk, von rothem Granit.
Man fand die Spitze desselben abgeschnitten, die vermuthlich im alten
Rom abgesägt worden war, um an ihrer Stelle eine metallene Zier-
rath zu errichten. Seinen Gipfel bildet jetzt ein metallenes Kreuz,
welches sich auf einem Stern und 3 Bergen, ebenfalls von Metall, erhebt.

§. 100.
S. Antonio Abbate.

Die Kirche S. Antonio Abbate gehörte zu einem Hospitale,
welches durch ein Vermachtniss des im Jahre 1259 verstorbenen
Cardinals Petrus Capocci, zur Aufnahme der von dem sogenannten
heiligen Feuer Befallenen gestiftet, und daher dem zur Pflege
dieser Kranken gestifteten Orden des h. Antonius übergeben
wurde. Nach dem Verschwinden jenes fürchterlichen Uebels aus
Europa diente es zur Pflege anderer Kranken. Seit der in den
letzten Jahrzehenten erfolgten Aufhebung desselben wird das zu
der Kirche gehörende Kloster von den Nonnen des Camaldolenser-
ordens bewohnt. Am Eingange dieser Kirche ist ein mit Säulen
und zwei Sphinxen geschmücktes Portal von weissem Marmor im
sogenannten vorgothischen Style. Das Uebrige des Gebäudes trägt
seit der Erneuerung desselben, gegen das Ende des 16ten Jahrhunderts, modernen Character. In den Pfeilern, welche jetzt die
Kirche in drei Schiffe theilen, sollen die Saulen, die ehemals das
Hauptschiff trugen, eingemauert seyu. Die Gemälde an den Wänden, welche Gegenstände aus dem Leben des h. Antonius vorstellen, sind meistens von Gio. Battista Lombardelli della Marca.
In der Capelle jenes Heiligen, vom Eingange rechts, sieht man
am Sockel, zu beiden Seiten des Altars, die zweimal wiederholte
Vorstellung eines Tigers, der ein junges Reh zerfleischt; Werke
von Steinarbeit, Opus Alexandrinum, auch Opus sectile genannt;
vermuthlich aus dem 3ten Jahrhundert. Den 17ten Januar, als
am Feste des h. Antonius, werden von dieser Kirche die hierher
gebrachten Thiere durch Besprengung mit Weihwasser eingesegnet.
Die auf dem Platze vor derselben stehende Granitsäule, auf welcher sich ein Crucifix nebst der h. Jungfrau von Bronze erhebt,
wurde hier zum Andenken des Uebertritts des Königs von Frankreich Heinrich IV. zur catholischen Kirche errichtet.

Bogen des Gallienus

Der Bogen des Gallienus wurde, wie die Inschrift am Friese
zeigt, diesem Kaiser und seiner Gemahlin Salonia von einem

gewissen M. Aurelius Victor errichtet. Er ist von Travertinquadern aufgeführt und zeigt, vornehmlich in der rohen Arbeit
der Pilastercapitelle, den tiefen Verfall der Kunst. Von demselben steht nur noch der mittlere Bogen mit einem Pilaster auf
jeder Seite und dem grössten Theile des Gebälks. Von dem einen der beiden kleineren Bögen, die dieses Gebäude, wie andere
romischen Triumphbögen, zu beiden Seiten des grosseren hatte,
ist noch ein geringer Rest vorhanden.

Kirche SS. Vito e Modesto.

Der Bogen des Gallienus führt in der Volksbenennung den
Namen Arco di S. Vito, von der kleinen den Heiligen Vitus und
Modestus geweihten Kirche, die an diesem Bogen im Pontificate
Sixtus IV. im Jahre 1477 angebaut wurde und vielleicht die Zer-
störung der einen Seite desselben veranlasste. Bemerkenswerth
sind in dieser Kirche die Frescomalereien in der einen der beiden
Seitencapellen, vom Eingange rechts. Sie sind, dem Style zufolge,
wenn nicht von der Hand des Perugino, doch gewiss aus der
Schule desselben. Im Bogen dieser Capelle sieht man, in einer
Rundung, den Heiland in halber Figur mit Engeln umgeben, ein
offenes Buch haltend, welches die Worte zeigt: Ego sum veritas.
An der Wand in der oberen Abtheilung: die h. Jungfrau mit
dem Christuskinde auf dem Throne sitzend, zwischen der h.
Crescentia und dem h. Modestus, die, nach der Legende, den h.
Vitus im christlichen Glauben unterrichteten. In der untersten
Abtheilung die h. Margaretha, durch den Drachen bezeichnet, und
der h. Vitus mit einem Hunde. Ausser den Namen der genannten Heiligen ist in der untersten Reihe auch die Zeit der Verfertigung dieser Gemälde durch die Jahrzahl 1483 angezeigt. Nicht
zu erklären wüssten wir die Bedeutung der kleineren Figuren an
den schmalen Seitenwänden der Capelle. Sie stellen einen Heiligen und eine Heilige vom Dominicanerorden vor, von denen die
Letztere ein Kind hält, und einen anderen Heiligen in der Kleidung desselben Ordens mit Flügeln, wie ein Engel, und mit einem
geoffneten Buche in der Hand.

Villa Palombara.

Die Villa Palombara, die jetzt dem Prinzen Massimo gehört,
zeigt nichts von besonderer Merkwurdigkeit, ist aber als der
Fundort einiger der vorzuglichsten Denkmaler der Kunst des
Alterthums berühmt. Hier wurde namentlich die Gruppe der
Niobe und die unter dem Namen der Ringer bekannte Gruppe,
beide jetzt in der Gallerie zu Florenz, gefunden: spaterhin der
Discobolus, der im Palaste Massimo steht. Eine mystische In-
schrift, welche zwei Dreiecke mit drei Kranzen und vielen Sprüchen

zeigt, an der Eingangsthür der Villa, bezieht sich auf einen nordischen Alchymisten, welcher der Königin Christina von Schweden wirklich Gold gemacht haben, dann aber verschwunden seyn soll.

S. Eusebio

Die Kirche S. Eusebio — deren hohes Alterthum ihre Erwähnung am Ende des 5ten Jahrhunderts in dem Concilium des Symmachus beweist — hat, durch die Erneuerungen derselben in den Jahren 1711 und 1750, ihren alterthumlichen Character gänzlich verloren und ein unbedeutendes modernes Ansehn erhalten. Die 14 antiken Säulen, die ehemals das Gebäude in drei Schiffe theilten, wurden in Pfeiler eingemauert, deren Verzierungen dem Geschmack dieser Zeit entsprechen. Bei der letzten der gedachten Erneuerungen, die der Cardinal Henriquez veranstaltete, erlangte diese Kirche Bedeutung in der Kunstgeschichte des 18ten Jahrhunderts durch das die Verklärung des heil. Eusebius in einer Glorie von Engeln vorstellende Deckengemälde des Hauptschiffs von Mengs. Das Bild des Hauptaltares, dessen Tabernakel 4 Säulen von buntem Marmor schmücken, ist von Baldassare Croce, und das an der Hinterseite gegen den Chor, von Rosetti verfertigt. Die Schnitzwerke der Stuhle und des Lesepultes dieses Chores, die aus den spateren Zeiten des 16ten Jahrhunderts scheinen, zeigen, bei einem allerdings manierirten Style, Geist, Meisterschaft und Reichthum der Phantasie. Das mit dieser Kirche verbundene Kloster besitzen gegenwärtig die Jesuiten, die hier eine Anstalt zur Verrichtung geistlicher Uebungen gestiftet haben. In dem Gebäude und Garten dieses Klosters sind einige mit antiken Gemalden geschmückte Zimmer entdeckt worden, die man fur Reste der Thermen des Gordianus erklärte. In der Vigna, die ehemals zu demselben gehörte, und jetzt die Augustiner besitzen, sieht man einen aus einigen Bogen bestehenden Rest der Aqua Julia.

Castell der Aqua Julia.

Von derselben Wasserleitung sieht man unweit von S. Eusebio die Ruinen eines grossen Castellum oder Wasserbehälters. In zwei Nischen desselben standen ehemals die sogenannten Trophäen des Marius, die jetzt auf dem Capitol sind, in dessen Beschreibung wir von ihnen gesprochen haben. Von denselben führt die kleine gegenüber liegende Kirche S. Giuliano den Beinamen alli trofei di Mario.

Thermen der Cäsaren Cajus und Lucius, angeblich Tempel der Minerva Medica.

Auf dem Wege von dem gedachten Castellum nach Porta Maggiore, nahe vor diesem Thore, ist links der Eingang in die

Vigne, wo die Ruinen des sogenannten Tempels der Minerva Medica stehen. Diess ist ein zehneckiges Gebäude von Backsteinen, dessen Umfang 225 Palm beträgt. Jede Seite, ausser der, die den Eingang enthalt, hatte eine grosse Nische, und in der Höhe ein Fenster. Das Gewolbe, nach dem des Pantheons das grösste unter den Denkmälern der Baukunst des alten Roms, war noch im 16ten Jahrhundert fast ganz erhalten, ist aber jetzt beinahe ganzlich zu Grunde gegangen. Die Benennung des Tempels der Minerva Medica gründet sich auf eine unverburgte Sage, dass hier die berühmte Statue der ehemals Giustinianischen Minerva, welche diese grundlose Benennung erhielt, gefunden worden sei. Die ehemalige Volksbenennung dieses Gebaudes le terme di Galluccio, spater le Galluzze, veranlasste die frühern Antiquare, in demselben die von August, unter dem Namen seiner Enkel Cajus und Lucius, erbaute Basilica erkennen zu wollen. Dass es nun nicht der Gestalt einer Basilica entspreche, bedarf keines Beweises. Da aber Dio Cassius von einer zu Seegefechten hinreichend grossen Piscina im „nemus Caii et Lucii" spricht, die mit Wahrscheinlichkeit in diese Gegend zu setzen ist, und nach der Bemerkung des Abbate Uggeri, ein Gebäude von ähnlicher Form in Mailand erweisslich zu Thermen gehorte, so ist Niebuhr der Meinung beigetreten, dass wir in dieser Ruine Reste der Thermen des Cajus und Lucius sehen, deren Andenken sich demnach in der verstümmelten Benennung terme di Galluccio erhalten hat. Von der erwahnten Piscina sind in derselben Vigne noch die Spuren in einer weiten mit Ziegeln ausgemauerten Vertiefung zu erkennen, deren Röhren, welche sie mit Wasser anfüllten, Piranesi entdeckte.

In der nämlichen Vigna wurden im vorigen Jahrhundert zwei antike Gräber entdeckt. Das eine errichtete Lucius Arruntius, Consul unter Tiberius, für sich, seine Familie und seine Freigelassenen. Die Inschrift, welche dieses besagte, ist verschwunden. Es besteht aus zwei Kammern. In der ersten sind vier kleine Hauschen mit Giebeln und runden Löchern im Boden, in denen sich irdene Aschenkrüge befinden. Am Gewolbe der zweiten sieht man noch einige Stuccaturen, und in den Wänden Nischen fur Aschenkruge. Das zweite Begrabniss ist ein eigentliches Columbarium und vollkommen erhalten. Es ist eine viereckige Kammer, deren Wande mit Stuck bekleidet sind und von oben bis unten Reihen von Nischen enthalten, gross genug, um einen Aschenkrug zu fassen, abwechselnd viereckig und halbrund. Beide Graber waren uber der Erde gebaut: jetzt steigt man auf nicht wenigen Stufen hinab. Noch sieht man in dieser Vigne einen Ueberrest von dem Castellum der Aqua Claudia und des Anio novus, und die Reste eines Wasserbehalters aus späterer Zeit.

382

Mausoleum der Helena (Torre Pignattara).

Vor der Porta Maggiore — von der wir oben beim Caeliolus gesprochen haben, auf der Strasse rechts, ist in einer Vigne der Eingang zum Gottesacker des h. Castulus, welcher noch ziemlich erhaltene christliche Malereien enthält. Zwei starke Miglien vor dem Thor liegen links vom Wege in einer Vigne die Ruinen des Mausoleums der h. Helena, welches ihr Sohn Constantin der Grosse erbaute. Der porphyrne Sarcophag, in dem er hier ihren Leichnam beisetzen liess, ist im Pioclementinischen Museum, wo wir von ihm gesprochen haben. Die Reste dieses seit langer Zeit in Vergessenheit gekommenen Mausoleums nannte man Torre Pignattara, von den irdenen Töpfen (pignatte), die sich hier in den Gewölben befinden, so wie in denen des fast gleichzeitigen Circus des Maxentius. Erst am Ende des 16ten Jahrhunderts wurde es in dieser Ruine wieder erkannt. Es war ein rundes Gebäude von Backsteinen von betrachtlichem Umfange mit acht Capellen in Form von Nischen. In den Mauern desselben, von denen noch ein betrachtlicher Theil steht, wurde unter Urban VIII. den H. Petrus und Marcellinus zu Ehren eine Kirche erbaut, welche die Pfarrkirche der in dieser Gegend wohnenden Landleute ist. Neben derselben ist der Eingang zu dem unterirdischen Gottesacker oder den Catacomben, die gegenwärtig nicht von beträchtlichem Umfange sind, aber ehemals viel weiter gingen.

Porta S. Lorenzo.

Die heutige Porta S. Lorenzo führte im Alterthum wahrscheinlich zuerst den Namen Porta Praenestina und erhielt erst später die Benennung Porta Tiburtina. Der Bau dieses Thores in seiner gegenwärtigen Gestalt ist, wie die Inschrift zeigt, aus der Zeit des Honorius. Es ist an das Monument der drei Wasserleitungen, Marcia, Tepula und Julia, welches Agrippa unter Augusts Namen auf der pränestinischen Strasse auffuhrte, angebaut, so dass dessen Bogen mit dem des Thors vereinigt ist. Durch das Ebenen des Schuttes bei bem Bau des Honorius wurde die alte Strasse 25 Palm unter dem Boden des neuen Thores vergraben; und daher ist das Monument fast bis an das Gebalke verschüttet, auf dem sich der Bogen erhebt. In diesem Monumente flossen über dem Bogen in drei Gewölben übereinander, unten die Marcia, dann die Tepula, am höchsten die Julia.

§. 101.
S. Lorenzo fuori le mura.

Die ungefähr eine italienische Meile vor jenem Thor, an der tiburtinischen Strasse liegende Kirche des h. Laurentius fuhrt, weil sie ausserhalb der Stadtmauern liegt, den Namen S. Lorenzo fuori le mura. Das Gotteshaus, welches hier, nach Anastasius, auf dem Ager Veranus Constantin der Grosse über der Grabstatte des h. Laurentius erbaute und darauf Sixtus III. zwischen den Jahren 432 und 440 verschonerte, ist längst verschwunden und bestand vermuthlich nur in einer Grabcapelle von geringem Umfange. Die heutige Kirche, eine der fünf Patriarchal-Kirchen, besteht aus zwei in sehr verschiedenen Zeiten zusammengefugten Gebauden. Das altere ist die von Pelagius II. (578 — 590) uber dem Grabe jenes Märtyrers erbaute Basilica, die in den Chor der Kirche umgewandelt wurde, nachdem diese durch einen spateren, man weiss nicht durch welchen Papst, unternommenen Bau eine bedeutende Verlängerung erhielt. Nachmals veranstaltete Honorius III. (1216—1227) eine Erneuerung derselben. Ihre Ausschmückungen im modernen Geschmack erhielt sie in den spateren Zeiten des 16ten und gegen die Mitte des 17ten Jahrhunderts.

Die von Honorius III. erbaute Vorhalle ruht auf sechs antiken Saulen, vier von weissem Marmor mit gewundenen Cannelirungen, und zwei von Marmo bigio mit jonischen Capitellen. In der Mitte des mit Steinarbeit ausgelegten Frieses sieht man in sehr kleinen Mosaikbildern von roher Arbeit den Heiland als Lamm, den h. Laurentius und Honorius III. durch ihre Namen bezeichnet, und den Erlöser zwischen zwei heiligen Frauen, welche Ciampini für die h. Cyrilla und ihre Mutter die h. Tryphonia erklärt, in halben Figuren. Die Decke der Halle zeigt den Dachstuhl. In den Gemälden an den Wänden, wahrscheinlich aus der Zeit Honorius III., aber von neueren Händen übermalt und zum Theil erloschen, sind Begebenheiten aus dem Leben des h. Stephanus und Laurentius, und rechts, der Streit vorgestellt, den nach einer Sage die Engel und Teufel über den Leichnam des Kaisers Heinrich II. erhoben, wobei ein dieser Basilica geschenkter Kelch den Sieg der Ersteren entschied. In der oberen Reihe sieht man einen Kaiser von einem Papste gekrönt, der ihm beim Abendmahle den Kelch darreicht, und nachher von ihm ein Gefäss empfangt; wahrscheinlich in Beziehung auf die durch Honorius III. erfolgte Kronung Peters von Courtenay, Grafen von Auxerre, und dessen Gemahlin Jolantha, zum Kaiser und zur Kaiserin des Orients. Zu beiden Seiten des mittleren Eingangs der Kirche stehen zwei mittelalterliche Löwen von weissem Marmor, von denen der eine einen Knaben, der andere ein Schaf in den Klauen hält.

Die vordere Kirche wird durch 22 antike Säulen, 8 von Granit und 14 von Cipollino, in drei Schiffe getheilt. Die jonischen Capitele derselben sind von gleicher Form und Arbeit, aber nicht den Saulen angehörend. Der Fussboden ist mit Steinarbeit von besonderer Schönheit ausgelegt, welche, wie Panvinius sagt, im 12ten Jahrhundert auf Kosten römischer Edelleute verfertigt wurde, deren Bildnisse wahrscheinlich die beiden Ritter sind, die man auf dem Fussboden des mittleren Schiffes sehr unförmlich in Mosaik gebildet sieht. Die flache, mit Vergoldung geschmuckte Decke desselben Schiffes liess im 16ten Jahrhundert der Cardinal Olivieri Caraffa verfertigen, und in der Mitte des folgenden der Cardinal Francesco Buoncompagni erneuern. An der Wand, vom Haupteingange rechts, steht ein merkwürdiger antiker Sarcophag. An der Vorderseite des Kastens ist eihe romische Vermahlung gebildet, auf die sich auch die Gegenstände der Querseiten beziehen. Auf dem Deckel Jupiter zwischen Juno und Minerva, die Dioscuren, und an beiden Enden die allegorische Vorstellung des Auf- und Niederganges der Sonne. Dieses Monument dient hier zum Grabmale des im Jahre 1256 verstorbenen Cardinals Guglielmo da Lavagna, Neffen Innocenz IV. Ueber demselben erhebt sich ein Tabernakel mit alten sehr verdorbenen Malereien. An der Wand über dem Taufsteine, vom Eingange links, sieht man ebenfalls noch einige alte, aber später übermalte Bilder; vermuthlich Reste der Malereien aus der Zeit Honorius III., welche die sämmtlichen Wände der Kirche schmückten.´ Jetzt sind an der rechten Seitenwand derselben, in neuern Frescogemälden, Begebenheiten des h. Laurentius, und an der linken Gegenstände aus dem Leben des h. Stephanus vorgestellt. Die ersteren sind von Domenico Rinaldi, die letzteren von Gio. Antonio und Gio. Francesco, beide Schüler des Vanni.

In dem linken Seitenschiffe führen einige Stufen zu einer unterirdischen, im neueren Geschmack verzierten Capelle hinab. Auf dem zu den Seelenmessen privilegirten Altare derselben sieht man in einem Bassorilievo einen todten Christus zwischen Maria und Johannes, unter einem Tabernakel aus älterer Zeit, welches auf zwei gewundenen, mit Mosaik ausgelegten Säulen ruht. In dieser Capelle ist seit 1821 der Eingang zu dem Gottesacker der h. Cyriaca wiederhergestellt worden, zu dem man zuvor schon seit geraumer Zeit nur vermittelst einer Treppe in der hinteren Kirche gelangte.

Die beiden Ambonen des ehemaligen Chores im Hauptschiffe sind die grössten und schönsten von den in Rom noch vorhaudenen. Neben dem mit sehr zierlicher Steinarbeit ausgelegten Ambo des Evangeliums steht eine kleine gewundene Saule zum Leuchter für die Osterkerze. Am Ende des erwähnten Schiffes geht eine Treppe von acht Stufen zu der Confession hinab. Der Fussboden derselben ist mit Steinarbeit des Mittelalters ausgelegt. Zwolf Säulen, theils von weissem Marmor theils von Paonazzetto, stehen, die Decke der Capelle unterstutzend, an der hinteren

Wand derselben, und an beiden Seiten eines Altares von Paonazzetto, und eines mit einem metallenen Gitter umgebenen Marmorkastens, welcher die Reliquien der Heiligen Stephanus und
Laurentius bewahrt. Neben der Confession führen zu beiden Seiten sieben Stufen
zu der hinteren von Pelagius erbauten Kirche empor, deren ehemalige, nach der vorderen Kirche gewandte Tribune zur Umwandlung in das Presbyterium derselben weggerissen wurde. Sie ist
mit einer doppelten Säulenreihe, eine über der andern, umgeben,
welche eine Emporkirche bildete, deren Fussboden mit Ausnahme
der Hinterseite weggenommen worden ist. Die unteren Säulen,
von denen die auf der einen Seite bis auf ihren ursprünglichen
Boden aufgegraben worden sind, stehen weit uber der Hälfte in
dem erhöhten Fussboden des heutigen Presbyteriums. Jede der
doppelten Säulenreihen besteht aus funf antiken Säulen an jeder
der beiden Seiten, und zwei an der Hinterseite. Die der unteren
Reihe sind von Paonazzetto und cannelirt. Die Capitelle der beiden vordersten sind mit Trophäen und Victorien geschmückt: die
der übrigen sind von corinthischer Ordnung. Ihr reich verziertes
Gebälke, besteht aus nicht zusammen gehörenden antiken Bruchstücken. Die kleineren Säulen der oberen Reihe sind theils
gerade theils gewunden cannelirt, und haben ebenfalls corinthische
Capitelle. Sie sind von weissem Marmor mit Ausnahme der beiden etwas grösseren von Serpentin, an der Hinterseite, wo die
Säulenweiten mit Mauern ausgefüllt sind, auf denen die Figuren
der h. Jungfrau und des h. Stephanus gemalt sind, welche den
Styl der späteren Hälfte des 15ten Jahrhunderts zeigen. Der
Fussboden ist, wie der der vorderen Kirche, mit Steinarbeit ausgelegt. Die mit Schnitzarbeit im modernen Geschmack verzierte
Decke ist vermuthlich aus dem 17ten Jahrhundert. Ueber dem
Bogen der ehemaligen Tribune sind noch die Mosaiken aus der
Zeit Pelagius II. vorhanden, aber zum Theil durch Malerei ergänzt, zum Theil auch durch die beiden an den Seiten des Bogens
später angebrachten Fenster durchbrochen, die nach der Umwandlung der Kirche des Pelagius in das Presbyterium der vorderen
Kirche, als überflüssig, zugemauert worden sind. Man sieht in
der Mitte den Heiland; ihm zur Rechten: die HH. Petrus,
Laurentius und Pelagius II.; zur Linken: Paulus, Stephanus und
Hippolytus; sämmtlich durch Namen bezeichnet. Die Figuren des
Pelagius und Laurentius sind so ungeschickt ergänzt, dass anstatt
des Erbauers der Heilige die ihm geweihte Kirche trägt. Längs
der unteren Säulenreihen stehen marmorne Chorbänke mit zwei
Löwen an beiden Seitenlehnen. Die Lehnen an der Hinterseite
sind, wie der auf 4 Stufen erhöhte Bischofsstuhl, mit zierlicher
Steinarbeit ausgelegt. Ueber der Confession steht der Hauptaltar,

welcher ausser einigen modernen Vergoldungen noch den Character des Mittelalters zeigt. Er ist aus weissem Marmor, Porphyr
und Paonazetto verfertigt, und an den vier Ecken mit kleinen
Säulen geschmückt. Ueber demselben erhebt sich, auf vier Porphyrsäulen, ein Tabernakel, welches, nach der Inschrift auf der
inneren Seite des Architraves, ein Abt, Namens Hugo, von zwei
Künstlern, Johannes Petrus de Angelis, und Sasso, Söhnen des
Paulus, im Jahre 1148 verfertigen liess. Die Kuppel dieses Tabernakels ist aus neuerer Zeit. Im Gange hinter dem Chore steht
links ein Altar, mit einem Tabernakel aus dem 15ten Jahrhundert (1490), an welchem die Statuen der HH. Stephanus und
Laurentius in einem schönen Style gebildet sind. An dem Pfeiler
rechts neben den Säulen sind noch Reste alter Malereien, denen
der Vorhalle aus der Zeit Honorius III. ähnlich. An der Hinterseite steht ein altchristlicher Marmorsarg, der ehemals in dieser
Kirche zum Grabmale des 1043 verstorbenen Papstes Damasus II.
diente, und auf dem Kinder, welche Wein lesen, Pfauen und andere
Vögel und Thiere gebildet sind. Rechts ist ein Seitengang, dessen
Thurbekleidung aus antiken, mit Mosaik des Mittelalters geschmückten
Gesimsen besteht. Der ehemalige Haupteingang der Basilica des
Pelagius ist nach der in den christlichen Kirchen befolgten Regel
der ehemaligen Tribune gegenüber, an der gegenwärtigen Hinterseite der Kirche, anzunehmen. Man tritt aus jenem Seiteneingange
in eine offene Halle, einst eine Capelle, deren Fussboden Reste
von mittelalterlicher Steinarbeit zeigt. An der einen Seitenwand
ist ein altes Gemälde, Maria mit dem Kinde zwischen zwei Heiligen.
In dem mit dieser Kirche verbundenen Kloster, welches seit
Sixtus IV. die regulirten lateranensischen Chorherrn besitzen, ist
ein Hof, höchst wahrscheinlich aus der Zeit Clemens III. (1187—
1191), zu bemerken. Man sieht in den ihn umgebenden Hallen, mit
kleinen weissen Marmorsäulen, eine beträchtliche Anzahl alter Denkmäler. Die an den Wanden eingemauerten Inschriften sind meistens
christliche aus den benachbarten Catacomben. Die Fragmente antiker
Bildwerke, grösstentheils von Grabmonumenten, sind, nebst einigen
heidnischen Inschriften, im Garten des Klosters bei den daselbst
unternommenen Ausgrabungen gefunden worden. Unter denselben ist vorzüglich merkwürdig ein Sarcophagdeckel, wegen
der seltenen Vorstellung einer Pompa Circensis, wobei die Bilder der Cybele und der Victoria auf Tragbahren emporgetragen
werden: den Zug beschliesst ein vierradriger Wagen, der von
Elephanten gezogen wird. Ein Fuss von grauem Serpentin, das
Fragment einer Statue, ist wegen der Seltenheit der aus diesem
Steine verfertigten Sculpturen zu bemerken. — Die Erscheinung
der Cholera in Rom, im Jahre 1837, gab Veranlassung zu dem
bei jenem Kloster angelegten allgemeinen Gottesacker, durch welchen

das bis zu dieser Zeit üblich gewesene Begraben der Todten in den römischen Pfarrkirchen abgestellt wurde.

S. Bibiana.

Die kleine Kirche S. Bibiana wurde von Simplicius (468—83) erbauet, und erhielt bei ihrer Erneuerung unter Urban VIII. ihre heutige moderne Gestalt, in der jedoch ihre ursprüngliche Basilikenform noch zu erkennen ist. Sie wird von 8 antiken Säulen, 6 von Granit und 2 von weissem Marmor, mit gewundenen Cannelirungen, in drei Schiffe getheilt. An den Wänden des mittleren Schiffes sind zur Rechten Malereien von Agostino Ciampelli und zur Linken von Pietro da Cortona, welche Gegenstände aus der Legende der h. Bibiana vorstellen. Beim Eingange links steht die Saule, an welcher diese Heilige gegeisselt worden seyn soll. Ueber dem Hauptaltare sieht man die Bildsaule derselben; ein ehemals beruhmtes Werk von Bernini. Ihre Reliquien werden unter diesem Altare in einer grossen antiken Wanne von weissem orientalischen Alabaster aufbewahrt, an der ein Leopardenkopf gebildet ist. Den Beinamen ad Ursum pileatum fuhrt diese Kirche von dem Vicus, in dem sie erbaut wurde.

Der Viminal und seine Umgebungen.

§. 102.

S. Lorenzo in Panisperna.

Auf der höchsten Höhe des Viminals — wo, wie man sagt, die Bäder der Olympias standen, in denen der h. Laurentius den Märtyrertod erlitt — steht die Kirche S. Lorenzo mit dem Beinamen in Panisperna, der offenbar eine Verstummelung von pane e perna (Brod und Schinken) ist, die man aber von dem Perpenna Quadratianus ableiten wollte, der die Thermen Constantins ausbessern liess. Die Kirche, von der man nicht weiss, wann sie erbaut wurde, erhielt im Jahre 1574 ihre heutige, dem Geschmack dieser Zeit entsprechende Gestalt. Unter den Malereien ist das grosse Frescogemälde über dem Hauptaltare, welches die Marter des h. Laurentius vorstellt, von Pasquale Cati da Jesi, als eines der besseren Werke der verfehlten Nachahmung des Michelagnolo zu bemerken, indem sich in demselben eine gewisse Tüchtigkeit der Zeichnung nicht verkennen lässt. Das mit der Kirche verbundene Kloster bewahren gegenwärtig die Nonnen des Ordens der h. Clara.

Villa Negroni, gegenwärtig Massimo.

Die von Sixtus V. angelegte Villa kam von der Familie dieses Papstes, Montalto Peretti, an die Savelli, von denen sie im Jahre

1696 der Cardinal Gio. Francesco Negroni erhielt. Sie war eine
der herrlichsten Villen Roms, bis sie im Jahre 1789 der Marchese
Massimo kaufte, der die schönen Bäume derselben zum Verkaufe
des Holzes umhauen liess. In einen Wein- und Küchengarten
verwandelt, zeigt sie gegenwärtig nur noch wenige Spuren von
ihrer ehemaligen Herrlichkeit. Der hintere, gewöhnlich verschlossene Theil ist merkwürdig wegen der bedeutenden Reste von dem
Walle des Servius Tullius, auf dessen hochster Höhe sich, inmitten eines von Cypressen und Cedern gebildeten Kreises, eine Bildsäule der Roma erhebt, von der ein Theil antik zu seyu scheint.
Die beiden Gartengebäude, von denen das eine neben dem ehemaligen, jetzt gewöhnlich verschlossenen Haupteingange an der
Piazza Termini liegt, das andere sich in der Mitte der Villa am
Fusse des Esquilin erhebt, sind nach Angabe des Domenico
Fontana erbaut. Das letztere, durch einen anmuthigen Styl unter
den Werken dieses Architecten ausgezeichnet, ist gegenwärtig
verlassen.

Die Diocletianischen Thermen.

Die von Diocletian und dessen Mitregenten Maximian angelegten Thermen scheinen an Grösse und Pracht alle übrigen dieser
Gebäude im alten Rom übertroffen zu haben. Ihr Umfang wird
auf 1200 Schritte angegeben; und 3000 Badezimmer und 1200
Marmorsessel sollen sich in denselben befunden haben. Ihr äus-
serer Bezirk bildete, nach der gewöhnlichen Construction der
Thermen, ein Viereck mit mehreren hervorspringenden Theilen.
Die Vorderseite lag gegen Morgen, der il Macao genannten Vigna
der Jesuiten gegenüber. Die beiden Enden der Hinterseite werden durch zwei sich entsprechende Rundgebäude bezeichnet. Das
eine, noch ganz erhalten, ist in die Kirche S. Bernardo verwandelt worden: das andere, von dem ein Theil der unteren Mauern
nebst dem Gewölbe verloren gegangen ist, steht, der Villa Negroni
gegenüber, neben dem Gebäude, welches gegenwärtig zum Aufenthalte der Galeerensclaven dient. Den mittleren Theil der
Hinterseite bildete ein halbrunder Vorbau von beträchtlicher
Grösse, der noch jetzt in einem zur Leinwandbleiche bestimmten
Garten des Klosters S. Bernardo erscheint, und nur sehr uneigentlich ein Porticus genannt werden kann, da er aus einer Reihe
gewölbter Gemächer besteht, die von einander abgesondert und
ohne Durchgänge sind. Die Stufen, auf denen sich derselbe erhob, so wie das ganze untere Geschoss, in welchem sich die Badezimmer befanden, sind unter dem heutigen Boden der Stadt vergraben. Die bedeutendsten Reste dieser Thermen sind die des
mittleren als des Hauptgebäudes derselben, zu welchem ein Rundgebäude und der grosse Saal gehört, der nach der gewöhnlichen

Meinung zu der Pinacotheca diente und gegenwärtig das Querschiff der Kirche S. Maria degli Angeli begreift. Reste von Badezimmern sieht man noch in den Kellern des Carthäuserklosters.

Kirche S. Maria degli Angeli, und Kloster der Carthäuser.

In diesen Thermen — die wegen der Sage, dass man sich zu ihrem Bau 40,000 zur Sclavenarbeit verurtheilter Bekenner des Glaubens bediente, eine heilige Verehrung in der christlichen Welt erhielten — wurde auf Veranstaltung Pius IV. die Kirche und das Kloster der Carthäuser nach Angabe des berühmten Michelagnolo erbaut. Die in der Form eines griechischen Kreuzes gebaute Kirche wurde der h. Jungfrau in der Eigenschaft als Königin des Himmels geweiht, und fuhrt daher den Namen S. Maria degli Angeli. Der Bau der Seitencapellen, die alle aus spaterer Zeit sind, war damals noch unterblieben. Bei der Erneuerung der Kirche nach Angabe des Vanvitelli, im Jahre 1749, erlitt das Gebaude eine wesentliche Veranderung seines ursprünglichen Plans. Das vormalige Hauptschiff wurde in das Querschiff verwandelt, und der nach der Villa Negroni gelegene Haupteingang zugemauert, wodurch die ehemalige Seitenthur der Kirche, in dem in der Beschreibung der Thermen erwähnten Rundgebäude, der einzige Eingang blieb.

Man steigt in dieses Gebäude, welches der Kirche zu einer Art von Vorhalle dient, auf zehn Stufen hinab. Es stehen in demselben vier Grabmäler, unter denen sich die der bekannten Maler, Carlo Maratta und Salvator Rosa, befinden, und zwei einander gegenüberstehende Capellen. Beim Eintritt in das heutige Hauptschiff ist zur Rechten die Bildsaule des heil. Bruno, von Houtton, einem französischen Bildhauer des vorigen Jahrhunderts, als ein für diese Zeit ausgezeichnetes Werk zu bemerken. In der einen der beiden folgenden Seitencapellen sieht man den Heiland, welcher dem h. Petrus die Schlüssel ubergibt, in einem Gemälde von Muziano. Das Querschiff, die sogenannte Pinacotheca der Thermen, misst 406 Palm in der Länge, und 124 in der Breite. In der Länge desselben stehen an den Wänden, einander gegenüber, noch an ihrer ursprünglichen Stelle, acht Säulen von ausgezeichneter Grösse, uber denen sich die mächtigen Kreuzbogen der Decke erheben. Ihre Schafte, deren Umfang 23 Palm beträgt, bestehen aus einem einzigen Stücke von rothem orientalischen Granit: die Capitelle, vier von corinthischer und vier von römischer Ordnung, sind von weissem Marmor. Das eine derselben, welches bei dem Bau der Kirche fehlte, ist durch ein ebenfalls antikes Capitell, welches man auf Monte Celio fand, ersetzt worden.

Die Säulen erscheinen nicht in ihrer ganzen Höhe, weil ihr unterster
Theil in dem heutigen, über dem antiken erhöhten Fussboden
steht. Die modernen, um dieselben gelegten Basen sind als solche
nur scheinbar. Das reich, aber in einem überladenen Geschmack
verzierte Gebalke zeigt den Verfall der Kunst zur Zeit des Diocletian. Die Schäfte der Säulen sind, bei der oben erwähnten
Erneuerung der Kirche, mit Firniss überstrichen, und die Capitelle
und Gebalke überweisst worden, um sie mit den zu derselben
Zeit in dem jetzigen Hauptschiffe errichteten, nachgemachten, Granitsäulen in Uebereinstimmung zu bringen, deren Schäfte aus Ziegeln
und deren Capitelle aus Stuck bestehen. Von den Gemälden an
den Wänden dieser Kirche, die grösstentheils aus der Peterskirche
nach ihrer Uebertragung in Mosaik hierher gebracht worden sind,
bemerken wir nur folgende: — Der h. Hieronymus, der seinen
Mönchen in der Wüste predigt, ist ein unter den Gemälden des
Muziano ausgezeichnetes Werk. — Das von der Mauer der Peterskirche abgenommene Gemälde des Domenichino, welches die
Marter des h. Sebastian vorstellt, zeigt die diesem Künster gewöhnliche Gründlichkeit in der Zeichnung des Nackten, und vorzügliche Färbung in der Frescomalerei. — Das Gemälde des
Battoni, den Fall Simons des Zauberers vorstellend, ist als das
beste Werk dieses Malers in Rom zu bemerken. — An den Wänden des Presbyteriums, zu beiden Seiten des Hauptaltars, befinden
sich die Grabmäler Pius IV. und des Cardinals Serbelloni. Auf
dem mit Marmor ausgelegten Fussboden der Kirche ist eine grosse
Meridianlinie, nach der in Rom die Uhren gestellt werden. Sie
wurde unter Clemens XI. nach Angabe des gelehrten Prälaten
Bianchini verfertigt und nachmals von dem Pater Boscovich
verbessert. Das mit dieser Kirche verbundene Carthäuserkloster
hat einen schonen Hof von besonderer Grösse. Die ihn umgebenden Hallen werden von 100 Travertinsaulen getragen.

S. Bernardo.

Die zu dem Kloster der Cistercienser gehörende Kirche S.
Bernardo war, wie wir erwähnten, ein Gebäude der Diocletianischen Thermen, welches auf Veranstaltung der Catharina Sforza,
Herzogin von Santa Fiora, zum christlichen Gottesdienste geweiht
wurde. Es hatte, wie die ubrigen Rundgebäude jener Thermen,
vier Eingänge, und eben so viele grosse Nischen. In einer der
letzteren befanden sich unzüchtige Gemalde, wegen deren man
glaubte, dieses Gebäude sey ein Tempel des Priapus gewesen, und
die bei der Einrichtung desselben zu einer Kirche vertilgt wurden. Das noch erhaltene antike Gewölbe hat achteckige Cassettoni, die vermuthlich mit Rosetten von Bronce geschmückt waren.
Die Laterne ist neu.

Das prätorianische Lager.

Unweit der Thermen Diocletians, in der grossen il Macao
genannten Vigna, die zu dem Noviziate der Jesuiten gehört, sieht
man die Reste des pratorianischen Lagers, welches von Tiberius
angelegt, von Constantin dem Grossen aber, nach der durch ihn
erfolgten Aufhebung der prätorianischen Leibwache, zerstört wurde.
Es hatte, wie die vorhandenen Reste zeigen, die Gestalt der römischen Feldlager, nur mit dem Unterschiede, dass bei diesen die
Schutzwehr aus Pfahlwerk, bei jenem aber aus Mauern bestand.
Diese Lager zeigten die Gestalt eines Vierecks. Ein Thor befand
sich an jeder der vier Seiten. Das Hauptthor war an der Vorderseite, wo sich das Zelt des Feldherrn befand, und führte daher
den Namen Porta praetoria. Das demselben an der Hinterseite
gegenuber stehende Thor hiess Porta decumana; und die beiden
Seitenthore wurden, nach ihrer Lage gegen die Porta praetoria,
Porta principalis dextra und sinistra genannt. So wie die Feldlager war ohne Zweifel auch das prätorianische Lager mit einem
Graben umgeben. Die an zwei Seiten noch erhaltenen Mauern
desselben sind gegenwartig mit den Stadtmauern verbunden, ohne
Zweifel schon durch Aurelian. Der Umfang dieses Lagers mass
an den beiden längeren Seiten 1500, und an den beiden schmaleren
1200 Fuss. Die Mauern zeigen an der Aussenseite weniger spätere
Ergänzungen als an der innern in der vorerwähnten Vigna. An
jener bemerkt man, ausser an den ausgebesserten Stellen, einen
sehr guten Bau von rothen und mit denselben vermischten gelben
Ziegeln. An den Stadtmauern, von der Porta Pia nach der Porta
S. Lorenzo fortgehend, erscheint zuerst die Porta principalis dextra,
und dann — an der Seite der Mauern, deren Lauf mit der vorhergehenden Richtung derselben einen Winkel bildet — die Porta
decumana. Beide jetzt zugemauerte Thore haben an jeder Seite
einen von rothen Ziegeln gebildeten Pilaster. Auch sind an mehreren Stellen der Mauern sehr schmale, oben gewolbte Schiess-
löcher zu bemerken. Die Porta praetoria ging bei dem Einreissen
der nach der Stadt gelegenen Vorderseite bei der Zerstörung des
Lagers verloren; auch von der Porta principalis sinistra ist keine
Anzeige mehr vorhanden. In der mehr erwahnten Vigna sieht
man, im hinteren Theile derselben vom Eingange links, noch eine
ganze Reihe gewolbter, zum Theil im Schutt vergrabener Gemächer, die höchst wahrscheinlich zur Wohnung der Soldaten dienten. Die Gewolbe derselben bedeckt ein starker Guss von Mörtel,
vermuthlich zum Abwehren der Feuchtigkeit. Im Inneren waren
sie sämmtlich, wie noch bedeutende Reste zeigen, mit Malereien
geschmückt, von denen nicht allein architectonische Zierrathen,
sondern auch menschliche Figuren und Thiere noch zu erkennen

sind. Merkwürdig ist, dass an einigen Stellen zwei übereinander gelegte Uebertünchungen, die beide mit unstreitig antiken Malereien geschmückt waren, erscheinen. An den Stellen der verloren gegangenen Uebertünchung erscheint Netzwerk (opus reticulatum). Ein Rest von Gemächern derselben Bauart, aber ohne Anzeichen von Malereien, ist auch an der Mauer der Hinterseite des Lagers noch vorhanden.

Der Quirinal und seine Umgebungen.

§. 103.

S. Agata alla Suburra.

Die am Abhange des Quirinals gegen den Viminal gelegene Kirche S. Agata alla Suburra (ursprünglich super Suburam) wurde höchst wahrscheinlich, in der späteren Hälfte des 5ten Jahrhunderts, von dem Patricier Flavius Ricimer erbaut, auf dessen Veranstaltung, wie eine Inschrift zeigte, das ehemalige Mosaik der Tribune dieser Kirche verfertigt ward. Sie gehörte ursprünglich den Arianern, wurde aber von Gregor dem Grossen zum catholischen Gottesdienst geweiht. Durch 12 schöne Granitsäulen in drei Schiffe getheilt, zeigt dieselbe noch die Form einer Basilica, aber mit durchaus modernen Ausschmückungen. Uebrigens sieht man in ihr nichts Merkwürdiges, als die schönen griechischen Grabschriften des in der gelehrten Welt berühmten Johannes Lascaris und seiner Gattin. Sie befinden sich an der Wand zur Rechten von dem gewöhnlich verschlossenen Haupteingange.

Villa Aldobrandini.

Die Villa, die von der Familie Aldobrandini den Namen führt, gehört gegenwärtig dem Prinzen dieses Namens, dem zweiten Sohne des letztverstorbenen Prinzen Borghese. Die vorzüglichen Gemälde, die sie ehemals besass, sind sämmtlich zur Zeit der französischen Revolution weggekommen. Unter den antiken Bildwerken, die man gegenwärtig im Garten und in dem Gebäude dieser Villa sieht, sind mehrere, wenn nicht wegen ihres bedeutenden Kunstwerthes, doch wegen ihrer eigenthümlichen Vorstellungen, bemerkenswerth.

SS. Domenico e Sisto.

Der Villa Aldobrandini gegenüber liegt die Kirche und das Kloster der Dominicanerinnen SS. Domenico e Sisto. Die unter Urban VIII. nach Angabe des Vincenzo della Greca erbaute Kirche ist mit Wandbekleidung und Säulen von Marmor, und mit Gemälden von Mola, Romanelli und anderen Malern geschmückt.

S. Caterina da Siena.

Am Anfange der Via di Magnana poli, die von dem Quirinal hinab zum Trajanischen Forum führt, liegt die kleine Kirche S. Caterina da Siena, die ebenfalls zu einem Kloster der Dominicanerinnen gehört, dessen Erbauung um das Jahr 1563 fällt. Sie zeigt nach ihrer, nach Angabe des Giov. Battista Soria, in der ersten Hälfte des 17ten Jahrhunderts, erfolgten Erneuerung reiche Verzierungen durch Stuccaturen, Vergoldungen, Säulen und Bekleidungen von bunten Marmorarten, aber in einem überladenen und schlechten Geschmack. Ihre Gemälde sind von Garzi, Basseri und anderen wenig bedeutenden Malern. Im Bezirke des Klosters erhebt sich ein hoher Thurm von Backsteinen, Torre delle Milizie genannt, den, zur Zeit Innocenz III., die Söhne eines gewissen Peter Alexius, Anhänger des damaligen Senators, Pandolfo della Suburra, erbauten.

S. Silvestro di Monte Cavallo.

Die Kirche des Quirinals, mit dem Namen S. Silvestro di Monte Cavallo, erhielt ihre letzte Erneuerung im Pontificate Gregors XIII. Das zur Umgebung eines Marienbilds dienende Altargemälde, in der zweiten Capelle vom Eingange rechts, welches den h. Papst Pius V. und den Cardinal Alessandrino nebst einer Glorie von Engeln vorstellt, ist von Giacinto Gimignani. Die beiden von Polidoro da Caravaggio und seinem Gehülfen Maturino verfertigten Gemälde, in der zweiten Capelle vom Eingange links, sind merkwürdig sowohl als colorirte Bilder dieser Künstler, die gewöhnlich in Einer Farbe zu malen pflegten, als wegen ihrer landschaftlichen Gegenstände, in denen die Figuren, wie in der späteren Landschaftsmalerei, nur als Staffagen behandelt sind. Sie stellen, in dem einen dieser Bilder, die Verlobung der h. Catharina mit dem Christuskinde, und in dem anderen den Heiland vor, welcher der h. Magdalena als Gärtner erscheint. Ueber dem Altare der dritten Capelle auf derselben Seite sieht man die Geburt Christi in einem Gemälde des Marcello Venusti. Die Frescomalereien der vorderen Kirche sind, so wie die Deckengemälde des Chors, von Arpino, Nebbia, und andern Malern der späteren Zeiten des 16ten Jahrhunderts ausgeführt. Das grosse Gemälde, welches die Mutter Gottes in einer Glorie von Engeln und die HH. Gaetanus und Avellinus vorstellt — über dem Altare am Ende des Querschiffs vom Eingange rechts — ist ein Werk des Antonio Barbalunga von Messina, eines Schülers von Domenichino. Vor der Capelle, an der gegenüberliegenden Seite des Querschiffs, ist, zur Rechten über einer Thür, die Grabschrift des als Schriftsteller, und vornehmlich durch seine Geschichte des flandrischen

Krieges, ausgezeichneten Cardinals Bentivoglio zu bemerken. An
den Pfeilern der Kuppel der gedachten Capelle sieht man vier
ovale Frescobilder von Domenichino, die von schwächerer Farbe
als andere seiner Frescomalereien sind und überhaupt nicht unter
seine besten Werke gehören dürften. Ihre Gegenstände sind:
David mit der Harfe vor der Bundeslade tanzend. — Die Königin
von Saba mit Salomo auf dem Throne sitzend; — Judith, die
den Einwohnern von Bethulia den Kopf des Holofernes zeigt; —
und Esther vor Ahasverus in Ohnmacht sinkend. Das Altarbild
derselben Capelle, welches die Aufnahme der h. Jungfrau vorstellt,
ist von Scipione Gaetano; und die zu beiden Seiten des Altares
stehenden Bildsäulen des h. Johannes des Evangelisten und der
h. Magdalena, sind Werke des Álgardi. Diese Kirche steht seit
1770 unter der Verwaltung der von dem h. Vincentius von Paula
gestifteten Ordensgeistlichen der Mission, welche auch das zu ihr
gehörende Kloster bewohnen.

Palast Rospigliosi.

Den Palast, der gegenwärtig dem Prinzen Rospigliosi gehört,
erbaute, im Pontificate Pauls V., der Neffe dieses Papstes, der
Cardinal Scipio Borghese. Die in dem Hauptgebäude desselben,
in den von dem Prinzen bewohnten Zimmern befindlichen Gemälde,
so wie die im Erdgeschosse aufbewahrten Bilder, die von den
Mauern der Thermen Constantins abgesägt worden sind, werden
schon seit mehreren Jahren nicht mehr gezeigt. Sichtbar sind
gegenwärtig nur die Kunstwerke in dem zu diesem Palaste
gehörenden Garten und in dem kleinen Gebäude desselben.
Unter den in diesem Garten aufgestellten Statuen ist (über
einem Brunnen an der Gartenwand) eine Venus im Tempelstyle,
in der Stellung der Figuren der Spes, mit der Linken ihr Gewand
emporziehend, zu bemerken. Die Vorderseite des Gartengebäudes
ist mit antiken Reliefs geschmückt. An den drei mit Glasthüren
versehenen Arcaden, den Eingängen dieses Gebäudes, stehen vier
Säulen von Breccia corallina, und zwei von Rosso antico, die einzigen von diesem kostbaren Steine in Rom. Der mittlere Saal, in
den man von da eintritt, ist vornehmlich bedeutend durch das berühmte Deckengemälde von Guido Reni, das vorzüglichste Werk
dieses Künstlers in Rom. Es stellt die Aurora Blumen streuend
vor dem Wagen des Sonnengottes vor, den die Horen tanzend
umgeben, und über dessen Pferden Hesperus schwebt. Zu beiden
Seiten dieses Bildes sind die Winde in vier Knaben vorgestellt,
von denen nur die aus den Wolken hervorragenden Köpfe erscheinen. Am Friese unter dem Deckengewolbe sieht man vier
Landschaften von Paul Brill, und die Triumphe der Fama und
des Amor, nach den bekannten Gedichten des Petrarca, von

Tempesta. Die auf die Fabel der Psyche bezüglichen Gemälde, in den Winkeln neben den beiden Bögen und in dem einen derselben, sind von Lodovico Civoli. Eine Statue der Pallas in diesem Saale, mit einer Meerfrau und einer auf einem Baumstamme sitzenden Eule erklärt Gerhard für die Minerva Alea und vermuthet in derselben eine Nachbildung der Bildsaule dieser Göttin von Scopas in ihrem Tempel zu Tegea.

Unter den Oelgemälden des Zimmers, neben dem Saale rechts, ist vornehmlich ein grosses Bild von Domenichino, eines der besten Werke dieses Künstlers, zu bemerken, welches den Sündenfall der ersten Eltern in einer reich mit Thieren von mancherlei Art erfüllten Landschaft vorstellt. In einem andern Gemälde von derselben Grösse, welches dem Lodovico Caracci zugeschrieben wird, sieht man den Simson, der das Gebäude über den Häuptern der versammelten Philister einstürzt. — Noch bemerken wir unter den Gemalden dieses Zimmers: den Tod des heil. Petrus Martyr von Muziano, und ein schönes Bildniss eines Mannes in schwarzer Kleidung mit einem Halskragen, welches dem Van Dyk nicht mit Unrecht zugeschrieben zu werden scheint. Auch sieht man hier einen schönen antiken Kopf des Scipio Africanus von grünem Basalt.

Unter den Gemälden des anderen Zimmers, zur Linken vom Eingange des Saales, bemerken wir folgende: — Christus und die zwölf Apostel in Bildern halber Figuren, die dem Rubens zugeschrieben werden, wahrscheinlicher aber nur gute Copien nach Werken dieses Meisters sind. — Ein grosses Bild, welches den Triumph Davids über den Goliath vorstellt; angeblich von Domenichino, wahrscheinlich aus seiner Schule. — Das Bildniss des Nicolaus Poussin, von ihm selbst gemalt; — und ein nacktes mit Blumen bekränztes Kind von demselben Künstler. — Auch sieht man hier vier bronzene Busten. Die eine ist das Bildniss des Septimius Severus; — die andere wird für den Caracalla ausgegeben, dem sie aber nicht ähnlich scheint; — in der dritten glaubt man ohne allen Grund Cato den Censor zu erkennen; — die vierte, einer der angeblichen Köpfe des Seneca, ist wegen ihres sehr manierirten Styls für ein modernes Werk zu erklären, obgleich sie hier ebenfalls für antik ausgegeben wird.

Palast der Consulta.

Neben dem Palaste Rospigliosi steht der von Clemens XII. nach Angabe des Fuga erbaute Palast, in welchen dieser Papst das Tribunal der von Sixtus V. zur Verwaltung der inneren Angelegenheiten des Kirchenstaates gestifteten Congregation verlegte, die den Namen la Consulta führt, mit der auch die Kanzlei der Breven (Segretario de' Brevi) verbunden ist. In diesem Gebäude

befinden sich die Wohnungen der Behörden dieser beiden Tribunale; im Erdgeschosse ist die Wache der päpstlichen Nobelgarde.

§. 104.
Die Colosse von Monte Cavallo.

Dem Platze auf der Höhe des Quirinals gewähren eine vor
den übrigen grossen Plätzen in Rom ausgezeichnete Zierde die
beiden vortrefflichen, durch besonders colossale Grösse ausgezeichneten Marmorgruppen, von denen man schon seit mehreren Jahrhunderten diese Höhe des Berges Monte Cavallo benennt, und in
denen wohl ohne Zweifel die Dioscuren vorgestellt sind. Wir
sehen in jeder derselben einen nackt in Heroen - Character gebildeten Mann, der ein bäumendes Pferd beim Zügel zu ergreifen
scheint. Ein Gewand fällt von dem linken Arme dieser beiden
Figuren herab; und wie sonst gewöhnlich ein Baumstamm, dient
bei ihnen ein Panzer zur Befestigung des Standfusses. Sie sind
in ähnlicher Stellung und von gleicher Grösse, indem die Höhe
eines jeden derselben 25 Palm beträgt. Dem Schicksale entgehend,
unter den Trümmern des alten Roms vergraben zu werden, standen sie das ganze Mittelalter durch, bis zur Zeit Sixtus V., bei
den auf derselben Höhe des Quirinals gelegenen Thermen Constantins. Da sie daselbst höchst wahrscheinlich zur Verzierung
dieser Thermen aufgestellt worden waren, und Werke von so vorzüglicher Sculptur nicht aus der Zeit des genannten Kaisers seyn
können, so folgt daraus nothwendig, dass sie von einem anderen
Orte dahin gebracht worden waren, der aber nicht historisch bekannt ist, und über den daher nur unsichere Vermuthungen Statt
gefunden haben. Bei den Thermen Constantins standen sie auf
Postamenten, die durch ihre schlechte Construction und die dazu
verwandten Bruchstücke antiker Gebäude sich als Werke von
vielleicht noch späteren Zeiten als die des genannten Kaisers erweisen; und früher können demnach zum Wenigsten nicht die
lateinischen Inschriften seyn, welche diese Gruppen für Werke
des Phidias und Praxiteles erklären und von jenen Postamenten
auf ihre heutigen übertragen worden sind. Innere Gründe zeugen
gegen diese aus den Zeiten des tiefen Verfalls der Wissenschaft
und Kunst in Rom herrührende Angabe der Meister. Denn abgesehen von der auffallenden Unwahrscheinlichkeit, dass Praxiteles,
der an 50 Jahr später als Phidias lebte, ein Gegenstück zu einem
Werke dieses Künstlers verfertigt habe, trägt auch der Styl dieser
Gruppen und insbesondere die Form der oben erwähnten Har-
nische bei denselben entschieden den Character der Kaiserzeiten.
Bei dem bewundernswürdigen Ausdruck ˋmächtiger, den Heroen
entsprechender Kraft, und der Grossheit in den Verhältnissen des
Gliederbaues der Figuren, herrscht doch in den Formen des

Nackten ein conventioneller, der römischen Epoche der Kunst entsprechender Typus, der sich auffallend von dem uns durch die parthenonischen Bildwerke bekannten Styl des Phidias entfernt, dem man die eine und vorzüglichste dieser Figuren zuschreiben wollte. Nichts steht jedoch der Annahme entgegen, dass sie nach griechischen Werken der vorrömischen Epoche ausgeführt sind, die in diesen Nachbildungen eine dem Style der Kaiserzeiten entsprechende Modification erhielten, wobei die Panzer entweder hinzugefügt wurden, oder eine dem Costume der Zeit angemessene Form erhielten.

Sie standen, nach ihrer vorerwähnten Versetzung, unter der Leitung des Domenico Fontana, im Jahr 1589, auf diesem Platze neben einander gegen die Porta Pia, während jetzt die Hinterseiten einander zugewendet stehen, nachdem sie unter Pius VI. diese geschmacklose Zusammenstellung mit den zwischen ihnen zu derselben Zeit errichteten Obelisken erhielten. Dieser Obelisk stand, mit dem bei S. Maria Maggiore erwähnten, vor Augusts Mausoleum; auch ist er mit jenem von gleicher Grösse, und wie derselbe ohne Hieroglyphen. Den am Fusse seines Postaments unter Pius VII. errichteten Springbrunnen bildet eine grosse antike Schale von orientalischem Granit, die zuvor auf dem Campo Vaccino stand.

Päpstlicher Palast des Quirinals.

Die Erbauung des päpstlichen Palastes auf dem Quirinal wurde von Gregor XIII. unternommen. Nach der Fortsetzung des Baues unter den folgenden Päpsten kam unter Paul V. das Hauptgebäude zu Stande, wobei Flaminio Ponzio, Ottaviano Mascherino, Domenico Fontana und Carlo Maderno nacheinander die Aufsicht geführt hatten. Die den Garten des Palastes umgebenden Mauern wurden im Pontificate Urbans VIII. aufgeführt. Das lange Gebäude in der Via del Quirinale, welches die päpstliche Dienerschaft und Schweizergarde bewohnt, wurde auf Veranstaltung Alexanders VII., nach Angabe des Bernini, angefangen, und unter Clemens XII. unter der Aufsicht des Fuga beendigt, wobei auch die Erbauung des kleinen, an jenes Gebäude grenzenden Palastes erfolgte, welcher den Namen Palazzo del Segretario della Cifera fuhrt.

Ueber dem Haupteingange von dem Platze des Quirinals ist die Loggia, von welcher der Pabst zuweilen den Segen ertheilt, und von der auch, seitdem das Conclave in diesem Palaste gehalten wird, der älteste Cardinal-Diaconus das neuerwählte Oberhaupt der Kirche dem Volke verkundet. Der grosse, auf drei Seiten mit Arcaden umgebene Hof ist nach Angabe des Mascherino in einem guten Style gebaut. Auf dem ersten Absatze der Haupttreppe des Palastes sieht man den Heiland in einer Glorie von

Engeln, in einem Fragmente der Frescomalereien des Melozzo da Forlì, aus der alten zu Anfang des vorigen Jahrhunderts zerstörten Kirche SS. Apostoli. Im weiteren Fortgange der Treppe, die von da in zwei Armen in den Palast hinauffuhrt, gelangt man zur Rechten in einen grossen Saal, der von seinem Erbauer Paul V. den Namen Sala Paolina fuhrt, auch Sala Regia genannt wird. Die Decke desselben ist mit vergoldeten Stuccaturarbeiten geschmückt, und der Fussboden mit Marmor ausgelegt. In den Frescogemälden, am Friese unter der Decke, sind Begebenheiten des alten Testamentes vorgestellt. Die an den beiden schmaleren Seiten des Saales sind von Lanfranco, und die ubrigen von Carlo Saraceno, gewöhnlich Carlo Veneziano genannt, ausgefuhrt. Ueber dem Eingange zu der auf diesen Saal folgenden Capelle sieht man den Heiland, der seinen Jüngern die Fusse wäscht, in einem Relief von Taddeo Landini. Die gedachte von Paul V. erbaute und unter Pius VII. erneuerte Capelle dient, ausser zu den papstlichen Kirchenfunctionen, seit der Verlegung des Conclave in diesen Palast, zu der Stimmensammlung (Scrutinium) bei der Papstwahl.

Dem Eingange der Sala Paolina gegenuber führt ein Gang zu einer Reihe von Salen und Zimmern, welche, theils unter der Herrschaft Napoleons, der diesen Palast zu seiner Residenz in Rom bestimmte, theils unter Pius VII., zur Aufnahme des Kaisers und der Kaiserin von Oesterreich, erneuert wurden. Der gegenwartige Papst, Gregor XVI., hat sie zu seiner Wohnung einrichten lassen. Von zwei Sälen, von denen der erste zu den öffentlichen Consistorien bestimmt ist, gelangt man zu einem Zimmer, an dessen Wänden sich mehrere Oelgemälde befinden, denen zum Theil falsche Namen der Meister beigelegt wurden. Das vorzüglichste derselben scheint uns die h. Jungfrau mit dem schlafenden Christuskinde, ein Gemälde von Guido Reni, in welchem ein schöner Sinn herrscht, und welches sich durch Strenge und Sorgfalt der Zeichnung vor den gewöhnlichen Werken dieses Meisters auszeichnet.

Von diesem Zimmer ist der Eingang zu der unter Paul V. erbauten Hauscapelle des Palastes, in welcher der Papst zu seiner Privatandacht Messe zu lesen pflegt. Sie hat die Form eines griechischen Kreuzes, in dessen Mitte sich eine Kuppel erhebt. Das Altargemälde, welches die Verkündigung der h. Jungfrau vorstellt, gehort unter die bessern Werke des Guido Reni. Von der Hand dieses Künstlers sind auch die meisten Frescomalereien, welche, nebst reichen Zierrathen von vergoldeten Stuccaturarbeiten, die Wände dieser Capelle schmücken. Im Bogen vor dem Altare erscheint der ewige Vater von Engeln umgeben; am Gewölbe der Kuppel die Aufnahme der h. Jungfrau, und in den Winkeln der Pfeiler unter dieser Kuppel sieht man die Figuren des David, Salomo, Moses und Jesaias. In den

Lunetten Gegenstände aus dem Leben der Mutter Gottes, und an den untern Wänden die Figuren heiliger Frauen, des Adam und anderer Erzvater. Die Darstellung der h. Jungfrau im Tempel und die Engel in den Bögen und den Lunetten, zu beiden Seiten des Altars, von Francesco Albani, durften, in Hinsicht der Farbe, vor jenen hier befindlichen Werken des Guido den Vorzug behaupten.

In dem Zimmer, welches auf das letzterwähnte folgt, sieht man ein Gemälde von Benvenuto Garofalo, welches die Sybille vorstellt, die dem Kaiser August die Erscheinung der h. Jungfrau mit dem Christuskinde zeigt; und die Auferstehung des Heilandes, in einem, wir zweifeln ob mit Recht, dem Van Dyk zugeschriebenen Gemälde. Einige der folgenden Zimmer sind in den Friesen unter der Decke, zur Zeit der Herrschaft Napoleons, von damals lebenden Kunstlern, mit erhobenen Arbeiten geschmückt worden, unter denen sich der Triumphzug Alexanders, eines der vorzugliebsten Werke Thorwaldsens, befindet. Unter den Gemälden eines Zimmers in der weiteren Folge sind vornehmlich die beiden Bilder der Apostel Petrus und Paulus von Fra Bartolomeo di S. Marco zu bemerken, die sich ehemals in der Kirche S. Silvestro di Monte Cavallo befanden. Das Gemälde des erstgenannten Apostels, welches Fra Bartolomeo bei seiner Rückkehr nach Florenz unfertig hinterliess, wurde von seinem Freunde, dem berühmten Raphael, vollendet. Auch sieht man in demselben Zimmer ein schönes Bild von Pordenone, welches den h. Georg vorstellt, der das Ungeheuer zur Befreiung der im Hintergrunde erscheinenden Jungfrau erlegt; — Christus unter den Schriftgelehrten von Caravaggio; — und die h. Jungfrau mit dem Kinde in einer Glorie von Engeln, nebst einigen Heiligen in dem Gemälde eines unbekannten Malers des 15ten Jahrhunderts. — Unter den Gegenständen dieser Reihe von Zimmern befinden sich auch zwei in der Tapetenfabrik zu Paris mit solcher Geschicklichkeit gewirkte Bilder, dass man glauben sollte, sie wären mit dem Pinsel gemalt. Leo XII. erhielt sie zum Geschenke von Carl X. — Die Wände der Zimmer und Säle, die ehemals die Prachtwohnung des Papstes begriffen, sind mit Frescomalereien von verschiedenen Malern und einer beträchtlichen Anzahl Tapeten geschmückt, die zur Zeit Ludwigs XIV. in der Gobelinsfabrik zu Paris verfertigt wurden. Auch sieht man hier mehrere Gemälde, welche wahrend der Herrschaft Napoleons die französische Regierung zur Ausschmückung dieses Palastes verfertigen liess.

Der mit dem päpstlichen Palaste des Quirinals verbundene Garten hat ungefahr eine Miglie im Umfange. Man sieht in demselben eine beträchtliche Anzahl moderner und antiker Statuen und andere Denkmaler des Alterthums, aber von keiner besondern Bedeutung.

Die Springbrunnen und Wasserwerke desselben sind von der Erfindung des Maderno. Das Gartengebäude, in welchem der Papst die ihm vorgestellten Damen zu empfangen pflegt, ist unter Benedict XIV. nach Angabe des Fuga erbaut worden. In dem mittleren Saale dieses Gebäudes stehen vier antike männliche Hermen. Die Decke der beiden Seitenzimmer sind mit Gemälden von Battoni geschmückt. Auch sieht man hier die Ansichten des zuvor betrachteten Palastes und der Kirche S. Maria Maggiore in zwei Bildern von Pannini und zwei Landschaften, welche dem Van Bloemen, in Italien l'Orizonte genannt, zugeschrieben werden.

Das an den päpstlichen Palast anstossende Gebäude der Dataria wurde unter Paul V. erbaut und unter Clemens XIII. erneuert. Und das auf dem Platze des Quirinals jenem Palaste gegenüber liegende Gebäude, in welchem sich die päpstlichen Ställe und die Soldatenwache befinden, ist unter Innocenz XIII., nach Angabe des Alessandro Specchi, angefangen, und im Pontificate Clemens XII. unter der Leitung des Fuga beendigt worden.

Die von Piazza di Monte Cavallo nach Quattro Fontane führende Via del Quirinale wird auf der einen Seite fast ganz von den Gebäuden des päpstlichen Palastes, auf der andern von vier Klöstern mit ihren Kirchen gebildet.

S Maria Maddalena di Monte Cavallo.

Das erste dieser Klöster, welches den Dominicanerinnen gehört, wurde im Jahre 1587 von einer römischen Dame, Maddalena Orsini, gestiftet. Die kleine Kirche desselben, S. Maria Maddalena di Monte Cavallo genannt, wurde im Pontificate Clemens XI. neu erbaut.

S. Chiara.

Die darauf folgende Kirche S. Chiara gehört zu dem Kloster der Capuzinerinnen. Das Bild des Hauptaltars ist von Marcello Venusti.

S. Andrea di Monte Cavallo, und das Noviziat der Jesuiten.

Das Gebäude und die Kirche des Noviziats der Jesuiten erbaute im Pontificate Innocenz X. der Neffe dieses Papstes, der Prinz Camillo Panfili, nach Angabe des Bernini. Die Kirche, welche den Namen S. Andrea di Monte Cavallo führt, ist ein Rundgebäude mit einer Kuppel. Das Innere derselben ist sehr reich und prächtig mit Marmorbekleidung, Saulen und vergoldeten Stuccaturen geschmückt. Unter den Gemälden befindet sich, in der ersten Capelle vom Hauptaltare rechts, eines der besten Werke des Carlo Maratta, welches die h. Jungfrau mit dem Kinde nebst den vor ihr knieenden h. Stanislaus Kostka, dem diese Capelle geweiht ist, vorstellt. Ein gutes Gemälde, welches die Marter des

h. Andreas vorstellt, über dem Altare der Sacristei, wird fälschlich dem Andrea del Sarto zugeschrieben. Die Bildsäule des vorerwähnten h. Stanislaus Kostka — in der Capelle, die ihm im Gebäude des Noviziats an demselben Orte errichtet ward, wo er in einem Alter von 18 Jahren sein Leben endigte — ist ein ehemals sehr gefeiertes Werk des französischen Bildhauers Le Gros, welches durch die Anwendung des Marmors von verschiedenen Farben ein geschmackloses Ansehen erhalt, aber dabei durch Ausdruck des Lebens und gefuhlvolle Ausfuhrung einen tüchtigen Künstler zeigt.

S. Carlo alle quattro Fontane

Auf das Noviziat der Jesuiten folgt das Kloster der Barfüsser-Mönche vom Orden der Trinitarier (Trinitarii scalzi). Die kleine Kirche derselben, S. Carlo, fuhrt den Beinamen alle quattro Fontane von den unter Sixtus V. angelegten vier Brunnen an den vier Ecken des Platzes, an welchem sich die Via Felice mit der vorerwähnten Strasse des Quirinals und der Via di Porta Pia durchschneidet. Die gedachte, in ovaler Form im Jahre 1649 nach Angabe des Borromini erbaute Kirche zeigt im ausgezeichneten Grade den widersinnigen und ausschweifenden Geschmack dieses Architecten. Man sieht in derselben zwei Gemälde von dem bekannten französischen Maler Mignard, das eine über dem Hauptaltare, das andere an der Wand über dem Eingange.

S. Vitale.

Die Kirche S. Vitale, eine der ältesten römischen Pfarrkirchen, die im Pontificate Innocenz I. (401—417) durch das Vermächtniss der Vestina, einer frommen Matrone, gestiftet wurde, liegt in der nach ihr benannten Strasse am Fusse des Quirinalischen Berges, am Ende des Gartens des Noviziates der Jesuiten. Sie war ursprünglich, ausser dem h. Vitalis, auch den Söhnen desselben, den Heiligen Gervasius und Protasius geweiht, wurde aber auch von ihrer Stifterin Titulus Vestinae genannt. Ihre letzte Erneuerung unternahmen die Jesuiten, nachdem sie Clemens VIII. im Jahre 1595 mit dem Noviziate ihres Ordens vereinigt hatte. Die ehemals von vier Säulen getragene Vorhalle dieser Kirche ruht jetzt zu beiden Seiten des Einganges auf eben so vielen Pfeilern, die bis zum Anfange der Arcaden zugemauert sind. Das Innere des Gebäudes, welches gegenwärtig nur Ein Schiff zeigt, hat den alterthumlichen Character gänzlich verloren. Unter den Malereien befinden sich an den beiden Seitenwänden zunächst der Tribune zwei grosse Frescobilder von Ciampelli, welche, obgleich nicht frei von dem manierirten Style der Nachahmer des Michelagnolo, Ausdruck des Lebens und nicht unbedeutende Leichtigkeit der Zeichnung zeigen.

Man sieht in ihnen den heil. Vitalis auf der Folterbank und die Steinigung dieses Heiligen vorgestellt.

Palàst Albani.

Der Palast Albani, der ehemals der Familie Massimi gehörte, wurde nach Angabe des Domenico Fontana erbaut, im vorigen Jahrhundert aber unter der Leitung des Alessandro Specchi erweitert. In der Halle des Hofes, an der Wand vom Eingange rechts, ist die Vorderseite eines von einem Pullarius, M. Pompejus, errichteten Grabsteins, wegen der sonst auf keinem bekannten Denkmale des Alterthums vorkommenden Vorstellung, der zu den Auspicien dienenden Huhner bemerkcnswerth. Die wenigen Gemälde in den Zimmern, die Aufmerksamkeit verdienten, sind an den gegenwärtigen Besitzer der Villa Albani, gekommen, wo sie sich dermalen befinden, und wo wir dieselben zu betrachten haben werden. Die noch vorhandene, von dem gelehrten Cardinal Alexander Albani angelegte Bibliothek besteht, ausser den Handschriften, aus 40,000 Bänden gedruckter Bücher.

Palast Barberini.

Der Bau des Palastes Barberini wurde im Pontificate Urbans VIII. unter der Leitung des Carlo Maderno unternommen, und dann unter der des Bernini fortgesetzt. Es ist einer der grössten Paläste in Rom und enthält immer noch bedeutende Kunstwerke, nachdem die meisten, die ihn berühmt machten, weggekommen sind. Auf dem ersten Absatz der Treppe sieht man den bekannten schönen Löwen, ein Werk von sehr erhobener Arbeit, welches sich, der Abbildung des S. Bartoli zufolge, an einem antiken Grabmale befand. Der grosse Saal des Palastes ist durch die Deckengemälde des Pietro da Cortona, das bedeutendste und weitläufigste Werk dieses Künstlers, berühmt worden. Sie sind in fünf Bilder abgetheilt, deren Gegenstände den Ruhm Urbans VIII., durch welchen die Familie Barberini ihren Glanz und Reichthum erhielt, allegorisch verherrlichen. In demselben Saale sieht man einige mit Wasserfarben gemalte Cartone von Andrea Sacchi, und in dem darauf folgenden einige antike Bildwerke. Es befinden sich unter denselben zwei Sarcophage mit der Vorstellung der Fabel der Proserpina; ein Sarcophag, auf dem bacchische Amoren gebildet sind, unter denen zwei Mädchen erscheinen, von denen das eine die Cymbeln schlägt, das andere die Doppelflote bläst; eine sitzende weibliche Bildsäule; Wiederholung der im Pioclementinischen Museum erwähnten Figur, in welcher Visconti die trauernde Dido zu erkennen glaubt, und die Bildsäule eines mit der Toga bekleideten Römers, in jeder Hand eine männliche Büste tragend, der vermuthlich einen Bildhauer vorstellt, in dem man aber, sonderbar genug, den M. Brutus mit den abgeschlagenen Häuptern seiner beiden Söhne erkennen wollte. — An den Wänden dieses Saales sind einige von Pietro da Cortona in Wasserfarben gemalte Cartone aufgehängt, welche Gegenstände aus dem Leben Urbans VIII. vorstellen. In dem folgenden Zimmer ist die Entführung der Europa in einem antiken Mosaik zu bemerken, welches in den Ruinen des Tempels der Fortuna zu Praeneste gefunden ward. Auch sind hier einige von Bernini verfertigte Büsten von Personen der Familie Barberini. In dem zunächst folgenden Zimmer sieht man unter den grösstentheils aus Copien bestehenden Gemälden ein Bild von einem uns nicht bekannten Maler des 15ten Jahrhunderts, welches Maria und Joseph, die, nebst den Heiligen Laurentius und Hieronymus, das Christuskind verehren, vorstellt. In einem Seitenzimmer: das Gemälde eines Opfers von Pietro da Cortona.

Im ersten Zimmer rechts: Die Evangelisten Matthäus und Lucas, in zwei Gemälden von Guercino. — Ein weibliches Bildniss in halber Figur, wenn nicht von Van Dyk, doch von einem guten Meister seiner Schule. — Eine Lautenspielerin in halber Figur von Caravaggio. — Ein heiliger Hieronymus von Spagnoletto; — und ein Familiengemälde, angeblich von Bassano, wahrscheinlicher von Tintoretto; sehr flüchtig, aber mit vieler Meisterschaft gemalt. — Im folgenden Zimmer: Der Prophet Elias von Guercino. — Der sterbende Germanicus von seinen Soldaten umgeben, denen er seine Frau und Kinder empfiehlt, von Nicolaus Poussin. — Der heil. Andreas Corsini; das Gemälde von Guido Reni, nach welchem die Copie in Mosaik in der Capelle Corsini der Laterankirche verfertigt wurde. — Ein schönes Bildniss eines Mannes in schwarzer Kleidung und Mütze, von Tizian; und vier kleine Bilder von Johann Breughel; nämlich zwei Seestücke, eine Winterlandschaft und die Kreuzigung des Heilandes, mit einer grossen Anzahl kleiner Figuren, die mit des Meisters gewöhnlichem Fleiss und Geist ausgefuhrt sind.

Die zuvor betrachteten Zimmer, die zu der Wohnung des Prinzen gehören, sind dermalen nur mit seiner besondern Erlaubniss zugänglich, und den Fremden werden jetzt gewöhnlich nur die in zwei untern Zimmern aufbewahrten Gemälde gezeigt, unter denen wir folgende bemerken.

Im ersten Zimmer: Ein weibliches Bildniss von Raphael, höchst wahrscheinlich die unter dem Namen der Fornarina bekannte Geliebte des Künstlers. Sie ist sitzend in halber Figur, bis unter die Brust entblösst und mit Lorbeeren im Hintergrunde vorgestellt. Auf ihrem Armbande steht Raphaels Name. Die in unsern Zeiten unternommene Restauration dieses Bildes gehört unter die wenigen, Dank verdienenden Unternehmungen dieser

Art, weil das Gemälde durch Schmutz und gelbgewordenen Firniss so unscheinbar geworden war, dass man das vortreffliche Colorit, welches nach der Reinigung desselben zum Vorschein kam, kaum zu ahnen vermochte. Es hat zwar dabei bedeutende Ausbesserungen erlitten, dadurch aber im Ganzen nicht das Gepräge des Meisters verloren. — Ein schönes weibliches Bildniss, ebenfalls in halber Figur, angeblich von Tizian; wahrscheinlicher vielleicht von einem andern vorzuglichen Meister der venezianischen Schule. — Das bekannte angebliche Bildniss des durch ihr tragisches Schicksal berühmten Cenci, welches fälschlich dem Guido Reni zugeschrieben wird. Für das Bildniss ihrer Mutter wird das einer älteren Frau, angeblich von Scipione Gaetani, mit eben so wenigem Grunde hier ausgegeben. — Der ewige Vater, welcher den ersten Eltern nach dem Sündenfalle erscheint, von Domenichino. — Ein kleines Gemälde einer Landschaft, mit einer Ansicht des Meeres, von Claude le Lorraın. — Christus unter den Schriftgelehrten, von denen der eine ein Buch hält, auf welchem man das bekannte Monogramm des Namens Albrecht Durers mit der Jahrzahl 1506 liest. Man sollte demnach nicht anstehen durfen, dieses Gemälde für ein Werk dieses Meisters zu erklären, obgleich es seiner Kunst nicht würdig scheint. — Ein kleines anmuthiges Bild von Albano, eine Landschaft mit einer Ansicht des Meeres vorstellend, auf welchem Venus auf einer Muschel sitzend, in Begleitung von Nymphen und Tritonen und einem über ihr schwebenden Amor erscheint.

In dem zweiten Zimmer: Die h. Jungfrau mit dem Christuskinde; ein Gemälde von guter Farbe, angeblich von Giov. Bellini. — Maria mit dem Kinde, dem kleinen h. Johannes dem Täufer und dem h. Hieronymus; ein Gemälde, welches den Styl des Francesco Francia zeigt, aber, wenn es von seiner Hand ausgeführt seyn sollte, nicht unter seine vorzüglichen Werke gehört. — Die Israeliten, welche die Stiftshütte verfertigen, von Johann Breugel. — Pygmalion, welcher von den Göttern die Belebung der von ihm verfertigten Bildsaule erfleht; angeblich von Baldassare Peruzzi. — Die h. Jungfrau mit dem Kinde und dem h. Joseph, von Andrea del Sarto.

Noch sind wegen einiger Gemälde zwei Zimmer des Erdgeschosses, die gegenwärtig zu Rumpelkammern dienen, zu betrachten. In dem ersten derselben sieht man drei vortreffliche, noch ziemlich gut erhaltene, in Einer Farbe gemalte Frescobilder von Polidoro da Caravaggio, die von der Mauer, vermuthlich der Aussenseite eines Hauses, abgesägt worden sind. Der Gegenstand des einen derselben ist ein römischer Kaiser auf einem Throne sitzend, vor dem einige Soldaten mit zwei Männern in Barbarentracht erscheinen. Das andere dieser Gemälde zeigt einen romischen

Kaiser auf einem Triumphwagen von der Victoria begleitet; und das dritte, auf welchem einige Krieger gebildet sind, gehörte mit jenem vermuthlich zu derselben Vorstellung eines Triumphzuges. — Im zweiten der gedachten Zimmer sieht man das bekannte 'antike Gemälde der Roma, welches im Jahre 1656 unweit von dem Baptisterium des Laterans gefunden wurde. Ein anderes antikes Gemälde, jenem gegenuber, welches eine auf einem Bette liegende Venus mit zwei Amoren vorstellt, und bei dem Graben der Fundamente dieses Palastes gefunden wurde, zeigt nach der Restauration desselben von Carlo Maratta vielmehr den Character eines Gemäldes von diesem Kunstler, als den eines antiken Werkes. Ein Gemälde in Einer Farbe, in demselben Zimmer, ist vermuthlich ein Werk des Polidoro da Caravaggio, welches aber durch Uebermalung von spateren Handen seinen ursprünglichen Character so gut als ganz verloren hat.

Eine Wendeltreppe, durch welche man dermalen auch zu der Wohnung des Prinzen zu gelangen pflegt, führt zu der Höhe des Palastes empor, wo sich die Zimmer der bedeutenden, von dem Cardinal Francesco Barberini angelegten Bibliothek befinden. Sie war sonst in den Vormittagsstunden des Montags und Donnerstags für Jedermann geoffnet, ist aber seit der vor einigen Jahren gemachten Entdeckung der heimlichen Veräusserung von Buchern und Kunstwerken derselben dem Publicum ganzlich unzugänglich.

In einem kleinen Nebenhofe ist die halbergänzte Inschrift des bei Piazza Sciarra entdeckten Triumphbogens des Claudius zu bemerken. In dem zu diesem Palaste gehorenden Garten sieht man, ausser einigen andern wenig bedeutenden antiken Denkmälern, eine Wiederholung des ägyptischen Antinous, ehemals im Capitol, jetzt im agyptischen Museum des Vaticans, und eine merkwürdige agyptische Tafel von rothem Granit, auf welcher auf beiden Seiten der Gott Ammon sitzend auf dem Throne gebildet ist. Bei demselben ist ein Centaur zu bemerken, der, als keine ägyptische Schopfung, in diesem Monumente ein Werk aus den Zeiten der Ptolomäer vermuthen lasst.

In der Mitte des geräumigen Platzes, der von dem augränzenden Palaste Barberini den Namen führt, erhebt sich ein grosser Springbrunnen nach Angabe des Bernini. Vier Delphine tragen eine grosse Muschel, auf welcher sich ein Triton erhebt, der in eine Muschel bläst, aus welcher das Wasser zu einer betrachtlichen Hohe emporspritzt.

§. 105.

S. Susanna.

Die Kirche der b. Susanna wird schon gegen das Ende des 4ten Jahrhunderts von dem h. Ambrosius, und dann in dem bekannten Concilium des Symmachus vom Jahre 499 unter den römischen Pfarrkirchen erwähnt. Eine neue Erbauung derselben erfolgte unter Leo III., wie die Inschrift des ehemaligen Mosaiks der Tribune aus der Zeit dieses Papstes zeigte, welches bei der Erneuerung der Kirche durch den Cardinal Rusticucci im Jahre 1600 zu Grunde ging. Sie zeigt nach dieser Erneuerung nichts von vorzüglicher Merkwurdigkeit. Die Vorderseite ist von Travertin nach Angabe des Carlo Maderno aufgefuhrt. In der Confession werden die Reliquien des h. Gabinius, der h. Susanna und der h. Felicitas aufbewahrt. Die grossen Gemälde an den Seitenwänden, welche die Geschichte der Susanna des alten Testamentes vorstellen, sind von Baldassare Croce, und die Malereien der Tribune von Cesare Nebbia ausgefuhrt. Das mit dieser Kirche verbundene Kloster bewohnen die Bernhardinerinnen seit dem Pontificate Sixtus V.

S. Maria della Vittoria.

In geringer Entfernung, auf derselben Seite der Via di Porta Pia, steht die unter Paul V. im Jahre 1606 erbaute Kirche S. Maria della Vittoria. Sie erhielt diesen Namen von einem Marienbilde, dem der Sieg des kaiserlichen Heeres auf dem weissen Berge bei Prag zugeschrieben wurde, und welches darauf aus Böhmen nach Rom, auf den Hauptaltar dieser Kirche kam. Dieses verehrte Bild, welches von mehreren catholischen Fürsten nach erhaltenen Siegen reichen Schmuck von kostbaren Edelsteinen erhielt, ging im Jahre 1833 durch einen Brand zu Grunde. Zum Andenken jener Siege sind einige erbeutete Fahnen auf dem Gesimse des Querschiffs dieser Kirche aufgestellt, in welcher auch noch jährlich zwei Siegesfeste gefeiert werden; das eine wegen der für die christlichen Waffen ruhmvollen Schlacht mit den Türken bei Lepanto, den 7. October 1571, das andere wegen des Entsatzes von Wien, den 12. September 1683.

Die Kirche ist nach Angabe des Carlo Maderno mit Ausnahme der von Giov. Battista Soria angegebenen Vorderseite erbaut. Das Innere des Gebäudes zeigt reiche Verzierungen von Marmorbekleidung und Stuccaturen, aber in einem ausgezeichnet schlechten Geschmack. Unter den Gemälden ist, über dem Altar der zweiten Capelle vom Eingange rechts, ein Bild von Domenichino zu bemerken, welches die h. Jungfrau vorstellt, die dem h. Franciscus das Chrisuskind darreicht. Die Frescogemälde an den Seitenwänden derselben Capelle sind ebenfalls Werke dieses Künstlers. In der dritten Capelle, vom Eingange links, sieht man die Vorstellung der Dreieinigkeit in einem Gemälde von Guercino, und ein Crucifix, angeblich von Guido Reni. Am Ende des Querschiffs auf derselben Seite steht die ehemals berühmte Gruppe der h.

Theresia von Bernini, in welcher sowohl die Entzückung der hingesunkenen Heiligen, als die Zärtlichkeit des Engels, der im Begriff ist, ihr mit einem Pfeile das Herz zu verwunden, eine wahre Parodie der göttlichen Liebe zeigen, welche diese Figuren ausdrücken sollen. Das Kloster bei dieser Kirche gehort den Carmelitern.

Fontanone a Termini.

Der Platz innerhalb der Ruinen der Diocletianischen Thermen wird, nach einer Verstümmlung des Wortes Terme, Piazza di Termini genannt, und denselben Namen führt auch das grosse Brunnengebäude, welches Sixtus V. an diesem Platze zunächst der Via di Porta Pia nach Angabe des Domenico Fontana errichten liess. Es ist mit einer Bildsäule des Moses, in der Prospero Bresciano sich als einen sehr unglücklichen Nachahmer des Michelagnolo zeigte, und zwei Reliefs verziert, von denen das eine Gio. Battista della Porta, das andere Flaminio Vacca verfertigte. An der Stelle der beiden schönen ägyptischen Löwen von Basalt, die sich jetzt im vaticanischen Museum befinden, und den beiden ebenfalls weggenommenen Löwen aus dem Mittelalter, stehen jetzt hier, Wasser speiend, vier andere dieser Thiere von weissem Marmor in sehr schlechtem Style. Das Wasser dieses Brunnens führt den Namen Acqua Felice von Felix, dem Taufnamen Sixtus V., auf dessen Veranstaltung es von dem unweit von Palestrina gelegenen Orte Colonna nach Rom geleitet wurde.

Porta Pia.

Die Porta Pia führt diesen Namen von Pius IV., der dieses Thor in gerader Richtung mit der von ihm von dem Platze des Quirinals bis zur Nomentanischen Brucke gezogenen Strasse, zum Ersatz der durch ihn zerstörten Porta Nomentana, erbaute. Das nach Angabe des Michelagnolo aufgeführte, aber unvollendet gebliebene Gebäude desselben zeigt einen sehr bizarren Geschmack. Jenes ehemalige Thor des alten Roms stand in geringer Entfernung von der Porta Pia beim Ausgange von derselben rechts, wo die Stelle der nach seiner Zerstörung erfolgten Ausfullung der Stadtmauer durch eine Inschrift Pius IV. mit dem Wappen dieses Papstes bezeichnet wird.

Kirche S. Agnese.

Die Kirche S. Agnese, welche über eine italienische Meile von der Stadt an der Via Nomentana liegt, erbaute, nach der unter dem Namen des Anastasius bekannten Lebensbeschreibung der Papste, Constantin der Grosse auf Bitten seiner Tochter Constantia (oder Constantina). Hingegen nennt eine dem h. Damasus zugeschriebene

Inschrift, die sich ehemals am Bogen der Tribune dieser Kirche
befand, uns eine fromme Frau, Constantina, als die Stifterin derselben, ohne im mindesten zu erwähnen, dass sie jene Kaisers-
tochter gewesen. Die Kirche wurde von Honorius I. (625—38)
erneuert und vielleicht völlig neu erbaut. Die letzten Erneuerungen und Ausbesserungen derselben wurden um den Anfang
des 17ten Jahrhunderts von den Cardinälen Alessandro de' Medici
und Emilio Sfonderato unternommen.

Diese nicht sehr grosse, aber merkwürdige Kirche steht, wegen
der nach und nach erfolgten Erhöhung des sie umgebenden Bodens,
in beträchtlicher Tiefe. Zu dem Seiteneingange, von dem man
jetzt einzugehen pflegt, führen 45 Stufen hinab. An den Wänden
dieser Treppe sind alte christliche Inschriften eingemauert, die in
den Catacomben bei dieser Kirche gefunden worden sind. Der
gewöhnlich verschlossene Eingang an der im modernen Geschmack
verzierten Vorderseite war lange Zeit verschüttet, bis der Cardinal
Alessandro de' Medici den Platz davor ebenen liess, den eine verfallene Mauer umgibt, die ohne Zweifel den ehemaligen Vorhof
der Kirche begränzte. Die Tribune liegt in einem ziemlich tiefen
Thale gegen die erhöhte Strasse, von der eine Brücke durch einen
gegen das Ende des 17ten Jahrhunderts gemachten Eingang in
das obere Stockwerk der Kirche führt.

Die innere Anlage des Gebäudes entspricht im Wesentlichen der
hinteren Kirche von S. Lorenzo fuori le mura. Das mittlere Schiff
ist auf drei Seiten von Säulen, auf denen sich Arcaden erheben,
in zwei Stockwerken umgeben, von denen das obere eine Emporkirche bildet. Sechzehn Säulen stehen in der oberen, und eben
so viele in der unteren Reihe: nämlich sieben auf jeder Seite der
Länge des Gebäudes, und zwei gegen den Haupteingang. Von den
unteren, aus verschiedenem Marmor verfertigten Säulen mit corinthischen aber ungleichen Capitellen, sind zwei von Paonazzetto
wegen ihrer reichen und zart gearbeiteten Cannelirungen zu bemerken, deren Anzahl sich auf 140 belaufen soll. Die kleineren
Säulen der oberen Reihe sind theils gerade, theils gewunden cannelirt; ihre Capitelle sind sowohl hinsichtlich der Ordnung als
der Arbeit verschieden. Die mit Holzarbeit geschmuckte Decke
liess der Cardinal Sfonderato verfertigen. Von der ehemaligen
Steinarbeit des Fussbodens sieht man im Presbyterium noch einige
Porphyrplatten. Der mit kostbaren bunten Steinen ausgelegte
Hauptaltar, in welchem die Reliquien der b. Agnes aufbewahrt
werden, ist aus der Zeit Pauls V., so wie das Tabernakel, welches
sich auf vier Porphyrsäulen von vorzüglicher Schönheit erhebt.
Der Körper der auf diesem Altare stehenden Bildsäule der gedachten Heiligen ist das Fragment einer antiken Statue von orientalischem Alabaster, zu dem ein neuer Kunstler Kopf, Hande und

Füsse aus vergoldeter Bronze verfertigte. Am Ende der Tribune steht ein ganz einfacher Bischofsstuhl von Marmor. Die unteren Wände derselben sind mit Porphyr- und Marmorplatten ausgelegt. Das Mosaik ihres Gewölbes liess, wie die Inschrift zeigt, Honorius I. verfertigen. Es stellt die h. Agnes, durch ihren Namen bezeichnet, zwischen zwei Päpsten vor. Der vom Beschauer links ist unstreitig Honorius I., durch das Gebäude in seiner Hand bezeichnet, welches diese von ihm erneuerte Kirche bedeutet. Der andere ist vermuthlich Symmachus, der bei einer früheren Ausbesserung der Kirche die Tribune mit Mosaiken schmucken liess. Ueber der Heiligen reicht aus dem Firmament des Himmels eine den ewigen Vater bezeichnende Hand ihr die Martyrerkrone. An der Wand des linken Seitenschiffes ist eine dem h. Damasus zugeschriebene Inschrift in Versen zum Lobe der h. Agnes. In der darauf folgenden Capelle steht ein schöner antiker Candelaber, dessen mit Acanthusblättern verzierter Schaft sich auf einer dreieckigen Basis erhebt, auf welcher Widderköpfe, Sphynxe und drei Amoren gebildet sind, die in Arabesken endigen. Eine auf dem Altare dieser Capelle stehende Büste des Heilandes ist ein hinsichtlich des Characters zwar gutes, in der Ausführung aber zu schwaches Werk, um es, nach der gewöhnlichen Meinung, dem Michelagnolo beilegen zu dürfen. — In der gegenüberstehenden Capelle ist ein mit Mosaik und Porphyrplatten ausgelegter Altar des Mittelalters, und in der letzten Capelle auf derselben Seite eine verstümmelte antike Ara zu bemerken, auf welcher ein Fruchtgewinde, zwei Widderköpfe und eine Kanne gebildet sind.

Am Feste der h. Agnes, den 21. Januar, werden in dieser Kirche die Lämmer geweiht, aus deren Wolle die Pallia verfertigt werden, welche die Patriarchen und Erzbischöfe von dem Papste erhalten.

Das mit derselben verbundene Kloster, welches die Benedictinerinnen bis unter Julius II. besassen, erhielten nachmals die regulirten Chorherren von S. Salvatore, von deren Orden aber, seit der Aufhebung der Klöster unter der französischen Regierung, sich hier nur der Pfarrer und Unterpfarrer der Kirche befinden. In einem grossen Saale, welcher ehemals zu der Schlafstätte (Dormitorium) der vorerwahnten Nonnen diente, sind an den Wänden noch einige von den Gemälden vorhanden, die auf Veranstaltung einer Aebtissin dieses Klosters, Namens Constantia, verfertigt wurden, wie eine Inschrift mit der Jahrzahl 1456 unter einem dieser Bilder zeigt, welches den h. Michael vorstellt, der in einer Wage zwei unter dem Bilde von Kindern angedeutete Seelen hält, um durch das Gewicht derselben die ihnen in jener Welt gebührende Stelle zu bestimmen. Das, was diese Gemälde nach der in unsern Zeiten erlittenen Restauration noch von ihrem ursprunglichen

Character zeigen, scheint hinreichend, um zu erkennen, dass sie
von keinem der vorzuglichen Meister des 15ten Jahrhunderts herrühren. — In der Wohnung des Pfarrers sieht man die Vorderseite eines antiken Sarcophages, der ehemals die Gebeine der h.
Agnes bewahrte, deren Brustbild von neueren Händen in der
Mitte dieses Monumentes eingesetzt ist. Es wird von zwei Amoren
gehalten, unter denen die Erde, der Ocean und einige kleine
Figuren nebst einem Bocke bei einem umgesturzten Fullhorne gebildet sind. An beiden Enden des Reliefs erscheint die wiederholte Vorstellung des Amors und der Psyche.

S. Costanza.

Die kleine runde, unweit S. Agnese gelegene Kirche S. Costanza,
in der man einen vormaligen Tempel des Bacchus, lediglich wegen
der auch auf christlichen Monumenten vorkommenden Vorstellungen der Weinlese in ihren alten Mosaiken, zu erkennen glaubte —
war höchst wahrscheinlich ursprünglich die Grabcapelle der beiden
Töchter Constantins des Grossen, der Constantia und Helena, die,
nach Ammianus Marcellinus, an der Via Nomentana begraben
wurden, und deren Zeitalter auch der schlechte Ziegelbau dieses
Gebaudes, so wie der Styl der gedachten Mosaiken entspricht.
Auch ist von Bottari mit vieler Wahrscheinlichkeit dargethan
worden, dass die erwähnte Constantia oder Constantina, die Am-
mian als ein Ungeheuer schildert, durch Verwechselung mit jener
frommen, bei der Kirche S. Agnese erwähnten Constantina in
eine Heilige verwandelt wurde. Dieser vermeinten Heiligen weihte
Alexander IV. (1254—61) das Gebäude, das ihr nach der vorhergehenden Annahme zur Ruhestätte diente, zu der nach ihr benannten Kirche, welche ihre heutige Gestalt durch die von den
Cardinälen Sfonderato und Verallo veranstaltete Erneuerung, zu
Anfang des 17ten Jahrhunderts, erhielt.

Dieses Gebäude hatte, wie noch bedeutende Reste zeigen,
eine Vorhalle, mit einer Nische an jeder der beiden Querseiten.
Mit dieser Halle ist auf beiden Seiten eine Mauer verbunden,
durch die ein Gang um das Rundgebäude gebildet wird, welches
100 Palm im Durchmesser hat. In der Mitte desselben erhebt
sich eine Kuppel über den Arcaden, die von 24 gekuppelten
Granitsäulen mit römischen Capitellen getragen werden. Unter
der Kuppel, in der Mitte des Gebaudes, steht ein Altar, der den
Geschmack der vorerwähnten Erneuerung zeigt; der einzige in
dieser Kirche. An den inneren Wänden des die Saulen umgebenden Ganges sind kleine Nischen, und über denselben zugemauerte
Fenster. An der gewölbten Decke sind die gedachten Mosaiken
zu bemerken, die leider bei der letzten Restauration der Kirche
im Jahre 1836 übermalt worden sind. Ihre Gegenstände sind

Beschäftigungen der Weinernte, wie das Lesen, Heimführen und Keltern. Nichts deutet in ihnen auf den Bacchusdienst: hingegen scheint die Form des Kreuzes, welche zum Theil die an derselben Decke in Mosaik gebildeten architectonischen Zierrathen zeigen, ebenfalls ihren christlichen Ursprung zu beweisen. Drei kleine Tribunen sind höchst wahrscheinlich an das Gebäude erst bei der Verwandlung desselben in eine Kirche angebauet worden. In der einen, dem Eingange gegenüber, stand ehemals der grosse porphyrne Sarcophag, das sogenannte Grabmal der h. Constantia, den man jetzt im vaticanischen Museum sieht, wo wir ihn bereits erwähnten. Die beiden anderen, zu beiden Seiten des Gebaudes einander gegenüber stehenden Tribunen waren vermuthlich ursprünglich Capellen. Die alten Mosaiken an den Gewolben derselben sind wahrscheinlich aus der Zeit Alexanders IV. In der einen dieser Tribunen, vom Eingange links, sieht man den Heiland zwischen zwei Aposteln, welche Ciampini fur die Heiligen Thomas und Philippus, in Bezug auf die Unterredung mit denselben im 14ten Capitel des Evangeliums des b. Johannes, erklärt. Der eine von ihnen hält eine geoffnete Rolle mit den Worten: Dominus pacem dat. Vier Schafe auf dem Vorgrunde bezeichnen die Gläubigen, und die beiden Gebäude an beiden Enden des Bildes, wo sich zwei Palmen erheben, bedeuten vermuthlich die Städte Jerusalem und Bethlehem. In der anderen der gedachten Tribunen ist ein Apostel, der zu dem auf der Weltkugel sitzenden Heiland herbeikommt, zwischen mehreren Palmenbaumen vorgestellt. Die Thuren, welche aus diesen beiden Tribunen in den oben erwähnten, dieses Gebäude umgebenden Gang führen, sind ohne Zweifel später hineingemacht worden.

Unweit dieser Kirche stehen noch bedeutende Reste eines ovalen Gebäudes mit Fenstern, von sehr schlechtem Bau aus abwechselnden Reihen von Tuf und Ziegeln. Nachdem man, bei einer Ausgrabung im Jahre 1806, in seinem Bezirke mehrere christliche Gräber entdeckte, wird es mit Wahrscheinlichkeit fur den Einschluss eines Gottesackers erklärt, der mit jener ehemaligen Grabcapelle, der heutigen Kirche S. Costanza, verbunden war.

Ponte Nomentano.

In der Entfernung von ungefähr einer Miglie von der Kirche S. Agnese gelangt man zu dem Ponte Nomentano (in der Volksbenennung Lamentano), der über den jetzt gewöhnlich Teverone genannten Anio fuhrt. Diese Brücke wurde von Totila zerstört, von Narses wiederhergestellt und von Nicolaus V. ausgebessert. Jenseits sieht man zur Linken Reste von Mauern, die aus Quadern von Tuf bestehen und in die Zeiten der Republik zu gehören scheinen, und unweit darauf, zu beiden Seiten der Via

Nomentana, zwei antike Grabmäler, von denen das eine noch ziemlich gut erhalten ist.

Mons Sacer

In geringer Entfernung von der Brücke liegt rechts der in der Geschichte des Kampfes zwischen den Patriciern und Plebejern bekannte Mons Sacer, ein Hügel von nicht bedeutendem Umfange, der ursprünglich Mons Velins hiess und jenen Namen von der Lex Sacra erhielt, durch welche die auf diesem Hugel gestifteten Volkstribunen für heilig und unverletzlich erklart wurden. Eine italienische Meile jenseits der Nomentanischen Brücke, wo die Via Patinaria die Verbindung zwischen der Nomentana und Salaria vermittelte, lag das Haus des Phaon, Nero's Freigelassenen, in welchem dieser Tyrann sein Leben endete.

Der Pincius.

§. 106.

Villa Ludovisi.

Auf dem Wege von Piazza Barberini nach der Porta Salara ist der Eingang zu der schönen Villa, welche in der ersten Halfte des 17ten Jahrhunderts der Cardinal Lodovico Ludovisi, Neffe Gregors XV., anlegte, nach dessen Tode sie durch Erbschaft an das Haus Piombino gekommen ist. Sie erstreckt sich in dem Umfange von mehr als einer Miglie bis zu den Stadtmauern Roms. Der Eintritt in dieselbe wird seit mehreren Jahren nur durch besondere Erlaubniss des Besitzers verstattet.

In dem nach Angabe des Domenichino erbauten Hauptgebäude der Villa, welches gegenwärtig den Fremden ganz unzuganglich ist, befindet sich dermalen, dem Vernehmen nach, nichts Merkwürdiges, als ein versteinerter Leichnam, den der vorerwahnte Cardinal von Gregor XV. zum Geschenke erhielt. Ein anderes, nur aus zwei Zimmern bestehendes Gartengebäude enthalt eine Sammlung von Denkmälern antiker Sculptur, die wegen einiger ausgezeichneten Werke mit Recht einen bedeutenden Namen in der Künstlerwelt erhielt. Wir beschränken uns hier nur auf die Anzeige der merkwürdigsten.

Im ersten Zimmer: Frauenkopf, im älteren Style, vielleicht Juno, vermuthlich Fragment einer Statue, und ausgezeichnet unter den Denkmälern in diesem Style durch colossale Grösse. Die Löcher in den Ohren und an anderen Stellen zeugen von dem ehemaligen Vorhandenseyn des Ohren- und Hauptschmuckes von Metall. — Sitzende männliche Statue; ein vorzügliches Werk, vornehmlich wegen des schönen Styls ihres Gewandes, auf dem

man in griechischer Inschrift, den Namen des Meisters, Zenon
Sohn des Attinus von Aphrodisias liest. — Zwei Hermen, die
vermuthlich als Gegenstucke in einer Palästra standen, beide mit
ausgebildetem Korper und Armen. In der einen mit bartlosem
Haupt und der zum Theil antiken Keule auf der Schulter ist
wahrscheinlich Theseus vorgestellt. Die andere mit bärtigem
Haupt, und einem Fullhorne in der Rechten ist durch die Löwenhaut als Hercules bezeichnet. Vier andere Hermen, mit jenen
von gleicher Grosse, standen vermuthlich an demselben Orte. Die
eine ist durch die Aegis als Pallas bezeichnet. In einer anderen,
in einer Bekleidung mit langen Aermeln, ist vermuthlich die Victoria vorgestellt. — Eine colossale tragische Maske in Profil, ein
erhobenes Werk von Rosso antico, vermuthlich von einem Cali-
darium. Sie ruht auf der mystischen Schwinge, vor welcher eine
mit einem Rehfell bedeckte Cista mystica erscheint. Der Mund
hatte ursprunglich eine Oeffnung.

Im zweiten Zimmer: Erhobenes Werk von beträchtlicher
Grösse, das Urtheil des Paris vorstellend. Vom Beschauer links,
Mercur auf der Höhe des Berges Ida, ihm zur Rechten Minerva
und Juno, demselben zur Linken Venus. Unter dem Mercur, am
Fusse des Berges, ein liegender Stier. Von demselben rechts-
wärts, Paris sitzend, nach einem hinter ihm stehenden Amor ge-
wandt. Neben demselben auf der anderen Seite eine weibliche
Figur mit der Syrinx in der Hand, Oenone, die Gemahlin des
Paris. Mehr vom Beschauer rechts, auf dem Ida, ein bärtiger
Mann mit einem Stabe in der Hand, vermuthlich der Gott dieses
Berges. Auf ihn folgt Diana, und zuletzt, weiter oben in kleinerer
Gestalt als die übrigen Figuren, der Sonnengott auf einer Qua-
driga. Darunter, am Fusse des Berges, der Flussgott des Ska-
mandros, und eine sitzende Frau, vermuthlich eine Nymphe.

Der berühmte sehr colossale Kopf der Juno dieser Villa, die
vollkommenste Gesichtsbildung dieser Göttin unter den uns bekannten Denkmälern des Alterthums. — Stehende Bildsäule der
Minerva, auf deren langem Gewande, dem rechten Fusse zunächst,
eine verstummelte griechische Inschrift den Antiochus von Athen
als den Meister dieses Werkes zu nennen scheint. — Sitzende
Statue des Apollo, mit der Leyer in der Rechten. Der bei ihm
liegende Hirtenstab deutet auf den Hirtenstand dieses Gottes bei
dem Admet. — Bildsäule eines nackten, auf dem Boden sitzenden
Heros mit dem Schwerte in der Hand, von vorzüglicher Arbeit,
den man ohne hinreichenden Grund für den Mars erklärt. — Die
bekannte schöne Bildsäule dieses Gottes, mit dem Schwerte in
der Hand, auf einem Felsen sitzend, den linken Fuss auf einen
Helm gestützt, vorgestellt; zu seinen Füssen ein Amor: ihm zur
Rechten ein Schild. — Die schöne, ehemals unter dem Namen

des Papirius und seiner Mutter bekannte Gruppe, einer Frau und eines Junglings, in der höchst wahrscheinlich die Wiedererkennung des Orest und der Electra vorgestellt ist. Auf dem Untergewande der weiblichen Figur steht in griechischer Inschrift der Name des Meisters: Menelaus der Schüler des Stephanus. Die Erfindung, welche auf eine bessere Kunstepoche deutet, als die an das Zeitalter Hadrians erinnernde Ausfuhrung, lässt die Nachahmung eines älteren Werkes in dieser Gruppe vermuthen. — Stehende Bildsäule eines jungen Satyrs, ein Werk von sehr vorzüglicher Arbeit, an dem vornehmlich die besondere Schönheit des Kopfes, auch wegen der im ausgezeichnet schönen Geschmack ausgeführten Haare Aufmerksamkeit verdient. An dem Baumstamme bei dieser Figur ist ein Ziegenfell, eine Syrinx und ein Pedum zu bemerken. — Colossale weibliche Buste, deren Haupt eine phrygische Mütze bedeckt; von guter Arbeit, aber etwas verstümmelt. — Colossaler Kopf der Juno, mit Stirnkrone und verschleiertem Hinterhaupt. Darunter eine runde Ara, auf welcher arabeskenartiges Laubwerk und zwei Victorien gebildet sind, deren Bekleidung und Bewegung an die Hierodulen der Villa Albani erinnert. — Erhobenes Werk, welches einen Krieger zeigt, der gegen eine Schlange zu kämpfen scheint, bei welcher eine Frau steht mit einer Frucht in der Hand; eine Vorstellung, in der sich der Kampf des Jason mit dem das goldene Vliess bewahrenden Drachen vermuthen lässt, den die Zauberkünste· der Medea einschlaferten. — Schoner, sehr colossaler Kopf des M. Aurelius von Bronze, auf einer modernen Brust, mit einem Unterkleide von Porphyr und einem Mantel von Metall. — Die unter der irrigen Benennung des Paetus und der Arria bekannte Gruppe. Ein nackter Mann, dessen Kopf mit einem Knebelbarte den Character eines Barbaren zeigt, stösst sich mit der Rechten das Schwert in die Brust, indem er mit der Linken eine sterbend auf die Kniee niedergesunkene Frau ergreift. Die Kleidung derselben besteht aus einem langen, mit einem Bande unter der Brust zusammengebundenen Untergewande, und einem mit Franzen besetzten Mantel. Die Wunde, durch die sie den todtlichen Streich empfing, ist durch Blutstropfen am rechten Oberarme angedeutet. Zu den Füssen des Mannes liegt ein ovales Schild, dessen wellenförmige Zierrath am Rande an das des sogenannten sterbenden Fechters erinnert. Höchst wahrscheinlich ist in dieser colossalen, durch geistvolle und lebendige Ausfuhrung ausgezeichneten Gruppe ein Barbar vergestellt, der, nachdem er seine Frau getödtet, um sie der Knechtschaft der Feinde zu entziehen, sich selbst zur Vermeidung dieser Schmach entleibt. — Bärtiger Kopf und Brust von grauem Granit; Fragment einer colossalen ägyptischen Statue, merkwurdig wegen des sonderbaren, ganz ungewöhnlichen Haarputzes.

In einem anderen kleinen Gebäude, in der Mitte der Villa, befinden sich einige Frescogemälde von Guercino, die durch eine der Oelmalerei entsprechende Kraft der Farbe ausgezeichnet sind. Vorzüglichen Ruf hat unter denselben das Gemälde der Aurora an der Decke des Saales des Erdgeschosses erhalten. In den beiden Lunetten des Deckengemäldes ist die Nacht unter dem Bilde einer im Lesen eingeschlafenen Frau, und der Anbruch des Tages in der Gestalt des Hesperus vorgestellt. An der Decke eines Nebenzimmers sieht man vier in Fresco gemalte Landschaften, von denen zwei Domenichino, die anderen beiden ebenfalls Guercino verfertigte. Ein Werk dieses Kunstlers ist auch das Deckengemälde im Saale des ersten Stockwerkes, welches die Fama nebst einigen anderen auf dieselbe bezüglichen allegorischen Figuren vorstellt. Unter den antiken Denkmalern auf der Treppe dieses Gebaudes ist eine kleine Statue Mercurs wegen des bei Bildsäulen dieses Gottes nicht häufig vorkommenden Widders zu bemerken. Das oberste Stockwerk gewährt eine der herrlichsten Aussichten auf Rom und die Umgegend. Auch ist, über der einen Thur des Zimmers desselben, ein antikes Relief zu bemerken, dessen Bedeutung dunkel scheint. Minerva steht vor einem Tempel, vor dem sich ein Obelisk erhebt. Ihr gegenüber befinden sich zwei Frauen, von denen die eine einen Kranz hält, die andere Früchte in ihrer Schurze trägt, bei ihnen ein Amor.

In dem nach Angabe des französischen Architecten Le Notre angelegten Garten sieht man eine beträchtliche Anzahl von antiken Denkmälern, von denen aber die meisten stark ergänzt und von keiner besonderen Bedeutung sind. Auf einem der vier Sarcophage, auf dem Platze zunächst vom Eingange der Villa, sind, inmitten der in Knabengestalten personificirten Jahreszeiten, eine männliche und weibliche Figur, vermuthlich Bacchus und Libera, zu bemerken. An einem kleinen Gebäude vom Eingange der Villa rechts ist ein erhobenes Werk, vermuthlich von einem Grabmale eingemauert. Man sieht auf demselben einen Reiter von zwei Fussgängern begleitet, von denen der eine sein Pferd fuhrt. — An dem von der Stadtmauer begränzten Ende der Villa steht, unter einem von vier Granitsaulen getragenen Giebeldache, ein sehr grosser Sarcophag, an dessen Vorderseite, so wie an den Querseiten, eine Schlacht zwischen Römern und Barbaren in erhobener Arbeit gebildet ist. Der Kopf des römischen Feldherrn zu Pferde, inmitten der Vorderseite, erinnert nicht undeutlich an die Züge des Septimius Severus, dessen Zeitalter auch der Arbeit dieses Monumentes entspricht. Als nicht haufig vorkommend sind die Schuppenpanzer unter den Rustungen der Römer und ein Draconarius zu bemerken. — Eine Bildsäule des Pan, ebenfalls unter einem von Säulen getragenen Giebeldache, ein sehr mittelmässiges Werk, vermuthlich aus dem 16ten Jahrhundert, wird sehr mit Unrecht dem Michelagnolo zugeschrieben.

Auf dem Wege von der Villa Ludovisi nach der Porta Salara sind in einem zur Rechten liegenden Thale die Trümmer der Gärten des Sallust, von denen in der Einleitung (§. 16.) das Nöthige gesagt worden ist.

Vigna Borioni.

Im weiteren Fortgange nach der Porta Salara gelangt man zu der Vigna Borioni, die gegenwärtig dem Oberst Paulsen gehört. Man sieht in derselben mehrere antike Inschriften und noch einige Bildwerke des Alterthums, aber von keiner vorzüglichen Bedeutung. Das Gartenhaus ist uber dem Gewölbe eines antiken Gebäudes aufgefuhrt, welches, wie man glaubt, zu den Sallustischen Gärten gehörte.

Porta Salara

Die Porta Salara, ehemals Salaria, erhielt diesen Namen vermuthlich von der so benannten Strasse, wiewohl Plinius denselben von dem Umstand herleitet, dass die Sabiner durch dieses Thor nach Rom gingen, um Salz zu holen. Antik ist gegenwärtig nur der untere von grossen Travertinquadern aufgeführte Theil; der odere von Backsteinen ist aus der Zeit des Mittelalters.

Villa Albani

Unweit von der Porta Salara liegt die schöne und merkwürdige Villa, die, wie bekannt, im vorigen Jahrhundert von dem durch Gelehrsamkeit und Kunstliebe ausgezeichneten Cardinal Alexander Albani angelegt wurde. Die in ihr enthaltene Antikensammlung ist, ungeachtet des durch die französische Revolution erlittenen Verlustes, noch immer die bedeutendste nach den Sammlungen der päpstlichen Museen. Ihre Gebäude und Gartenanlagen sind von dem Architecten Carlo Marchionne unter der eigenen Leitung des vorerwähnten Cardinals ausgeführt worden. Die reich mit Säulen, Mosaik und Marmor geschmückten Gebäude zeigen, in dem modernen Geschmack des 18ten Jahrhunderts, doch eine gewisse Grossartigkeit in der Anlage des Ganzen. Die Gartenanlagen entsprechen dem allgemeinen Character der italienischen Villen, die nicht, wie die sogenannten englischen Gärten, mit dem Anspruche einer durch Kunst hervorgebrachten Naturscene auftreten, sondern als Kunstwerke angesehen seyn wollen, in denen die Anordnung der vegetabilischen Erzeugnisse mit der Anordnung der Gebäude, Wasserwerke, Springbrunnen u. dgl. in Verbindung steht, und mit denselben ein architectonisches Ganzes bildet.

Die Aufstellung der antiken Denkmäler, in deren Anzeige wir uns hier nur auf die merkwürdigsten beschränken, hat auf Veranstaltung ihres dermaligen Besitzers, der sie nach dem im Jahre 1834 erfolgten Ableben des Cardinals Giuseppe Albani erhielt, eine bedeutende Veränderung erlitten. Die meisten der Monumente, mit denen zuvor der Garten geschmückt war, sind in die Gebäude der Villa gebracht worden, wo man jetzt auch mehrere Cartone und Gemälde sieht, die sich ehemals in dem in der Stadt gelegenen Palaste der Familie Albani befanden.

Im Garten sieht man noch, beim Eingange der Custodenwohnung, die Meta eines Circus; merkwürdig als die einzige fast noch ganz erhaltene. Nur die Spitze ist neu. An der unteren Seite dieses Monumentes sind fünf bacchische Frauen, welche zu tanzen scheinen, nebst einem Satyr gebildet. Nach oben zwei Olivenkränze, ein Pedum und eine Keule, an der Kegelsäule mit einem Bande befestigt.

Palast der Villa und Nebengebäude desselben

Auf dem Geländer vor dem Dache dieses Palastes stehen 18 Statuen, und an der Vorhalle eben so viele Granitsäulen. Jede der beiden an das Erdgeschoss zu beiden Seiten anstossenden Gallerien ist mit 14 Granitsäulen geschmuckt. An jedem Ende dieser Gallerien erhebt sich auf vier modernen Säulen eine Halle, ähnlich der Vorhalle eines antiken Tempels.

Vorhalle

In den Nischen der Vorhalle stehen folgende Statuen: Angebliche Bildsaule des Tiberius, dessen Zügen der aufgesetzte Kopf nicht entspricht. Auf dem Harnisch ein Medusenhaupt und zwei Greife. — L. Verus. Auf dem Panzer ein Medusenhaupt und zwei Victorien, von denen die eine einen Candelaber hält. — Trajan. — Angebliche Statue des M. Aurelius; den Zügen dieses Kaisers nicht ganz entsprechend. — Antoninus Pius. — Bildsäule mit einem aufgesetzten Kopfe Hadrians. Auf dem Panzer ist, unter einem Medusenhaupte, ein Arimaspe mit einer über das Haupt gezogenen Löwenhaut gebildet.

Zwei runde Are von gleicher Grösse und Arbeit, mit sehr verstümmelten erhobenen Arbeiten. Auf der einen ist Telete mit einer Fackel in jeder Hand, nebst fünf Frauen, vermuthlich Horen, gebildet. Auf der anderen Bacchus, Ceres, Proserpina und drei tanzende Frauen, in denen wahrscheinlich ebenfalls Horen vorgestellt sind. — Bildsäule einer sitzenden Frau, fur die ältere Agrippina erklärt. Auf der viereckigen Basis unter dem Sessel: vier weibliche Figuren in erhobener Arbeit, von denen die eine

eine Schale hält. — Sitzende Kriegerstatue mit einem aufgesetzten Kopfe des Claudius: auf dem Panzer ein flammender Candelaber zwischen zwei Victorien, und darunter die Erde und das Meer in zwei weiblichen Figuren. — Unter den hier aufgestellten Hermen bemerken wir: die eines Athleten; — eine des Mercur, mit einer seine göttlichen Eigenschaften verherrlichenden, griechischen und lateinischen Inschrift; — und eine mannliche Doppelherme, von welcher der eine Kopf das fur Seneca angenommene Bildniss zeigt.

Im Erdgeschoss vor der Treppe des Palastes: Eine auf Trophäen sitzende Roma in erhobener Arbeit. — In der Kammer unter der Treppe: Relief, welches die Büste eines bartigen Mannes zeigt, mit der Inschrift: Ti. Julio. Vitali; daneben ein Mann, im Begriff einen Schweinskopf zu zerhacken: über demselben sind einige Fleischwaaren aufgehangt. — In einem anderen Relief, jenem gegenüber, ist der Laden einer Fleischverkäuferin vorgestellt. Sie sitzt, nach einer hinter ihr stehenden Frau gewendet, die auf eine aufgehängte Gans zeigt und dieselbe kaufen zu wollen scheint. Man liest auf diesem Werke, welches vielleicht zum Zeichen eines Fleischladens diente, einige verstümmelte Verse aus dem ersten Buche der Aeneis. — Von hier ist der Eingang zu der Capelle des Palastes, die mit vier Säulen von rothlichem Marmor geschmuckt ist. Die Platte des Altars ruht auf einer antiken Wanne von rothem Granit.

Im linken Vorgemach, Atrio della Cariatide genannt: Zwei Canephoren; gefunden in einer zwischen Frascati und Monte Porzio gelegenen Vigna; in gleicher Grösse und ähnlicher Stellung. Die Körbe beider Figuren sind neu. — Caryatide; gefunden in einer Vigna nicht weit vom Grabmale der Caecilia Metella. Sie trägt auf dem Haupte ein mit Blumen verziertes Gefäss, auf welchem eine griechische Inschrift die Athener Criton und Nicolaus als die Meister dieser Bildsäule anzeigt. In dem auf dem Postamente derselben eingesetzten Relief sieht man einen niedergesunkenen, dem Heroencharacter entsprechenden Krieger, mit einer Stirnbinde geschmückt, den Winkelmann fur den von den Mauern Thebens herabgesturzten Capaneus erklärte.

In der anstossenden Gallerie: mehrere Hermen, unter denen sich eine des Homer und eine des Epicur befinden. Die den ubrigen beigelegten Namen sind sämmtlich grundlos. — Unter den hier aufgestellten Statuen ist eine Muse, mit dem modernen Attribut der Leyer, und ein Satyrknabe mit Früchten in der Nebris zu bemerken. Neben dem letzteren sieht man einen Pinienbaum, auf dem ein Raubvogel sitzt.

Vorgemach zur Rechten (Atrio della Giunone). Zwei Canephoren von gleicher Grosse mit den oben erwähnten, in der

Gestalt wenig verschieden, auch mit jenen an demselben Orte gefunden. Die Körbe auf ihren Häuptern sind ebenfalls neu. — Weibliche Bildsäule, angeblich der Juno, mit langer Tunica und Mantel, in gutem Faltenwurfe, bekleidet. Auf dem Postamente derselben: das haufig vorkommende Stieropfer der Victoria in sehr erhobener Arbeit.

In der zweiten Gallerie: Gefäss von weissem Marmor mit sechs Bacchantinnen in schoner erhobener Arbeit. Zwei derselben halten Messer und getodtete Thiere in den Handen; eine dritte, deren Haupt eine Haube bedeckt, hält ein Tympanum, und eine vierte den Thyrsus; die fünfte halt in der Rechten ebenfalls einen Thyrsus und in der Linken einen Kranz. Sowohl von dieser als der sechsten dieser Figuren ist der ganze Obertheil neu. An den Henkeln dieses Gefasses erscheinen vier Silensmasken. — Bildsäule einer Bacchantin, durch die Nebris bezeichnet. — Bildsäule des Apollo. — Herme des Numa Pompilius in halber Lebensgrösse, nach dem Opfercostume den Mantel über das Haupt gezogen. — Herme des Euripides, und mehrere andere Hermen, mit grundlosen Benennungen.

Das erste der anstossenden Zimmer ist mit 12 Säulen geschmückt, unter denen sich eine 28 Palm hohe, von schönem bunten Alabaster befindet; gefunden am Ufer der Tiber, an der sogenannten Marmorata. Ein Theil des Fussbodens besteht aus antikem Mosaik. An den oberen Wanden sind vier antike Reliefs eingemauert, deren Gegenstände folgende sind:

Die Fabel des Hippolytus und der Phadra. Vom Beschauer rechts ist der Sohn des Theseus auf der Jagd, von welcher das Thier, nach dem er mit dem Wurfspiesse zielt, mit dem fehlenden Theile des Marmors verloren gegangen ist. Ihn begleitet Diana, die hier mit Schild und Helm erscheint. Am andern Ende, vom Beschauer links, sitzet Phadra in Schwermuth versunken, zwischen zwei ihrer Dienerinnen. Ein nach ihr emporschauender Amor bezeichnet die unselige Liebe der Königin, und ein anderer scheint durch seine Umarmung der Psyche auf die Vereinigung dieser Leidenschaft mit der Seele zu deuten. Abgewendet von der Phadra, eröffnet die Amme dem Hippolytus die Liebe seiner Stiefmutter. Das Portal, vor welchem der Jungling mit seinem Pferde und zwei seiner Jagdgefährten steht, bezeichnet vermuthlich den Tempel der Diana. — Der Raub der Proserpina. Wir bemerken hier nur das Ungewöhnliche in dieser öfter vorkommenden Vorstellung. Der liegende bartige Mann mit einem Fullhorne bedeutet wahrscheinlicher irgend einen Ort in Sicilien, als den sonst gewohnlichen, durch Steuerruder und Seedrachen bezeichneten Ocean, dem das Fullhorn nicht zu entsprechen scheint. Unter den drei bei dem Raube der Jungfrau gegenwärtigen Gottheiten erscheint Diana mit langer Tunica und Sandalen bekleidet, ohne die ihr gewöhnlichen Attribute. Der erste Moment in der Darstellung dieses Mythos: Pluto, der die in der Gesellschaft der Nymphen Blumen sammelnde Proserpina überfällt, ist nur in derselben Figur der Letzteren angedeutet, in der sie auf anderen Monumenten in dieser Handlung gebildet ist. — Ein bacchischer Festaufzug. — Der Tod der Alceste. Vor ihrem Sterbebette erscheinen ihre beiden Kinder, Eumelus und Perimela, diese in schmerzensvoller Verzweiflung, jener in tiefer Wehmuth das Haupt unterstützend. Ein bärtiger Mann und eine bejahrte Frau, wahrscheinlich der Pädagog und die Amme der Alceste, stehen am Bette. Die Sterbende übergibt ihnen ein zusammengerolltes Blatt, welches vermuthlich ihre letzten Verfügungen in Betreff ihrer Kinder enthält. Die junge Frau, welche hinter ihr trauernd das Haupt mit dem auf dem Bette ruhenden Arme unterstützt, ist vielleicht die treue Sclavin in der Tragödie des Euripides. In dem den Rücken zeigenden jungen Manne mit Schwert und Chlamys ist Admet, und in dem auf den Stab gestützten Greise Pheres, dessen Vater, vorgestellt. Das Gespräch, in welchem diese beiden Personen begriffen scheinen, deutet vermuthlich auf die eben nicht erfreuliche Scene bei Euripides, in welcher Admet entrüstet über seinen Vater, weil er nicht für ihn zu sterben bereit gewesen war, ihm die Theilnahme an der Leichenfeier seiner Gemahlin verweigert. Die drei umstehenden Männer bezeichnen vermuthlich die zu dieser Feier versammelten Einwohner von Pherae, und vielleicht auch die beiden hier am Ende erscheinenden Frauen. Vom Beschauer rechts war auf dem jetzt fehlenden Theile des Marmors höchst wahrscheinlich Hercules, dem Admet seine Gemahlin aus der Unterwelt zufuhrend, wie auf dem von uns erwähnten Sarcophage des vaticanischen Museums, vorgestellt.

Sarcophag von weissem Alabaster, an dessen Vorderseite die Vermählung des Peleus mit der Thetis vorgestellt ist. Das Brautpaar erscheint sitzend vom Beschauer rechts. Dem Peleus bringt Vulcan Schild und Schwert, und Minerva Helm und Speer zum Hochzeitgeschenke. Der Pallas folgen vier Horen. Die erste trägt einen Eber, eine Ente und einen Hasen an einer Stange befestigt; die zweite eine Ziege und einen Korb mit Früchten; die dritte hält ein Blumengewinde; und die vierte trägt kleine Früchte in ihrem mit der Hand emporgehobenen Gewande. Ein bekleideter Knabe, der eine umgekehrte Fackel auf dem Boden putzen zu wollen scheint, und ein Mann, der mit der einen Hand eine Fackel auf der Schulter trägt und mit der anderen einen Krug halt, sind vermuthlich Diener des Peleus, welche Fackeln zum Hochzeitsfeste bringen. Zuletzt eine mit einem Diadem geschmückte Frau, die einen Kranz in der Form der Todtenkränze halt. Sie ist wahrscheinlich Eris, die ein Amor wegstösst, um von den Neuvermählten die Zwietracht zu entfernen. An der einen Querseite dieses Monumentes ist Neptun, stehend vor einem Seedrachen, und auf der anderen ein auf einem Delphin reitender Amor 'gebildet. In der Säule hinter ihm in Candelaberform ist vielleicht ein Leuchtthurm angedeutet. Die beiden auf diesen Querseiten auf Felsen gepflanzten Ruder bezeichnen wahrscheinlich das Grab eines Schiffers; und die auf dem Deckel gebildeten Meerwunder, in deren Mitte die Maske eines Meergottes erscheint, durften hier, so wie die Gegenstände der Querseiten, auf die Vermählung der Tochter des Nereus bezuglich seyn.

An den Wänden neben dem Fenster: Ein erhobenes Werk, Hercules und Echidna vorstellend. Die letztere, eine wohlgebildete Frau mit Schlangenbeinen, ergreift flehend das Kniee und die Hand des Heros, der sie bei den Haaren fasst, indem er die Keule erhebt, um sie durch Bedrohung des Todes zu zwingen, ihm seine von ihr entwendeten Pferde zurückzugeben.

In einem kleinen Gemache neben dem vorhergehenden Zimmer steht die Statue eines Priesters des bartigen Bacchus. — Ueber dem Eingange zum folgenden Zimmer ist das Fragment eines Reliefs zu bemerken, welches den Bacchus auf einem weiblichen Tiger oder Panther vorstellt. Ihm zur Rechten eine Bacchantin, zur Linken ein Pan. Dabei eine sitzende Najade, die in der linken Hand einen Rohrstengel hält und mit dem rechten Arme auf einem Gefässe ruht, aus welchem Wasser fliesst.

Im folgenden Zimmer sieht man folgende Reliefs, vom Eingange links. Zwei Ehegatten mit ihrem Sohne. — Ein Opfer zu Ehren der Cybele. — Ein Jäger, stehend bei einem Pferde, in einem Eichenwalde. Im Hintergrunde eine Herme des Priapus. — Polyphem mit einer Leyer neben einem Amor, der ihn zum Lobgesange auf die Galatea zu begeistern scheint. — Diogenes in der Tonne und Alexander der Grosse: auf der Tonne ist ein Hund, zur Anspielung auf den jenem Philosophen gegebenen Beinamen des Cynikers. — Dadalus und Icarus, von Rosso antico; gefunden im Königreiche Neapel. — Cupido, der den Silen umarmt, nebst einer Bacchantin, welche die Trommel schlagt. — Zwei Horen, beide mit langer Tunica und Mantel bekleidet. Die eine hält in der einen Hand eine Schale mit Fruchten, und in der anderen ein junges Reh. Die andere hat in der Rechten einen Fruchtkranz und in der Linken Aehren und Mohnfrüchte. — Diana laug bekleidet, einen Pfeil aus dem Kocher nehmend; neben ihr eine andere, ebenfalls lang bekleidete, weibliche Figur. — Der Bau der Argo; gefunden in der Mauer einer Vigna vor Porta

Latina. Argus, der Baumeister des Schiffes, arbeitet an demselben mit Meissel und Hammer, während Minerva begriffen ist, das Segel an den Mastbaum zu befestigen. In dem Manne, der ihr in diesem Geschäfte Beistand leistet, ist vermuthlich Tiphys, der Steuermann der Argonauten, vorgestellt. — (Die drei zuletzt erwähnten Reliefs sind von gebrannter Erde.) — Unter den übrigen hier befindlichen Monumenten ist zu bemerken: Ein antikes, von der Mauer abgenommenes Gemälde, welches eine Landschaft mit Thieren und menschlichen Figuren vorstellt; gefunden zu Roma vecchia an der Via Appia. — Eine halbzirkelformige Rinne von weissem Marmor, die vermuthlich zum Abfluss des Mostes beim Keltern der Trauben diente, womit die auf derselben in erhobener Arbeit gebildeten Knaben beschaftigt sind; — und eine sehr colossale Maske eines Wassergottes.

Drittes Zimmer. Grosse runde Schale von weissem Marmor; entdeckt im Jahre 1762 an der Via Appia, nebst den Resten einer Saulenhalle, die wahrscheinlich zu einem Herculestempel gehörte, in welchem dieses Gefäss zum Lustrationswasser diente. Die Reliefs an der Aussenseite desselben sind nicht von vorzüglicher Arbeit und grösstentheils sehr verdorben, aber dennoch sehr merkwürdig durch die in ihnen vorgestellten zwölf Thaten des Hercules, unter denen einige der gewohnlichen, ihm von Eurystheus auferlegten fehlen, wogegen andere von denen erscheinen, die er freiwillig vollbrachte. Dieselben sind folgende: 1. Die Erwürgung des nemäischen Löwen. 2. Hercules der den Theseus aus der durch den Cerberus angedeuteten Unterwelt befreit. 3. Hercules die Pferde des Diomedes bandigend. 4. Der Kampf mit der lernäischen Hydra. 5. Der Fang der Hirschkuh der Diana. 6. Die Erlegung der Stymphaliden. 7. Hercules den erymanthischen Eber auf den Schultern tragend. 8. Derselbe, welcher den crétischen Stier bezwingt. 9. Die Reinigung der Stalle des Augias, bezeichnet durch eine mit einem Kubel ausschopfende Figur des Hercules. 10. Der Kampf des Hercules mit dem dreigestaltigen Geryon. 11. Hercules kämpfend mit der um einen Baum gewundenen Schlange der Hesperiden. 12. Der Kampf des Hercules mit einem Centauren, wahrscheinlich Oreus, dessen Gefecht mit jenem Heros auf dem Throne des amyckleischen Apollo vorgestellt war. Die bei den Vorstellungen dieser Thateu erscheinenden Nebenfiguren sind unstreitig Ortsgottheiten, deren besondere Erklärung wir hier der Kürze wegen ubergehen.

Im vierten Zimmer folgende Reliefs: (über dem Eingange) ein erhobenes Werk von Paonazetto, einen Zug bacchischer Personen im Kindesalter vorstellend; gefunden in der Villa Hadrians, wo es vermuthlich zu dem Friese eines Zimmers oder Saales gehorte. — Ein stark ergänztes Relief mit bacchischen Figuren;

merkwürdig wegen der sonst nicht bekannten Vorstellung des auf
einem Esel reitenden Bacchus. — Orest und Pylades, welche von
zwei Soldaten des Thoas vor die Iphigenia gebracht werden. Die
Bildsaule der Diana von Tauri, der sie zum Opfer bestimmt waren, erscheint in einer Hohle vom Beschauer links. — Hercules
auf der Löwenhaut liegend, mit der Keule in der einen und der
Trinkschale in der anderen Hand; kleines Relief. — Auch sieht
man hier ein antikes Mosaik, welches eine Ansicht des Nils zeigt,
in welchem eine Barke mit einem Schiffe, ein Crocodil und
Fische erscheinen.

Fünftes Zimmer: Zwei Reliefs: in dem einen ist ein nach
der Palästra gehender Athlet, mit einer Strigil und einem Oel-
fläschchen in der Hand vorgestellt. Das andere zeigt den Hypnos,
den Gott des Schlafes, stehend auf eine umgekehrte Fackel gestutzt. Er ist hier nicht wie gewohnlich mit Schmetterlingsflugeln,
sondern mit Vogelflugeln gebildet, von denen sich zwei kleine an
seinem bärtigen Haupte und zwei grossere an den Achseln befinden. — Statue des Apollo, sitzend auf dem ihm geweihten Dreifusse, dessen Deckel ihm zum Fussschemel dient. Sein Gewand
bekleidet Schenkel und Beine. Die Schlange in seiner Linken ist
zum Theil antik. Den Dreifuss, unter dem ein Lowe hervorragt,
so wie den Deckel, verhullt eine netzformige, aus Infuln bestehende Decke.

Treppe des Palastes.

Fragment eines Reliefs, den Tod der Niobiden vorstellend.
Vor der bogenspannenden Diana ein fliehender Jüngling, mit dem
einen Knie auf einen Felsen niedergesunken, den er zu seiner
Rettung erklimmen zu wollen scheint. Von einem anderen, der
getodtet am Boden liegt, ist nur ein geringer Theil antik. Ein
dritter, ebenfalls fliehender Jüngling ist neu. — Relief: ein bartiger Mann vom Rucken gesehen, bei einem kahlen Baumstamme,
auf einem Felsen sitzend, an dem man eine Schlange bemerkt;
wahrscheinlicher einen Berggott, als den Philoctet vorstellend, für
den man ihn erklaren wollte. — Runde Scheibe von Rosso antico,
mit einer sehr colossalen Maske, aus deren runden, jetzt ausgefull-
ten Mundstucken vermuthlich die Wärme in ein Schwitzbad geleitet wurde. Eine dieser ähnliche Maske haben wir in der Villa
Ludovisi erwähnt. — Relief: ein geflugelter, nur mit der Chlamis
bekleideter Jungling, stehend vor einem mit Pilastern geschmuckten Gebaude; fur den Comus erklart, wegen der Uebereinstimmung
dieses Werkes mit einem von Philostratus beschriebenen Gemalde.
— Zwei Reliefs, von gleicher Grösse und Arbeit, die wahrscheinlich zu einem und demselben Friese gehörten, und in denen die
von Antoninus Pius zum Andenken seiner verstorbenen Gemahlin,

der älteren Faustina, gestiftete Spendung an arme Mädchen vorgestellt ist. — Zwei Reliefs von gleicher Grösse, jedes eine tanzende Bacchantin vorstellend, deren Haupt eine Haube bedeckt.
Die eine hält eine Trommel, die andere die Cympeln. — Lebensgrosse Figur des Hercules in erhobener Arbeit. Antik ist nur
der Kopf nebst dem Körper mit der unter dem Halse zusammengebundenen Lowenhaut, die linke Hand mit dem Bogen und der
obere Theil von beiden Armen.

A m E n d e d e r T r e p p e: ein Relief aus Tivoli mit Andeutung
bacchischer Erlustigungen: Vogel, Reif, Maske, Discus.

Das obere Stockwerk des Palastes.

E r s t e s Z i m m e r, von ovaler Form, mit zwei schönen Säulen von Giallo antico geschmückt. — Am Friese über diesen
Saulen: Fragment eines Reliefs, welches die Carceres der Circusspiele vorstellt. Die drei dabei befindlichen Wagen sind moderne
Arbeiten von Stuck.

Ein grosses rundes Becken auf drei Füssen ruhend, welches
nach den Bildwerken desselben, welche eine bacchische Versammlung in sehr schöner Composition zeigen, vermuthlich in einem
Bacchustempel zum Lustrationswasser diente. Die Gegenstände
dieser Bildwerke, an der Aussenseite des Gefässes, sind folgende
Bacchus, der mit emporgehobener Hand seine Gefahrten zur
Frohlichkeit zu ermuntern scheint, rechts zu einer Frau gewendet,
in der sowohl Ariadne, als eine der Nymphen, die ihn auferzogen,
vorgestellt seyn kann. — In der weiteren Folge links: Ein junger
Satyr, vermuthlich Ampelus, ruhend mit dem Haupte auf den
Schultern der Methe, welche den Thyrsus hält und als Göttin
der Trunkenheit durch das ihr eigenthümliche Kopftuch (Kredemnon) bezeichnet ist. — Ein Satyr mit Castagnetten in der
Hand des ergänzten Vorderarmes. — Pan, der den Olympus im
Blasen der Syrinx unterrichtet. — Ein schlafender Hermaphrodit
mit drei Satyrn, von denen der eine ihn entblösst, während seine
Gefährten mit comischem Erstaunen die unerwartete Erscheinung
betrachten. — Ein Satyr, der auf einer Doppelflote blässt. — Ein
anderer mit einem Becher in der Hand. — Zuletzt Hercules, auf
der Lòwenhaut ruhend, zur Rechten nach einem Satyr schauend, der
eine Frau umfasst, die zu ihrer Vertheidigung den Thyrsus erhebt. Eine andere zur Linken, neben einem Silen, will mit der
einen Hand von der Trinkschale des Hercules den jungen Satyr
entfernen, der im Begriff ist, sie auszuleeren. Mit dem obersten
Theile dieses schönen Monumentes sind die meisten Kopfe der
Figuren verloren gegangen, die daher, mit Ausnahme von wenigen, neuere Ergänzungen sind.

Unter den hier aufgestellten Statuen sind folgende zu bemerken: Ein bogenspannender Amor; Wiederholung der oft vorkommenden Figur. — Ein Satyr in halber Lebensgrösse; eine der vermuthlichen Nachahmungen des Praxiteles. — Ein Athlet; zufolge der griechischen Inschrift auf dem Baumstamme ein Werk des Stephanus, Schulers des Passitetes; — und ein flötenspielender Satyr, stehend mit übereinander geschlagenen Beinen; eine ebenfalls oft wiederholte Figur. Er steht auf einer Ara, auf welcher der Tempel des Apollo, mit einem Lorbeerbaume und der Bildsäule dieses Gottes, gebildet ist. — Ueber der Thur zum Eingange des Saales sieht man ein Relief, Mithras, der den Stier tödtet, vorstellend. Ausser den in diesen Vorstellungen gewöhnlich vorkommenden Thieren, ist hier bei den Geschlechtstheilen des Stieres eine Ameise zu bemerken.

Der grosse Saal.

Der grosse Saal zeigt, an den mit buntem Marmor ausgelegten Wänden, reiche Zierrathen von vergoldeter Bronze und modernem Mosaik. An jeder der beiden gegenüber stehenden Thüren stehen zwei Säulen von Cipollino; und in den Bögen über denselben sind Waffengeräthe in erhobener Arbeit, die antik, aber stark ergänzt sind. An der Decke sieht man das bekannte Gemälde von Mengs, welches den Apollo und die Mnemosyne auf dem Parnass in Gesellschaft der Musen vorstellt, und, diesem Gemälde zu beiden Seiten, einen geflügelten Genius, und den Ruhm in einer weiblichen Figur personificirt, in zwei kleineren ovalen Bildern von demselben Kunstler.

An den Wänden dieses Saales befinden sich folgende Reliefs: (Ueber dem Eingange von dem zuvor erwähnten Zimmer) Die Erscheinung der delphischen Gottheiten bei einem Siege, im Tempelstyle, vermuthlich aus der Zeit Hadrians. Einer Victoria reicht Apollo eine Patera dar, die sie mit der Linken ergreift, indem sie mit der Rechten eine Kanne in dieselbe ausgiesst. Neben ihr eine runde Ara, auf welcher drei weibliche Figuren, vermuthlich Horen, gebildet sind. Jener Gott erscheint mit der Leyer in der Hand als Citharoedus, in einem langen Frauenkleide. Ihm folgen Diana und Latona, die erstere mit einer grossen Fackel in der Rechten, und Bogen und Köcher auf den Schultern; die zweite hält einen Scepter. Beide Göttinnen sind lang bekleidet und mit dem Diadem geschmückt. Hinter der Latona erhebt sich ein Dreifuss, vermuthlich zur Belohnung des pythischen Siegers. Im Hintergrunde erscheint der Tempel des delphischen Apollo mit Säulen von corinthischer Ordnung. Am Friese ·dieses Gebändes sind wettlaufende Wagen, und im Giebelfelde zwei Tritonen, die ein Medusenschild halten, gebildet. Die Mauer, deren Höhe den grössten Theil der Säulen verdeckt, bezeichnet ohne Zweifel den heiligen Bezirk des Tempels. — (In der Folge vom Eingange rechts) Relief von einem Grabe bei Tivoli, einen nackten, vor einem Tempel stehenden Jüngling vorstellend, der mit der Rechten den Zügel seines Pferdes ergreift. —. Ganymed sitzend, welcher dem Adler zu trinken reicht. — Vorstellung eines Opfers vor einem Tempel mit fünf weiblichen Figuren. — Daedalus und Icarus. Von jenem ist nur der rechte Fuss antik, und dieser ist ebenfalls stark ergänzt. — Fragment eines erhobenen Werkes von beträchtlicher Grösse. Es zeigt den Hercules bei den Hesperiden, nicht als Räuber ihrer goldenen Aepfel, sondern in friedlicher Gemeinschaft mit denselben, sitzend unter dem Baume jener Früchte. — Fragment von guter Arbeit, eine Mänade mit dem Wasser in der einen, und einem zerstückten Reh in der anderen Hand vorstellend. — Zwei bekleidete Frauen, grösstentheils modern. — Antoninus Pius mit der Toga bekleidet, sitzend auf einem curulischen Sessel. Neben ihm die Pax, mit dem Caduceus in der Hand, und eine andere weibliche Figur, die man für die Roma erklärt.

Schöne Statue der Pallas, über Lebensgrösse, in langer Tunica und Mantel, über welchem die Aegis erscheint. Der Helm zeigt die Form eines Thierfelles. — Bildsaule Jupiters, bis an den halben Leib mit einem über den linken Arm gezogenen Gewande bekleidet.

Im ersten Zimmer zur Rechten des Saales: Relief von penthelischem Marmor, mit drei Figuren etwas unter Lebensgrösse; ein ausgezeichnetes Werk, dessen Styl und geistvolle Behandlung, vornehmlich in den Gewändern, an die Sculpturen des Parthenons erinnert. Es sind von demselben zwei in Grösse und Styl ihm ganz entsprechende Wiederholungen bekannt; die eine, ehemals in der Villa Borghese, die andere im königlichen Museum zu Neapel. Auf dieser sind durch griechische Inschriften die Figuren Hermes, Eurydice und Orpheus, auf jener in lateinischer Sprache Zethus, Antiope, und Amphion benannt. In unserem Monumente, auf dem sich keine Inschriften befinden, konnte man demnach das Original, und in jenen anderen beiden spätere Nachahmungen vermuthen, in denen, nach verschiedener Erklarung des Gegenstandes eines in vormaligen Zeiten verfertigten Werkes, die Figuren durch Inschriften verschieden benannt wurden. Für die richtigere Benennung derselben auf dem neapolitanischen Relief dürfte vornehmlich der Character der Buchstaben der griechischen Inschriften entscheiden, die offenbar älter als die lateinischen sind, und demnach hier Eurydice vergestellt seyn, die Mercur im Begriff ist, abermals dem Orpheus zu entreissen, und wieder in die Unterwelt zurückzuführen. Orpheus, nach der Eurydice im gegenseitigen Ausdruck der Wehmuth gewandt, ist durch die Leyer in seiner Hand, und Mercur durch den Hut bezeichnet, den er auf seinem Rücken trägt.

Fünf Hermen: Theophrast, durch den Namen in griechischer Inschrift bezeichnet; merkwürdig als das einzige ächte auf uns gekommene Bildniss dieses Schulers des Aristoteles. — Hippocrates; ahnlich dem authentischen Bildnisse dieses berühmten Arztes auf einer coischen Münze. — Eine gute Herme des Socrates. — Eine angebliche Sappho und ein angeblicher Masinissa; beides Kopfe von guter Arbeit.

Im zweiten Zimmer: Viereckige Ara, mit Reliefs im Tempelstyle. Von den zwölf Gottheiten, die ursprünglich hier gebildet waren, sind drei an der Hinterseite des Monumentes gänzlich zu Grunde gegangen, und von einer vierten, an der einen Querseite, ist nur noch ein Theil eines Armes vorhanden. Die noch übrigen sind folgende: 1. Diana Lucifera, durch zwei Fackeln in ihren Handen bezeichnet. 2. Eine Göttin, vermuthlich Latona, mit einem Stabe in der Rechten. 3. Jupiter mit dem Donnerkeile in der einen, und einem Scepter, dessen Gipfel ein Adler schmückt, in der anderen Hand. 4. Juno, einen Scepter haltend. 5. Neptun, durch den Dreizack bezeichnet. 6. Ceres mit dem Scepter in der einen, und Aehren und Mohnfruchten in der anderen Hand. 7. Bacchus geharnischt, den Thyrsus auf der Schulter tragend. 8. Mercur, durch den Caduceus bezeichnet. — Kleine Figur des Atlas, den Himmel tragend, den eine grosse Marmorscheibe in Form eines Tellers bezeichnet, auf dessen Rande die Zeichen des Thierkreises gebildet sind. Antik ist nur der obere Theil des Atlas, nebst einem Reste des erwahnten Randes mit drei Sternbildern. Das mittlere derselben zeigt in zwei Junglingen den Lucifer und Hesperus, die Verkunder des Auf- und Niederganges der Sonne. Der erstere halt eine emporgehobene, der andere eine umgekehrte Fackel; uber ihren Hauptern erscheinen die durch sie personificirten Sterne. Ihnen zur Rechten ist die Jungfrau als eine langbekleidete weibliche Figur mit einem ihr Haupt bogenformig umwallenden Schleier vorgestellt; und zur Linken, durch einen Jungling mit der Wage in der Hand, das Sternbild dieses Namens bezeichnet. — Schöner colossaler Kopf des Serapis von Basalt, auf einer Brust von Nero antico. Der Modius ist mit Oelzweigen geschmuckt. — Darunter: Fragment eines kleinen Reliefs; merkwürdig als die einzige bekannte Vorstellung der den Zagreus zerfleischenden Titanen; dabei einer der Corybanten, durch welche Jupiter vermeinte, diesen von ihm mit der Proserpina erzeugten Sohn gegen die auf denselben erzurnten Gottheiten zu schutzen.

Im zunachst folgenden Zimmer sieht man mehrere Cartone,

die aus dem Palast Albani hierher gebracht worden sind. Unter denselben befinden sich zwei von Domenichino zu den Fresco-gemälden dieses Künstlers in S. Silvestro di Monte Cavallo, ein Carton von Baroccio zu einem Gemalde in der Chiesa nuova; — und eine Figur des Hercules von Annibale Caracci.

Im ersten Zimmer vom Saale links: Halbe Figur des Antinous in erhobener Arbeit; ein uberschätztes Werk aus der Zeit Hadrians, in dessen Villa zu Tivoli es gefunden ward.

Zweites Zimmer: Fragment eines grossen Reliefs von penthelischem Marmor; gefunden um das Jahr 1764 in der Vigna bei dem Palast Caserta, unweit vom Bogen des Galienus. Man sieht auf demselben, bei einem fliehenden Pferde, einen Kämpfer, der gegen seinen zu Boden geworfenen Gegner die Hand erhebt, die vermuthlich eine verloren gegangene Waffe hielt. Ungeachtet des sehr verstummelten Zustandes der in Bildung und Costume dem Heroencharacter entsprechenden Figuren, gebort doch dieses Werk, dessen Styl der Epoche des Phidias entspricht, unter die vor-zuglichsten Denkmaler der Kunst des Alterthums in Rom. — Zwei dreieckige Candelaberbasen. Auf der einen sind drei Hiero-dulen oder Tempeldienerinnen in einem pantomimischen Tanze in guter erhobener Arbeit gebildet; auf der andern sieht man einen tanzenden Satyr und eine tanzende Bacchantin; die Figur auf der dritten Seite dieses Monumentes ist verloren gegangen. — Ein griechisches Grabrelief, ein Opfer vorstellend. Eine Frau steht vor einer Ara mit einer Schale in der Hand. Ihr folgen ein Kind und zwei andere weibliche Figuren, mit gefaltenen Händen, im Ausdrucke des Gebetes, von weit kleinerer Dimension als die erst-genannte. — Eine kleine mannliche ägyptische Statue, sitzend in der gewohnlichen Stellung der ägyptischen Figuren von Plasma di Smeraldo. Nach Rosellini zeigen die Hieroglyphen am Sockel und an dem Pfeiler, an welchem die Figur lehnt, dass in dersel-ben Schiabak, der erste Konig aus der Dynastie der Aethiopier, vorgestellt sey. — Ein erhobenes Werk im Tempelstyle: Mercur, Apollo, Diana und Pallas, die nach einer flammenden Ara hin-gehen. Der Stab des Mercur zeigt hier, nach der älteren Vor-stellungsweise nicht die in späteren Monumenten gewöhnlichen Flügel und Schlangen. — Bildsäule eines bartigen Bacchus, im alteren Style. — Ein wegen seines Alterthums sehr merkwürdiges Relief, welches den altgriechischen Styl in seiner Ursprünglichkeit, und nicht als spätere Nachahmung im sogenannten Tempelstyle zeigt. Winkelmann erkannte in demselben die Leucothea mit dem Bacchus und den Nymphen; und man hat bis jetzt noch keine dem Gegenstande dieses Werkes angemessenere und dabei sichere Erklarung gefunden. — Erhabenes Werk im Tempelstyle, den Streit des Apollo mit dem Hercules wegen des Dreifussraubes vorstellend. — Zwei Frauen in erhobener Arbeit, in der Darstellung einer pantomimischen Handlung, ähnlich den Hierodulen der oben erwähnten Candelaberbasis. — Statue der Pallas im Tempelstyle. Antik ist nur der Korper mit dem Kopfe und den Schenkeln nebst dem linken Oberarme, den ein langer Aermel bekleidet. Die Aegis geht, dicht an den Rücken anliegend, bis an die Schenkel hinab und ist mit Schlangen um den Leib gegürtet. — Vier - hetrurische Todtenkisten von volterranischem Alabaster. Die auf ihnen gebildeten Gegenstände sind: ,Orestes im Tempel des Apollo zu Delphi. Hypsipyle, welche die Seerauber an den nemäischen König Lycurg verkaufen; — der sogenannte marathonische Echetlos; — und der Kampf der Lapithen mit den Centauren.

An den Basen dieser Todtenkisten und der hier aufgestellten Statuen sind kleine Reliefs eingesetzt, die, vom Eingange rechts, folgende sind: Die Auferziehung des kleinen Bacchus von den Nymphen; vermuthlich Fragment von der Vorderseite eines Sarcophages. — Eine tragische Maske auf einem mit einem Tuche bedeckten Cippus. Ihr zu beiden Seiten sitzen zwei in Mäntel gehullte Manner; vermuthlich tragische Dichter oder Schauspieler. — Ein Bildhauer sitzend mit einem Modellirstecken in der einen und einer jugendlichen Büste in der anderen Hand. Eine Inschrift nennt ihn Q. Lollius Alcamenes Dec. et Duumvir. Vor ihm steht eine Frau in der Kleidung römischer Matronen. — Ein Silen in Zwerggestalt, auf der Doppelflote blasend. Ihm folgen zwei langbekleidete Frauen, einander bei den Händen fassend. Die eine hält einen halben Reif in der Hand: die andere führt einen Hund bei den Vorderpfoten. — Zwei Satyre, die gegen einander gekehrt einen Reif mit beiden Händen fassen: unter ihnen Steine. Auf der einen Seite bringt ein Silen einen Korb mit Früchten herbei: auf der andern ein auf einer Doppelflöte blasender Satyr. — Ein geflügelter Satyr, der mit dem Thyrsus einen gegen ihn sich bäumenden Panther zu necken scheint. — Silen mit dem Priapus im Knabenalter auf einem mit einem Ziegenbocke und einem Panther bespannten Wagen. Priapus hält in der einen Hand die Peitsche und in der andern die Zugel der Thiere. Der hier als sein Pädagog vorgestellte Silen, der ihn in der Wagenführung unterrichten zu wollen scheint, umfasst ihn mit dem rechten Arme, indem er mit der Linken eine Schale halt. Im Hintergrunde ein entblätterter Baum und ein Gebäude, auf welchem man ein Deckelgefäss und eine der gewohnlichen Hermen des Priapus bemerkt. — Eine nackte, auf einem Seepferde sitzende Venus, die mit der Hand einen fliegenden Amor ergreift. In den Wellen des Wassers ist ein Delphin und ein Seedrache zu bemerken.

Im dritten Zimmer sieht man einige Cartone, unter denen sich der des Domenichino zu dem Gemälde dieses Kunstlers in

S. Maria della Vittoria befindet. Auch ist unter denselben eine Vorstellung des gekreuzigten Heilandes von Annibale Caracci zu bemerken.

Im vierten Zimmer (über dem Eingange von dem letzterwähnten Zimmer): Ein Relief von schönem Style und vorzüglicher Arbeit, welches einen Satyr und eine Mänade im orgischen Tanze vorstellt: zwischen beiden ein Panther. Die Mänade erhebt mit der Rechten den Thyrsus über ihrem Haupte. Der Satyr, auf dessen Haupt drei Horner erscheinen, halt am Zeigefinger der Linken ein zweihenkliches Gefass, und in der Rechten einen Thyrsus in ganz ungewohnlicher Gestalt. — Kopf des Aesop nebst dem Körper bis unter die Scham, der, bei der äussersten Missgestalt, grosse Wahrheit der Darstellung und vorzügliche Arbeit zeigt. — Kleine Figur eines schlafenden Fischerknaben; Wiederholung einer grösseren Statue des vaticanischen Museums. — Schónes Relieffragment, welches ehemals in ein Postament im Garten der Villa eingesetzt war. Es zeigt, von der Vorstellung des Sieges des Bacchus über die Inder, nur den oberen Theil der Figuren dieses Gottes und des mit einem Schilde bewaffneten Pan. — Statue der Pallas, sehr ungewohnlich mit verschleiertem Haupt und einem unter dem Gewande verborgenen Schilde vorgestellt. — Eine schone kleine Statue des Hercules von Bronze; ähnlich dem beruhmten ehemals Farnesischen Werke des Glycon. — Ein Canopus von grünem Basalt. — Diogenes. Ein grosser Theil dieser kleinen Statue ist nebst dem Hunde neu. — Männlicher Profilkopf von Marmor; ein kleines erhobenes Werk von schöner Ausfuhrung, in welchem der beruhmte Sadolet, in dessen Besitz es war, den Persius, aber ohne Grund, zu erkennen glaubte. — Kleines Relief, aus feinem Stuck verfertigt; ein nicht sowohl wegen vorzüglicher Ausfuhrung als wegen der auf den Hercules bezüglichen Vorstellungen und der griechischen Inschriften merkwurdiges Werk. Die Composition zerfallt in zwei Abtheilungen. Auf der oberen erscheint Hercules inmitten bacchischer Gesellschaft, auf der Löwenhaut ruhend; und bei ihm liesst man in griechischer Inschrift: Der ruhende Hercules. Die Figuren des Heros und des seine Trinkschale ausleerenden Satyrs sind ganz denen gleich, die wir auf dem oben erwahnten schönen Marmorgefasse dieser Villa bemerkten, wo auch die ubrigen ihn hier umgebenden Figuren mit wenigen Veranderungen wiederholt sind. Von den beigesetzten Namensinschriften dieser Figuren ist bei einer der Frauen nur der Name Europa noch leserlich. In der unteren Abtheilung sieht man zwei langbekleidete Frauen, die eine Schüssel uber eine flammende Ara halten. Die eine hält eine Fackel in der Linken, die andere, welche geflügelt ist, hebt mit der Rechten ein Gefass empor, um es in jene Schussel auszugiessen. In dieser ist, nach

Zoega's Erklärung, Iris als Stellvertreterin der Götter, namentlich
des Vulcan und der Minerva, in jener aber die Nymphe Himera
in Sicilien vorgestellt, die ein warmes Bad dem Hercules darreichen will, den wir, nach dieser Erklarung, in dem nur mit
der Chlamys bekleideten Manne sehen, der mit einer Schüssel
herbeikommt, als ob er an der Spende der beiden Frauen Antheil
nehmen wollte. Zwischen ihm und der Frau mit der Fackel steht
ein mit Sphinxen geschmückter Dreifuss, den die Inschrift auf
dem Postamente als denjenigen bezeichnet, den Amphitryo im
Tempel des Apollo zu Theben weihte, als der nachmals Hercules
benannte Alcaeus Daphnephoros oder Priester war. Auf zwei Pilastern, an beiden Enden des Reliefs, sind durch Inschriften die
Thaten des Hercules angezeigt; und am untern Sockel ist durch
eine andere Inschrift angedeutet, dass diese Thaten, nach der
priesterlichen Chronologie, wahrend der 58jährigen Dauer des
Priesterthums der Admata, Priesterin der argivischen Juno, Tochter
des Eurystheus und der Admata, Tochter des Amphidamas, erfolgten.

Statue des Apollo Sauroktonos (der Eidechsentödter) von
Bronze; gefunden in einer Vigna unter der Kirche S. Balbina;
eine der ofter wiederholten Figuren, die fur Nachahmungen eines
berühmten Werkes von Praxiteles gehalten werden. — Eine Statue
der Pallas, ebenfalls von Bronze. Ihr Helm ist wegen der ungewohnlichen Zierrathen zu bemerken, die in einer Reihe von zehn
geflügelten Pferden an der Vorderseite, und in zwei grösseren,
mit einer Sphinx inmitten, auf der Hohe dieses Helmes bestehen.

Im Garten

Vor der Terrasse, von welcher Treppen zu dem
betrachteten Hauptgebäude der Villa emporführen.
Zwei sehr colossale Busten des Trajan und Titus. — Zwei sitzende
Statuen gefangener Barbaren, in denen Winkelmann Celten zu
erkennen glaubte.

Im Gartenbezirke vor dem Billardgebäude: Eine
kleine Gruppe des Ulysses, welcher unter dem Widder aus der
Hohle des Polyphem entkommt.

In der rechtsliegenden der beiden obenerwähnten
Hallen in Tempelform: Bildsäule des Jupiter Serapis, sitzend
mit dem Adler zu Füssen. Auf dem Fussboden ein antikes
Mosaik aus schwarz und weissen Steinen, welches zwei nackte
gegeneinander laufende Männer mit einem runden Schilde in der
einen, und einer Fackel in der andern Hand vorstellt.

Am Friese der zweiten Thur des Galleriegebäudes:
Relief, den Kampf des Achilles mit dem Memnon vorstellend.
Zwischen den beiden gegeneinander fahrenden Streitwagen erhebt
sich, wie aus der Erde, eine weibliche Figur mit einem bogen-

förmig ihr Haupt umwallenden Schleier; vermuthlich die den bevorstehenden Tod ihres Sohnes beklagende Aurora. Einige Krieger befinden sich zu beiden Seiten der kämpfenden Heroen. An beiden Enden dieser Composition sieht man, in besonderen Abtheilungen, zwei Wassergötter, von denen der eine, mit dem Rohrstengel in der Hand, durch das etwas undeutliche Crocodil als der Nil, der andere durch den Seedrachen als der Ocean bezeichnet ist. Sie dienen vermuthlich zur Bezeichnung des Orients und Occidents, als der beiden Weltgegenden, aus denen jene Heroen kamen.

An der an das Gebäude anstossenden Gartenmauer: Schönes Relieffragment eines liegenden Hercules mit der Lowenhaut. Es besteht in dem Körper und dem linken Arme des Heros, nebst der Hand, welche seine grosse Trinkschale hält, in die ein Knabe in unverhaltnissmässig kleiner Dimension hineinsteigt, um dieselbe auszuleeren,

Unter den jetzt auf dem Wege von hier nach dem kleinen Gartengebäude, il Bigliardo genannt, aufgestellten Monumenten befindet sich ein merkwürdiger Sarcophag mit dem Wettrennen des Pelops und des Oenomaus, und ein merkwürdiger Grabcippus, der ehemals im Hofe des Palastes der Familie Albani in Rom stand. Er wurde, den Inschriften zufolge, von Caecilius Ferox und seiner Schwester Orestilla dem Fatum und dem Somnus geweiht. Auf der einen Querseite dieses Monumentes ist die Schicksalsgottin in der öfter vorkommenden Figur der ihr verwandten Nemesis, auf der andern der Schlaf, als geflügelter Knabe, der sich auf eine umgekehrte Fackel stützt, gebildet.

Neben dem letzterwähnten Gebäude: Theseus, welcher den Minotaurus erlegt; eine Gruppe von zwei nackten Figuren, gefunden in Genzano. Den als Mensch mit einem Stierkopfe gebildeten Minotaurus ergreift Theseus mit der Linken bei dem einen Horne, indem er mit der Rechten die Keule gegen ihn erhebt. — Darunter: Relief, welches spielende Amoren in einer schönen und anmuthigen Composition vorstellt, deren Figuren aber leider sehr verdorben und verstümmelt sind.

Das sogenannte Bigliardo hat eine von 18 Säulen getragene Vorhalle. Unter den jetzt im Innern dieses Gebäudes befindlichen Monumenten sind die beiden folgenden vornehmlich zu bemerken: Eine Bildsäule des Bacchus, stehend mit übereinander geschlagenen Beinen, mit dem linken Arme auf einen Baumstamm gestutzt, der mit Weinranken umwunden ist, von denen ein kleiner Pan und zwei Amoren Trauben pflucken. — Fragment eines cylinderformigen Marmors, vermuthlich der Rest einer Brunnenmündung, mit erhobenen Arbeiten von anmuthiger Erfindung. Man sieht auf demselben drei Amoren, von denen der eine auf einem Panther, der zweite auf einem Ziegenbocke und der dritte auf einem Stiere reitet, nebst drei Satyrn, von denen zwei beschäftigt sind, die beiden erstgenannten Thiere zu tränken, und einen Pan. Inmitten dieser Gruppen erhebt sich ein Candelaber.

Das hintere Gebäude der Villa, sogenanntes Kaffeehaus

Dieses Gebäude hat eine halbzirkelförmige Vorhalle, unter deren Arcaden 38 antike Saulen stehen. Unter den antiken Bildwerken, im Innern derselben, bemerken wir zuerst folgende Bildnisse in Heroengestalt:

Quintus Hortensius, mit dem Namen dieses berühmten Redners in antiker Inschrift. — Chrysippus; merkwürdig als das einzige bekannte Marmorbild dieses Stoikers; ganz entsprechend seinem Bildnisse auf einer in Soli oder Pompejopolis geschlagenen Münze. — Antisthenes, dessen Augen eingesetzt waren. — Lysias; ähnlich dem mit dem Namen dieses Redners bezeichneten Bildnisse im capitolinischen Museum. — Isocrates, mit dessen Namen in antiker griechischer Inschrift. — Unter den hier aufgestellten Busten ist eine des Hadrian zu erwähnen, wegen der Verzierungen des Panzers, die ganz denen einer andern, von uns im Museo Chiaramonti erwahnten Buste dieses Kaisers entsprechen.

Unter den 20 kleinen, auf ebenso vielen Saulen hier aufgestellten Statuen sind vornehmlich zu erwähnen: Pluto, auf dem Throne sitzend; neben ihm Cerberus. — Nemesis, mit emporgehobenem linken Arme zur Bezeichnung des Ellenmasses, welches auf das den Sterblichen ertheilte Mass deutet; — und Sylvan, Fruchte in dem aufgeschurzten Thierfelle tragend, welches ihm zur Kleidung dient.

Unter den grosseren Statuen: Eine Caryatide, lang bekleidet, ein Gefass mit Rosetten und arabeskenartigen Zierrathen auf dem Haupte tragend. — Eine colossale Bildsäule des Bacchus, dessen bis unter die Scham herabgefallenes Gewand uber einen mit Weinranken umwundenen Baumstamm geworfen ist.

Ueber der Thure des Einganges zum Inneren des Saales: Relief zu einem Grabmale. Man sieht hier ein Ehepaar auf einem Bette, den Mann liegend, die Frau zu seinen Fussen sitzend. Vor dem Bette ein mit Speisen bedeckter Tisch, unter demselben ein Hund. Vom Beschauer links vier stehende Frauen, in kleiner Dimension; vermuthlich Sclavinnen. Hinter dem liegenden Manne ein Eichbaum. Den Hintergrund bildet die Wand eines Zimmers mit einem Fenster, hinter welchem Kopf und Hals eines Pferdes erscheint.

In der Vorhalle des Saales: Statue des Marsyas, mit den Handen an einen Pinienbaum gebunden. Antik ist nur der

Körper nebst dem Kopfe, einem Theile der Hinterarme und der Schenkel. — Weibliche Bildsäule, die von einem Felsen herabzusturzen scheint, und in der man die vom Olymp nach Lemnos herabsteigende Juno, im 14ten Buche der Iliade, zu erkennen glaubte. Der antike Kopf ist der Figur fremd; und beide Arme, mit der Fackel in der Rechten, sind neu. — Vier Statuen comischer Schauspieler.

Im Innern des Saales: Seltene Statue einer Panin, mit einem Thierfelle bekleidet. Der Kopf ist antik, aber der Figur wohl nicht zugehörig. Unter die neuern Zusätze gehören die Hörner dieses Kopfes, und die Tibia in der rechten Hand. — Ein Ibis von Rosso antico. — Statue eines Knaben durch eine grosse Maske verhüllt, die er mit der nur in Relief angedeuteten linken Hand halt, während er die rechte durch den Mund der Maske steckt. — Zwei antike Mosaiken: der Gegenstand des einen, gefunden zu Atina im Königreich Neapel, ist die durch den Hercules erfolgte Befreiung der Hesione, Tochter des trojanischen Königs Laomedon, die, um den gegen ihren Vater erzürnten Neptun zu versöhnen, einem Meerungeheuer uberlassen wurde. In dem andern, gefunden zu Sarsina in der Romagna, ist eine Versammlung von sieben Männern vorgestellt, welche durch die Schlange als Symbol der Heilkunde in der Hand des einen derselben, als Aerzte bezeichnet scheinen.

Von den in den Wänden dieses Saales eingesetzten Reliefs, meistens Fragmenten, erwahnen wir hier nur die folgenden: Fragment einer Vorstellung des Triumphs des Bacchus über die Indier; merkwürdig wegen eines von den in diesen Vorstellungen selten vorkommenden Schaugerüsten, die bei den römischen Siegesgeprangen üblich waren, als deren Vorbild man den Triumph jenes Gottes betrachtete. — Der Tod des Meleager, in einer Composition, die an die Vorstellung dieses Gegenstandes im capitolinischen Museum erinnert, jedoch von dieser in einigen Puncten abweicht. — Der trunkene Hercules, um den Hals mit einem Blumenkranze, vermuthlich zu dem festlichen Gelage, geschmuckt, bei welchem Bacchus über ihn den Sieg erhielt. Zwei Satyrn und eine Frau sind bemüht den taumelnden Heros aufrecht zu halten, dessen ausgeleerte Trinkschale zu seinen Füssen liegt. Hinter der erwähnten Frau erscheint eine andere mit einem Salbgefässe in der Hand.

Im Fortgange nach der Hinterseite des Gebäudes sieht man an der Substructionsmauer eine bedeutende Anzahl von Fragmenten antiker Reliefs, und über einer Thür der Vorhalle ein erhobenes Werk, welches die Fabel der Phadra vorstellt. In der gedachten Halle sind jetzt die ägyptischen Denkmäler dieser Villa vereinigt: Eine 14 Palm hohe Bildsäule von grauem Granit, den Ptolomäus

Philadelphus vorstellend, wie nach Rosellini die Hieroglyphen an dem Pfeiler derselben zeigen. — Stehende Bildsaule von schwarzem Granit, welche, der Hieroglyphenschrift zufolge, die ägyptische Göttin Pascht vorstellt und unter dem König Ramses III., dem grossen Sesostris, verfertigt wurde. Sie ist löwenköpfig, mit dem Sonnendiscus und dem Uràus auf dem Kopfe dargestellt, hält in der Linken einen langen Scepter, und in der Rechten den sogenannten Nilschlüssel, das Symbol des Lebens. — Männliche Statue, ebenfalls von schwarzem Granit, schreitend vorgestellt, durch die Stellung und den Urans vor der Stirn als ein König bezeichnet. Von der Hieroglyphenschrift am Rückenpfeiler sind nur Fragmente erhalten. — Ein Canopus von grünem Basalt im ägyptischen Style aus der Zeit Hadrians, worauf Harpocrates in zweimaliger Wiederholung, und ägyptische Figuren und Symbole gebildet sind. — Mehrere Sphinxe.

Am Wasserquell gegen den hinteren Eingang der Villa: Eine kleine weibliche Figur von colossaler Grösse, mit dem linken Arme auf einem Stiere ruhend. Auf ihrer Basis sind Wellen angedeutet. — Zwei Tritonen in sehr colossalen Büsten, mit Flossfedern an den Backen und am Kinne, und statt der Augenbrauen.

In einem Schuppen, unter dem Billardgebäude, der auf Verlangen von dem Custoden geöffnet wird, befinden sich einige Monumente, die bei der veränderten Aufstellung bis jetzt noch keinen Platz erhalten haben. Dieselben sind: Das bekannte von Winckelmann in Ostia entdeckte Relief, dessen Gegenstände sich auf die Erkennung des Aegeus durch seinen Sohn Theseus beziehen. Man sieht, vom Beschauer rechts, den Abschied des Aegeus von seiner schwangeren Gemahlin Aethra, wobei er ihr verordnete, im Fall der Geburt eines Sohnes diesem seinen Vater nicht eher bekannt zu machen, als bis er den Stein erhoben haben werde, unter welchem Aegeus sein Schwert und seine Schuhe verbergen wolle. Vom Beschauer links ist Theseus, diesen Stein erhebend, vorgestellt. — Bildsäule der Leda, welcher zum Piedestale eine merkwürdige, zu Nettuno entdeckte Basis von grauem Marmor dient, die in Folge der griechischen Inschrift zu einer Statue gehorte, die Athanodoruᶜ, Agesanders Sohn, einer von den Meistern des beruhmten Laocoon, verfertigte. — Eine in archäologischer Hinsicht merkwürdige Ara, in zwei Stücke zersägt; vormals im Palaste Albani. Sie wurde, wie die Inschrift zeigt, von L. Cornelius Orphitus, im Jahre Roms 1043, nach Chr. G. 295, der Cybele geweiht. Die sehr schlechte Arbeit ihrer Reliefs, die sich auf die genannte Göttin beziehen, ist dem tiefen Verfall der Kunst dieser Zeit entsprechend.

In dem vorerwähnten Palaste befanden sich auch die Gemälde,

die man gegenwärtig in den Zimmern des Gartenhauses unweit vom Haupteingange der Villa sieht. Die wenigen unter denselben bemerkenswerthen sind folgende: — Zwei vortreffliche colorirte Zeichnungen von Giulio Romano, die zu seinen berühmten, im Palast del Te zu Mantua meistens von seinen Schulern ausgefuhrten Compositionen gehören. Ihre Gegenstände sind Vorstellungen aus der Fabel der Psyche. — Ein schönes Gemälde von Perugino, dessen Gegenstande in sechs abgetheilten Bildern folgende sind: Maria und Joseph, welche nebst zwei Engeln das Christuskind verehren; — Maria und Johannes, stehend zu beiden Seiten des gekreuzigten Heilandes, und vor demselhen knieend die h. Magdalena; — der h. Michael und Johannes der Täufer; — zwei andere Heilige, vermuthlich der h. Georg und der h. Hieronymus; — und die Verkündigung der h. Jungfrau. — Ein Gemalde, welches dem Pinturicchio, wir zweifeln ob mit Recht, zugeschrieben wird. Der Gegenstand desselben ist die h. Jungfrau auf dem Throne mit dem Christuskinde. Ihr zur Linken: die Heiligen Sebastian und Laurentius; zur Rechten: der h. Jacobus, und ein dieselbe verehrender Cardinal, der vermuthlich dieses Bild malen liess. — Der todte Heiland mit der in Ohnmacht gesunkenen Mutter Gottes, dem h. Johannes und der h. Magdalena; ein kleines Bild von Annibale Caracci. — Die Ruhe auf der Flucht nach Aegypten von Albano. — Die Abnehmung vom Kreuze von van der Werf; das einzige Werk in Rom von diesem niederländischen Maler, der seinen Ruf durch eine äusserst saubere und fleissige, aber dabei geistlose Ausfuhrung erhielt.

Porta Salara.

Im weiteren Fortgange von der Villa Albani, auf der salarischen Strasse, gelangt man zu der über den Anio, den heutigen Teverone, fuhrenden Brucke, Ponte Salaro, oder Salario, benannt. Sie ist in der römischen Geschichte durch den Sieg bekannt, den Manlius Torquatus uber einen Gallier erhielt, der ihn auf derselben zum Zweikampfe herausgefordert hatte. Nach ihrer Zerstörung in dem Kriege Justinians mit den Gothen wurde sie von Narses wiederhergestellt, wie die Inschriften an derselben anzeigten, die bei dem Abbrechen der Brucke durch die neapolitanischen Truppen, bei ihrem Rückzüge von Rom im Jahre 1798, in das Wasser gefallen sind.

§. 107.
S Maria della Concezione

Die Erbauung der Kirche S. Maria della Concezione und des zu ihr gehörenden Capuzinerklosters veranstaltete der Cardinal Francesco Barberini, Bruder Urbans VIII, im Jahre 1624, nach

Angabe des Antonio Casoni. An der Wand über dem Eingange sieht man den zu der Restauration des Mosaiks der sogenannten Navicella von Giotto in der Vorhalle der Peterskirche verfertigten Carton. Das Gemalde des Guido Reni, welches den Sieg des Engels Michael über den Satan vorstellt, in der ersten Capelle vom Eingange rechts, gehört zwar in Hinsicht der Farbe unter die besseren Oelgemalde des Künstlers, dürfte aber wegen der theatralischen Stellung des Engels und seines unbedeutenden Characters keineswegs seinem grossen Rufe entsprechen. Das Altarbild der dritten Capelle auf derselben Seite, welches den h. Franciscus vorstellt, den während seiner Entzückung ein Engel unterstutzt, ist ein Werk des Domenichino. Von demselben Künstler sieht man, an der Seitenwand dieser Capelle, den unteren Theil eines sehr verdorbenen Frescogemäldes, welcher von der Wand des den Klosterhof umgebenden Ganges abgesagt worden ist. Das Gemälde des h. Paulus, der durch das Auflegen der Hand des Ananias sein verlornes Gesicht wieder erhält, ist unter den Oelgemälden des Pietro da Cortona als ein vorzügliches Werk zu betrachten. Unter den übrigen Gemälden befinden sich zwei von Andrea Sacchi in den beiden letzten einander gegenüber stehenden Seitencapellen. Der oben erwahnte Stifter dieser Kirche, der Cardinal Francesco Barberini, dessen Gebeine in derselben ruhen, hat zum Denkmale nur einen Grabstein auf ihrem Fussboden, mit der einfachen Inschrift: Hic jacet pulvis, cinis et nihil. Die Generale des Capuzinerordens nehmen abwechselnd in Spanien und in dem mit der Kirche verbundenen Kloster ihren Aufenthalt.

S. Niccolò da Tolentino

Die Kirche S. Niccolò da Tolentino — welche die Familie Panfili nach Angabe des Gio. Battista Baratta im Jahre 1624 erbaute — ist reich mit Marmorbekleidung und Säulen geschmückt. Den Hauptaltar hat Algardi, und die mittlere Seitencapelle vom Eingange links Pietro da Cortona angegeben; die von ihm angefangenen Malereien der Kuppel derselben hat nach seinem Tode Ciro Ferri vollendet. Das Kloster bei dieser Kirche wird gegenwärtig von den, Monache Battistine benannten, Nonnen bewohnt.

S. Isidoro.

Die nach der im Jahr 1622 erfolgten Heiligsprechung des h. Isidorus demselben zu Ehren erbaute Kirche erhielt der gelehrte Wadding zu der von ihm übernommenen Stiftung eines Collegiums der irländischen Franciscanermönche, welche darauf den Bau des mit ihr verbundenen Klosters veranstalteten, das sie noch gegenwartig besitzen. Die Vorderseite dieser Kirche hat Bizzaccheri angegeben. Die Gemälde der ersten Seitencapelle, vom Eingange

rechts, sind Werke des Carlo Maratta, und das Bild des Hauptaltares, welches den h. Isidorus die h. Jungfrau verehrend vorstellt, ist von der Hand des Andrea Sacchi.

Porta Pinciana

Das seit den Zeiten der französischen Revolution verschlossene
Thor, welches von dem Monte Pincio den Namen Porta Pinciana
fuhrt, ist von grossen Travertinquadern aufgeführt. Das Zeichen
des Kreuzes, welches man in der Mitte des Bogens sowohl an der
inneren als der äusseren Seite dieses Thores bemerkt, zeigt, dass
es in christlichen Zeiten, entweder ausgebessert, oder neu erbaut
wurde. Das auf dem Travertinbau ruhende Gesims ist unstreitig
ein Fragment eines alteren Gebäudes. Ueber demselben erhebt
sich eine schlecht zusammengefugte Ziegelmauer mit Zinnen,
welche auch das Thor zu beiden Seiten zwischen zwei runden
Thurmen umgibt.

S. Giuseppe a Capo le Case.

Die Erbauung der kleinen Kirche und des Klosters der Car-
meliterinnen, S. Giuseppe, mit dem heutigen Beinamen a Capo le
Case, erfolgte im Jahre 1598. Ein die Geburt des Erlösers vor-
stellendes Gemälde, über dem Eingange derselben, ist als ein
nicht unverdienstliches Werk einer Nonne des Klosters, Maria
Eufrasia Benedetti, anzuführen. Das Gemälde des Seitenaltares
vom Eingange rechts ist von Lanfranco, und das Bild des Hauptaltares von Andrea Sacchi ausgeführt.

Ehemaliger Palast der Zuccheri

Das nach dem Platze Trinità de' Monti gelegene Gebäude,
zwischen den beiden Strassen Via Sistina und Gregoriana, gehörte
ehemals den beiden bekannten Malern Taddeo und Frederico Zucchero, die auch die Façade desselben angegeben haben. Ein
Zimmer des zweiten Stockwerkes ist wegen der Gemälde zu bemerken, deren Verfertigung der in Rom verstorbene preussische
Generalconsul Bartholdi, hier in seiner Wohnung, durch die
rühmlich bekannten deutschen Künstler Cornelius, Overbeck,
Philipp Veith und Wilhelm Schadow veranstaltete. Sie enthalten
auf das Leben Josephs im alten Testamente bezügliche Gegenstände. Der Verkauf Josephs durch seine Brüder ist von Overbeck,
und sein Entfliehen vor Potiphars Weibe von Philipp Veith ausgeführt; von Schadow die Brüder Josephs, die seinen blutigen
Rock ihrem Vater Jacob zeigen, und Joseph im Gefängnisse, seinen
Mitgefangenen die Träume auslegend. Wie derselbe vor Pharao
erscheint, um ihm seinen Traum auszulegen, und wie er sich
seinen Brüdern zu erkennen gibt, hat Cornelius in zwei einander

gegenüber stehenden Gemälden vorgestellt. Die beiden Bilder in den Lunetten unter dem Deckengewölbe deuten auf das Traumgesicht des Konigs von Aegypten von den fruchtbaren und unfruchtbaren Jahren. Das auf die fruchtbaren sich beziehende Gemalde von Veith zeigt eine Familie mit reich gefullten Fruchtkörben: die unfruchtbaren hat Overbeck unter dem Bilde einer Familie im Zustande der Dürftigkeit und des Grames, wegen des Mangels an Speise, vorgestellt.

Obelisk auf Piazza S Trinità de' Monti.

Der Obelisk, der sich auf dem Platze vor der Kirche S. Trinità de' Monti erhebt, ist aus römischer Zeit, wie aus der Arbeit der Hieroglyphen erhellt, die, nach den Bemerkungen des Herrn Dr. Lepsius, eine mangelhafte Nachahmung des Obelisken auf Piazza del Popolo zeigen, aber von der Zeit seiner Verfertigung keine Anzeige gewähren. Man fand ihn, in zwei Stücke zerbrochen, in den Trümmern der Gärten des Sallust, wo er höchst wahrscheinlich auf der Spina des in diesen Gärten befindlichen Circus stand. Pius VI. liess ihn, im Jahre 1789, unter der Leitung des Architecten Antenori hier aufrichten. Seine Höhe beträgt, mit Ausnahme des modernen Postamentes, 62½ Palm.

Die Kirche SS. Trinità de' Monti.

Die Kirche und das Kloster SS. Trinità de' Monti stiftete der König von Frankreich Carl VIII., im Jahre 1495, auf seinem Kriegszuge gegen das Konigreich Neapel, auf Bitten des h. Franeisens von Paola fur den von demselben gestifteten Mönchsorden. Nach der barbarischen Verwüstung dieser Kirche zur Zeit der französischen Revolution, durch die in das Kloster einquartirten Truppen, wurde sie auf Kosten Ludwigs XVIII. wieder hergestellt, und darauf, im Jahre 1816, von Neuem geweiht. Der Baukünstler, nach dessen Plane sie erbaut wurde, ist nicht bekannt. Eine doppelte Freitreppe fuhrt zu ihrem Eingange an der Vorderseite empor, an der sich zwei Glockenthürme erheben. Im Inneren des Gebäudes zeigen die Spitzbogen, zu beiden Seiten des Querschiffs, noch Spuren des sogenannten gothischen Styls. Die bei jener Verwustung dem gänzlichen Untergange entgangenen Frescomalereien haben, bei der Wiederherstellung der Kirche, starke Ausbesserungen erlitten, und zeigen daher in ihrem gegenwärtigen Zustande nur unvollkommen ihren ursprünglichen Character. Die Gemälde der dritten Capelle, vom Eingange rechts, sind theils von der Hand des Daniel von Volterra, theils nach seinen Cartonen ausgeführt; die Malereien der vierten Capelle, auf derselben Seite, erinnern an die Schule des Pietro Perugino. In der ersten Capelle, vom Eingange links, sieht man gegenwärtig das berühmte

Gemälde der Abnehmung vom Kreuze von Daniel von Volterra, welches, nach den sehr bedeutenden von -den französischen Truppen erlittenen Beschädigungen, von der Mauer der vierten Capelle auf derselben Seite abgenommen, aber nur sehr unvollkommen wiederhergestellt worden ist. Ueber dem Altare der funften Capelle ist der Heiland, welcher der h. Magdalena als Gartner erscheint, in einem Oelgemälde des Giulio Romano vorgestellt. Die verloren gegangenen Altarbilder der Seitencapellen sind durch Werke französischer Maler unserer Zeit, und durch ein Gemalde von Philipp Veith — in der dritten Capelle vom Eingange links — ersetzt worden. Das letztere — welches die h. Jungfrau mit zwei Engeln vorstellt, die uber ihr Haupt eine Krone erheben — ist durch eine ernste in demselben sich offenbarende Richtung der Kunst in der Behandlung religiöser Gegenstande ein erfreuliches Werk unserer Zeit. — Das Kloster besitzen, seit dem Jahre 1827, die, Dames du sacré coeur genannten, geistlichen Frauen, welche nicht allein hier Mädchen zur Erziehung aufnehmen, sondern auch armen Kindern weiblichen Geschlechtes unentgeltlich Unterricht ertheilen.

Villa Medici

Die von dem Cardinal Ricci da Montepulciano angelegte Villa kam, durch den Ankauf derselben von dem Cardinal Alessandro de' Medici, nachmaligem Papst Leo XI.. in den Besitz der Grossherzoge von Toscana. In das nach Angabe des Annibale Lippi erbaute Gartengebäude dieser Villa verlegten die Franzosen, die sich derselben zur Zeit der Revolution bemächtigten, die von Ludwig XIV. in Rom gestiftete Academie der bildenden Künste ihrer Nation, die, nach dem letzten pariser Frieden, durch einen Vergleich mit dem toscanischen Hofe, zum förmlichen Besitz der Villa gelangte. Die bedeutenden Denkmäler der Kunst des Alterthums, welche dieselbe so berühmt machten, sind nach Florenz gebracht worden, wo sie zu den bedeutendsten Zierden der grossherzoglichen Kunstsammlungen gehoren. Jetzt sieht man noch, an der nach dem Garten liegenden Seite des Gebaudes, mehrere in dasselbe eingemauerte, grossentheils stark erganzte antike Reliefs, von denen einige in den Admiranda des Santi Bartoli bekannt gemacht worden sind. Unter den im Garten aufgestellten Hermen und anderen meistens ganz unbedeutenden antiken Denkmälern, ist, am Ende des grossen, vor dem Gebäude liegenden Gartenplatzes, eine colossale Bildsäule der Roma zu bemerken, die, nach Zoegas Bemerkung, die einzige grosse Statue dieser Gottin in Rom ist, indem die ubrigen, welche diesen Namen fuhren, durch die Aegis als Minerva bezeichnet sind. — Das Personal der vorerwähnten französischen Academie besteht aus einem Director, der alle sechs Jahre verändert wird, und 24 Pensionairs, deren Arbeiten jährlich im Monat April öffentlich ausgestellt werden. Diese Academie besitzt eine ausgezeichnete Sammlung von Gypsabgussen antiker Bildwerke, die für jedermann offen steht und für Rom wichtig ist, weil sich in derselben mehrere Abgüsse von Monumenten befinden, die gegenwärtig nicht mehr in dieser Stadt vorhanden sind.

Gartenanlagen auf Monte Pincio und Obelisk in denselben.

Die zur Zeit der Herrschaft Napoleons auf Monte Pincio gemachten Gartenanlagen begriffen ehemals die Vigna des Klosters S. Maria del Popolo. Sie zeigen nicht den Character der italienischen Villen, sondern vielmehr den der sogenannten englischen Gärten. Die schöne Aussicht, welche dieser Garten gewährt, macht ihn zu einem angenehmen Spaziergange. Unter Pius VII. wurde hier, im Jahre 1822, der Obelisk errichtet, den man, in zwei Stücke zerbrochen, ausserhalb der Stadtmauern Roms, hinter der Kirche S. Croce in Gerusalemme, in den Ruinen eines Circus entdeckte, der von einigen Antiquaren dem Heliogabal, von anderen dem Aurelian zugeschrieben worden ist. Er befand sich seit Urban VIII. im Hofe des Palastes Barberini, bis ihn die Prinzessin Donna Cornelia aus dieser Familie dem Papste Clemens XIV. schenkte, der ihn in den Vatican bringen liess, wo er sich bis zu seiner hier erfolgten Aufrichtung bei dem Gebäude des Belvedere befand. Aus den Hieroglyphen desselben erhellt, nach den Bemerkungen des Herrn Dr. Lepsius, dass er vom Kaiser Hadrian seinem Günstlinge Antinous zu Ehren, nach dessen Tode in Aegypten, errichtet worden war.

Das Marsfeld.

§. 108.

Erste Abtheilung.

Die rechte Seite des Corso mit dem Reste der Ebene nach den Bergen.

Palast Torlonia

Der heutige Palast des Bankiers Torlonia, Herzogs von Bracciano, begreift in sich zwei verschiedene Gebäude, von denen das vordere (ehemals Palazzo Bolognetti), dem venetianischen Palast gegenüber, nach Angabe des Carlo Fontana, das hintere nach der des Canavari erbaut wurde. Der Eingang und die Hallen des Hofes sind mit einer beträchtlichen Anzahl von grossentheils

antiken Sculpturen geschmückt, unter denen wir als bemerkungswerth erwähnen: eine Wiederholung der angeblichen Bildsaule
des Zeno im capitolinischen Museum und zwei Reliefs von beträchtlicher Grösse; zuvor im Hofe des ehemaligen Palastes Savelli, jetzt Orsini. In dem einen derselben sind Thierkämpfe
vorgestellt. In dem andern — welches vermuthlich zu einem
dem M. Aurelius und Lucius Verus wegen der Siege über die
Parther errichteten Triumphbogen gehörte — sieht man die Gesandten jenes Volkes, welche den letztgenannten jener beiden
genannten Kaiser um Frieden zu bitten scheinen.

Palast ehemals Imperiali, jetzt Valentini.

Der Palast ehemals Imperiali, jetzt Valentini, wurde von der
Familie Bonelli, nach Angabe eines Dominicaners Domenico Paganelli, im Jahre 1585 erbaut. Die Vorderseite zeigt einen guten
einfachen Styl. In der Halle des Hofes und auf der Treppe
stehen mehrere antike Statuen, die meistens bei den Ausgrabungen der Ruinen von Gabii gefunden worden sind. Wir bemerken
unter ihnen folgende: Eine weibliche Bildsäule mit einem schon
gedachten Gewande von sehr guter Arbeit, und mit einer Fackel
und Aehren in den Händen von neuerer Ergänzung. — Eine
Statue des M. Aurelius in Kriegskleidung. — Eine Wiederholung
der durch die Inschrift als Urania bezeichneten Bildsäule im
Palast der Conservatoren. — Eine Minerva, durch die Aegis bezeichnet; — und eine Gruppe des Antoninus Pius und der älteren
Faustina, zwischen denen das Brustbild ihrer Tochter, der jüngeren
Faustina, erscheint; ein Werk in ganz erhobener Arbeit, gefunden
zu Porto d'Anzo.

Unter den Kunstwerken in den Zimmern dieses Palastes sind
vornehmlich zu bemerken die Gemälde des Angelico da Fiesole,
von der ehemaligen Predella des Hauptaltares der Kirche S. Domenico der genannten Stadt, von welcher jener beruhmte Künstler den Namen erhielt. In dem einen derselben, dem mittleren
jener Predella, erscheint der Heiland mit der Siegesfahne in der
Hand, umgeben von himmlischen Heerschaaren, die ihn mit Blas-
und Saiteninstrumenten bei seiner Ankunft empfangen. In zwei
anderen dieser Bilder sind die Erzväter, Apostel und Heiligen,
den Erlöser verehrend, vorgestellt; und in zwei schmäleren die
heiligen Männer und Frauen des Dominicanerordens, ebenfalls im
Ausdruck der Andacht. — Unter den ubrigen Gemälden dieses
Palastes befindet sich eine schöne Copie von Sassoferrato, von dem
Gemalde einer Grablegung Christi von Baroccio, und ein grosses
Bild von dem zu seiner Zeit berühmten Maler David, welches
Alexander den Grossen vorstellt, der von seinem Arzt Philippus
die Arznei empfängt, obschon er die Nachricht erhalten hatte, dass

derselbe von Darius bestochen worden sey, ihn mit Gift aus dem Wege zu räumen. — Auch sieht man hier zwei kleine Bildwerke von Benvenuto Cellini.

SS. Apostoli

Die von Pelagius I. (555—560) erbaute Kirche — welche ursprünglich den HH. Philippus und Jacobus geweiht war, und erst spater den Namen von den zwolf Aposteln erhielt — wurde, wegen ihrer Baufalligkeit, unter Clemens XI. im Jahre 1702 vollig neu erbaut. Die Vollendung der damals noch unausgeführt gebliebenen Vorderseite, erfolgte erst 1827, auf Kosten des Bankiers Torlonia. Von der alten Kirche steht noch die von dem Cardinal Giuliano della Rovere (nachmaligem Papst Julius II.), nach Angabe des Baccio Pintelli erbaute Vorhalle, jedoch entstellt durch die spater in die Arcaden des oberen Stockwerkes hineingebauten Fenster und durch die Ballustrade, auf welcher die Statuen der zwölf Apostel stehen. Die unteren Arcaden erheben sich auf achteckigen Säulen, an deren Hinterseite Pfeiler, zur Unterstützung des oberen Gebäudes, aufgeführt worden sind. An der einen Seitenwand der Halle sieht man das Denkmal des bekannten Kupferstechers Volpato von Canova, und an der anderen einen mit einem Eichenkranze umgebenen Adler in stark erhobener Arbeit, welcher mit Ausnahme einiger Ergänzungen antik ist. Das Innere der Kirche wird von Pfeilern in drei Schiffe getheilt. Das Deckengemälde des mittleren derselben ist von Gio. Battista Gauli, und das Bild des Hauptaltares von Domenico Muratori. Die Seitencapellen sind mit schonen Säulen von verschiedenen Marmorarten und mit Gemälden von Luti und anderen Malern des vorigen Jahrhunderts geschmückt. Die acht gewunden cannelirten Säulen von weissem Alabaster — in der Capelle des Crucifixes zur Rechten der Tribune — sollen in der alten Kirche gewesen seyn, in der sich auch die drei Grabmäler an den Seitenwänden des Chores befanden. Das eine derselben, vom Eingange links, — welches Sixtus IV. seinem Neffen, dem Cardinal Pietro Riario, errichtete — ist wegen seiner schönen Sculpturen vorzüglich bemerkungswerth. Hinter dem Sarge, mit der liegenden Bildsäule des Verstorbenen, sieht man, in erhobener Arbeit, die h. Jungfrau mit dem Kinde zwischen den Aposteln Petrus und Paulus, welche ihr zwei sie knieend verehrende Personen empfehlen, in denen man den Papst Sixtus IV. und den verstorbenen Cardinal vermuthen sollte, ungeachtet sie nicht in der Kleidung ihrer Würde erscheinen. An den beiden Pfeilern, welche das Gesims tragen: der h. Franciscus, durch das Kreuz bezeichnet, zwei andere Mönche und ein Bischof; vermuthlich Heilige des Franciscanerordens, zu dessen Mitgliedern auch der Verstorbene

gehörte. An der Basis, auf welcher sich der Sarg erhebt, zwei
trauernde Genien, auf das Wappen des Verstorbenen gestutzt. —
Die beiden ubrigen der gedachten Grabmäler sind an der entgegenstehenden Wand. Das obere wurde dem Cardinal Raffaele Riario,
und das untere einem französischen Ritter, Giraud Ansedun, mit
dessen Bildniss in ganzer Figur, im Jahre 1505 errichtet. —
Am Eingange der Sacristei erhebt sich das Grabmal Clemens XIV.
von Canova.

Das mit dieser Kirche verbundene Kloster besitzen seit dem
Jahre 1463 die Minoriten (Frati minori conventuali di S. Francesco). Den Hof, dessen Seitenhallen grösstentheils zugemauert
sind, erbaute der vorerwähnte Cardinal Giuliano della Rovere,
nach Angabe des Antonio da Sangallo. In seiner Mitte steht ein
grosses antikes Gefäss von weissem Marmor, mit zwei Henkeln
und einigen unter dem Rande desselben gebildeten Knabenfiguren.
In dem unteren Gange des Klosters sieht man eine beträchtliche
Anzahl von Monumenten und Inschriften der alten Kirche, worunter sich das Grabmal des gelehrten Cardinals Bessarion befindet.
In einem anderen dieser Monumente hat man, ganz mit Unrecht,
das Grabmal des berühmten Michelagnolo Buonaroti erkennen
wollen.

Palast Colonna.

Der an die Kirche SS. Apostoli angrenzende Palast Colonna
scheint ursprünglich zur Wohnung der Papste und der Cardinal-
titularien dieser Kirche bestimmt gewesen zu seyn. An die
Familie Colonna kam er vermuthlich erst durch Martin V. aus
dieser Familie, der ihn erneuerte und darauf einige Jahre bewohnte. Auch mehrere seiner Nachfolger des 15ten Jahrhunderts
pflegten in demselben ihren Sommeraufenthalt zu nehmen. Dieser
Palast ist seit den späteren Zeiten des 16ten Jahrhunderts nach
und nach fast gänzlich im modernen Geschmack umgestaltet worden. Von dem alteren Gebaude ist noch im Erdgeschoss eine
Reihe von Zimmern vorhanden, die gegen den hinteren Hof zu
liegen. Im ersten derselben, welches ursprünglich eine offene
Loggia war, sieht man an der Decke noch die von Vasari erwahnten Malereien von Perugino, jedoch grösstentheils übergangen
von neueren Händen. Sie bestehen in grau gemalten Geschichten und einzelnen Figuren, einigen kleinen runden Bildern in
Bronzefarbe und reichen Arabeskenverzierungen, welche durch den
in ihnen herrschenden schönen Geschmack vorzügliche Aufmerksamkeit verdienen. Ausgezeichnet sind auch in dieser Hinsicht,
sowohl in diesem als in den ubrigen der gedachten Zimmern, die
Capitelle unter den Kreuzbogen der Decke. Im zweiten Zimmer

sieht man, an den Wänden, Seestücke von Tempesta, und im dritten Landschaften von schönen Compositionen von Caspar Poussin. Die übrigen Gemälde dieser Zimmer sind unbedeutende Werke von Malern aus den späteren Zeiten des 16ten Jahrhunderts. In dem vorerwahnten Hofe sieht man auch noch die schöne Architectur der Aussenseite dieses Theils des Palastes, den, wie die Inschriften uber den Thüren und Fenstern zeigen, der Cardinal von S. Pietro in Vincoli, nachmaliger Papst Julius II., erbaute.

Nach dem bedeutenden, seit der französischen Revolution erlittenen Verluste der Sammlung von Kunstwerken des Palastes Colonna befindet sich in demselben immer noch eine beträchtliche Anzahl von Gemälden und antiken Bildwerken, unter denen wir uns auf die Anzeige der vorzüglichsten beschranken.

Auf der Treppe sieht man eine antike Bildsäule eines gefangenen Barbaren und den Gypsabguss eines Medusenhauptes von Porphyr, welches sich ehemals hier befand. Das Deckengemälde von Lanfranco, in dem Vorsaale des Palastes, zeigt eine allegorische, auf den Sieg bei Lepanto bezügliche Vorstellung. Unter den Denkmälern des Alterthums, in den folgenden Zimmern, ist vornehmlich zu bemerken, das Fragment einer Brunnenmündung von penthelischem Marmor. Auf demselben sind, im Tempelstyle, die stehenden Figuren des Jupiter und der Ceres gebildet, welche Mohn und Aehren einer männlichen Figur darreicht, von welcher der ganze obere Theil verloren gegangen ist. Die Flügel an ihren Füssen sollten in derselben den Mercur erkennen lassen: allein Welcker, der diese Vorstellung auf die Stiftung des Ackerbaues durch die Demeter bezieht, glaubt in ihr wahrscheinlicher den Triptolemos zu vermuthen. Zwischen dieser Figur und der Ceres steht die Cista mystica, aus der sich eine Schlange erhebt.

Von den Gemälden der gedachten Zimmer erwähnen wir folgende:

Maria, welche von der h. Elisabeth den kleinen Johannes empfangt: vor ihr das schlafende Christuskind, hinter derselben Joseph; Figuren in Lebensgrösse in einem etwas manierirten, aber dabei grossartigen Style, der vielmehr an die Schule des Michelagnolo, als an den Parmigianino erinnert, dem dieses Bild zugeschrieben wird. — Die h. Jungfrau mit dem Kinde, nebst dem kleinen Johannes dem Täufer, und den HH. Joseph und Franciscus. von Benvenuto da Imola. — Maria mit dem Kinde, fast in Lebensgrösse; dem Giulio Romano, wie es scheint, mit Recht zugeschrieben, aber stark ausgebessert. — Zwei kleine Bilder von schöner fleissiger Ausführung, von einem Maler der alteren niederländischen Schule, aber nicht von Johann von Eyk, dem sie falschlich beigelegt werden. Man sieht in beiden die h. Jungfrau mit dem Christuskinde, umgeben von sechs kleinen runden Bildern, welche theils Gegenstände aus dem Leben des Heilandes, theils Geschichten der Mutter Gottes vorstellen. — Eine Vorstellung von Kriegern vor einer Stadt; eine Skizze von etwas manierirter Zeichnung, aber mit vieler Klarheit der Farbe ausgeführt; angeblich nach Bagnacavallo. — Der Heiland schwebend über den sich zur Auferstehung öffnenden Gräbern der Personen des Hauses Colonna; von Pietro da Cortona. — Schönes Bildniss eines schwarz gekleideten Mönches, sitzend mit einem Buche in der Hand; von Tizian. Ein anderes, ebenfalls schönes Bildniss eines bärtigen Mannes, mit jenem von gleicher Grösse, wird demselben Künstler zugeschrieben, scheint ihm aber nicht zu entsprechen. Ganz ungegründet hat man in diesen beiden Bildnissen den Luther und Calvin erkennen wollen. — Die Entführung der Europa, in lebensgrossen Figuren, von Albano. — Der h. Hieronymus, betend in der Wüste; ein schönes mit Kraft und Klarheit ausgeführtes Gemälde, aus dem 15ten Jahrhundert; aber weder dem Perugino, dem es zugeschrieben wird, noch seiner Schule entsprechend. — Bildniss eines langbärtigen Mannes in halber Figur, mit einem Buche in der Linken, in schwarzer, mit Pelzwerk aufgeschlagener Kleidung, und einer schwarzen Mütze auf dem Haupte; ein vornehmlich durch Schönheit und Klarheit der Farbe höchst ausgezeichnetes Werk eines Malers der altdeutschen oder niederländischen Schule. Dem Holbein, dem man es beilegen will, entspricht es, nach unserer Meinung, nicht. — Schönes Bildniss von Paolo Veronese; ein stehender Mann in mehr als halber Figur, in grünem Unterkleide und einem mit Pelz aufgeschlagenem Oberkleide von derselben Farbe. — Zwei männliche Bildnisse in halben Figuren in schwarzer Kleidung von Tintoretto. — Bildniss eines Mannes mit einem Zwickelbarte; ein altdeutsches oder niederländisches Gemälde von sehr bestimmter und fleissiger Ausfuhrung; angeblich von Johann von Leyden.

Im Vorgemache des langen, la Galleria benannten, Saales stehen zu beiden Seiten einer Glasthür, zwei cannelirte Säulen von Giallo antico. Unter den Gemälden daselbst befinden sich 13 Landschaften in Wasserfarben von Caspar Poussin; — vier Landschaften in Oel von van Bloemen, l'Orizonte genannt; — Apollo und Daphne von Nicolaus Poussin; — und eine durch Klarheit der Farbe und geistvolle Ausführung ausgezeichnete Landschaft von Johann Breughel. — Unter den beiden Fenstern sind zwei merkwürdige antike Reliefs eingemauert. In dem einem ist ein Fackellauf des Eros und Anteros bei einer die gymnastische Oertlichkeit andeutenden Herme vorgestellt. In dem andern sieht man eine Freilassung durch Testament (Manumissio ex testamento). Vor dem Prätor erscheint der Sclave, welcher seine Befreiung erwartet, und der Lictor, welcher die Festuca zu dem letzten Schlag bereit hält. — Noch sind hier zwei kleine Schränke (Studioli) zu erwähnen; nicht als Werke von schönem Geschmack, sondern wegen der Kostbarkeit des Stoffes und der technischen Geschicklichkeit. In letzter Hinsicht ist vornehmlich der eine ausgezeichnet, den zwei deutsche Kunstler, Franz und Dominicus Steinhard, verfertigten. Er ist aus Ebenholz gearbeitet und mit kleinen sehr fleissig ausgefuhrten Reliefs von Elfenbein verziert, unter denen sich das jüngste Gericht von Michelagnolo und einige Compositionen in Raphaels Loggien befinden.

Der vorerwahnte durch vorzügliche Pracht und Grösse ausgezeichnete Saal wurde nach Angabe des Antonio del Grande angefangen und unter der Leitung des Girolamo Fontana beendigt. Zwei grosse mit Giallo antico überzogene Saulen erheben sich am Eingange von dem zuvor betrachteten Vorgemache, und zwei andere an dem durch einige Stufen erhöhten Hintergemache. Die Wande sind mit corinthischen Pilastern von dem gedachten Marmor und mit Trophäen in vergoldeter Stuccatur zum Andenken des beruhmten Sieges bei Lepanto geschmückt, an welchem der Fürst Marc Antonio Colonna als Befehlshaber der päpstlichen Schiffe Antheil hatte, und auf den sich auch die Frescomalereien der Decke beziehen. Die Fensterverkleidungen sind aus africanischer Breccia verfertigt; und der Fussboden ist mit verschiedenen schönen und kostbaren Marmorarten ausgelegt.

Unter den an den Wänden hier aufgestellten antiken Statuen — meistens stark ergänzt und von keiner vorzüglichen Bedeutung — befindet sich eine Wiederholung der angeblichen Bildsäule des Germanicus zu Paris und die öfter wiederholte Figur einer Venus, die, vermuthlich aus dem Bade kommend, ihr langes Haar mit beiden Händen fasst. Unter den an einigen Postamenten jener Statuen eingesetzten Fragmenten von erhobenen Werken des Alterthums bemerken wir: die Vorstellung des Adlers, welcher den Ganymedes raubt; — einen Amor mit der Lowenhaut des Hercules; — und (unter den beiden Bildsäulen am Ende der Gallerie) zwei Windgötter, in stehenden nackten Figuren, die mit zwei Flügeln am Haupte und zwei an den Schultern gebildet sind. — Die unter den Fenstern eingemauerten antiken Reliefs, die ebenfalls meistens aus Fragmenten bestehen, befanden sich ehemals in dem Landhause der Colonna in der Nahe des alten Bovillae, wo sie vermuthlich gefunden worden sind. Unter ihnen scheinen vornehmlich bemerkungswerth: Ein Fragment, welches einen todten, von einigen Figuren getragenen Krieger in einer schönen Gruppe zeigt. Ein anderer zu derselben Vorstellung, wahrscheinlich der Leichenbestattung Hectors, gehörender Theil ist in Grotta Ferrata. — Zwei Amoren auf Meerwundern. Das eine derselben ist ein nicht häufig vorkommender Seelöwe. — Unter den an

den Wänden aufgehängten Gemälden dieses Saales bemerken wir
nur folgende:

Die Bildnisse von vier Personen, angeblich der venetianischen
Familie Baldochini; ein gutes Gemälde, welches dem Giorgione
zugeschrieben wird, aber ihm nicht entspricht. — Die Erscheinung
des Heilandes in dem Limbus; ein Gemälde mit vielen Figuren
von geringer Grosse, welches man zuerst dem Marcello Venusti,
dann dem Angiolo Bronzino zugeschrieben hat. Es zeigt nicht
nur in dem Style den Nachahmer des Michelagnolo, sondern
erinnert auch in der Erfindung an das jüngste Gericht dieses
grossen Kunstlers. Uebrigens zeigen die Figuren gute fleissige
Ausfuhrung und Wissenschaft in der Zeichnung des Nackten. Am
Fusse der von Engeln getragenen Säule, an welcher Christus gegeisselt ward, liest man die Jahrzahl MDXXIII. — Das Bildniss
des Carlo Colonna, Herzogs von Marsi, der sich zuerst in Kriegs-
diensten des Kaisers Ferdinands II., dann des Königs von Spanien
im niederlandischen Kriege befand. Er ist hier zu Pferde in einer
Schlacht vorgestellt, indem die Fama mit einer Saule, dem Wappen der Colonna, erscheint. Dieses Gemälde, welches dem Rubens zugeschrieben wird, aber eher dem Van Dyk entsprechen
durfte, ist jedenfalls das Werk eines vorzüglichen Meisters aus
der Schule jenes beruhmten Kunstlers. — Die Marter der h.
Agnes von Guercino. — Ein Bauer bei der Mahlzeit, von Caravaggio. — Zwei schöne Bildnisse eines bärtigen Mannes im vorgeruckten Alter und eines jüngeren, der ein Blatt Papier hält,
beide in schwarzer Kleidung, in einem Gemälde von Tintoretto.

In dem hinteren, durch einige Stufen erhöhten Gemache der
Gallerie ist vornehmlich ein schones Gemalde von Palma vecchio
zu bemerken. Der Gegenstand ist die h. Jungfrau mit dem
Christuskinde, welcher der h. Petrus einen dieselbe verehrenden
Mann empfiehlt, der vermuthlich ihr zu Ehren das Bild malen
liess. — Auch ist hier bemerkungswerth ein anderes Gemälde,
welches dem Tizian zugeschrieben wird, wahrscheinlicher aber
dem Tintoretto beigelegt werden dürfte und grösstentheils nur
eine Anlage, aber mit sehr geistreicher Behandlung zeigt. Man
sieht in demselben einen Mann und drei Frauen — wahrscheinlich
Bildnisse zu einer Familie gehörender Personen — welche den
heiligen Geist verehren, der in einer Glorie von Engeln erscheint.
— Ein gutes Gemälde aus der venetianischen Schule, welches
man falschlich für eines der fruheren Werke Tizians erklart,
stellt die b. Jungfrau vor, der ein Engel Früchte fur das Christuskind darbringt. Die Heiligen Joseph und Hieronymus, und eine
heilige Frau, mit einem Buche in der Hand, sind dabei gegenwärtig. — Die übrigen hier befindlichen Gemälde bestehen grossentheils in Bildnissen von Personen der Familie Colonna, worunter

besondere Erwähnung cin schönes Bild von Van Dyk verdient, welches die Lucrezia Tornacelli Colonna, stehend in schwarzer Kleidung mit einem runden weissen Halskragen, vorstellt.

In einem abgelegenen runden Saale (Kaffeehaus) sind drei wegen ihrer Vorstellung merkwurdige antike Reliefs zu bemerken: 1. Ein Hermaphrodit, der in der Linken den eine Herme des bärtigen Bacchus bekranzenden Amor halt, und mit dem rechten Ellenbogen sich auf eine Säule lehnt, auf der sich ein weibliches Idol im Character des Tempelstyls erhebt. Im Hintergrunde zu beiden Seiten eines Baumes: ein zweihenkliches Gefäss auf einer Saule, an welche zwei kreuzweis gelegte Fackeln gebunden sind, und ein runder Tempel, an welchem ebenfalls zwei kreuzweis angebundene Fackeln erscheinen. — 2. Ein auf der Syrinx blasender Satyr, mit dem linken Arme auf einem Postamente ruhend, auf dem man eine Nebris, ein Laubgewinde und eine ebenfalls mit einer Nebris bekleidete Pansherme bemerkt. — 3. Ein jugendlicher Bacchus, stehend, mit dem Arme auf eine Pansherme gestützt. Ihm zur Rechten erhebt sich, auf einem Postamente, die Bildsäule der Telete, oder einer ähnlichen Mysteriengöttin, mit einem Kranze in der Hand.

Garten des Palastes Colonna.

Zu dem anmuthigen Garten des Palastes Colonna gelangt man, ausser von drei mit dem Palast verbundenen Brücken, von der Via Pilotta und vermittelst eines Einganges von dem Platze des Quirinals. Beim Eintritt von dem zuvor betrachteten Hintergemache der Gallerie sieht man, ausser einigen stark ergänzten antiken Statuen, die Bildsaulen des oben erwahnten Marc Antonio, des Fabrizio und des Prospero Colonna, in romischer Kriegskleidung. Zu den Statuen der beiden letzteren, die als Feldherrn in den italienischen Kriegen in den ersten Zeiten des 16ten Jahrhunderts bekannt sind, hat man die Körper romischer Kriegerstatuen benutzt, deren Panzer mit Reliefs verziert sind. Auf dem einen sieht man eine stehende Roma, zu deren Füssen die Figuren der Erde und des Meeres erscheinen, und auf dem anderen einen knieenden Gefangenen mit einem Kinde bei einer Trophae zwischen zwei Victorien. — Unter den in den übrigen Theilen des Gartens zerstreuten antiken Denkmalern sind folgende wegen der Vorstellungen vorzüglich zu bemerken:

Die seltene, auf keinem antiken romischen Bildwerke bekannte Vorstellung der Aegina in Relief, durch die Schildkrote als das Emblem dieser Insel bezeichnet, die von jener Tochter des Asopus den Namen erhielt. Bei ihr der Adler Jupiters, der mit derselben den Aeacus erzeugte. — Eine nicht gewohnliche Vorstellung des Aeon, in einem erhobenen Werke, welches man im Thale des Quirinus in einem unterirdischen verschlossenen Zimmer entdeckte. Er ist stehend, mit vier Flügeln, von denen zwei aufwärts und zwei abwärts gehen, gebildet; und um jeden dieser Flügel ist eine Schlange gewunden. In der Linken hält er eine Fackel, während er begriffen ist, das Feuer einer vor ihm stehenden Ara anzublasen. Der aus dem Munde gehende Hauch des Gottes ist durch einen sehr roh gebildeten, bis zur gedachten Ara gebenden Strahl angedeutet. — Ein Sarcophag von beträchtlicher Grösse. Man sieht auf demselben, in einem mit Waaren beladenen Schiffe, einen Mann, dessen Figur dabei auf einem zweirädrigen, mit zwei Pferden bespannten Wagen wiederholt scheint. Im Schiffe ist in einer liegenden Frau vermuthlich Amphitrite oder eine andere Wassergöttin, und, unter den Pferden des Wagens, die Erde in einer weiblichen Figur, die mit dem Arme auf einem Fruchtkorbe ruht, vorgestellt. Diese Gegenstände scheinen sich demnach auf die Land- und Seereise einer und derselben Person mit Beistand der Gottheiten des Landes und des Meeres zn beziehen, worauf auch, an beiden Enden des Reliefs, eine Meilensäule mit einer Kugel auf ihrem Gipfel und ein Leuchtthurm deuten.

Auf der durch die Höhe des Quirinals gebildeten Terrasse des Gartens sieht man in den Fragmenten von einem Säulengebälke, und einem Pilastercapitelle von ausserordentlicher Grosse die noch erhaltenen Reste des sogenannten Frontespizio di Nerone, welches vermuthlich zu dem von Aurelian erbauten Sonnentempel gehörte. Sowohl von diesem, als von dem antiken Ziegelgebaude beim Eingange des Gartens vom Quirinal, ist in der Einleitung §. 16. gesprochen worden.

Palast Odescalchi.

Der der Kirche SS. Apostoli gegenüber liegende Palast, der ursprünglich der Familie Colonna di Gallicano gehörte, ist seit dem Jahre 1745 im Besitz des Prinzen Odescalchi. Die Vorderseite ist nach dem Plane des Bernini ausgefuhrt. Auf dem ersten Absatz der Treppe sieht man, in zwei antiken Bildwerken von stark erhobener Arbeit, zwei weibliche Figuren, die personificirte Provinzen vorstellen. Die eine, welche unweit der Piazza di Pietra gefunden wurde, hält eine Sichel in der Hand. Uebrigens zeigt dieser Palast dermalen nichts Bemerkungswerthes.

§. 109.
Via del Corso.

Die Via del Corso, die wir nun in unserer Beschreibung zuerst berühren, ist die Hauptstrasse des neueren Roms und erstreckt sich, in der Länge von ungefahr einer Miglie, in gerader

Richtung von Piazza di Venezia bis zur Piazza del Popolo. Sie führt ihren Namen von den in derselben während des Carnevals gehaltenen Pferderennen und ist überhaupt der vorzüglichste Schauplatz der Lustbarkeiten dieser Zeit. Die Carnevalsfeste — die schon früher als hier auf Monte Testaccio und Piazza Navona gefeiert wurden — wurden in dieser Strasse unter Paul II. (1464 —1471) eingefuhrt. Der Carneval beginnt gegenwartig in Rom den Sonnabend vor dem vorletzten Sonntage vor der Fastenzeit und endigt mit dem Dienstage vor dem Aschermittwoch. Am Freitage, als dem Sterbetage des Heilandes, an den beiden Sonntagen und den Festtagen der Heiligen, wenn deren in diesen Zeitraum fallen, sind die Lustbarkeiten auf den Strassen untersagt, jedoch an den Abenden der Sonntage die Maskenbälle im Teatro Aliberti erlaubt. An den übrigen Tagen beginnt die Freiheit, öffentlich in Masken zu erscheinen, um 1 Uhr nach Mittag, durch Verkundung derselben mit der Glocke des Capitols. Den Beschluss der Lustbarkeiten im Corso macht das Pferderennen, auf welches, am letzten Tage des Carnevals, noch das Fest der Moccoletti folgt, wie die Wachslichter benannt werden, mit denen dabei die Personen zu Fuss und Wagen und in den Fenstern der Gebäude des Corso erscheinen, und die man zum Scherz gegenseitig auszublasen sucht.

S. Marcello.

Die dem heil. Marcellus geweihte Kirche, die zuerst in dem bekannten Concilium des Symmachus erwähnt wird, wurde nach ihrem gänzlichen, durch Baufälligkeit verursachten Einsturz am 21. Mai 1519, im Pontificate Clemens VII., neu erbaut, nach Angabe des Giacomo Sansovino. Die von Carlo Fontana angegebene Vorderseite zeigt einen sehr schlechten Geschmack. Der Hauptaltar, die Decke mit vergoldeten Zierrathen und die von Gio. Battista da Novara ausgefuhrten Gemalde der Tribune und an den Wanden des einzigen Schiffes dieser Kirche wurden bei der im Jahre 1597 auf Kosten der Familie Vitelli unternommenen Erneuerung derselben verfertigt. In der funften Capelle, vom Eingange rechts, sieht man an der Hinterwand Malereien von Francesco Salviati, und an den Seitenwänden von dem vorerwähnten da Novara. In der darauf folgenden Capelle bewahrt man ein sehr verehrtes Crucifix, welches gewöhnlich ein Gemälde auf Goldgrund von Luigi Garzi bedeckt. Die von Perin del Vaga unvollendet gelassenen Malereien dieser Capelle wurden von Daniel von Volterra und Pellegrino von Modena beendigt. Auch sieht man hier das Grabmal des als Staatssecretär Pius VII. bekannten Cardinals Consalvi. In der vierten Capelle, vom Eingange links, hat Taddeo Zucchero die Frescomalereien, und dessen

Bruder Federico das Altarbild ausgeführt. Das Kloster bei dieser
Kirche, mit der auch eine Pfarrei verbunden ist, wird von den
Serviten bewohnt.

Ehemaliger Palast der franzosischen Academie.

Der von dem Herzog von Nivers nach Angabe des Rinaldi
erbaute Palast, — in welchem sich ehemals die französische
Academie der bildenden Künste befand — gehört dermalen den
Erben der Prinzessin Sciarra. Er verdient wegen eines merk-
würdigen Reliefs besucht zu werden, welches über dem Brunnen
des Hofes eingemauert ist, in welchem es im Jahre 1814 bei der
Erneuerung des Palastes gefunden ward. Dem Styl und der
Arbeit zufolge — deren Vorzuglichkeit man ungeachtet des sehr
verdorbenen Zustandes erkennt — lasst sich in demselben ein
Werk eines Meisters der vorrömischen Zeit vermuthen. Der
Gegenstand ist die Medea und die Peliaden, welche, durch die
Hinterlist jener Zauberin zur Befriedigung der Rache des Jason
bethört, im Begriff sind, ihren Vater zu tödten und seinen in
Stücke zerschnittenen Korper in einem Kessel zu kochen, um ihm
dadurch die Jugend wieder zu ertheilen.

Palast Sciarra.

Der nach Angabe des Flaminio Ponzio erbaute Palast des
Prinzen Sciarra Colonna ist in Hinsicht der Architectur das vorzuglichste Gebäude am Corso. Einen minder guten Styl zeigt das
vermuthlich spater hinzugefugte Portal. Die Gemäldesammlung
dieses Palastes ist eine der bedeutendsten in Rom, zwar nicht hin-
sichtlich der Anzahl, aber des Werthes der Bilder, die mit wenigen
Ausnahmen aus dem Palast Barberini, in Folge der Theilung des
Vermogens dieser Familie mit dem Hause Sciarra Colonna, hierher gekommen sind. Wir bemerken unter denselben folgende:
Im ersten Zimmer: Christus mit der Samariterin am
Brunnen in einer Landschaft, in welcher im Hintergrunde die
Apostel erscheinen; eines der vorzüglicheren Gemälde des Garofalo. — Maria mit dem Kinde zwischen dem h. Laurentius und
Johannes dem Evangelisten; ein gutes Bild von einem Meister
des 18ten Jahrhunderts, angeblich aus der Schule des Perugino,
an dessen Styl es aber nur entfernte Annäherung zeigt. — Die
h. Jungfrau mit dem Christuskinde, der kleine Johannes der
Taufer und die h. Anna, von Innocenzo da Imola. — Die h. Barbara von Pietro da Cortona. — Die h. Francesca Romana mit
einem Engel, von Carlo Veneziano. — Isaak's Opfer von Gerhard
Honthorst, in Italien Gherardo della Notte genannt. — Die triumphirende Roma und die Enthauptung Johannes des Täufers; zwei
grosse Bilder von Valentin.

Im zweiten Zimmer, dessen Gemälde fast sämmtlich in
Landschaften bestehen: Ein kleines, durch vortreffliche Farben-
wirkung ausgezeichnetes Bild von Claude Lorrain, welches beim
Untergange der Sonne die Ansicht einer schönen Gegend zeigt,
auf deren Vorgrunde einige Jäger zu Pferde erscheinen. —
Vier Landschaften von Paul Brill. — Drei von Johann Both. —
Eine von Nicolaus Poussin, in welcher der Evangelist Matthäus
mit einem Engel erscheint; — und eine andere von Johann
Breughel, in der man unter mehreren anderen, schon ausgeführten
Figuren den h. Johannes, den Heiland taufend, bemerkt.

Im dritten Zimmer: Maria mit dem Kinde, welches einen
Vogel hält, zwischen den HH. Franciscus und Hieronymus; von
Francesco Francia, aber keines seiner vorzüglichen Werke. —
Zwei Gemälde von gleicher Grösse von Garofalo: die Vestalin
Claudia, das Schiff Salvia mit dem Bilde der Cybele auf der Tiber nach Rom ziehend, und die Zauberin Circe, welche die Menschen in Thiere verwandelt. — Zwei kleinere Bilder, welche die
Anbetung der Könige und den Heiland, wie er der Magdalena
als Gärtner erscheint, vorstellen, sind, wie viele andere angebliche Gemälde des Garofalo, vermuthlich Werke seiner Schuler
und Nachahmer. — Zwei kleine, mit vielem Ausdruck des Lebens
ausgeführte Gemälde von Tempesta. Das eine stellt eine Jagd
vor, das andere einen Sturm auf eine belagerte Stadt. — Ein
Gemälde, angeblich von Gaudenzio Ferrari, ehemals in einer
Kirche zu Monte Flavio; mehr, als durch bedeutenden Kunstwerth, ausgezeichnet durch die sonderbare Vorstellung des Paradieses, welches ein Engel einem Heiligen zeigt. — Moses mit den
Gesetztafeln in halber Figur; eines der früheren Gemälde des
Guido Reni, in der Manier des Caravaggio. — Ein schönes kleines
Bild von Teniers. Die Scene ist das Innere eines Zimmers. Ein
Bauer hält ein Glas empor; ein zweiter stopft die Tabakspfeife,
wahrend ein dritter, im Hintergrunde, ein natürliches Bedurfniss
befriedigt. — In zwei anderen kleinen Bildern desselben Künstlers
sieht man die Brustbilder von zwei Bauern, von denen der eine
ein Zeitungsblatt, oder sonst etwas dergleichen liest. — Ein Gemälde von Lucas Kranach, mit dem Monogramm dieses Malers.
Der Gegenstand ist die h. Jungfrau mit dem Kinde, nebst dem
h. Joseph und mehreren Engeln in einer Landschaft. — Eine
kleine Landschaft von Johann Breughel. — Die Abnahme des
Heilandes vom Kreuze, von Baroccio. — Eine Copie von Raphaels
Fornarina im Palast Barberini, angeblich von Giulio Romano.

Im vierten Zimmer, in welchem sich die bedeutendsten
Gemälde dieser Sammlung befinden: Eines der schönsten Bildnisse Raphaels; ein in allen Theilen der Malerkunst hochst vollen-
detes Werk, mit der Jahrszahl 1518. Es zeigt, in weniger als

halber Figur einen jungen Mann von schöner Gesichtsbildung mit einem grünen, mit Pelzwerk aufgeschlagenen Mantel und einer schwarzen Mütze. Der mit Lorbeeren bekränzte Fiedelbogen in seiner Hand scheint ihn als einen ausgezeichneten Meister auf der Violine und Bratsche zu bezeichnen. — Die berühmten Spieler von Caravaggio; ein ebenfalls in seiner Art ausgezeichnetes Werk. Der Gegenstand sind zwei mit einander einverstandene Betrüger, die einen unerfahrenen Jüngling im Kartenspiele hintergehen. Der Ausdruck ist ungemein wahr und lebendig, und der Character der Personen entschieden national. Die Betrüger sind ächt italiänische Gauner, und der Betrogene un buon Minchione, nach italiänischer Redensart. Die bei Kraft und Klarheit der Natur entsprechende Farbe zeigt dieses Bild als ein Werk aus der früheren Zeit des Künstlers. — Zwei Frauen in halber Figur, in denen man die Eitelkeit und die Bescheidenheit vorgestellt glaubt; ein mit vieler Sorgfalt und sehr bestimmter Zeichnung ausgeführtes Gemälde, angeblich von Leonardo da Vinci, wahrscheinlicher von einem vorzüglichen Meister aus der Schule jenes bedeutenden Künstlers. — Der h. Sebastian an eine Saule gebunden: den Hintergrund bildet eine Landschaft; ein in Zeichnung und Farbe ausgezeichnetes Werk des Pietro Perugino. — Drei männliche Bildnisse nebst einem Kinde, ausgezeichnet durch Ausdruck des Characters und vortreffliche Farbengebung, auf einem Bilde von Tizian. — Ein schönes weibliches Bildniss in halber Figur, welches demselben Künstler zugeschrieben wird, dürfte wahrscheinlicher einem anderen vorzüglichen Meister der venetianischen Schule beizulegen seyn. — Bildniss einer schwarz gekleideten Frau von Bronzino. — Sechs Vorstellungen aus dem Leben des Heilandes, in sehr kleinen Figuren, auf einem Gemälde in Wasserfarben von Giotto. — Drei kleine Bilder von dem sogenannten Hollenbreughel: Orpheus, der den Pluto um die Eurydice bittet, die Versuchung des h. Antonius, und die Schmiede Vulcans. Die Gegenstände sind in der dem Kunstler eigenthumlichen phantastischen Weise dargestellt. — Zwei kleine Landschaften von Johann Breughel, mit vielen menschlichen Figuren und Thieren, von geistreicher, lebendiger und ungemein fleissiger Ausführung. — Zwei ebenfalls kleine Landschaften von Albano. In der einen ist der Heiland mit der Samariterin, in der anderen die Ruhe auf der Flucht nach Aegypten vorgestellt. — Das Gleichniss des Evangeliums von dem verlornen Sohne; ein kleines Gemalde mit sehr schön ausgeführten Figuren, von einem älteren niederlandischen Künstler. — Ein anderes kleines Bild, den Tod der h. Jungfrau im Beiseyn der Apostel vorstellend, welches ebenfalls den Character der altdeutschen oder niederländischen Schule zeigt. Es ist durch Kraft und Klarheit der Farbe und ungemein sorgfältige Ausführung ausgezeichnet. Der Character der Köpfe fallt in das Gemeine, ist aber dabei wahr und lebendig. — Die bussende Magdalena nebst zwei Engeln; ein Gemalde von Guido Reni, welches nach unserer Meinung sehr mit Unrecht als ein Meisterwerk der Malerkunst gepriesen ward. Ein anderes, nicht minder schwaches Gemälde des Guido, das man hier sieht, zeigt eine Wiederholung jener Figur der Magdalena ohne die Engel. — Die Heiligen Lucas, Jacobus und Johannes, in drei Gemalden von Guercino. — Die Vorstellung eines jungen Ehepaars, in einem Gemälde von Agostino Caracci, welches man l'Amore congiugale benennt.

§. 110.

Fontana di Trevi.

Die Aqua Virgo des alten Roms erhielt den Namen Acqua di Trevi durch Verstümmlung des Wortes Trivio, von den bei der Wiederherstellung dieser Wasserleitung durch Nicolaus V. hier errichteten Brunnen, aus dem sich das Wasser aus drei Quellen ergoss. Das heutige Brunnengebaude, das grösste und prächtigste in Rom, wurde unter Clemens XII. nach Angabe des Niccola Salvi angefangen und unter Clemens XIII. vollendet. Es ist mit der Querseite des Palastes verbunden, der gegenwärtig dem Prinzen Piombino gehört. Das Wasser ergiesst sich aus mehreren Felsen in reichen Strömen in ein grosses Becken von weissem Marmor. Eine Gruppe des Neptun auf einem Wagen mit zwei Seepferden und Tritonen, nebst mehreren Statuen und Reliefs, schmücken dieses Gebäude, welches, ungeachtet des nicht bedeutenden Kunstwerthes dieser von Pietro Bracci und anderen gleichzeitigen Bildhauern verfertigten Sculpturen, und des modernen Geschmacks der Architectur, doch durch eine gewisse Grossartigkeit und Phantasie in der Anlage des Ganzen einen imposanten Eindruck gewährt.

S. Maria in Trivio.

Die Kirche S. Maria in Trivio, ehemals S. Maria in Fornica genannt, erhielt ihren heutigen Beinamen von dem vorerwahnten, unweit von ihr durch Nicolaus V. errichteten Brunnen der Aqua Virgo. Sie soll von Belisarius zur Busse, nach Einigen, wegen seiner Plunderung von Neapel, nach Anderen, wegen der von ihm auf Befehl der Kaiserin Theodora vollzogenen Absetzung und Gefangennehmnng des Papstes Sylverius, erbaut worden seyn. Nach ihrer Erneuerung, unter Alexander VII., ist sie sowohl hinsichtlich der Kunst, als des christlichen Alterthums unbedeutend. Das Kloster bei derselben bewohnen gegenwärtig die regulirten Geistlichen von dem Orden des heil. Franciscus Caracciolo.

SS. Vincenzo ed Anastasio.

Das heutige Gebäude der an dem von der Fontana di Trevi benannten Platze gelegenen Kirche SS. Vincenzo ed Anastasio wurde auf Kosten des als französischer Staatsminister, während der Minderjährigkeit Ludwigs XIV., bekannten Cardinals Mazzarini aufgeführt. Sie ist eine Pfarrkirche, in deren Kirchsprengel — vor der Veränderung desselben durch Leo XII. — auch der Palast des Quirinals begriffen war, und die daher den Namen Parrocchia Papale führte. Das mit ihr verbundene Kloster besitzen die zur Wartung der Kranken gestifteten Ordensgeistlichen, welche Padri Ministri degl' infermi, und, von dem rothen Kreuze auf ihrer Kleidung, auch Padri della Crocetta genannt werden.

S. Maria in Via.

Die Kirche S. Maria in Via — deren Erbauung im Jahre 1253 ein auf einen Ziegel gemaltes Marienbild veranlasste, welches in einen Brunnen fiel, durch ein Wunder aber aus dem Wasser emporschwamm — wurde im Jahre 1594 nach Angabe des älteren Martino Lunghi und des Rinaldi erneuert. Jenes Marienbild bewahrt man in der ersten Capelle vom Eingange rechts. Unter den übrigen Gemälden befinden sich drei Bilder von Arpino in der dritten Capelle derselben Seite. Leo X., der diese Kirche zu einem Cardinalstitel erhob, übergab dieselbe den Serviten, die sie noch gegenwärtig besitzen.

Palast der Buchdruckerei der päpstlichen Kammer (tipografia Camerale).

Der von dem Cardinal Cornaro nach Angabe des Giacomo del Duca, im Jahre 1575, erbaute Palast, den nachmals Donna Olimpia Madachini, Schwägerin Jnnocenz X., erhielt, gehört jetzt der papstlichen Kammer, welche in dieses Gebäude ihre Druckerei verlegt hat, in welcher die Staatsschriften, die Decrete der Regierung und die Schriften der vor den romischen Gerichtshofen anhängigen Prozesse gedruckt und verkauft werden. In dem Gebände neben diesem Palaste befindet sich die Kupferstichniederlage der päpstlichen Kammer (Calcografia Camerale). Im Hofe dieses Gebaudes ist, an einem Brunnen, ein verstummelter antiker Sarcophag, mit der nicht häufig vorkommenden Fabel der Medea, zu bemerken.

Palast Gentili.

Am Fusse des Quirinals, in der Via Rasella, gegenüber der Kirche S. Niccola in Arcione, liegt der Palast Gentili. Man sieht in demselben die antiken Statuen eines behaarten Silens (Silenopappos) und eines Faustkämpfers, an dem besonders die deutlich angegebene Form des Cestus Aufmerksamkeit verdient.

Palast del Bufalo.

Im Garten des Palastes des Marchese del Bufalo sieht man, an der Aussenseite eines kleinen Gebäudes, noch einige schöne, aber leider sehr verdorbene Malereien in Einer Farbe von Polidoro da Caravaggio, welche Gegenstande des classischen Alterthums vorstellen. Man erkennt unter denselben noch, über einem Brunnen zu beiden Seiten einer Loggia, die Vorstellung eines Opfers, und die an einem Felsen gefesselte Andromeda, nebst Perseus, der das Ungeheuer zu ihrer Befreiung todtet. Unter den grau in grau gemalten Bildern erscheinen auch einige gelb in gelb gemalte Figuren, unter denen sich eine ephesische Diana befindet. — Von den hier befindlichen Resten der Aqua Virgo ist in der Einleitung §. 25 gesprochen worden.

Collegio Nazareno.

Der Palast des Collegio Nazareno gehörte dem Cardinal Michelagnolo Tonti aus Rimini, welcher in demselben, im Jahre 1622, dieses Collegium zur Erziehung armer junger Leute von adelicher Geburt stiftete und es, weil er Erzbischof von Nazareth war, mit diesem Namen benannte. Die Aufsicht über die Alumnen und der Unterricht derselben in den Wissenschaften, ist dem zur Erziehung der Jugend gestifteten Orden der Chierici regolari delle Scuole Pie ubertragen. Der Protector der Anstalt ist der jedesmalige Cardinal-Vicarius.

Palast der Propaganda Fide.

An dem spanischen Platze liegt die Vorderseite des grossen Palastes der Propaganda Fide. Diese grossartige von Gregor XV. im Jahre 1622 zur Ausbreitung des catholischen Glaubens gestiftete Anstalt erhielt, wegen des baldigen Ablebens jenes Papstes, erst durch seinen Nachfolger Urban VIII. ihre vollkommene Ausbildung und fuhrt deswegen auch von ihm den Namen Collegium Urbanum. Derselbe erbaute im Jahre 1627 das heutige Gebäude des Collegiums nach dem Plane des Bernini, jedoch nicht in seinem gegenwärtigen Umfange. Denn diesen erhielt es erst durch die von Alexander VII. veranstaltete Vergrösserung, in der auch eine Capelle zum Gottesdienst der Zoglinge begriffen war, die hier Wohnung, Unterhalt und Unterricht erhalten, um nach Vollendung ihrer Studien sich in ihrem Vaterlande der Erhaltung und Ausbreitung des catholischen Glaubens zu widmen. Bedentendes Verdienst erwarb sich um diese Anstalt der Bruder Urbans VIII., der Cardinal Antonio Barberini, durch die von ihm aus seinen eigenen Mitteln gemachten Stiftungen zum Unterhalte von Zoglingen aus verschiedenen asiatischen und africanischen Nationen und durch sein grosses Vermögen, welches er der

Propaganda als Universalerbin, jedoch mit dem Abzuge sehr bedentender Legate, hinterliess.

Die zur Ausbreitung des Glaubens durch schriftliche Lehre hier angelegte Druckerei gelangte nach und nach zum Besitz der Alphabete von 27 Sprachen. Zur Zeit der französischen Revolution wurden die sämmtlichen Lettern dieser Druckerei, nebst den Formen derselben, nach Paris gebracht. Die Formen erhielt zwar die Propaganda nach dem Frieden von 1815 wieder zuruck. Aber nur 14 Alphabete sind seitdem wieder ausgegossen worden.

Die Congregation der Propaganda besteht aus dem Cardinalpräfecten; einem ebenfalls aus dem Cardinalscollegium ernannten Präfecten der öconomischen Angelegenheiten (Prefetto dell' Economia); — 23 Cardinalen als Beisitzern; — einem Secretár und einem Protonotarius, deren Stellen jederzeit Prälaten bekleiden; — und einer beträchtlichen Anzahl von Unterbeamten. Das unter dieser Congregation stehende Collegium, zum Unterricht und der Erziehung der Alumnen, steht seit einigen Jahren unter der Aufsicht der Jesuiten, aus denen auch der Rector ernannt wird.

Von der Bibliothek dieser Anstalt sind, durch die während der französischen Herrschaft eingetretene Unordnung derselben, mehrere Werke verschwunden, oder mangelhaft geworden. Das von dem Cardinal Borgia der Propaganda hinterlassene Museum — welches man in einem von der Bibliothek abgesonderten Zimmer aufbewahrt — enthält eine bedeutende Sammlung griechischer und römischer Munzen, unter denen sich sehr schone von Gold und Silber befinden; desgleichen eine Sammlung coptischer Munzen von Metall und ägyptischer Cameen. Die in demselben Zimmer aufgestellten Werke orientalischer Litteratur enthalten vornehmlich eine sehr ansehnliche Sammlung auf Seidenpapier gedruckter chinesischer Bucher und coptischer Handschriften. Auch sieht man hier einen Codex mexicanischer Bilderschriften und einige indische Götterbilder.

Mit der Propaganda ist nun auch das von Gregor XIII. zur Erziehung der Jünglinge der mit der catholischen Kirche unirten Griechen vereinigt. Die zu dem Gebaude desselben in der Via Babuina gehörende Kirche, welche den Namen S. Atanasio de' Greci fuhrt, hat Giacomo della Porta, mit Ausnahme der nach dem Plane des älteren Martino Lunghi aufgeführten Vorderseite, angegeben.

Piazza di Spagna.

Der spanische Platz (Piazza di Spagna) führt diesen Namen von dem Palast des spanischen Gesandten, welcher ehemals nicht allein auf diesem Platze, sondern auch in dem umliegenden Stadtbezirke die Gerichtsbarkeit besass. Der in der Mitte desselben nach Angabe des Bernini errichtete Springbrunnen heisst wegen seiner, einer Barke ähnlichen Form, in der Volksbenennung la Barcaccia. Die grosse Treppe, welche von hier auf Monte Pincio nach der Kirche SS. Trinita de' Monti fuhrt, wurde im Pontificate Innocenz XIII. nach Angabe des Alessandro Specchi angefangen und im Jahre 1725 unter der Leitung des Francesco de Santis beendigt. — Unweit von dem spanischen Platze fuhrt, von der Via del Babuino, ein Gässchen zu dem grossten der römischen Theater, welches den Namen Teatro Aliberti von einer Familie erhielt, die ehemals im Besitz desselben war.

§. 111.

S. Andrea delle Fratte.

Der Beiname der im 17ten Jahrhundert erbauten Kirche S. Andrea delle Fratte wird von den Hecken abgeleitet, die ehemals in dieser Gegend gewesen seyn sollen. Die Kuppel und den Glockenthurm hat Borromini, das Uebrige des Gebaudes Guerra angegeben: die damals noch unvollendet gebliebene Vorderseite ist erst im Jahre 1826, vermittelst eines von dem Cardinal Consalvi hinterlassenen Vermächtnisses, ausgefuhrt worden. Am Anfang des Presbyteriums stehen zwei Engelstatuen von Bernini. Die Frescomalereien der Kuppel und am Gewolbe der Tribune sind von Pasqualino Marini, das Gemalde des Hauptaltars von Lazaro Baldi, die Bilder zu beiden Seiten desselben von Trevisani und Lenardi, und die Gemalde der Seitencapellen von verschiedenen anderen Malern des 17ten Jahrhunderts. Die zu ihrer Zeit beruhmte Malerin, Angelica Kaufmann, und der beruhmte Gelehrte, Georg Zoega, sind in dieser Kirche begraben. Auch sieht man, bei der Seitenthür nach dem Klosterhofe, das Grabmal des Prinzen von Marocco, welcher 1739 zu Rom starb, wo er sich zum Christenthume bekehrt hatte. Das Kloster bei dieser Kirche besitzen die Mönche vom Orden des h. Franciscus von Paola.

S. Silvestro in Capite.

Die gegenwärtig unter dem Namen S. Silvestro in Capite bekannte Kirche wurde, nach Anastasius, von Paul I. (757—767), in seinem eigenen Hause, nebst einem Kloster erbaut, welches er den heiligen Päpsten Stephanus und Sylvester weihte, und den vor dem bilderstürmenden Kaiser Constantinus Copronymus nach Rom geflüchteten Basilianermonchen übergab. Eine nachmals von diesen Monchen hier erbaute Capelle, die sie nach dem h. Dionysius benannten, gab spater der ganzen Kirche die Benennung von diesem heiligen Papst und veranlasste die Sage von ihrer Stiftung durch denselben. Jedoch behielt sie dabei fortwährend die Benennung von dem h. Stephanus und Sylvester. Mit ihrem heutigen Beinamen in oder de Capite, von dem in ihr aufbewahrten Haupte Johannes des Täufers, kommt sie schon im 13ten Jahrhundert vor. Im 16ten und noch im 17ten Jahrhundert war ihre gewohnliche Benennung S. Silvestro in Campo marzo, obgleich sie nicht zu dem in dem heutigen Rom so benannten Stadtbezirke, sondern zu dem Rione Colonna gehort.

Diese Kirche hat, nach den in den Jahren 1596 und 1690 veranstalteten Erneuerungen, mit Ausnahme des Glockenthurms, den alterthumlichen Character gänzlich verloren. In dem Vorhofe derselben sind, an der Wand vom Eingange rechts, noch drei Saulen von den ehemaligen Hallen dieses Hofes zu bemerken. In der Halle der von Domenico de' Rossi angegebenen Vorderseite der Kirche sieht man eine merkwurdige Inschrift vom Jahre 1119, welche das bei Strafe der Excommunication an den Abt und die Mönche des Klosters dieser Kirche ergangene Verbot der, bis zu dieser Zeit üblich gewesenen, Verpachtung der Antoninischen Säule und einer bei derselben gelegenen Kirche des h. Andreas enthält, die beide damals diesem Kloster gehorten. Das Innere der Kirche zeigt dermalen nichts von besonderer Merkwurdigkeit. Die heutigen Capellen begreifen vermuthlich den Raum der jetzt verschwundenen Seitenschiffe. Auf dem Fussboden der dritten dieser Capellen, vom Eingange links, sind noch Reste von mittelalterlicher Steinarbeit. Der Hauptaltar ist mit vier Säulen von orientalischem Alabaster, und das Tonnengewölbe des Schiffes der Kirche mit Malereien von Brandi geschmückt. Die übrigen Gemalde sind Werke des Roncalli, Trevisani und anderer spateren Maler. Ausser dem oben erwähnten Haupte Johannes des Taufers verehrt man in dieser Kirche auch das Bildniss des Heilandes in dem angeblichen Abdrucke seines Gesichtes, welches er, nach der bekannten Sage, dem Abgarus, Könige von Armenien, schickte. Das Kloster wird seit dem Pontificate Honorius IV. von Nonnen bewohnt. Gegenwärtig besitzen es die Clarisserinnen.

Kirche di Gesù e Maria al Corso.

Die im Corso rechts, gegen die Porta del Popolo gelegene Kirche di Gesù e Maria gehört den Augustinern, welche sie, um die Mitte des 17ten Jahrhunderts, mit Hulfe frommer Beiträge erbauten. Die Vorderseite hat Rinaldi, und das Uebrige des Gebäudes Carlo Milanese angegeben. Das Innere der Kirche ist reich, aber in schlechtem Geschmack mit Säulen, bunten Marmorarten und Sculpturen, und an der Decke mit Frescomalereien von Brandi verziert. Die drei Deckenbilder der Sacristei sind Werke des Lanfranco, dem auch das Gemalde der h. Jungfrau, über dem Altare daselbst, zugeschrieben wird.

S. Maria di Monte Santo, und S. Maria de' Miracoli.

Am Ende des Corso, gegen Piazza del Popolo, stehen zwei kleine Kirchen von gleicher Grosse und Form, jede mit einer Kuppel und einer von Saulen getragenen Vorhalle. Der Bau derselben wurde unter Alexander VII., um das Jahr 1662, nach Angabe des Rinaldi, angefangen, und dann auf Kosten des Cardinals Guastaldi unter der Leitung des Bernini und Carlo Fontana beendigt. In der einen, Santa Maria di Monte Santo, sieht man, in der dritten Capelle vom Eingange links, ein Gemälde von Carlo Muratta, welches den h. Franciscus knieend vor der h. Jungfrau und dem h. Rochus vorstellt. Die andere führt den Namen S. Maria de' Miracoli von einem wunderthätigen Marienbilde.

Piazza del Popolo und Obelisk.

Der Platz, welcher den Namen Piazza del Popolo von der Kirche dieses Namens führt, bildet nach seiner letzten Umgestaltung die Form einer Ellipse und ist mit mehreren Statuen und andern Bildwerken von Kunstlern unserer Zeit geschmückt. Der Obelisk, der sich in der Mitte desselben erhebt, wurde unter Sixtus V. 1587, in drei Stucke zerbrochen, im Circus Maximus gefunden, wo ihn August errichten liess, nachdem er durch ihn nach der Eroberung Aegyptens aus Heliopolis nach Rom gebracht worden war. Zu seinem Postamente, auf der Spina des Circus, diente die viereckige Basis, welche den mittleren Theil seines heutigen Postamentes begreift, dort aber eine weisse Marmorplatte zur Unterlage hatte. Auf seiner Spitze befand sich eine metallene Kugel, der gewohnliche Zierrath dieser Monumente im alten Rom. Seine Aufrichtung auf diesem Platze erfolgte im Jahre 1589 unter der Leitung des Domenico Fontana. Zum Behufe derselben musste von dem Obelisken, dessen Hohe 108 Palm betrug, ein Stuck von drei Palm von dem untersten, sehr beschädigten Theile abgeschnitten werden. Aus der Hieroglyphenschrift erhellt, dass er unter dem Konige Ramses III., dem Sesostris der Griechen, in Heliopolis aufgerichtet ward, und die mehrmalige Darstellung einer Anbetung des Königs vor dem Sonnengotte Ph - Re scheint zu beweisen, dass der Obelisk vor einem Tempel des Sonnengottes aufgestellt war. Dieser Gottheit wurde er auch von August geweiht, wie die antike, auf zwei Seiten der vorerwähnten Basis wiederholte Inschrift zeigt. Die ganze Hohe des Monumentes, mit Inbegriff des Postamentes und des metallenen Kreuzes auf der Spitze desselben betragt 163½ Palm.

S. Maria del Popolo

Die Kirche S. Maria del Popolo an der Porta Flaminia erbaute, der Tradition zufolge, das römische Volk im Pontificate

Paschalis II. (1099—1118) zu Ehren der h. Jungfrau, weil hier durch ihren Beistand der genannte Papst die bösen Geister vom Grabe des Nero vertrieb. Das heutige Gebäude dieser Kirche, dessen Erbauung im Jahr 1471 auf Veranstaltung Sixtus IV., nach Angabe des Baccio Pintelli, erfolgte, gehört, wegen der Werke aus den bluhenden Zeiten der Kunst, unter die merkwürdigsten römischen Kirchen. Unter der bedeutenden Anzahl der mit Bildwerken geschmückten Grabmäler und Tabernakel, von unbekannten Meistern, sind einige aus den letzten Jahrzehnten des 15ten Jahrhunderts durch besondere Schönheit ausgezeichnet, nicht nur in den menschlichen Figuren, sondern auch in den Arabesken und andern architectonischen Zierrathen. Den Grabmälern liegt ein einförmiger Typus zum Grunde. Der Verstorbene ist auf dem Sarge liegend in einer Nische vorgestellt, die ein sich auf zwei Pfeilern erhebender Bogen bildet, in welchem meistens die h. Jungfrau zwischen zwei sie verehrenden Engeln in erhobener Arbeit gebildet ist. Die in den Seitencapellen dieser Kirche noch vorhandenen Frescomalereien von Pinturicchio haben, nachdem sie durch die Zeit gelitten hatten, durch eine in unsern Zeiten unternommene Ausbesserung noch mehr von ihrem ursprunglichen Werthe verloren.

Die mit Pilastern geschmückte Vorderseite, die sich auf einigen Stufen erhebt, hat noch ganz ihren ursprunglichen Character erhalten, den das Innere des Gebaudes hingegen, durch neuere Ausschmückungen, meistens verloren hat. Die vordere Kirche ist in drei Schiffe getheilt, deren Verzierung mit Halbsäulen keinen vorzüglichen Geschmack zeigen. Es erinnert einigermassen an den sogenannten italiänisch-gothischen Styl. Die Decke ist mit Kreuzbogen gewölbt. Ueber der Mitte des Querschiffs erhebt sich eine achteckige Kuppel, deren Malereien von Vanni bei Erneuerung der Kirche unter Alexander VII. verfertigt wurden. Der heutige Hauptaltar, das mit vier Saulen geschmückte Tabernakel desselben und die vergoldeten Stuccaturarbeiten des Bogens, unter dem sich dieser Altar erhebt, sind aus der Zeit Urbans VIII. In dem gedachten Tabernakel bewahrt man ein sehr verehrtes Marienbild, welches dem h. Lucas zugeschrieben wird.

In dem nach Angabe des Bramante erweiterten Chore sieht man am Deckengewölbe Frescogemalde von Pinturicchio, welche die Krönung der h. Jungfrau, die vier Evangelisten, vier Sibyllen und die vier lateinischen Kirchenväter in verschiedenen mit Arabesken auf Goldgrund umgebenen Bildern vorstellen. Vorzügliche Aufmerksamkeit verdienen die schonen Glasmalereien der beiden grossen einander gegenüberstehenden Fenster des Chores, als die einzigen bedeutenden in Rom noch vorhandenen Werke dieser Art der Malerkunst, die Julius II. von den französischen Kunstlern

Claudius und Wilhelm von Marseille verfertigen liess. Man sieht in demselben, an dem Fenster zur Rechten, Gegenstande aus dem Leben des Heilandes und an dem zur Linken Begebenheiten der h. Jungfrau vorgestellt. Die letzteren sind noch wohl erhalten, die ersteren aber sehr beschädigt. In den beiden Nischen unter jenen Fenstern erheben sich zwei grosse, reich mit Bildwerken geschmuckte Grabmäler, welche von dem vorerwahnten Papst den Cardinalen Girolamo Basso und Maria Sforza Visconti (von seinem Bisthume gewöhnlich der Cardinal von Ricanati genannt) errichtet wurden. Sie sind Werke des Andrea dal Monte Sansovino, die, bei ihrem unleugbaren Verdienst, doch nicht dem Lobe entsprechen durften, welches ihnen von Vasari und Andern ertheilt worden ist. Auf dem Fussboden des Chores zeigt eine Inschrift vom Jahre 1627 die ehemalige Stelle des Hauptaltars, an derselben Stelle, wo der Altar stand, den Paschalis II. der h. Jungfrau, nach der oben erwähnten Vertreibung der bosen Geister, errichtet haben soll.

Die erste Seitencapelle vom Eingange rechts wurde von dem Cardinal Domenico della Rovere, Neffen Sixtus IV., der h. Jungfrau und dem h. Hieronymus geweiht. Das Altarbild von Pinturicchio zeigt die Mutter Gottes nebst den HH. Jacobus und Hieronymus in der Verehrung des Christuskindes. Werke desselben Kunstlers sind die Gegenstande aus dem Leben des erstgenannten jener beiden Heiligen in den Lunetten des Deckengewolbes, und die an den unteren Wanden auf Goldgrund gemalten Arabesken zeigen ebenfalls seinen Styl. An den beiden Seitenwänden der Capelle stehen die beiden grossen Grabmäler des Cardinals Cristoforo della Rovere und des spanischen Cardinals Johannes de Castro. Das erstere gehört unter die vorzüglichsten Werke der Sculptur aus der Zeit Sixtus IV.

Die Gemälde des Pinturicchio in der folgenden Capelle, die der Cardinal Lorenzo Cibo, Neffe Innocenz VIII., dem h. Laurentius weihte, gingen bei der nachmaligen Erneuerung derselben im modernen Geschmack verloren. Das Altarbild dieser Capelle, welches die Empfangniss der h. Jungfrau vorstellt, ist von Carlo Maratta.

Die dritte Capelle, welche der Bruder Julius II., Giovanni della Rovere, Herzog von Sora und Sinigaglia, erbaute, ist dem h. Augustinus geweiht. Die Gemalde sind Werke des Pinturicchio. Das Altarbild — welches die h. Jungfrau mit dem Christuskinde auf dem Throne sitzend, von dem h. Augustinus, Franciscus und andern Heiligen umgeben vorstellt — erscheint in einem schönen reichgeschmuckten Tabernakel von weissem Marmor. Im Bogen desselben, über dem Altarbilde, ist ein Gemalde des ewigen Vaters in einer Glorie von Engeln; und in erhobener Arbeit sieht man, nebst vergoldeten Arabesken, in den Rundungen zu beiden Seiten jenes Bogens zwei mannliche Brustbilder, vermuthlich Propheten, und am Friese unter dem Altarbilde den Heiland zwischen zwei ihn aus dem Grabe hervorhebenden Engeln. Die Wände dieser Capelle sind mit einem Gemalde der Himmelfahrt der h. Jungfrau, gemalten Arabesken auf Goldgrund und Bildern in Einer Farbe geschmückt, welche den Martyrertod der Apostel Petrus und Paulus, der h. Catharina, nebst andern geistlichen Gegenständen vorstellen. In den Lunetten erscheinen Gemalde aus dem Leben der h. Jungfrau, und am Deckengewolbe, unter Arabeskenverzierungen, Brustbilder einiger Propheten in Rundungen. Im Bogen des Grabmals des oben genannten Erbauers dieser Capelle ist in einem Gemälde des Pinturicchio die vorerwahnte Vorstellung des von zwei Engeln aus dem Grabe emporgehobenen Erlosers wiederholt. Ein anderes Grabmal, mit der bronzenen Figur eines Erzbischofs, scheint ein Werk des 16ten Jahrhunderts, ist aber nicht von vorzüglicher Sculptur.

Die vierte Capelle weihte, nach einer Inschrift in derselben, portugiesische Cardinal, Georgius Costa, im Jahre 1479 der HerCatharina. An der Wand uber dem Altare erhebt sich ein Tabernakel mit schönen Sculpturen, an welchem man, in Nischen, stehend, die genannte Heilige zwischen zwei heiligen Männern sieht. Den einen bezeichnet der Lilienstengel als den h. Antonius von Padua: in dem andern ist vielleicht der h. Vincentius vorgestellt, indem das Schiff in seiner Hand auf die Erzählung der Legende deuten konnte, dass sein in das Meer geworfener Leichnam, ungeachtet des an demselben befestigten Steins, schwimmend zum Ufer gelangte. In den drei Rundungen über den gedachten Nischen: die h. Jungfrau, der ihr verkundende Engel und die Verkundung der Hirten; und über dem Gebalke des Tabernakels erscheint der ewige Vater in einer Art von Aedicula. Noch sieht man hier die Grabmäler des oben erwähnten Cardinals und eines adeligen romischen Junglings, Marc Antonio Albertoni welcher 1485 durch die Pest das Leben verlor. Das letztere ist, wegen der ausgezeichneten Schönheit der Bildsäule des Verstorbenen, vorzuglich bemerkenswerth. Die Gemälde der vier Kirchenväter in den Lunetten scheinen Werke des Pinturicchio, aber sehr ubermalt von späteren Händen.

Die erste Capelle vom Eingange links ist, als die Taufcapelle, Johannes dem Taufer geweiht. Die Wappen an dem marmornen Einschluss und an den beiden Tabernakeln zeigen, dass sie von einem Cardinal der Familie della Rovere erbaut oder ausgeschmückt wurde. Die gedachten Tabernakel, von gleicher Grösse und Form, sind mit schonen Bildwerken verziert. An dem einen, in welchem man das Taufgeräthe bewahrt, erscheint Johannes der Täufer mit einer geöffneten Rolle und einem Agnus Dei. In einer andern Figur, mit dem Kreuze in der einen und einem Buche in der andern Hand, ist vermuthlich der Apostel Philippus vorgestellt. An dem andern zur Aufbewahrung des heiligen Oels dienenden Tabernakel sind ebenfalls zwei heilige Männer gebildet. Der eine, ein bartloser Jüngling, der einen Kelch auf einem Buche trägt, ist vermuthlich Johannes der Evangelist, und der andere dessen Bruder, der h. Jacobus, der in seiner Epistel das Sacrament der letzten Oelung verkündet. Von den beiden Grabmalern in dieser Capelle ist nur das eine, an der Seitenwand vom Eingange links, das dem Cardinal Antoniotto Pallavicini im Jahre 1501 errichtet ward, als fur die Kunst bedeutend zu erwähnen.

Es folgt nun die merkwurdige Capelle, welche der durch Kunstliebe und Reichthum ausgezeichnete Agostino Chigi, nach Angabe des beruhmten Raphaels, zu Ehren der h. Maria von Loretto erbaute, die aber, wegen seines mit dem Tode jenes grossen Kunstlers fast gleichzeitig erfolgten Ablebens, lange Zeit unvollendet blieb. Sie wurde im Jahre 1651, nach Angabe des Bernini, auf Veranstaltung des Cardinals Fabio Chigi erneuert, der, nach der Gelangung zum päpstlichen Stuhle mit dem Namen Alexander VII., seine Familie, welcher noch gegenwärtig diese von ihrem berühmten Vorfahren erbaute Capelle gebort, in den Fürstenstand erhob. Ueber ihrem Gebäude von achteckiger Form erhebt sich eine Kuppel, die bei der gedachten Erneuerung eine bleierne Bedeckung erhielt. Am Gewölbe der Kuppel erscheinen — in der Einfassung vergoldeter Zierrathen von ungemein schouem Geschmack und Reichthum der Phantasie — die nach Raphaels Cartonen ausgefuhrten Mosaikbilder, welche die durch das Wort des Schopfers ins Daseyn gerufenen Himmelskorper vorstellen. Das mittlere Bild zeigt den ewigen Vater in einer Glorie von Engeln, die Hände zu der Schöpfung der Sterne und Planeten erhebend, die in den acht Bildern des Umkreises erscheinen. Sie sind der Mond, Mercurius, Venus, die Sonne, Mars, Jupiter, Saturn und die Fixsterne, als die, nach dem damals noch herrschenden Ptolemäischen System, unsere Erde umkreisenden Himmelskörper. Die Sphäre der Fixsterne ist durch das mit Gestirnen erfüllte Firmament angedeutet; die übrigen hingegen sind in den Gestalten der heidnischen Gottheiten, von denen sie den Namen tragen, vorgestellt. Und — nach einer auch bei Dante vorkommenden Idee des Mittelalters — erscheint bei jeder der himmlischen Sphären ein Engel als Diener des Schöpfers zur Leitung ihrer Bewegung. Auf der Fackel des Amors bei der Figur der Venus ist die Verfertigung dieser Mosaiken durch einen Venetianer, Aloisio della Pace, Maestro Luisaccio genannt, durch eine abbrevirte, von unten nicht zu erkennende Inschrift angezeigt, und

neben dieser Fackel steht die Jahrzahl 1516. — Die Oelgemälde,
welche die Momente der Schöpfung bis zur Vertreibung aus dem
Paradiese zeigen, an der Trommel der Kuppel zwischen den Fenstern, und das grosse auf der Mauer in Oel gemalte Altarbild,
welches die Geburt der h. Jungfrau vorstellt, sind Werke des
Sebastiano del Piombo, die jedoch nicht von ihm, sondern erst
nach seinem Tode von Francesco Salviati vollendet wurden. Die
sehr verdorbenen Gemälde der vier Jahreszeiten, in den Zwickeln
unter der Kuppel, sind vermuthlich von Salviati nach seiner eigenen Erfindung ausgefuhrt. Die Bilder in den beiden Lunetten
hat Vanni bei der oben erwähnten Erneuerung der Capelle gemalt. — An den unteren Wänden stehen die nach Angabe des
Bernini in Pyramidalform errichteten Grabmäler des Agostino und
des Sigismondo Chigi, und in vier Nischen die Bildsäulen der
Propheten Daniel, Habakuk, Jonas und Elias. Die beiden ersteren
dieser Statuen sind Werke des Bernini, und nur die letzteren
verdienen besondere Aufmerksamkeit. Sie wurden, wie bekannt,
unter Raphaels Aufsicht von Lorenzetto ausgeführt. Zu der Figur
des Jonas, einem der vorzüglichsten Werke der neueren Bild-
hauerkunst, verfertigte jener grosse Künstler nicht nur selbst das
Modell, sondern hatte vielleicht auch Antheil an ihrer Ausfuhrung
in Marmor. Der Prophet erscheint hier, wie in den ältesten
christlichen Monumenten, in symbolischer Bedeutung der Auferstehung, und daher, wie in diesen, fast ganz entblösst in jugendlicher Gestalt, zur Bezeichnung des neu verjüngten Lebens. Auf
dem Wallfische sitzend setzt er den Fuss auf den Rachen desselben, gleichsam wie im Triumphe nach seiner Befreiung aus
dem Bauche des Ungeheuers. Die Bildsäule des Elias ist von
minderer Schönheit und scheint auch die letzte Vollendung nicht
erhalten zu haben. Er ist, nach seiner Flucht vor der Jesabel in
der Wüste, unter dem Wachholderbaume vorgestellt, indem hinter
ihm der Engel mit einem Kruge erscheint, in welchem er ihm
Wasser zur Labung brachte. Das metallene Relief an der Vorderseite des Altars, welches ebenfalls dem Lorenzetto zugeschrieben
wird, zeigt einen in das Manierirte fallenden Styl und eine, im Vergleich mit jenen unter Raphaels Leitung verfertigten Werken dieses
Künstlers, mittelmässige Ausfuhrung.

In der ersten der beiden noch ubrigen, erst bei der Ernene-
rung der Kirche unter Alexander VII. erbauten Capellen des linken
Seitenschiffes befinden sich unter mehreren andern Grabmälern
der Familie Melini, welcher diese Capelle gehort, auch zwei aus
der Zeit Sixtus IV. mit den Bildnissen der Verstorbenen von nicht
vorzüglicher Sculptur. Von ebenfalls nicht ausgezeichneter Arbeit
sind zwei grosse reich mit Bildwerken geschmückte Grabmäler,
die vermuthlich um den Anfang des 16ten Jahrhunderts den

Cardinälen Ludwig Prodocotharus und Bernhardinus Lonati im Querschiffe errichtet worden sind. In der einen der im modernen Geschmack verzierten vier Capellen an der Hinterwand, der ersten vom Hauptaltare links, sieht man über dem Altar die Himmelfahrt der b. Jungfrau in einem Gemälde von Annibale Caracci, und an den Seitenwänden zwei Oelbilder von Caravaggio, welche die Kreuzigung des h. Petrus und die Bekehrung des h. Paulus vorstellen. Die drei Gemälde am hintern Tonnengewölbe sind, nach der Erfindung des Caracci, von einem seiner Schuler, Innocenzo Tacconi, ausgefuhrt.

Die unter der Herrschaft Napoleons niedergerissenen Gebäude der Sacristei und des mit dieser Kirche verbundenen Klosters der Augustiner sind nach der Zurückkunft Pius VII. nach Rom, nach Angabe des Valadier, neu erbaut worden. In der Sacristei und in dem zu derselben führenden Gange des Klosters sieht man mehrere Denkmäler der älteren Sculptur, die aus der Kirche bei ihrer mehrerwähnten Erneuerung unter Alexander VII. weggenommen wurden. In dem vorerwähnten Gange bemerken wir folgende: Der Heiland, welcher die h. Jungfrau kront; ein gutes Bildwerk im Felde eines Giebels, wahrscheinlich von einem Tabernakel der alten Kirche, weil dieser Styl zur Zeit der Erbauung der heutigen in Italien nicht mehr ublich gewesen zu seyn scheint. — Das Grabmal des Bischofs Bernardino Helvino, Schatzmeisters (Tesoriere) Pauls III., mit der Bildsäule desselben, von Guglielmo della Porta· — Das Grabmal eines Johanniterritters, Nestor Malvitius, ebenfalls mit seinem Bildnisse in ganzer Figur und der Jahrzahl 1488; — und ein schónes Tabernakel, welches der Inschrift zufolge ein gewisser Guglielmus de Pereriis im Jahre 1497 der h. Jungfrau darbrachte. Dieselbe ist hier zwischen dem h. Augustinus und der h. Catharina vorgestellt: in einer Lunette, uber dem Gebälke dieses Tabernakels ist das Brustbild des Erlösers.

Ueber dem Altar der Sacristei sieht man gegenwärtig das ehemalige Tabernakel des Hauptaltars der Kirche; ein Werk von vorzüglicher Sculptur, welches der Cardinal Roderigo Borgia, nachmaliger Papst Alexander VI., verfertigen liess. Ueber dem Gebäude ist, in einem Giebelfelde, der ewige Vater vorgestellt. Ueber der mittleren und grosseren Nische sind drei Engel, und zu beiden Seiten derselben in vier kleineren Nischen die Figuren der Heiligen Hieronymus und Augustinus, und der Apostel Petrus und Paulus. Am Sockel ist zu beiden Seiten die Vorstellung von zwei Genien wiederholt, welche das durch den Stier bezeichnete Wappen jenes Cardinals halten. In der gedachten mittleren Nische, in der man ehemals das verehrte Marienbild des Hauptaltares aufbewahrte, ist gegenwärtig ein schones Bild der h. Jungfrau mit dem Christuskinde, welches an die Schule des Giotto

erinnert und von der Mauer eines beim Niederreissen des vormaligen Klostergebaudes, unter der französischen Regierung, entdeckten Gemaches, vermuthlich einer Capelle der alten Kirche,
abgesägt worden ist. — Aus der Zeit des vorerwähnten Tabernakels, aber von minder vorzüglicher Sculptur, sind auch die beiden
grossen, an den Seitenwänden der Sacristei stehenden Grabmaler
des im Jahre 1482 verstorbenen Erzbischofs von Salerno, Guglielmo
Rocca Valentino, und des Johannes Ortega, Bischofs von Burg.

Porta del Popolo.

Das unweit der ehemaligen Porta Flaminia des alten Roms
erbaute Thor der Stadt erhielt den Namen Porta del Popolo unstreitig von der zuvor betrachteten, an dasselbe anstossenden
Kirche. Die unter Pius IV. von Vignola, oder, wie Einige wollen,
von Michelagnolo angegebene Aussenseite dieses Thores zeigt keinen vorzuglichen Geschmack der Baukunst. Die innere nach der
Stadt gelegene Seite erhielt ihre heutige Gestalt unter Alexander VII.
bei dem Einzuge der Königin Christina in Rom.

§. 112.
Villa Borghese.

Die grosse und prächtige von dem Neffen Pauls V., dem Car-
dinal Scipio Borghese, angelegte Villa dieser Familie ist in unsern
Zeiten durch die Verbindung mit den ehemaligen Gärten der
Familie Giustiniani und der angeblichen Villa des beruhmten
Malers Raphael noch beträchtlich vergrossert worden. Der frühere nach der Porta Pinciana gelegene Eingang ist seitdem gewöhnlich verschlossen, und der neue, nach Angabe des gelehrten
Architecten Canina mit Saulen geschmuckte Eingang, unweit der
Porta del Popolo, fuhrt zunächst zu den im Bezirk der genannten
Gärten gemachten Anlagen. Beim Eintritt erscheint zur Linken ein
kleiner See, der von einem von oben herabfallenden Wasserstrome
gebildet wird. Sowohl bei diesem See als in den Baumgàngen
stehen mehrere antike Denkmäler von keiner vorzüglichen Bedeutung. Im Fortgange auf dem Hauptwege gelangt man zu einem
Springbrunnen und von da zu einem Bogen, welcher den Eingang
zu einem kleinen Walde des älteren Theils der Villa bildet. Von
zwei an den Seitenwanden dieses Bogens eingemauerten Reliefs
ist vornehmlich das eine wegen der selten vorkommenden Vorstellung des Sturzes des Phaeton zu bemerken. In dem andern
sieht man die Fabel der Luna und des Endymion. Von den
neuen Anlagen fuhrt zu der älteren Villa ein von Canina angege-
bener Eingang im ägyptischen Styl. Bei dem zunächst liegenden
Gartengebäude sieht man, in einer kleinen Halle von halbzirkliger Form, mehrere antike Denkmäler, meistens Cippen und

Fragmente von Bildwerken. An der Vorderseite des kleinen oben erwahnten Waldes ist, unter einer Reihe meistens stark erganzter antiker Statuen, eine gut gearbeitete weibliche Figur zu bemerken, welche der von Visconti fur die Polyhymnia erklarten Bildsaule des Pioclementinischen Museums entspricht. Einige andere antike Denkmaler befinden sich in dem Inneren jenes Waldchens, welches mit einem eisernen Gitter umgeben und gewohnlich verschlossen ist. Am Ende desselben ist ein kleiner See mit einer Insel, auf der sich ein kleiner runder Tempel mit einer antiken Bildsäule des Aesculap erhebt. Ein anderer ebenfalls runder Tempel mit acht antiken Saulen von grauem Marmor und einer Bildsaule der Diana steht jenem gegenüber in dem dem Publicum offen stehenden Theile der alteren Villa. Hier sieht man auch einen auf Rasen gebildeten Circus, in welchem der Prinz zuweilen Wagenrennen zur Volksbelustigung veranstaltet; desgleichen zwei kleine Gartengebaude, — eine Ritterburg, eine nachgemachte Ruine eines Tempels des Antoninus und der Faustina mit zwei antiken Granitsaulen, — und einen grossen Springbrunnen, dessen Schale sich auf vier Seepferden erhebt.

Antikensammlung der Villa Borghese.

In dem grossen Gartengebäude des hinteren Theils der Villa, welches der Cardinal Scipio Borghese nach Angabe des Giovanni Vasanzio erbaute, ist, nach dem Verkauf der berühmten Antikensammlung an den Kaiser Napoleon von dem Prinzen Camillo, eine neue Sammlung angelegt worden, in der sich zwar keine Werke von dem hohen Kunstwerthe des beruhmten Fechters und anderer Stücke der ehemaligen, aber doch mehrere, sowohl fur Kunst als Archaologie bedeutende Denkmaler des Alterthums befinden. Die Zimmer, welche diese Sammlung bewahren, sind sehr prächtig mit Gemälden und Reliefs von Künstlern des vorigen Jahrhunderts, so wie mit Säulen, kostbaren Marmorarten und andern Zierrathen geschmuckt. Von den Monumenten des Alterthums erwahnen wir folgende:

In der Vorhalle: Sitzende Bildsäule des Mercur, im Knabenalter, mit dem Pileus auf dem Haupte und einem Gefass in der Linken. Der Beutel in der Rechten ist nebst dieser Hand und dem Arme neu. Neben ihm eine Schildkröte. — Zwei Fragmente eines Reliefs, welches römische Krieger vorstellt, hochst wahrscheinlich von einem Triumphbogen. Die uber lebensgrossen, leider äusserst verstümmelten Figuren sind von vorzuglicher Arbeit und erinnern an die besten Zeiten der Kunst unter den Kaisern. An den Riemen der Helme sind Donnerkeile zu bemerken. Auf dem einen dieser Fragmente sieht man einen Legionsadler, und zwei andere Feldzeichen mit verstummelten Brustbildern eines Kaisers. — Sarcophag von roher Arbeit, bei Ostia gefunden. An der Vorderseite sind drei Schiffe gebildet. In den Wellen ein Kahn, ein schwimmender Knabe und einige Delphine. An dem einen der beiden Enden ein Leuchtthurm, an dem andern ein Gebaude, auf dessen mit einem Gelander umgebenen Dache man zwei Männer bemerkt. Ein dritter in der Thür dieses Gebaudes hält eine Schüssel mit Fruchten; und einen vierten mit einem Handkorbe sieht man an einer der beiden Querseiten des Monumentes, an denen ubrigens Waffen gebildet sind. — Relief von einem Sarcophage, welches eine Schlacht zwischen Romern und Barbaren vorstellt und den Styl des dritten Jahrhunderts zeigt. An beiden Enden ist die Gruppe von zwei Gefangenen, eines Mannes und einer Frau, vor einer Trophäe wiederholt, hinter welcher Lanzen und Streitäxte, Waffen barbarischer Völker, aufgestellt sind. — Grabstein von C. Julius Saecularis, mit erhobenen Arbeiten. Der Verstorbene, ein Knabe, halt, in einer Nische stehend, in der Rechten einen Schmetterling (von dem nur die Flugel antik sind) als Symbol der Seele. Auf der Basis der Nische sieht man eine Katze und einen Affen, auf der einen Seite derselben einen Palmenzweig, auf dem ein Vogel sitzt, und auf der andern einen Candelaber, an den eine Fackel angebunden ist. Auf dem Gipfel dieses Candelabers erhebt sich eine Maske, und auf der Basis desselben sind zwei menschliche Figuren gebildet. — Sturz einer römischen Kriegerstatue; zu bemerken wegen der auf dem Panzer gebildeten Vorstellung von zwei Nereiden, welche die Waffen des Achilles tragen; — und der Sturz einer Statue der Ceres, durch die Aehren in ihrer Linken bezeichnet; zu bemerken wegen einer wahrscheinlichen Wiederholung dieser Figur, die in der weiteren Folge der Beschreibung dieser Sammlung vorkommen wird.

Im grossen Saale (il Salone): Auf dem Fussboden: In fünf grosse Bilder abgetheilte Mosaiken, welche Fechterspiele und Thierkämpfe vorstellen; gefunden im Jahre 1835, in der Tenuta di Torre Nuova unter den tusculanischen Bergen. Die schlechte Zeichnung und rohe Arbeit zeigt sie als Werke des tiefen Verfalls der Kunst. Die Kleidung der Fechter und Thierkämpfer, deren Namen durch Inschriften angezeigt sind, erinnern an das byzantinische Costum. Ihre hier erscheinenden Waffen sind Schwerter, Lanzen, Wurfspiesse, und auch der Dreizack des Retiarius. — Zwei schone colossale Frauenköpfe. Der eine ist als Isis durch die Lotusblume bezeichnet: der andere dürfte eher dem Character einer Juno als einer Muse entsprechen, fur den man ihn erklärt. — Zwei Reliefs, die sich als Gegenstücke zeigen. Der Gegenstand des einen ist ein bacchischer Amor auf einem Bocke sitzend, den ein Satyr bei dem Barte und ein Pan bei dem Schwanze ergreift, indem der letzte einen Widderkopf auf eine flammende Ara wirft. In dem andern sieht man einen bacchischen Amor mit einer Traube in der Hand, ebenfalls auf einem Bocke sitzend. Ihm zur Rechten ein Satyr und zur Linken ein Pan, der einer Herme des bartigen Bacchus einen Widderkopf darbringt. Beide Reliefs sind in Postamente eingesetzt. Auf dem einen steht eine Bildsäule des Bacchus, auf dem andern die eines Satyrs, von dem nur der mit einem Pantherfelle bekleidete Korper von sehr guter Arbeit antik ist. — Bildsäule des Tiberius in der Gestalt des Jupiter: zu seinen Füssen der Adler. — Bildsäule des Meleager. Auf der einen Seite ein Hund, auf der andern der Kopf des calydonischen Ebers. — Statue des Caligula im Opfercostume, die Toga über das Haupt gezogen. (Unter der Bildsäule einer langbekleideten Frau) Grabstein der Petronia Musa, einer beruhmten Sangerin ihrer Zeit. An der Vorderseite steht, unter ihrem Brustbilde, eine griechische Inschrift in Versen zu ihrem Lobe, und an den Querseiten sieht man die beiden verschiedenen Leyern der tragischen und der comischen Muse, nämlich die des Apollo und die aus einer Schildkrote geformte des Mercur. — Eine verstümmelte Gruppe des Bacchus und Ampelos; gefunden im Jahre 1832 bei den Ausgrabungen der Inviolatella. — Mannliche Togafigur, auf deren Postamente ein Relief zu bemerken ist, welches ein Opfer der Minerva vorstellt. — Zwei schöne colossale Kopfe des Hadrian und Antoninus Pius. Unter dem ersteren sieht man, in einem erhobenen Werke, eine Nereide auf einem die Flöte blasenden Triton.

I. Zimmer. Bildsaule der Juno, gefunden in den Trümmern einer antiken Villa an der Porta Salara. Sie erinnert im Style und in der Anordnung ihres Gewandes an die colossale Bildsäule jener Gottin, ehemals im Palast Barberini, jetzt im Pioclementinischen Museum. Auf der Ara unter derselben sieht man auf der einen der langen Seiten ein Stieropfer, und auf der andern einen Hirsch mit einem Lorbeerzweige in dem Maule vor einer Ara, nebst einem Lorbeerbaume. An der einen Querseite eine Kanne, und an der andern eine Opferschale, unter welcher ebenfalls ein Hirsch erscheint. — Weibliche Bildsäule als Urania ergänzt. Sie steht auf einer runden Ara, auf welcher tanzende bacchische Figuren gebildet sind: ein Pan unter denselben hält ein Trinkhorn, dessen Anfang, als ungewohnlich, die Form der halben Figur eines Panthers zeigt. An der unteren Seite des Monumentes liest man die auf die Person, welche es verfertigen liess, bezuglichen Siglen D. S. P. F. C. (de sua pecunia faciundum curavit). — Weibliche Bildsäule, ausgezeichnet durch Schönheit des Faltenwurfs und vorzügliche Ausfuhrung. Die linke Hand mit den Aehren, die sie als Ceres bezeichnen, ist zwar neu: jedoch durch den Vergleich des in der Vorhalle erwähnten Sturzes als richtige

Ergänzung gesichert. — Statue der Venus Genetrix. Darunter: eine runde, stark ergänzte Ara, auf welcher drei Manaden gebildet sind. Von einer derselben ist nur noch ein geringer Theil vorhanden. — Die Vorstellung eines dem Amor dargebrachten Opfers in einem Relief von mittelmassiger Arbeit, dessen guter Styl aber in demselben die Nachahmung eines bessern Werkes vermuthen lasst. Vor einem durch einige Stufen erhöhten Tempel — in dessen Giebelfelde man einen auf einer Muschel blasenden Triton bemerkt — steht auf einem runden Postamente die Statue des Amor mit einem Palmenzweige in der Hand. Der Opfernde, mit Untergewand und Mantel bekleidet, und mit einer Hauptbinde geschmückt, ist nach jener Statue gewandt. Hinter ihm trägt eine weibliche Figur, in der Kleidung alter Frauen, auf einer Schüssel die zum Opfer bestimmten Fruchte. Neben ihm steht ein Pinienbaum. — Gruppe der Leda, liegend mit einem Kranze in der Linken und mit Armbändern geschmückt. Indem sie mit der Rechten den Schwan umfasst, scheint ein Amor sie zur Verbindung mit dem in diesen Vogel verwandelten Jupiter anzutreiben. — Schönes Fragment der Statue eines Knaben mit einem Kruge in der Rechten, angeblich Ganymed, wahrscheinlicher Hylas; gefunden bei Nomentum, im Jahre 1830. — Ein merkwurdiges Relief, welches den von dem Ajax verübten Raub der Cassandra bei dem Palladium vorstellt. Das letztere zeigt einen sehr alterthümlichen Character. Ajax ist, im Character der Heroen, ohne Rüstung, nur mit der Chlamis bekleidet. Der grossartige Styl und der Ausdruck des Lebens lässt in diesem roh gearbeiteten Relief eine spätere Nachahmung eines Werkes aus den besten Zeiten der griechischen Kunst vermuthen. — Weibliche Bildsaule, mit der Linken das Gewand emporziehend, wie die unter dem Namen der Spes bekannten Venusfiguren. Der Kopf zeigt den hohen Haarputz der Plotina. — Weibliche Bildsäule als Flora ergänzt; auf einer runden Ara mit äusserst verstümmelten Figuren, welche vor einem Triclinium das Opfer des Stieres, der Sau und des Schafes (Suovitaurilia) darbringen. Es erscheinen dabei die Bilder der Juno, der Victoria, des Hercules und des Apollo. — Relief, gefunden zu Anfang des 17ten Jahrhunderts zu Terra Nuova. Der Gegenstand ist eine stehende Frau, welche ein neugebornes, in Windeln eingehülltes Kind von einer andern Frau empfängt, die, auf einem hohen Sessel sitzend, mit den Füssen auf einem Schemel ruht. Unter dem Sessel eine Hirschkuh: im Hintergrunde ein Platanenbaum. Winkelmann erklarte diese Vorstellung fur die Auferziehung des Telephus, nach der von Pausanias erwahnten Sage. — Ein zweihenkliges Gefäss von weissem Marmor, zum Theil ergänzt, mit erhobenen Arbeiten, welche einen auf einem Felsenstücke sitzenden Pan zeigen, der zu einem bacchischen

Tanze von drei bewehrten Männern (Pyrrhichisten) und zwei Bacchantinnen die Syrinx spielt: dabei eine viereckige Ara. Der pfeilschiessende Apollo ist neu. Darunter: eine dreieckige Candelaberbasis, auf welcher Bacchus, Mercur uud Venus im Tempelstyle gebildet sind. — Fragment, welches zu den in der Vorhalle angefuhrten Reliefs eines Triumphbogens gehört.

II. Zimmer. Zwei Reliefs, welche die Vorder- und Hinterseite eines Sarcophages bildeten; vermuthlich aus dem 3ten Jahrhundert. In denselben sind die Thaten des Hercules in Arcaden vorgestellt, die sich auf gewunden cannelirten Saulen erheben. An beiden Enden des einen dieser Reliefs zeigt der Fuss einer menschlichen Figur den Rest der Vorstellungen der beiden fehlenden Thaten des Heros, die sich an den verlornen Querseiten des Sarcophages befanden. An den Sockeln beider Reliefs sind Kampfe mit Panthern, Hirschen und Stieren und, an den beiden Enden dieser Sockel, zwei Atlanten gebildet, welche das Gesims unter dem Gebäude der gedachten Arcaden unterstützen. — Nicht zu dem Marmorsarge jener beiden Reliefs, sondern zu anderen Grabmonumenten gehörten die beiden auf demselben ruhenden Sarcophagdeckel. Auf dem einen ist die Ankunft der Amazonen zum Beistand der Trojaner in einer schonen, hochst wahrscheinlich von einem weit fruheren Werke entlehnten Composition vorgestellt. Vom Beschauer links, Andromache, nach dem Verlust Hectors, ihres Gatten, mit ihrem kleinen Sohne Astyanax, von trauernden Frauen umgeben. Mehr zur Rechten empfangt Priamus, mit dem Scepter in der Hand, von mehreren Trojanern begleitet, innerhalb des Thores von Troja, die Konigin der Amazonen Penthesilea. In der weiteren Folge ist in einer sitzenden Frau vermuthlich Hecuba vorgestellt, in Schwermuth versunken uber das bevorstehende Schicksal ihrer Stadt. Eine ihrer Dienerinnen zeigt ebenfalls den Ausdruck der Trauer, indem ein Mann in phrygischer Mütze, vermuthlich Paris, sie trösten zu wollen scheint. — Der andere der beiden gedachten Sarcophagdeckel zeigt eine räthselhafte, bis jetzt noch nicht erklarte Vorstellung, ähnlich der eines capitolinischen Reliefs, in der Foggius die Vergötterung eines Knaben zu erkennen glaubte. Unter den Figuren sind als unbezweifelt zu erkennen: Jupiter, Juno, Venus und Minerva; und in der Gruppe von drei Frauen, vom Beschauer rechts, sieht man höchst wahrscheinlich die Parzen.

Sarcophag mit der haufig vorkommenden Vorstellung der Nereiden in Begleitung von Tritonen. Zwei Töchter des Nereus und ein bärtiger Triton sind mit einer Leyer und ein jugendlicher dieser Meergötter auf der Flote blasend vorgestellt. In der Mitte des Reliefs eine Maske des Ocean mit zwei Krebsscheeren, und an jedem der beiden Enden ein Amor auf dem Schwanze eines

Tritons, der eine mit einem Gefäss in der Hand. An den Querseiten ein Seelowe und ein Seegreif. Auf dem Deckel die Gottinnen der Jahreszeiten. — Relief, dessen Gegenstand an den des
Deckels des Sarcophages in S. Lorenzo fuori le mura erinnert.
Man sieht in der Mitte die drei capitolinischen Gottheiten, Jupiter,
Juno und Minerva, ihnen zu beiden Seiten, zunächst die Dioscuren,
die mit denselben als Beschützer Roms betrachtet wurden, und
zuletzt, an beiden Enden, die bekannte allegorische Vorstellung
des Auf- und Niederganges der Sonne; nämlich, vom Beschauer
links der Sonnengott auf einem Wagen mit vier emporspringenden
Pferden, unter denen man den mit einem Ruder bezeichneten
Ocean bemerkt, und rechts die Nacht ebenfalls auf einem Wagen,
aber nur mit zwei Pferden bespannt, die von dem über ihnen
schwebenden Hesperus, in der Gestalt eines geflügelten Junglings,
hinabgelenkt werden. — Eine seltene Statue des Hercules, stehend in Frauenkleidern gebildet, in denen sich der Heros durch
die Macht der Liebe zur Omphale erniedrigte. Der rechte Arm,
mit dem Spinnrocken in der Hand, ist neu. — D a r u n t e r : eine
Ara, auf welcher ein Rabe, eine Leyer, ein Hirsch und ein Hund,
als Attribute des Apollo und der Diana, gebildet sind. — Statue
des Hercules im Knabenalter, mit der Löwenhaut bekleidet. —
Mehrere Hermen, worunter zwei des gedachten Heros: die eine,
die ihn jugendlich zeigt, ist mit beiden Armen in die Löwenhaut,
die andere, durch einen antiken Rest der Keule bezeichnet, in
ein anderes Thierfell eingehullt. — In der Mitte eine Gruppe
einer Amazone zu Pferd, welche einen Krieger zu Boden geworfen hat.

III. Z i m m e r. Gute Bildsäule eines nackten, stehend gebildeten Mannes, für den Tyrtäus erklärt. Sein bärtiger Kopf hatte
eingesetzte Augen. — Bildsaule der Daphne im Anfange ihrer
Verwandlung in einen Lorbeerbaum; ein wegen der Seltenheit
der Vorstellung merkwürdiges Werk, aber von sehr unerfreulichem
Ansehen. — Statuen der Melpomene, Clio, Erato und Polyhymnia
und eines sitzenden auf der Leyer spielenden Dichters, welcher
auf Münzen von Keos ähnlich wiederkehrt und daher für den
Anacreon erklart worden ist. Die erwahnten Musen, welche mit
den vaticanischen von einem gleichen Urbild stammen, bilden, im
Verein mit ihren zur Zeit noch nicht aufgestellten Schwestern,
die vollstandigste Musengruppe, die wir besitzen. Sie wurden mit
der oben erwähnten Bildsäule der Juno bei Monte Calvi an der
Via Salara gefunden.

D a s IV. Z i m m e r, la G a l l e r i a g e n a n n t, ist durch besondere Pracht ausgezeichnet. In den Nischen der Wände sind, in
der Folge vom Eingange rechts, die nachbenannten Statuen aufgestellt:

Diana mit dem Köcherbande. Die Maske in ihrer Linken, die sie als Thalia bezeichnen soll, ist nebst dem Vorderarme neu. — Eine Bacchantin, durch die uber die Schulter geworfene Nebris bezeichnet; mit modernen Attributen der Diana. — Bacchus, mit einer Schale in der Rechten, den Arm dieser Hand auf ein durchbohrtes Gefass stützend, aus dem vermuthlich das Wasser eines Brunnens floss, zu dem diese Statue gehörte. — Diana in kurzer Tunica. — Eine Nereide, fur die Thetis erklart, mit einem feinen Untergewande und einem von der Schulter hinabfallenden Mantel bekleidet. Sie ergreift mit der Rechten den Schwanz eines Delphins.

Kleine Herme eines Satyrs von Basalt. Er ist mit der Nebris bekleidet und tragt einen Weinschlauch. — Bronzene Statue eines Knaben, unter Lebensgrösse, nur mit Chlamis und Sandalen bekleidet und mit einem Globus in der Rechten. — Eine schone antike Porphyrwanne, deren Gestell vier Chimären schmücken, von beträchtlicher Grösse; nach einer unverburgten Sage ehemals im Mausoleum des August. — Ein metallener Kopf des Bacchus ist vermuthlich ein moderner Abguss eines antiken Werkes; und ein Kopf der Juno von Rosso antico, auf einer Brust von buntem Alabaster, ist die Nachahmung eines neueren Bildhauers nach einem antiken Werke. Neuere Werke nach antiken Vorbildern sind auch die porphyrnen Busten der eilf ersten romischen Kaiser, nebst denen des Scipio Africanus, des Agrippa und des Cicero. — Grosstentheils neu sind ebenfalls die Gefasse von orientalischem Alabaster, Nero antico, Porphyr und Granit, die man hier sieht, so wie auch ein an den Henkeln mit Masken geschmücktes Gefass von einem seltenen schwarzgrünlichen Steine, in welchem man den von Plinius erwähnten Ophit vermuthet.

V. Zimmer. An den Wänden stehen zwei Säulen von Giallo antico und zwei andere von Porphyr. Der Fussboden ist mit zwei Bildern antiker Mosaiken geschmückt, die bei Castel Arcione gefunden worden sind. In dem einen ist ein Fischer bei einer Barke vorgestellt, in der sich zwei rudernde Manner befinden, und in dem anderen ebenfalls eine Barke mit zwei Fischern, von denen der eine einen Hamen, der andere eine Angelruthe halt: hinter dem ersteren ist ein Gefass zu bemerken. — Statue eines Satyrs; eine der bekannten muthmasslichen Nachahmungen eines beruhmten Werkes des Praxiteles. — Statue eines weinenden Knaben, mit einem um den Leib gebundenen Bande; nach ahnlichen Gemmenvorstellungen ein traurender gefesselter Amor ohne Flügel. — Bildsaule eines schlafenden Hermaphroditen; eine gute Wiederholung der berühmten Statue der ehemaligen Sammlung dieser Villa. — Büste eines Jünglings im idealen Character, mit zwei Füllhörnern am Ende der mit Tunica und Toga bekleideten Brust; mit wenigem Grunde von Nibby für den Genius des

römischen Volkes erklärt. — Die Wiederholungen des Dornen-
ausziehers im Palast der Conservatoren und der Statue der aus
dem Bade kommenden Venus im Gabinetto delle maschere
des Pioclementinischen Museums sind moderne Copien dieser
Werke.

VI. Zimmer. Ein grosser Candelaber von weissem Marmor,
auf welchem Laubwerk, Epheu, Masken, Löwen und Panther
gebildet sind. — Statue der Pallas unter Lebensgrösse. Die Aegis
hangt von der rechten Schulter herab. Zur Rechten der Statue
die athenische Burgschlange. — Schone Bildsäule des Apollo,
merkwürdig in archäologischer Hinsicht. Er ist mit langer Tunica
und Mantel bekleidet. Unter dem Greife, den er in der Linken
hält, erhebt sich ein Dreifuss, an welchem ein Hirsch, eine Leyer
und, auf der Basis, Schwäne gebildet sind. Um das Gestell win-
det sich eine Schlange. — Colossale Bildsäule einer liegenden
Frau, vermuthlich von dem Deckel eines Sarcophages. Ein Relief
daruber, an der Wand, ist wahrscheinlich ebenfalls von einem
Grabmonumente. Es zeigt eine betagte Frau zwischen zwei mit
der Toga bekleideten Männern, in lebensgrossen Figuren. — Eine
Art von Candelaber, dessen Schaft drei weibliche Figuren bilden;
ein aus verschiedenen antiken Fragmenten und neueren Zusätzen
zusammengesetztes Werk. Auf dem Postamente befinden sich
Fragmente antiker Reliefs, welche eine Victoria mit einer Trophäe
in der Hand und drei Männer in barbarischer Kleidung vorstellen.
Der eine derselben trägt ein grosses zweihenkliges Gefäss. —
Gute weibliche Bildsäule, bis an den halben Leib bekleidet, wahrscheinlich eine Nymphe; Wiederholung der sogenannten Danaide
des Pioclementinischen Museums. — Gruppe der Leda mit dem
Schwan; Wiederholung der capitolinischen Gruppe dieses Gegenstandes; gefunden im Jahre 1823 in einer Vigna zwischen Frascati und Monte Porzio. — Bildsaule eines liegenden, mit der Toga
bekleideten Mannes, vermuthlich von einem Marmorsarge. —
Darunter, ein Sarcophag, an dessen Vorderseite Nereiden und
Tritonen in Begleitung von Amoren gebildet sind: in der Mitte
das Bildniss des Verstorbenen. Als ungewohnlich in diesen Vorstellungen ist ein an einen Triton, am Ende vom Beschauer
rechts, angesprungener Panther zu bemerken. — Gruppe des
Aesculap mit dem Telesphorus.

VII. Zimmer, Camera Egiziaca genannt. Auf dem
Fussboden: antike Mosaiken, welche die colossalen Köpfe eines
Triton und einer mit Schilf bekranzten Nereide, und die Vorstellung von drei Männern vor einer Statue des Mars zeigen. — Ein
Jungling nahe am Knabenalter, welcher auf einem Delphin reitet;
vermuthlich Palaemon, der Sohn des Athamas und der Ino. Aus
dem Rachen des Delphins ergoss sich wahrscheinlich das Wasser

eines Brunnens, zu dessen Verzierung dieses Bildwerk diente.
Der Kopf eines Satyrs — von dem ubrigens diese Figur keine
Kennzeichen hat — ist derselben fremd. — Statue der Venus,
welche mit der Linken, die nebst dem Vorderarme neu ist, das
unter den Leib herabgefallene Gewand halt. — Weibliche Bildsäule in langer Kleidung, deren geradlinige, senkrecht herabfallende
Falten dem älteren Style entsprechen. — Statue der Pallas. Die
Aegis mit einem Medusenhaupte zeigt dieselbe Gestalt, wie die
der Figur dieser Gottin in dem zuvor betrachteten Zimmer. —
Bildsaule einer Bacchantin, als solche durch das uber die Schulter
geworfene Fell bezeichnet. — Statue eines jungen Satyrs, welcher
stehend mit ubereinander geschlagenen Beinen die Flöte spielt;
eine ofter wiederholte Figur. — Statue ebenfalls eines jungen
Satyrs, mit einem von der Schulter auf einen Baumstamm hinabfallenden Pantherfell. — Vier Gefässe von Nero antico und zwei
Sphinxe von grünem Basalt sind neu.

VIII. Zimmer. Schöne Statue eines tanzenden Satyrs, mit
bärtigem Haupt, ganz nackt gebildet, über Lebensgrösse; ausgegraben in der mehrerwähnten Villa von Monte Calvi. Neben
demselben ein über einen Baum herabhängendes Pantherfell. —
Eine schöne weibliche Bildsäule, ebenfalls über Lebensgrösse, mit
langer Tunica und Mantel bekleidet, ähnlich den fur die Pudicitia
erklarten Figuren. Der Ergänzer hat sie durch Aehren in der
linken Hand als Ceres bezeichnen wollen. — Sitzende Statue eines
leyerspielenden Mercur, eine sehr seltene Vorstellung. Der Kopf,
den ein geflugelter Petasus bedeckt, ist aufgesetzt und der Statue
vielleicht fremd. — Statue eines Satyrs, als den ihn nur der
Schweif bezeichnet. Denn der Kopf und beide Arme, mit den
Cymbeln in den Händen, sind neu. — Buste der Minerva Gor-
golophos, zu welcher Benennung der Gorgonenhelm berechtigt,
von mittelmässiger Arbeit. Ungewöhnlich sind, in antiken Sculpturen, die in dem geöffneten Munde erscheinenden Zähne. —
Eine der mehrerwähnten Satyrfiguren, die man fur Nachahmungen
einer Statue des Praxiteles hält, von guter Arbeit. — Bildsaule
des Pluto, sitzend auf dem Throne, mit einem Schemel unter
dem linken Fusse. Neben ihm Cerberus, dessen Leib eine Schlange
umwindet. Von den drei Kopfen des Ungeheuers erscheinen nur
zwei; der grössere mit zottigem Haar, der kleinere im Character
eines Windhundes. — Bildsaule eines Pan, mit der Syrinx in der
einen und dem Pedum in der anderen Hand. Neben ihm auf
der einen Seite ein Raubvogel, auf der anderen ein Bock. —
Mannliche Bildsaule, fur den Periander von Corinth erklart, wegen
der Aehnlichkeit ihres Kopfes mit der durch seinen Namen bezeichneten Herme dieses Weltweisen im Pioclementinischen Museum. Diese Figur, deren Mantel einen schönen Faltenwurf zeigt,

ist vermuthlich die Nachahmung eines vorzüglichen griechischen Werkes. Ihr Sessel ist vorn mit zwei Chimären und an der noch erhaltenen Seite mit einem Greif geschmückt. — Statue eines sitzenden Bacchus mit einem auf einem Schemel stehenden Mädchen, welches in der Bedeutung einer abgeschiedenen Seele, bei ihm, als seiner Schutzgottheit empfohlen erscheint. Man hat diese Vorstellung für Liber und Libera erklart. Die Richtigkeit unserer Erklarung aber dürfte die Inschrifttafel auf dem Postamente jener kleinen Mädchenfigur beweisen. Sie war ohne Zweifel zur Bezeichnung des Namens der Verstorbenen und des Grunders dieses Denkmals bestimmt, ist aber leer geblieben, wie so viele andere zu gleichem Gebrauch bestimmte Tessellen.

Noch sind an den Wänden dieses Zimmers einige antike Reliefs zu bemerken, deren Gegenstände folgende sind: — Eine Vorstellung der mit den Federn der Sirenen geschmückten Musen, in zwei Marmorplatten, die vermuthlich zu demselben Sarcophage gehörten; — ein Satyr, ein Silen und zwei Bacchantinnen, die eine mit einer Fackel in der Hand; — und zwei Tritonen, welche eine nackte Venus mit einem Amor in einer Muschel halten, nebst einigen anderen Amoren und zwei Nereiden.

In den reich verzierten Zimmern des oberen Stockwerkes befinden sich neuere Gemälde und Sculpturen in grosser Anzahl, die aber meistens keine besondere Erwähnung verdienen. In dem grossen Saale, der ursprünglich eine offene Loggia war, sieht man am Deckengewolbe Frescomalereien von Lanfranco, und an den Wänden einige Oelbilder von dem in seiner Zeit hoch gepriesenen Landschaftsmaler Philipp Hackert. Die Statue des David mit der Schleuder, und die Gruppen des Apollo und der Daphne, und des den Anchises tragenden Aeneas, sind merkwurdig wegen der Meisterschaft, die sie als Werke zeigen, die Bernini in dem Zeitraume von dem 15ten bis zum 18ten Jahre seines Lebens verfertigte. — Unter den Gemälden der folgenden Zimmer befinden sich: drei grosse Bilder von dem schottischen Maler Hamilton; — Statuen der Paulina Borghese von Canova; — eine bedeutende Anzahl von Landschaften von Franz Bloemen; — eine Sammlung von Bildnissen der Familie Borghese; — und einige Gemalde von Jacob Bassano und Luca Giordano. — Das Deckengemälde des einen dieser Zimmer ist von Carlo Cignani.

In dem kleinen Gartengebäude der bereits erwähnten angeblichen Villa Raphaels ist ein Zimmer nach Angabe dieses Kunstlers mit Frescogemalden ausgeschmückt, deren Gegenstände vier weibliche Brustbilder — die, wie man sagt, von ihm geliebte Frauen vorstellen — Arabesken, Liebesgötter und andere kleine Figuren, nebst drei historischen Bildern sind. Die letzteren sind, weil sie von der Mauer abzufallen drohten, abgesägt und in den

Palast des Prinzen Borghese gebracht worden, bei dessen Beschreibung wir sie betrachten werden.

Villa Julius III.

Die von Julius III. an der Via Flaminia mit grosser Pracht
und Aufwand angelegte Villa — deren Angabe er dem Vasari
und Vignola mit dem Gutachten des Michelagnolo ubertrug —
gerieth nach seinem Tode sogleich in Verfall. Von dem beden-
tenden Umfange der Gartenanlagen sind sogar die Gränzen verschwunden, indem die jetzt sogenannte Vigna di Papa Giulio nur
einen Theil dieser Anlagen begriff. Das an der Via Flaminia in
einem guten Style, vermuthlich nach Angabe des Vignola aufgeführte Gebäude dieser Vigna ist in einem höchst verfallenen Zustande. Von dem an der Aussenseite desselben angelegten Brunnen
fuhrt eine Strasse zu dem ehemaligen Hauptgebaude jener Villa,
welches der päpstlichen Kammer gehort und dermalen gänzlich
verlassen steht. An dem zu diesem Gebäude von Vignola ent-
worfenen Plane hatten auch Vasari und Bartolommeo Ammanati
einigen Antheil. Die Zimmer sind mit Malereien von Taddeo
Zucchero verziert.

Acqua acetosa.

Vor Ponte Molle kann man längs der Tiber zu dem Brunnen
des von seinem säuerlichen Geschmack Acqua acetosa genannten
Wassers gelangen. Der nächste Weg dahin von der Stadt geht
jedoch durch einen unweit des letzterwähnten Gebäudes gelegenen
Bogengang, welcher Arco oscuro heisst, und in dem sich eine
Capelle mit einem verehrten Marienbilde befindet. Das unter
Alexander VII. nach Angabe des Bernini errichtete Gebaude jenes
Brunnens liegt in einer schönen Gegend am Ufer der Tiber.

S. Andrea della Via Flaminia.

In dem Bezirke der Villa Julius III. lag auch die kleine Kirche,
welche dieser Papst an der Flaminischen Strasse zu Ehren des
heil. Andreas erbaute, weil er als Pralat am Namenstage dieses
Apostels der Todesgefahr in den Händen der Kriegsvolker Carls V.
entkam. Dieses von Vignola angegebene Gebäude bildet eine
viereckige Masse, auf der sich eine Kuppel erhebt. An der Vorderseite ruht ein Giebel auf einem Gebalke, unter welchem sich
sechs corinthische Pilaster befinden.

Im weiteren Fortgehen auf der gedachten Strasse sieht man,
zur Rechten, in dem Gottesacker der Bruderschaft SS. Trinità
de' Pellegrini, das Denkmal, welches Pius II. an der Stelle errichten liess, an welcher er das Haupt des h. Andreas empfing,
welches Demetrius, Furst von Morea, aus dem Peleponnes nach

Rom brachte. Dieses Denkmal ist ein kleines, mit vier Säulen von Cipollino geschmücktes Tabernakel, in welchem die Statue des gedachten Apostels steht, welche zwei Schuler des Antonio Filarete, Varrone und Niccolò, verfertigten.

Ponte Molle.

Die Brücke, welche von Rom nach Toscana über die Tiber führt, wurde von M. Aemilius Scaurus erbaut und hiess daher ursprünglich Pons Aemilius. Daraus ist, wie man vermuthet, Pons Milvius und zuletzt Ponte Molle entstanden. Die heutige Brücke, welche Nicolaus V. (1447—1455) erbaute und Pius VII. im Jahre 1805 erneuern liess, steht nicht an der Stelle, jedoch nur in geringer Entfernung von der des alten Roms. Von der letzten soll man, wenn der Fluss seicht ist, noch Reste der Pfeiler aus dem Wasser hervorragen sehen.

Zweite Abtheilung.

Von der Porta del Popolo nach Piazza Colonna und die Ebene zum Flusse hin.

§. 113.

S. Giacomo in Augusta, genannt degli Incurabili.

Das Hospital von S. Giacomo, welches den Beinamen in Augusta von dem benachbarten Mausoleum des August fuhrt, wurde durch ein Vermächtniss des Cardinals Jacob Colonna im Jahre 1338 gestiftet. Zu demselben gehörte ursprünglich die kleine, noch jetzt mit diesem Hospitale verbundene Kirche an der Via di Ripetta, S. Maria della Porta del ˜Paradiso genannt. Die grössere, nach dem Corso gelegene Kirche erbaute, im Jahre 1600, der damalige Protector des Hospitals, der Cardinal Antonio Maria Salviati, nach dem Plane des Francesco da Volterra, nach dessen Tode die Leitung des Baues Carlo Maderno übernahm, der auch die Vorderseite angegeben hat. Man sieht in dieser Kirche Gemälde von Ricci da Novara, Pasignani und anderen nicht bedeutenden Malern dieser Zeit. Ueber dem Altare der zweiten Capelle, vom Eingange rechts, ist in einem Relief von Le Gros der heil. Franciscus von Paola in der Verehrung eines Marienbildes vorgestellt, welches von dem letztgenannten Cardinal hierher gebracht wurde. — Das zur Heilung von Wunden und anderen äusserlichen Krankheiten bestimmte Hospital erhielt den Beinamen degli Incurabili, weil in demselben auch die tödtlich Verwundeten und mit unheilbaren Schäden Behafteten aufgenommen werden.

Mausoleum des August.

In der Via degli Pontefici, rechts hinter dem Palast Vivaldi, jetzt Corea, sieht man die Reste von dem Mausoleum des August, welches durch die erhaltene Tradition, nach der es dieser Kaiser erbaute, im Mittelalter den Namen Augusta erhielt, zu welcher Zeit die Colonna's zum Besitz desselben gelangten. Die von Giovanni Villani erwähnte Zerstörung dieses Gebäudes, bei der Vertreibung der genannten Familie, im Jahre 1167, kann nicht vollkommen gewesen seyn, da sich 1241 der von Gregor . IX. zu Friedrich II. ubergetretene Cardinal Johannes Colonna in demselben befestigte, welches darauf von dem Senator Matteo Rosso Orsini, von der Partei des Papstes, eingenommen wurde. In dem auf seinen Ruinen, gegen das Ende des vorigen Jahrhunderts, erbauten Amphitheater werden Stierhetzen und Reiterspiele gehalten, und im Sommer, an den Sonntagen, kleine Feuerwerke (Fuochetti) abgebrannt. Die Arena bildet der durch die Trümmer dieses Monumentes erhöhte Platz, auf welchem zuvor ein Garten angelegt war. Von dem runden Gebäude des Grabmals sieht man noch die unteren sehr dicken Mauern von Netzwerk (Opus reticolatum), in denen die Nischen der Gräber angebracht sind. Der antike Eingang ist in einem Holzmagazin, bei dem Hospitale von S. Rocco, zu bemerken, bei welchem vermuthlich die beiden Obelisken standen, die man jetzt bei S. Maria Maggiore und auf dem Platze von Monte Cavallo sieht.

SS. Rocco e Martino.

Die dem h. Rochus geweihte Kirche, die nachmals auch den Namen von dem h. Martinus, Bischof von Tours, erhielt, wurde, nebst dem mit ihr verbundenen Hospitale, im Jahre 1500, von einer Bruderschaft gestiftet. Ihre heutige Gestalt erhielt sie bei der Erneuerung derselben im Jahre 1657, nach Angabe des Giov. Antonio de Rossi, mit Ausnahme der damals noch unvollendet gebliebenen Vorderseite, die erst 1834 unter der Leitung des Valadier ausgebaut worden ist. Sie zeigt in einem nicht unbetrachtlichen Umfange drei Schiffe und eine Kuppel. Unter den Gemälden bemerken wir nur das Altarbild der zweiten Capelle des rechten Seitenschiffes, welches unter die besseren Werke des Giov. Battista Gauli gehören durfte. Der Gegenstand ist der heil. Rochus, welcher die h. Jungfrau um ihre Fürbitte für die Pestkranken anfleht. Das Hospital ist seit dem Jahre 1770 ausschliesslich zur Aufnahme der Kindbetterinnen bestimmt, wobei für die unverehelicht Geschwangerten die zweckmässigsten Anstalten zur Verheimlichung ihres Fehltrittes getroffen sind.

SS. Ambrogio e Carlo de' Lombardi.

Die grosse, mit dem Hospitale der Lombarden verbundene
Kirche ist den Heiligen Ambrosius und Carlo Borromeo geweiht
und wird von der Strasse, an welcher sie liegt, gewohnlich S. Carlo
al Corso genannt. Ihre Erbauung erfolgte im Jahre 1612. Die
Kuppel hat Pietro da Cortona, und das Uebrige des Gebäudes
Onorio Lunghi angegeben, mit Ausnahme der sehr geschmacklosen,
nach dem Plane des Cardinals Omodei aufgefuhrten Vorderseite.
Ueber dem Hauptaltare, unter dem man das Herz des h. Carlo
Borromeo bewahrt, sieht man die h. Jungfrau, welche den genannten Heiligen, im Beiseyn des h. Ambrosius, dem Heilande
empfiehlt, in einem der besten Gemalde des Carlo Maratta. Die
Malereien an der Decke des Haupt- und des Querschiffs, am Gewolbe der Tribune, und in den Winkeln unter der Kuppel, sind
von Giacinto Brandi. Am Namensfeste des h. Carlo Borromeo,
den 4ten November, wohnt der Papst in dieser Kirche dem
Hochamte bei.

S Girolamo degli Schiavoni.

Die Kirche S. Girolamo degli Schiavoni erbauten, im Ponti-
ficate Sixtus IV., die vor den Turken nach Rom gefluchteten
Sclavonier; und einen neuen Bau derselben veranstaltete Sixtus V.,
nach Angabe des älteren Martino Lunghi und Giovanni Fontana.
Die Frescomalereien in dem hinteren Theile dieser Kirche sind
von Paris Nogari und anderen Malern dieser Zeit, und unter den
Gemälden der Seitencapellen befinden sich drei Oelbilder von
Giuseppe da Bastaro.

Porto di Ripetta.

Derselben Kirche gegenüber ist der auf Veranstaltung Clemens XI., im Jahre 1707, angelegte Hafen, Porto di Ripetta ge-
naunt, zum Anlanden der auf der Tiber nach Rom kommenden
Fahrzeuge. Zu beiden Seiten einer halbzirkligen Mauer, an welcher sich Sitze befinden, stehen zwei Säulen in Gestalt der antiken
Meilenzeiger, an welchen die Hohe angezeigt ist, die der Fluss
bei verschiedenen Ueberschwemmungen erreichte.

S. Ivo de' Brettoni.

Die kleine Kirche S. Ivo, auf Piazza della Scrofa, führt den
Beinamen de' Brettoni, weil sie vormals den Bretagnern gehörte,
welche bei derselben ein Hospital fur ihre Nation stifteten. Gegenwartig ist sie mit der Kirche S. Luigi de' Francesi verbunden.
Sie zeigt noch die Form einer christlichen Basilica mit 3 Schiffen,
von denen das mittlere von zwei Pfeilern und sechs antiken Saulen,

fünf von Granit und einer von Cipollino, getragen wird. Auf dem Fussboden sieht man noch mittelalterliche Steinarbeit und mehrere alte Grabsteine. In der Seitencapelle, vom Eingange rechts, ist der h. Joseph in einem Gemalde des Carlo Maratta vorgestellt.

Gemäldesammlung des Malers Camuccini.

Die Gemäldesammlung des rühmlich bekannten Malers und Ritters, Vincenzo Camuccini, ist, wenn nicht durch die Anzahl, doch durch den Werth der Stücke ausgezeichnet und steht an den Sonntagen, während drei Stunden, für Jedermann offen. Wir bemerken unter den Gemalden derselben folgende:
Im ersten Zimmer: Fünf kleine Bilder, auf Einer Tafel, aus der Schule des Giotto. — Ansicht eines Hafens, mit mehreren menschlichen Figuren und Schiffen, von Claude le Lorrain. Die Wirkung der in dem Meer sich spiegelnden Sonne zeigt die diesem Meister eigenthumliche Kunst. — Menschliche Figuren und Pferde nebst einem Hunde bei einer Bauernhutte in einer Landschaft, von Philipp Wouvermann, mit den Anfangsbuchstaben seines Namens Ph. W. — Johannes der Täufer in der Wüste, die eine schon gedachte Landschaft zeigt: oben eine Glorie von Engeln. Dem Domenichino, dem dieses Gemälde zugeschrieben wird, scheinen die Figuren nicht zu entsprechen, obgleich die Landschaft an seinen Character erinnert. — Eine sehr gute alte Copie des Raphaelischen Gemäldes in der königlichen Bildersammlung zu Neapel, welches die h. Jungfrau mit dem den kleinen Johannes den Täufer segnenden Christuskinde, nebst der h. Anna vorstellt. Des Giulio Romano, dem diese Copie zugeschrieben wird, durfte sie nicht unwurdig seyu. — Bildniss eines geharnischten Mannes von Baroccio. — Bildniss eines Mannes, ebenfalls in Rustung und in halber Figur, in dem ein venezianischer Admiral vorgestellt seyu soll; angeblich von Tizian, wahrscheinlicher von Tintoretto. — Ein kleines Gemalde der h. Jungfrau mit dem Christuskinde, von einem Schuler oder Nachahmer Raphaels, dem dieses Bild nach unserer Meinung sehr mit Unrecht zugeschrieben wird. Die Anordnung und der Faltenwurf der Bekleidung der Maria ist dem Geschmack dieses grossen Kunstlers ganz unentsprechend. Uebrigens zeigt das Bild eine klare und kräftige Farbe, und eine gute Zeichnung in der nackten Figur des Christuskindes. — Die h. Catharina, durch das Rad bezeichnet, und eine andere Heilige, in einer Landschaft; ein gutes kleines Gemalde aus der Schule des Perugino, welches man ebenfalls falschlich fur ein Werk Raphaels erklart. — Die h. Magdalena in einer Landschaft, von Carlo Cagliari, dem Sohne des Paolo, den man gewöhnlich Paolo Veronese benennt.

Im zweiten Zimmer: Eine Götterversammlung von Gio. Bellini, in einer von Tizian gemalten Landschaft; das vorzuglichste Gemälde dieser Sammlung und ein in seiner Art ausgezeichnetes Werk; zuvor in der Villa Aldobrandini auf dem Quirinal. Man liest an einem Weinfasse, vom Beschauer rechts: Johannes Bellinus Venetus MDXIV. Der Gegenstand zeigt eine mit Lebendigkeit und comischer Laune dargestellte Parodie der Götter des Alterthums, die hier in Bauernkleidung, im Genuss des Weins und in gemeinen Aeusserungen der Geschlechtslust, als eine wenig erhanliche Versammlung erscheinen, dabei aber an den ihnen von den Alten gegebenen Attributen kenntlich sind. Die Zeichnung ist grossentheils schwach und zeigt, vornehmlich in den Verkürzungen, sehr auffallende Unrichtigkeiten, die Farbe hingegen vortrefflich, sowohl in der Carnation als in der Totalwirkung. Das Vorzüglichste jedoch an diesem Gemälde ist die von Tizian ausgeführte Landschaft, wegen der mit bewundernswurdiger Farbengebung verbundenen Meisterschaft und Grossartigkeit in der Behandlung. — Der Heiland, welcher dem gefesselten, von Teufeln besessenen Menschen begegnet, die auf sein göttliches Wort in die im Hintergrunde erscheinenden Säue fahren; von Garofalo.— Eine heilige Familie, angeblich von Bonifazio, aber seiner keineswegs würdig. — Eine dem Nicolaus Poussin, aber vermuthlich ohne Grund, zugeschriebene Copie des Gemäldes von Tizian, welches den Bacchus vorstellt, der die Ariadne auf Naxos findet, und wovon das Original sich ehemals in der Villa Aldobrandini befand.

Im dritten Zimmer: Das Bildniss eines knieenden Mannes, in einer schonen Landschaft von Annibale Caracci; ein vorzügliches und in Hinsicht der Farbe unter den Oelgemälden dieses Kunstlers' sehr ausgezeichnetes Werk. — Der Heiland, welcher die Verkaufer aus dem Tempel treibt, von Mazzolino da Ferrara, mit der Jahrzahl 1527. — Der Kopf des Giuliano de' Medici, des Sohnes des Lorenzo Magnifico, angeblich von Giulio Romano, vermuthlich zur Farbenprobe der Frescomalerei auf einem grossen Ziegel gemalt. Er entspricht dem Bildnisse des Giuliano in der florentinischen Gallerie, welches Alessandro Allori nach einem jetzt verschwundenen Gemälde Raphaels verfertigte. — Ein kleines Gemälde von Schidone, welches zwei Blinde vorstellt, die, einander leiten wollend, in eine Grube fallen. — Eine kleine, sehr geistvoll ausgefuhrte Copie des Bildnisses Pauls III. von Tizian in der königlichen Gemaldesammlung zu Neapel. — Brustbild der heil. Magdalena, in colossaler Grosse, von Garofalo. — Esther vor Ahasverus, von Guercino. — Der Heiland am Kreuze, zwischen Maria und Johannes, von Guido Reni. — Das Bildniss des Andrea del Sarto, in jugendlichem Alter, von ihm selbst gemalt.

Palast Borghese.

Den grossen Palast des Prinzen Borghese hatte, bevor er in den Besitz dieser Familie kam, der Cardinal Dezza, im Jahre 1590, nach Angabe Martino Lunghi des Aelteren erbaut, mit Ausnahme des von Flaminio Ponzio angegebenen Hintergebäudes an der Via di Ripetta. Das Erdgeschoss und das erste Stockwerk des Hofes ist mit Hallen umgeben, deren Arcaden von 94 Granitsaulen getragen werden. Es stehen in diesem Hofe drei sehr colossale Bildsäulen, von denen zwei weiblich sind, und die dritte ein Apollo Citharódus scheint. Bedeutend fur die Kunst ist dieser Palast — ungeachtet seiner Einbussen durch die französische Revolution — immer noch durch die berühmte Gemáldesammlung, die man in den Zimmern des Erdgeschosses aufbewahrt, und die von halb 10 Uhr des Morgens bis 3 Uhr Nachmittags für Jedermann offen steht. Der Custode überreicht den Fremden, beim Eintritt in jedes Zimmer, ein Verzeichniss der in demselben befindlichen Bilder in italienischer und französischer Sprache, dessen Nummern wir bei den Gemälden, die wir in der folgenden Beschreibung anzufuhren gedenken, anzeigen werden, ohne uns an die Ordnung desselben zu binden.

Im ersten Zimmer: 2. Die Anbetung der Könige von Mazzolini da Ferrara; ein kleines, mit Kraft und Klarheit der Farbe, und Geist und Gefuhl ausgeführtes Gemälde. — 4. Die h. Jungfrau mit dem Christuskinde zwischen den Aposteln Petrus und Paulus; ein kleines Gemälde, angeblich von Garofalo, wahrscheinlicher von einem seiner Schüler oder Nachahmer. — 6. Die Bekehrung des heil. Paulus; erinnert ebenfalls an die Manier des Garofalo, dürfte ihm aber ebenfalls mit Unrecht zugeschrieben werden. — 8. Saul mit Goliaths Haupt: hinter ihm David, der ihm dasselbe überreicht; ein Gemälde von Giorgione in halben Figuren, von vortrefflicher Farbe und zwar nicht fleissiger, aber sehr meisterhafter Ausfuhrung. — 11. Maria und Joseph, das Christuskind verehrend: dabei der kleine Johannes der Täufer: im Hintergrunde die Hirten, die zur Verehrung des Erlosers herbeikommen; ein Gemalde aus der florentinischen Schule des 15ten Jahrhunderts, angeblich von Pollajuolo. — 14. Maria mit dem Christuskinde, von Sassoferrato. — 16. Die h. Jungfrau sitzend mit dem Christuskinde, von Engeln umgeben; angeblich von Ghirlandajo, wahrscheinlich von Lorenzo di Credi. — 17. Die h. Jungfrau, welche nebst dem kleinen Johannes dem Täufer das Christuskind verehrt: vom Beschauer rechts, zwei stehende Engel; ein Bild von kräftiger Farbe, welches man sehr ungegrundet fur eines der früheren Werke Raphaels erklärt, indem es nicht einmal der peruginischen Schule entspricht, sondern in der Farbe eher an den Fra Bartolomeo erinnert. — 23. Johannes der Täufer, der, in der Wuste predigend, auf den Erlöser zeigt; von Paolo Veronese; ein Gemalde, bei dem von ausdrucksvoller Darstellung des Gegenstandes gar nicht die Rede seyn kann, wurdig aber der Aufmerksamkeit wegen der vortrefflichen Farbe, der meisterhaften Behandlung derselben und der durch Leben und Character ausgezeichneten Köpfe der drei vom Beschauer rechts stehenden Männer in morgenlandischer Tracht. — 24. Moses mit den Gesetztafeln von Guido Reni; Wiederholung eines von uns im Palast Sciarra angefuhrten Gemäldes von diesem Künstler.

Im zweiten Zimmer: 9. Der Leichnam des Erlösers, von der Mutter Gottes und mehreren Freunden und Freundinnen des Heilandes umgeben; nächst dem Besuche der Maria bei Elisabeth, im Palast Doria, das vorzüglichste Gemälde des Garofalo in Rom. Bei der diesem Künstler eigenthümlichen Kraft und Klarheit der Farbe ist der Styl der Zeichnung mehr von Manier entfernt als in seinen anderen Werken; und die Kopfe zeigen eine ihm nicht gewöhnliche Schönheit des Characters und Ausdrucks. Die Figur des Heilandes entspricht durch eine gewisse Steifheit und manierirte Zeichnung nicht der Schönheit der übrigen Figuren. — 3., 4., 5. Eine heilige Familie, die Hochzeit zu Cana und die Geburt Christi; drei kleine Bilder, die ebenfalls dem Garofalo zugeschrieben werden, aber unstreitig von Schülern oder Nachahmern desselben herrühren. — 13. Maria mit dem Kinde zwischen dem h. Hieronymus und der h. Catharina, von Francesco Francia. — 21. Die Flucht des Aeneas mit den Seinigen aus dem trojanischen Brande; ein ehemals sehr gepriesenes Gemälde des Baroccio. — 25. Der Heiland in halber Figur, das Kreuz tragend: hinter ihm Simon von Cyrene; von Muziano. — 30. Ein Gemälde von Pellegrino Tibaldi; das einzige Werk dieses bolognesischen Malers in den römischen Bildersammlungen, welches er der Inschrift zufolge 1548 in einem Alter von 22 Jahren verfertigte. Die Bedeutung des Gegenstandes ist undeutlich. Die h. Jungfrau mit dem Christuskinde ist von mehreren, meistens nackten Figuren von unbestimmtem Ausdruck umgeben. Ueber ihr schweben Engel. Auf dem Vordergrunde ist bei einer Sibylle, die auf den Heiland hinzuzeigen scheint, ein Zettel mit lateinischen Versen zu bemerken, die sich auf Wiederkehr des Erlösers zum Weltgericht beziehen. In der Zeichnung des Nackten zeigt sich der Künstler als einer der besseren Nachahmer des Michelagnolo. — 31. David mit Goliaths Haupt von Caravaggio. In dem Haupte jenes Riesen hat der Künstler sein eigenes Bildniss vorgestellt. — 22. Diana mit ihren Nymphen auf der Jagd; eines der besten Gemälde des Domenichino. Die Scene ist eine anmuthige Landschaft, mit einem Gewässer auf dem Vorgrunde. Die im

Mittelgrunde des Bildes stehende Göttin — die, Bogen und Köcher emporhebend, ihre Gefährtinnen zur Jagd zu ermuntern scheint — ist die am wenigsten gelungene Figur. Hingegen zeigen die theils im Bade, theils mit der Vogeljagd sich vergnugenden Nymphen, mit Anmuth der Bewegung, Wahrheit und Naivetät des Ausdrucks. In Hinsicht der Zeichnung ist durch Schonheit ausgezeichnet die nackte weibliche Figur auf dem Vorgrunde, welche ihre Sandalen auszieht, um sich im Flusse zu baden. Die Farbe fallt zwar in das Graue, ist aber dabei kräftig und harmonisch. — 34. Die Sohne des Zebedäus vor dem Heilande; ein durch Schönheit, Kraft und Klarheit der Farbe ausgezeichnetes Gemälde; wahrscheinlich von Bonifazio. — 46. Maria mit dem Kinde, sitzend auf dem Throne zwischen zwei heiligen Frauen, welche derselben zwei vor ihr knieende Personen, einen Mann und eine Frau — vermuthlich ein Ehepaar, welches dieses Bild ihr darbrachte — zu empfehlen scheinen; ein schönes Bild, welches, obgleich es sehr gelitten hat, noch eine kräftige harmonische Farbe zeigt. Es wird dem Carlo Saracino (gewohnlich Carlo Veneziano genannt) zugeschrieben, dem es aber keinesweges entspricht.

Im dritten Zimmer. 1. Die h. Jungfrau mit dem Kinde, welches einen Vogel halt, angeblich von Francesco Francia; wahrscheinlicher eine alte Copie nach diesem Meister, oder das Werk eines Nachahmers desselben. — 2. Der heil. Antonius von Padua am Seeufer bei Rimini, welcher den seine Ermahnungen verschmahenden Irrglaubigen die Fische zeigt, die sich bei seiner Anrede an dieselben aus dem Wasser erheben; von Paolo Veronese. — 5. Eine sehr vorzügliche alte Copie von Raphaels Bildniss des Papstes Julius II. in der florentinischen Gallerie; angeblich von Giulio Romano. — 8. Ein Gemalde, in welchem, der Inschrift zufolge, Bernardino Licinio seinen Bruder nebst seiner Familie vorstellte. Der Letztere, den wir hier mit seiner Frau und sieben Kindern sehen, ist fast ohne Zweifel der berühmte Gio. Antonio Licinio, von seiner Vaterstadt Pordenone genannt. — 9. Das Abendmahl Christi, von Andrea Schiavone; ein Gemälde von guter Farbe, und Ausdruck und Character in den Köpfen. — 14. Brustbild des h. Antonius von Padua, von Francesco Francia. — 21. Der Kopf eines an das Knabenalter gränzenden Jünglings, in dem man das Bildniss Raphaels, von ihm selbst gemalt, aber nach unserer Meinung mit Unrecht, zu erkennen glaubt. — 35. Ein Gemalde Tizians, die Grazien benannt, in halben Figuren in Lebensgrösse; ein Werk aus der spateren Zeit des Künstlers und nur durch die vortreffliche, ihm eigenthumliche Farbe bedeutend. Der Gegenstand scheint die Ausrüstung des Amor zu seinen Unternehmungen zu seyn. Eine Frau, durch den Hauptschmuck der Krone vermuthlich als Venus bezeichnet, verbindet einem Amor die Augen, während ein anderer Liebesgott auf ihrer Schulter lehnt. Eine zweite weibliche Figur bringt den Bogen, und eine dritte den Köcher herbei. — 37. Der heil. Franciscus in halber Figur, die über ihm erscheinende Glorie von Engeln verehrend; ein gutes Gemälde von Annibale Caracci. — 43. Brustbild der Lucretia mit dem Dolche in der Hand; ein Gemalde von Alessandro Allori, Bronzino genannt, welches eine in das manierirte fallende Zeichnung, aber eine gute Farbe und fleissige Ausführung zeigt. — 46. Die heil. Jungfrau mit dem Christuskinde; ein sehr schönes kleines Bild von Giovanni Bellini, durch vortreffliche Farbengebung, Natur und ungemein leichte Behandlung ausgezeichnet. Auf dem gemalten Sockel, am unteren Ende des Bildes, liest man: Joannes Bellinus faciebat. — Die drei kleinen Bilder (3. 6. 45.), welche die wunderbare Errettung der heil. Catharina von ihrer Hinrichtung mit dem Rade, den Heiland mit der Samariterin und Maria mit dem Kinde vorstellen, durften nicht dem Garofalo, sondern Nachahmern dieses Künstlers zuzuschreiben seyn. — Ein mannliches Bildniss (18.) wird ganz mit Unrecht für ein Werk des Holbein erklart.

Im vierten Zimmer betrachten wir zuerst (No. 27.) das bedeutendste Gemälde dieser Sammlung, die berühmte Grablegung Raphaels, welches der Kunstler der Frau Atalanta Baglioni fur ihre Capelle in der Kirche S. Francesco in Perugia und, nach der auf demselben bei seinem Namen stehenden Jahrzahl 1507, im 25sten Jahre seines Alters verfertigte. Paul V. aus dem Hause Borghese liess es aus der genannten Kirche zur Bereicherung seiner Familie nach Rom bringen. Wir sehen hier den Leichnam des Erlosers von zwei Mannern getragen, indem Johannes, Magdalena und Joseph von Arimathia ihn mit dem Ausdruck des tiefsten Schmerzes umgeben. Mehr nach dem Hintergrunde, in einer vortrefflichen, hochst bedeutungsvollen Gruppe, die in Ohnmacht gesunkene Mutter Gottes, in den Armen von drei heiligen Frauen, in denen vermuthlich die in der heiligen Schrift erwahnten Freundinnen des Heilandes, Johanna, Maria Jacobi und Maria Salome, vorgestellt sind. In einer schönen Landschaft, welche den Hintergrund bildet, erscheint der Calvarienberg mit den Kreuzen des Erlösers und der beiden Schächer. Dieses Bild gehört ohne Zweifel unter die vortrefllichsten Werke Raphaels. Die bedeutungsvolle, wahrhaft tragische Auffassung des Gegenstandes, die Tiefe des Ausdrucks der Seele, der hohe Schönheitssinn in der Zeichnung, ist mit ungemein liebevoller Sorgfalt der Ausführung verbunden; und wenn der Kunstler in späteren Gemälden mehr Freiheit und Meisterschaft beweist, so zeigt er hier hingegen mehr den Styl und die Richtung der alteren aus dem Geiste des Christenthums hervorgegangenen Kunst, aber in der in seinem

eigenthümlichen Geiste zur vollkommenen Selbständigkeit gelangten Ausbildung, und ohne an die peruginische Schule, wie in
seinen noch fruheren Werken zu erinnern.
9. Der Leichnam des Erlösers, von mehreren Personen umgeben, von Van Dyk. — 19. Die Zauberin Circe in phantastischer
Kleidung, in einer Landschaft; ein mit kraftiger Farbe und geist-
voller Behandlung ausgefuhrtes Gemälde, von dem bekannten
ferraresischen Maler Dosso Dossi. — 38. Ein sehr gepriesenes
Bild von Domenichino; nach unserer Meinung aber ein schwaches
Werk dieses Kunstlers. Der Gegenstand ist eine Frau in halber
Figur, die man bald eine Sibylle, bald die h. Caecilia benannte.
Die Musiknoten in ihrer Hand und die Geige bei derselben
sprechen fur die letztere Benennung. — Drei kleine Bilder (No.
28. 30. 34.), die für Werke des Garofalo ausgegeben werden, sind
vermuthlich aus seiner Schule. — Der Besuch der Maria bei
Elisabeth (40.); ein kleines Bild, angeblich von Rubens, ist un-
streitig eine Copie nach diesem Kunstler. — Ganz ungegrundet
erklart man zwei mannliche Figuren (4. 5.) in zwei Gemalden
auf Goldgrund fur Jugendwerke des Michelagnolo.
Im fünften Zimmer: 2. Maria und Joseph von Lorenzo
Credi; ein gutes Gemalde von kraftiger Farbe. — 3 — 6. Vier
Gemalde von gleicher Grosse in runder Form, von der Erfindung
des Francesco Albani. Sie zeigen in schön gedachten Landschaften
Personen der Gotterwelt des Alterthums und vornehmlich Amoren
in anmuthigen Compositionen, welche eine allegorische Vorstellung
der vier Elemente, aber in meistens undeutlicher Bezeichnung
enthalten. Des Meisters eigene Hand glauben wir nur in dem
einen dieser Bilder, No. 5., zu erkennen. Die übrigen, die eine
weit schwachere, seiner nicht würdige Ausfuhrung zeigen, sind
vermuthlich entweder Copien, oder Werke von Schülern des Albani nach seinen Zeichnungen. — 14. Eine schone Copie von
Sassoferrato nach einem Gemälde Tizians. Der Gegenstand soll
auf das menschliche Leben in der Jugend und im Greisesalter
deuten. Man sieht in einer Landschaft, vom Beschauer links,
ein liebendes Paar, rechts drei Amoren und im Hintergrunde
einen Greis, der einen Todtenkopf betrachtet. — 16. Joseph und
Potiphars Weib, von Lanfranco. — 19. Der Heiland und die Samariterin, von Garofalo. — 21. Christus, welcher der h. Magdalena
nach seiner Auferstehung erscheint; angeblich von Pietro Giulia-
nello, einem wenig bekannten Maler aus Raphaels Zeitalter. —
24. Der verlorne Sohn von Guercino. — 26. Maria mit dem
Christuskinde und dem kleinen Johannes, in lebensgrossen Figuren, von Andrea del Sarto. — Die Auferweckung des Lazarus;
ein kleines, fleissig ausgeführtes Gemälde auf Schiefer gemalt,
von Agostino Caracci. — 29. Ein schones kleines Gemälde von

Teniers. Ein Bauer am Tische sitzend mit einem Bierkruge, und
im Hintergrunde drei andere Bauern stehend am Eingange des
Zimmers, welches die Scene der Handlung bildet. — 30. Die heil.
Jungfrau mit dem Kinde, der heil. Hieronymus und ein Bischof;
ein Gemalde, welches eine gute durchsichtige Farbe zeigt; vermuthlich von einem Meister der älteren niederländischen Schule.

Im sechsten Zimmer befinden sich keine Bilder von ausgezeichneter Bedeutung. Wir erwähnen unter denselben nur:
Ein Gemalde der Leda mit dem Schwane (No. 1.), welches dem
Leonardo da Vinci zugeschrieben wird und an seinen Styl erinnert, dürfte keinem der vorzüglichen Schüler und Nachahmer
jenes grossen Künstlers beigelegt werden können. — 4. Ein Gemälde, angeblich von Lucas Cranach; Venus und Amor in nackten
lebensgrossen Figuren, zeigt eine gute Farbe, aber eine sehr unerfreuliche Zeichnung; — und 7. eine gute alte Copie des Raphaelischen Gemäldes der Fornarina im Palast Barberini.

Das siebente Zimmer ist reich mit vergoldeten Stuccaturarbeiten, Figuren aus Stuck und modernen Kaiserbusten nach
antiken Vorbildern geschmückt. Man sieht in demselben eine
grosse runde, aus vielen, zum Theil seltenen und kostbaren Steinen zusammengesetzte Tischplatte.

Im achten Zimmer: 8. Ein Gemälde von Palma vecchio,
dessen Composition an das vorzugliche Bild dieses Kunstlers im
Palast Colonna erinnert, aber an Schönheit demselben nicht gleich
kommt. Der Gegenstand ist die h. Jungfrau mit dem Christuskinde: ihr zu beiden Seiten die Heiligen Franciscus und Hieronymus, und vor derselben eine sie verehrende Frau, welche vermuthlich dieses Bild ihr zu Ehren verfertigen liess. — 2. 3. 24.
25. 34. 36. 44. Einige Landschaften von Paul Brill. In der einen
ist der H. Franciscus in der Wüste und in der anderen Orpheus
vorgestellt, der durch sein Leyerspiel die wilden Thiere um sich
versammelt. — 6. 30. Zwei Jagden von Tempesta. Demselben
Maler werden auch zwei auf Stein gemalte Bilder (67. 77.) zugeschrieben, welche die Eroberung von Jerusalem unter der Anfuh-
rung des Gottfried von Bouillon und die Berufung des b. Petrus
zum Apostelamte vorstellen. — 66. Ein Prophet oder Apostel, in
lebensgrosser halber Figur, von Muziano. — Auch sieht man hier
mehrere Bilder in Mosaik und florentiner Arbeit, nebst einigen
kleinen antiken Bronzefiguren.

Im zehnten Zimmer: 1. Ein Gemälde von Tizian aus der
besten Zeit des Künstlers, welches als das vorzüglichste seiner
Werke in Rom betrachtet werden dürfte. Man sieht hier, in
einer vortrefflichen Landschaft, bei einem mit erhobenen Arbeiten
geschmuckten Brunnen, zwei weibliche Figuren, in denen man
die gottliche und irdische Liebe zu erkennen glaubte. Die eine,

ganz bekleidet, hat Blumen in der Rechten, die andere, ganz entblosst, halt in der Linken ein kleines Gefass. So wenig dieses Bild durch deutliche, bedeutende Darstellung des Gegenstandes und Ausdruck der Seele dem Geiste Befriedigung gewahrt, so anziehend ist es fur den Sinn durch den Zauber der Farbe und die Vollkommenheit der Ausfuhrung. Ausgezeichnet durch blühende Carnation ist vornehmlich die nackte, auch schön gezeichnete weibliche Figur. — 3. Die heil. Jungfrau mit dem Kinde, von Agostino Caracci. — 7. Bildniss eines Cardinals, sitzend mit einem aufgeschlagenen Buche in der Hand; angeblich von Raphael; wahrscheinlicher von Andrea del Sarto. — Maria mit dem Christuskinde und dem kleinen Johannes, von Garofalo. — 17. Die heil. Jungfrau mit dem Christuskinde, dem der kleine Johannes der Taufer eine Schüssel mit Fruchten darbringt; scheint mit Recht dem Giulio Romano zugeschrieben zu werden. — 13. Ein junger bärtiger Mann in halber Figur, dessen Haupt eine schwarze Mutze mit einer Feder bedeckt; angeblich das Bildniss des berüchtigten Cesare Borgia, von einem guten Maler des 16ten Jahrhunderts, aber unstreitig nicht von Raphael, dem man es beilegen will. — 15. Schönes Bildniss eines schwarz gekleideten Mannes, in mehr als halber Figur; angeblich von Pordenone, aber mehr dem Tizian entsprechend. — 33. Der Empfang des verlornen Sohnes bei der Ruckkehr zu seinem Vater; ein sehr schones Gemalde von Bonifazio, ausgezeichnet durch Kraft und Klarheit der Farbe, und dabei sehr wohl erhalten. — 37. Die Verlobung der h. Catharina mit dem Christuskinde; ein kleines Gemälde von Benvenuto da Imola. — 40. Der Leichnam des Heilandes, von der Mutter Gottes, dem h. Johannes und der h. Magdalena umgeben; zu beiden Seiten vier andere Heilige in halben Figuren; ein Gemalde von einer Predella, welches dem Perugino zugeschrieben wird. Es hängt zu hoch, um uber die Richtigkeit dieser Angabe zu entscheiden.

Im eilften Zimmer: 2. Die Auferweckung des Lazarus; ein kleines Bild von Garofalo. — 5. Der verlorne Sohn, in lebensgrossen halben Figuren, von Guercino. — 7. Ein durch schone Ausfuhrung und Klarheit der Farbe ausgezeichnetes Gemälde, angeblich von Le Duc und jedenfalls von der Hand eines vorzuglichen niederlandischen Malers. Der Gegenstand ist das Innere eines Bauernwirthshauses. An einem Tische sitzen drei Soldaten, von denen zwei Tabackspfeifen halten und der dritte die Flöte spielt. Bei ihnen steht eine Frau, vermuthlich die Wirthin. Im Hintergrunde ein sitzender Bauer: auf dem Vorgrunde ein Hund. — 12. Das Brustbild der h. Magdalena, welches eine gute Farbe und einen schönen Character des Kopfes zeigt; angeblich von Andrea del Sarto, an den es aber nur sehr entfernt erinnert. — 17. Maria mit dem Kinde und der heil. Joseph; ein Gemälde, welches mit Recht dem Sodoma zugeschrieben zu werden scheint. Die Farbe ist kräftig, und schön der Ausdruck des Gesichtes der h. Jungfrau. — 18. Simson in colossaler Figur, an eine Säule des Palastes der Philister gelehnt; ein Gemälde von schlechter Zeichnung, welches wir nur bemerken, weil es sehr fälschlich dem Tizian beigelegt wird. — 20. 38. Eine Nonne und ein anderes Frauenbildniss, beide in schwarzer Kleidung, von Bronzino. — 35. Der Leichnam des Erlosers im Schoosse der Mutter Gottes, von Marcello Venusti, vermuthlich nach einer Zeichnung des Michelagnolo. — 42. Die Fabel der Danae in fast lebensgrossen Figuren; ein vorzugliches Gemälde des Correggio, ehemals in der Sammlung des Herzogs von Orleans im Palais Royal zu Paris. Danae, auf einem Bette sitzend, bereitet sich, mit Beistand des Cupido, zu dem Empfange des Jupiter in der Gestalt des goldenen Regens, von welchem die über ihr schwebende Wolke geschwängert scheint; und auf dem Vorgrunde sind zwei Amoren, in sehr naivem Ausdruck, mit dem Wetzen der Pfeile beschäftigt. Bei der kunstvollen Darstellung dieses schlupfrigen Gegenstandes durfte jedoch die Stellung der Danae nicht nur unzuchtig, sondern auch unschön befunden werden und vornehmlich aus diesem Grunde einen anstossigen Eindruck gewahren. Uebrigens ist der Wollust athmende Körper dieser Figur durch Zeichnung, Modellirung und Ausdruck des Lebens ausgezeichnet. Die Farbe hat durch die Reinigung des Bildes gelitten. — 44. Schönes Bildniss eines bärtigen Mannes in schwarzer Kleidung; angeblich von Moroni, aber ihm nicht entsprechend.

Im zwölften Zimmer: 6. Eine heilige Familie von Andrea del Sarto. — 9. Die h. Jungfrau mit dem Christuskinde und dem h. Petrus in halben Figuren; angeblich von Giov. Bellini, vielleicht wahrscheinlicher von seinem Bruder Gentile. Der unangenehme gelbliche Ton dieses mit Geist und Gefühl ausgeführten Bildes ist unstreitig einem gelb gewordenen Firniss zuzuschreiben. — 10. Die Bildnisse eines Mannes und einer Frau auf Einem Gemalde, angeblich von Tizian. — 14. Maria mit dem Kinde, die h. Anna und der h. Michael; eines der vorzuglicheren Gemälde des Garofalo. — 29. Die h. Jungfrau mit dem Kinde in ganzer halblebensgrosser Figur; ein Gemalde von Francesco Francia, welches den des Kunstlers Bildungen der Mutter Gottes eigenthumlichen Character frommer Einfalt und Demuth in vorzüglicher Schönheit zeigt. Das Gewand zeigt ebenfalls einen schönen Styl.

In einem der Wohnzimmer des Fürsten dieses Palastes sieht man die drei in der Beschreibung der Villa Borghese erwähnten, von der Mauer des Gebäudes der angeblichen Villa Raphaels abgesagten Frescobilder, die nach Zeichnungen dieses grossen Kunstlers von seinen Schülern ausgeführt sind.

In dem einen derselben ist die Vermählung des Alexander mit der Roxane in einer sehr schönen und anmuthigen Composition dargestellt, in welcher der Künstler das Gemälde dieses Gegenstandes von Aetion, nach der Beschreibung des Lúcian im Herodot, herzustellen suchte. Das zweite dieser Bilder zeigt eine schwer zu erklärende, vermuthlich allegorische Vorstellung, il Bersaglio dei Dei benannt. Mehrere Figuren, aber ohne characteristische Bezeichnung der Götter, schiessen nach einer von einem Schilde geschützten Herme. Man sieht bei ihnen einen schlafenden Amor und zwei andere Liebesgötter. Der Gegenstand des dritten Gemäldes, den man das Opfer der Flora benennt, ist eine unbekannte Vermählung.

S. Antonio de' Portoghesi.

Die mit dem Hospitale der Portugiesen verbundene Kirche S. Antonio de' Portoghesi, — welche der Cardinal Anton Martinez de Chiaves, im Pontificate Eugens IV., zu Ehren des h. Antonius von Padua erbaute — wurde gegen das Ende des 17ten Jahrhunderts im Geschmack dieser Zeit erneuert. Das Innere des Gebändes ist reich mit Vergoldungen, Saulen und Wandbekleidungen von buntem Marmor geschmückt, zeigt aber keine Gemälde und Sculpturen, die eine besondere Erwähnung verdienten. Das ehemals so reich ausgestattete Hospital hat, seit den letzten Ereignissen in Portugal, nicht mehr als vier Betten.

Teatro Tordinone.

Das Theater, welches eigentlich den Namen Teatro di Apollo führt, wird gewohnlich Teatro Tordinone genannt, von der Strasse, an welcher es liegt. Es wurde im Jahre 1830 nach Angabe des Valadier erneuert und gehort gegenwartig dem Bankier Torlonia.

Piazza del Ponte di S Angelo

In der genannten Strasse fortgehend, gelangt man zu dem Platze der Engelsbrucke (Piazza del Ponte di S. Angelo).

Palast Altoviti

Der am Tiberufer, vom Anfange der Brücke links, liegende Palast gehorte dem Bindo Altoviti, aus der angesehenen florentinischen Familie dieses Namens, dessen Bildniss man in diesem Palaste in einer bronzenen Büste von Benvenuto Cellini sieht.

§. 114.
Via de' Banchi.

Die Via de' Banchi erhielt diesen Namen von den Wechslern und Kaufleuten, die sie ehemals bewohnten.

SS. Celso e Giuliano.

Am Anfange dieser Strasse steht die Kirche SS. Celso e Giuliano, welche ihre heutige geschmacklose Gestalt durch die Erneuerung im Jahre 1731 erhielt. Das Gemalde ihres Hauptaltars ist von Pompeo Battoni.

Palast Cicciaporci.

Auf diese Kirche folgt der Palast Cicciaporci, den Giulio Romano in einem schonen und einfachen Styl angegeben hat, und in. dem sich gegenwartig die Presidenza del Rione del Ponte di S. Angelo befindet.

Palast Niccolini.

Demselben gegenuber, in der Via de' Banchi, liegt der nach Angabe des Jacopo Sansovino erbaute Palast Niccolini.

S. Apollinare.

Nach Pandolphus Hostiarius, einem um das Jahr 1000 leben-den Schriftsteller, erbaute die dem h. Apollinaris geweihte Kirche Hadrian I. an der Stelle eines Tempels des Apollo. Aber der unter dem Namen des Anastasius bekannte Liber Pontificalis er-wähnt nichts davon in dem Leben des genannten Papstes. Sie erhielt ihre heutige Gestalt unter Benedict XIV., nach Angabe des Fuga. Ihr Alterthum zeigte vor dieser Erneuerung der Umstand, dass, wegen des erhöhten Bodens der Stadt, einige Stufen zu ihr hinabfuhrten. Sie war vormals durch zwei Saulenreihen in drei Schiffe getheilt, hat aber gegenwartig nur Ein Schiff. In der Vor-halle des Innern ihres Gebaudes sieht man, über dem Altare vom Eingange links, die h. Jungfrau zwischen den Aposteln Petrus und Paulus in einem Gemälde, welches dem Perugino zugeschrieben wird. Die ubrigen Gemalden und Sculpturen sind von Kunstlern des vorigen Jahrhunderts. Der Hauptaltar und das Presbyterium sind reich mit buntem Marmor verziert. — In dem Palast bei dieser Kirche befand sich vor der Aufhebung der Jesuiten das von dem h. Ignatius Loyola zum Unterrichte deutscher und un-garischer Junglinge gestiftete Collegium Germanicum. Leo XII. ubergab ihn dem von Pius IV. gestifteten Seminario Romano, welches gegenwartig unter der Leitung von Weltgeistlichen steht. Die Zöglinge des nach Wiederherstellung der Jesuiten erneuerten Collegio Germanico befinden sich dermalen provisorisch in dem Professhause dieses Ordens bei der Kirche del Gesù.

Palast Altemps.

Die Zeit der Erbauung des Palastes der Herzoge von Altemps und der Baukünstler, welcher zu demselben den Plan entwarf, ist unbekannt. Martin Lunghi der Aeltere hat ihn nur ausgebessert und in einigen Theilen verandert; und der Styl des Gebäudes zeigt eine frühere Epoche als die dieses Architecten, der in den letzten Jahrzehenden des 16ten Jahrhunderts lebte. Der Hof hat in zwei übereinander stehenden Reihen Hallen und Arcaden, die aber an zwei Seiten zugemauert sind. In der vorderen Halle sieht man den Sturz einer colossalen Bildsaule des Hercules, und auf der Treppe einige mittelmässige antike Statuen, unter denen sich ein Mercur befindet, durch den grosstentheils antiken Caduceus bezeichnet. In der hintern Halle ist unter vier colossalen antiken Bildsäulen ein junger Hercules, und eine durch die Nebris bezeichnete Bacchantin zu bemerken. Mehrere andere Statuen des Alterthums, unter denen sich ein Mercur, ein Apollo und ein Hercules befinden, sieht man, nebst mehreren Grabdenkmälern und Büsten, in der Halle des ersten Stockwerks. Noch ist in diesem Palaste eine Capelle zu erwähnen, unter deren Altare man die Gebeine des h. Papstes Anicetus bewahrt, die unter Clemens VII. in den Catacomben bei S. Sebastiano gefunden wurden, und welche die Familie Altemps von diesem Papste zum Geschenk erhielt. Das Fest des gedachten Heiligen wird am 17. April in dieser Capelle offentlich gefeiert.

Palast Lancellotti.

Der Palast des Fürsten Lancellotti, unweit der Via de' Coronari, wurde im Pontificate Sixtus V., nach Angabe des Francesco da Volterra, angefangen und unter der Leitung des Carlo Maderno beendigt. Das Portal des vorderen Einganges ist von der Erfindung des Domenichino. Im Hofe und in den beiden übereinanderstehenden Hallen, an der vorderen Seite desselben, sieht man mehrere antike Büsten, Statuen, und Fragmente von antiken Reliefs. In der obern Halle ist eine Statue eines Mercurius Kriophoros (des Widderführenden) zu bemerken. Auf der Treppe ist ein verstummelter Sarcophag mit Nereiden und Tritonen wegen der in diesen Vorstellungen nicht gewohnlichen Erscheinung von Kähnen mit rudernden Mannern bemerkenswerth.

In der zu diesem Pallast führenden Strasse, Via della Maschera d'Oro, sind an einem Gebäude, bezeichnet mit Nro. 7, noch Reste von vortrefflichen Malereien des Polidoro da Caravaggio, theils grau in grau, theils in Bronzefarbe. Noch am besten erhalten ist unter denselben das Gemalde des Frieses unter dem ersten Stockwerke. Der Gegenstand ist die Fabel der Niobe, welche der Kunstler als ein Bild des eitlen, sich uber die Gottheit erhebenden Hochmuthes aufgefasst hat. Vom Beschauer links ist die Huldigung der Niobe in den ihr von den Menschen dargebrachten Gefassen und anderen kostbaren Geschenken vorgestellt.

Ein Opfer, in der Mitte des Bildes, scheint auf die Vergötterung zu deuten, zu der sie die Menschen erheben wollten. Und vom Beschauer rechts erscheint die Strafe der an diesem Hochmuthe sich rächenden Gottheiten, Apollo und Diana, durch die Erlegung ihrer blühenden Söhne und Töchter, wegen deren sie sich uber die Latona zu erheben vermeinte.

S. Salvatore in Lauro.

Die Kirche S. Salvatore in Lauro — welche um das Jahr 1450 der Cardinal Latino Orsino, nebst dem mit ihr verbundenen Kloster, erbaute — ging 1591 durch eine Feuersbrunst fast gänzlich zu Grunde. Der neue nach Angabe des Ottaviano Mascherino unternommene Bau derselben kam erst im Jahre 1669 unter der Leitung des Gio. Battista Sassi zu Stande. Von dem alten Gebände ist noch die Vorderseite in einem verfallenen Zustande stehen geblieben. Der Eingang zeigt noch die alte Thürverkleidung von weissem Marmor und die beiden an den Eingängen der alten Kirchen gewöhnlichen Löwen. Eine Inschrift über demselben auf einer Marmortafel bezieht sich auf die vorerwähnte Erbauung der Kirche durch den Cardinal Latino Orsino. In dem mit corinthischen Säulen im modernen Geschmack verzierten Innern des Gebäudes sieht man zu beiden Seiten des Einganges zwei Grabmäler mit Sculpturen aus dem 15ten Jahrhundert. Das eine, das einer Magdalena Orsini, zeigt, über der liegenden Figur der Verstorbenen, in einer Art von Tabernakel, die Figuren der h. Jungfrau mit dem Kinde, und einer Heiligen mit einem Kreuze in der einen und einem Buche in der andern Hand, in guter erhobener Arbeit. In der dritten Capelle, vom Eingange rechts, ist das die Geburt Christi vorstellende Altarbild ein Werk des Pietro da Cortona. Die Gemälde der ubrigen Seitencapellen sind von Giovanni Ghezzi, Alessandro Turchi und andern nicht bedeutenden Malern. Ueber dem Altare des Querschiffs, vom Haupteingange links, sieht man eine von Holz verfertigte Nachahmung eines alten, in Sirolo, in der Mark Ancona, verehrten Crucifixes im byzantinischen Styl; und die auf dem Hauptaltar verehrte Bildsäule der h. Jungfrau ist eine Nachahmung des berühmten Bildes der Maria von Loretto. Ueber dem Altare, im Querschiffe rechts, bewahrt man ein schönes, mit Wasserfarben gemaltes Marienbild, welches bei dem oben erwähnten Brande der Kirche unversehrt blieb und den Beinamen Maria delle Grazie erhielt. Man sieht in demselben die h. Jungfrau auf dem Throne sitzend mit dem Christuskinde, welches die Hand zum Segen erhebt. In dem Saume des Mantels der Maria sind öfter wiederholt die Worte: Antonius pinxit, mit der Jahrzahl 1494 zu bemerken. Man hat diesen Namen auf den damals lebenden Antonio Pollajuolo gedeutet. Jedoch zeigt dieses

Bild von dem manierirten Geschmack in den Sculpturen dieses Künstlers.

Das Kloster bei dieser Kirche, welches die Alumnen des picenischen Collegiums bewohnen, hat einen schonen Hof, von zwei übereinander stehenden Hallen umgeben, deren Arcaden in der unteren Reihe von Marmorsaulen und in der oberen von Pfeilern getragen werden. Man sieht hier das Grabmal Eugens IV: ein Werk des 15ten Jahrhunderts, aber nicht von vorzuglicher Sculptur.

S. Agostino.

Die Kirche S. Agostino erbaute der Cardinal d'Estouteville, damaliger Protector des Augustinerordens, im Jahre 1488. Der Plan ihres Gebäudes ist von einigen dem Baccio Pintelli, von Andern zwei sonst nicht bekannten Baukünstlern, Giacomo von Pietra Santa und Sebastiano von Florenz, zugeschrieben worden. Die mit corinthischen Pilastern geschmuckte Vorderseite zeigt noch ihre ursprüngliche Gestalt. Das Innere der Kirche ist, nach mannigfaltigen, in späteren Zeiten erfolgten Ausschmückungen der Capellen und Altare, im Jahre 1750 unter der Leitung des Vanvitelli erneuert worden. Das Gebaude zeigt die Form eines lateinischen Kreuzes mit drei Schiffen, die durch Pfeiler getheilt sind, über denen sich die Kreuzbogen der Decke erheben. Die Kuppel, über der Mitte des Querschiffs, ist unter den zahlreichen Kuppeln der römischen Kirchen die älteste.

In einer Nische an der Vorderwand steht eine Marmorgruppe der h. Jungfrau mit dem Kinde; ein Werk des Jacopo Tati, Sansovino genannt, welches besondere Verehrung erlangte und daher mit vielen Geschenken zum Danke der Heilswirkungen umgeben ist, die man durch das Gebet vor demselben erhalten zu haben glaubte. Am dritten Pfeiler des Querschiffs ist das beruhmte Frescogemalde Raphaels, welches den Jesaias zwischen zwei Engeln vorstellt. Der Prophet halt eine Rolle mit den Worten des 1sten und 2ten Verses im 26sten Capitel, die auf die Geburt des Heilandes gedeutet werden: „Thut die Thore auf, dass das gerechte Volk, das den Glauben bewahrt, hineingehe. Du erhältst stets Frieden, nach gewisser Zusage." Die Engel halten ebenfalls eine Schrift in griechischer Sprache, die sich auf die h. Anna, die Mutter Gottes und die Menschwerdung Christi bezieht. Diese Inschriften spielen auf die Marmorgruppe des Andrea Sansovino an, die ursprunglich unter diesem Gemälde auf einem nicht mehr vorhandenen Altar stand, und von der in der Folge die Rede seyu wird. Dass Raphael hier, in der Darstellung des Propheten, sich den Michelagnolo zum Vorbilde wahlte, scheint unleugbar. Daniel von Volterra hat dieses Bild ausgebessert, nachdem es

durch eine unvorsichtig von dem Sacristan der Kirche unternommene Reinigung sehr gelitten hatte.

In der ersten Capelle, vom Eingange rechts, sieht man die
h. Catharina von zwei Engeln gekront, in einem Gemälde von
Marcello Venusti, zwischen zwei kleinen von demselben Kunstler
ausgefuhrten Bildern, welche die Heiligen Stephanus und Laurentius vorstellen. — Unter den Malereien der zweiten Capelle, von
Avanzino Nucci, ist eine Copie von demselben nach einem unter
dem Namen Madonna della Rosa bekannten Gemälde Raphaels zu
bemerken, welches aus Loretto entwendet ward und seitdem verschwunden scheint. — Das Altarblatt der dritten Capelle ist von
Giacinto Brandi. — In der vierten ist eine gute Marmorgruppe,
welche den Heiland vorstellt, der dem h. Petrus die Schlussel ertheilt, von Gio. Battista Cotignola; — und in der fünften verehrt
man ein Crucifix, vor welchem der h. Philippus Neri seine Andacht
zu verrichten pflegte. — In der weiteren Folge sieht man vor dem
Eingange der Sacristei die Denkmäler des beruhmten Onofrio
Panvinio und des Cardinals Heinrich Noris, eines ebenfalls verdienten Gelehrten. — In dem Gemälde von Caravaggio, in der
ersten Capelle vom Eingange links, ist die h. Jungfrau von Loretto,
welche zwei Pilger verehren, vorgestellt. — Die kleine bereits erwähnte Marmorgruppe uber dem Altar der zweiten Capelle stellt
die h. Anna sitzend neben der h. Jungfrau vor, indem sie liebevoll das auf dem Schoosse derselben liegende Christuskind betrachtet. Auf der Basis zeigt eine Inschrift, dass ein Deutscher,
Johannes Coricius, apostolischer Protonotarius, im Jahre 1512,
diese schöne Gruppe verfertigen liess, die sich durch edle Einfalt
der Darstellung unter den Werken des Andrea Sansovino auszeichnet. — Die Altarbilder der dritten und funften Capelle sind
von Giacinto Brandi und Sebastiano Conca: das Gemälde der h.
Apollonia, über dem Altare der vierten Capelle, ist von Muziano.

An beiden Enden des Querschiffes sind zwei grosse im modernen Geschmack mit Saulen und Marmor verzierte Capellen.
Wir übergehen die unbedeutenden Sculpturen in denselben von
Bildhauern des 17ten und 18ten Jahrhunderts, und bemerken nur
uber dem Altare der einen dieser Capellen vom Haupteingange
der Kirche rechts eines der besseren Gemalde des Guercino,
welches den h. Augustinus, nach zwei Engeln emporzeigend, zwischen den Heiligen Johannes dem Täufer und Paulus dem Eremiten vorstellt. — Der von Bernini angegebene Hauptaltar ist mit
vier schwarzgrauen Marmorsaulen, kostbaren Steinarten und Bildwerken im Geschmack des genannten Künstlers geschmuckt. Man
verehrt auf demselben eines der Marienbilder, die dem h. Lucas
zugeschrieben werden. — An der Hinterwand der Kirche sind zwei
Capellen auf jeder Seite des Hauptaltares. In der ersten derselben

zur Linken, der der h. Monica, sieht man Frescomalereien von Ricci da Novara und einige Grabmäler mit guten Sculpturen aus dem 15ten und 16ten Jahrhundert. — Die Gemalde der folgenden, den Heiligen Augustin und Wilhelm geweihten Capellen sind sammtlich Werke des Lanfranco. — Unter den zahlreichen Büsten der Grabmaler dieser Kirche sind einige nicht unbedeutend von Seiten der Kunst. In dem Vorgemache des Seiteneinganges befinden sich mehrere Sculpturen des 15ten Jahrhunderts. Zwei Grabmäler aus derselben Zeit stehen im Vorgemache der Sacristei.

Mit dem zu dieser Kirche gehörenden Augustinerkloster ist eine der ansehnlichsten Bibliotheken in Rom verbunden, welche des Morgens von 8 bis 12 Uhr dem Publicum geoffnet steht. Sie fuhrt den Namen Biblioteca Angelica von ihrem Stifter, dem gelehrten Prälaten und Augustinermonch Angelo Rocca. Ihr Bestand wird auf 2945 Handschriften, 84,819 Bände gedruckter Werke und 60,960 kleinere, in den Miscellaneen enthaltene Abhandlungen angegeben.

Palast des Grossherzogs von Toscana, Palazzo di Firenze genannt

Der Palast des Grossherzogs von Toscana in der Via de' Perfetti, gewöhnlich Palazzo di Firenze genannt, wurde von Baldovino del Monte erbaut, und auf dessen Veranstaltung mit Gemälden von den bolognesischen Malern Primaticcio und Prospero Fontana geschmückt. Die Angabe des Hofes, den eine von Granitsäulen getragene Halle umgibt, wird dem Vignola zugeschrieben,

§. 115.

Palast Ruspoli.

Der Palast Ruspoli, der gegenwärtig der Familie Ruspoli gehört — eines der besten Gebäude im Corso — erbaute um die Mitte des 16ten Jahrhunderts die bekannte florentinische Familie Rucellai nach Angabe des Bartolommeo Ammanati. Der Cardinal Ulrico Guetani, der ihn nachmals durch Kauf erhielt, liess nach der Zeichnung des Bartolommeo Breccioli das Hauptgesims verfertigen, die Loggia auf der Hohe dieses Palastes errichten, und unter der Leitung des jüngeren Martino Lunghi die kostbare Haupttreppe von 120 Stufen anlegen, von denen jede aus einem Stücke parischen Marmors besteht.

S. Lorenzo in Lucina.

Die Kirche S. Lorenzo in Lucina — eine der ältesten Pfarrkirchen in Rom, von welcher jederzeit der älteste Cardinalpriester den Titel fuhrt — hat ihren Beinamen von ihrer Stifterin, der h. Lucina. Einen neuen Bau derselben unternahm Sixtus III.

zwischen den Jahren 432 und 440. Im Jahre 499 kommt sie unter den Pfarrkirchen in dem bekannten Concilium des Symmachus vor. Seit ihrer letzten, von den Minoriten 1650 veranstalteten Erneuerung zeigt sie nichts Alterthümliches mehr als den Glockenthurm, sechs dermalen uberweisste Granitsäulen der Vorhalle und zwei Löwen von weissem Marmor am Eingange der Kirche. In der Vorhalle smd zwei Inschriften auf Marmortafeln zu bemerken, die sich auf die Einweihungen dieser Kirche durch den Gegenpapst Anaclet II. am 20. Mai 1130, und durch Colestin III. den 26. Mai 1196 beziehen. Ueber dem Hauptaltare sieht man den Heiland am Kreuze in einem Gemälde von Guido Reni. Unter den übrigen Gemälden von nicht bedeutenden Malern befindet sich ein Bild von Carlo Saraceni, in der ersten Capelle vom Eingange links. An dem Pfeiler zwischen der zweiten und dritten Capelle steht das Denkmal, welches Chateaubriand, während seines Aufenthalts in Rom als französischer Botschafter, dem beruhmten Nicolaus Poussin, dessen Gebeine in dieser Kirche ruhen, errichten liess.

Der Kirche zur Linken steht das zu ihr gehörende Kloster der Minoriten, denen es Paul V. übergab. Der ihr zur Rechten liegende Palast, der ehemals den Cardinaltitularen derselben zur Wohnung diente, gehort gegenwärtig dem Herzog von Fiano Ottoboni. In diesem Palaste ist das Puppentheater (Teatro de' Buratini), welches als das eigentliche Nationaltheater des heutigen Roms zu betrachten ist. Es werden hier kleine Schauspiele gegeben, die mit treffender Characteristik das romische Leben darstellen und eine angenehme Unterhaltung von einer Stunde gewahren.

Palast, chemals Verospi, jetzt Torlonia.

Der ehemalige Palast Verospi, jetzt Torlonia, wurde nach Angabe des Onorio Lunghi erbaut und unter der Leitung des Alessandro Specchi erneuert. Er ist wegen der Frescogemälde des Francesco Albani zu bemerken, welche eine ehemals offene, gegen den Hof gelegene Loggia des ersten Stockwerks verzieren. Ihre Gegenstande sind allegorisch-mythologischen Inhaltes. In dem mittleren Bilde des Deckengewölbes schwebt Apollo von dem Thierkreise umgeben. Als Sinnbilder der Jahreszeiten erscheinen, vom Beschauer rechts, Bacchus und Vulcan, und links Flora und Ceres. Zu beiden Seiten dieses Bildes sind in zwei Amoron der Morgen und Abendstern vorgestellt: dieser Pfeile auf die Erde streuend, jener den Thau auf dieselbe aus einem Gefasse schüttend. An der einen Querseite des Gewölbes sieht man die Aurora Blumen streuend in Begleitung eines Amors mit der Fackel zur Bezeichnung des Tages, und an der andern die Nacht in Gestalt einer geflugelten Frau mit zwei in ihren Armen schlafenden Kindern. In den durch die Triangel über den Lunetten gebildeten Zwickeln an den beiden langen Seiten des Saales sind in den Gestalten der Diana, des Mercur, der Venus, des Mars, Jupiter und Saturn, die nach diesen Gottheiten benannten Himmelskörper vorgestellt. In zwölf kleinen Bildern, in den Triangeln über den Lunetten, sieht man, in anmuthigen Compositionen, Venus und Adonis, diese Gottin bei ihrem Putze von dem Amor und den Grazien bedient, und andere mythologische Gegenstände. Mit kleinen Bildern ähnlicher Vorstellungen, theils colorirt, theils in Einer Farbe, sind auch die inneren Wande der jetzt zugemauerten Fenster geschmückt. — In zwei Gemachern der ehemaligen unteren Halle des Hofes sind zwei Deckengemälde von Sisto Badalocchi, einem guten Schüler des Annibale Caracci. Ihre Gegenstände sind: Galatea mit anderen Nereiden und Tritonen auf dem Meere, dem auf der Flöte spielenden Polyphem zuhörend, und dieser Cyclope, welcher ein Felsenstück nach dem mit der Galatea entfliehenden Acis wirft.

Palast Chigi.

Bei dem Bau des grossen Palastes des Prinzen Chigi hatte zuerst Giacomo della Porta, dann Carlo Maderno und zuletzt Filippo della Greca die Leitung, welcher die Verzierungen des Hofes in einem ausschweifenden Geschmack angegeben hat.

In einem Zimmer des ersten Stockwerkes verdienen die drei folgenden antiken Bildwerke besondere Aufmerksamkeit: Eine Bildsäule der Venus in der Stellung der Mediceischen, von guter Arbeit; gefunden auf Monte Celio. Sie ist unter den haufigen Wiederholungen dieser Figur merkwürdig wegen der griechischen Inschrift, welche anzeigt, dass Menophantes sie nach einer Statue der genannten Göttin zu Troas verfertigte. — Eine colossale Herme Mercurs durch den Caduceus bezeichnet; ihr Gewand zeigt einen schönen Faltenwurf. — Eine gute Bildsäule des Apollo mit dem Köcherbande. Daneben, an einem Baumstamme, der diesem Gotte geheiligte Lorbeer, und die pythische Schlange. Diese Statue wurde, nebst der zuvor erwähnten Herme, in Porcigliano gefunden. — Unter den Gemälden an den Wänden dieses Zimmers bemerken wir: Ein vorzügliches Gemälde von Dosso Dossi, welches leider in einem sehr ungünstigen Lichte hängt. Der Gegenstand ist der h. Bartholomäus, Johannes der Evangelist und zwei Männer, welche Bildnisse scheinen, in einer schonen Landschaft. — Zwei Gemälde von Garofalo, von denen das eine die Himmelfahrt Christi, das andere den h. Antonius den Eremiten zwischen dem h. Paschalis und der h. Cäcilia vorstellt. — Der h. Bruno; ein Gemälde welches eine gute Farbe zeigt, von Mola.

Von den Gemälden in einem langen Saale, der gegenwärtig

zur Wohnung des belgischen Gesandten gehört, und daher nicht offentlich gezeigt wird, erwähnen wir folgende: Die Geisselung Christi von Guercino. — Der Leichnam des Heilandes von seinen ihn betrauernden Freunden umgeben; ein gutes Gemälde in halben Figuren, angeblich von Dario Varotari, il Padovanino genannt. — Joseph, seinen Mitgefangenen die Traume auslegend; angeblich von Caravaggio; wahrscheinlicher von seinem Nachahmer Valentin. — Maria mit dem Christuskinde, dem kleinen Johannes der Täufer und dem h. Joseph; ein kleines Bild von Nicolaus Poussin. — Das Bildniss des bekannten Pietro Aretino, angeblich von Tizian. Es hängt zu hoch, um über die Richtigkeit der Angabe zu entscheiden. — Die Verlobung der h. Catharina; ein gutes Bild, welches dem Sodoma zugeschrieben wird, ihm aber nicht zu entsprechen scheint.

In dem Wohnzimmer des Prinzen steht ein sehr merkwürdiges antikes Gefäss von weissem Marmor; gefunden zu Porcigliano. Die vier Henkel desselben sind mit Silensmasken geschmückt; und die Reliefs, an dem oberen Theile des Gefässes, enthalten zwei verschiedene Vorstellungen von schöner Composition, aber ziemlich roher Arbeit, in nicht ganz entschiedenem Tempelstyle. In der einen derselben hält Eros die Seele, in der Gestalt eines Schmetterlings, uber eine brennende Fackel, zu ihrer Läuterung durch Feuer von den Schlacken des irdischen Daseyns. Auf der einen Seite steht Nemesis als strafende Gerechtigkeit und Wiedervergeltung der Unthaten, als die bei der Trennung des Leibes von der Seele mit Furcht erfullende Gottheit, und auf der anderen Seite die Hoffnung als Trost bringende Göttin. Diese ist durch die Granatblume in ihrer Rechten, jene durch die Geberde des Messens mit dem rechten Arme bezeichnet. — In der anderen der gedachten Vorstellungen sieht man die Venus, bei der Heilung ihres verwundeten Fusses von der Nymphe des Flusses Adonis bedient. Die Göttin, sich anhaltend mit der Linken an das durch eine Saule angedeutete Grabmal des Adonis, zeigt mit der Rechten auf die durch eine Binde verhullte Wunde des rechten Fusses. Ihr gegenüber sitzt die vorerwahnte Nymphe, welche derselben in einem kleinen Gefasse heilende Salbe darreichen zu wollen scheint. Hinter ihr steht ein gehornter Satyr, der nach einer kleinen auf einem Baumstamme sich erhebenden Herme des Priapus zeigt, um diesen als die Ursache des Unfalles der Venus anzudeuten. — Noch bewahrt hier der Prinz ein anderes ebenfalls merkwürdiges Monument des Alterthums. Es ist eine kleine, langlich viereckige Marmortafel mit Reliefs, deren Gegenstände, wie die griechischen Inschriften zeigen, sich auf die Verherrlichung Alexanders des Grossen beziehen. Zwei mit Mauerkronen geschmückte Frauen, welche die Inschriften als Asien und Europa bezeichnen, stehen zu beiden Seiten eines Altars. Sie halten mit der einen Hand eine Opferschale und mit der anderen einen grossen runden Schild, auf welchem die Vorstellung von einer Schlacht, der Inschrift zufolge, den fur den Sturz des persischen Reichs entscheidenden Sieg Alexanders bei Arbela zeigt.

An den Wanden eines Zimmers des oberen Stockwerkes sieht man unter Glas und Rahmen aufbewahrte Handzeichnungen, unter denen sich die Zeichnung des Pietro da Cortona zu den Gemalden des Barberinischen Saales — ein Stuck von dem Carton des Domenichino zu dem Gemälde des Todes der h. Cacilia in S. Luigi de' Francesi — und zwei Zeichnungen von Guercino befinden. — Die von dem Papst Alexander VII. in diesem Palaste gestiftete Bibliothek ist nicht öffentlich, und die Erlaubniss der Benutzung derselben nicht leicht zu erhalten. Unter ihren bedeutenden Handschriften befindet sich ein sehr geschatzter Codex des Dionysius von Halicarnass. Auch sind hier in einer Sammlung handschriftlicher Messbucher einige mit Miniaturen aus dem 15ten und 16ten Jahrhundert zu bemerken.

Piazza Colonna und Säule Antonins.

Der Platz, welcher unter Alexander VII. seine heutige Gestalt erhielt, führt den Namen Piazza Colonna von der Ehrensaule des M. Aurelius, die sich in seiner Mitte erhebt. Sie hat im Wesentlichen die Form der Trajanischen Saule und ist aus 28 Stucken von weissem Marmor zusammengesetzt. Die Wendeltreppe, die auf ihren Gipfel fuhrt, besteht aus 206 Stufen und wird von 56 Fenstern erleuchtet. Die erhobenen Arbeiten, welche Gegenstande des marcomannischen Kriegs vorstellen, bedecken, wie die der Säule Trajans, den ganzen Schaft in schneckenformigen Abtheilungen. Sie sind mit jenen nicht von gleicher Vortrefflichkeit, auch nicht so gut erhalten, und mehrere derselben sind fast ganz zu Grunde gegangen, Das Postament steht ungefahr 18 Palm tief in der Erde. Der Eingang in dasselbe war ehemals nicht da, wo er gegenwartig ist, sondern an der Seite, wo der unter Gregor XIII. hier errichtete Brunnen steht, wie man noch in dem Innern dieses stark erganzten Postamentes sehen kann. Mit Inbegriff desselben beträgt die Hohe der Säule 175 Fuss. Sixtus V. liess sie, im Jahre 1589, unter der Aufsicht des Domenico Fontana ausbessern, weihte sie dem h. Paulus und liess auf ihrem Gipfel die metallene Bildsäule dieses Apostels nach dem Modell des Tommaso della Porta errichten, wo ehemals die Statue des M. Aurelius stand, wie die Abbildungen dieser Saule auf Munzen zeigen. Aus der Zeit des genannten Papstes sind auch die Inschriften des Postamentes, welche dieselbe fur ein Ehrendenkmal des Antoninus Pius, nach der ehemaligen irrigen Meinung, erklaren.

Auf dem Platze der durch den Schutt der Trümmer des alten Roms gebildeten Anhöhe, Monte Citorio genannt, erhebt sich der Obelisk, der schon im Jahre 1511 unter Julius II. entdeckt, aber erst 1789, auf Veranstaltung Pius VI., unter der Leitung des Architecten Antenori hier aufgerichtet wurde. Dieses Monument besteht mehr als zur Halfte aus neueren Ergänzungen und enthält nur die unbeschadigt gebliebenen Theile des Obelisken, den August aus Heliopolis nach Rom bringen, und im Campus Martius aufrichten liess, wo er, wie es nach den Worten des Plinius scheint, zum Zeiger einer Meridianlinie diente. Ihn hatte, den schön gearbeiteten Hieroglyphen zufolge, Psammetichus I., und nicht wie Plinius sagt Sesostris, in Heliopolis errichten lassen. Die Inschrift des Postamentes ist ganz gleichlautend mit der des Piedestales des Obelisken auf Piazza del Popolo. Die ganze Höhe des Monumentes, mit Inbegriff der modernen metallenen Kugel auf dem Gipfel desselben, wird auf 117 Palm angegeben.

Palazzo di Monte Citorio oder Curia Innocenziana.

Der Bau des grossen Palastes auf Monte Citorio, den im Jahre 1650 die Familie Lodovisi nach Angabe des Bernini unternahm, vollendete Innocenz XII. nach einem etwas veranderten Plane, unter der Leitung des Carlo Fontana. Es fuhrt von diesem Papst auch den Namen Curia Innocenziana, weil von ihm in dasselbe die Behörden der Justiz verlegt wurden, die sich noch gegenwartig hier befinden. Auch haben der Cardinal-Camerlengo und der Tesoriere ihre Wohnungen in diesem Gebäude. Im Hofe ist, an einem Springbrunnen, eine grosse Schale von orientalischem Granit, die in den Ruinen der antiken Stadt Porto ausgegraben wurde. Auch liegt in diesem Hofe eine grosse antike Säule von Cipollino, gefunden auf Piazza di Campo Marzo im Jahre 1778. Auf dem ersten Absatz der Treppe dieses Palastes steht in einer Nische eine gute Marmorgruppe aus dem 16ten Jahrhundert, welche den Apollo vorstellt, der an dem Marsyas die bekannte Strafe vollzieht.

Gebäude und Kirche der Vater der Mission.

In einer kleinen Gasse, neben dem vorerwähnten Palaste, liegt das Gebäude der Väter der Mission, deren Orden der h. Vincentius von Paola, im Jahre 1624, zu den Missionspredigten zur Erbauung der Landleute und zu religiösen Uebungen zur Vorbereitung zu den geistlichen Weihen stiftete. Die in dieses Gebäude eingeschlossene Kirche wurde im vorigen Jahrhundert auf Kosten des Cardinals Lanfredini erneuert und mit Gemälden von verschiedenen Malern damaliger Zeit geschmückt.

S. Maria in Aquiro.

Die Kirche S. Maria in Aquiro gehört unter die 18 Diaconien des christlichen Roms und ist daher noch gegenwartig der Titel eines Cardinaldiaconus. Nach Anastasius unternahm Gregor III. (731—741) den Bau eines grosseren Gebäudes dieser Kirche, die zuvor nur in einem kleinen, mit einer Diaconie (Anstalt zur Verpflegung der Armen) verbundenen Bethause bestand. Den Bau ihres gegenwärtigen Gebäudes veranstaltete der Cardinal Antonio Maria Salviati, nach Angabe des Francesco da Volterra, im Jahre 1590. Unter den Gemalden befinden sich, in der dritten Capelle vom Eingange rechts, einige Frescobilder von Carlo Saraceni, welche Begebenheiten aus dem Leben der h. Jungfrau vorstellen. — Die mit dieser Kirche verbundene Anstalt zur Versorgung der Waisenknaben stifteten die Curialen im Pontificate Pauls III., auf Anregung des h. Ignatius Loyola.

Palast des Collegio Capranica

Der Platz, an welchem die vorerwähnte Kirche liegt, führt den Namen Piazza Capranica von dem Palaste, ˙welchen der Cardinal Angelo Capranica für die von seinem Bruder, dem gelehrten Cardinal Domenico Capranica, gestiftete Anstalt zum Unterhalte armer Jünglinge, die sich zum geistlichen Stande bestimmen, im Jahre 1460 erbaute. Dieses Gebäude zeigt in einigen Fenstern noch den Styl des 15ten Jahrhunderts.

Piazza di Pietra, Dogana di Terra und sogenannter Tempel des Antoninus Pius.

Der vom Platze Colonna südlich gelegene, nur durch ein kleines Gässchen getrennte Platz führt den Namen Piazza di Pietra von den vielen daselbst ausgegrabenen˙ Fragmenten antiker Denkmaler. An diesem Platze steht das Zollhaus, Dogana di Terra genannt, in welches alle Waaren, die zu Lande nach Rom kommen, gebracht, und wo die Koffer der in dieser Stadt angekommenen Fremden geoffnet werden müssen. Die Vorderseite desselben ist in die Ruinen eines grossen antiken Gebäudes hineingebaut, welches man für den Tempel des Antoninus Pius erklärte, das aber wahrscheinlicher der Schwester Trajans Marciana zu Ehren erbaut wurde. Untersuchungen haben gezeigt, dass es ein um und um mit einer Säulenhalle umgebener Tempel (Peripteros) war. Diese Halle hatte 15 Säulen an jeder Seite der Länge und 8 an der Breite des Gebäudes, mit Inbegriff der Ecksaulen. Innerhalb der äusseren Halle war vor der Cella ein Pronaos mit 6 Säulen sowohl an der Vorder- als Hinterseite. Von der einen der langen Seiten jener Halle stehen noch, zwischen den Fenstern des Zollhauses, 11 Säulen von corinthischer Ordnung, nebst dem

Gebälke. Sie messen 39 Fuss 7 Zoll in der Höhe und 1 Fuss 2 Zoll im Durchmesser. Im Hofe sieht man noch einen Theil der Cella, an dessen Gewolbe sich Cassettoni befinden. Die Anzeige eines Peripteros, so wie der ursprunglichen Anzahl der Saulen der langen Seiten der Halle, gewahrt eine noch vorhandene, aber durch das Zollhaus verborgene Ecksaule des Pronaos. Die neueren Erganzungen der beiden Seiten des Gebalkes, durch welche dasselbe einen Vorsprung des Zollhauses bildet, geben gegenwärtig das Ansehen, als ob keine Säulen an dieser Fronte fehlten.

Dritte Abtheilung.

Vom Pantheon bis zur Tiberinsel. Marsfeld.

§. 116.

Das Pantheon, gewöhnlich la Rotonda genannt.

Dass das Pantheon, dieses berühmte Denkmal der Baukunst des alten Roms, die heutige Kirche S. Maria Rotonda, gewöhnlich nur la Rotonda genannt, zu den Thermen des Agrippa gehörte und mit denselben verbunden war, ist sowohl durch den Ansatz von Mauern an seiner Hinterseite, als durch die in den Pontificaten Clemens XI. und Pius VII. unternommenen Ausgrabungen ausser Zweifel gesetzt. Und da Tempel nicht zu den Bestandtheilen der Thermen gehorten, so geht schon daraus hervor, dass es ursprünglich eine andere Bestimmung als die des Gotterdienstes hatte. Aber noch uberdiess spricht dafür der Umstand, dass der Pronaos und die Vorhalle, wodurch es sich gegenwärtig als ein Tempel erweisst, sich als spätere Zusätze zu dem durch seine ausserordentliche Kuppel so merkwürdigen Rundgebäude zeigen, dessen ursprungliche Bestimmung ungewiss bleiben dürfte. Uebrigens beweist der Zusammenhang desselben mit den Thermen des Agrippa seine gleichzeitige Erbauung mit denselben. Und da die Inschrift am Friese der Vorhalle: M. Agrippa L. F. Cos. tertium fecit, diesen berühmten Feldherrn und Schwiegersohn des August als den Erbauer anzeigt, so folgt daraus, dass er selbst es war, auf dessen Veranstaltung die Umwandlung jenes Gebaudes in einen Tempel erfolgte, den derselbe, nach Dio Cassius 53. 27, wie es scheint, zunachst dem Mars und der Venus weihte.

Wir finden während der Zeit des heidnischen Roms mehrere Unfälle und dadurch veranlasste Ausbesserungen des Pantheons erwähnt. Nach Dio Cassius wurden bereits, drei Jahre nach seiner Vollendung, einige Bildsäulen desselben vom Blitze getroffen, unter denen sich die des August befand. Auch nennt es jener

Schriftsteller unter den Gebäuden, welche von der grossen Feuersbrunst unter Titus ergriffen wurden. Dem Eusebius und Cassio-
dor zufolge wurde es von den bei diesem Brande erlittenen Beschädigungen auf Veranstaltung Domitians wieder hergestellt,
darauf aber, unter der Regierung Trajans, abermals vom Wetter-
schlage getroffen. Und vielleicht war es dieser Unfall, welcher
die nach dem Zeugniss des Spartian von Hadrian unternommene
Ausbesserung dieses Gebäudes veranlasste. Julius Capitolinus
spricht von einer von Antoninus Pius veranstalteten Ausbesserung
des Tempels des Agrippa, unter welchem hochst wahrscheinlich
das Pantheon zu verstehen ist. Eine von den Kaisern Septimius
Severus und Caracalla veranstaltete Wiederherstellung, nach dem
durch die Zeit herbeigefuhrten Verfall des Gebaudes, ist durch
eine ziemlich unleserlich gewordene Inschrift am Architrav der
Vorhalle angezeigt.

Zwischen den Jahren 608 und 610 erfolgte die von dem Papst
Bonifacius IV., mit Bewilligung des Kaisers Phocas, veranstaltete
Umwandlung des Pantheons in eine christliche Kirche, welche
den Namen S. Maria ad Martyres erhielt, weil sie, nebst der
h. Jungfrau, allen Heiligen gewidmet wurde; und das Fest ihrer
Einweihung veranlasste die Stiftung des in der ganzen catholischen
Welt eingefuhrten Allerheiligenfestes. Unter den Erzwerken,
welche der Kaiser Constans im Jahre 663 von Rom wegfuhrte,
befanden sich auch die metallenen Ziegel dieses Gebäudes, mit
denen hochst wahrscheinlich nicht allein die Kuppel, sondern auch
die Vorhalle gedeckt war. Die Kuppel erhielt nachmals, auf Veranstaltung Gregors III. (731—741) eine bleierne Bedeckung, die
sie noch gegenwärtig hat. Von einer von Hadrian I. unternommenen Erneuerung der Kirche S. Maria ad Martyres spricht
Anastasius im Leben dieses Papstes. Honorius III. (1216—1227)
stiftete das mit dieser Kirche noch jetzt verbundene Domcapitel,
und Bonifacius VIII. (1294—1303) gab einem Cardinaldiaconus
von ihr den Titel. Nach der Beendigung des langen Schisma
im Jahre 1417 veranstalteten Martin V. und Nicolaus V. Ausbesserungen der bleiernen Bedeckung der Kuppel. Der Vorgänger
des letztgenannten Papstes, Eugen IV., hatte die Säulen reinigen
und die Handelsbuden aus der Vorhalle wegnehmen lassen, die
sich damals in derselben befanden: auch wurde auf seine Veranstaltung der Platz vor dem Pantheon gepflastert. Urban VIII.
liess die beiden das Gebäude verunzierenden Glockenthurme nach
Angabe des Bernini auffuhren, und Alexander VII. die an die
Vorhalle angebauten Hauser niederreissen, wobei man den antiken, mit Travertin gepflasterten Fussboden des Platzes entdeckte.
Unter Clemens XI. wurde, bei dem Bau der Sacristei hinter der
Tribune des Hauptaltars, eine Nische, die zu den Thermen des

Agrippa gehörte, und zuletzt, im Pontificate Pius VII., der Unterbau des Rundgebaudes von Travertin gefunden. Nach einer Verordnung Benedicts XIV. steht das Pantheon unter der Aufsicht des Maggiordomo des Papstes.

Bei der Beschreibung dieses merkwürdigen Gebäudes haben wir zuerst die Vorhalle zu betrachten. Durch Ausgrabung hat sich gezeigt, dass ursprünglich fünf Stufen zu derselben emporfuhrten. Gegenwärtig ist sie nur durch eine von dem Platze erhöht. Sie misst 150 Palm in der Länge und 60 in der Breite, und wird in drei Schiffe durch 16 Säulen getheilt, die, wie alle Säulen des Pantheons, von corinthischer Ordnung sind. Ihre Schäfte, theils von rothem, theils von grauem Granit, sind 56 Palm hoch, ohne die aus weissem Marmor verfertigten Basen und Capitelle. Die drei Saulen an der Morgenseite der Halle — mit antiken Schäften von rothem Granit, aber modernen Basen und Capitellen von Travertin — wurden an 'der Stelle der ursprünglichen, hier verloren gegangenen Säulen, in den Pontificaten Urbans VIII. und Alexanders VII. errichtet. Das Gebälke von Travertin an dieser Seite der Vorhalle ist ebenfalls neu. Die eisernen Gitter zwischen den äusseren Säulen derselben sind aus der Zeit Clemens XI. Das Giebelfeld war vermuthlich mit einem metallenen Relief geschmückt; und die hier zu bemerkenden Löcher scheinen die Anzeige der Nieten zu gewahren, mit denen dieses Werk befestigt war. Die von Plinius erwähnten Bildsaulen, mit denen Diogenes von Athen den Giebel des Pantheons schmückte, standen unstreitig auf dem Gipfel und an den beiden Enden desselben. Auf dem Gipfel ist noch ein Postament vorhanden, welches Raum für eine Gruppe von zwei Figuren zeigt. Die drei Schiffe der Vorhalle hatten ehemals Tonnengewölbe (volte a botte), von denen man in den beiden Seitenschiffen noch die Bogenlinie, an der Wand des Pronaos bemerkt. Ueber diesen Gewolben erhob sich ein Dachstuhl mit 40 Fuss langen Balken von vergoldetem Erz, von denen jeder, nach dem Bericht von Augenzeugen, aus drei starken, mit Nägeln verbundenen Platten bestand und daher gewissermassen wie ein Canal gebildet war. Dieses merkwürdige Dachgerüste wurde auf Befehl Urbans VIII. eingeschmolzen, um daraus die Säulen des Tabernakels des Hauptaltares der Peterskirche und Kanonen fur die Engelsburg zu giessen. Eine Inschrift verewigt hier diesen Raub, der den bekannten Vers des Pasquino veranlasste: Quod non fecerunt Barbari, fecerunt Barberini, aus deren Familie Urban VIII. war.

Den vier Säulenreihen der Vorhalle entsprechen eben so viele Anten an der Vorderseite des Pronaos. In den beiden grossen Nischen zwischen denselben standen vermuthlich die Statuen des

August und Agrippa, die nach Dio Cassius der Letztere in der Vorhalle des Pantheons aufstellen liess. Von der Marmorbekleidung,
die wahrscheinlich ehemals die ganze Vorderseite des Pronaos
schmuckte, sieht man, an den Wanden der zum Eingange des
Innern des Gebaudes führenden Arcade, noch vier Pilaster und
sechs Tafeln, auf denen Fruchtgewinde und Candelaber und Opfer-
gerathe gebildet sind. Die Schwelle der Thür ist von africanischem und die grosse mit Blattern und Eiern geschmuckte Thürverkleidung von weissem Marmor. Von Holz, aber an der äusseren
Seite mit Metall bekleidet sind die beiden Thurflugel, die beiden
jonischen Pilaster zu beiden Seiten derselben und das darüber
liegende Gebalke, über welchem sich ein metallenes Gitter befindet.

An den beiden Aussenseiten des Pronaos ist noch die Bekleidung von weissem Marmor, aber in einem sehr verdorbenen
Zustande erhalten. Das aus Ziegeln von vortrefflicher Construction
aufgefuhrte Rundgebaude erhebt sich auf einer Basis von Travertin.
An dem ersten Gesims desselben, unter der Kuppel, sind noch
Reste von Stuckbekleidung zu bemerken, mit welcher vermuthlich
das ganze Gebaude uberzogen war. Auf die Kuppel fuhrt von
der Vorhalle eine Treppe von 190 Stufen empor, auf der man
bequem bis zu ihrer mittelsten Oeffnung gelangt, deren Durchmesser über 40 Palm betragt. Der Rand derselben ist mit einer
metallenen Zierrath von Eiern umgeben, mit der noch ein Rest
von der ehemaligen Metallbekleidung der Kuppel verbunden ist.

Die Höhe des Rundgebáudes, von dem Fussboden bis zum
Ende der Kuppel, betragt 194 Palm und ebenso viel der Durchmesser desselben im Lichten. Die Dicke der Mauern beläuft sich
auf 30 Palm. Das Innere dieses Gebäudes hat, ausser der Arcade
des Einganges und der ihr gegenuberstehenden Tribune, sechs
Nischen, die gegenwärtig zu Capellen dienen, und von denen vier
in halbzirkliger und zwei in eckiger Form gebaut sind. In den
letzteren sind an jeder der beiden Ecken zwei rechtwinklig mit
einander verbundene Pilaster angebracht. In jeder Nische unter-
stützen am Eingange zwei Säulen das Gebälke; und an beiden
Enden sind zwei nur scheinbare, durch Marmorbekleidung gebildete
Anten. Die sammtlich cannelirten Saulen — 14 an der Zahl mit
Inbegriff der zu beiden Seiten der Tribune — messen, ohne die
Basen und Capitelle, 40 Palm in der Hohe und 5 im Durchmesser.
Acht derselben sind von Giallo antico, die unter die grössten
dieses Marmors gehören, und sechs von Paonazetto, die zur
Uebereinstimmung mit jenen mit gelber Farbe angestrichen sind.
Aus diesen beiden Marmorarten bestehen auch die Pilaster, von
denen die von Paonazetto ebenfalls jene gelbe Uebertunchung
zeigen. Die Basen und die schonen, noch wohl erhaltenen

Capitelle sind von weissem Marmor. Das Gebälke hat einen von
Porphyr ausgelegten Fries. Der Umstand, dass die Plinthen der
Säulen etwas in dem Fussboden stehen, sheint eine vermuthlich
erst in den christlichen Zeiten erfolgte Erhohung desselben anzuzeigen, wobei man jedoch die Bekleidung des antiken Fussbodens benutzte. Sie besteht aus Platten von Paonazetto und
Giallo antico, untermischt mit Porphyrstreifen und grossen runden,
in den alten romischen Kirchen gewohnlichen Platten von Porphyr und Paonazetto, die vermuthlich aus der Zeit des Mittelalters sind. Der Fussboden neigt sich etwas nach der Mitte zu,
zum leichteren Abfluss des durch die Oeffnung der Kuppel herein-
fallenden Regenwassers, welches durch einige Löcher in eine
kleine unter dem Fussboden befindliche Schleuse abläuft und
von da aus in eine grössere eintritt, die neben dem Pantheon
ihre Richtung nach der Kirche S. Chiara nimmt.

In der Attike über dem Säulengebälke, anf deren Gesims
sich das Gewölbe der Kuppel erhebt, theilt ein Gang die Mauer
in eine äussere und innere, in welcher sich Fenster befinden, die
mit Ausnahme von zweien in den beiden in diesem Gange angelegten Oratorien zugemauert sind. Die vermuthlich aus der Zeit
des Septimius Severus herrührende Bekleidung der Attike mit
Pilastern und Platten von verschiedenen bunten Marmor- und
anderen Steinarten, wurde unter Benedict XIV. auf Veranstaltung
des Architecten Paolo Posi, aus Habsucht nach jenen kostbaren
Steinen weggenommen und der Attike dagegen ihre gegenwartigen
armseligen Zierrathen von der Erfindung dieses Architecten ertheilt. Am Gewolbe der Kuppel sind in fünf ringsumgehenden
Reihen viereckige Cassettoni, in denen man bei dem Ueberweissen
des Gewölbes unter dem vorerwahnten Papst Spuren von Blei
und Silber, Reste ihrer ehemaligen Zierrathen, die vermuthlich
in Rosetten bestanden, bemerkte.

Zwischen den Nischen, an den mit verschiedenem bunten
Marmor ausgelegten Wanden, erheben sich acht, von zwei Säulen
getragene Aediculen, die vermuthlich zur Aufstellung von Standbildern der Götter bestimmt waren, gegenwartig aber zu Tabernakeln christlicher Altäre dienen. Die Dacher haben an vieren
derselben bogenformige, an den vier anderen Giebelgestalt. Die
Saulen der letzteren sind von Giallo antico und cannelirt, die der
ersteren waren ehemals sämmtlich von Porphyr. Von zweien
derselben aber sind die Porphyrsäulen weggenommen und durch
Granitsaulen, die zu anderen antiken Gebauden gehörten, ersetzt
worden.

Von den gegenwärtig in diesem Gebäude vorhandenen Gegenständen aus den christlichen Zeiten verdienen nur wenige besondere Erwähnung; und die meisten dienen viel mehr zur

Verunzierung als zum Schmuck desselben, wie vornehmlich der sehr geschmacklose Baldàchin über dem Hauptaltare. Ueber dem Altare des dritten Tabernakels, vom Eingange links, steht die Bildsaule der h. Jungfrau mit dem Kinde, die für diesen Altar, unter welchem der beruhmte Raphael in seinem letzten Willen seine Grabstatte verlangte, von Lorenzetto verfertigt wurde. In einer betrachtlichen Hohe sieht man, neben diesem Altare links, Raphaels Grabschrift mit dem bekannten Distichon von Pietro Bembo und rechts die Grabschrift der ihm zur Gattin bestimmten Nichte des Cardinals Dovizio Bibiena. Seine Gebeine wurden am 14. September 1833 auf Veranstaltung der mit dieser Kirche verbundenen Brüderschaft der Künstler aufgefunden. In der darauf folgenden Capelle ist das Grabmal des Cardinals Gonsalvi von Thorwaldsen.

Piazza della Rotonda.

Der Platz vor dem Pantheon wird von dem heutigen Namen dieses Gebäudes Piazza della Rotonda genannt. Auf dem unter Gregor XIII. angelegten Springbrunnen liess Clemens XI. das Fragment eines Obelisken errichten, welches bei dem Graben der Fundamente der Kirche S. Maria sopra Minerva entdeckt worden war. Es ist der oberste Theil eines dieser Monumente, welches den Hieroglyphen zufolge der Zeit des Sesostris angehört. Die Hohe dieses Fragmentes betragt 27 Palm.

S. Eustachio.

Die Kirche S. Eustachio — eine der alten römischen Diaconien, gegenwärtig eine Pfarrkirche — wurde von Colestin III. im Jahre 1196 nach einer von ihm unternommenen Ausbesserung von neuem geweiht. Nach ihrer neuen Erbauung unter Clemens XII. zeigt nur der Glockenthurm noch alterthumlichen Character. Es ist in derselben eine schöne antike Porphyrwanne, auf welcher die Platte des Hauptaltares ruht.

Palast Maccarani.

An dem Platze, der von dieser Kirche den Namen führt, ist der Palast Maccarani, ehemals Cenci, wegen seiner schonen und einfachen Architectur von der Erfindung des Giulio Romano zu bemerken.

Palast Lante

Neben diesem Palaste steht der des Duca Lante, der durch die nach Angabe des Onorio Lunghi veranstaltete Erneuerung seine heutige Gestalt erhielt. An einem Brunnen des von Saulenhallen umgebenen Hofes desselben steht die stark erganzte antike

Gruppe einer sitzenden Frau mit einem Knaben, in der man die Ino, die dem Bacchus die Brust gibt, zu erkennen glaubt.

Das Gebaude der Universitat (Archiginnasio della Sapienza).

Die von Bonifacius VIII., im Jahre 1303, gestiftete hohe Schule zu Rom, la Sapienza genannt, gerieth bald nach ihrer Stiftung, durch die Verlegung des päpstlichen Stuhles nach Avignon, in Verfall und ging zuletzt am Ende des 14ten Jahrhunderts gänzlich zu Grunde. Nach ihrer Wiederherstellung durch Eugen IV., zwischen den Jahren 1431 und 1447, gelangte sie zu einer vorzüglichen Bedeutung durch die Bemuhungen seines Nachfolgers, des grossen Beschutzers der Wissenschaften Nicolaus V., verfiel aber nach seinem Tode wieder durch die wenige Fursorge der folgenden Päpste, bis Leo X. sie zu neuem Glanze erhob. Dieser Papst berief die ausgezeichnetsten Gelehrten Italiens zu Lehrern dieser Universität, deren Anzahl sich auf 88 belief, die grösste, die sie jemals gehabt hat. Die Wissenschaften, die damals gelehrt wurden, waren: die Theologie, Philosophie, Rechtswissenschaft, Rhetorik, Mathematik, die griechische Sprache und die wahrsagende Astrologie, die noch zu Leos X. Zeiten in Ansehen stand. Auch war dabei ein Lehrer der Botanik angestellt. Der Glanz der Universität verschwand bald nach seinem Ableben. Sein Nachfolger Hadrian VI. legte mit Ausnahme der scholastischen Theologie keinen Werth auf die Wissenschaften; und unter Clemens VII. veranlassten die Kriegsunruhen, welche die schreckliche Plünderung Roms zur Folge hatten, dass die Professoren sich aus der Stadt entfernten und die Universität geschlossen blieb bis zum Jahre 1534, in welchem sie durch Paul III. wieder eroffnet ward. Sie gelangte darauf bald wieder zu bedeutendem Ansehen durch mehrere ausgezeichnete Gelehrte, die sie unter diesem Papst und unter seinen Nachfolgern im 16ten Jahrhundert erhielt, von denen die meisten sich die Beforderung der Wissenschaften angelegen seyn liessen. In derselben Epoche erhielt sie auch einen Lehrer der hebräischen Sprache. Der allgemeine Verfall der italienischen Litteratur im 17ten Jahrhundert hatte nothwendig auch auf diese Anstalt einen nachtheiligen Einfluss. Unter den Papsten, die im Ganzen weit weniger Eifer fur die Wissenschaften als im 16ten Jahrhundert zeigten, erhielt sie jedoch einen freigebigen Beschutzer an Alexander VII., durch den sie zuerst eine Bibliothek und einen botanischen Garten erlangte. Aus dem sehr bedeutenden Verfall, in den sie nach seinem Tode gerieth, wurde sie im 18ten Jahrhundert durch die Bemühungen der Papste Clemens XI. und Benedict XIV. erhoben. Im Pontificate des Letzteren wurden auch Lehrstellen fur die Chemie und Experimentalphysik gestiftet.

Die Stelle des Erzkanzlers und Oberhauptes der Universität
bekleidet der Cardinal Camerlengo der heil. römischen Kirche.
Der unter ihm stehende Rector wird jahrlich von den Consistorialadvocaten aus ihrem Collegium erwählt, welches zugleich das
Collegium der Juristenfacultat bildet. Die drei ubrigen Facultäten
haben ebenfalls ihre Collegien. Die Zahl' der ordentlichen Pro-
fessoren beläuft sich gegenwartig auf 48. Ausser der hebraischen
Sprache ist auch ein Lehrer der syrisch-chaldaischen und arabischen,
der letztere vornehmlich zur Widerlegung des Korans angestellt.
Seit der franzosischen Herrschaft hat die Universitat auch einen
Lehrer der Archaologie erhalten. — Die Bibliothek — von ihrem
Stifter Alexander VII. Bibloteca Alessandrina genannt — ist den
Studenten wahrend der Zeit des öffentlichen Unterrichts zugänglich.
Es befindet sich in derselben eine Mineraliensammlung und eine
Sammlung physicalischer Instrumente. Auch hat man den An-
fang zu einem zoologischen Museum gemacht.

Das von Alexander VI. erbaute Universitätsgebäude erhielt
nachmals, unter Gregor XIII. und Sixtus V., eine bedeutende
Vergrosserung nach Angabe des Giacomo della Porta, kam aber
in seinem heutigen Umfange nicht eher als im Pontificate Alexanders VII. zu Stande. Die mit demselben verbundene. Capelle hat
Borromini in dem ihm eigenthümlichen bizzarren Geschmack angegeben. Sie ist dem h. Ivo geweiht, der, die Bittschriften der
Armen empfangend, in dem Gemalde des Altares, welches von
Pietro da Cortona angefangen und von seinem Schuler Ventura
Borghesi da Città di Castello beendigt wurde —, vorgestellt ist.
Am Freitage des Carnevals werden hier die Exequien Leos X.,
des grossen Beschützers der Universität, gefeiert. In dem Gebäude
der Sapienza befindet sich gegenwartig auch die Academie der
bildenden Künste. Desgleichen werden in demselben die Versammlungen der archäologischen Academie gehalten, die unter
der Herrschaft Napoleons gestiftet ward und den Namen Accademia Romana Archeologica führt.

Palast Giustiniani.

Den Palast Giustiniani erbaute der Marchese Vincenzo aus
dieser Familie nach Angabe des Giovanni Fontana. Von den
ehemaligen Kunstwerken dieses Palastes befindet sich noch eine
bedeutende Anzahl von antiken Denkmalern, ohne Ordnung aufgestellt, in einem Zimmer verschlossen, welches aber gegenwartig
nicht mehr gezeigt wird; und sichtbar sind daher nur die in den
beiden Thorwegen, im Hofe und in der Halle vor demselben vorhandenen antiken Bildwerke, die in mehreren Statuen, Büsten,
Sarcophagen und an den Wanden eingemauerten Reliefs bestehen.
Unter den Statuen befinden sich zwei des Hercules, zwei des ?

Apollo und eine weibliche Figur, die man für die Domitia erklärt. Von den Sarcophagen zeigt einer die Vorstellung der
Nereiden mit Tritonen. Unter den Gegenständen der Reliefs im
Hofe sind zu bemerken: die Ermordung des Aegisth; Wiederholung dieser Vorstellung auf dem vaticanischen Sarcophage; —
der Raub der Proserpina; — drei Vorstellungen bacchischer Züge;
— die Musen in Begleitung einiger Dichter; — und der Kampf
der Lapithen und Centauren. — Unter dem Haupteingange sieht
man zwei Reliefs von Grabdenkmalern, mit den gewöhnlichen
Vorstellungen der Todtenmale; und im Gange des hinteren Einganges Diana und Endymion; — die Lossprechung des Orest; —
eine Vorstellung von Kriegern; — und ein Ehepaar zwischen
einigen anderen in Arcaden stehenden Figuren.

Palazzo del Governo, ehemals Madama.

Der Palast, gegenwartig Palazzo del Governo genannt, in
welchem sich die Generaldirection der Polizei und die Wohnung
des Statthalters von Rom (Governatore di Roma) befindet, wurde
gegen das Ende des 15ten Jahrhunderts von dem Cardinal Mel-
chiorre Cupis erbaut. Er gelangte darauf in den Besitz der beruhmten florentinischen Familie Medici, wurde aber nachmals
von Paul III. der mit seinem Neffen Ottavio Farnese vermählten
Margaretha von Oesterreich, als ein ihr angeblich von ihrem
ersten Gemahle Alessandro de' Medici zugefallenes Erbtheil zu-
gesprochen. Von dieser natürlichen Tochter Carls V. und Regentin der Niederlande unter Philipp II. erhielt er den Namen
Palazzo Madama, wovon die noch gegenwärtige Benennung des
Platzes vor diesem Palaste herrührt. Nachdem ihn seine recht-
mässigen Besitzer, die Grossherzoge von Toscana, zuruckerhalten
hatten, veranstaltete der Grossherzog Ferdinand II., im Jahre
1642, nach Angabe des Paolo Marocelli, einen neuen Bau desselben. Im Pontificate Benedicts XIV. kaufte ihn die Dataria von
dem Grossherzoge von Toscana und Kaiser Franz I. In dem mit
demselben verbundenen Hintergebäude befindet sich das Criminal-
gericht.

S. Luigi de' Francesi.

Die den Franzosen zuständige Kirche S. Luigi de' Francesi
wurde durch fromme Beisteuern dieser Nation im Jahre 1588
erbaut. Von der Erfindung des Giacomo della Porta ist die mit
Statuen von dem französischen Bildhauer Lestache geschmückte
Vorderseite. Eine Erneuerung des Inneren der Kirche erfolgte
im vorigen Jahrhundert nach Angabe des Derizet; und aus derselben Zeit ist das Deckengemälde des Hauptschiffs von dem
französischen Maler Natoire. Das die Aufnahme der h. Jungfrau

vorstellende Bild des Hauptaltares ist von Francesco Bassano. In der ersten Capelle vom Eingange rechts sieht man drei Oelgemälde von Caravaggio, welche den h. Matthäus, dem beim Schreiben des Evangeliums ein Engel erscheint; — die Berufung desselben zum Apostel, aus der Gemeinschaft mit den Zöllnern; — und seinen Martyrertod vorstellen. — Die Frescogemälde in der zweiten Capelle von Domenichino haben sehr durch Restauration gelitten. Ihre Gegenstände sind Begebenheiten des Lebens der heil. Cácilia. An der Seitenwand zur Rechten ist sie, ihre Güter unter die Armen vertheilend, und zur Linken der Tod derselben vorgestellt; am Deckengewölbe, wo sie gezwungen werden soll, den Götzen zu opfern; — wie dieselbe und ihr Bräutigam, den sie zum Christenthume und zur Gelobung der Keuschheit bekehrte, von dem Engel gekrönt wird; — und ihre Aufnahme in den Himmel. — Das Altarbild dieser Capelle ist eine Copie von Guido Reni, nach dem berühmten Gemalde der h. Cäcilia von Raphael zu Bologna. Ueber dem Altare der dritten Capelle sieht man ein Gemälde von Parosel; in der vierten Frescomalereien von Sermóneta und Pellegrino da Bologna; — und in der funften das Grabmal des um die Kunstgeschichte verdienten d'Agincourt. — In der ersten Capelle vom Eingange links ist das Grabmal des bekannten französischen Botschafters in Rom, des Cardinals Bernis. — In der zweiten Capelle sieht man den heil. Nicolaus von Bari in einem Oelgemälde von Muziano und Frescomalereien von Girolamo Massei, Ricci da Novara und Baldassare Croce. — Die Architectur der dritten Capelle hat eine römische Künstlerin, Plautilla Bricei, angegeben, und auch das Gemälde des heiligen Königs Ludwig über dem Altare derselben ausgeführt. — Die Gemälde der vierten Capelle sind von Baglioni und Carlo Lorinese. — Am 25. August wird hier das Fest des h. Ludwig gefeiert: und ein anderes Fest erfolgt in dieser Kirche am Namenstage des Königs der Franzosen. Sie wird von französischen Geistlichen verwaltet, welche das mit ihr verbundene Gebäude bewohnen, in dem sich das ehemalige Hospital dieser Nation befand.

S. Salvatore in Thermis.

Unter S. Luigi de' Francesi steht gegenwärtig die kleine benachbarte Kirche, die von den Thermen des Nero, auf deren Trümmern sie erbaut ist, den Namen S. Salvatore in Thermis führt. Eine Urkunde der Abtei von Farfa vom Jahre 998, unter deren Gerichtsbarkeit sie ehemals stand, erwähnt sie mit dem Namen Oratorium S. Salvatoris. Man verehrt in ihr eine Säule, an welcher auf dem Forum Romanum viele Märtyrer gegeisselt worden seyn sollen. Es sind in dieser Kirche, die übrigens jetzt nichts Merkwürdiges zeigt, Frescomalereien von Giovanni Odazzi.

Der Platz, welcher den Namen Piazza Navona führt, nach dem Petersplatze der grösste in Rom, zeigt die Form und den Umfang des Circus Agonalis (nach Urlichs des Stadiums des Domitian). Der grosse Springbrunnen in seiner Mitte, den Innocenz X. nach Angabe des Bernini errichten liess, gehört durch eine gewisse Grossartigkeit der Anlage unter die besseren Werke dieser Zeit der entarteten Kunst. In einem grossen Becken erhebt sich ein auf allen vier Seiten ausgehohlter Felsen, aus dem sich das Wasser in mehreren Strömen ergiesst. Auf den Ecken desselben erscheinen die grossten Flusse der vier Welttheile, die Donau, der Ganges, der Nil und der Rio de la Plata, in colossalen Bildsäulen personificirt. Sie sind, nach Modellen des Bernini, aber in einem weit besseren Style als die uns bekannten Werke dieses Meisters, von Francesco Baratta, Antonio Fancelli, Andrea Lombardo und Claudius Adam aus Lothringen ausgefuhrt. Der Löwe und das Seepferd, die aus dem Felsen hervorzukommen scheinen, sind von Lazzaro Morelli verfertigt. Auf diesem Felsen erhebt sich der Obelisk, der ehemals auf der Spina des Circus des Maxentius stand und dann auf derselben in mehrere Stucke zerbrochen lag. Er ist nach den Hieroglyphen ein Werk aus der Zeit Domitians. Seine Höhe beträgt 70 Palm. Er ruht auf einem modernen Postamente von rothem Granit; und den Gipfel desselben schmückt eine metallene Taube mit einem Oelzweige, das Wappenbild der Panfili, der Familie Innocenz X., der ihn im Jahre 1651 unter der Leitung des Bernini hier aufrichten liess. Die ganze Höhe des Monumentes mit Inbegriff des Brunnens und der vorerwähnten Taube beträgt 133 Fuss.

Nach den beiden Enden des Platzes zu befinden sich zwei andere Springbrunnen aus der Zeit Gregors XIII., von denen der eine mit Tritonen und wasserspeienden Masken von verschiedenen Bildhauern verziert ist. Zu einem vierten Brunnen dient eine grosse antike Wanne von penthelischem Marmor. An den Sonnabenden und Sonntagen des Monats August wird durch Verstopfung der gedachten Brunnen ein Theil des Platzes unter Wasser gesetzt und dadurch ein Teich gebildet, in welchem die bemittelten Personen in Kutschen umherfahren, während das gemeine Volk, zur Erfrischung bei der grossen Hitze der Jahreszeit, darinnen barfuss zu waten pflegt.

S. Agnese in Piazza Navona.

Die Veranlassung zur Stiftung der auf diesem Platze gelegenen Kirche der h. Agnes war die Tradition, dass diese Heilige wegen des christlichen Glaubens verurtheilt wurde, in einem der zu

Bordellen dienenden Gewölbe des gedachten Circus ihrer jung-
fräulichen Ehre beraubt zu werden, aber von dieser ihre Keuschheit bedrohenden Gefahr durch das Wunder befreit wurde, dass,
als ihre Entehrung vollzogen werden sollte, ihre Haare so schnell
wuchsen, dass sie sogleich den ganzen Leib bedeckten. Eine Einweihung dieser Kirche — die im Mittelalter mit der Benennung
Ecclesia S. Agnetis in Agonis und auch de Cryptis Agonis vorkommt — vollzog Calixtus II. im Jahre 1123, wie durch eine
Inschrift über dem Eingange ihres ehemaligen Gebäudes angezeigt
war. Leo X. erhob sie zu einem Cardinalstitel, und Innocenz X.
veranstaltete die Errichtung ihres heutigen Gebäudes. Carlo Rinaldi hat dasselbe bis zum Hauptgesims nebst den beiden Glockenthürmen, die Vorderseite, Kuppel und Sacristei hingegen hat
Borromini angegeben. Das Innere zeigt nichts von besonderer
Merkwürdigkeit. Ueber dem Haupteingange sieht man das von
Gio. Battista Maini verfertigte Denkmal Innocenz X. Unter der
Kuppel stehen acht grosse Saulen von Cotognello. Der Hauptaltar ist mit buntem Alabaster und vier Saulen von Verde antico
geschmückt, von denen zwei aus einer von den Säulen verfertigt
sind, die sich am ehemaligen Triumphbogen des M. Aurelius im
Corso befanden. Die Bildsäule des heil. Sebastian in der Capelle
des Querschiffs, vom Eingange links, ist eine antike Statue, die
von dem vorerwähnten Maini zu einer Figur dieses Heiligen umgestaltet worden ist. Die Reliefs über den Altären der übrigen
Capellen sind unbedeutende Werke von verschiedenen Bildhauern
des 17ten Jahrhunderts. Die Malereien in den Zwickeln der Pfeiler
der Kuppel hat Gauli verfertigt, und das Gemälde am Gewölbe derselben Coro Ferri angefangen und sein Schüler Corbellini vollendet.

Die alte Kirche begriff vermuthlich den jetzt unterirdischen
Raum, zu dem eine Treppe von der oberen Kirche hinabführt.
Jene wurde, wie man noch gegenwärtig bemerkt, in den Gewolben
des Circus angelegt, über denen sich die Stufen zu den Sitzen
erhoben, und in denen sich, nach der oben erwähnten Tradition,
das Bordell befand, in dem die h. Agnes entehrt werden sollte.
Es befinden sich hier zwei Capellen. Auf dem Altare der einen
derselben sieht man, in einem Relief von Algardi, die gedachte
Heilige, welche ganz entblosst, aber von ihren langen Haaren
bedeckt, von zwei Soldaten nach jenem Bordell geführt wird. Vor
der anderen der erwähnten Capellen stehen zwei Säulen aus der
Zeit des Mittelalters. Auf dem Fussboden ist noch an mehreren
Stellen alte Steinarbeit und altes Mosaik zu bemerken.

Palast Panfili.

Den an die Kirche S. Agnese anstossenden Palast Panfili, der
gegenwärtig dem Prinzen Doria gehört, erbaute Innocenz X., im

Jahre 1650, nach Angabe des Carlo Rinaldi. In der Vorhalle der Treppe ist ein antikes Bildwerk von sehr roher Arbeit, welches einen in einer Nische oder Aedicula stehenden Sylvan vorstellt. In den Friesen einiger Zimmer des ersten Stockwerkes sieht man Gegenstände aus der römischen Geschichte von Camassei, Geminiani und Ciro Ferri, auch ein paar Landschaften von Caspar Poussin. Das Tonnengewolbe eines langen Saales ist mit Frescogemalden von Pietro da Cortona geschmückt, welche Gegenstände aus der Aeneis vorstellen und, nächst dem Barberinischen Saale, das weitläuftigstc Werk dieses Malers in Rom sind.

Palast Lancelotti.

Der ebenfalls an der Piazza Navona gelegene Palast Lancelotti wurde von der Familie Torres nach Angabe des Pirro Ligorio erbaut.

S. Giacomo degli Spagnuoli.

Die im Jahre 1450 von Alfonso Paradinos, Bischof von Rodrigo, erbaute Kirche der Spanier, S. Giacomo degli Spagnuoli, ist nach einem schon längst baufälligen Zustande ihrem gänzlichen Verfall überlassen. Ihre besten Gemälde sind von der Mauer abgenommen und die Denkmaler der Sculptur nach S. Maria di Monferrato gebracht worden.

S. Maria dell' Anima.

Die mit dem ehemaligen Hospitale der Deutschen verbundene Kirche, S. Maria dell' Anima, wurde, wie eine Inschrift an der Vorderseite zeigt, auf Kosten dieser Nation und der damals zum deutschen Reiche gehörenden Niederländer im Jahre 1500 zu bauen angefangen und 1514 vollendet. Sie ist nach dem letzten Pariser Frieden in den ausschliessenden Besitz des Kaisers von Oesterreich gekommen, und das durch die französische Revolution aufgehobene Hospital ist zwar wieder hergestellt worden, aber nicht fur die Deutschen, sondern für die Unterthanen der österreichischen Monarchie. Die Vorderseite dieser Kirche, deren Angabe dem Giuliano da San Gallo — wir wissen nicht, mit welchem Grunde — zugeschrieben wird, erinnert vielmehr an den Styl des Bramante, der auch nach Vasari Antheil an dem Baue dieses Gebäudes hatte. Sie ist in drei übereinanderstehenden Reihen mit corinthischen Pilastern geschmückt, zwischen denen sich, in der mittleren Reihe, drei grosse, oben gewölbte Fenster befinden. Das Portal des mittleren Einganges erhebt sich auf zwei Säulen von Porta Santa. Eine kleine Marmorgruppe, im Giebelfelde dieses Portals, zeigt die Vorstellung, welche sich im Wappen der mit dem Hospitale ehemals verbundenen Brüderschaft

befand, und welche auf die Benennung der Kirche S. Maria dell'
Anima deutet; namlich: die h. Jungfrau mit dem Kinde zwischen
zwei nackten, sie anflehenden Figuren, durch welche die Seelen
des Fegefeuers bezeichnet sind.

Das Innere der Kirche wird durch sechs hohe, mit Pilastern
verzierte Pfeiler in drei Schiffe getheilt. An den beiden letzteren
dieser Pfeiler sind die Grabmäler des Ferdinand von Eynde von
Antwerpen und des Hadrian Uryburg von Alkmar; beide mit
Engelsfiguren von Franz Quenois, in Italien il Fiamingo genannt.
An der Wand der Vorderseite der Kirche, vom Haupteingange
rechts, steht das Grabmal des Cardinal-Erzherzogs Andreas Ferdinand von Oesterreich, von einem ebenfalls niederländischen
Bildhauer, Egidius di Riviere. Am mittleren Fenster der Vorderseite zeigt ein Bild der Maria mit dem Kinde noch den Rest von
Glasmalereien von Wilhelm von Marseille. In der ersten Capelle,
vom Eingange rechts, ist in dem Altarbilde von Carlo Saraceni
der h. Benno, Bischof von Meissen, vorgestellt, welcher die in dem
Bauche eines Fisches wiedergefundenen Schlussel der Domkirche
empfängt, die er hatte in die Elbe werfen lassen, um den excom-
municirten Kaiser Heinrich IV. an dem Eintritt in diese Kirche
zu verhindern. In der zweiten Capelle ist das Grabmal des gelehrten niederländischen Cardinals Walther Slusius mit dem Bildnisse desselben von Ercole Ferrata. Die marmorne Gruppe der
h. Jungfrau mit dem todten Heilande, von Nanni di Baccio Bigio,
ist eine Nachahmung des berühmten Werkes dieses Gegenstandes
von Michelagnolo in der Peterskirche. Ueber dem Altare der
ersten Capelle, vom Eingange links, sieht man ein gutes Gemälde
von Carlo Saraceni, welches den Märtyrertod des h. Lambert vorstellt, und in der dritten Capelle Begebenheiten des Lebens der
b. Barbara in Frescomalereien von dem niederländischen Maler
Michael Coxis. Die Frescogemälde der vierten Capelle sind Werke
des Salviati.

In dem auf Veranstaltung der österreichischen Regierung
erneuerten Presbyterium erhebt sich, an der Wand zur Rechten,
das grosse, mit vier Säulen und reich mit Bildwerken geschmückte
Grabmal Hadrians VI. aus Utrecht. Baldassare Peruzzi verfertigte
die Zeichnung zu diesem Monumente; und die Sculpturen desselben wurden unter seiner Aufsicht von Michelagnolo Sanese mit
Beihülfe des Tribolo ausgeführt. Man sieht über dem Sarge mit
der liegenden Bildsaule des Verstorbenen die heil. Jungfrau mit
dem Kinde zwischen den Aposteln Petrus und Paulus. Der Gegenstand des Reliefs unter dem Sarge ist die Ankunft des Papstes
in Rom; und in vier Nischen stehen die Bildsäulen der vier Cardinaltugenden. An der Wand gegenuber steht das ebenfalls mit
vier Säulen und mehreren Bildwerken geschmückte Grabmal des

Carl Friedrich, Herzogs von Cleve, welches der vorerwähnte Egidins di Riviere mit Beihülfe eines anderen niederländischen Künstlers, Nicolaus von Arras, verfertigte. — Das von Giulio Romano ausgeführte Bild des Hauptaltars ist das vorzüglichste Oelgemalde dieses Kunstlers in Rom und zeigt, bei der ihm gewöhnlichen Vorzüglichkeit der Zeichnung, einen weniger in das Ziegelrothe fallenden Ton als andere seiner Werke. Der Gegenstand ist Maria mit dem Kinde auf dem Throne sitzend, Johannes der Täufer als Kind und die HH. Joseph, Jacobus und Marcus, von denen der letztere knieend den Heiland verehrt, während drei Engel über ihrem Haupte schweben. Den Hintergrund bildet ein Gebäude, in welchem eine Frau, welche Hühner füttert, erscheint. Der Löwe, das Attribut des h. Marcus, und der rechte Fuss des h. Jacobus sind bei der von Palmaroli im Jahre 1819 unternommenen Restauration so gut als neu gemalt worden.

Bei dem Eingange zu dem Vorgemache der Sacristei ist das Grabmal des berühmten Gelehrten und Custos der vaticanischen Bibliothek, Lucas Holstein. Ein Relief in diesem Vorgemache befand sich ursprunglich an dem oben erwähnten Grabmale des Herzogs von Cleve. Es stellt diesen Herzog vor, der von Gregor XIII. bei dem Jubilaum von 1515 den geweihten Hut und Degen empfangt.

S. Maria della Pace.

Die Kirche S. Maria della Pace erbaute Sixtus IV. zu Ehren eines Marienbildes, welches sich in der Vorhalle einer anderen hier ehemals vorhandenen Kirche befand, und gab ihr diesen Namen, weil er durch sein Gebet vor jenem Bilde die Fürbitte der h. Jungfrau zur Wiederherstellung des Friedens unter den italienischen Staaten erhalten zu haben glaubte. Der Bau derselben, der erst unter Innocenz VIII. zu Stande kam, wurde vermuthlich nach dem Plane des Baccio Pintelli unternommen, dessen sich Sixtus IV. bei seinen Bauten zu bedienen pflegte. Alexander VII. veranstaltete eine Erneuerung dieser Kirche, wobei die heutige Vorderseite und die halbzirklige von Säulen getragene Vorhalle, nach Angabe des Pietro da Cortona, aufgefuhrt wurde. Der vordere Theil des Innern des Gebäudes bildet nur ein Schiff, der hintere aber ein Achteck mit einer Kuppel. Das Merkwurdigste der Kirche ist das Frescogemälde, welches Raphael fur Agostino Chigi über der von ihm erbauten Capelle, der ersten vom Eingange rechts, verfertigte. Eine Vereinigung von vier Sibyllen mit einigen Engeln, von denen sie ihre Weissagungen von dem Heilande erhalten, ist hier in einer schönen Composition vorgestellt. Die theils in Jünglings-, theils in Kindesgestalt gebildeten Engel zeigen Raphaels eigenthümliche Grazie: in den

Sibyllen scheint der Künstler vielmehr gesucht zu haben, anmuthige Frauengestalten, als, wie Michelagnolo, mit göttlicher Erleuchtung begabte Prophetinnen darzustellen. Die ebenfalls von
Engeln begleiteten Propheten, in der Lunette über jenem Gemälde,
sind unstreitig nicht von Raphaels Hand, sondern vermuthlich von
Timoteo della Vite ausgefuhrt, der, nach Vasari, dem Raphael
in den in dieser Kirche für Agostino Chigi verfertigten Werken
Beihulfe leistete. — Die in einem guten Style ausgefuhrten Statuen der Engel, auf dem Giebel des Tabernakels auf dem Altare
dieser Capelle, scheinen ebenfalls aus Raphaels Zeitalter herzu-
rühren. Die übrigen Sculpturen derselben sind unbedeutende
Werke aus der Zeit Alexanders VII.

Die Vorderseite der folgenden Capelle ist reich mit Sculpturen geschmückt. Die grossentheils aus Nachbildungen antiker
Candelaber, Dreifüssen und anderen Opfergerathen bestehenden
Zierrathen von Simon Mosca, einem zur Zeit des Vasari in Arbeiten dieser Art in vorzüglichem Ansehen stehenden Künstler, entfernen sich durch einen plumpen überladenen Character sehr auffallend von der Schönheit der architectonischen Zierrathen der
fruheren Sculptur. Die Propheten in erhobener Arbeit uber dem
Bogen und die in Nischen stehenden Statuen der Apostel Petrus
und Paulus, von Vincenzo Rossi da Fiesole, zeigen den Styl der
gewöhnlichen Nachahmer des Michelagnolo. Die verdorbenen
Malereien zu beiden Seiten des Fensters dieser Capelle sind, nach
Vasari, von der Hand des florentinischen Malers del Rosso. Im
Innern der Capelle stehen zwei Grabmäler von dem gedachten
Bildhauer Rossi da Fiesole. Die Gemälde und Stuccaturen des
Deckengewolbes sind von Sermoneta, und das Altarbild ist von
Carlo Cesi ausgeführt. — Die erste Capelle vom Eingange links,
welche der Cardinal Ponzetti zu Ehren der h. Brigitta erbaute,
hat Baldassare Peruzzi angegeben und auch die Gemälde derselben
verfertigt. In dem Frescobilde über dem Altare ist der gedachte
Erbauer der Capelle knieend vor der h. Jungfrau vorgestellt, zu'
deren beiden Seiten sich die HH. Brigitta und Catharina befinden.
Der Capelle zu beiden Seiten sind die Grabmaler der Familie
Ponzetti mit Sculpturen im Style des 15ten Jahrhunderts. Das
eine derselben, vom Beschauer rechts, wurde zweien hier in Busten vorgestellten Mädchen aus dieser Familie, Beatrice und
Lavinia, errichtet, die beide im Kindesalter an demselben Tage
an der Pest starben. Die beiden grossen gemalten Figuren eines
gepanzerten Heiligen und eines Propheten, in der Lunette zu
beiden Seiten des Fensters, werden von Vasari dem Bagnacavallo
zugeschrieben. — Das Altargemälde der folgenden Capelle ist ein
Werk des Marcello Venusti, angeblich nach einer Zeichnung des
Michelagnolo. Der Gegenstand ist die h. Jungfrau in einer Glorie,

und unten die Heiligen Hieronymus und Augustinus. — Die Malereien in der Lunette über dieser Capelle sind von Filippo Lauri.

An den oberen Wänden der Kuppel sind in vier grossen Oelbildern Gegenstände aus dem Leben der h. Jungfrau vorgestellt. In dem ersten zur Rechten, von Carlo Maratta, sieht man ihre Verkündigung; und in dem folgenden, von Baldassare Peruzzi, erscheint sie, die Stufen des Tempels emporsteigend, in einer Composition von vielen Figuren und prächtigen Gebäuden im Hintergrunde, die mit vorzüglicher Liebe von dem mehr zur Baukunst als zur Malerei bestimmten Künstler behandelt sind. In den beiden übrigen der gedachten Gemälde ist von Vanni die Geburt der h. Jungfrau und von Morandi das Hinscheiden derselben vorgestellt. — In den beiden Capellen unter der Kuppel vom Eingange rechts sieht man Johannes den Evangelisten und die Taufe Christi, in zwei Gemälden von Arpino und Orazio Gentileschi. Die grössere Capelle des Hauptaltares ist ein späterer Anbau, welchen die Kirche nach Angabe des Carlo Maderno erhielt. In den beiden Gemälden an ihren Seitenwänden ist die Geburt der h. Jungfrau und ihre Verkündigung von Passignano vorgestellt. Die Malereien des Deckengewölbes sind Werke des Albano. Auf dem Hauptaltare bewahrt man das obenerwähnte Marienbild, welches die Erbauung der Kirche veranlasste. Für dieses Bild liess Innocenz VIII. das reich mit Sculpturen und Vergoldungen geschmückte Tabernakel von weissem Marmor verfertigen, welches gegenwärtig zur Umgebung eines verehrten Crucifixes in der zunächst folgenden Capelle dient. In der letzten Capelle in dieser Folge ist ein gutes Gemälde von Sermoneta, welches die Geburt des Heilandes vorstellt.

Diese Kirche wird seit dem Pontificate Leos XII. von Weltgeistlichen des Seminario Romano verwaltet. Das zu ihr gehörende Kloster, welches zuletzt die Dominicaner bewohnten, hat einen schönen, von Bramante angegebenen Hof. Er ist mit Hallen in zwei sich übereinander erhebenden Reihen umgeben, von denen die obere auf Arcaden ruht, welche jonische Pilaster schmücken, während die untere abwechselnd von Pfeilern und corinthischen Säulen getragen wird. Am Friese zwischen diesen beiden Reihen ist durch eine Inschrift die Erbauung des Klosters von dem Cardinal-Bischof von Ostia, Oliviere Caraffa, im Jahre 1504, angezeigt. Unter den Grabmälern an den Wänden der unteren Halle ist, wegen seiner guten Sculptur, das des Bischofs von Modena, Johannes Andreas Bocciacio, mit der Jahrzahl 1497 und der Bildsäule des Verstorbenen zu bemerken.

Monte Giordano und Palast Gabrielli.

Der sogenannte Monte Giordano erhielt diese Benennung von einem Baron Namens Giordano aus der berühmten römischen Familie Orsini, welcher diesen Ort in Besitz nahm, wo diese Familie den Palast erbaute, der gegenwärtig dem Fursten Gabrielle gehört. Man sieht jetzt hier ein gutes Gemälde aus der Peruginischen Schule, welches den Heiland betend im Garten mit den schlafenden Aposteln vorstellt. Dem Raphael, dem man es beilegen will, ist es, nach unserer Meinung, nicht entsprechend.

Palazzo del Governo vecchio.

Der Palast, in welchem sich ehemals die Tribunale der Justiz und Polizei, und die Wohnung des Statthalters von Rom befanden, erhielt, nach der Verlegung derselben in den Palast Madama, den Namen Palazzo del Governo vecchio, der auch auf die Strasse, in welcher er liegt, übergegangen ist. Er zeigt in seinem Hofe noch den Styl des 15ten Jahrhunderts. — Demselben gegenüber steht ein schones kleines Gebäude mit gewolbten Fenstern, zwischen denen sich corinthische Pilaster erheben. Es erinnert an den Styl des Bramante.

Palast Sora.

Der Palast, der ehemals den Fieschi, Grafen von Lavagna, dann den Herzogen von Sora gehörte und zuletzt zu einer Caserne der päpstlichen Truppen diente, soll nach Angabe des Bramante erbaut seyn, ist aber dem Style desselben ganz unentsprechend. Er steht gegenwärtig wegen seines baufalligen Zustandes gänzlich verlassen.

§. 117.

S. Maria della Vallicella, Chiesa nuova genannt.

Die Kirche der h. Maria, die den Beinamen della Vallicella von ihrer etwas tiefen Lage erhielt, wird gewohnlich Chiesa nuova genannt, weil sie an der Stelle einer alteren Kirche jenes Namens erbaut wurde. Nachdem diese Gregor XIII. dem h. Philippus Neri und dem von ihm gestifteten Orden der Väter des Oratoriums übergeben hatte, erfolgte der Bau der neuen Kirche nach Angabe des Martino Lunghi. Der Cardinal Alessandro de' Medici, nachmaliger Papst Leo XI., der zu diesem Gebäude, einer der prächtigsten unter den modernen römischen Kirchen, den ersten Stein gelegt hatte, vollzog auch die Einweihung desselben im Jahre 1599.

Die Kirche zeigt die Form eines lateinischen Kreuzes, über dem sich eine Kuppel erhebt. — Das Tonnengewölbe des

Hauptschiffes, die Kuppel und das Gewölbe der Tribune sind reich mit vergoldeter Stuccatur und mit Frescomalereien von Pietro da Cortona geschmückt. Die Gemälde an den Wänden dieses Schiffes sind Werke verschiedener Maler des 17ten Jahrhunderts. Den Hauptaltar verzieren vier grosse Säulen von Porta Santa mit Basen und Capitellen von vergoldeter Bronze, aus welcher auch das mit kostbaren Steinen ausgelegte Ciborium nach Angabe des Ciro Ferri verfertigt ist. Das Gemälde dieses Altares und die beiden Bilder zu beiden Seiten an der Tribune sind in Rom verfertigte Werke des Rubens. Das Altargemälde zeigt ein Marienbild, welches Engel in Kindesgestalt emportragen, und andere als Jünglinge gebildet verehren. Jenes Marienbild bedeckt ein anderes, welches auf der Mauer gemalt ist und nur bei feierlichen Gelegenheiten gezeigt wird. In den anderen beiden der gedachten Gemälde sind die Heiligen vorgestellt, deren Reliquien unter dem Hauptaltare aufbewahrt werden: nämlich die h. Domitilla mit den HH. Nereus und Achilleus, und der h. Gregor nebst den HH. Maurus und Papias. Das hölzerne Crucifix uber dem Altarbilde ist von dem franzosischen Bildhauer Bertholet.

Das Bild des Altares in der ersten Capelle des rechten Seitenschiffes ist von der Hand des Scipione Gaetani. — In der zweiten befand sich ehemals die Grablegung von Caravaggio in der vaticanischen Sammlung: jetzt sieht man hier eine Copie nach diesem Gemälde. — Die Himmelfahrt Christi in der dritten Capelle ist von Muziano, und die Altarbilder der vierten und fünften Capelle sind von Vincenzo Fiamingo und Aurelio Lomi. — Das Gemälde der Darstellung des Heilandes im Tempel und die Deckenbilder, in der ersten Capelle vom Eingange links, sind von Arpino, und die Altarbilder beider folgenden Capellen von Cesare Nebbia und Durante Alberti ausgeführt. — In der vierten Capelle sieht man den Besuch der h. Elisabeth bei der Mutter Gottes in einem Gemalde von Baroccio; — und in der funften die Verkündigung der h. Jungfrau von Passignano. — Das Gemälde der Darstellung derselben im Tempel, in der Capelle des Querschiffs auf derselben Seite, dürfte, wenigstens in Hinsicht der Farbe, unter die besseren Werke des Baroccio gehören. Die Statuen der Apostel Petrus und Paulus in derselben Capelle sind von Vasoldo. In der gegenüberstehenden Capelle des Querschiffes sieht man ein Gemälde der Kronung der h. Jungfrau von Arpino, und die Bildsäulen des h. Johannes des Täufers und des Evangelisten von Flaminio Vacca. — Noch befinden sich zu beiden Seiten des Querschiffes zwei andere Capellen, über denen sich zwei reich mit vergoldeten Sculpturen geschmückte Orgeln erheben. Die eine, vom Haupteingange rechts, ist mit Marmorbekleidung und 10 Säulen von Marmo brecciato verziert. In dem Altarbilde von Carlo Maratta ist die h. Jungfrau mit dem Kinde, von Engeln umgeben, nebst dem h. Ignatius und Carlo Borromeo vorgestellt. Die andere der gedachten Capellen wurde dem h. Philippus Neri von einem seiner Landsleute, dem florentinischen Edelmanne Nero del Nero, Herrn von Porcigliano, errichtet. Sie ist reich mit kostbaren Steinen geschmuckt und steht in besonderer Verehrung wegen der Gebeine des genannten Heiligen, die unter ihrem Altare aufbewahrt werden, auf welchem derselbe, die h. Jungfrau verehrend, in einem nach einem Gemalde des Guido Reni verfertigten Mosaik vorgestellt ist.

In der Sacristei sieht man über ihrem Altare denselben Heiligen mit einem knieenden Engel, der in einem aufgeschlagenen Buche Worte zum Wege des Heils zeigt, in einer colossalen Marmorgruppe von Algardi; und in dem Deckengemalde von Pietro da Cortona sind Engel gebildet, welche das Kreuz und die übrigen Passionsinstrumente tragen. Von der Sacristei gelangt man zu einem mit Gemälden ausgeschmuckten Zimmer, welches zu einer kleinen Capelle fuhrt, deren Altarbild, von der Hand des Guercino, den h. Philippus Neri die h. Jungfrau verehrend vorstellt. In cinem oberen Zimmer des Klosters, in welchem man das Bett jenes Heiligen und einen Schrank, dessen er sich bediente, aufbewahrt, sieht man denselben in dem Deckengemälde des Pietro da Cortona in der Verrichtung des Messopfers. Auch befindet sich hier das Gemälde des Guido Reni, welches dem obenerwähnten Mosaik zum Vorbilde diente. Neben diesem Zimmer wird die noch in ihrem ursprünglichen Zustande erhaltene Capelle gezeigt, in welcher der mehrerwähnte Heilige Messe zu lesen pflegte. Unter den hier aufbewahrten Gemalden, die ihm gehorten, befindet sich ein kleines byzantinisches Diptychon mit Bildern heiliger Gegenstände auf Goldgrund, welches er bei seinen Krankenbesuchen bei sich zu tragen pflegte. Das Zimmer, welches er bis zu seinem 1595 im 80sten Jahre seines Alters erfolgten Tode bewohnte, ist durch Feuer bis auf eine Mauer zu Grunde gegangen, die als der Rest desselben hier ebenfalls gezeigt wird.

Das Gebäude des Klosters, das weitläufigste und prachtigste dieser Gebäude in Rom, und das mit der Kirche verbundene Oratorium — von dem die Ordensgeistlichen, die es bewohnen, den Namen Padri dell' ʻOratorio führen — ist, nach Angabe des Borromini, in dem ausschweifenden Geschmack dieses Architecten gebaut. Die dem Kloster zuständige Bibliothek, gewohnlich la Vallicelliana genannt, ist nicht offentlich und kann nur durch besondere Empfehlungen von Fremden benutzt werden. Ihr Werth besteht vornehmlich in kirchlichen Manuscripten, unter denen sich eine lateinische Bibel befindet, die dem Alcuin, dem Lehrer Carls des Grossen, man zweifelt jedoch ob mit Recht, zugeschrieben wird.

An der einen Ecke des Palastes Braschi steht der sogenannte Pasquino, das Fragment einer antiken Marmorgruppe des Menelaus mit dem Leichnam des Patroclus, welches ungeachtet seines äusserst verstümmelten Zustandes unter die allerbedeutendsten Denkmäler des Alterthums gehort, da es sehr entschieden dem uns durch die parthenonischen Werke bekannten Style des Phidias und demnach dem Style der höchsten Blüthe der hellenischen Kunst entspricht; obgleich es in seinem vollen Werthe, wegen des von der Witterung sehr angefressenen Marmors, der ungünstigen Beleuchtung, vornehmlich aber wegen der den Begriff der Formen storenden Flecke, nicht mehr im Originale, sondern nur in Abgüssen erkannt werden kann. Die Volksbenennung Pasquino (von dem Patroclus ist nur ein geringer Rest vorhanden) erhielt diese Figur des Menelaus von einem so benannten Schneider, der gegen das Ende des 15ten Jahrhunderts lebte. Er war wegen seiner freien Reden bekannt, die er sich gegen die römischen Standespersonen, selbst nicht mit Ausnahme des Papstes, erlaubte; und da er der Regierung zu unbedeutend schien, um ihn deswegen zur Strafe zu ziehen, so wurden auf ihn alle in der Stadt in Umlauf kommende Aeusserungen dieser Art geschoben. Nach seinem Tode wurde jenes herrliche Bildwerk — welches hier halb vergraben im Boden der öffentlichen Strasse lag, hervorgezogen und bei der ehemaligen Werkstatt des Schneiders aufgestellt. Und die darauf mit seinem Namen benannte Bildsaule wurde nun zum Reprasentanten der schriftlichen und mündlichen Satyren auf die Regierung und auf öffentliche Personen, wobei sie gewöhnlich mit der sogenannten Statue des Marforio im Gesprach erschien. — Zwei weit besser erhaltene Wiederholungen jener vortrefflichen Gruppe sieht man gegenwärtig, mit neueren Ergänzungen, zu Florenz. Die Fragmente von einer dritten befinden sich im Pioclementinischen Museum, wo wir von ihnen gesprochen haben.

Palast Braschi.

Der Palast Braschi wurde von dem Herzog dieses Namens, Nepoten Pius VI., nach dem Jahre 1790, nach Angabe des Morelli erbaut. Die Treppe ist ungemein prächtig mit Marmorbekleidung an den Wänden, und Pfeilern und 16 Säulen von orientalischem Granit geschmückt. Auch sieht man auf derselben die antiken Statuen des Commodus, der Ceres, der Pallas und eines angeblichen Achilles. Unter den Antiken in den reich verzierten Zimmern ist vornehmlich die colossale Bildsäule des Antinous zu bemerken, die in dem Gebiet von Palestina gefunden wurde. Er

ist hier stehend als Bacchus mit epheubekränztem Haupte vorgestellt: zu seinen Füssen steht die Cista mystica mit einer Schlange.
— Unter den Gemälden dieses Palastes befinden sich folgende von
Garofalo: die wunderthätige Austheilung des Brodes; — die Hochzeit zu Cana mit dem Namen des Kunstlers und der Jahrszahl
1531; — Christus am Oelberge; — die christliche Kirche und die
jüdische Synagoge in einer allegorischen Vorstellung; — die Samariterin; — die Anbetung der Konige; — und die Geburt Christi
mit der Jahrszahl 1537. — Ausser diesen Bildern des genannten
Meisters sind noch hier zu bemerken: die h. Jungfrau mit einigen
Heiligen von Murillo; — die Verlobung der h. Catharina, ebenfalls im Beiseyn von mehreren Heiligen, von Fra Bartolomeo di
S. Marco; die Vermählung der Maria mit dem h. Joseph; ein
Gemalde, welches der Inschrift zufolge Vincenzo di S. Gimignano,
ein Schuler Raphaels, im Jahre 1526 verfertigte; — und die Taufe
Christi; ein gutes Gemalde, angeblich von Perugino.

S. Pantaleo

Die im Jahre 1217 erbaute Kirche S. Pantaleo — ehemals
mit dem Beinamen a Pasquino von der sogenannten Statue —
war ursprünglich im Besitz von englischen Geistlichen. Sie wurde
im Jahre 1621 nach Angabe des Gio. Antonio de' Rossi erneuert;
und die Vorderseite erhielt ihre heutige Gestalt 1806, auf Kosten
des Bankiers Torlonia. An der Wand vom Eingange links ist die
Grabschrift des verdienten neapolitanischen Gelehrten Alfonso Borelli;
und ebenfalls zur Linken. an dem Pfeiler des Bogens, dem Presbyterium zunächst, sieht man die Grabschrift der Laudomia,
Tochter des Giovanni Brancaleone, der sich, wie diese Grabschrift
erinnert, unter den 13 Italienern befand, die in dem Kriege zwischen Frankreich und Spanien wegen des Besitzes des König-
reiches Neapel, im Jahre 1503, den Kampf mit 13 Franzosen
siegreich bestanden. Unter dem Hauptaltar ist ein mit vergoldeter
Bronze geschmücktes Prophyrgefass, zur Aufbewahrung der Reliquien des h. Pantaleo. Uebrigens zeigt diese kleine Kirche für
die Kunst nichts Bemerkungswerthes. Sie gehört dem Orden der
Padri delle Scuole Pie, welche das mit ihr verbundene Gebaude
bewohnen und daselbst unentgeltlichen Unterricht in den Anfangs-
grunden der Wissenschaften ertheilen. Ihr Orden wurde zu diesem Zwecke im Jahre 1592 von einem Spanier, Joseph Calasanzio,
gestiftet.

Palast Massimo.

Der Palast des Prinzen Massimo, in der Strasse, die von S.
Pantaleo nach S. Andrea della Valle führt, ist von geringem Umfange, aber eines der schönsten Bauwerke des neueren Roms.

Baldassare Peruzzi hat ihn angegeben, aber nicht seine Vollendung erlebt. Der Lauf der Strasse nothigte den Künstler, der Vorderseite eine halbzirklige Richtung zu geben. Hier bildet, vor dem Eingange des Palastes, das Erdgeschoss eine von sechs dorischen Säulen getragene Halle, auf welcher sich die beiden oberen Stockwerke erheben. Der erste der beiden kleinen Hofe zeigt einen schonen Geschmack in den architectonischen Verzierungen von weissem Marmor. · Die Saulen und Pilaster des Erdgeschosses sind von dorischer, und die des ersten Stockwerkes von jonischer Ordnung. Die schönen Stuccaturzierrathen in den beiden Hallen dieses Hofes, so wie unter dem Eingange und in der Vorhalle des Palastes, sind vermuthlich von Giovanni da Udine. Der zweite auf jenen folgende Hof ist dem schonen Style des Peruzzi nicht entsprechend und daher unstreitig nicht dem Plane dieses Kunstlers zuzuschreiben. An der in einem besseren Geschmack gebauten Hinterseite des Palastes sind Malereien in Einer Farbe, angeblich von Daniel von Volterra.

Im ersten Hofe sieht man, ausser einigen Statuen von keiner besonderen Bedeutung, zwei antike Reliefs. In dem einen ist die Jagd des calydonischen Ebers vorgestellt; in dem anderen Bacchus mit seinem Gefolge bei der auf Naxos verlassenen Ariadne. Am Anfange der Treppe sind einige Fasces Consulares eingemauert, und in der nach dem Hofe gelegenen Halle steht ein antiker Lowe von weissem Marmor. In einem der Zimmer des Palastes sieht man die schöne und wohlerhaltene Bildsäule eines Discuswerfers, der fur eine Nachahmung des berühmten Werkes des Myron gehalten wird und im Jahre 1781 in der den Massimi zugehorigen Villa Palombara gefunden wurde. In einem anderen Zimmer befinden sich einige antike Gemalde aus den Thermen des Titus, die durch Uebermalung von neueren Händen ihren ursprünglichen Character fast ganz verloren haben, und vier ebenfalls antike Mosaiken, welche Wagenlenker, Netzwerfer (Retiarii) und einen von einem Crocodill ergriffenen Jüngling vorstellen. Ein Zimmer des zweiten Stockwerks ist in eine dem h. Philippus Neri geweihte Capelle verwandelt worden, weil in demselben, wie man erzahlt, dieser Heilige eine Person der Familie Massimi im Jahre 1583 von den Todten erweckte.

Via Giulia.

Die lange Strasse, zunächst am diesseitigen Tiberufer, führt den Namen Via Giulia von Julius II., der sie in der geraden Richtung ziehen liess, in der sie gegenwärtig läuft. Dieser Papst gedachte sie durch Wiederherstellung der triumphalischen Brücke des alten Roms mit der Stadt jenseits der Tiber zu verbinden, und durch ein grosses, prächtiges Gebäude, in welchem alle römischen Gerichtshöfe vereinigt werden sollten, nach Angabe des berühmten Bramante, zu verherrlichen. Aber der Vorsatz zur Wiederherstellung der Brücke hatte keinen Erfolg; und das unvollendet gebliebene Gebäude wurde nachmals zerstört. Reste desselben erscheinen noch gegenwärtig in den Mauern von grossen, rauh bearbeiteten Travertinquadern, über denen die Gebäude neben den Kirchen S. Biagio della Pagnotta und S. Maria del Suffragio aufgeführt sind.

S. Giovanni de' Fiorentini.

Am Anfange der Via Giulia steht die Nationalkirche der Florentiner, S. Giovanni de' Fiorentini. Der bereits von Leo X. veranstaltete Bau derselben, über den mehrere berühmte Baukünstler des 16ten Jahrhunderts die Aufsicht führten, zog sich dergestalt in die Länge, dass er erst im vorigen Jahrhundert, durch die nach Angabe des Galileo Galilei aufgefuhrte Vorderseite, völlig zu Stande kam. Das Innere der Kirche zeigt, in Form eines lateinischen Kreuzes, über dem sich eine Kuppel erhebt, eine gute Anlage des Ganzen. Aber die Werke der Malerei und Sculptur entsprechen wenig der Nationalkirche des in der Kunstgeschichte des neueren Italiens so ausgezeichneten Volkes. Die Gemalde von Passigano, Ciambelli und anderen späteren Malern glauben wir ubergehen zu dürfen. In der Capelle des Querschiffes, vom Haupteingange rechts, ist die durch den Beistand der Engel erfolgte Befreiung der Heiligen Cosmas und Damianus von dem Märtyrertode auf dem Scheiterhaufen, in einem Gemälde des Salvator Rosa vorgestellt. An der Wand des Querschiffes, zur Linken vor derselben Capelle, ist die Büste des Grabmals des Corsini, von Algardi ausgefuhrt. Die theils in runder Bildnerei, theils in Relief von Anton Raggi vorgestellte Taufe des Erlösers, auf dem von Pietro da Cortona angegebenen Hauptaltar, könnte nur als ein besonders auffallendes Beispiel einer geschmacklosen malerischen Behandlung der Plastik Aufmerksamkeit verdienen. Die Statuen der Grabmäler zu beiden Seiten des Hauptaltars sind von Ercole Ferrata und Domenico Guidi. In der Capelle, neben der Tribune vom Haupteingange links, sind sowohl die Frescomalereien der Decke, als die beiden Oelbilder, welche den Heiland am Oelberge und seine Kreuzigung vorstellen, Werke des Lanfranco. Zu dem metallenen Crucifixe, uber dem Altar dieser Capelle, hat Prospero Bresciano das Modell verfertigt.

In der Via Paola, welche von dieser Kirche nach Ponte S. Angelo fuhrt, ist an dem Eckhause des Vicolo dell' Oro die Höhe angezeigt, die das Wasser bei der schrecklichen Ueberschwemmung der Tiber in der Christnacht des Jahres 1598 erreichte.

Palast Sacchetti.

Der Palast der Familie Sacchetti, in der Via Giuliá, wurde von dem bekannten Baukünstler Antonio da Sangallo zu seiner eigenen Wohnung erbaut. Man sieht in demselben Gegenstände aus der heiligen Schrift, in Frescogemälden von Francesco Salviati.

S. Biagio della Pagnotta.

Die Kirche S. Biagio della Pagnotta war ehemals mit einem Benedictinerkloster verbunden, welches unter die 20 sogenannten privilegirten Abteien gehörte. Sie steht seit dem Jahre 1431 unter dem Domcapitel der Peterskirche, auf dessen Veranstaltung am Feste des b. Blasius Brod unter die Armen vertheilt wird, wovon sie den Beinamen della Pagnotta erhielt. Gegenwärtig zeigt sie durchaus moderne Gestalt. Ueber ihrem Hauptaltare ist ein verehrtes Marienbild von einem Frescogemälde des Pietro da Cortona umgeben, welches zwei Engel vorstellt, die das h. Sacrament verehren.

Carceri Nuovi.

Das grosse Gebäude der Gefängnisse, Li Carceri nuovi benannt, erbaute Innocenz X. im Jahre 1655, um in demselben die Gefangenen zu vereinigen, die sich zuvor in verschiedenen Gebäuden der Stadt befanden. Zwei Bruderschaften, von denen die eine den Namen S. Girolamo della Carità, die andere den der Confraternità della Pietà führt, sorgen sowohl für das Seelenheil als fur das leibliche Wohl der hier eingekerkerten Verbrecher.

Der Palast Ricci hat eine nach der Via Giulia, und eine andere nach einem Platze, der von demselben den Namen fuhrt, gelegene Seite. An der letzteren erscheinen noch Reste von Malereien in Einer Farbe von Polidoro da Caravaggio. Reste von ähnlichen Malereien desselben Kunstlers, unter denen noch einige schone Figuren zu erkennen sind, sieht man an den mit den Nummern 138 und 139 bezeichneten Häusern der Via Giulia.

S. Caterina da Siena in Via Giulia.

Die Kirche S. Caterina da Siena in Via Giulia — welche diesen Beinamen zum Unterschiede von der anderen Kirche dieser Heiligen auf dem Quirinal, an der Via Magnapoli fuhrt — wurde im Jahre 1526 von einer Bruderschaft der Sieneser, nebst dem mit derselben verbundenen Oratorium erbaut. Ueber dem Altare des letzteren sieht man die Auferstehung Christi in einem Gemälde von Girolamo della Genga, einem Schuler des Luca Signorelli, mit dem Namen des Meisters auf einem auf dem Vordergrunde liegenden Helme. Vasari erwähnt dieses Bild mit einem, wie uns scheint ihm nicht entsprechenden Lobè.

Palast Falconieri.

Der Palast Falconieri wurde in seiner heutigen Gestalt nach Angabe des Borromini erbaut. Die bedeutende in demselben vom Cardinal Fesch angelegte Gemäldesammlung ist nach seinem im Jahre 1839 erfolgten Tode seinen auswärtigen Erben zugefallen; und da dieselbe durch öffentliche Versteigerung fur Rom verloren gehen wird, so dürfte sie nicht mehr in die Beschreibung der Merkwürdigkeiten dieser Stadt gehören, daher hier von uns zu übergehen seyu.

S. Maria dell' Orazione.

Die Kirche S. Maria dell' Orazione wurde im Jahre 1575 von einer Brüderschaft erbaut, die wegen ihrer Bestimmung, die in der Umgegend von Rom Ertrunkenen oder durch andere plötzliche Zufalle Verstorbenen zu begraben, den Namen Archiconfraternità della Morte erhielt, gewöhnlich aber Archiconfraternità dell' Orazione genannt wird, weil zu ihrer Bestimmung auch die Verehrung des h. Sacramentes gehort. Die Kirche wurde im Pontificate Clemens XII. nach Angabe des Fuga erneuert. Ueber dem Eingange derselben und an den Wanden zwischen den Seitencapellen sieht man einige Frescomalereien von Lanfranco.

§. 118.

Palast Farnese.

Auf dem Platze, der von dem Palast Farnese den Namen führt, erheben sich zwei Springbrunnen, an denen sich zwei sehr grosse antike Wannen von ägyptischem Granit befinden, die in den Thermen des Caracalla gefunden worden sind. Der Bau des genannten Palastes wurde von Paul III., noch vor seiner Gelangung zum päpstlichen Stuhle, nach Angabe des Antonio da Sangallo unternommen, darauf unter der Leitung des Michelagnolo fortgesetzt und zuletzt von dem Cardinal Alessandro Farnese mit der von Giacomo della Porta angegebenen Loggia, an der nach der Tiber gelegenen Hinterseite, beendigt. Von der Erfindung des Michelagnolo ist das reich verzierte Hauptgesims; das grosse mit zwei Säulen von Verde antico geschmückte Fenster über dem Eingange der Vorderseite und der Hof, mit Ausnahme der unteren Arcadenreihe. Der ganz frei stehende Palast bildet ein gleichseitiges Viereck. Unter dem Thorwege des vorderen Einganges erhebt sich ein mit Stuccaturen geschmucktes Tonnengewölbe auf zwölf dorischen Saulen von ägyptischem Granit. Der Hof ist in den beiden untersten Reihen mit Arcaden umgeben, deren Pfeiler dorische und jonische Halbsaulen verzieren; im obersten Stockwerke sind, zwischen Fenstern, dreifach gekuppelte Pflaster; an den Friesen Masken, Laubwerk und andere Zierrathen.

Man betrachtet nicht mit Unrecht diesen Palast als einen der vorzüglichsten Paläste in Rom, obgleich der Character der Architectur in das Plumpe fällt und in mehrerer Hinsicht den Verfall der Baukunst zeigt. Die Herzoge von Parma aus dem farnesischen Hause besassen ihn bis zum Aussterben ihrer Familie, nach welchem er an den König von Neapel gekommen ist, dessen Gesandter ihn gegenwärtig bewohnt. Die antiken Bildwerke, die ihn ehemals berühmt machten, befinden sich jetzt im Museum des genannten Konigs. Im Hofe sieht man noch einen grossen ovalen Sarcophag, der in dem Grabmale der Càcilia Metella gefunden wurde und, wie man glauben sollte, die Gebeine dieser Gemahlin des Crassus bewahrte, obgleich der Styl dieses Monumentes auf spätere Zeiten zu deuten scheint. — Mehrere andere antike Denkmäler befinden sich in einem grossen Saale, unter denen folgende vorzüglich bemerkt zu werden verdienen:

Ein grosser Sarcophag mit bacchischen Vorstellungen an allen vier Seiten des Monumentes, in erhobener Arbeit. — Reiterstatue eines nur mit der Chlamys bekleideten Mannes, dessen Kopf dem Caligula ähnlich scheint. — Bildsäule des Mercur, durch die antiken Reste des Caduceus und der Flügel an den Füssen bezeichnet; Wiederholung der ehemals unter dem Namen des Antinous von Belvedere bekannten Statue des vaticanischen Museums. — Relieffragment, einen Amazonenkampf, im schönen griechischen Style, darstellend. — Eine durch neuere Ergänzung verunstaltete Gruppe einer Frau, umfasst von einem sitzenden Manne, den die Flügel an den Füssen als Mercur bezeichnen, und der daher vermuthlich mit der Herse hier vorgestellt ist. — Statue eines Jünglings, sich das Stirnband umbindend, wie eine ähnliche Figur mit dem Namen Diadumenos, auf einem Cippus des vaticanischen Museums. — Bildsäule eines Satyrs, der in der Nebris Früchte trägt, auf denen ein Knabe sitzt. — Bildsäule des Apollo, dessen Köcher an einem Baumstamme hängt. — Die antiken Beine der unter dem Namen des farnesischen Hercules beruhmten Statue, die nach der Ergänzung derselben durch Guglielmo della Porta gefunden wurden; — und mehrere architectonische Fragmente von dem Palast der Casaren, die auf dem Palatin in den farnesischen Gärten ausgegraben worden sind.

In dem auf diesen folgenden Saale sieht man Frescogemälde von Salviati und Taddeo Zucchero, deren Gegenstände sich auf Begebenheiten der Regierung Pauls III. beziehen. In einigen anderen von dem neapolitanischen Gesandten bewohnten Zimmern befinden sich ebenfalls Frescomalereien von den genannten Malern und einige gemalte Friese von Daniel von Volterra.

Die Gallerie, wie man einen langen Saal zu benennen pflegt, ist durch die Frescogemalde des Annibale Caracci beruhmt, welche das weitläufigste Werk dieses Künstlers sind und die von den Caracci gegebene Kunstrichtung, die wir an einem andern Orte (Beschreibung d. St. Rom I. Bandes Iste Abth. S. 530 u. folg.) darzustellen versuchten, in vorzuglicher Vollkommenheit zeigen. Die reichen architectonischen Verzierungen dieses Saales zeigen fur diese Zeit einen guten Geschmack. Die Wände sind mit Pilastern und meistens vergoldeten Stuccaturen geschmückt. An den beiden langen Seiten des Deckengewolbes sind zwischen den historischen Gemalden in Rundungen gemalte Reliefs, scheinbar von Bronze, nebst männlichen Hermen und nackten Figuren in weisser Marmorfarbe, die das gemalte Gesims zu unterstützen scheinen, welches die mittleren Bilder der Decke umgibt. Vor demselben sieht man, sitzend in academischen Stellungen, nackte mannliche Figuren in naturlicher Farbe, welche auch die Knabenfiguren über den erwahnten Reliefs zeigen.

Die aus zwei Amoren bestehenden Gruppen an jeder der vier Ecken des Deckengewolbes zeigen, nach Belloris Erklarung, in dem Kampfe und der Vereinigung der himmlischen und irdischen Liebe, die allegorische Bedeutung des Cyclus der mythologischen Bilder dieses Saales. In der einen dieser Gruppe, vom Haupteingange links, soll der himmlische Amor, welcher den irdischen bei den Haaren ergreift, die Philosophie bedeuten, die durch die Erhebung der Seele sie von den Lastern befreit. Und der Lorbeerkranz über diesen beiden Figuren bezeichnet den durch den Sieg über die Begierden erlangten Ruhm. — In der zweiten Gruppe, der vorerwähnten gegenuber, erscheint der himmlische Amor, welcher dem unreinen und irdischen die Fackel zu entreissen sucht, um dieselbe auszulöschen; — in der dritten, vom Eingange rechts, sieht man, in zwei einander umarmenden Amoren, die durch die Vernunft vermittelte Vereinigung der himmlischen und irdischen Liebe; — und in der vierten den himmlischen Amor, welcher dem irdischen die Palme entreisst. Auch die an den unteren Wänden in vier kleinen Rundgemalden vorgestellten Figuren der Gerechtigkeit, Mässigkeit, Starke und göttlichen Liebe (Caritas) sollen sich auf jene allegorische und moralische Bedeutung der mythologischen Bilder beziehen, die man, bei der Ermangelung eines Commentars von ihrem Erfinder, schwerlich hoffen dürfte, in diesen Bildern zu erkennen, deren Gegenstände folgende sind :

1. Der Triumph des Bacchus und der Ariadne; beide auf Wagen gezogen, mit einem zahlreichen Gefolge von Satyrn, Panen und Bacchantinnen, nebst dem trunkenen, auf einem Esel reitenden Silen. In der Luft schweben Amoren, von denen der eine der Ariadne die nachmals von Bacchus in den Himmel versetzte

Sternenkrone bringt. — 2. Pan, der die Wolle seiner Ziege der
Diana opfert. — 3. Mercur, welcher dem Paris den Apfel bringt.
Der vom Himmel herabschwebende Gotterbote hält anstatt des
ihm von den Alten gegebenen Caduceus · eine Trompete in der
Hand. — 4. Aurora, welche den von · ihr geraubten Cephalus auf
ihrem Wagen umarmt; auf dem Vordergrunde der schlafende
Morpheus. — 5. Galathea auf dem Meere, in Begleitung von Tritonen, Nymphen und Amoren. (Die beiden letzerwähnten Bilder
sind von Agostino Caracci, nach seines Bruders Annibale Erfindung ausgeführt.) — 6. Polyphem, welcher, um die Gunst der
Galathea zu erwerben, auf der Syrinx spielt. — 7. Derselbe, der
nach dem mit der Galathea fliehenden Acis ein Felsenstück wirft.
— 8. Apollo, der den Hyacinthus raubt. — 9. Die Entführung
des Ganymed durch den Adler Jupiters. — 10. Juno, welche
mit dem Gürtel der Venus geschmückt zu Jupiter kommt. —
11. Luna, den schlafenden Endymion umarmend. — 12. Hercules
und Omphale; die Letztere mit der Keule und der Löwenhaut des
Heros, welcher neben· ihr die Trommel schlägt; — und 13.· Anchises, welcher die Venus von dem Cothurn entkleidet.

In den in Bronzefarbe gemalten Reliefs sieht man: Leander
im Hellespont zu der Hero schwimmend, welche auf einem Thurme
erscheint; — Pan, welcher die Syrinx verfolgt; — Salmacis den
Hermaphrodit umarmend; — Amor, welcher einen Pan ergreift,
um denselben an einen Baum zu binden; — Apollo, welcher den
Marsyas schindet; — Boreas, der die Orithya raubt; — Eurydice,
welche in die Unterwelt zurückgerufen wird; — und die Entfuhrung der Europa durch den Jupiter.

In dem einen der beiden grossen Gemälde, an den schmalen
Seitenwänden des Saales, ist Perseus 'vorgestellt, welcher den
Phineus und seine Gefahrten durch das Haupt der Medusa in
Steine verwandelt; in dem andern erscheint er, auf dem Pegasus
schwebend zur Befreiung der an dem Felsen gefesselten Andromeda. Die Ausfuhrung des letzteren dieser Bilder wird grosstentheils dem Domenichino zugeschrieben. Unter beiden sind nackte
academische Figuren in Bronzefarbe.

Ueber den Nischen und Fenstern des Saales sind in acht kleinen Bildern folgende Gegenstände vorgestellt: Arion, der von
einem Delphin über das Meer getragen wird. — Prometheus,
welcher den von ihm gebildeten Menschen belebt. — Hercules,
den Drachen erlegend, der die Aepfel der Hesperiden bewahrte;
— derselbe, den an den Kaukasus gefesselten Prometheus befreiend. — Icarus, der durch das Zerschmelzen seiner wächsernen
Flügel in das Meer sturzt. — Die Entdeckung der Schwanger-
schaft der Callisto; — die Verwandlung derselben in eine Bärin;
— und Apollo, der aus den Händen Mercurs die Leyer empfängt.

— Ueber dem Eingange, dem mittelsten Fenster gegenüber, sieht man in einem kleinen sehr anmuthigen Bilde, welches Domenichino nach dem Carton des Annibale Caracci ausführte, ein Mädchen in einer Landschaft, welches ein Einhorn, ein Sinnbild des farnesischen Hauses, liebkost.

In einem der von dem neapolitanischen Minister bewohnten Zimmer befinden sich ebenfalls Frescogemalde von Annibale Caracci, deren Gegenstände folgende sind: Hercules am Scheidewege der Tugend und des Lasters; — dieser Heros, der von dem Atlas das Tragen der Himmelskugel übernimmt; — derselbe, ruhend nach der Vollbringung seiner Thaten; — Ulysses, der sich und seine Gefahrten von der Zauberkraft der Circe befreit; — derselbe, an den Mastbaum gebunden, im Vorbeischiffen bei der Insel der Sirenen; — Amphinomus und Anapus, welche ihre Eltern aus dem Brande von Catania erretten; — und die Enthauptung der Medusa durch den Perseus.

Noch sieht man in einem Zimmer neben der vorerwähnten Gallerie drei Frescogemalde von Domenichino, die von der Wand eines benachbarten Hauses abgenommen worden sind. Sie stellen die Venus vor, die den getodteten Adonis beklagt; — den Hyacinthus in den Armen des Apollo, von dessen Wurfscheibe er getroffen ward; — und den Narcissus, der sich im Wasser bespiegelt.

S. Girolamo della Carità.

Die Kirche S. Girolamo della Carità führt diesen Namen von der sogenannten, bei den Carceri Nuovi erwahnten Brüderschaft, welche diese Kirche von Leo X. erhielt und im Jahre 1660 einen neuen Bau derselben, nach Angabe des Domenico Castelli, unternahm. Auf dem Hauptaltare, auf dem sich ehemals die Communion des h. Hieronymus von Domenichino befand, sieht man jetzt eine Copie von diesem beruhmten Gemälde von Camuccini. Unter den ubrigen Gemalden ist, in der ersten Capelle vom Eingange links, der h. Petrus, der von dem Heilande die Schlussel empfängt, von Muziano zu bemerken. Auch sieht man in dieser Kirche Sculpturen von Ercole Ferrata, Le Gros und anderen Bildhauern dieser Zeit.

Das englische Collegium (Collegio Inglese).

Das von den Engländern zur Aufnahme ihrer Pilger im Jahre 1398 gestiftete Hospital verwandelte Gregor XIII. — wegen der unbedeutenden Zahl der nach den Zeiten der Reformation nach Rom wandelnden Pilger dieser Nation — in das gegenwartige Collegium zum Unterrichte angehender englischer Geistlichen. Es stand unter der Aufsicht der Jesuiten bis zur Aufhebung dieses

Ordens durch Clemens XIV. Gegenwärtig hat es einen Rector und Vicerector, die geborne Englander sind und von dem Cardinal-Protector der Anstalt mit Beistimmung des Papstes ernannt werden. Die mit dem ehemaligen Hospitale und dem nachmaligen Collegium verbundene Kirche, die dem h. Thomas von Canterbury gewidmet war, ist in der französischen Revolution gänzlich zerstört worden, und zum Gottesdienste der Alumnen dieser Anstalt dient gegenwärtig eine kleine unter Clemens XI. in dem Gebäude des Collegiums erbaute Capelle, die mit Frescomalereien von dem bekannten Pater Pozzi verziert worden ist. In der Halle, links vom Eingange des gedachten Gebäudes, sieht man noch einige aus jener alten Kirche erhaltene Grabmonumente, unter denen das Grabmal eines Erzbischofs von York mit der Bildsäule des im Jahre 1514 Verstorbenen in guter Sculptur zu bemerken ist. Die Inschrift nennt ihn, ohne Anzeige seines Namens: Castris Praefectus Julii II.

Palast Cesarini.

Der Palast, der gegenwärtig der Familie Sforza Cesarini gehört, war das Gebäude der Cancelleria vor der Verlegung dieser Behörde in den von dem Cardinal Riario erbauten Palast, von dem bald die Rede seyn wird. Er zeigt nach seiner Erneuerung im vorigen Jahrhundert im ersten Hofe noch alterthümlichen Styl, ubrigens aber nichts von besonderer Merkwürdigkeit.

S Maria in Monserrato.

·· Die Erbauung der Kirche in Monserrato und des mit ihr verbundenen Hospitals der Spanier wurde im Jahre 1495 auf Kosten dieser Nation unternommen. Der Plan der Kirche wird, nach einer unsicher scheinenden Angabe des Vasari, dem jüngeren Antonio da Sangallo zugeschrieben. Die Vorderseite ist erst im vorigen Jahrhundert nach einer Zeichnung von Francesco da Volterra, einem Baukünstler des 16ten Jahrhunderts, ausgefuhrt worden. Nach der Verwüstung dieser Kirche zur Zeit der französischen Revolution erfolgte, nach dem Sturze Napoleons, eine Erneuerung derselben auf Kosten der spanischen Regierung. In der zweiten Capelle, vom Eingange links, sieht man zwei Grabmäler aus dem Ende des 15ten Jahrhunderts. Das eine ist das des bereits erwähnten Alfonso Paradinas, Erbauers der jetzt verfallenen Kirche S. Giacomo degli Spagnuoli, und ist aus derselben hierher gebracht worden; das zweite wurde dem Johannes de Fuemeflaido, Geheimschreiber Alexanders VI., errichtet. Die Gebeine dieses ubelberüchtigten Papstes ruhen nebst denen seines Oheims Calixtus III., ohne Grabschriften, hinter dem Hauptaltare, wohin sie aus den vaticanischen Grotten gebracht worden sind.

In dem Gebäude des Hospitals ist ein kleiner ziemlich verfallener Hof der Aufmerksamkeit werth. Die Pfeiler der Arcaden der ihn umgebenden Hallen sind mit Pilastern geschmuckt, deren Capitelle, so wie der Fries ihres Gebalkes, vortreffliche Arbeit zeigen, die an den schonen Geschmack der Kunst im Anfange des 16ten Jahrhunderts erinnert. Aueh sieht man in diesem Hofe mehrere Sculpturen, und vornehmlich mit Bildwerken geschmückte Grabmonumente, aus der vorerwähnten Kirche S. Giacomo degli Spagnuoli. Unter denselben ist das Grabmal eines spanischen, im Jahre 1506 verstorbenen Bischofs Didacus ex Valdes wegen der ausgezeichnet schonen Arbeit der architectonischen Zierrathen zu bemerken. Auf einer Marmortafel, vermuthlich von einem Tabernakel, sieht man in der oberen Abtheilung den Heiland am Kreuze zwischen den Aposteln Petrus und Paulus, und in der unteren die Heiligen Laurentius, Sebastian und Jacobus gebildet. Die darunter stehende Inschrift zeigt den Namen eines D. Martinos de Roa, der vermuthlich dieses Werk verfertigen liess.

Palast Pio.

Der Palast Pio, den unter Eugen IV. der Neffe dieses Papstes Francesco Condolmieri erbaute, zeigt nur im Gebäude des Hofes in einigen Stellen noch den Styl dieser Zeit. Die Fürsten Pio di Carpi, die nachmals in den Besitz desselben gelangten, liessen die heutige Vorderseite, nach Angabe des Camillo Arcucci, aufführen. Gegenwärtig befindet sich in diesem Palaste die Prasidenz und die Generaldirection des Census. Man sieht am Anfange der Treppe eine Bildsäule des Hercules und zwei weibliche Statuen, von denen die eine, welcher der Kopf fehlt, ein Fullhorn hält.

Piazza Campo de' Fiori.

Die Benennung des Platzes, an welchem der Palast Pio liegt, Piazza Campo de' Fiori, haben Einige von der von Plutarch erwahnten Flora, einer wegen ihrer Schonheit beruhmten Buhlerin des Pompejus, Andere von der Göttin dieses Namens herleiten wollen. Nach Andreas Fulvius hat diese Benennung ihren Ursprung von den Blumen, mit denen ehemals dieser Platz bewachsen war.

Kirche S. Lorenzo in Damaso und Palast der Cancelleria.

Das ursprüngliche Gebäude der Kirche des h. Laurentius, die von ihrem Erbauer, dem h. Papst Damasus, den Beinamen führt, wurde bei dem von dem Cardinal Raphael Riario unternommenen Bau des heutigen Palastes der Cancelleria niedergerissen, und in denselben ein neues Gebaude der gedachten Kirche eingeschlossen. Der Palast fiel, wegen der Theilnahme des Raphael Riario an der

Verschwörung des Cardinals Alfonso Petrucci gegen Leo X., an die päpstliche Kammer. Es bewohnt ihn der Cardinal-Vicekanzler (Cardinale-Vicecancelliere), dessen Stelle, nach einer Verordnung Clemens VII., mit dem Titel der Kirche S. Lorenzo in Damaso vereinigt ist. Ausser dem Vicekanzler hat auch der Cardinal-präfect der Congregazione del buon Governo hier seine Wohnung, und Beide haben ihre Kanzleien daselbst. Vorzügliche Aufmerksamkeit verdient dieser grosse, von dem berühmten Bramante angegebene Palast, als eines der schonsten Denkmäler des neueren Roms. Die Aussenseite zeigt — wie die des Palastes Torlonia von der Erfindung desselben Kunstlers — über dem Erdgeschosse zwei ubereinander stehende Reihen corinthischer Pilaster, von denen die obere zwei, die untere aber nur ein Stockwerk begreift. An der nach Campo de' Fiori gelegenen Hauptfaçade ist am Friese des Pilastergebalkes zwischen dem ersten und zweiten Stockwerke, durch eine Inschrift vom Jahre 1495, die Erbauung der Kirche des h. Laurentius durch den Cardinal Raphael Riario angezeigt. Der Hof — der durch Schönheit vorzüglich ausgezeichnete Theil des Palastes — ist auf allen vier Seiten mit zwei übereinanderstehenden Reihen von Hallen umgeben, auf denen sich ein massives, mit corinthischen Pilastern geschmucktes Gebäude erhebt. Die Arcaden der Hallen werden von 44 Granitsaulen getragen, die nach einer nicht unwahrscheinlichen Vermuthung sich in der alten Kirche S. Lorenzo in Damaso befanden, welche fünf Schiffe gehabt haben soll. Das nach Angabe des Domenico Fontana im Jahre 1589 hinzugefugte Portal des Haupteinganges zeigt einen von dem schonen Styl des übrigen Gebaudes sehr entfernten Geschmack.

Die heutige Kirche S. Lorenzo in Damaso begreift die eine Seite des Palastes, ohne sich in der Façade von der Architectur desselben zu unterscheiden. Nach ihrer von dem Cardinal Alessandro Farnese veranstalteten Erneuerung wurde sie von Neuem geweiht im Jahre 1577, zur Zeit der französischen Revolution aber dergestalt verwustet, dass kein Gottesdienst in ihr gehalten werden konnte, bis im Jahre 1820 ihre Wiederherstellung durch Pius VII. erfolgte. Sie zeigt, nach den in einzelnen Theilen erlittenen Veranderungen, doch noch im Ganzen den schönen Styl des Bramante. Das Hauptschiff erhebt sich mit einer gewölbten Decke auf Pfeilern mit Arcaden, sowohl auf beiden Seiten als gegen die Vorderwand, wo eine zweite Reihe derselben eine Art Vorhalle bildet. Die Tribune — welche das Licht durch eine in ihrem Gewölbe angebrachte Laterne erhält — ist durch die von dem Cardinal Francesco Barberini veranstalteten Ausschmuckungen von der Erfindung des Bernini entstellt, und die Seitencapellen zeigen ebenfalls' den verderbten Geschmack der späteren Zeit.

Unter den unbedeutenden, gegenwärtig hier vorhandenen Malereien erwähnen wir nur, als eines der besseren Werke des Friedrich Zucchero, das Gemälde an der Wand der Tribune hinter
dem Hauptaltare, welches die HH. Laurentius und Damasus
zwischen den Aposteln Petrus und Paulus vorstellt, über denen
die Krönung der h. Jungfrau erscheint. In der Capelle, welche
auf die des Chores folgt, ist das Grabmal des kriegerischen Cardinals Lodovico Scarampo zu bemerken, welches ihm, der von
dieser Kirche den Titel führte, im Jahre 1505, 40 Jahre nach
seinem Tode, von Heinrich Hunuis, Erzbischof von Ferentino,
errichtet ward. An den beiden der Tribune gegenüberstehenden
Pfeilern des Hauptschiffs sieht man das Grabmal des beruhmten
Dichters Annibal Caro und das des Julius Sadoleto, welches demselben sein Bruder, der berühmte Jacobus Sadoleto, errichtete.
    Dem zu dieser Kirche gehörenden Oratorium gegenüber ist
ein kleiner, aber schoner Palast bemerkenswerth, dessen Erfindung dem Baldassare Peruzzi, wir zweifeln jedoch, ob mit Recht,
zugeschrieben wird.

Palast Spada.

    Den Palast, den die Familie Spada seit der Zeit Urbans VIII.
besitzt, erbaute der Cardinal Capodiferro im Pontificate Pauls III.
Die Bildwerke von Stuck, die ihn an der Vorderseite und an den
Aussenwänden des Hofes verzieren, sind von Giulio Mazzoni von
Piacenza. Merkwürdig ist dieser Platz vornehmlich wegen einiger
Denkmaler der antiken Sculptur.
    In einem Zimmer des Erdgeschosses sieht man die Bildsäule
eines sitzenden, mit einem sogenannten Philosophenmantel bekleideten Mannes, in dem fast ohne Zweifel der berühmte Aristoteles
vorgestellt ist, für dessen Namen man mit Recht die verstummelte
griechische Inschrift auf der Basis Arist... zu erklären scheint. Die
vorzügliche Arbeit dieser Statue kann in derselben ein in Griechenland vor den Kaiserzeiten verfertigtes Werk vermuthen lassen.
    In einem anderen Zimmer des Erdgeschosses befinden sich
acht sehr merkwurdige Reliefs, die in der Kirche S. Agnese fuori
le mura gefunden wurden, wo sie, die Rückseiten nach aussen
gewandt, zur Bekleidung des Fussbodens dienten. Sie wurden
vermuthlich in den Kaiserzeiten nach älteren griechischen Vorbildern zur Verzierung eines und desselben Gebäudes verfertigt,
da sie von gleicher Grösse sind und eine Reihe mythologischer
Vorstellungen bilden. Sie zeigen bedeutende Ergänzungen, vornehmlich an den mehr hervorstehenden Theilen der Figuren.
Ihre Gegenstände sind folgende:
    1. Paris als Hirt auf dem Berge Ida, das Haupt nach einem
hinter ihm stehenden Amor gewandt. — 2. Bellerophon, der in

der Linken eine Lanze und in der Rechten den Zaum des Pegasus halt, den er an einem Quell trankt. — 3. Zethus zu Füssen eines Dianenbilds sitzend, und Amphion, welcher die Leyer auf eine Stele setzt, jenen zu milderen Gesinnungen gegen die Dirce umzustimmen suchend. — ·4· Adrastus und Hypsipyle, welche den von der Schlange getödteten Knaben Archemorus finden, die den Quell bewachte, aus dem er Wasser zu schöpfen kam. Hypsipyle, des Archemorus Wärterin, erscheint weheklagend, während Adrastus und einer seiner Waffengefährten die Speere gegen die Schlange erheben, die den Knaben umwindet. Im Hintergrunde ein Tempel. — 5. Paris und Helena in Unterredung vor ihrer Flucht von Sparta. Helena zeigt auf das zu ihrer Abfahrt bestimmte Schiff. Dureh die Gebäude im Hintergrunde ist jene Stadt, und durch den Flussgott auf dem Vorgrunde der bei derselben fliessende Eurotas bezeichnet, an dessen Ufer Jupiter mit der Leda die Helena zeugte. — 6. Ulysses und Diomedes, die zum Raube des Palladiums in den Tempel der Minerva einbrechen. Innerhalb des gedachten Tempels, der den Hintergrund bildet, sieht man den durch den Pileus bezeichneten Ulysses mit dem Schwerte mit Scheide und Wehrgehänge in der Hand. Er ist zu dem vor dem Tempel stehenden Diomedes gewandt, welcher mit dem über die Schulter geworfenen Schwertgehänge und der Chlamys gebildet ist. — 7. Adonis mit verbundenem Fuss auf seine Lanze gestützt und von seinen treuen Hunden begleitet. Oben der Kopf des verderblichen Ebers symbolisch angedeutet. — 8. Pasiphae, welche den von ihr geliebten Stier zu dem Dädalus bringt, um von ihm die Kuh zur Befriedigung ihrer unnatürlichen Leidenschaft verfertigen zu lassen. Dadalus, ihr gegenüber sitzend. scheint mit der einen Hand den Stier zu liebkosen, indem er mit der anderen die Sage, ein seiner Erfindung zugeschriebenes Werkzeug, hält. Durch das Gebäude des Hintergrundes ist vermuthlich das von ihm gebaute Labyrinth angedeutet.

Ausser diesen Reliefs ist hier vornehmlich eine runde Ara mit sehr durch Verwitterung des Marmors verdorbenen Figuren im Tempelstyle zu bemerken. Man sieht vor derselben eine Victoria und einen Apollo Citharódus zu beiden Seiten einer flammenden Ara, und die Figuren der Venus und der Pallas. Zwei andere, vermuthlich auf diesem Monumente gebildete Figuren sind durch die Aufstellung desselben dicht an der Wand ganz unsichtbar. — Unter den antiken Busten und kleinen Statuen, in diesem und dem zuvor erwähnten Zimmer, sind einige, wie eine Doppelbüste des Zeus, ein kleiner Mercur, ein Telesphorus mit Löwenfell umhullt und andere nicht ohne antiquarisches Interesse.

In dem grossen Saale des ersten Stockwerkes steht die colossale Bildsaule, welche durch ihren, den Bildnissen des Pompejus entsprechenden Kopf und den Fundort in der Nähe des von diesem berühmten Römer erbauten Theaters jenes denkwürdige Standbild erkennen lasst, bei welchem in der nahe gelegenen Curia Caesar unter den Dolchstichen seiner Mörder niederfiel, und welches nach der Zerstorung dieser Curia, auf Veranstaltung des August unter einem sogenannten Janusbogen, auf einem freien Platze bei dem Theater des Pompejus aufgestellt wurde. Diese Statue, ein Werk von vorzuglicher Arbeit, ist die colossalste unter den stehenden, in Rom befindlichen Bildsäulen des Alterthums, nach den Dioscuren auf dem Quirinal und Capitol. Die nackte, ideale Bildung des Körpers entspricht dem Character der Heroen. Eine kurze Chlamys, deren Knopf ein Medusenhaupt schmuckt, fallt von dem linken Arm herab, und ein Schwert hängt an einem breiten Riemen über der rechten Schulter. Die linke Hand hält einen Globus, auf dem man die Spuren einer Figur, vermuthlich einer Victoria, bemerkt. Der rechte Arm ist neu. Der Statue zur Rechten erhebt sich ein Palmenstamm. Dass der Kopf verbunden mit derselben gefunden wurde, ist durch die ihre Entdeckung betreffenden Nachrichten ausser Zweifel gesetzt. Den Ansatz dieses Kopfes zeigt jedoch der Augenschein; und der Umstand, dass auf den Schultern der Figur, — am Schwertgehänge und an dem Knopfe der Chlamys — Reste eines Bandes von einem Hauptschmuck zu bemerken sind, von dem an dem heutigen Kopfe keine Spur erscheint, dürfte offenbar beweisen, dass er der Statue nicht ursprünglich angehörte. Es ist demnach anzunehmen, entweder, dass man zu der Errichtung dieses Standbildes des Pompejus eine schon vorhandene Heroensaule nahm, der man nach der Hinwegnahme ihres ursprunglichen Hauptes den Kopf jenes berühmten Mannes aufsetzte, oder dass nachmals, nach einer vorhergegangenen Beschädigung dieses Standbildes, dasselbe mit einem neuen Kopfe nach dem Vorbilde anderer Bildnisse des Pompejus ergänzt wurde.

Die in einigen Zimmern dieses Stockwerkes aufbewahrte Bildersammlung dieses Palastes ist nicht von vorzüglicher Bedeutung und besteht meistens aus mittelmassigen Gemalden. Von denen, die fur Werke beruhmter Meister ausgegeben werden, sind die meisten Copien; andere aber konnen selbst auf diese Benennung nicht Anspruch machen. Zwei Gemalde, angeblich von Guido Reni — welche die Lucretia, im Begriff sich mit dem Dolche zu entleiben, und Judith im Ausdrucke des Dankes zu Gott nach der Ermordung des Holofernes vorstellen — sind entweder Copien oder Originalwerke von Schülern und Nachahmern jenes Kunstlers. Ein demselben zugeschriebenes Gemälde der Entführung der Helena ist ebenfalls von zweifelhafter Originalität. Ein Gemälde des Guercino, welches die auf dem Scheiterhaufen sich selbst entleibende Dido von mehreren Figuren umgeben vorstellt, ist weit entfernt seinem ehemaligen Ruf zu entsprechen. Das Bild einer Bauernfrau mit ihrer Tochter in weiblichen Arbeiten beschäftigt, mit vieler Wahrheit des Characters und Ausdrucks, scheint der Hand des Caravaggio, dem es beigelegt wird, nicht zu entsprechen und ist wahrscheinlich eine gute Copie nach einem Werke dieses Malers. — In einem der folgenden Zimmer ist ein gutes Bildniss des Cardinals Bernardino Spada von Guido Reni zu bemerken.

Palazzo und Teatro Valle.

Der von dem Cardinal Andrea della Valle erbaute Palast gehört gegenwärtig dem Marchese del Bufalo. Ibn bewohnte der 1652 zu Rom verstorbene Pietro della Valle, der sich durch seine orientalischen Reisen berühmt machte. Von diesem Palaste fuhrt das unweit davon gelegene Theater den Namen Teatro Valle.

S. Andrea della Valle.

Von demselben Palaste führt auch den Beinamen die grosse, dem h. Andreas geweihte Kirche, die zu dem Kloster der Theatiner gehört. Die Leitung ihres Baues erhielt, nach dem Paolo Olivieri, Carlo Maderno, welcher die Tribune und die Kuppel angegeben hat. Die Vorderseite wurde im Jahre 1665 nach Angabe des Carlo Rinaldi vollendet. Das Innere der Kirche, welches die Form eines lateinischen Kreuzes zeigt, hat nur Ein Schiff. In demselben erheben sich, einander gegenüber, die Grabmäler der beiden Päpste Pius II. und Pius III.; nach Vasari, Werke von zwei Schülern des Paolo Romano, Niccolò della Guardia und Pietro Paolo da Todi. Sie waren ursprünglich in der alten Peterskirche. Die Malereien des Kuppelgewölbes, welches die Glorie des Paradieses vorstellen, sind ein ehemals sehr hoch gepriesenes Werk des Lanfranco. Die Gemälde des Domenichino in den Zwickeln der Bögen unter der Kuppel und am Gewölbe der Tribune gehören hinsichtlich der Farbe unter die vorzüglichsten Frescomalereien der späteren Kunst. In den Zwickeln sieht man die vier Evangelisten in Begleitung von Engeln in sehr colossalen Figuren, und am Gewölbe der Tribune in sechs Bildern Gegenstände aus dem Leben des h. Andreas und einige academische Figuren und Kinder. Zwischen den Fenstern der Tribune sind in sechs weiblichen Figuren die drei theologischen Tugenden, nebst der Stärke, der Religion und der Armuth, ebenfalls von Domenichino vorgestellt. Die drei grossen Gemälde an der unteren Wand der Tribune, die sich auf den Märtyrertod des h. Andreas beziehen, sind von Mattia Preti, gewöhnlich il Calabrese genannt. Die Seitencapellen zeigen wenige der Aufmerksamkeit würdige

Gegenstände. In der reich verzierten Capelle der Familie Strozzi, der zweiten vom Eingange rechts, stehen 12 Säulen von Marmo pidocchioso und metallene Abgüsse der Gruppe der Mutter Gottes mit dem todten Christus, von Michelagnolo, in der Peterskirche, und der beiden Statuen des thätigen und beschaulichen Lebens am Grabmale Julius II. in S. Pietro in Vinculis von demselben grossen Künstler. — Die erste Capelle vom Eingange links errichtete der Cardinal Maffeo Barberini, nachmaliger Papst Urban VIII., in dem Bezirke einer kleinen, dem h. Sebastian geweihten Kirche, die hier vor der Erbauung der Kirche S. Andrea della Valle stand, und an deren Stelle die Cloake gewesen seyn soll, in welche der Leichnam jenes Heiligen nach seinem Märtyrertode geworfen wurde. Man sieht hier Gemälde von Passignano und Sculpturen von verschiedenen Bildhauern des 17ten Jahrhunderts. — Im Durchgange von dieser zu der folgenden Capelle befinden sich die Grabmäler der Eltern Urbans VIII., Antonio und Camilla Barberini, mit den Bildnissen derselben auf Porphyrscheiben in guter erhobener Arbeit, angeblich von Guglielmo della Porta. — In der zweiten mit Frescomalereien von Roncalli geschmückten Capelle sieht man das Grabmal des beruhmten Schriftstellers Giovanni della Casa, mit einer von Pier Vettori, einem ebenfalls beruhmten Gelehrten, verfertigten Grabschrift. — In dem einen der beiden Altarbilder, an beiden Enden des Querschiffs, hat Lanfranco den heil. Andreas Avellino, das Messopfer verrichtend, vorgestellt.

Palast Vidoni (ehemals Caffarelli.)

Der ehemalige Palast Caffarelli, bei S. Andrea della Valle, gehört gegenwärtig den Erben des vor einigen Jahren verstorbenen Cardinals Vidoni. Die Angabe desselben wird dem beruhmten Raphael zugeschrieben, obgleich es dasselbe Gebäude zu seyn scheint, zu welchem nach Vasari der als Bildhauer bekannte Lorenzetto für Bernardino Caffarelli den Plan verfertigte. Vielleicht bediente sich Lorenzetto hier, wie in seinen Bildhauerarbeiten in S. Maria del Popolo, der Leitung jenes grossen Künstlers. Das hohe, die Mezzaninen begreifende Erdgeschoss, von rustiker Construction steht im guten Verhältniss zu dem Uebrigen des Gebäudes, ist aber entstellt durch die in späterer Zeit unregelmässig hineingebauten Fenster. Zwischen den Fenstern des ersten Stockwerkes befinden sich gekuppelte Halbsaulen, auf deren Gebalke eine Attike das zweite Stockwerk bildet. Am Anfange der Treppe steht eine Bildsaule des Lucius Verus; und zwei andere antike Statuen stehen am Ende der zum ersten Stockwerke führenden Treppe. Die eine ist eine Minerva mit einer nicht gewöhnlichen, über der Schulter herabhängenden Aegis; die andere eine Diana, merkwürdig wegen des bei dieser Göttin ungewöhnlichen Hauptschmucks des Diadems und der über die kurze Tunica geworfenen Nebris. — In den inneren Gemächern befindet sich das berühmte Calendarium, oder richtiger die Fasti Praenestini des Verrius Flacus, von denen leider nur fünf Monate des Jahres erhalten sind.

S. Carlo a' Catenari.

Die dem h. Carlo Borromeo geweihte Kirche S. Carlo a' Catenari, die zu dem Kloster der Barnabiten gehört, fuhrt diesen Beinamen von den ehemals in dieser Gegend wohnhaften Arbeitern holzerner Gefasse, die man, so wie die Töpfer, Catenari oder Catenaj benennt. Der nach dem Plane des Rosato Rosati unternommene Bau derselben wurde im Jahre 1635 mit der nach Angabe des Gio. Battista Soria aufgeführten Vorderseite beendigt. Die Kirche hat die Form eines griechischen Kreuzes, über dem sich eine Kuppel erhebt. In den Zwickeln der Bögen unter derselben sieht man die vier Cardinaltugenden, mit anderen allegorischen auf dieselben bezüglichen Figuren und Engeln, in Frescogemälden von Domenichino, die überschätzt worden seyn, und keinesweges unter seine besseren Werke gehören dürften. Mit noch wenigerem Grunde, als wegen dieser Gemälde des Domenichino, war diese Kirche durch das Gemälde vom Tode der heil. Anna von Andrea Sacchi, uber dem Altare des Querschiffs, vom Haupteingange rechts, berühmt. Das Bild des mit vier Porphyrsäulen geschmückten Hauptaltares ist von Pietro da Cortona: der Gegenstand desselben ist die von dem heil. Carlo Borromeo in Mailand wegen der Pest veranstaltete Procession. Die Malereien der Tribune sind von Lanfranco, der auch das Gemälde der Verkündigung in der ersten Seitencapelle vom Eingange rechts verfertigte. In einem hinter der Tribune gelegenen Gemache, zu dem man von der Sacristei gelangt, sieht man den h. Carlo Borromeo in halber Figur, in einem von der Mauer der Vorderseite der Kirche abgesägten Frescogemälde von Guido Reni.

Palast Santacroce.

Unweit der Kirche S. Carlo a' Catenari, auf Piazza Branchi, steht der nach Angabe des Francesco Peparelli erbaute Palast der Familie Santacroce. Im Hofe desselben sind von den grösstentheils verlornen Zierrathen des Frieses noch einige antike Reliefs vorhanden, deren Gegenstände die bekannte Vorstellung des sogenannten Besuches des bärtigen Bacchus bei Icarius; — ein bacchischer Aufzug, — und Tritonen mit Amoren auf Meerwundern sind.

S Maria in Monticelli.

Die alte Kirche S. Maria in Monticelli, die nach einer zuvorgegangenen Ausbesserung im Jahre 1101 von Paschalis II. geweiht wurde, zeigt nach ihrer Erneuerung im vorigen Jahrhundert nur im Glockenthurme noch alterthumlichen Character. An der Tribune ist noch ein Mosaik aus der Zeit des vorerwähnten Papstes vorhanden, welches den Heiland vorstellt, der die Rechte zum Segen erhebt und in der Linken die Weltkugel hält. Diese Kirche ist seit dem Jahre 1725 im Besitz der Congregation der Doctrinarier, welche in dem mit ihr verbundenen Gebäude unentgeltlichen Schulunterricht ertheilen.

Monte di Pietà

Die Monte di Pietà benannte Anstalt zum Besten der durch Armuth zu Geldanleihen genothigten Personen stiftete im Pontificate Pauls III. der Pater Giovanni Calvo, Commissarius des Franciscanerordens beim päpstlichen Stuhle. Gregor XIII. vereinigte mit dieser Leihbank die Bank der Depositengelder, die bei Rechtsfallen und zur Sicherheit des Vermögens der Wittwen und Unmündigen niedergelegt werden mussten, und Sixtus V. gab darauf die Erlaubniss zur Niederlegung von beliebig grossen Geldsummen in diesen beiden vereinigten Banken, wodurch sie durch Erhohung ihres Capitals in den Stand gesetzt wurden, bedeutendere Anleihen als zuvor zu gewahren. Den Palast, in dem sich diese Anstalt dermalen befindet, und der ursprunglich der Familie Santacroce gehörte, erhielt dieselbe von Clemens VIII. im Jahre 1604. Bedeutende Vergrosserungen erlangte darauf dieses Gebäude zuerst unter der Leitung des Carlo Maderno und Breccioli, und dann des Niccola Salvi, und auch eine Capelle zum Gottesdienste der mit der Anstalt verbundenen Bruderschaft. Ihre Verwaltung hat gegenwärtig ein Rector unter der Oberleitung des päpstlichen Finanzministers (Tesoriere Generale della Camera Apostolica.) — Dem Gebäude derselben gegenüber, in der Via dell' Arco del Monte, ist der Eingang zu dem Gebäude der päpstlichen Schatzkammer, in welche auch Privatpersonen Capitale gegen Interessen niederlegen konnen.

Kirche und Hospital della SS. Trinità de' Pellegrini.

Die Kirche und das Hospital della SS. Trinità de' Pellegrini steht unter der Verwaltung der so benannten, von dem h. Philippus Neri im Jahre 1548 gestifteten Brüderschaft. Ihre Bestimmung ist, ausser der Aufnahme von Pilgern, auch die Verpflegung dürftiger Personen, die sich im Zustande der Genesung von schweren Krankheiten befinden, denen aber nach ihrer Entlassung aus den Spitälern die Mittel zur Stärkung ihres geschwächten Körpers fehlen. Die heutige Kirche dieser Brüderschaft wurde im Jahre 1614 unter der Leitung des Paolo Mazzi erbaut, mit Ausnahme der von Francesco de Santis angegebenen Vorderseite. Das die Dreieinigkeit vorstellende Gemälde des Hauptaltares gehört unter die besseren Werke des Guido Reni. Der Heiland erscheint am Kreuze von zwei ihm zu beiden Seiten knieenden Engeln verehrt; über demselben Gott Vater und zwischen beiden der h. Geist in Gestalt der Taube. Von der Hand des Guido ist auch die Figur des ewigen Vaters an der Decke der Laterne der Kuppel. In der zweiten Capelle, vom Eingange links, sieht man, in einem Gemälde des Arpino, die h. Jungfrau mit dem Kinde und den Heiligen Augustinus und Franciscus. Die ubrigen Gemalde dieser Kirche sind von Ricci da Novara, Baldassare Croce und anderen nicht bedeutenden Malern. — Das Gebaude des Hospitals erhielt durch die im vorigen Jahrhundert von Clemens XII. veranstaltete Vergrösserung seinen heutigen Umfang. Es hat 488 Betten und ein so geräumiges Refectorium, dass in demselben 944 Personen zu gleicher Zeit gespeist werden können. Die Pilger müssen, um hier aufgenommen zu werden, in einem über 60 Miglien von Rom entfernten Orte wohnhaft seyn und Zeugnisse von ihren geistlichen Oberen beibringen. dass sie die Absicht haben, die heiligen Oerter der Hauptstadt der catholischen Welt zu besuchen.

Fontanone di Ponte Sisto.

Unweit von Ponte Sisto sieht man zur Linken den grossen, von dieser Brucke benannten Brunnen, den Paul V. nach Angabe des Giovanni Fontana errichten liess, indem er das Wasser zu demselben von der Acqua Paola auf dem Janiculus durch die gedachte Brucke über ihren Bogen herleitete.

Ponte Sisto

Die Ponte Sisto benannte Brücke führte im alten Rom den Namen Pons Janiculensis, unstreitig, weil sie zu dem Janiculus führt. Sie war lange Zeit verfallen und hiess daher Ponte Rotto bis zu ihrer im Jahre 1475 erfolgten Wiederherstellung durch Sixtus IV., welcher daher wollte, dass sie seinen Namen fuhren sollte, mit dem man sie noch gegenwärtig benennt.

S. Niccolò a' Cesarini und Reste eines antiken Tempels.

Die Kirche S. Niccolà a' Cesarini führt diesen Beinamen von dem Palaste dieser Familie, neben dem mit ihr verbundenen Kloster, welches die Padri Somaschi benannten Ordensgeistlichen bewohnen. Bei ihrer Erneuerung, im Jahre 1611, erhielt auch der Platz vor derselben seine heutige Gestalt. In einem Hofe des

Klosters sind die Reste eines runden Tempels zu bemerken, der
nicht weit vom Circus Flaminius stand, und in dem man den
Tempel des Hercules Custos (nach Urlichs jedoch mit Unrecht)
vermuthet. Man sieht in dem gedachten Hofe, zwisehen modernen
Mauern, noch vier verstummelte .und zum Theil verschuttete
Säulen von der Halle, welche den Tempel umgab. Sie sind von
Peperin und mit Stuck uberzogen, cannelirt und von jonischer
Ordnung. Die Capitelle sind sämmtlich zu Grunde gegangen.
Eine fünfte Saule ist in der runden Mundung des Brunnens dieses
Hofes sichtbar, zu der man sie angewendet und daher auf der
einen Seite abgeschnitten hat. In einer unterirdischen Grotte,
zu der man von demselben Hofe gelangt, sieht man von einer
sechsten Säule noch die ziemlich wohl erhaltene Basis und auch
Reste von der Cella des Tempels, in dem sich wegen des Pepe-
rins, aus dem er besteht, ein Gebäude aus der Zeit der Republik
vermuthen lasst.

§. 119.
Porticus der Octavia

Die schönen antiken Ruinen am Fischmarkte (Piazza di Pescaria) werden für Reste des grossen, von August erbauten und
von ihm nach seiner Schwester Octavia benannten Porticus erklart, dessen Grundriss wir noch zum Theil in einem der Fragmente von dem Plane des alten Roms besitzen. Dieses Gebaude
war eine aus zwei Säulenreihen bestehende Halle, welche ein
längliches Viereck bildete, und worin zwei Tempel eingeschlossen
waren, von denen der eine dem Jupiter, der andere der Juno
geweiht war. Von dieser Halle, die sich auf einigen Stufen erhob, ist noch grossentheils der Vorbau in der Mitte der Vorderseite derselben erhalten, welche vier Säulen und zwei Anten an
den Enden, an der ausseren sowie an der inneren Seite, bildeten.
An der Stelle der beiden fehlenden Säulen, an der ausseren nach
Piazza di Pescaria gelegenen Seite, steht ein von Backsteinen gebauter Bogen zur Unterstutzung des Gewolbes. Da derselbe antike Construction zeigt und doch offenbar nicht zu dem Plane
des Gebaudes gehört, so lasst sich annehmen, dass er unter den
Kaisern Severus und Caracalla errichtet wurde, welche, wie eine
Inschrift am Friese des Gebalkes anzeigt, die Wiederherstellung
dieses Gebaudes nach einer Feuersbrunst veranstalteten. Von
der inneren Seite stehen nur noch zwei Saulen nebst einer Ante.
Das Uebrige derselben wurde vermuthlich durch den Bau der
Kirche S. Angelo in Pescaria zerstört, zu deren Vorhalle man
wahrscheinlich diesen Theil des Porticus der Octavia benutzte,
da man noch Reste von christlichen Malereien, sowohl an dem

zuvor erwähnten Bogen, als im Giebelfelde der äusseren Fronte
bemerkt.

Die Säulen und Anten sind von corinthischer Ordnung. Die
ersteren sind cannelirt, und so wie die Gebälke und Giebel von
weissem Marmor. Die Anten bestehen mit Ausnahme der Capitelle aus Ziegeln, die aber, wie noch Spuren zeigen, mit Marmor
bekleidet waren. Die Basen sind verschüttet. An den vortrefflich
gebildeten Capitellen erscheinen, anstatt der gewöhnlichen Blumen,
Adler mit Donnerkeilen in den Klauen, vermuthlich in Beziehung
auf den Jupiterstempel, der in dieser Halle eingeschlossen war.

An jeder Seite dieses Vorbaues ist ein aus Ziegeln erbauter
Bogen, der zu dem weiteren Fortgange der Halle führte. Von
der äusseren Reihe derselben stehen in der Mauer eines Hauses
der Via della Pescaria noch drei Saulen von Cipollino. Von einer
vierten, diesen zunächst folgenden Säule ist in einem Keller noch
die Basis vorhanden. Und in mehreren Häusern der genannten
Strasse liegen Fragmente von Saulen, die wahrscheinlich ebenfalls
zu diesem Gebäude gehörten. Die beiden letzterwähnten Bögen
haben, unter dem Anfange der Wolbung, mit kleinen Rosetten
verzierte Gebälke von weissem Marmor, mit dem, wie noch Reste
zeigen, auch das Uebrige dieser Bögen bekleidet war. Auf dem
einen derselben, von dem Platze des Fischmarktes rechts, ruht
ein marmornes Gesims mit Stirnziegeln, welche mit Adlern in
erhobener Arbeit geschmückt sind.

Für Reste des oben erwahnten, in diesem Porticus einge-
schlossenen Junotempels werden drei Säulen in einem Hause der
Via S. Angelo in Pescaria No. 12 gehalten, welche die Ecke der
Vorhalle dieses Tempels bildeten. Von diesen Säulen erscheinen
noch die Basen in dem Keller jenes Hauses und von zweien auch
die cannelirten Schäfte und Capitelle in einem kleinen Hofe desselben. Sie dürften wegen der römischen Ordnung, die unter
Augustus noch nicht im Gebrauche gewesen zu seyn scheint,
nicht zu einem Gebäude aus der Zeit dieses Kaisers gehört haben.

S. Angelo in Pescaria

Die in den Trümmern des Porticus der Octavia erbaute
Kirche S. Angelo in Pescaria, die ihren Beinamen von dem mehrerwähnten Fischmarkte führt, ist eine der alten römischen Diaconien. Sie wurde — nach einer alten Inschrift in derselben an
der Wand der Vorderseite — schon im Jahre 755 erbaut, zeigt
aber, nach den von den Cardinälen Andrea Peretti und Carlo
Barberini in den Jahren 1611 und 1700 veranstalteten Erneuerungen, ganz moderne Gestalt und nichts von besonderer Merkwürdigkeit. Aus der Zeit des Mittelalters sieht man noch an den
Seitenwänden einer Art von Halle vor dem Haupteingange zwei,

mit Mosaik ausgelegte Kreuze, die wahrscheinlich auf neue Einweihungen der Kirche deuten, und auf dem Fussboden daselbst
und im Presbyterium einige Reste von Steinarbeit. In der reich
verzierten Capelle des heil. Andreas, vom Haupteingange rechts,
sind Gemalde von Innocenzo Tacconi, einem Schuler des Annibale Caracci.

S. Gregorio a Ponte quattro capi.

Weiter nach dem Ponte di quattro capi fortgehend, liegt zur
Linken die kleine, dem h. Gregor geweihte Kirche, welche von
der gedachten Brucke den Beinamen fuhrt. Sie wird auch della
Divina Pietà benannt von der diesen Namen fuhrenden Congregation,
welche im Jahre 1680 von einem Priester aus Castel Nuovo, Giovanni Stanchi, zur Unterstützung der Armen gestiftet wurde und
diese Kirche von Benedict XIII. erhielt.

S. Maria in Portico

Die Kirche S. Maria in Portico, mit dem Beinamen in Campitelli an dem Platze dieses Namens, erbaute Alexander VII., im
Jahre 1665, nach Angabe des Rinaldi und ubertrug auf dieselbe
den Titel der alten Diaconie S. Maria in Portico, die an der Stelle
der heutigen Kirche S. Galla in der Via della Bocca della verità
stand. Ihre Vorderseite ist mit corinthischen Säulen von Travertin verziert; und weisse Marmorsaulen schmücken das Innere des
Gebäudes, welches die Form eines lateinischen Kreuzes zeigt,
über dem sich eine Kuppel erhebt. In einem Tabernakel über
dem Hauptaltare bewahrt man das Marienbild aus der alten
Kirche der vorerwahnten Diaconie, zu dessen Verherrlichung
Alexander VII. diese neue und grosse Kirche erbaute, weil seiner
Verehrung die Befreiung Roms von der Pest im Jahre 1656 zugeschrieben wurde. Unter den Gemälden dieser Kirche befindet
sich, in der zweiten Capelle vom Eingange rechts, ein Bild von
Luca Giordano. Zwei Grabmäler in der Capelle Altieri vom Eingange links, die von vier Löwen von Rosso antico getragen werden, sind nur wegen dieses kostbaren Steines zu bemerken.

Theater des Marcellus und Palast Savelli.

Bei Piazza Montanara sind noch bedeutende Reste des von
August erbauten und von ihm dem Marcellus, dem Sohne seiner
Halbschwester Octavia, gewidmeten Theaters vorhanden, bei dessen
Einweihung, im Jahre der Stadt 741, 700 wilde Thiere erlegt wurden.
Es hatte, wie die sämmtlichen Theater der Alten, an der Seite, an
welcher sich die Sitze der Zuschauer befanden, die Form eines
Halbkreises. Von den äusseren Hallen dieser Seite stehen noch
mehrere Arcaden des ersten und zweiten Stockwerkes von

Travertin, aber grossentheils sehr vom Feuer beschädigt. Die Pfeiler, auf denen sich die Bögen erheben, sind mit Säulen, im ersten Stockwerke von dorischer, im zweiten von jonischer Ordnung geschmuckt. Die Arcaden des letzteren sind gegenwärtig zugemauert; die des ersteren, die jetzt zu Kauf- und Handwerksläden dienen, sind bis zur Halfte verschüttet. Untersuchungen haben gezeigt, dass die dorischen Säulen desselben ohne Basen sind. Man glaubt, dass dieses Theater vier Stockwerke hatte: Anzeichen davon hat man jedoch nicht bemerkt. Die Gewolbe, auf denen sich die Sitze erhoben, und die Treppen, die zu den Ein- und Ausgängen fuhrten, waren nach den noch vorhandenen Resten von Netzwerk (Opus reticulatum). Im Keller einer benachbarten Schenke (Osteria della Campana benannt) sieht man noch Reste von dem Gange unter der ersten Reihe der Sitze.

Der von den Savelli in diese Ruinen hineingebaute Palast, der gegenwartig dem Prinzen Orsini gehört, zeigt dermalen nichts von besonderer Merkwürdigkeit. Der Eingang ist an der nach der Tiber gelegenen Seite des Theaters, wo die Ruinen desselben eine Anhöhe gebildet haben, welche fast der gegenwärtigen Höhe dieses Gebäudes entspricht, und von der es auch den Namen Monte Savelli erhielt. Einige in der Wand des Hofes eingemauerte Granitsaulen gehorten, wie man vermuthet, zum Proscenium des Theaters.

S. Niccolò in Carcere.

Die dem heil. Nicolaus von Bari geweihte Kirche, eine der alten romischen Diaconien, führt den Namen S. Niccolò in Carcere von dem ehemals in ihrer Nähe gelegenen, von dem Decemvir Appius Claudius erbauten Gefangniss, welches man im Mittelalter mit dem Carcer Mamertinus oder Tullianus verwechselte, so dass dieser Kirche der Beiname in Carcere Tulliano gegeben wurde. Sie wird, so viel wir wissen, zuerst im Jahre 1100, im Pontificate Paschalis II., durch den Namen eines Cardinaldiaconus derselben erwahnt. Ihre letzte Erneuerung veranstaltete im Jahre 1599 der Cardinal Pietro Aldobrandini. Das Innere ihres Gebäudes wird durch 14 antike Saulen (von denen die zweite vom Eingange links in einen Pfeiler eingeschlossen ist) in drei Schiffe getheilt. Vier dieser Säulen sind von Granit und die ubrigen von verschiedenem Marmor. Von der ehemaligen Steinarbeit des Fussbodens ist im Presbyterium noch eine Porphyrplatte vorhanden. Das moderne Tabernakel des Hauptaltares erhebt sich auf vier Säulen von Porta Santa. Merkwurdig ist die antike Wanne von einem seltenen grunlich-schwarzen Porphyr, auf welcher die Platte dieses Altares ruht, und auf welcher vier Medusenmasken in alterthumlichen Style mit geringelten Haaren, herausgestreckter Zunge und Schlangen unter dem Kinne gebildet sind. Auch sind an derselben zwei Thierköpfe zu bemerken, welche denen des Panthers zu entsprechen scheinen. Das Deckengemälde des ˙Hauptschiffes ist von Marco Tullio Montagna und die Malereien der Tribune sind von Orazio Gentileschi, von dem vermuthlich auch die Bilder des Querschiffes herrühren.

Reste antiker Tempel in S. Niccolò in Carcere.

Die so eben betrachtete Kirche ist auf den Trümmern von drei antiken Tempeln erbaut, in denen sich mit grosster Wahrscheinlichkeit die nach Livius zur Zeit des republicanischen Roms am Forum Olitorium erbauten Tempel der Pietas, der Spes und der Juno Matuta erkennen lassen. Den erstgenannten erbaute Acilius Glabrio im Jahre Roms 571 zur Erfullung des von seinem Vater gethanen Gelübdes wegen seines Sieges uber den Antiochus bei Thermopylae. Der zweite wurde im Jahre der Stadt 492 von dem Consul A. Attilius Calatinus der Spes gelobt und bald darauf erbaut; und den dritten, den der Juno Matuta, gelobte der Consul C. Cornelius, im Jahre 557, im gallischen Kriege und weihte ihn, als er im Jahre 560 das Amt eines Censors bekleidete. Die Säulen dieses Tempels sind von dorischer, die der beiden ersteren aber von jonischer Ordnung. Alle drei sind durchaus aus Peperin erbaut. Der mittlere dieser Tempel, der der Pietas, war ein Peripteros. Die Cella war mit 12 Saulen an jeder der beiden langen Seiten, und mit 6 an der vorderen und hinteren Fronte mit Inbegriff der Ecksäulen umgeben. Ueberdies waren, vor dem Pronaos der Cella, in gleicher Linie mit derselben, auf jeder der beiden Seiten, drei hinter einander stehende Säulen, welche mit den ihnen entsprechenden Säulen der äusseren Seitenhallen drei Reihen, jede von vier Säulen, bildeten. Von der zweiten dieser Reihen stehen noch drei an der Vorderseite der Kirche, deren Giebel über ihrem Eingange sich auf zwei dieser Säulen erhebt, die moderne Uebertunchung und Capitelle haben, sich aber unten, wo diese Uebertunchung abgefallen ist, als Reste jenes antiken Tempels zeigen. Eine Säule der dritten der gedachten Reihen und einer der beiden Pfeiler am Anfange des Pronaos ist noch in dem unterirdischen Gemache zu erkennen, in das man von dem Inneren der Kirche auf einer Leiter hinabsteigen kann. In dem Stockwerke über der Sacristei sieht man noch einen beträchtlichen Theil von der aus Peperin bestehenden Cellenmauer. Vor dem Hauptaltare der Kirche fuhrt eine Treppe zu den in der Basis des Tempels angelegten gewolbten Gemachern hinab, die wahrscheinlich zu Waarenlagern des benachbarten Forum Olitorium dienten und spater zum christlichen Gottesdienst eingerichtet wurden.

Der Tempel der Spes hatte 10 Säulen an jeder der beiden Seiten, war aber ohne Halle an der Hinterseite, wie der Pfeiler zeigt, der auf die funf Säulen folgt, von denen man die Capitelle nebst dem Gebälke von dem Glockenthurme der Kirche sieht. Die Grösse und Construction der beiden zuvor betrachteten Tempel ist durch die noch sichtbaren Reste und durch die bei den Ausgrabungen entdeckten Treppen genau bestimmt. Aber aus den wenigen, von dem Tempel der Juno Matuta noch vorhandenen Resten geht nur so viel unleugbar hervor, dass derselbe ebenfalls ein Peripteros war, und dass seine Vorderseite in gleicher Linie mit der jener anderen beiden Tempel stand. Seine Reste bestehen, ausser den jetzt wieder verschütteten Treppen, in funf Säulen von der einen Seitenhalle, zunächst dem Tempel der Pietas. Eine derselben sieht man an der äusseren Seitenmauer der Kirche vom Eingange links, zwei in dem obenerwähnten unterirdischen Gemache, zu dem man von dem Inneren der Kirche gelangt, die vierte ist wenig sichtbar, und die funfte erscheint in einem kleinen Hofe neben der Kirche.

Palast Strozzi.

Der heutige Palast des Duca Strozzi besteht aus zwei mit einander verbundenen Gebäuden, von denen das ältere der Familie Rustici und das neuere den Olgiati gehorte. Das letztere wurde nach Angabe des Carlo Maderno erbaut. Der Hof des alteren Gebäudes zeigt den schönen Styl des 16ten Jahrhunderts in den drei, dem Eingange gegenüber sich über einander erhebenden Hallen mit Arcaden, die in den beiden unteren Reihen von Säulen und in der obersten von Pfeilern getragen werden, die mit Pilastern verziert sind. — Das diesem Palaste gegenuber liegende Gebäude der Kirche delle Sacre Stimmate di S. Francesco wurde im Pontificate Clemens XI. erbaut.

Collegio Romano.

Das grosse Gebäude zu der von dem h. Ignatius von Loyola gestifteten Anstalt des öffentlichen Unterrichts, Collegio Romano benannt, wurde von Gregor XIII. nach Angabe des Bartolommeo Ammanato erbaut. Nach der Aufhebung der Jesuiten durch Clemens XIV. kam diese Anstalt unter die Aufsicht von Weltgeistlichen, welche auch die Lehrstellen bekleideten. Nach der Wiederherstellung ihres Ordens erhielten sie die Jesuiten erst im Pontificate Leos XII. zurück. Der gegenwärtig hier ertheilte Unterricht betrifft die Erlernung der griechischen und lateinischen Sprache, der Rhetorik, Logik, Mathematik, Philosophie und der schonen Wissenschaften. Es befindet sich in diesem Gebaude eine mit astronomischen Instrumenten versehene Sternwarte und eine ansehnliche Bibliothek, deren Benutzung den Fremden aber gegenwärtig nicht mehr gestattet wird. Das Merkwürdigste aber, das dieses Gebäude bewahrt, ist das von dem gelehrten Jesuiten Athanasius Kircher angelegte Museum, welches fur einige Classen antiker Denkmaler von erheblicher Wichtigkeit ist.

Das Bedeutendste dieser Sammlung, und eines der bedeutendsten Denkmäler der Kunst des Alterthums in Rom, ist die bekannte metallene Cista, die um das Jahr 1744 in der Gegend von Palestrina entdeckt wurde und nicht nur durch besondere Schönheit der sie verzierenden Bilder in eingegrabener Arbeit, sondern auch durch ihre Grosse vor den bis jetzt entdeckten Gefassen dieser Art ausgezeichnet ist. Sie zeigt die Form eines Cylinders in der Hohe von 2 Palm 1½ Zoll und 1' 7½ im Durchmesser. Der Bilderschmuck dieses Gefässes hat drei durch Reifen bezeichnete Abtheilungen. In der oberen sind Masken, und in der unteren Greife nebst Palmetten und anderen ähnlichen Zierrathen gebildet. Der mittlere Raum zeigt in einer vortrefflichen Composition die Ankunft der Argonauten in Bithynien, in welcher als die bedeutendste Begebenheit der Sieg erscheint, den Pollux uber den König dieses Landes Amycus im Zweikampfe mit dem Cestus erhielt. Auf dem Schiffe Argo sieht man noch drei Argonauten, indem andere bereits hinabgestiegen sind, um Wasser zu holen. Einer derselben erhebt den rechten Arm mit geballter Faust, während er mit der Linken nach einem, an einem Baume hangenden Schlauche langt. Zu ihm schaut sitzend, ebenfalls mit geballter Faust und lachender Miene, ein Silen empor, der vermuthlich den Brunnen bewacht, dessen Wasser sich aus einer, in Form eines Lowenkopfes gebildeten Mundung ergiesst. Daneben trinkt ein Argonaut aus einer grossen, mit Bildern menschlicher Figuren geschmuckten Schale: eine andere von gleicher Form ist dem Brunnen zur Rechten aufgehängt. ·Demselben zur Linken, in der weiteren Folge, scheint ein Argonaut eine unten zugespitzte Amphora in den Boden feststellen zu wollen. Die über ihm auf der Anhohe des Hintergrundes liegende Figur, mit dem Halsschmuck einer Bulla und Binden in der Hand, ist vielleicht eine ortsbezeichnende Gottheit. Es folgt eine Gruppe von zwei Heroen, von denen jeder zwei Speere halt. Eine derselben, in welchem der zugespitzte, den Dioscuren eigenthumliche Hut den Castor vermuthen lasst, ist unter den Figuren dieser Vorstellung die einzige mit irgend einer Hauptbedeckung. Ein auf einer Amphora sitzender Argonaut, auf seinen Speer gestutzt, ist nach der den Sieg des Pollux uber den Amycus darstellenden Gruppe gewandt. Der Dioscur ist begriffen, den bithynischen Konig an einen Baum zu binden. Victoria schwebt mit Binden und einem Kranze zur Belohnung des Sieges herbei; und Pallas Athene steht hier

als die Göttin, durch welche der von Zeus mit der Leda erzeugte
Sohn den Sieg über den Barbaren erhielt. Zuschauer der Handlung des Pollux sind zwei seiner Waffengefahrten. ˗ Der eine,
sitzend im Junglingsalter, ist vielleicht Jason. In dem anderen,
welcher auf seine Lanze gestützt, den Rucken zeigt, könnte man
den Hercules, wegen der ihm nicht unentsprechenden Bildung
vermuthen, obgleich er keine Attribute dieses Heros zeigt. Eine
auf dem Boden liegende männliche Figur, eingehüllt in ein Gewand, erinnert als zu dem Sieger emporschauend, an den in den
Vorstellungen der Bestrafung des Marsyas um Gnade flehenden
Seythen. Und auf eine ähnliche Strafe, die den Amycus erwartet, deutet der Damon des Todes, den man mit Wahrscheinlichkeit in dem geflugelten bartigen Manne erkennt, welcher, hinter
dem Pollux auf einer Anhohe des Hintergrundes sitzend, das
Haupt mit dem Arme unterstützt. — Auf dem flachen Deckel
des Gefässes sind auf der mittleren Platte zwei mit zwei Greifen
im Kampfe begriffene Löwen, und auf dem diese Platte umgebenden Kreise des Deckels Jagden von Hirschen und Ebern gebildet.

Diese eingegrabenen Arbeiten sind der besten Zeiten der
hellenischen Kunst würdig. Einen von denselben ganz verschiedenen, dem conventionellen Styl der Etrusker entsprechenden
Character zeigen die übrigen Bildwerke dieses Gefässes. In der
Mitte des Deckels erhebt sich auf einem, mit Nieten befestigten
Plattchen eine Gruppe in runder Bildnerei, welche einen Mann
in einem, mit Sternen verzierten Mantel, mit einer Stirnkrone,
einem Halsbande mit einer Bulla und Sandalen an den Fussen,
in gegenseitiger Umfassung mit zwei Satyrn vorstellt. Die alt-
romische Inschrift dieses Plattchens zeigt, dass Novius Plautius
dieses Werk in Rom verfertigte, und dass es von einer Dindia
Macolnia gegeben wurde; wem wird zwar nicht gesagt, aber aus
dem Umstande, dass diese Macolnia sich hier Tochter nennt,
dürfte unstreitig erhellen, dass diese Schenkung sich auf ihren
Vater bezieht, dem sie, nach seiner Abgeschiedenheit vom irdischen Daseyn, diese Cista weihte, und den sie hochst wahrscheinlich in der mittleren Figur der gedachten Gruppe, in Verbindung
mit Satyrn als Eingeweihten in die bacchischen Mysterien vorstellen liess. — Die drei Füsse, auf denen sich das Gefass erhebt,
— von denen zwei neuere Ergänzungen sind — zeigen die Form
auf Schildkroten ruhender Löwenklauen. Mit ihnen verbunden
sind drei an die Cista angesetzte Platten, welche eine Wiederholung der Gruppe eines stehenden Amors zwischen den sitzenden
Figuren des Hercules und eines anderen, mit der Chlamys bekleideten Heros, in erhobener Arbeit zeigen.

Bei der so auffallenden Verschiedenheit des Styls der eingegrabenen Arbeiten von dem der Reliefs und runden Bildwerke

dieses Gefässes ist es unstreitig, dass sie nicht von demselben Meister herruhren konnen. Auch zeigen sich die letzteren als spätere willkurlich angeheftete Zusätze, durch welche zuweilen diese ursprunglich nur zur Aufbewahrung von kleinem Gerathe dienenden Gefässe als Weihgeschenke eine religiose Beziehung erhielten. Der in der obenerwähnten Inschrift genannte Novius Plautius ist nur als der Verfertiger jener auf den Vater der Macolnia bezuglichen Deckelgruppe zu betrachten, indem auch jene Reliefs an den Fussen des Gefasses ihm nicht zugeschrieben werden durften, weil sie zwar ebenfalls etrurischen Styl, aber doch bessere Arbeit zeigen. Gegen die Annahme der Cista — zu deren ursprunglichen Anlage nur die bewundernswurdigen Zeichnungen gehorten — als eines aus dem eigentlichen Griechenlande nach Italien gekommenen Werkes, streiten die in Figuren dieser Zeichnungen zu bemerkenden Bullen, als ein den Italern eigenthumlicher Schmuck.

An dieses kostbare Werk schliesst sich zunachst eine Reihe von Metallspiegeln, welche mit ahnlichen Graffitzeichnungen geschmuckt sind, an. Einer davon wurde in der eben beschriebenen Cista gefunden: er stellt den Pollux und Amycus mit der Luna (Losna) dar. Unter den ubrigen sind bemerkenswerth: 1. mit dem jugendlichen Zeus, Apollo und Mercur; 2. mit dem Moment, welcher der Minervengeburt vorhergeht; 3. mit Minerva und Lasafecu (Nike); 4. Hercules und Juno vor dem Thron des Jupiter: 5. der Donnergott auf zwei Pferden reitend; 6. eigenthumliche, sehr reiche Vorstellung des Parisurtheils. Ausserdem befindet sich hier eine viereckige Spiegeltafel von weisser Metallcomposition.

Unter der zahlreichen Masse von meist sehr werthvollen und in ihrer Art einzigen Bronzen und Anticaglien zeichnen wir aus: eine Reihe antiker Gewichte, wovon zwei aus dem Tempel der Ops; — einen Dreifuss von Bronze mit einer Vorrichtung zum Zusammenklappen; — Rhyton mit Stierkopf; auf dem Halse des Gefässes eine halbnackte trauernde Frau in sitzender Stellung; — einen Leuchterdreifuss mit Stachel zur Befestigung der Kerze, und eine Reihe bronzener Lampen — ein Todtengerippe mit bewegbaren Armen, wie deren die Römer bei ihren Tafelgelagen zur Mahnung an den eiligen Genuss der Lebensfreuden herum zu geben pflegten, und eine schone Sammlung interessanter Bronzeidole, deren Aufzählung zu weit fuhren wurde.

In dem Schrank rechts neben dem Fenster ist besonders ein Camee mit einer Episode aus dem Palladiumraub zu bemerken, und ein wunderschoner Fuss von Elfenbein, wahrscheinlich der Rest einer Statue aus diesem Material. — In dem zur Linken des Fensters befindet sich ein sublimes Fragment von getriebener

Bronze mit der Darstellung des Enkelados, den die Minerva niedergeworfen hat; ausserdem eine äusserst merkwürdige Graffitvorstellung einer Mysterieneinweihung. Endlich zwei Agraffen und ein prachtvolles Halsband von Gold aus Veji; alles Monumente echter Seltenheit.

In den folgenden Schränken befinden sich ägytische Idole und eines jener merkwürdigen heidnischen Bronzebilder, welche phonicischen Ursprungs zu seyn scheinen. — Unter anderen etruskischen Bronzen zeichnet sich die beruhmte Gruppe eines Pflugers aus, die aus Arezzo stammt und zu einer Vorstellung der Geburt des Tages gehört zu haben scheint.

Von den übrigen Anticaglien jeder Art, die sich hier aufgehäuft finden, müssen wir auf eine Aufzählung verzichten, und wir begnügen uns, im Allgemeinen auf diese Fundgrube monumentaler Belege uralter Sitten aufmerksam gemacht zu haben.

Ausserdem befindet sich hier die wichtige Sammlung altitalischer Gussmunzen von Erz (Aes grave), welche die grösste ist, die es giebt.

In dem langen Saal, der an die vorderen Zimmer stösst, wird ein Balken von der Barke des Tiberius aus dem Nemisee aufbewahrt. Unter den Terracotten daselbst zeichnen sich zwei auf die Ruckkehr des Odysseus bezügliche besonders aus.

S. Ignazio

Der Bau der mit dem Gebäude des Collegio Romano verbúndenen Kirche des h. Ignatius wurde von dem Cardinal Lodovico Lodovisi im Jahre 1626 unternommen, kam aber erst 1675 zu Stande. Die Vorderseite ist nach Angabe des Algardi, und das Uebrige des Gebäudes nach dem Plane ausgeführt worden, den der Jesuit Pater Grassi aus zwei verschiedenen, von Domenichino dazu verfertigten Entwürfen entlehnte. An den Ausschmückungen des Inneren dieser Kirche durch Sculptur und Malerkunst hatte vorzüglichen Antheil der vornehmlich durch seine Wissenschaft in der Perspective bekannte Pater Pozzi. Von seiner Hand sind die Frescomalereien am Tonnengewolbe des Hauptschiffes, an den unteren Wänden der Tribune und am Gewolbe derselben. Auch hat er die Capelle des h. Ludwig Gonzaga, am Ende des Querschiffes vom Haupteingange rechts, angegeben. Man bewahrt hier unter dem Altare die irdischen Reste jenes Heiligen in einem mit Lapis Lazuli ausgelegten und mit vergoldeter Bronze geschmückten Sarge. Ueber diesem Altare ist seine Aufnahme in den Himmel in einem Relief von Le Gros vorgestellt. Das Relief über dem Altare in der Capelle am andern Ende des Querschiffes ist von Filippo Valle nach einer Zeichnung des Pater Pozzi ausgeführt, von dem auch das Altarbild in der ersten Seitencapelle vom

Eingange rechts herrührt. In der zweiten Capelle derselben Seite sieht man den Tod des h. Joseph in einem Gemälde von Trevisani. Die Gemälde in den beiden ersten Capellen vom Eingange links sind Werke des Jesuiten Pietro Latri, der auch die Sacristei dieser Kirche mit seinem Pinsel ausgeschmückt hat. Neben der Tribune, vom Haupteingange rechts, sieht man die Grabmäler Gregors XV. und des Neffen dieses Papstes, des Cardinals Lodovico Lodovisi. Das erstere hat Le Gros angegeben und auch zum Theil mit seiner Hand ausgeführt.

Palast Altieri.

Der Palast des Prinzen Altieri, an dem von der Kirche del Gesù benannten Platze ist ein grosses, frei stehendes Gebäude, welches nach Angabe des Gio. Antonio de Rossi auf Veranstaltung des Cardinals Gio. Battista Altieri angefangen und im Pontificate Clemens X. aus dieser Familie vollendet wurde. Dieser Palast hat zwei Höfe, von denen der eine von Hallen mit Arcaden umgeben ist. Vor der Treppe sieht man die sitzende Statue eines gefangenen Barbaren, die bei der Chiesa Nuova gefunden worden ist. Auf der Treppe befinden sich mehrere andere antike Bildwerke, unter denen wir den Finger einer Hand, von ausserordentlich colossaler Grösse, und die sitzende Statue eines Mannes mit einer Bucherrolle bemerken, in welchem nach der Inschrift auf der Basis ein griechischer Grammatiker, M. Mettius Epaphroditus, vorgestellt ist.

Kirche del Gesù.

Der Bau der grossen, zu dem Professhause der Jesuiten gehörenden Kirche del Gesù wurde von dem Cardinal Alessandro Farnese im Jahre 1568 nach Angabe des Vignola unternommen und nach dem Tode dieses Baukünstlers nach dem veränderten Plane des Giacomo della Porta vollendet. Das Innere dieser Kirche ist sehr prächtig im modernen Geschmack verziert. An den Gewölben des Hauptschiffes der Kuppel und der Tribune erscheinen reiche Zierrathen von vergoldeter Stuccatur und Frescogemälde von Gauli. Der Hauptaltar hat im vergangenen Jahre ein neues, prächtiges Tabernakel erhalten, welches mit verschiedenen Marmorarten und vier Säulen mit Capitellen von vergoldeter Bronze geschmuckt ist. Diesem Altare zur Linken, an der Wand der Tribune, ist das Grabmal des gelehrten Cardinals Bellarmino. Die von Pietro da Cortona angegebene Capelle des Querschiffes, vom Haupteingange rechts, liess der Cardinal Francesco Negroni zu Ehren des h. Franciscus Xaverius errichten, dessen Tod das Altarbild von Carlo Maratta vorstellt. Dieser Capelle gegenüber ist die prächtige, aber in sehr schlechtem Geschmack

von dem Pater Pozzi angegebene Begräbnisscapelle des b. Ignatius
Loyola. Das Tabernakel ihres Altares unterstutzen vier grosse
mit Lapis Lazuli ausgelegte Säulen; und die grosse Kugel, welche
das Weltall in der Vorstellung der Dreieinigkeit im Giebelfelde
dieses Tabernakels bezeichnet, besteht aus einem einzigen massiven
Stücke jenes kostbaren Steines. Die Gruppe des h. Ignatius mit
einigen Engeln, in der Nische über diesem Altare, ist eine aus
versilbertem Metall verfertigte Nachahmung des nach dem Modell
des Le Gros in Silber gegossenen und mit kostbaren Edelsteinen
geschückten Werkes, welches bald nach der Aufhebung des Jesuiten-
ordens verschwand. Unter dem Altare bewahrt man die irdischen Reste
des Heiligen in einem prachtigen Gefasse von vergoldetem Metall.
In der einen der beiden Marmorgruppen, zu beiden Seiten des
Altars, hat Teudon die von der Religion gesturzte Abgötterei, und
in der anderen Le Gros die von derselben zu Boden geworfene
Ketzerei vorgestellt. Unter den übrigen nicht bedeutenden Malereien und Sculpturen der Seitencapellen befindet sich ein Gemälde
von Jacob Bassano, welches die Dreieinigkeit mit den Heiligen des
Paradieses vorstellt. — Das mit dieser Kirche verbundene Klostergebäude oder Professhaus der Jesuiten, in welchem der General
dieses Ordens seinen Sitz hat, wurde auf Kosten des Cardinals
Odoardo Farnese nach Angabe des Rinaldi erbaut. In dieses Gebäude ist die Wohnung des h. Ignatius eingeschlossen, in welcher,
nach ihrer Einrichtung zum Gottesdienste, täglich Messe gelesen wird.

§. 120.

S Maria sopra Minerva

Die Kirche S. Maria sopra Minerva — so benannt von dem
Tempel dieser Göttin, der sich an ihrer Stelle befand — wurde
nebst dem mit ihr verbundenen Dominicanerkloster gegen das
Ende des 14ten Jahrhunderts erbaut. Sie ist von betrachtlicher
Grosse. An ihrer einfachen Vorderseite, die sich auf einigen
Stufen erhebt, ist ein rundes Fenster über jedem der drei Eingänge. Die Thürverkleidung von weissem Marmor des mittleren
Einganges liess, der Inschrift zufolge, der Cardinal Andreas Capranica im Jahre 1510 verfertigen. Das in drei Schiffe getheilte innere Gebäude der Kirche zeigt den sogenannten gothischen Styl,
vermischt mit Elementen der antiken Baukunst.
Die Seitencapellen des vorderen Theils der Kirche gewähren
nur wenige einer besonderen Aufmerksamkeit würdige Gegenstände. Ueber dem Altare der funften vom Eingange rechts, die
der Maria Verkündigung geweiht ist, sieht man ein schönes Gemälde auf Goldgrund, welches dem Angelico da Fiesole, wir
zweifeln jedoch ob mit Recht, zugeschrieben wird. Der Gegenstand

bezieht sich auf die von dem Cardinal Torrecremata, vom Dominicanerorden, im Jahre 1460 gestiftete Bruderschaft der S. Annunziata zur Ausstattung armer Madchen. Während der Engel Gabriel der h. Jungfrau verkündet, erscheint knieend vor derselben der genannte Cardinal, ihr drei Madchen empfehlend, denen sie eine Börse darreicht. Vor ihr schwebt der h. Geist, und oben hebt der h. Vater die Hand zum Segen empor. — In derselben Capelle steht das Grabmal Urbans VII. mit der Bildsäule dieses Papstes von Ambrogio Buonvicino. — Die zunächst folgende Capelle der Aldobrandini erbaute Clemens VIII. aus dieser Familie, um in derselben die Grabmäler seiner Eltern aufzustellen. Giacomo della Porta hat sowohl die Architectur dieser Capelle als diese Grabmäler angegeben. Die Bildwerke der letzteren und die hier aufgestellten Statuen — unter denen sich auch die Bildsaule des gedachten Papstes befindet — sind von verschiedenen Bildhauern ausgefuhrt. Die architectonischen Zierrathen des Deckengewölbes sind von der Erfindung des Carlo Maderno, und die Malereien derselben von Cherubini Alberti. Das Gemälde des Abendmahls Christi uber dem Altar ist von Baroccio. — In der letzten Capelle auf dieser Seite sind zwei Grabmäler aus dem 15ten Jahrhundert zu bemerken. — In der dritten Capelle, vom Eingange links, stehen zu beiden Seiten des Altars die Statuen des h. Sebastian und Johannes des Täufers, welche dem Mino da Fiesole zuge-schrieben werden. — Die Altargemälde der ersten und funften Capelle, von denen das eine den Heiland, welcher der h. Magda-lena erscheint, und das andere den h. Jacobus vorstellt, sind an-geblich Werke des Marcello Venusti.

Noch sind in der vorderen Kirche einige Grabmonumente ausserhalb der Capellen zu bemerken. An der Seitenwand, zu-nachst vom Eingange links, sieht man das Grabmal des Floren-tiners Francesco Tornabuoni mit seinem Bildnisse in ganzer Figur, von Mino da Fiesole, und daruber das Grabmal des im Jahre 1446 verstorbenen Cardinals Giacomo Tebaldi Collescipoli, mit der lie-genden Bildsaule desselben zwisehen den Figuren des h. Jacobus und eines anderen Apostels in erhobener Arbeit. — An der Wand der Vorderseite, vom Haupteingange rechts, ist das Grabmal des Diotisalvi Nero, eines im Jahre 1482 verstorbenen florentinischen Ritters, und am ersten Pfeiler des linken Seitenschifles' das des beruhmten Gelehrten Fabretti. Auch liest man auf dem Fuss-boden des gedachten Schiffes die Grabschrift des als Gelehrter und Buchdrucker bekannten Paulus Manutius, dessen Ableben in Rom im Jahre 1574 erfolgte. — In dem Eingange der Kirche am rechten Seitenschiffe ist das Grabmal eines Edelmannes, Johan-nes Alberoni, wegen eines antiken Reliefs zu bemerken, welches den Hercules, den nemaischen Lowen erwürgend, in einer auf

Vasenbildern gewöhnlichen, aber in erhobenen Werken uns sonst nicht bekannten Gruppe vorstellt.

Im Querschiffe ist vom Haupteingange rechts eine kleine Capelle, in deren Eingange sich ein Portal im sogenannten·gothischen Style auf zwei· Säulen erhebt. Ein holzernes Crucifix über dem Altare derselben wird, wahrscheinlich ohne Grund, dem Giotto zugeschrieben. — Es folgt darauf die merkwürdige Capelle, die der Cardinal Olivieri Caraffa zu Ehren des h. Thomas von Aquino und der Verkündigung der h. Jungfrau erbaute. Der Fussboden ist mit mittelalterlicher Steinarbeit ausgelegt, und die Wände sind mit Gemälden von Filippo Lippi geschmückt, die aber Ausbesserungen von spateren Handen erlitten haben. An der Seitenwand vom Eingange rechts erscheint der h. Thomas von Aquino, sitzend zwischen vier allegorischen weiblichen Figuren, in der ·Vertheidigung der catholischen Lehre. Ein zu seinen Füssen niedergeworfener Mann, in morgenlandischer Kleidung, ist vermuthlich der arabische Philosoph Averroes, dessen Schriften zur Zeit jenes Heiligen vornehmlich zu Irrthümern verleiteten; und auf dem Vorgrunde liegen ketzerische Bücher am Boden. In dem Gemälde der Lunette unter dem Deckengewölbe sieht man den Sieg des Christenthums über den mahomedanischen Glauben, der hier in der Figur eines bartigen Mannes in morgenländischer Tracht vorgestellt ist. Die hintere Wand der Capelle erfullt die Himmelfahrt der Maria, und uber dem Altar ist die Verkündigung derselben vorgestellt, wobei ihr der h. Dominicus den Cardinal Caraffa empfiehlt. Die sehr verdorbenen Gemälde der Sibyllen in den Kreuzbögen der Decke sind von Raffaellino del Garbo, dem Sohne des Filippo Lippi, ausgefuhrt. — An der linken Seitenwand steht das von Pirro Ligorio angegebene Grabmal Pauls IV., mit der von den beiden Bildhauern Giacomo und Tommaso Casignola verfertigten Bildsäule dieses Papstes. — An der Wand neben dieser Capelle ist das Grabmal des Bischofs Guglielmus Durantus, mit dem Namen des Kunstlers Johannes Cosmati zu bemerken. In dem Mosaik des Tabernakels, über der Bildsaule des Verstorbenen, sieht man denselben, wie ihn ein Heiliger der Mutter Gottes empfiehlt.

Die erste der beiden Capellen an der Hinterseite der Kirche gehört den Altieri und ist auf Veranstaltung Clemens X. aus dieser Familie erneuert worden, dessen Büste daher auch in derselben aufgestellt ist. Das Altarbild von Carlo Maratta stellt den h. Petrus vor, welcher der h. Jungfrau die von dem genannten Papst canonisirten Heiligen empfiehlt. — In der zweiten der gedachten Capellen, Cappella del Rosario, ist über dem Altare ein verehrtes Marienbild, welches ohne Grund dem Angelico da Fiesole zugeschrieben wird. An der Seitenwand vom Eingange rechts sieht man das Grabmal des Cardinals Domenico Capranica mit der Bildsäule desselben; ein gutes Werk aus der Zeit Pauls II. Die Deckengemälde, welche die Geheimnisse des Rosenkranzes vorstellen, sind von Marcello Venusti, mit Ausnahme des Gemäldes der Dornenkronung, welches Carlo Saraceni verfertigte. —' Den Hauptaltar schmückt gegenwartig kein Gemälde. — In dem nach Angabe des Carlo Maderno erneuerten Chore stehen, an den Seitenwänden einander gegenüber, die grossen Grabmäler der beiden Päpste aus dem Hause Medici, Leos X. und Clemens VII. Antonio da Sangallo hat dieselben angegeben. Die Sculpturen sind sämmtlich mittelmassig. Die Bildsäule des Leo ist von Raffaello da Montelupo, und die des Clemens von Nanni di Baccio Bigio ausgefuhrt. Die übrigen Bildwerke sind von der Hand des Baccio Bandinelli. Unter den Grabsteinen auf dem Fussboden befinden sich die des berühmten Pietro Bembo und der Cardinäle Lorenzo und Antonio Pucci, Zeitgenossen der gedachten Päpste. — Neben dem Chore zur Linken steht die beruhmte Statue von Michelagnolo, welche den Heiland stehend mit dem Kreuze und dem Rohre mit dem Schwamme zur Trankung in seinen Leiden, wie im Triumphe nach vollbrachter Erlösung vorstellt. Das Postament dieser Bildsäule war ursprünglich ein Altar, den der Inschrift zufolge Metello Varo und Paolo Castellano errichten liessen. — In dem darauf folgenden Gemache, welches zu einem hinteren Eingange der Kirche fuhrt, ist unter mehreren anderen Grabmälern das des vortrefflichen Malers Giovanni da Fiesole zu bemerken, welcher in dem Kloster seines Ordens bei dieser Kirche im Jahre 1455 sein Leben endigte. Es ist ein länglich viereckiger Grabstein mit dem erhoben gearbeiteten Bildnisse des Verstorbenen und einer Inschrift in Versen. — In der im schlechten Geschmack unter Benedict XIII. verzierten Capelle, an der linken Seite des Querschiffes, steht das Grabmal des genannten Papstes mit seiner Bildsaule, von Pietro Bracci. — In der Sacristei sieht man, über dem Eingange, in einem Gemälde des Giuseppe Speranza die Vorstellung eines Conclave, welches sich, der Inschrift zufolge, auf die in dieser Kirche erfolgte Wahl der Päpste Eugens IV. und Nicolaus V. bezieht. Hinter dem mit einem Gemälde von Andrea Sacchi geschmückten Altare ist das in eine Capelle verwandelte Zimmer der h. Catharina von Siena, welches aus dem in Rom von ihr bewohnten Hause hierher gebracht worden ist.

Im Kloster bei dieser Kirche hat der General der Dominicaner seinen Sitz, und auch der Secretär der Congregation des Index der verbotenen Bücher. Auch werden hier die Versammlungen der Congregation der Inquisition gehalten. Die Bibliothek dieses Klosters, an gedruckten Buchern die reichste in Rom, erhob zu ihrer gegenwärtigen Bedeutung der im Jahre 1700 verstorbene

Cardinal Casanata, von dem sie daher den Namen Biblioteca Casanatense fuhrt. Der Bestand derselben wird auf 120,000 Bände
angegeben, ohne die kleinen, in den Miscellaneen befindlichen
Schriften zu rechnen. Sie steht täglich 3 Stunden Vormittags und
2½ Nachmittags zu Jedermanns Gebrauche offen, mit Ausnahme
der Donnerstage, der Sonn- und Festtage und der zu den Ferien
bestimmten Zeiten, die ausser dem ganzen Monat October nicht
von langer Dauer sind.

Piazza della Minerva und Obelisk.

Auf dem Platze, der von der zuvorbetrachteten Kirche den
Namen führt, erhebt sich ein kleiner Obelisk, der im Jahre 1665
im Garten des mit ihr verbundenen Klosters gefunden und zwei
Jahre darauf, auf Veranstaltung Alexanders VII., unter der Aufsicht des Bernini hier aufgerichtet wurde. Er ist vermuthlich nur
der oberste Theil eines dieser ägyptischen Monumente, welches,
den Hieroglyphen desselben zufolge, von dem Könige Psammetichus II. aus der 26sten Dynastie der Neith gewidmet war,
welche für die Athene der Griechen gehalten wurde. Seine Höhe
beträgt etwas uber 21 Palm. Er ruht, vermittelst einer modernen
Basis, auf dem Rücken eines Elephanten, den Ercole Ferrata, ein
Schüler des Bernini, aus weissem Marmor verfertigte. Die Inschriften auf dem Postamente zeigen, dass dieses Thier hier die
Kraft wahrer Weisheit andeuten soll, indem die durch den Obelisken bezeichnete Weisheit der Aegypter von dem stärksten aller
Thiere getragen wird.

Accademia Ecclesiastica.

An demselben Platze der Minerva steht der Palast, in welchem
sich seit dem Jahre 1706 die sogenannte Accademia Ecclesiastica
befindet. Sie ist eine Erziehungsanstalt für adelige, zum geistlichen Stande bestimmte Jünglinge, und als eine Pflanzschule der
Prälaturen und der mit derselben verknüpften hohen geistlichen
Aemter zu betrachten.

S Stefano del Cacco.

Die kleine alte Kirche S. Stefano del Cacco erhebt sich auf
den Trummern eines antiken Gebäudes, welches man fur einen
Tempel der Isis erklärt. Ihren Beinamen hat man von einer Bildsaule des Cacus herleiten wollen, die ehemals bei ihr gestanden
haben soll. Sie zeigt, nach ihrer im Jahre 1607 erfolgten Erneuerung, noch die Form einer Basilica mit drei Schiffen, die
von 12 antiken Saulen — theils von Granit, theils von verschiedenen Marmorarten — getheilt werden. Auf dem Fussboden sind
einige alte Grabmaler und Reste von mittelalterlicher Steinarbeit.

An der Wand über dem Altar des rechten Seitenschiffes sieht man ein sehr verdorbenes Frescogemälde von Perino del Vaga, welches den Leichnam des Erlosers auf dem Schoosse der Mutter Gottes, nebst der h. Magdalena, dem h. Johannes und einem anderen Heiligen vorstellt. Diese Kirche besitzen, seit dem Jahre 1563, die Mönche des Ordens des seligen Sylvester Gazzolini von Osimo.

S. Caterina de' Funari.

Die im Jahre 1564 nach Angabe des Giacomo della Porta erbaute Kirche S. Caterina de' Funari fuhrt diesen Beinamen von den Seilern, welche diese Gegend bewohnten und ihre Arbeiten in dem Umfange des ehemaligen Circus Flaminius verrichteten, in welchem diese Kirche steht. Das Gemälde der h. Margaretha, in der ersten Capelle derselben vom Eingange rechts, ist eine Copie von Lucio Massari, einem Schüler des Annibale Caracci, nach einer Figur dieses Meisters in einem seiner Gemälde im Dome zu Reggio, und mit dem Pinsel desselben übergangen. Von der eigenen Hand des Caracci ist die Krönung der h. Jungfrau in dem Giebelfelde des nach seiner Zeichnung verfertigten Tabernakels, welches jenes Gemälde umgibt. In der folgenden Capelle sieht man den Leichnam des Erlosers mit mehreren Figuren umgeben, in einem Gemalde des Muziano, und einige kleine Frescobilder von demselben Künstler, in denen Wunder des Heilandes vorgestellt sind. Das Gemälde des Hauptaltares, welches die Marter der h. Catharina vorstellt, ist von Livio Agresti; und die Gemälde der letzten Capelle vom Eingange links werden dem Marcello Venusti zugeschrieben. Das mit dieser Kirche verbundene Kloster bewohnen die Augustinerinnen, welche hier die Aufsicht über ein weibliches Erziehungsinstitut führen, in welchem acht Waisen unentgeltlich, und 18 andere Mädchen gegen die monatliche Entrichtung von fünf Scudi aufgenommen werden.

Teatro di Torre d'Argentina.

Das Theater, Teatro di Torre d'Argentina von einem alten, ehemals hier vorhandenen Thurme genannt, gehort der Familie Sforza Cesarini. Es wurde im Jahre 1732, nach Angabe des Pietro Teodoli erbaut, und hat in unsern Zeiten eine neue Vorderseite erhalten.

S Anna de' Funari.

Die alte Kirche S. Anna de' Funari — die wie die obenerwähnte Kirche S. Caterina ihren Beinamen von den ehemaligen Seilern in dieser Gegend erhielt — gehört zu dem Kloster, welches Pius VII., der im vorigen Jahrhundert von einem Maurermeister

Giovanni Borgi gestifteten Anstalt zur Erziehung von Waisenknaben übergab. Sie erhielt von dem genannten Borgi den Namen Ospizio di Tata Giovanni, weil seine Zöglinge, die er seine Kinder zu benennen pflegte, ihn Tata benannten, welches in der römischen Volkssprache Vater (Padre) bedeutet.

Der Ghetto.

Der Ghetto ist der eingeschlossene Bezirk der Stadt, den Paul IV. zur Wohnung der Juden bestimmte, und der ihnen noch gegenwärtig zu ihrem Aufenthalte in Rom angewiesen ist. Vermöge einer von Gregor XIII. gegebenen Verordnung werden sie an ihren Sabbathtagen gezwungen, in der nahe gelegenen Kirche eine Predigt anzuhören, in der ihnen das alte Testament nach der Auslegung der catholischen Kirche erklärt wird.

Piazza delle Tartarughe.

Der Platz vor dem Palast Mattei führt den Namen Piazza delle Tartarughe von dem im Jahre 1585, nach Angabe des Giacomo della Porta, hier errichteten Springbrunnen, an welchem unter dem Becken, aus welchem das Wasser spritzt, vier nackte Jünglinge von Bronze gebildet sind, die mit dem einen Fusse auf Delphinen ruhen und den einen Arm nach den Schildkröten auf dem Rande des Wasserbeckens erheben. Sie sind Werke des florentinischen Bildhauers Taddeo Landini und in dem Zeitalter ihrer Verfertigung durch guten Styl ausgezeichnet.

Palast Costaguti.

Der an dem vorerwähnten Platze gelegene Palast des Marchese Costaguti, ehemals der Familie Patrizi, wurde um das Ende des 16ten Jahrhunderts, nach Angabe des Carlo Lombardi, erbaut. Im ersten Stockwerke desselben sind einige Deckengemälde von verschiedenen Künstlern zu bemerken. Im ersten Zimmer sieht man den Hercules, der gegen den die Dejanira raubenden Nessus den Bogen spannt, von Albano. — Das Gemälde des zweiten Zimmers von Lanfranco ist durch ein Erdbeben im Jahre 1805 bis auf wenige Reste herabgefallen. — Das Gemälde des dritten Zimmers, von der Hand des Domenichino, ist das berühmteste dieser Deckenbilder, obgleich es nicht unter die besseren Werke dieses Kunstlers gehoren dürfte. Der Gegenstand desselben ist der Sonnengott auf einem mit vier Pferden bespannten Wagen, zu dem sich, als zu dem Lichte des Tages, die Wahrheit in der Gestalt einer weiblichen Figur, mit Beistand der sie entdeckenden Zeit erhebt, die als ein bärtiger Alter mit Flugeln gebildet ist. Dabei einige Genien, deren Attribute sich auf diese Vorstellung beziehen. — In dem Gemälde des folgenden Zimmers ist von

Guercino, Armida mit dem schlafenden Rinaldo, auf ihrem mit
Drachen bespannten Wagen, in einer für Frescomalereien nicht
gewöhnlichen Kraft der Farbe dargestellt. — Im fünften Zimmer:
Juno, welche den jungen Hercules säugt, im Beiseyn des Jupiter,
Mercur und Mars, von Arpino. — Im sechsten die Vereinigung
des Friedens mit der Gerechtigkeit; angeblich von Lanfranco; —
und in dem siebenten Arion auf einem Delphin von Romanelli.
— Die noch vorhandenen Oelgemälde dieses Palastes sind sammtlich unbedeutend, ungeachtet sie beruhmten Meistern zugeschrieben
werden; mit Ausnahme jedoch eines schonen Bildnisses, angeblich
eines Herzogs von Ferrara, in schwarzer Kleidung. Es wird dem
Tizian, wir zweifeln jedoch ob mit Recht, zugeschrieben.

Palast Mattei.

Die nach Verlauf der ersten Hälfte des 16ten Jahrhunderts
erbauten funf Palaste der Familie Mattei — die nach dem Aussterben derselben an verschiedene Besitzer gekommen sind —
bilden eine grosse freistehende Masse von Gebäuden. Unter ihnen
ist nur der grosste dieser Palaste — welcher der Kirche S. Catarina de' Funari gegenuber liegt, und nach Angabe des Carlo
Maderno aufgeführt worden ist — insbesondere wegen der antiken
Bildwerke zu betrachten, die man, von der von Venuti und Ama-
duzzi bekannt gemachten Sammlung der Familie Mattei, noch in
den beiden Höfen und Hallen dieses Gebäudes sieht. Wir haben
uns hier nur auf eine kurze Anzeige der merkwürdigsten derselben
zu beschranken.

Im ersten Hofe: Zwei Rankengewinde von schöner Arbeit
von halbzirkliger Form, die angeblich in den Trümmern des
Circus Flaminius gefunden wurden, wo sie zur Verzierung der
Carceres dienten. — Relief von roher Arbeit; ein Bauer, welcher
geschlachtetes Vieh auf einem Wagen fuhrt; zu bemerken wegen
des Ungewohnlichen der Wagenrader ohne Speichen, und der
Stiefeln des Bauern.

Im zweiten Hofe folgende Reliefs: Spielende Amoren in
einer anmuthigen Composition, welche an eine ähnliche Vorstellung
eines Reliefs der Villa Albani erinnert. — Der Raub der Proserpina; zu bemerken wegen der minder gewohnlichen Pferde, anstatt der Drachen am Wagen der Ceres, und der vor diesem
Wagen erscheinenden Frau mit einem wallenden Schleier, die
vielleicht eine Hora vorstellt. — Die Geburt der Venus aus dem
Schaume des Meeres. — Perseus mit dem Medusenhaupte in Begleitung der Minerva. — Derselbe die Andromeda befreiend. —
Die Gefangenschaft des Orest und Pylades in Tauri. — Neptun
mit dem Dreizack auf der Schulter, im Tempelstyle. — Hercules
mit einem Apfel in der einen und einem Fullhorne in der anderen

Hand; neben ihm eine Frau, vermuthlich Dejanira. — Eine auf
ein Gymnasium bezügliche Vorstellung. — Ein Dichter neben der
Minerva in der Mitte der neun Musen. — Die schöne, auch im
Capitol befindliche Gruppe des von einigen Männern getragenen
Leichnams des Meleager; Fragment einer Vorstellung der Leichen-
bestattung dieses Helden. — Die drei Grazien, nebst der zweimaligen Vorstellung des Amor und der Psyche und vier anderen
Amoren. — Ein dem Jupiter dargebrachtes Opfer, dessen Bildsäule sich in der Mitte dieser Composition auf einer Saule erhebt.
— Sarcophagplatte, dessen Vorstellung sich auf die Einweihung
des Verstorbenen in die Mysterien zu beziehen scheint. Unter
den Figuren dieser Composition ist, an dem einen Ende derselben,
Bacchus durch den Thyrsus bezeichnet, und an dem anderen
Nemesis zu bemerken, die hier ganz nackt, mit den Füssen auf
dem Rade des Schicksals ruhend, gebildet ist. — Der Raub der
Proserpina; zu bemerken wegen der in dieser Vorstellung nicht
gewöhnlichen beiden Victorien. Die eine, in kleiner Gestalt, erscheint in dem hier ebenfalls mit Pferden bespannten Wagen der
Ceres: die andere, vor demselben, in der Grösse der übrigen
Figuren, scheint mit der Rechten nach dem auf einer Anhöhe
sitzenden Jupiter hinzuzeigen, welchen der Donnerkeil und der
Adler bezeichnet. — Die Vermahlung des Peleus mit der Thetis;
ein wegen der Vorstellung sehr merkwürdiges Relief.

In der Halle des Hofes: Ein bacchischer Zug, in welchem
eine Frau, vermuthlich Ariadne, auf einem mit zwei Löwen bespannten Wagen und Silen, reitend auf einem Esel, erscheint. —
Ein Dichter, sitzend in der Mitte der neun Musen. — Zwei der
gewohnlichen Vorstellungen der Nereiden und Tritonen in Begleitung von Amoren. — Die bekannte Vorstellung des Mithras,
welcher den Stier tödtet. — Der Raub des Hylas durch die
Nymphen. — Em Kaiser in Begleitung der Roma auf der Löwenjagd.

Im Thorwege: Fünf in Arcaden vorgestellte Gruppen, die
sich auf Liebschaften der Gotter beziehen. In der mittleren dieser
Gruppen Mars und Venus. Neben derselben, vom Beschauer
links, Mars und Rhea Sylvia, und Venus und Anchises; rechts
Amor und Psyche, und zwei Amoren mit den Waffen des Mars;
in den Zwickeln zwischen den Arcaden, in Muscheln blasende
Amoren.

Auf der Treppe: Ein Kaiser auf der Löwenjagd, ebenfalls
in Begleitung der Roma. — Die Vermählung des Peleus mit der
Thetis, in einer von der obenerwähnten Darstellung dieses Gegenstandes nicht in den Stellungen der Hauptfiguren, aber in den
Nebenfiguren bedeutend abweichenden Composition. Dieses Bildwerk gehörte unstreitig zu einem Sarcophage, welcher die Gebeine

eines Ehepaares bewahrte, dessen Verbindung hier in der Vorstellung einer berühmten Vermahlung der Gotter- und Heroenwelt verherrlicht werden sollte. Die Gesichtsbildungen des Peleus und der Thetis haben den Character von Bildnissen. Jener ist hier bartig vorgestellt, und jene zeigt einen falschen Haaraufsatz aus der späteren Kaiserzeit.

Noch sieht man auf dieser Treppe eine Bildsäule des Jupiter, eine der Fortuna und zwei marmorne Sessel ohne Lehne, die auf dem Cälius in den Ruinen des antiken Gebäudes gefunden wurden, welches zur Aufbewahrung der wilden Thiere für das benachbarte Amphitheater diente. Auf dem einen derselben sind drei Amoren gebildet, von denen der eine die Cymbeln schlagt, der andere einen Fruchtkorb hält und der dritte einen Silen unterstützt.

In der oberen Halle des Palastes: Sarcophagplatte, welche die Brustbilder eines Ehepaares, auf einer runden Scheibe, von den Genien der Jahreszeiten umgeben vorstellt. Unter der Scheibe vier andere Genien, welche Wein keltern. — Ein Relief, welches einen alten Mann niedergeworfen vor einem brennenden Altare zeigt, von drei Kriegern umgeben, von denen der eine im Begriff ihn zu tödten scheint. Ein auf einem Tribunale sitzender Mann, der eine Bücherrolle hält, ist nach dieser Scene gewandt. Ein anderer, vor ihm stehend, scheint mit ihm zu sprechen; hinter demselben steht ein Soldat. — Ein kleiner Sarcophag, auf welchem mit der Weinlese beschäftigte Genien gebildet sind; dabei ein Altar vor einer Herme des Priapus.

Die Decken der Zimmer des ersten Stockwerkes sind mit Frescogemälden von verschiedenen Malern geschmückt. Man sieht unter denselben, in einem kleinen Zimmer, von Domenichino die Vorstellung des Jacob und der Rahel am Brunnen, von grau in grau gemalten nackten Figuren und vier kleinen Bildern umgeben, von denen zwei ebenfalls grau in grau, die beiden andern aber in Bronzefarbe gemalt sind. Ihre Gegenstande sind: Moses, der an den Felsen schlägt; — die Errichtung der ehernen Schlange; — Das Opfer Caius und Abels; — und der Mord des letzteren. — Das Gemälde des Isaak, welcher dem Jacob den Segen der Erstgeburt ertheilt, an der Decke eines anderen Zimmers, scheint mit Unrecht ebenfalls dem Domenichino zugeschrieben zu werden.

S Marco.

Die von dem h. Papst Marcus im Jahre 336 erbaute Kirche, welche Marcus dem Evangelisten geweiht ist, erhielt ihren heutigen Umfang durch den neuen Bau derselben, den Gregor IV. zwischen den Jahren 827 und 844 unternahm. Bei der Erneuerung dieser Kirche, die der Cardinal Pietro Barbo, nachmaliger Papst

Paul II., nach Angabe des Giuliano da Majano, veranstaltete, wurde die heutige, aus zwei übereinander stehenden Reihen von Arcaden bestehende Vorderseite aufgeführt, welche auch die Vorhalle der Kirche begreift. Aus derselben Zeit ist, wie die Wappen des genannten Cardinals zeigen, die marmorne Thurbekleidung des mittleren Einganges der Kirche. Der Fries ihres Gebälkes, welches sich auf zwei corinthischen Pilastern von Paonazetto erhebt, ist mit Fruchtgewinden von schoner Arbeit verziert; und in der Lunette über diesem Gebälke ist in einem erhobenen Werke der Evangelist Marcus, sitzend auf dem bischoflichen Stuhle, vorgestellt. Unter den Resten von Schnitzwerken an den Thuren der beiden Seiteneingänge sind ebenfalls die Wappen des Cardinals Pietro Barbo zu bemerken.

Das Innere der Kirche, zu der von der Vorhalle sieben Stufen hinabführen, hat, durch die letzten von dem venezianischen Botschafter Niccolo Sagredo und von dem Cardinal Quirini veranstalteten Erneuerungen, in den meisten ihrer Theile ein geschmackloses Ansehen erhalten. Zwanzig Säulen von Backsteinen stehen an den Pfeilern des Hauptschiffes, an der Stelle der bei der letzten dieser Erneuerungen weggenommenen Granitsäulen. Die auf himmelblauem Grunde mit Rosetten in Cassettoni geschmückte Decke dieses Schiffes, aus der Zeit Pauls II., zeigt den schonen Geschmack des 15ten Jahrhunderts. Die Capellen der Seitenschiffe zeigen wenig Merkwurdiges. Das Gemälde der Auferstehung Christi, welches von einigen dem Palma, von Anderen dem Tintoretto zugeschrieben wird, in der ersten Capelle vom Eingange rechts, ist so schwarz geworden, dass man wenig mehr davon erkennt. Die Anbetung der Konige in' der dritten Capelle auf derselben Seite ist von Carlo Maratta, und das Altarbild der dritten Capelle vom Eingange links von Ciro Ferri.

Der hintere, durch neun Stufen erhohte Theil der Kirche begreift das Presbyterium nebst den demselben zu beiden Seiten befindlichen Capellen. Hier ist noch grosstentheils die mittelalterliche Steinarbeit des Fussbodens erhalten, von der auch im Hauptschiffe noch ein Rest erscheint. In einer kleinen Nische, am Anfang der gedachten Stufen, sind erhobene Werke von mittelmässiger Arbeit, die, wie das Wappen unter dem hier zur Aufbewahrung des h. Oels dienenden Tabernakel zeigt, der mehrerwahnte Cardinal Barbo verfertigen liess. Neben diesem von vier Engeln umgebenen Tabernakel ist auf der einen Seite Abraham gebildet, der von Melchisedech Brod und Wein empfängt, und auf der anderen Esau, welcher nach dem verlorenen Segen der Erstgeburt seinem Vater das von ihm verlangte Wildpret auf einer Schüssel uberbringt.

Unter dem Hauptaltare bewahrt man in einer Prophyrwanne

die Gebeine des h. Papstes Marcus. Die vier Porphyrsäulen von dem ehemaligen Tabernakel dieses Altares stehen jetzt zu beiden Seiten des Chores. Im Presbyterium steht eine kleine Saule, welche zum Leuchter der Osterkerze dient, von einem seltenen Marmor, Breccia corallina genannt. Am Bogen und am Gewolbe der Tribune sind die wegen ihres Alterthums merkwürdigen Mosaiken aus der Zeit Gregors IV. bemerkenswerth. Ueber dem Bogen sieht man in Rundungen das Brustbild des Erlösers zwischen den symbolischen Bildern der Evangelisten. Zu beiden Seiten des Bogens zwei Manner mit Bucherrollen, vermuthlich die Apostel Petrus und Paulus. Am Gewölbe der Heiland, welcher die Rechte zum Segen erhebt und in der Linken ein geoffnetes Buch halt, welches die Worte zeigt: Ego sum lux. Ego sum vita. Ego sum resurrectio. Ueber seinem Haupte die den ewigen Vater bezeichnende Hand, und unter dem Piedestale seiner Figur, auf welchem die Buchstaben Alpha und Omega stehen, der Phönix als Symbol der Unsterblichkeit. Dem Erlöser zu beiden Seiten stehen, durch ihre Namen bezeichnet: der h. Felicissimus, Marcus der Evangelist, Gregor IV. mit einem Gebäude zur Andeutung dieser von ihm neu erbauten Kirche, der b. Papst Marcus, der erste Erbauer derselben, der h. Agapetus und die h. Agnes. Unter der bekannten Vorstellung des Erlosers und der Apostel unter dem Bilde von Lämmern steht eine Inschrift in Versen, und im Bogen der Tribune der Name des Papstes Gregorius. Das mittlere der drei Gemälde an der unteren Wand derselben ist von Romanelli: die beiden anderen von Bourgignon, der auch die Gemälde der Seitenwände in der Capelle der Tribune zur Rechten ausgeführt hat. Ueber dem Altare dieser nach Angabe des Pietro da Cortona gebauten Capelle ist ein schones Gemalde zu bemerken, welches den h. Papst Marcus, sitzend auf dem bischöflichen Stuhle, die Hand zum Segen erhebend vorstellt. Man hat es dem Perugino mit Unrecht zugeschrieben: denn es erinnert vielmehr an die venezianische Schule.

Palazzo di Venezia.

Bei der Erneuerung dieser Kirche unternahm Paul II., ebenfalls nach Angabe des Giuliano da Majano, auch die Erbauung des mit ihr verbundenen Palastes, der nachmals durch den Cardinal Lorenzo Cibo vergrössert wurde. Nachdem er den Papsten zuweilen zum Sommeraufenthalte gedient hatte, schenkte ihn Pius IV. der venezianischen Republik, von welcher er einen Palast in Venedig für den päpstlichen Nuncius daselbst erhalten hatte. Seitdem erhielt er den Namen Palazzo di Venezia, indem man ihn zuvor Palazzo di S. Marco benannte; und es bewohnten ihn die venezianischen Botschafter am romischen Hofe und die

Cardinaltitularen der Kirche S. Marco, zu deren Besitz ebenfalls diese Republik gelangte. Nach ihrem Untergange ist er mit den Staaten derselben an den Kaiser von Oesterreich gekommen und wird von dessen Botschafter bewohnt. Die Kirche aber ist wieder zurück an den Papst gefallen.

Dieser grosse und schöne Palast zeigt den festungsähnlichen Character der Paläste des italienischen Mittelalters. Auf dem flachen, mit Zinnen umgebenen Dache erhebt sich ein Thurm, der unter Pius IV. in einem von dem Uebrigen des Gebäudes verschiedenen Style erneuert wurde. Die Aussenseite des Palastes ist zum Theil durch die später unregelmässig angebrachten Fenster verunstaltet. Der grosse Hof ist nicht ausgebaut und nur ein geringer Theil der Hallen, die ihn umgeben sollten, zu Stande gekommen. Ein kleinerer Hof zeigt in einem schönen Style zwei übereinander stehende Reihen von Hallen, deren Arcaden in der unteren von achteckigen, und in der oberen von corinthischen Säulen getragen werden. Ein über zwei Strassen gebauter Gang führt von diesem Palaste zu dem Gebäude des Klosters S. Maria Araceli, wo die Päpste ebenfalls eine Wohnung hatten, zu der sie von hier vermittelst dieses Ganges gelangen konnten.

S. Maria in Via Lata.

Die Kirche S. Maria in Via Lata, welche diesen Beinamen von der so benannten Strasse des alten Roms führt, ist eine der ältesten römischen Diaconien. Ihre Erbauung wird, nach einer unsicheren Tradition, Sergius I. (687 — 701) zugeschrieben. Innocenz VIII. unternahm im Jahre 1491 einen neuen Bau dieser Kirche, die, nach den unter Urban VIII. und Alexander VII. erfolgten Erneuerungen, zwar noch die Form einer Basilica, aber in einem ganz modernen Character zeigt. Die Vorderseite mit zwei übereinander stehenden Säulenhallen hat Pietro da Cortona angegeben. Das Innere der Kirche ist reich mit Marmor und Vergoldungen, aber im schlechten Geschmack, nach Angabe des Cosimo da Bergamo verziert. Die zwolf Säulen von Cipollino, welche das Gebäude in drei Schiffe theilen, sind mit sicilianischem Jaspis überzogen worden. Die Malereien der Decke des Hauptschiffes sind von Brandi, die an der Tribune von Camassei, und die übrigen Gemalde der Kirche von verschiedenen, ebenfalls nicht bedeutenden Malern.

Von der Vorhalle führt eine Treppe zu dem Oratorium hinab, welches die HH. Paulus und Lucas in dem von ihnen bewohnten Hause gestiftet haben sollen, in welchem, nach dieser Tradition, auch die HH. Petrus und Martialis ihre Wohnung genommen hatten. Dass es in einem Gebäude des alten Roms angelegt wurde, erhellt aus der Beschaffenheit der aus Travertinquadern aufgeführten Mauern, die hier zu bemerken sind und, wie in der allgemeinen Einleitung (§. 22.) gezeigt worden ist, zu den Hallen der Septa Julia gehorten. Es wird daselbst ein Brunnen gezeigt, der auf das Wort des h. Paulus zur Taufe der von ihm Bekehrten entstand, und der Ort des Marienbildes, welches der heil. Lucas fur dieses Gotteshaus gemalt haben soll, und das man gegenwärtig uber dem Hauptaltare der oberen Kirche verehrt. Auf einem kleinen, mit Steinarbeit ausgelegten Altare von weissem Marmor hat angeblich der h. Gregor Messe gelesen. Auch sieht man hier eine Granitsaule mit einer eingehauenen Vertiefung in Form eines Kreuzes, welches vermuthlich von Metall zum Andenken der Kirchweihe eingesetzt war. Die Capelle, in welcher gegenwartig Gottesdienst gehalten wird, zeigt nichts Alterthumliches. Ueber dem Altare derselben ist ein Relief von Fancelli.

Palast Doria, ehemals Panfili.

Der Palast, ehemals Panfili, jetzt Doria, begreift drei verschiedene, mit einander verbundene Gebäude. Das prächtigste derselben, welches ehemals den Herzogen von Urbino gehorte — am Corso, neben S. Maria Lata — erhielt seine heutige Gestalt auf Veranstaltung des Fursten D. Camillo Panfili, nach Angabe des Valvasori, nachdem von ihm das nach dem Collegio Romano gelegene Gebäude nach dem Plane des Borromini erbaut worden war. Das dritte dieser Gebäude am venezianischen Platze erbaute der letzte Fürst aus dem Hause Panfili nach Angabe des Paolo Amati. Der erstgenannte Palast ist durch die Gemäldesammlung beruhmt, die unter die bedeutendsten der römischen Grossen gehört, und die wir nun zu betrachten haben.

Im ersten Zimmer — welches nun zur Wohnung des Prinzen gehort und daher den Fremden nicht mehr gezeigt wird — ist eine Sammlung von Landschaftsgemalden in Wasserfarben. Die meisten und bedeutendsten derselben sind von Caspar Poussin.

Von demselben Kunstler sind auch die meisten der, landschaftliche Gegenstände vorstellenden Oelgemälde, in dem darauf folgenden Saale, welcher daher Sala di Pussino genannt wird. Nicht von seiner Hand sind die in Figuren in Lebensgrosse vorgestellten geistlichen Gegenstände in den sehr grossen Landschaftsgemalden der obersten Reihe dieser Bilder. — Das Gemalde in derselben Reihe, in welchem eine Turkin zu Pferde erscheint, ist von Castiglione. — In zwei Landschaften von Hermann Schwanefeld, in Italien Giacomo Eremita genannt, werden die menschlichen Figuren mit Unrecht dem Nicolaus Poussin zugeschrieben. — Auch sieht man hier einige Bilder von Heinrich Roos, von den Italienern Rosa di Tivoli genannt.

Im dritten Zimmer: Die h. Dorothea, der ein Engel die Martyrerkrone darbringt; dabei der Henker mit dem Schwerte, von Lanfranco. — Ein Morgenländer zu Pferde, auf die Jagd gehend, von zwei seiner Diener, welche Hunde fuhren, begleitet; ein grosses Gemälde von Castiglione. — Eine grosse schöne Landschaft von Caspar Poussin; eine Wiederholung in Oelfarben eines von demselben Künstler in Wasserfarben ausgefuhrten Gemäldes im ersten Zimmer dieser Gallerie. — Maria mit dem Christuskinde und Johannes dem Taufer; ein kleines Gemalde von Giovanni Bellini mit dem Namen desselben. Der gelbbraune Farbenton ist unstreitig dem auf diesem Gemälde liegenden Firniss und Schmutz zuzuschreiben. — Calathea auf dem Meere mit Nymphen und Tritonen; am Ufer Polyphem, von Lanfranco. — Mehrere, dem Caspar Poussin zugeschriebene Landschaften; — einige andere von Johann Both; — zwei von Paul Brill. — Die Vorstellung eines Ungewitters von Tempesta; — und mehrere Gemalde von Jacob Bassano.

Im vierten Zimmer: Maria mit dem Christuskinde, die h. Anna und die Heiligen Joseph und Joachim; ein kleines Bild von Garofalo. — Ein schönes mannliches Bildniss, angeblich von Giorgione. — Ein schlafender Endymion von Guercino. — Ein schönes Brustbild einer Frau mit einem Perlenhalsbande und Spitzenkragen; angeblich von Tizian. — Das Bildniss des berühmten Macchiavell, von einem nicht bekannten Meister. — Caius Brudermord, Figuren in Lebensgrösse, von Salvator Rosa. — Die vortrefflichen Bildnisse von zwei Männern in halben Figuren, in schwarzer Kleidung und Mütze auf Einem Gemalde, welches dem Raphael zugeschrieben wird und auch dieses grossen Künstlers würdig scheint, obgleich die in das Ziegelrothe fallende Carnation mehr dem Giulio Romano entspricht. Völlig grundlos ist ohne Zweifel die gewohnliche Meinung, dass hier die beiden beruhmten Rechtsgelehrten des 14ten Jahrhunderts, Bartolo und Baldo, vorgestellt sind. — Bildniss eines schwarz gekleideten, in einem Lehnstuhle sitzenden Mannes, welches man mit Recht dem Tizian zuschreibt, dabei aber wenig zeitgemäss für das Bildniss des berühmten Jansenius erklart, dessen Geburt erst neun Jahre nach dem Tode jenes Künstlers erfolgte. — Die klagende Mutter Gottes, in deren Schoosse der Leichnam des Erlösers ruht, nebst zwei kleinen Engeln, von denen der eine mit der Empfindung des Schmerzes die Dornenkrone des Heilandes berührt; eines der vorzüglichen Gemälde des Annibale Caracci. — Ein kleines Bild, vermuthlich von Perin del Vaga, welches die Galathea, oder vielleicht die Venus, auf dem Meere, stehend in einer von Delphinen gezogenen Muschel vorstellt.

Zwei Bildnissgemälde in der Manier des Van Dyk, von

diesem Künstler vielleicht während seines Aufenthaltes in Italien verfertigt, als er noch nicht zu der nachmaligen Ausbildung gelangt war. Das eine zeigt einen Mann mit einem grossen runden Halskragen; das andere einen Mann, den das Buch in seiner Hand mit dem Titel Corpus Juris als einen Rechtsgelehrten bezeichnet. — Das Bildniss einer bejahrten Frau in schwarzer Kleidung mit einem runden weissen Halskragen wird ebenfalls dem Van Dyk zugeschrieben, ist aber wahrscheinlicher von der Hand eines anderen niederländischen Künstlers dieser Zeit. — Hagar mit dem Ismael in der Wüste und der Engel, der ihr den Wasserquell zeigt, von Caravaggio. — Bildniss einer Frau im vorgeruckten Alter, angeblich von Rubens. Für ein Werk desselben Kunstlers wird auch hier ein grosses Gemälde ausgegeben, welches Diana und Endymion vorstellt. — Isaaks Opfer; ein grosses Bild von Castiglione.

In demselben Zimmer war auch einige Zeit das Bildniss des berühmten Andreas Doria von Sebastiano del Piombo aufgestellt, welches nun in das Zimmer der Fürstin gebracht worden ist; ein Gemälde, welches unter die vorzüglichsten Meisterwerke der Bildnissmalerei gehört und durch Darstellung der Individualität eines grossen Mannes von einem grossen Kunstler einen höchst ausgezeichneten Kunstgenuss gewahrt.

Im fünften Zimmer: Zwei Bildnisse, die hier für Werke des Rubens ausgegeben werden, sind vermuthlich Copien nach demselben. Zwei andere Bildnisse eines Mannes und einer Frau erklart man für den Holbein und dessen Gattin, von der Hand dieses beruhmten Künstlers. Da derselbe aber im Jahre 1554 starb, so ist schon die auf dem einen dieser Gemälde stehende Jahrzahl 1575 hinlänglich, um den gänzlichen Ungrund dieser Erklärung zu beweisen. — Wir erwähnen ubrigens noch in diesem Zimmer: ein grosses Gemälde von Calabrese, welches den Heiland vorstellt, der den in dem Bauche eines Fisches gefundenen Stater zum Zinsgroschen entrichtet; — und zwei Gemälde von Jacob Bassano.

Im sechsten Zimmer: Der h. Hieronymus von Spagnoletto. — Jupiter und Juno in halben Figuren von Guido Cagnacci. — Zwei Gemälde von Caravaggio. In dem einen ist eine Krauter- und Fruchthandlerin, in dem anderen ein Fischhändler vorgestellt. — Ein kleines Gemälde von Garofalo. Auf dem oberen Theile des Bildes erscheint die h. Jungfrau mit dem Christuskinde und die h. Elisabeth mit dem kleinen Johannes dem Taufer in einer himmlischen Glorie; unten verehren zwei heilige Franciscanermonche diese himmlische Erscheinung. — Der h. Hieronymus in der Wuste mit einem aufgeschlagenen Buche; ein gutes Gemälde, vermuthlich von dem jungeren Palma.

In der Gallerie, welche den vorderen Hof des Palastes umgibt.

Im ersten Arme derselben, vom Eingange aus dem letzterwähnten Zimmer links: Der Streit des Heilandes mit den Schriftgelehrten; ein kleines, geistvoll ausgeführtes Bild, angeblich von Dosso Dossi, wahrscheinlicher von Mazzolino da Ferrara. — Zwei Schlachtengemälde von Bourgignon. — Drei schöne Landschaften von Domenichino. In der grösseren, in welcher ein Fluss erscheint, sind einige Personen auf der Wasserjagd begriffen. In der einen der beiden kleineren sieht man den Engel mit dem Tobias, und in der anderen Rinder und Schafe nebst drei menschlichen Figuren. — Der Besuch der Maria bei Elisabeth von Garofalo; wohl ohne Zweifel das vorzüglichste Gemalde dieses Künstlers in Rom. Der Gegenstand ist bedeutend und würdig dargestellt, und das Colorit zeigt ausgezeichnete Kraft und Harmonie in der Zusammenstellung schöner und prächtiger Farben. — Brustbild der h. Jungfrau im Ausdruck der Andacht, von Sassoferrata. — Die h. Magdalena in halber Figur; ein Gemalde von vorzüglicher Farbe, angeblich von Tizian. — Ein vortreffliches Bild von Claude le Lorrain, welches eine reizende Gegend darstellt, in welcher nach dem Hintergrunde am Ufer eines Flusses eine Muhle erscheint; das vorzüglichste unter den noch in Rom vorhandenen Gemälden dieses ausgezeichneten Landschaftmalers. — Sechs Gemalde von gleicher Grösse in halbzirkliger Form von Annibale Caracci, welche in schön gedachten Landschaften folgende christliche Gegenstande zeigen: Die Flucht nach Aegypten; — den Besuch der Maria bei Elisabeth; — die Himmelfahrt der Maria; — die Grablegung Christi; — dessen Geburt; — und die Anbetung der Könige. — Die Ruhe auf der Flucht nach Aegypten; ein Gemälde von Caravaggio, welches, in der Darstellung des Gegenstandes und der Bildung der Figuren, der gewohnliehen Gemeinheit des Kunstlers in geistlichen Vorstellungen entspricht, in Hinsicht der Farbe aber unter seine vorzuglichen Werke gebört. — Die Versuchung des h. Antonius und der h. Ludwig, König von Frankreich, Almosen austheilend; zwei kleine Gemalde von Mantegna. — Drei kleine Landschaften von Johann Both und eine andere von Paul Brill. In der letzteren erscheint Christus auf dem Wege nach dem Calvarienberge. — Zwei kleine Bilder aus der altdeutschen Schule, die ohne Grund dem Albrecht Durer zugeschrieben werden. In dem einen sieht man die heil. Jungfrau mit dem Kinde in dem Inneren einer gothischen Kirche, in dem anderen einen knieenden Ritter in einer Landschaft. Bei ihm steht ein Eremit, der ein geöffnetes Buch halt, nebst einem Hunde. — Zwei Gemalde von Annibale Caracci, ebenfalls von geringer Grösse. In dem einen ist der heil. Franciscus sterbend, von zwei Engeln unterstützt, in dem anderen dieser Heilige betend vor einem Crucifix vorgestellt. — Der Heiland zu Emaus mit den beiden Jungern, von Lanfranco. — Loth mit seinen Töchtern, von Gerhard Honthorst. — Erminia, welche den durch schwere Verwundung todt scheinenden Tancred beklagt, von Guercino. — Der h. Rochus, den ein Engel von seinen Wunden heilt, von Schidone. — Eine Landschaft von Claude le Lorrain, in der Grösse der vorerwahnten, in der Composition nicht von gleicher Schonheit mit jener, aber ebenfalls in der Farbenwirkung vortrefflich. Den Hintergrund bildet das Meer, in welchem sich die Sonne spiegelt. An der Seite, vom Beschauer rechts, ist in einem Gebäude, welches eine Kuppel zeigt, der Tempel des Apollo zu Delphi vorgestellt, bei welchem zahlreiche Personen versammelt sind, während andere mit Opfergaben dahin wandern. — Ein Jüngling, welcher in einem Buche liest, von Guercino. — Ein nur angelegtes Gemälde in Wasserfarben, von Correggio, welches die von dem Ruhme gekronte Tugend nebst einigen anderen allegorischen Figuren vorstellt.

Der zweite Arm der Gallerie, an dessen Wänden sich grosse Spiegel befinden, ist ohne Gemalde.

Im dritten Arme: Eine Landschaft, in welcher die Ruhe auf der Flucht nach Aegypten vorgestellt ist; angeblich von Claude le Lorrain, wahrscheinlicher von einem Nachahmer desselben. — Christus am Oelberge; ein kleines Bild aus der Schule des Michelagnolo und vielleicht von der Erfindung desselben. — Die reuige Magdalena in halber Figur, angeblich von Murillo. — Der Kindermord von Luca Giordano. — Johannes, der Evangelist, welcher die vor ihm erscheinende Vision der Apocalypse beschreibt, und die Vorstellung des irdischen Paradieses; zwei schöne kleine Gemalde von Johann Breughel. — Drei Gemalde von Guercino: der verlorne Sohn; die h. Agnes auf dem Scheiterhaufen: und Johannes der Taufer in der Wuste, aus einem Felsenquell Wasser schöpfend. — Zwei Landschaften von Claude le Lorrain, vermuthlich aus seiner früheren Zeit und von weit minderer Schonheit als die beiden oben erwahnten grosseren Gemalde dieses Meisters. In der einen ist Mercur vorgestellt, der dem auf der Violine spielenden Apollo die Rinder stiehlt; in dem anderen erscheinen zwei Manner, der eine mit einem Schwerte, der andere mit einer Lanze, und drei Frauen, von denen die eine mit Bogen und Kocher vermuthlich die Diana vorstellt. — Die h. Magdalena in einer schon gedachten Landschaft; ein kleines Gemalde von Annihale Caracci. — Der Untergang Pharaos im rothen Meere, auf Stein gemalt von Tempesta. — Ein kleines Bild von Johann Breughel: Die h. Jungfrau mit dem Christuskinde, in einer Landschaft, mit Blumen und von einigen Thieren umgeben: im Hintergrunde

Joseph; ganz in der Ferne die Verkündigung der Hirten. —
Die heil. Jungfrau, welche das schlafende Christuskind verehrt;
ein Gemälde in ovaler Form von Guido Reni. — Das Bildniss
Innocenz X., fast in ganzer Figur, von Diego Velasquez; ein sehr
ausgezeichnetes Werk, sowohl wegen des lebendigen Ausdrucks
des individuellen Characters, als wegen der meisterhaften Behandlung und der ungemeinen Kraft und Harmonie der Farbenwirkung.
— Judith in lebensgrosser Figur, mit dem Haupte des Holofernes
in der Hand; ein Gemalde, welches dem Guido Reni, wir zweifeln,
ob mit Recht, zugeschrieben wird. — Die h. Jungfrau mit dem
Christuskinde und der heil. Joseph, von Sassoferrata. — Die heil.
Jungfrau mit dem in einer Wiege liegenden Christuskinde: ihr
zu beiden Seiten die Heiligen Nicolaus und Franciscus; ein kleines
Bild von Lodovico Caracci. — Belisar als Bettler, nach der be-
kannten Sage, in einer Landschaft, von Salvator Rosa. — Eine
Landschaft von Johann Both. In derselben der Heiland, zu dessen
Dienst die Engel erscheinen. — Zwei Bildnissgemälde einer älteren
und einer jüngeren Frau, die letztere mit einem Buche in der
Hand; angeblich von Lucas von Leyden. — Zwei Männer, welche
Geld vor sich haben, mit Beuteln in den Handen: zwei andere
hinter ihnen scheinen sie als Geizige zu verspotten; ein Carricatur-
gemälde, angeblich von Quintin Messis. — Die h. Jungfrau mit
dem Kinde zwischen zwei Heiligen: ein Gemälde von Francesco
Francia mit dem Namen dieses Kunstlers. — Die heil. Jungfrau
mit dem schlafenden Christuskinde und zwei andere Heilige in
halben Figuren, von Lodovico Caracci. — Die Geburt Christi,
wobei ausser Maria und Joseph, auch der kleine Johannes der
Taufer, die h. Magdalena und der h. Franciscus erscheinen; ein
Gemalde, welches dem Garofalo zugeschrieben wird, ihm aber
mehr in der Farbe, als im Style und im Character der Form
entspricht. Drei kleine Bilder in diesem Arme der Gallerie gebören unter die vielen angeblichen Werke dieses Malers, die von
Schülern und Nachahmern desselben herruhren.

Im vierten Arme der Gallerie: Die h. Jungfrau mit dem
schlafenden Christuskinde, von Carlo Maratta. — Die schmerzens-
volle Mutter Gottes, angeblich von Bronzino. — Die allegorischen
Vorstellungen der vier Elemente in vier Gemälden von gleicher
Grösse; vermuthlich nicht von Johann Breughel, sondern von
dessen Bruder Abraham, einem minder vorzuglichen Maler, der
viele Gemalde in Rom und Neapel verfertigte. — Zwei schöne
kleine Landschaften von Domenichino. In der einen sieht man
einen die vorübergehenden Personen um Almosen ansprechenden
Eremiten, sitzend unter einem Baume, an welchem ein Marienbild
befestigt ist. In der anderen sind einige Personen an einem
Flusse. Ein Mann trägt eine Frau durch das Wasser nach dem

jenseitigen Ufer, während ein anderer die Strümpfe auszieht, um
einer anderen Frau dieselbe Hülfe zu leisten. — Susanna mit den
beiden Alten; ein kleines Bild von Annibale Caracci. — Die heil.·
Jungfrau mit dem Kinde, nebst dem h. Joseph und zwei anderen·
heiligen Frauen; ein kleines Bild auf Schiefer gemalt, von Lodovico Caracci. — Erminia bei der Hirtenfamilie, aus des Tasso
befreitem Jerusalem, von Pietro da Cortona. — Simson, der aus
dem Eselskinnbacken trinkt, und der b. Paulus, beide in lebensgrossen halben Figuren; zwei Gemalde von Guercino. — Der·
reuige Petrus und die Befreiung dieses Apostels aus dem Gefängniss; zwei Gemälde von Lanfranco. — Das irdische Paradies mit
einer grossen Anzahl von Thieren, und Adam und Eva im Hintergrunde; von Johann Breughel. — Die h. Catharina, ein kleines
Gemälde von Garofalo. — Das Opfer Isaaks in einem Gemälde
mit lebensgrossen Figuren; angeblich von Tizian, wahrscheinlicher
von Gerbrand van der Ekhout, einem Schüler Rembrands. —
Ein Bauer und eine Bäuerin. Diese hält lachend eine Tabacks-·
pfeife, während jener die Cither spielt. Im Hintergrunde Bauern,
welche Karten spielen; ein Gemälde, angeblich von Richef, einem
niederländischen· Maler. — Eine Winterlandschaft und die Ruhe
auf der Flucht nach Aegypten; zwei kleine Bilder, angeblich von
Momper. — Das Gastmahl bei einer Bauernhochzeit, in einer aus
vielen Figuren bestehenden Composition, von Teniers. — Die
bussende Magdalena in dem Character einer gemeinen Bäuerin;
von Caravaggio. — Ein Jungling, der einen Widder umarmt; angeblich von demselben Künstler. — Das Bildniss der Johanna von
Aragonien; eine Wiederholung des Raphaelischen Gemäldes dieser
wegen ihrer ausgezeichneten Schonheit gepriesenen Frau zu Paris.
Sie zeigt die Schule des Leonardo da Vinci und wurde demnach
vermuthlich in der Werkstätte dieses Künstlers verfertigt und
mit seinem Pinsel ubergangen. — Eine Copie des unter dem
Namen der aldobrandinischen Hochzeit bekannten antiken Gemaldes, von Nicolaus Poussin. — Die Grablegung Christi; ein
grosses Gemälde von Alessandro Valladuri, il Padovanino genannt.
— Der h. Hieronymus in halber Figur; von Spagnoletto. — Zwei
Bildnissgemälde, — von denen das eine einen Mann mit einem
Lorbeerkranze in der Hand, das andere einen Mann mit greisem
Bart und Haupthaar zeigt, — erklart man fälschlich für Werke
des Tizian, dem auch ein Gemälde der heil. Jungfrau mit dem
Kinde nebst dem h. Joseph und der h. Catharina mit Unrecht
zugeschrieben wird.

Die Gemälde an den Wänden zwischen den Fenstern der
zuvor betrachteten Gallerie sind wegen ihres ausserst ungünstigen
Lichtes fur die Betrachtung so gut als ganz verloren.

Man gelangt von dieser Gallerie zu einer Reihe von vier

Zimmern, deren Wände ebenfalls mit Gemälden angefüllt sind. Sie bestehen grossentheils aus Landschaften, unter denen sich einige von Bassano, Johann Both, vornehmlich aber von dem in Italien l'Orizonte benannten Julius Franz Bloemen befinden. Desgleichen sieht man hier einige Seestücke von Manglar und auch einige Fruchtstücke. Unter den ubrigen dieser Gemälde bemerken wir folgende:

Im ersten Zimmer: Ein Gemälde von Tizian, welches eine dunkle allegorische Vorstellung zeigt, die man auf die Scheinheiligkeit deuten will.

Im zweiten Zimmer: Die Versuchung des h. Antonius; ein kleines Gemälde von Johann Breughel. — Zwei Männer in halben Figuren, in denen vermuthlich Scheinheilige vorgestellt sind, und von denen der eine die Hände faltet, der andere einen Rosenkranz hält; angeblich von Quintin Messis. — Die Versuchung des heil. Antonius; ein kleines Bild von Mantegna, in denen die Teufel in sehr furchterlichen bizarren Gestalten erscheinen.

Im dritten Zimmer: Der Kindermord; ein Gemälde mit kleinen Figuren, angeblich von Mazzolino da Ferrara. Es hängt zu hoch, um über die Richtigkeit dieser Angabe zu entscheiden. — Eine Landschaft von Caspar Poussin. Die Figuren, welche die Flucht nach Aegypten vorstellen, scheinen mit Unrecht dem Nicolaus Poussin zugeschrieben zu werden. — Die Eroberung von Castro durch die papstlichen Truppen unter Innocenz X. Der untere Theil dieses Bildes ist von Bourgignon, und der obere, in welchem allegorische Figuren auf Wolken erscheinen, von Carlo Maratta ausgefuhrt. — Ein Melonenhändler von Caravaggio.

Im vierten Zimmer: Aeneas in der Unterwelt und die Schöpfung der Eva in dem mit einer grossen Anzahl von Thieren erfullten, irdischen Paradiese; zwei kleine Gemälde von Johann Breughel.

Die Tiberinsel, Insula Tiberina.

§. 121.

Die Tiberinsel ist durch zwei Brücken mit der Stadt verbunden. Die eine derselben, welche zu dieser Insel von dem diesseitigen Ufer des Flusses führt, wurde im römischen Alterthume erst Pons Tarpejus von dem benachbarten Felsen dieses Namens, dann aber Pons Fabricius von Fabricius Curator viarum genannt, der sie, wie ihre Inschrift zeigt, neu und vermuthlich zuerst von Stein, im Jahre Roms 733 erbaute. Ihre heutige Benennung, Ponte quattro capi, hat sie von vier Hermen, jede mit 4 Köpfen, erhalten, die vermuthlich an den beiden Enden dieser Brücke aufgestellt waren, und die man noch in der Nahe derselben in einem sehr verstummelten Zustande sieht. — Die andere Brücke, welehe die Insel mit Trastevere verbindet, wurde im alten Rom Pons Cestius, von Jemand aus der Familie der Cestier genannt, der sie vermuthlich ebenfalls zuerst aus Stein erbaute. Ihren heutigen Namen, Ponte di S. Bartolomeo, erhielt sie von der so benannten Kirche auf der Tiberinsel. Die Inschriften dieser Brucke beziehen sich auf ihre, von den Kaisern Valens, Valentinianus und Gratianus unternommene Ausbesserung. Die antiken Theile beider Brücken bestehen aus Travertin- und Peperinquadern, die neueren Erganzungen hingegen aus Backsteinen.

Von der Sage hinsichtlich der Entstehung der Tiberinsel und von den Gebäuden, die sich auf derselben zur Zeit des alten Roms befanden, ist in der allgemeinen Einleitung (§. 26.) gesprochen worden.

S Giovanni Colabita.

Zwei Kirchen stehen dermalen auf dieser Insel. Die älteste, jetzt von dem h. Johannes Colabita benannt, war ursprunglich Johannes dem Täufer geweiht und soll bereits um das Jahr 465, nach einer angeblichen Zerstörung durch die Vandalen, von dem Bischof Petrus von Porto neu erbaut worden seyn. Diese Kirche — die in ihrer heutigen modernen Gestalt nichts von besonderer Merkwurdigkeit zeigt — gehört, seit dem Jahre 1572, dem von dem portugiesischen Heiligen Giovanni di Dio Colabita gestifteten Orden der barmherzigen Bruder, in Italien Benfratelli genannt, welche hier ein Hospital errichtet haben, in dem sich gegenwärtig 74 Betten zur Aufnahme von Kranken mannlichen Geschlechts befinden.

S. Bartolomeo.

Die zweite der gedachten Kirchen 'der Tiberinsel, jetzt die Pfarrkirche der wenigen Bewohner derselben, wurde um das Jahr 1000 von dem Kaiser Otto III. zu Ehren des h. Adelbert, Bischofs von Prag, erbaut. Mit dem Namen des h. Bartholomäus, den sie gegenwartig fuhrt, kommt sie zuerst im Jahre 1160 vor. In fruheren Nachrichten wird sie entweder von dem h. Adelbert allein, oder in Verbindung seines Namens mit dem des h. Paulinus benannt. Paschalis II. unternahm im Jahre 1113 eine Ausbesserung dieser Kirche, die sein Nachfolger Gelasius I. vollendete. Sie zeigt in ihrer gegenwärtigen modernen Gestalt, die sie durch spätere Erneuerungen erhielt, nicht viel bemerkungswerthe Gegenstände.

Die Vorderseite wurde nach Angabe des Martino Lunghi im Jahre 1625 nebst der Vorhalle aufgeführt, an deren Pfeilern vier

Säulen von grauem Granit stehen. In dem um dieselbe Zeit über jener Halle erbauten Chore der Mönche ist von den alten, vielleicht zur Zeit Paschalis II. verfertigten Mosaiken, welche ehemals an der Vorderseite der Kirche erschienen, noch eine halbe Figur des Heilandes vorhanden, der die Rechte zum Segen erhebt und in der Linken ein geöffnetes Buch hält mit den Worten des Evangeliums: Ego sum via, vita, et veritas. Auf der Querpfoste des mittleren Einganges der Kirche steht eine alte Inschrift in Versen. Das Innere des Gebäudes wird durch 14 antike Säulen, meistens von Granit, in drei Schiffe getheilt. Die Stuccaturen der Wände des Mittelschiffs, die heutigen Fenster derselben und die Bekleidung des Fussbodens, durchschnitten von weissen Marmorplatten, liess 1726 der Cardinal Alvaro Cienfugios verfertigen. Von der ehemaligen Steinarbeit des Fussbodens der Kirche erscheinen noch Reste im Presbyterium und in zwei Seitencapellen. Die Verfertigung der mit vergoldeten Schnitzarbeiten und Gemälden verzierten Decken des Haupt- und Querschiffs erfolgte auf Veranstaltung des Cardinals Trejo im Jahre 1624.

Zwischen den zu dem Presbyterium führenden Stufen erhebt sich eine Brunnenmündung von weissem Marmor mit erhobenen Arbeiten in hochst barbarischem Style, vermuthlich aus dem 12ten Jahrhundert. Ihre grösstentheils durch die Stufen der Treppe verdeckten Gegenstände sind: der Heiland; ein Bischof, entweder der h. Adelbert oder der h. Paulinus; der h. Bartholomäus und der Kaiser Otto III. Die Platte des Hauptaltares ruht auf einer sehr schönen antiken Porphyrwanne, deren Vorderseite ein Löwenkopf schmückt. Vor der Capelle neben der Tribune, vom Haupteingange rechts, stehen zwei marmorne Löwen aus der Zeit des Mittelalters, die vermuthlich ursprünglich vor der mittelsten Kirchthür standen. Die Gemälde dieser Kirche verdienen keine besondere Erwähnung. Die Confession unter dem Hauptaltare ist verfallen: die beiden Treppen, die ehemals von der Kirche zu derselben hinabführten, sind nicht mehr vorhanden; und man gelangt zu ihren Trümmern, in denen man noch vier Säulen mit roh gearbeiteten Capitellen sieht, nur von dem kleinen Garten des Klosters.

Leo X., der diese Kirche zu dem Titel eines Cardinals erhob, übergab dieselbe den Franciscanern, die noch gegenwärtig das mit ihr verbundene Kloster bewohnen. Hinter der Kirche sieht man die in der Einleitung §. 26 erwähnten Reste von dem Tempel des Aesculap.

Trastevere und der Janiculus.

§. 122.

S. Onofrio.

Unweit der Porta di S. Spirito führt eine Strasse auf den
Janiculus zu der auf demselben gelegenen Kirche des h. Honophrius, eines ägyptischen Einsiedlers, welche im Jahre 1439 der
selig gesprochene Nicolaus von Forca Palena vermittelst der von
dem Papst Eugen IV. und der Familie Cupis erhaltenen Beisteuern
erbaute. Vor dieser Kirche und dem mit ihr im rechten Winkel
gebauten Kloster ist eine von acht Säulen, meistens von Granit,
getragene Halle. In drei mit Glas bedeckten Lunetten, an der
Wand des Klostergebäudes, sieht man Gegenstände aus dem Leben des b. Hieronymus in Frescogemälden von Domenichino,
und an der Wand neben dem Eingange der Kirche ist der Grabstein des vorerwähnten Nicolaus von Forca Palena mit dessen
Bildnisse in ganzer Figur, und einer Inschrift mit der Jahrzahl
1449, zu bemerken.

Im Inneren der Kirche sieht man auf dem Fussboden eben-
falls einige Grabsteine aus älterer Zeit. Beim Eingange steht ein
Weihwassergefäss von weissem Marmor mit einem Relief, welches
den heil. Honophrius das Kreuz verehrend vorstellt, und einigen
anderen Sculpturen im Style des 15ten Jahrhunderts. Die erste
Capelle vom Eingange rechts zeigt in dem auf Säulen erhobenen
Kreuzgewölbe den Styl der Zeit der Erbauung der Kirche. Die
Malereien der folgenden Capelle sind von Ricci da Novara, mit
Ausnahme des Altarbildes, welches an die Caraccische Schule
erinnert. Es folgt darauf das dem Johannes Saeco, Erzbischof
von Ragusa, im Jahre 1505 errichtete Grabmal. Es zeigt auf
dem Sarge die liegende Bildsäule des Verstorbenen; an den Pfeilern zu beiden Seiten die Apostel Petrus und Paulus in erhobener
Arbeit, und in der durch den Bogen gebildeten Lunette ein Gemälde aus der Peruginischen Schule, welches die heil. Anna mit
einem Buche, aus dem sie die h. Jungfrau zu unterrichten scheint,
vorstellt. Wir übergehen die nicht bedeutenden Gemälde der im
modernen Geschmack verzierten Seitencapellen vom Eingange
links. Die Frescomalereien von Baldassare Peruzzi am Gewölbe
der Tribune sind durch Uebermalung von späteren Händen verdorben. Die drei ebenfalls in Fresco gemalten Bilder unter diesem Gewölbe werden dem Pinturicchio zugeschrieben, sind aber
wahrscheinlicher von einem anderen Künstler der Peruginischen
Schule. In dem mittleren dieser Bilder, über dem Hauptaltare,
sieht man die heil. Jungfrau mit dem Kinde auf dem Throne

sitzend; ihr zur Rechten Johannes den Täufer und den h. Hieronymus, und zur Linken den h. Honophrius und die Mutter desselben, deren Haupt eine Strahlenkrone schmückt, weil sie nach der Legende Königin von Persien war. Diesem Bilde zur Rechten ist die Anbetung der Könige, und zur Linken die Flucht nach Aegypten und im Hintergrunde der Kindermord vorgestellt. Das von den Hieronymiten bewohnte Kloster hat einen mit Säulenhallen umgebenen Hof. In einem der oberen Gänge dieses Gebaudes sieht man in einer mit Glas bedeckten Lunette ein schones Frescogemälde, welches dem Leonardo da Vinci mit Recht zugeschrieben zu werden scheint. Der Gegenstand desselben ist die h. Jungfrau, welche die Hand zum Segen eines sie verehrenden Mannes erhebt, in dem vermuthlich der mehrerwähnte Stifter dieses Klosters, Nicolaus von Forca Palena, vorgestellt ist. In der Klosterbibliothek zeigt man die Buste des beruhmten Torquato Tasso, nebst einigen, von ihm hinterlassenen Geräthen und einen von seiner Hand geschriebenen Brief, als Reliquien des unsterblichen, Dichters des befreiten Jerusalems, der in dem traurigen Zustande von Armuth und Geisteszerruttüng in diesem Kloster sein Leben endigte. In der Kirche steht, vom Eingange links, sein Grabmal, welches ihm der Cardinal Bevilacqua mit einer von demselben verfertigten Inschrift errichten liess. — Der Garten des Klosters verdient wegen der herrlichen Aussicht auf die Stadt und die Umgegend von Rom besucht zu werden.

Villa Lante.

Die ebenfalls wegen ihrer herrlichen Aussicht und schönen Anlage anmuthige, auf dem Janiculus gelegene Villa, die von dem Besitz des Herzogs von Lante in den des Fürsten Borghese kam, ist, seitdem sie vor einigen Jahren die Dames du Sacré Coeur erhalten haben, leider nicht mehr zuganglich. Das Gartenhaus derselben erbaute Turini da Pescia nach Angabe des Giulio Romano, der auch die Zimmer dieses Gebäudes mit Gemälden mythologischer Vorstellungen und auf den Numa Pompilius bezüglicher Gegenstände schmuckte, dessen Grab nach der damaligen Meinung sich auf dem Janiculus befand.

Via della Lungara.

Die lange Strasse, die sich von der Porta di S. Spirito bis nach der unter Alexander VI. erneuerten Porta Settimiana erstreckt, fuhrt den Namen Via della Lungara. Julius II., der sie in der heutigen geraden Richtung ziehen liess, soll die Absicht gehabt haben, sie bis nach Ripa Grande zu führen und alle ihr dabei entgegenstehenden Gebaude niederreissen zu lassen.

Das Irrenhaus, Ospedale di S. Maria della Pietà de' poveri pazzi.

In dieser Strasse steht, unweit der Porta di S. Spirito, das Gebäude der Irrenanstalt. Dieselbe steht unter der Aufsicht des Comthurs des benachbarten Hospitals von S. Spirito, hat aber dabei ihre besondere Administration. Die Zahl der Geisteskranken, die nicht nur aus Rom, sondern auch aus den Provinzen des Kirchenstaates hier aufgenommen werden, belauft sich zuweilen auf 500.

Palast Salviati und botanischer Garten.

Der ehemalige Palast der Salviati gehört jetzt der päpstlichen Regierung und dient zur Aufbewahrung des Stadtarchives (Archivio urbano), welches in den öffentlichen Acten der Notare besteht. Der grosse Hof dieses Palastes zeigt einen besseren Styl als die in keinem schönen Geschmack aufgeführte Vorderseite. Die mit demselben Gebäude verbundene Villa ist unter Leo XII. zu einem botanischen Garten umgewandelt worden, der eine bedeutendere Anzahl von den in der Medicin anwendbaren Pflanzen und auslandischen Gewachsen enthält, als sich in dem vormaligen botanischen Garten befanden, der unter Alexander VII. auf dem Janiculus angelegt worden war.

Ehemaliger Palast des Agostino Chigi, la Farnesina genannt.

Den Palast, gewöhnlich la Farnesina benannt, erbaute der in unserer Beschreibung Roms mehrerwähnte Agostino Chigi, nach Angabe des Baldassare Peruzzi, in der an Via della Lungara von ihm angelegten Villa. Im Jahre 1586 erhielt ihn der Cardinal Alessandro Farnese, in der öffentlichen Versteigerung desselben, zur Bezahlung der Schulden der Familie Chigi; und darauf kam er in den Besitz der Herzoge von Parma aus dem farnesischen Hause und erhielt, zur Unterscheidung von ihrem grosseren Palaste jenseits der Tiber, den Namen la Farnesina. Nach ihrem Aussterben im vorigen Jahrhundert ist er mit der übrigen Erbschaft derselben an den König von Neapel gekommen. Dieser Palast, eines der schönsten Bauwerke des neueren Roms, zeigt, einem Gartengebaude entsprechend, einen nicht sowohl grossartigen als zierlichen Character. Zwei Reihen dorischer Pilaster bilden zwei Abtheilungen der Aussenseite, von denen die untere und höhere mit dem Erdgeschosse auch die kleinen Fenster des Halbgeschosses (mezzanina) begreift. In jedem Zwischenraume der kleinen, unter dem Dache angebrachten Fenster ist ein Candelaber zwischen einem von zwei Amoren gehaltenen Laubgewinde in erhobener Arbeit gebildet. Die Capitelle, die Gebälke der Pilaster und die einfachen Bekleidungen der Fenster des übrigens von Backsteinen aufgeführten Gebäudes sind von Peperin.

Von den Malereien in Einer Farbe, mit denen ehemals die Aussenseite des Erdgeschosses und vielleicht auch des oberen Theils dieses Palastes verziert war, sind in den Zwickeln der Bogen der Vorderseite nur noch sehr schwache Spuren zu bemerken. Hingegen sieht man, in dem anmuthigen, mit dem Palaste verbundenen Garten, in den Zwickeln der jetzt zugemauerten Arcaden der ursprünglich offenen Loggia, noch sehr schöne, bisher ganz unbemerkte weibliche Figuren, in denen der durch den Caduceus bezeichnete Handel, der Ueberfluss mit dem Fullhorne und andere auf den Erbauer des Gebäudes anspielende allegorische Personen vorgestellt sind. Vasari spricht von Gemalden, mit denen Baldassare Peruzzi die Aussenseite dieses Palastes schmückte, und die er istorie di terretta benennt, worunter Malereien und nicht Bildwerke von Thon gemeint sind, und demnach auch nicht die vererwähnten Friesverzierungen, nach einer irrigen, von uns (Beschr. von Rom B. III. Abth. 3. S. 591) geausserten Meinung verstanden werden können. Aber der Styl der gedachten Figuren zeigt nicht den des Peruzzi, sondern so entschieden den des Raphael, dass diesem fast ohne Zweifel, wenigstens die Erfindung derselben, zugeschrieben werden durfte. In einem von dem jener Figuren verschiedenen Style erscheinen, ebenfalls im Garten, auch an der Hinterseite des Gebäudes, noch Reste von Malereien in Einer Farbe, unter denen man, noch ziemlich wohl erhalten, einen Adler und eine riesenhafte männliche Figur bemerkt.

Unter den Frescogemälden, mit denen Agostino Chigi das Innere dieses Palastes von verschiedenen Künstlern ausschmücken liess, sind mit Recht vornehmlich berühmt die Compositionen Raphaels, die, obgleich grösstentheils nicht von seiner Hand ausgefuhrt, doch eine bedeutende Stelle unter den Schöpfungen seines Geistes einnehmen, weil sie den vollkommensten Begriff seiner Kunst in mythologischen Gegenstanden gewähren. Die Deckengemälde der Loggia an der Vorderseite des Palastes — deren Vollendung im Jahre 1511 erfolgte — enthalten in einem Cyclus Amors Siege über die Götter und Heroen, in Verbindung mit der Fabel der Psyche, die, nach harter Verfolgung von Seiten der Venus, Cupido zuletzt durch Jupiters Gunst zu seiner unsterblichen Gattin erhielt. Der Künstler ist in der Vorstellung dieser Fabel der Erzahlung des Apulejus, jedoch mit einigen Abweichungen von derselben gefolgt. An der Ausführung dieser Gemälde — die vornehmlich in der Bildung des Nackten nicht der Schönheit der Composition und der Bewegung der Figuren entspricht — hatten, nach Vasari, nur Giulio Romano, Gio. Francesco Penni und Giovanni da Udine Antheil: von Anderen werden auch Raffaele dal Colle und Gaudenzio Ferrari genannt. Wir sehen diese Bilder nicht mehr in ihrem ursprunglichen Zustande, sondern mit bedeutenden Ausbesserungen von der Hand des Carlo Maratta, der, nachdem sie durch den Einfluss der Witterung in einer offenen Loggia sehr gelitten hatten, ihre Wiederherstellung unternahm, wobei auch die Loggia zu ihrer ferneren Erhaltung mit Fenstern verschlossen wurde.

Wir gehen nun zu ihrer Beschreibung über. In den am Deckengewolbe durch Blumen- und Fruchtgewinde gebildeten Spitzbögen sind schwebende Amoren, welche die Attribute der Gotter und Heroen als Siegeszeichen über dieselben emportragen, und in den Räumen zwischen den Bogen Gegenstände aus der Fabel der Psyche vorgestellt. Sowohl jene Gewinde als die in diesen Bildern vorkommenden Thiere sind von der Hand des Giovanni da Udine.

Die historische Folge der Gegenstände der Psyche beginnt an der Querseite der Loggia vom Eingange links. Wir betrachten zuerst, in derselben Folge, die auf die Siege des Liebesgottes bezüglichen Vorstellungen.

1. Zwei Amoren, von denen der eine hinter einer Wolke erscheint. In dem anderen, der die Spitzen der Pfeile in seinem Kocher befühlt, ist, seine Waffen prüfend, der Liebesgott im Ausfluge zu seinen Unternehmungen vorgestellt. Auf dieselben anspielend, scheinen zwei kleine bei ihm schwebende Vogel sich schnäbeln zu wollen. — 2. Ein Amor mit dem Donnerkeile Jupiters. Daneben schwebt der Adler dieses Gottes. — 3. Ein anderer Amor mit dem Dreizack Neptuns, auf den als den Beherrscher des Meeres drei umherfliegende Wasservogel deuten. — 4. Zwei Amoren als Besieger des Pluto. Der eine halt den Zweizack desselben: der andere bändigt den Cerberus. Anspielend auf die Finsterniss im Reiche des Gottes der Unterwelt sind zwei Fledermäuse als lichtscheue Thiere. — 5. Ein Amor mit dem Schwerte und Schilde des Mars. Unter den ihn umgebenden Vogeln scheinen zwei Falken als Raubthiere auf die Gewaltthaten des Kriegsgottes zu deuten. — 6. Der Bogen und Kocher des Apollo von einem Amor getragen. Dabei der jenem Gotte geheiligte Greif. — 7. Ein Amor mit dem Caduceus und dem geflugelten Hute des Mercur. Drei umherfliegende Elstern enthalten vermuthlich eine Anspielung dieses diebischen und geschwätzigen Vogels auf den Gotterboten, in der Eigenschaft des Gottes der Diebe und der Beredsamkeit. — 8. Ein mit Weinranken umwundener Stab von einem Amor als Siegeszeichen über den Bacchus emporgehoben. Dabei der diesem Gotte geheiligte Panther. — 9. Ein Amor mit der Syrinx des Pan. Auf den Schimpf dieses Gottes durch den

verlorenen Wettstreit mit dem Apollo deutet vielleicht die Eule, die einige andere Vögel zu verhohnen scheinen. — 10. Ein Amor, welcher ein Schild, auf dem ein Helm ruht, auf dem Haupte trägt, nebst einem Falken, zwei kleineren Vögeln und einem Schmetterling. — 11. Ein anderer Amor, ebenfalls mit einem Schilde und einem Helme, der an dem Bande desselben an dem Arme des Amors hängt. — Diese und die vorerwahnte Vorstellung bezeichnen im Allgemeinen die Siege des Gottes der Liebe uber die Heroen des Alterthums. — 12. Zwei Amoren, welche die Keule des Hercules tragen. In einer Figur mit weiblichem Kopfe und Körper, einem schlangenförmigen Schweife, und Löwenklauen und Drachenflügeln, wollte der Künstler vermuthlich die von dem Hercules geliebte Echidna vorstellen, um auf Amors Macht durch die Verbindung des Heros mit einem Ungeheuer zu deuten. — 13. Ein Amor mit dem Hammer und der Zange des Vulcan, auf den als Gott des Feuers auch der in diesem Elemente lebende Salamander deutet. Eine Schwalbe und drei andere Vogel, die eine Heuschrecke mit den Schnäbeln ergreifen, scheinen eine nicht auf den Gegenstand des Bildes bezügliche Episode. — 14. Ein Lowe und ein Seepferd von einem Amor gezügelt, sollen vermuthlich hier die Geschöpfe des Landes und des Meeres bezeichnen und dadurch auf die allgemeine Weltherrschaft des Liebesgottes in dieser letzten Vorstellung seiner Triumphe deuten.

Die Gegenstände aus der Fabel der Pysche sind in derselben Folge:

1. Venus erzürnt über die Psyche — weil dieser die Sterblichen vor ihr selbst den Preis der Schönheit gaben, und deswegen ihre Verehrung unterliessen — befiehlt dem Cupido, sie mit der Liebe zu einem unwürdigen Manne zu verwunden. Die Göttin sitzt auf einer Wolke neben ihrem den Pfeil erhebenden Sohne und zeigt auf die Psyche hinab, die man sich aber hinzudenken muss. — 2. Cupido, der, anstatt den Befehl seiner Mutter zu vollziehen, sich selbst in die Psyche verliebt, zeigt dieselbe den Grazien. Die Ausführung der schönen Gruppe dieser Göttinnen, und insbesondere der den Rücken zeigenden Figur, scheint mit Recht Raphaels eigener Hand zugeschrieben zu werden. — 3. Venus entfernt sich mit Unwillen von der Ceres und Juno, weil diese Gottinnen, anstatt ihr zum Aufsuchen der Psyche zur Befriedigung ihrer Rache behülflich zu seyu, vielmehr die Liebe ihres Sohnes zu der ihr verhassten Sterblichen zu rechtfertigen suchen. — 4. Venus auf ihrem mit Tauben bespannten Wagen, im Begriff, sich zu Jupiter zu begeben. — 5. Venus, welche sich von Jupiter den Mercur zum Herolde erbittet. — 6. Mercur als Herold, schwebend mit der Trompete in der Hand, fordert im Namen der Venus die Sterblichen auf, ihr den Aufenthalt der Psyche zu entdecken.

— 7. Psyche, von drei Amoren getragen, kehrt aus der Unterwelt mit der Buchse zuruck, mit der sie Venus, in der Absicht, sie zu verderben, zu der Proserpina sandte. — 8. Psyche, welche diese Buchse der Venus überbringt. Die Letztere zeigt den Ausdruck des Erstaunens uber die gluckliche Zuruckkunft der Ersteren aus dem Reiche der Schatten. — 9. Jupiter, den Cupido kussend, zur Bezeugung seiner Gunst und der Gewährung seiner Bitte, ihm in dieser Angelegenheit beizustehen; eine ungemein schone und ausdrucksvolle Gruppe. — 10. Mercur hebt, auf Befehl Jupiters, die Psyche zur Unsterblichkeit in die Versammlung der Gotter empor.

Den Cyclus dieser Fabel beschliessen die beiden grossen Gemälde, welche den ganzen mittleren Raum der Decke einnehmen. In dem ersteren, nach der historischen Folge, ist der Rath der Götter wegen der Vermàhlung des Amor mit der Psyche vorgestellt. Venus und Cupido, jene als Klägerin, dieser als der Beklagte, erscheinen vom Beschauer rechts vor Jupiter, der nachsinnend das Haupt, ·mit dem Arme unterstutzend, noch ungewiss in der Entscheidung· scheint, welche aufmerksam die uhrigen Götter erwarten. Ihm zur Linken sitzt Juno, hinter welcher sich Pallas und Diana befinden. Dem Jupiter zunächst zur Rechten sind seine beiden Brüder, Neptun und Pluto, jener durch den Dreizack, dieser durch den Zweizack und den Cerberus bezeichnet. — In der weiteren Folge: Mars in Rustung mit einem Speere in der Hand. — Apollo mit der Leyer, zu dem neben ihm sitzenden, mit Weinlaub bekränzten Bacchus gewandt. — Hercules bekränzt mit Eichenlaub, auf seine Keule gestützt; — ihm den Rucken zukehrend Janus, mit den ihn bezeichnenden zwei Gesichtern. Das Aplustre eines Schiffes, das man bei ihm bemerkt, deutet vielleicht auf seine Seefahrt nach Italien. — Zwischen dem Janus und Hercules erscheint Vulcan mit einer Zange auf der Schulter. — Den Vorgrund bilden hier zwei Flussgötter. Der eine ist durch die Sphinx als der Nil bezeichnet. In dem anderen, der mit dem Arme auf dem Hintertheile eines Löwen ruht, ist vielleicht der Tigris vorgestellt. — Am Ende des Bildes, vom Beschauer links, reicht Mercur, in Folge der zu Gunsten des Cupido gefallten Entscheidung, der Psyche die Schale mit Nectar zur Weihe der Unsterblichkeit, indem sie ein kleiner Amor mit zärtlicher Verehrung umfasst.

Das andere jener beiden grossen Gemälde, das Gastmahl der Götter bei der Vermahlung des Amor und der Psyche, gewahrt, in einer vortrefflichen Composition, das anschauliche Bild einer Hochzeitfeier, verherrlicht im Reiche der seligen Gòtter. ˙Auf Wolken erhebt sich die goldene, reich mit Bildwerken geschmückte Tafel, um welche die Gaste gelagert sind. Oben an, vom

Beschauer rechts, hat Jupiter als König der Götter, der Braut zur Rechten, den Ehrenplatz. Er scheint die Sorgen der Weltregierung bei dem Genusse des ihm von Ganymed dargereichten Nectars zu vergessen. In den älteren Gatten verjüngt sich die Liebe bei dem Feste der Neuvermählten. Juno — zum Neptun gewendet, in dessen Armen sich Ampritrite erfreut — scheint auch ihren Gemahl zu Liebkosungen aufzufordern. Und nur Pluto, der finstere Gott des Schattenreichs, bleibt ungerührt bei der allgemein herrschenden Fröhlichkeit und kalt bei seiner Gemahlin Proserpina. Hebe wendet sich liebreich zu dem Hercules, auf das Brautpaar hinzeigend. Die Stange in der Hand Vulcans ist vermuthlich der Stiel einer hier verdeckten Schaufel oder eines anderen Küchengeräthes, welches, dem Apulejus zufolge, den Beherrscher des Feuers als Koch der Speisen des Göttermahles bezeichnet, so wie Bacchus dabei das Amt eines Oberschenken vertritt. Er füllt (auf dem Vorgrunde vom Beschauer rechts) die Schalen mit Nectar, die ihm zwei Genien darreichen, um damit die Gäste zu bedienen. Es kommen die Grazien, um Balsam auf das Brautpaar auszugiessen, während die Horen mit Blumen die Tafel der Götter bestreuen. Vom Beschauer links erscheint Venus, versöhnt mit der zur Unsterblichen erhobenen Psyche, mit Rosen bekränzt im fröhlichen Tanze bei ihres Sohnes Hochzeitfeste. Neben ihr ist Apollo mit den Musen versammelt, in deren Chor auch Pan mit der Syrinx einstimmt. Der leere Köcher, den ein Amor auf dem Rücken trägt, soll vielleicht anzeigen, dass Cupido am Tage seiner Vermählung nicht verwunden will und daher keiner Pfeile bedarf.

In dem nach dem Garten gelegenen Saale, der ebenfalls eine offene Loggia war, sieht man das berühmte, von Raphaels eigener Hand ausgeführte Frescogemälde der Galathea. In einer reizenden Composition erscheint in diesem Gemälde die genannte Tochter des Nereus auf dem Meere, stehend in einer von zwei Delphinen gezogenen Muschel, umgeben von anderen Nereiden und Tritonen, und von Amoren, von denen drei, in der Luft schwebend, nach ihr den Bogen spannen, vermuthlich um sie zu Gunsten des Acis zu verwunden. — Das Gemälde des Polyphem neben diesem Bilde war ein Werk des Sebastiano del Piombo, welches aber zu Grunde ging und nachmals von einem unbedeutenden Maler des vorigen Jahrhunderts erneuert wurde. Die theils grau in grau, theils colorirt gemalten Deckenbilder mythologischer Gegenstände sind von Baldassare Peruzzi; und von Sebastiano del Piombo die ebenfalls Vorwürfe der Mythologie der Alten vorstellenden Gemälde in den Lunetten. Die letzteren sind, nach Vasari, die ersten in Rom ausgeführten Werke dieses venezianischen Malers, die eine von dem grossartigen Style, den er nachmals von

Michelagnolo annahm, sehr verschiedene Manier zeigen. — Noch ist in diesem Zimmer — dessen Gemälde ebenfalls von Maratta ausgebessert worden sind — der colossale mit Kohle gezeichnete Kopf zu erwähnen, der mit wenigem Grunde dem Michelagnolo zugeschrieben wird.

In einem grossen Saale des oberen Stockwerkes sieht man, sowohl am Friese unter der Decke als an den unteren Wänden, Gemälde von Kunstlern aus der Schule Raphaels. Die Ansichten von Gebäuden an den beiden Seitenwänden sind von Baldassare Peruzzi. — In dem Zimmer neben diesem Saale sind zwei grosse Frescogemalde von Sodoma zu bemerken, von denen das eine die gefangene, vor dem Alexander knieende Familie des Darius, das andere die Vermahlung des grossen macedonischen Königs mit der Roxane vorstellt. Das letztere ist das bedeutendste. In der Darstellung des Gegenstandes folgte der Kunstler, so wie Raphael in dem von uns im Palast Borghese erwähnten Gemälde, der Beschreibung Lucians von dem Gemälde des Aetion. Einen poetischen Character erhält dieses Bild vornehmlich durch die zahlreichen Amoren, die in mannigfaltigen Handlungen und anmuthigen Bewegungen erscheinen, und von denen einige in der Luft schwebend Pfeile auf die Verlobten herabschiessen.

Palast Corsini.

Der der Farnesina gegenüber liegende Palast des Fürsten Corsini, der ehemals der Familie der Riarii gehörte, erhielt seine heutige Gestalt, nach Angabe des Fuga, durch den Neffen Clemens XII., den Cardinal Neri Corsini, der ihn im Pontificate des genannten Papstes durch Kauf erlangte. Dieser Palast enthält in einer Reihe von Zimmern des ersten Stockwerkes eine sehr zahlreiche Sammlung von Gemälden, unter denen sich aber nur wenige von vorzüglicher Bedeutung befinden. Copien in grosser Anzahl werden für Originale ausgegeben; und die irrigen Angaben der Meister sind hier noch weit öfter anzutreffen, als in anderen römischen Bildergallerien. Auch sieht man in diesen Zimmern mehrere antike Bildwerke, unter denen sich der Aufmerksamkeit würdige befinden. Diese Sammlung steht täglich offen von halb 10 Uhr des Morgens bis 3 Uhr Nachmittags. Wie in der Gallerie Borghese findet man hier in jedem Zimmer ein Verzeichniss der mit Nummern bezeichneten Bilder in italienischer und französischer Sprache.

Im ersten Zimmer sind mehrere Landschaften, die theils dem Franz Bloemen (dem in Italien sogenannten l'Orizonte), theils dem Locatelli zugeschrieben werden, von dessen Hand auch einige Bauernstücke oder sogenannte Bambócciaten seyu sollen. Desgleichen zwei Ansichten der Stadt Venedig von Canaletto. —

Merkwürdig ist in diesem Zimmer vornehmlich ein antiker Sarcophag wegen der ganz ungewöhnlichen Erscheinungen in der bekannten Vorstellung der Nereiden und Tritonen, in Begleitung von Amoren. Unter den Figuren der Vorderseite des Monumentes sind in dieser Hinsicht vornehmlich zwei Tritonen zu bemerken. Der eine, dessen Haupt eine Binde schmückt, hält in der einen Hand ein Ruder, in der anderen aber den diesen Meergöttern ganz ungewöhnlichen Donnerkeil Jupiters, der ihn vielleicht als den Nereus, ihr Oberhaupt, bezeichnet. Der andere dieser beiden Tritonen zeigt den Rücken mit dem Schwänzchen der Satyrn und ist mit Helm, Schild und Schwert bewaffnet, mit dem er nach einem sich gegen ihn erhebenden Seedrachen schlägt. Sehr ungewohnlieh ist auch der Anker in der Hand des einen der beiden Tritonen an den Querseiten des Sarcophages. — Noch sieht man hier eine Bildsäule des Tiberflusses mit einem Ruder in der einen und einem Füllhorn in der anderen Hand, nebst der Wölfin mit Romulus und Remus; und — über dem Eingange dieses Zimmers — ein antikes Relief, auf welchem mit Weinlesen und Keltern beschäftigte Knaben, und die Masken des Sol und der Luna gebildet sind.

Im zweiten Zimmer: Nro. 8. Die Steinigung des b. Stephanus; ein kleines Bild, angeblich von Lodovico Caracci. — 10. Die h. Jungfrau mit dem Christuskinde in einer Glorie von Engeln umgeben; ein Gemälde in der Manier des Guido Reni von Elisabetta Sirani. — 21. Die Vorstellung der Fabel des Pan und der Syrinx; von Nicolaus Poussin. — 35. Eine heilige Familie von Jacob Bassano. — Unter den antiken Büsten dieses Zimmers ist ein mit Epheu bekränzter Kopf des Bacchus; — einer der angeblichen Köpfe des Seneca; — und eine Buste des Euripides zu bemerken.

Im dritten Zimmer: 1. Christus mit der Dornenkrone im Brustbilde; von Guercino. — 2. Derselbe Gegenstand von Guido Reni. — 13. Maria mit dem Kinde, der kleine Johannes der Täufer und Joseph; von Baroccio. — 16. 20. Zwei Landschaften; von Salvator Rosa. — 17. Die h. Jungfrau mit dem Christuskinde, in dem Character einer gemeinen Bäuerin mit ihrem Knaben; von Caravaggio. — 19. Eine Landschaft von Paul Brill. Auf dem Vordergrunde eine Löwenjagd. — 23. Eine kleine Landschaft, vermuthlich von Johann Both. Man sieht in derselben beim Untergange der Sonne einen von Ochsen gezogenen Karren, und einen Bauer mit einem Esel und einem Hunde. — 26. Maria mit dem Christuskinde, welches den kleinen Johannes den Taufer liebkoset, in einer schönen Composition von Fra Bartolomeo di S. Marco. Unter den Köpfen ist das Gesicht der h. Jungfrau durch Schonheit der Bildung und Ausdruck der Sanftmuth ausgezeichnet. Das Bild scheint durch unvorsichtige Reinigung sehr gelitten zu haben. — 27. Petrus, der nach der Verordnung des Heilandes den Zins- groschen aus dem Bauche eines Fisches entrichtet, von Caravaggio. — Zwei kleine Bilder von Teniers. In dem einen (28.) sieht man einen Bauer vor einem Tische sitzend, mit dem Bierkruge in der einen und der Tabakspfeife in der anderen Hand; im Hintergrunde drei andere Bauern vor einem Kamin. Das andere (46.) zeigt das Innere eines Dorfes mit einem Hause, vor welchem mehrere Bauern und Bauerinnen versammelt sind. — 34. Die Marter des h. Bartholomaus von Calabrese. — 36. Ein Bauer zu Pferde, ein Kind und ein Knabe nebst dem Schimmel, von dem er abge- stiegen ist, in einer Landschaft von Wouvermann. — 39. Ein kleines Gemälde von anmuthiger Composition von Albano. Apollo als Hirt und Mercur in einer Landschaft. Vom Beschauer links die Rinder des Admet, die Mercur dem Apollo stahl. Rechts die neun Musen am Fusse des Parnasses, auf welchem der Pegasus erscheint. Oben Jupiter und Juno auf Wolken sitzend, und zwei in der Luft schwebende Amoren. — 50. Das Bildniss Philipps II., vermuthlich noch als Kronprinzen, von Tizian. Der lebendige Aus- druck des Characters ist des Kunstlers würdig, befremdend hin- gegen in einem seiner Werke die in das Graue fallende Carnation, die man einer spateren Reinigung und Ausbesserung des Gemaldes zuschreiben durfte. — Ein Sessel von weissem Marmor; ein merk- würdiges Monument des Alterthums, gefunden im Jahre 1732 bei der Laterankirche. Im Inneren der halbcirkligen Lehne sind in der oberen Abtheilung abwechselnd Krieger zu Fuss und zu Pferde in erhobener Arbeit gebildet. An der cylinderförmigen Basis des Sessels Verzierungen von Laubwerk und ein Opferzug, der von zwei Seiten nach einer flammenden Ara geht.

Im vierten Zimmer: Eilf kleine Bilder von gleicher Grösse, deren Gegenstande sich auf das hier von keiner erfreu- lichen Seite aufgefasste Leben dur Soldaten beziehen; von dem französischen Maler Callot. — 9. Herodias mit dem Haupte Jo- hannes des Täufers; von Guido Reni. — 18. 19. Zwei kleine Bilder, welche die Ansicht des Inneren einer Kirche in dem so- genannten gothischen Style zeigen; von Peter Neffs. — 16. Jo- hannes der Täufer in der Wüste; von Guercino. — 21. Der Heiland, welcher der h. Magdalena als Gärtner erscheint; von Baroccio. — — 54. Ein schön ausgefuhrtes Gemälde in Wasserfarben, welches einen Hasen nebst einigen Pflanzen, einem Schmetterlinge und einiger Fliege vorstellt; angeblich von Albrecht Durer. — Ein kleines antikes Gefass mit zwei Henkeln von Silber, gefunden zu Porto d'Anzo. mit schonen erhobenen Arbeiten, welche das Ur- theil des Areopagus uber den Muttermord des Orest vorstellen.

Unter den Gemalden des funften Zimmers bemerken wir

nur (23.) den Heiland mit der Samariterin; von Guercino, und (25.) Maria mit dem Kinde, von Sassoferrato; als Werke, deren Meister nicht zu bezweifeln sind.

Die Gemälde des sechsten Zimmers bestehen grössten-theils aus Bildnissen. Unter denselben ist (43.) vornehmlich zu bemerken das Bildniss eines deutschen Cardinals vor einem Tische, auf welchem eine Klingel steht; ein durch lebendige Darstellung des individuellen Characters, Sorgfalt der Ausführung, und Kraft und Klarheit der Farbe ausgezeichnetes Gemälde der altdeutschen oder niederländischen Schule. Dem Albrecht Dürer, dem es zu-geschrieben wird, scheint es nicht zu entsprechen. — Unter den ubrigen Bildnissen dieses Zimmers sind mehrere von nicht unbe-deutendem Verdienst. Die Angabe der Meister ist aber grössten-theils entweder entschieden falsch, oder doch sehr zweifelhaft. Das Bildniss des Cardinals Alessandro Farnese (50.), welches man gegenwärtig für ein Werk des Tizian erklärt, ist zuvor auch dem Raphael zugeschrieben worden, an den es jedenfalls noch mehr als an jenen erinnert. Es ist vielleicht eine Copie nach demselben, indem es zwar eine gute Farbe, aber für ein Originalwerk von ihm zu wenig Geist und Leben in der Ausfuhrung zeigt, — Wir bemerken noch hier (34.) ein Gemälde der Geburt der Maria mit sehr kleinen, aber fleissig und geistvoll ausgefuhrten Figuren; aus der altdeutschen oder niederländischen Schule.

Im siebenten Zimmer: 11. Maria mit dem Kinde, in dem Character einer spanischen Bauerin, in lebensgrosser ganzer Figur, von Murillo; das einzige unbezweifelte Werk dieses be-ruhmten spanischen Malers in Rom. Das Hauptverdienst dieses Bildes besteht in der Wirkung einer blühenden und kraftigen Farbe. — 13. Eine grosse Landschaft von Caspar Poussin; ein Gemalde von vortrefflicher Composition, dessen Haltung aber durch das starke Nachdunkeln der Farbe zerstört ist. Man sieht auf dem Vorgrunde, wo hohe Baume sich auf beiden Seiten des Bildes erheben, einen Wasserfall, im Mittelgrunde Gebirge mit Gebauden, und in der Ferne das Meer mit einigen Fahrzeugen. Die Staffage des Vorgrundes zeigt einen schlafenden Mann, zu dessen Ermor-dung eine Frau das Schwert zu ziehen, und einen Knaben, welcher sie an derselben verhindern zu wollen scheint. — 34. Eine Land-schaft, ebenfalls von schöner Composition, in einem ebenfalls sehr nachgedunkelten Gemalde desselben Kunstlers. Im Mittelgrunde fuhrt bei einer am Fusse eines Gebirges liegenden Stadt eine steinerne Brücke über einen kleinen Fluss, der uber Felsenstücke nach dem Vorgrunde strömt, wo man eine Gruppe von einigen Mannern bemerkt. — 22. 23. 24. Drei kleine Bilder von gleicher Hohe — die vermuthlich zu einer und derselben Altartafel ge-hörten, aber von einander gesägt worden sind — von Angelico da Fiesole. Ihre Gegenstände sind: das jüngste Gericht, die Himmelfahrt Christi und die Ausgiessung des heil. Geistes. — 27. Die h. Jungfrau, über welcher der h. Geist schwebt; von Carlo Maratta. — 29. Abrahams Knecht und Rebecca am Brunnen, von ebendemselben.

Im achten Zimmer: 2. Eine Landschaft von Berghem. Auf dem Vorgrunde zwei Bäuerinnen, von denen die eine auf einem Esel reitet, eine Kuh und einige Schafe. — 10. Eine sehr schätzbare Zeichnung von Polidoro da Caravaggio: der erste Entwurf des bereits von uns erwahnten Gemäldes dieses Künstlers an einem Hause in der Via della Maschera d'oro. — 11. Maria mit dem Kinde, nebst dem kleinen Johannes dem Täufer und dem h. Joseph; von Nicolaus Poussin. — 14. Die Verleugnung des Hellaudes durch den h. Petrus, von Valentin. — 25. Der h. Hieronymus, von Spagnoletto.

Im neunten Zimmer bemerken wir nur das Bildniss einer mit einem schwarzen Mantel bekleideten Frau, welche in der Rechten ein Buch hält. Die vortreffliche Carnation ist Tizians würdig, dem dieses Gemälde zugeschrieben wird.

Im zehnten und letzten Zimmer ist ein antikes Mosaik, welches zwei wüthende Stiere vorstellt, die ihren Führer zu Boden geworfen haben.

Die von dem Cardinal Neri Corsini in diesem Palaste angelegte Bibliothek ist nach den Bibliotheken der Klöster S. Maria sopra Minerva und S. Agostino an gedruckten Buchern die reichste, und in Hinsicht der altesten Ausgaben nach der Erfindung der Buchdruckerei die bedeutendste in Rom. Auch besitzt sie eine Sammlung von Handschriften. Sie wird gegenwartig in den Nachmittagsstunden zum Gebrauche des Publicums geoffnet. Die mit ihr vereinigte Kupferstichsammlung wird nur mit besonderer Erlaubniss des Fursten gezeigt. — Der mit demselben Palast verbundene Garten ist von grossem Umfange und erstreckt sich bis zur hochsten Hohe des Janiculus.

S. Pietro in Montorio.

Das heutige Gebäude der auf dem Janiculus gelegenen Kirche — jetzt S. Pietro in Montorio, ehemals S. Maria in Castro Aureo genannt — erbauten im Jahre 1500 die Könige von Spanien, Ferdinand und Isabella, zu Ehren des h. Petrus, der, nach einer selbst von dem beruhmten Baronius vertheidigten Meinung, nicht im vaticanischen Circus, sondern hier auf dem Janiculus den Martyrertod erlitt. Die Aussenseite des Gebaudes, dessen Angabe dem Baccio Pintelli zugeschrieben wird, zeigt einen guten, einfachen Styl. Im Inneren der Kirche sieht man, an der Wand der Vorderseite vom Eingange links, das dem Julianus, Erzbischof von

Ragusa, im Jahre 1510 errichtete Grabmal, dessen Sculpturen einem uns unbekannten Bildhauer, Gio. Antonio Dosio, zugeschrieben werden. In der ersten Seitencapelle vom Eingange rechts sind die von Sebastiano del Piombo nach Zeichnungen des Michelagnolo auf der Mauer gemalten Oelbilder zu bemerken. Ihre Gegenstände sind: uber dem Altare: die Geisselung Christi; zu beiden Seiten dieses Bildes: die Figuren der Heiligen Petrus und Franciscus. Am Deckengewölbe: die Verklärung des Erlosers; und an der Aussenseite über dem Bogen dieser Capelle: ein Prophet und eine Sibylle in Begleitung von zwei Engeln. — Die Frescogemälde am Deckengewölbe der zweiten Capelle und über dem Bogen derselben zeigen den Styl der Peruginischen Schule. An der Decke sieht man die Krönung der h. Jungfrau, und über dem Bogen die personificirten Tugenden der Stärke, der Klugheit, der Charitas und der Gerechtigkeit. In dem Gemälde in demselben Style über dem Bogen der dritten Capelle sind vier Frauen, vermuthlich Sibyllen, vorgestellt. In der Mitte sowohl dieses als des vorerwahnten Bildes erscheint das Wappen der Könige von Spanien, von Engeln umgeben. — Das Altarbild der letzten Capelle auf derselben Seite ist von Vasari, der auch die beiden Grabmäler des Fabiano und des Cardinals Antonio di Monte, des Grossvaters und Oheims Julius III., angegeben hat. Die auf den Särgen dieser Monumente ruhenden Bildsäulen der Verstorbenen, und die in Nischen stehenden Statuen der Religion und der Gerechtigkeit sind Werke des Bartolomeo Ammanato, der vermuthlich auch die Knabenfiguren an der Ballustrade dieser Capelle verfertigte. — In der ersten Capelle vom Eingange links sieht man den h. Franciscus, die Wundenmale empfangend, in einem Frescogemälde von Giovanni de' Vecchi. — Die zweite, nach Angabe des Bernini erneuerte Capelle ist mit Sculpturen aus der Zeit dieses Künstlers geschmückt. — In der dritten Capelle sind Gemälde aus der Schule des Perugino, die aber — so wie auch jene oben erwahnten — starke Ausbesserungen von neueren Händen erlitten haben. In dem Altarbilde ist die h. Anna auf einem Throne sitzend, und unter derselben die h. Jungfrau mit dem Christuskinde vorgestellt. An der Decke der ewige Vater von Engeln umgeben; und über dem Bogen derselben Capelle die Könige David und Salomo mit geöffneten Schriftrollen. — Ueber dem Altare der vierten Capelle sieht man die Grablegung Christi in einem guten Gemälde, welches an den Styl des Rubens erinnert, von einem unbekannten niederländischen Maler. — Das Altargemälde der letzten Capelle, welches die Taufe Christi vorstellt, ist vermuthlich von Daniel von Volterra, von dessen Erfindung auch die von seinem Schüler Leonardo Milanese ausgeführten Statuen der Apostel Petrus und Paulus sind. — Der Hauptaltar, den ehemals die berühmte Verklärung

Raphaels schmückte, zeigt gegenwärtig nichts Bemerkungswerthes.

Im Hofe des mit dieser Kirche verbundenen Franciscanerklosters erhebt sich auf einigen Stufen ein kleines Gebäude in
runder Tempelform mit einer von 16 grauen Granitsäulen getragenen Halle umgeben, welche dieselben Könige von Spanien,
welche die Kirche erbauten, nach Angabe des berühmten Bramante,
an der Stelle errichten liessen, wo der Apostel Petrus den Martyrertod erlitten haben soll. Es hat zwei Capellen, eine obere und
eine untere. Der Fussboden der ersteren ist mit Steinarbeit im
Geschmack des Mittelalters ausgelegt. In einer Nische über dem
Altare ist eine sitzende Bildsäule des h. Petrus, der in der einen
Hand die Schlüssel und in der anderen ein Buch zur Bezeichnung
der Dogmen der Kirche hält; ein vorzügliches Werk in Hinsicht
des Styls und des Ausdrucks von Ernst und Würde des Characters,
von einem unbekannten Meister, vermuthlich aus der Zeit der
Errichtung dieses Gebäudes. Am Sockel jener Nische sieht man
in erhobener Arbeit die Kreuzigung des gedachten Apostels, und
zu beiden Seiten das Wappen der mehrerwähnten Könige von
Spanien, welches auch an dem aus weissem Marmor verfertigten
Altare erscheint. In vier kleineren Nischen stehen die Bildsäulen
der Evangelisten von minder vorzüglicher Sculptur. Zu der unteren,
unter dem heutigen Boden des Janiculus angelegten Capelle führt
eine Treppe hinab. Die Stuccaturverzierungen der Decke sind
aus der Zeit Pauls III. Auf dem Fussboden sieht man durch eine
runde Oeffnung zu dem Boden hinab, den der Janiculus zur Zeit
des alten Roms hatte, und den man hier an der Stelle aufgegraben hat, wo das Kreuz des h. Petrus gestanden haben soll.

Brunnengebäude der Wasserleitung Pauls V. (Fontanone di Acqua Paola).

Im weiteren Fortgange auf dem Janiculus gelangt man, unweit von S. Pietro in Montorio, zu dem grossen nach Angabe des
Giovanni Fontana aufgeführten Brunnengebäude der von Paul V.
wieder hergestellten Wasserleitung der Acqua Trajana, die seitdem
von jenem Papst den Namen Acqua Paola führt. An den Pfeilern
der fünf Arcaden, aus denen sich das Wasser ergiesst, stehen
sechs Granitsäulen, von denen vier ehemals im Vorhofe der alten
Peterskirche standen.

§. 123.

Porta di S. Pancrazio.

Die heutige Porta di S. Pancrazio steht einige Schritte rückwärts nach der Stadt von der Porta Aurelia des alten Roms. Der
äussere Eingang dieses Thores erhielt seine heutige Gestalt unter
Urban VIII. bei der Erneuerung der Stadtmauern von Trastevere.

Zu der Kirche des h. Pancratius, von welcher jenes Thor
den Namen führt, gelangt man vermittelst einer seitwarts zur
Linken der Via Aurelia gelegenen Strasse, die Via Vitellia von
einer römischen Familie benannt wird, auf deren Veranstaltung
sie vermuthlich angelegt oder erneuert wurde. Nach der ersten
Erbauung der gedachten Kirche von Symmachus (498—514) unternahm Honorius I. zwischen den Jahren 625 und 628 einen neuen
Bau derselben. Eine Erneuerung ihres Gebäudes erfolgte im
Jahre 1609 auf Veranstaltung des Cardinals Lodovico Torres, und
eine andere in unseren Zeiten durch Pius VII., nach ihrer Verwüstung zur Zeit der französischen Revolution. Man geht zu derselben durch einen mit Oelbäumen bepflanzten Vorhof, in dessen
Mitte sich ein Kreuz auf einer Granitsaule erhebt. Zwei andere
Granitsäulen stehen an dem mittleren der drei Eingänge an der
Vorderseite der Kirche, wo das Wappen Innocenz VIII. eine Erneuerung durch diesen Papst anzeigt. Das Innere des Gebäudes,
welches ursprünglich die Form der Basiliken zeigte, ist von bedeutendem Umfange und hat gute Verhältnisse, wird aber entstellt durch moderne Ausschmückungen, und vornehmlich durch
die geschmacklose gemalte Architectur an den Wänden der Seitenschiffe. Die Kirche hat kein Querschiff; und das mittlere Schiff
geht daher bis zu der Tribune, wo noch die vier letzten Saulen
von grauem Granit mit Arcaden sichtbar sind. Die ubrigen Säulen
dieses Schiffes sind in Pfeiler eingemauert, welche corinthische
Pilaster verzieren. Von zwei schonen Ambonen aus der Zeit
Innocenz IV., die zur Zeit der französischen Revolution zersört
wurden, ist noch das Andenken durch Abbildungen an den Pfeilern
erhalten, an welchen sie standen. Reste derselben sind sechs
kleine, mit Mosaik ausgelegte Pfeiler, am Gitter des heutigen durch
zwei Stufen erhöhten Presbyteriums, und vier kleine gewundene
Säulen, die jetzt zu Leuchtern dienen, zu beiden Seiten der Stufen,
die zu der Tribune fuhren, und zwischen denen sich der Hauptaltar erhebt. Am letzten Pfeiler des Hauptschiffes, vom Eingange
rechts; steht eine schone antike Säule von Paonazzetto mit nicht
gewöhnlichen Cannelirungen, die ehemals vermuthlich zum Leuchter
der Osterkerze diente. Zu dem ehemaligen Hauptaltare gehörte
wahrscheinlich die grosse, mit mittelalterlicher Steinarbeit umgebene
Porphyrplatte, die jetzt an der Vorderseite der Basis erscheint,
auf der sich der heutige erhebt. Unter diesem Altare steht eine
porphyrne Wanne, und das Tabernakel über demselben wird von
vier schönen Porphyrsäulen getragen. Unter einer der Arcaden
des Hauptschiffes ist die Stelle angezeigt, an welcher der h. Pancratius enthauptet wurde. Der Tribune zur Linken führt eine

Treppe zu der Confession hinab; und vermittelst einer anderen
im linken Seitenschiffe gelangt man zu den Catacomben bei dieser
Kirche. Das Kloster bei derselben bewohnen die Barfüsser des
Carmeliterordens.

Villa, ehemals Panfili, jetzt des Prinzen Doria.

Auf der via Aurelia fortgehend, ungefähr eine halbe Miglie von
der Porta di S. Pancrazio, gelangt man zu der schönen, von dem
Neffen Innocenz X., dem Prinzen Camillo Panfili, angelegten Villa,
die jetzt dem Prinzen Doria gehört, der sie nach dem Aussterben
des panfilischen Hauses erhielt. Sie ist die grosste unter allen
römischen Villen. Ihr Umfang wird auf sechs Miglien angegeben;
und sie begreift in sich mehrere Gärten, Haine, Wiesen, Brunnen
und andere Wasserwerke, nebst einem ansehnlichen Pinienwalde.
Wegen ihrer hohen und freien Lage, welche die herrlichsten Aussichten, vornehmlich aber von der Loggia des Casino gewährt,
erhielt sie den Namen Villa di bel respiro. Algardi hat sowohl
die Gartenanlagen als das Casino angegeben, welches zur Hälfte
auf einer erhöhten Terrasse steht, daher von dem Eingange der
Vorderseite eine Treppe zum untersten Erdgeschoss hinabführt.
Von den bemerkungswerthen antiken Denkmalern dieses Gebäudes
und in anderen Theilen der Villa können wir hier nur eine kurze
Anzeige geben.

Das Casino ist von den Aussenseiten mit antiken Statuen und
Reliefs geschmuckt, von denen mehrere aus nicht zusammengehörenden Fragmenten zusammengesetzt sind. Unter diesen Reliefs
ist an der Vorderseite, in der untersten Reihe vom Beschauer links,
die Erkennung des Achilles unter den Töchtern des Lycomedes,
und rechts das Urtheil des Paris in einem grossentheils verstummelten erhobenen Werke, in einer schönen auch in archäologischer Hinsicht merkwürdigen Composition zu bemerken. — Von
vorzüglicher Merkwürdigkeit ist, in der Vorhalle des Gebäudes,
das Relief über der Thur der Hinterwand, als die einzige bekannte Vorstellung der Fabel der Alope, die nach der Entdeckung
ihres dem Neptun gebornen Kindes von ihrem Vater Cercyon um-
gebracht wurde. Diese Vorstellung zerfallt in drei Hauptmomente.
Den ersten, die Entdeckung des geheimen Fehltritts der Alope,
bezeichnet die mittlere Gruppe, in welcher vor dem auf dem
Throne sitzenden Cercyon die Amme mit dem Sohne seiner Tochter
auf dem Arme das Geheimniss seiner Geburt verräth. In dem
zweiten, auf den gewaltsamen Tod der Alope deutenden Moment
sieht man vom Beschauer links dieselbe am Fenster ihres einem
Thurme ähnlichen Gefangnisses, indem zu ihr sich die Stute erhebt, welche ihren ausgesetzten Sohn säugte, und deswegen Neigung zur Mutter empfindet. Zur Bezeichnung des dritten Momentes,

der Versöhnung der Alope mit ihrem tragischen Schicksale, sieht man, in der letzten Gruppe vom Beschauer rechts, den Hippothoon ihren Sohn, welchem die Amme das Geheimniss seiner Geburt eroffnet, welches sie auch dem Theseus mittheilte, der dadurch bewogen ward, ihn auf den erledigten Thron seines Grossvaters Cercyon zu erheben. Und zugleich ist hier durch eine Wassernymphe die Quelle bezeichnet, in welche Neptun die Alope nach ihrem tragischen Tode verwandelte, und ihr dadurch als einer Wassergöttin Unsterblichkeit gab.

Im untersten Erdgeschosse des Gartengebäudes stehen zwei Sarcophage von ungewohnlicher Grösse. Die Vorstellungen des einen sind auf den Meleager bezüglich. An der Vorderseite des Kastens sieht man die Jagd des calydonischen Ebers, und auf dem Deckel Meleagers Leichenbestattung in einer vortrefflichen Composition, zu welcher die schöne Gruppe des von mehreren Personen getragenen Leichnams des verstorbenen Helden gehört, deren Wiederholungen wir in Fragmenten im Capitol und im Hofe des Palastes Mattei erwähnten. An der einen Querseite des Monumentes ist der Kampf des Meleager mit seinen beiden Oheimen wegen der von ihnen der Atalanta geraubten Eberhaut, und auf der anderen die wegen dieses Raubes trauernde Geliebte Meleagers vorgestellt. — Die Reliefs des anderen der gedachten Sarcophage, der aus dem dritten Jahrhundert scheint, zeigen die Fabel der Luna und des Endymion mit einigen in anderen alten Monumenten nicht gewohnlichen Gegenstanden.

Unter den antiken Bildwerken im oberen und unteren Erdgeschosse erwähnen wir noch folgende:

Bildsäule in halber Lebensgrosse einer bis an den halben Leib bekleideten Frau, die sich mit dem Arme auf ein weibliches Idol lehnt; eine Vorstellung, die man für Liber und Libera erklärt. — Bildsäule des an den Baum gebundenen Marsyas; stark ergänzt. — Büste des Serapis, die eingesetzte Augen hatte. Sie steht auf einem runden Cippus, auf welchem ein verstorbenes Kind, betrauert von seiner Familie, in erhobener Arbeit gebildet ist. — Schone Bildsäule einer weiblichen Figur im langen Unterkleide und Mantel, unter welchem sie den rechten Arm verhüllt. — Profilkopf eines mit Schilf bekränzten Wassergottes in erhobener Arbeit. — Weibliche Bildsäule, grossentheils nackt. Bei ihr ein Schwan, der sie vermuthlich als Leda bezeichnet. — Statue einer Amazone, mit einem Hunde als Diana ergänzt. Zu bemerken sind die Anzeichen ihres verlornen Gürtels, der vermuthlich von Erz war. — Bildsäule des Amors, mit der Löwenhaut als Sieger über den Hercules bekleidet. — Gruppe einer auf einem Löwen reitenden Cybele, die, wie man glaubt, die Spina eines Circus verzierte. — Kleine, liegende Statue der Melpomene, bezeichnet durch die Attribute der tragischen Maske · und der Hercules-keule.

In einem Zimmer des oberen Stockwerkes, welches eine von der Donna Olimpia angelegte Mineraliensammlung enthalt: Ein zweihenkliches Gefass von weissem Marmor, auf welchem in erhobener Arbeit Amazonenkampfe gebildet sind, unter denen man den Kampf des Hercules mit der Hippolyta bemerkt.

Die Gemälde in den Zimmern dieses Gebäudes sind von keiner Bedeutung. Mehrere von denen, die sich ehemals hier befanden, sind in den Palast Doria gebracht worden.

Unter den Reliefs an der Hinterseite des Gebaudes erwahnen wir: Zwei sehr schone Fragmente, die zu demselben erhobenen Werke gehorten. Auf dem einen sind zwei tanzende, und auf dem anderen zwei stehende weibliche Figuren. Im Hintergrunde corinthische Pilaster. — Eine bacchische Vorstellung, in welcher Bacchus und Semele an die Bildung derselben auf dem bekannten Sarcophage der Villa Casali erinnern. Unter diesen Figuren sieht man hier drei Genien, welche Trauben keltern. — Ein im Kampfe mit einem Reiter niedergeworfener Krieger des Fussvolkes, zwischen zwei Säulen in Candelaberform. — Ein Mithrisches Relief; zu bemerken wegen der nicht gewöhnlichen Garbe und des Trinkhorns bei dem Genius mit der gesenkten, und des nach einem Pinienapfel gerichteten Hahns bei dem Genius mit der emporgetragenen Fackel.

In einer Nische neben dem Gebäude: Eine nackte männliche Statue von vorzuglicher Arbeit, aber verstummelt und stark erganzt. Seine Stellung und das seitwarts gewandte, emporschauende Haupt lasst in derselben einen Ballspieler vermuthen, der den nach ihm geworfenen Ball aufzufangen strebt.

Von den im Freien der Villa befindlichen Bildwerken sind folgende vorzüglich zu bemerken:

Unweit von dem Gartengebäude: Ein Sarcophag mit der Vorstellung der Phadra und des Hippolytus. Vom Beschauer rechts erscheint der Letztere auf der Eberjagd, von der behelmten Diana begleitet. Dieselbe Figur, aber mit einem Schilde in der Hand, ergreift bei der Gruppe der Phadra die Zügel des Pferdes des Hippolytus.

Auf einer Wiese: Eine merkwürdige runde Ara mit leider grossentheils verstummelten Figuren in erhobener Arbeit. Dieselben sind: Antoninus Pius, der einen Penaten in Gestalt einer Herme halt, und die beiden vor ihm verstorbenen Sohne dieses Kaisers, M. Aurelius Fulvius Antoninus und M. Galerius Aurelius Antoninus, nebst dem Mars, der Venus, der Victoria, der Roma und der Juno Lanuvina.

An einem Schuppengebaude: Ein Cippus mit der

verstümmelten Figur eines Fechters. Er hält in der Rechten ein kleines Schwert, in der Linken ein viereckiges Schild und ist am linken Beine mit einer Schiene gerüstet. Neben ihm sein Helm. Wiederholung der Gruppe der Villa Albani, des sich unter einem Widder aus der Hohle des Cyclopen rettenden Ulysses, und Ulysses dem Cyclopen den Becher darreichend.

An einem Brunnengebäude in halbzirkliger Form sind zwischen den Nischen, aus denen das Wasser fliesst, antike Reliefs, zum Theil Fragmente, eingemauert, unter denen folgende vornehmlich zu bemerken sind:

Orpheus auf der Leyer spielend; neben ihm ein Panther; vor ihm zwei stehende weibliche Figuren, von denen die vordere ein Henkelgefäss trägt. — Ein Gastmahl des bärtigen Bacchus. Der auf einer Doppelflöte blasende Silen zeigt die Zwerggestalt einer Figur dieser Gottheit in einem albanischen Relief. — Apollo sitzend mit der Leyer. Ein Rind und ein Hund bei demselben deuten auf seinen Hirtenstand bei dem Admet. Durch eine um einen Baumstamm gewundene Schlange ist wahrscheinlich der Drache Python bezeichnet. Vom Beschauer rechts eine Panin, links ein Gebäude. — Ein Knabe, in einer grossen Silenmaske versteckt, aus deren Munde er die Hand hervorstreckt, um einen anderen vor ihm mit einem Blumenkorbe stehenden Knaben zu erschrecken. — Relief von einem Grabsteine. Der Verstorbene, ein mit der Bulla geschmückter Jüngling, erscheint in halber Figur mit vier tragischen, sämmtlich maskirten Schauspielern. Hinter ihm sieht man noch drei andere in halber Figur in einer Art von Aedicula mit einem Giebeldache. Am Friese zeigt eine Inschrift, dass ein Valerianus Paterculus das Leichenbegängniss des Verstorbenen besorgte.

Auf einem der Sarcophage, die sich unweit von hier befinden, ist ein bacchisches Gastmahl in einer schönen Composition vorgestellt.

So wie in der benachbarten Villa Corsini sind auch in dieser Villa Columbarien längs der Via Aurelia entdeckt worden. Das bedeutendste fand man im Jahre 1838. Die Wände zwischen den Nischen, in denen sich die Aschenkrüge befinden, sind durchaus mit Malereien geschmückt, die in ihrer Art unter die vorzüglichen der auf uns gekommenen Werke der Malerkunst des Alterthums gehoren. Sie bestehen in kleinen Gruppen menschlicher Figuren, Vogeln und anderen Thieren. An der Seitenwand vom Eingange links ist die Vorstellung der Fabel der Niobiden und des an den Caucasus gefesselten Prometheus zu bemerken. — Unweit von hier sieht man eine beträchtliche Anzahl von Bildwerken und Inschriften, die in den Columbarien dieser Villa gefunden worden sind.

Ospedale di S. Galicano.

Das grosse Gebäude des Hospitals di S. Galicano, in der von demselben benannten Strasse, ist zur Aufnahme der von Hautkrankheiten befallenen Personen bestimmt. Zu den beiden langen, unter Benedict XIII. erbauten Salen, zwischen denen sich die Kirche des Hospitals erhebt, ist noch ein dritter im Pontificate Benedict XIV. hinzugefügt worden. In diesen drei Sälen ist Raum fur 238 Betten. Leo XII. hat mit dieser Anstalt auch eine Lehranstalt der Anatomie verbunden.

S. Crisogono.

Die zuerst in dem bekannten Concilium des Symmachus erwähnte Kirche des heil. Chrysogonus wurde unter Honorius I. im Jahre 1128 von Grund auf neu erbaut von dem Cardinal Johannes von Crema. Ihre letzte Erneuerung erfolgte durch den Cardinal Scipio Borghese nach Angabe des Gio. Battista Soria, wobei die mit vergoldeten Schnitzwerken geschmuckte Decke der Kirche und das heutige Tabernakel des Hauptaltares verfertigt wurde, auch die Vorderseite und Vorhalle ihre heutige Gestalt erhielten. Die Vorhalle erhebt sich auf vier grossen Saulen von rothem Granit und zwei Arcaden an den beiden Enden derselben. Das Innere der Kirche zeigt die Form einer Basilica mit drei Schiffen, von denen das mittlere von 22 antiken Granitsaulen getragen wird. Die jonischen Capitelle derselben sind ebenfalls antik, haben aber moderne Verzierungen von Stuck. Die beiden antiken Porphyrsaulen — auf denen sich der Bogen am Ende des Hauptschiffes erhebt — sind als die grössten von diesem Steine in Rom bemerkungswerth. Der Fussboden zeigt noch grosstentheils mittelalterliche Steinarbeit. An der Decke des Hauptschiffs sieht man den heil. Chrysogonus von Engeln umgeben in einer Copie nach einem Oelgemalde von Guercino, welches nach England gegangen ist. An der Decke des Querschiffs ist, ebenfalls in einem Oelgemälde von Arpino, die h. Jungfrau mit dem schlafenden Christuskinde zwischen zwei Engeln vorgestellt. Ueber dem Hauptaltare erhebt sich ein mit Sculpturen geschmucktes Tabernakel auf vier Säulen von Quittenalabaster (Alabastro cotognino). — Das mit dieser Kirche verbundene Kloster gehort den Carmelitern.

S. Cecilia in Trastevere.

Nach der Legende der h. Cäcilia weihte der h. Papst Urbanus (222—230) auf ihre Bitte, vor ihrem Martyrertode, ihr Wohnhaus in Trastevere zu der von ihr den Namen fuhrenden Kirche, die am Ende des 5ten Jahrhunderts, in den Acten des Conciliums des Symmachus vorkommt. Der neue Bau derselben, in ihrem noch jetzt bestehenden Umfange, erfolgte durch Paschalis I., zwischen den Jahren 817 und 824. Ihre Alterthümer verschwanden grössten-theils durch ihre, im Jahre 1725, von dem Cardinal Francesco Acquaviva unternommene und dann von seinem Neffen, dem Cardinal Trojano, fortgesetzte Erneuerung. Man gelangt zu dieser Kirche vermittelst eines Vorhofes, dessen äussere Querseite dermalen durch ein Gebäude mit einer Halle gebildet wird, welches der Cardinal Trojano Acquaviva nach Angabe des Ferdinando Fuga aufführen liess. In jenem Hofe steht ein grosses antikes Gefass von weissem Marmor. Der Glockenthurm der Kirche zeigt noch den alterthümlichen Character. Ihre Vorhalle wird von vier antiken Säulen und zwei Pfeilern getragen. Unter den Mosaikverzierungen, vermuthlich aus der Zeit Paschalis I. — am Architrave des Gebälkes dieser Halle — sind einige kleine Brustbilder zu bemerken, welche die heil. Cäcilia und einige heilige Männer vorstellen, deren Reliquien von dem genannten Papst in diese Kirche gebracht wurden. Das Innere ihres Gebäudes war, in seiner ursprünglichen Gestalt, vermuthlich der Kirche S. Agnese fuori le mura entsprechend. Saulen — aber nicht antike, von Marmor oder Granit, wie in anderen alten römischen Kirchen, sondern von Travertin — sah man noch in unseren Zeiten anstatt der bei der Erneuerung der Kirche auf Kosten des Cardinals Doria, im Jahre 1822, errichteten Pfeiler zur Unterstützung des Hauptschiffs. Die Malereien der Decke sind von Sebastiano Conca.

An der vorderen Wand der Kirche stehen, zu beiden Seiten des Einganges, die Grabmäler der Cardinale Adam Eston und Fortiguerra, mit den Bildsäulen derselben; Werke des 15ten Jahrhunderts. — Die Confession erhielt ihre heutige prächtige Gestalt auf Veranstaltung des Cardinals Emilio Sfonderato, nach der Wiederentdeckung des Leichnams der b. Cäcilia im Jahre 1599. Sie ist, so wie die Vorderseite des erhohten Presbyteriums, mit vergoldeten Bronzearbeiten und kostbaren Steinen geschmückt, mit denen auch der mit einem eisernen Gitter umgebene Theil des Fussbodens vor dem Presbyterium ausgelegt ist. In der Confession sieht man die Bildsäule der heil. Cácilia; ein durch edle Einfalt in jener Zeit der schon sehr entarteten Kunst ausgezeichnetes Werk von Stefano Maderno. Die Heilige ist in der Lage vorgestellt, die sie nach ihrer Enthauptung zeigte, und in der ihr Leichnam auch wiedergefunden worden seyn soll. Sie liegt mit vorgestreckten Armen am Boden, und ihr nach dem Rücken gewandtes Haupt ist nicht völlig von dem Rumpfe getrennt, weil, wie die Legende sagt, der Henker es nicht vollig abzuschlagen vermochte, und erst drei Tage nach ihrer Hinrichtung das völlige Aufgeben ihres Geistes erfolgte. — Der Hauptaltar, aus der Zeit des Mittelalters, ist von Paonazzetto und an der Vorderseite mit

Mosaik und einer grossen Porphyrplatte ausgelegt. Das mit Sculpturen geschmückte Tabernakel dieses Altares ist vermuthlich ein Werk des von Vasari Arnolfo di Lapo benannten Künstlers, aus der spateren Zeit des 13ten Jahrhunderts. Es erhebt sich auf vier Saulen von einem schönen, schwarz und weiss gefleckten Marmor, Marmo proconesio benannt. An den Seiten desselben sind die vier Evangelisten, zwei Propheten mit Schriftrollen, zwei heilige Frauen und einige Engel gebildet. An den Ecken stehen vier kleine Statuen, in denen, nach unserer Erklarung, die heil. Cäcilia, der heil. Papst Urbanus und die Heiligen Valerianus und Tiburtius vorgestellt sind. — Eine Arbeit des Mittelalters ist auch, neben dem Hauptaltare, eine kleine gewundene, mit Mosaik ausgelegte Säule, die zum Leuchter der Osterkerze dient.

Am Ende der Tribune, auf deren Fussboden noch mittelalterliche Steinarbeit vorhanden ist, steht ein alter bischöflicher Stuhl von weissem Marmor. Am Gewolbe derselben sind noch die Mosaiken aus der Zeit Paschalis I. erhalten. Ihre Gegenstande sind: der Heiland, über dessen Haupt die den ewigen Vater bezeichnende Hand eine Krone halt. Ihm zur Rechten: der heil. Paulus; — eine Jungfrau mit einer Krone auf dem Haupte; vermuthlich die heil. Agatha; — und der genannte Papst mit einem Gebaude in der Hand als Erbauer dieser Kirche. — Dem Heilande zur Linken: der h. Petrus und die h. Cacilia, nebst dem zu ihrem Gemahle bestimmten und von ihr zum Christenthume bekehrten h. Valerianus. Auf einem der beiden Palmenbaume der Phonix als Symbol der Unsterblichkeit. Unter der bekannten Vorstellung des Heilandes und der Apostel unter dem Bilde von Lämmern steht eine Inschrift in Versen zum Lobe des Paschalis, dessen Namen auch ein Monogramm am Bogen der Tribune zeigt.

Ueber dem Altare der ersten Capelle vom Eingange rechts ist ein altes Gemalde des gekreuzigten Heilandes mit einigen Heiligen. — Die folgende Capelle soll das Badezimmer gewesen seyu, in welchem die h. Cäcilia verbrannt oder erstickt werden sollte, aber durch ein Wunder von dem Feuer unbeschadigt blieb. Dass hier ein Bad des alten Roms war, zeigen an den Wanden die Canäle von gebrannter Erde und eine antike bleierne Röhre zum Abfluss des Wassers, welches durch den Ofen in dem unteren Raume erwärmt wurde, der an zwei Stellen des Fussbodens durch ein eisernes Gitter sichtbar ist. Erneuerungen dieser Capelle wurden im Pontificate Innocenz VIII. von dem Cardinal Lorenzo Cibo, und später von dem oben erwahnten Cardinal Sfonderato veranstaltet. Der mit Mosaik und einer Porphyrplatte ausgelegte Altar von weissem Marmor ist, so wie die Steinarbeit des Fussbodens, aus der Zeit des Mittelalters. Das Altarbild und die Frescomalereien dieser Capelle werden einem unbekannten

Nachahmer des Guido Reni zugeschrieben. An den Wänden ihres Vorgemaches sieht man einige verdorbene Landschaften von Paul Brill. — Auf das Grabmal des mehrerwahnten Cardinals Sfonderato folgt ein reich geschmücktes Zimmer, welches zur Aufbewahrung von Reliquien dient und nur an besonderen Festtagen geöffnet wird. Am Eingange desselben stehen zwei Saulen mit gewundenen Cannelirungen. — In der letzten Capelle des rechten Seitenschiffs, neben der Tribune, sieht man über dem Altare die h. Jungfrau zwischen zwei Heiligen, in einem Relief aus dem 15ten Jahrhundert, und, an der Seitenwand der Capelle vom Eingange, rechts, den von der Mauer abgesägten Rest der alten Gemälde, die sich ehemals in der äusseren Halle des Vorhofes dieser Kirche befanden. Die Gegenstände sind die Bestattung der h. Cäcilia durch den Papst Urbanus und wie dieselbe Paschalis I. im Traume erscheint. — Neben der Tribune fuhrt eine Treppe in eine untere Kirche hinab, unter deren Gewölbe zwei Granitsäulen mit schönen antiken Capitellen stehen, und in der sich vier mittelalterliche Altäre befinden. Man bewahrt in derselben die Reliquien der h. Cäcilia und anderer Heiligen. — Das Kloster bei dieser Kirche besitzen die Benedictinerinnen.

Ospizio Apostolico di S. Michele.

Das an Ripa grande gelegene Hospital, welches den Namen Ospizio Apostolico di S. Michele führt, ist unter den milden Stiftungen in Rom sowohl durch den Umfang und die mit allen Bequemlichkeiten versehene Einrichtung des Gebäudes, als durch zweckmässige Verfassung und Verwaltung der Anstalt besonders ausgezeichnet. Fur die durch Alter und Krankheit Hülfsbedürftigen ist hier nicht minder gesorgt, als für die Erziehung junger Leute beiderlei Geschlechts, und deren Unterricht in mannichfaltigen Künsten und Handarbeiten. Die Alumnen dieses Hospitals — deren Anzahl sich auf 700 belauft — bestehen aus vier Communitaten, nämlich: der alten Männer, der alten Frauen, der Knaben und der Jungfrauen. Jede der beiden erstgenannten dieser Communitaten zerfallt in zwei Classen: die der Arbeitenden und die durch Altersschwache und Krankheit zur Arbeit Unfähigen. Die Knaben — deren Communität der Einrichtung eines polytechnischen Instituts entspricht — finden hier Gelegenheit zur Erlernung fast aller Künste und Handwerke. Zum Studium und zu der Ausübung der mannichfaltigen Zweige der bildenden Kunste finden die Zöglinge in einem weitläuftigen Locale die dazu nöthigen Hulfsmittel, und erhalten den Unterricht in denselben von den dazu angestellten Mitgliedern der Academie von S. Luca. Zur Erlernung und Ausübung der Handwerke sind hier nicht minder zweckmässige Einrichtungen getroffen; und diese Anstalt hat die Lieferung des Tuches und der Lederarbeit für die sämmtlichen, in Rom liegenden Truppen des Papstes. Die Jungfrauen sind vornehmlich mit der Verfertigung der Epaulettes und anderen Zierrathen der Kleidungen der Soldaten, und mit der Leinwand für die sämmtlichen Mitglieder des Hospitales beschäftigt.

Der Stifter dieser ursprünglich nur fur arme Knaben bestimmten Anstalt war Tommaso Odescalchi, Neffe des Papstes Innocenz XI. Nach seinem Tode fiel dieselbe den Päpsten anheim; und Innocenz XII. verlegte darauf in das von Odescalchi erbaute Gebäude dieses Hospitals auch die Knaben aus der von ihm im lateranischen Palaste gestifteten Armenanstalt. Aus demselben verlegte dahin sein Nachfolger Clemens XI. auch die alten Manner und Frauen, und zuletzt Pius VI. auch die Jungfrauen. Das Hospital, welches in dem von Odescalchi erbauten Gebäude nur etwa den vierten Theil des heuligen begriff, erhielt durch die unter Clemens XI. und Pius VI. erhaltenen Vergrosserungen einen Umfang, in dem es unter den Gebauden des neueren Roms nur dem vaticanischen Palaste nachstehen durfte. Es begreift in sich vier grosse Höfe und drei zum Gottesdienste der Einwohner bestimmte Kirchen, die seit Leo XII. unter einem eigenen Pfarrer des Hospitals stehen. Mit demselben ist auch eine Zuchthausanstalt für Frauen verbunden.

Ripa grande.

Der Hafen an der Tiber, der den Namen Ripa grande führt, erhielt seine heutige Gestalt unter Innocenz XII., der auch hier das Zollhaus nach Angabe des Carlo Fontana und Mattia de' Rossi erbaute. Den kleinen Leuchtthurm des Hafens liess Pius VI. errichten. Da von dem Meere stromaufwarts nur kleine Schiffe hier anlangen konnen, so werden von den grosseren die Waaren in Fiumicino ausgeladen und auf platten Fahrzeugen bis hierher gebracht.

Porta Portese.

Das Thor, welches den Namen Porta Portese führt, wurde unter Innocenz X. erbaut, nachdem die Porta Portuensis des alten Roms bei der Erneuerung der Stadtmauern von Trastevere im Jahre 1643 niedergerissen worden war.

S. Francesco a Ripa.

Die dem h. Franciscus geweihte Kirche in Trastevere führt den Beinamen a Ripa von dem benachbarten Ufer der Tiber. Sie wurde von dem Grafen Rudolph von Aquillara im Jahre 1231 erbaut und im 17ten Jahrhundert auf Kosten des Cardinals Lazzaro Pallovicini nach Angabe des Mattia de' Rossi erneuert. Unter ihren Gemälden bemerken wir nur ein Bild von Annibale Caracci, welches aus einer ihrer Capellen in die Sacristei gebracht worden ist. Der Gegenstand desselben ist die Mutter Gottes mit dem Leichnam des Erlösers, nebst der heil. Magdalena und dem heil. Franciscus. — In dem mit dieser Kirche verbundenen Franciscanerkloster zeigt man das in eine Capelle verwandelte Zimmer, welches der h. Franciscus bewohnte. Das Bildniss desselben sieht man über dem Altare in einem alten Gemälde, welches der selig gesprochene Giacomo de' Sette Soli bei den Lebzeiten jenes Heiligen gemalt haben soll. In zwei anderen, ebenfalls alten Gemälden, jenem zu beiden Seiten, sind die Franciscaner-Heiligen Ludwig, Bischof von Toulouse, und Bernardino von Siena vorgestellt. Unter den hier aufbewahrten Reliquien befindet sich auch der Stein, dessen sich der heil. Franciscus zum Hauptkissen zu bedienen pflegte.

SS. Cosma e Damiano, gewöhnlich S. Cosimato genannt.

Die in Trastevere den HH. Cosmas und Damianus geweihte Kirche, gewöhnlich S. Cosimato genannt, erbaute im Pontificate Gregors V. (996 — 999) der Abt des Klosters von Farfa, Benedict Campanianus. Ein neuer Bau derselben erfolgte auf Veranstaltung Sixtus IV. im Jahre 1475. Man gelangt zu ihr durch einen Vorhof, dessen Eingang ein altes, sehr roh von Backsteinen und Fragmenten antiker Gebäude zusammengesetztes Vestibulum bildet, vermuthlich aus den Zeiten des ersten Baues der Kirche. Das Becken des Springbrunnens, in der Mitte dieses Hofes, ist eine antike Wanne von grauem Granit. Die in einem guten einfachen Styl gebaute Vorderseite hat eine mit Arabesken und Fruchtgewinden geschmückte Thürbekleidung von weissem Marmor. Im Giebelfelde über dem Eingange erscheint noch der Rest von einem Marienbilde. Ueber dem Hauptaltare bewahrt man ein altes Gemälde der h. Jungfrau, welches sich ehemals in der alten Peterskirche befand. Dem Hauptaltare zur Rechten verdient ein schönes Gemälde aus der Peruginischen Schule Aufmerksamkeit, welches Maria mit dem Kinde zwischen der h. Clara und dem h. Franciscus vorstellt. Auch ist — über dem Altare einer Seitencapelle links vom Eingange der Kirche — das Tabernakel bemerkungswerth, welches sich ursprünglich in der Kirche S. Maria del Popolo in der von dem Cardinal Lorenzo Cibo zu Ehren des h. Laurentius erbauten Capelle befand. Die Sculpturen desselben zeigen den Styl der späteren Zeiten des 15ten Jahrhunderts. An der hinteren Wand ist die heil. Jungfrau mit dem Christuskinde gebildet. Ihr zur Rechten der h. Bartholomäus, durch das Messer, sein Marterwerkzeug, bezeichnet, und zur Linken ein knieender Mann, wahrscheinlich der vorerwähnte Cardinal, der ihr von einem anderen Heiligen, vermuthlich dem h. Laurentius, empfohlen wird. Ueber derselben zwei schwebende Engel. An den Pfeilern die drei theologischen Tugenden und die Gerechtigkeit in vier weiblichen Figuren. — Das Kloster bei dieser Kirche gehört den Nonnen vom Orden der h. Clara.

S. Maria in Trastevere

Zu der Stiftung der merkwürdigsten Kirche in Trastevere — der der h. Jungfrau, die von diesem Stadtbezirke den Beinamen fuhrt — soll der wunderbare Oelquell die Veranlassung gegeben haben, der in der Taberna Meritoria zur Zeit des Augustus entsprang, und als symbolisches Vorbild der zukünftigen Erscheinung des Welterlosers betrachtet wurde. Denn hier soll der h. Papst Calixtus I. (217 — 222) ein Gotteshaus zu Ehren der h. Jungfrau zum Andenken jenes wunderbaren Ereignisses gestiftet haben. Jedoch durfte diese Erzählung auf einer spateren Sage beruhen, da unsere Kirche in den Unterschriften der Acten des Conciliums des Symmachus vom Jahre 499 nicht von dem heil. Calixtus den Namen fuhrt, sondern Titulus Sancti Julli, von Julius I. (337—354), der sie in dem Umfange erbaute, den sie bis zu ihrem neuen, von Innocenz II. nach dem Jahre 1139 unternommenen Bau zeigte. Auch wird sie erst lange nach der Zeit Julius I. eine Kirche der h. Jungfrau genannt. Die nach Innocenz II. erfolgten Veränderungen und Ausschmückungen ihres Gebäudes werden in der folgenden Beschreibung dieser Kirche Erwähnung finden.

Die Vorhalle und die Vorderseite derselben erhielten ihre heutige moderne Gestalt unter Clemens XI. im Jahre 1702. An den Pfeilern der Arcaden der Vorhalle stehen vier Granitsäulen. In der Hohlkehle der Vorderseite sieht man noch ein altes, aber von neueren Händen ausgebessertes Mosaik. Der Gegenstand ist die h. Jungfrau mit dem Christuskinde auf dem Throne sitzend. Ihr zu beiden Seiten zwei sehr kleine Figuren in bischöflicher Kleidung, in denen vermuthlich Innocenz II. und sein Nachfolger Eugen III. (der den von jenem unternommenen Bau der Kirche vollendete) vorgestellt sind. Dem Throne der Mutter Gottes nahern sich zu beiden Seiten zehn Frauen, von denen acht Gluthpfannen halten und mit Kronen geschmückt, die beiden übrigen aber ohne diesen Hauptschmuck sind und Gefässe ohne Feuer tragen. Man erklärt sie für die zehn Jungfrauen in dem Gleichnisse des Evangeliums. Nur scheint in dieser Vorstellung sonderbar, dass sowohl die fünf thörichten als die klugen mit Heiligenscheinen umgeben, und als die ersteren nur zwei, durch den Mangel der Kronen und des Feuers bezeichnet sind.

In der Vorhalle sind von den Gemälden, mit denen Pietro Cavallini diese Kirche schmückte, noch zwei von neueren Händen übermalte Bilder vorhanden, die beide die Verkündigung vorstellen. Ausser den hier in den Wänden eingemauerten christlichen Inschriften sieht man, an der Seitenwand vom Fingange rechts, das Fragment eines altchristlichen Reliefs. Es zeigt die gewöhnliche Vorstellung des Jonas unter der Kürbislaube, nebst vier stehenden männlichen Figuren, die vielleicht der Rest einer Vorstellung von Noahs Opfer sind. — Die mit Laubwerk geschmückten marmornen Thurpfosten der drei Eingänge der Kirche bestehen aus Fragmenten von antiken Gebäuden.

Das Innere der Kirche wird in drei Schiffe durch 22 antike Granitsäulen getheilt, von denen die eine durch die in das Hauptschiff, vom Eingange rechts, hineingebaute Capelle verdeckt wird. Vier derselben haben corinthische, und die übrigen jonische Capitelle. Die letzteren sind meistens durch vorzügliche Arbeit ausgezeichnet. In mehreren Voluten derselben sind, nebst Zierrathen von Laubwerk, Kopfe und Brustbilder gebildet, unter denen man den Harpocrates mit dem Finger auf dem Munde in öfterer Wiederholung bemerkt. Auch erscheinen an einigen, in der Mitte der Platte über den Eiern, Köpfe Jupiters und anderer männlicher und weiblicher Gottheiten. An anderen dieser Capitelle sind noch die Spuren verloren gegangener Köpfe an derselben Stelle zu bemerken. — Die vier Anten an den beiden Enden der Säulenreihen haben Capitelle von romischer Ordnung. Die Sparrenköpfe des Gebälkes, welches nicht nur über den Säulen, sondern auch an der vorderen Wand des Hauptschiffs fortlauft, bestehen aus antiken Fragmenten von verschiedener Form. Unter den Bögen, mit denen die drei Schiffe der Kirche endigen, stehen sechs Granitsäulen mit corinthischen Capitellen. Auf den beiden derselben, welche den Bogen des Hauptschiffs tragen, ruhen antike Gebälke mit reichen Verzierungen.

Die Steinarbeit des Fussbodens, aus der Zeit Innocenz II., ist zum Theil verloren gegangen und mit Marmorplatten ergänzt worden, von denen einige, auf denen Kreuze und andere Figuren gebildet sind, vermuthlich zu den ehemaligen Schranken des Presbyteriums und der hinteren Capellen dieser Kirche dienten. — Die auf Kosten des Cardinals Aldobrandini mit vergoldeten Schnitzwerken geschmückte Decke des Hauptschiffs hat Domenichino angegeben. Und von seiner Hand ist auch das inmitten derselben auf Kupfer gemalte Oelgemälde, welches die h. Jungfrau in der Glorie des Himmels mit Engeln umgeben vorstellt. — Ein grosses und sehr verehrtes Crucifix von Holz, uber dem Altare der bereits erwähnten Capelle am Anfange des mittleren Schiffes, wird ohne Grund dem Pietro Cavallini zugeschrieben. — Die Capellen der Seitenschiffe zeigen modernen Geschmack und nichts von vorzuglicher Bedeutung. In der fünften derselben vom

Eingange links, ist ein Gemälde Johannes des Taufers, welches dem Antonio Caracci zugeschrieben wird.

An dem Pfeiler am Ende des Hauptschiffes vom Eingange links sieht man in Einen Rahmen gefasst zwei antike Mosaiken, die bei dieser Kirche gefunden worden sind. Das eine gehört in Hinsicht der Ausführung unter die schönsten musivischen Arbeiten des Alterthums in Rom. Drei Enten und zwei langbeinige Wasservögel, von denen der eine mit dem Schnabel nach einer Schnecke greift, sind mit grosser Wahrheit nach der Natur gebildet; auf dem Vorgrunde noch zwei andere Schnecken an einem Korbe. — Das andere Mosaik, vermuthlich ein Fragment, zeigt die Ansicht eines Seehafens, nebst drei auf dem Meere schwimmenden Fahrzeugen mit menschlichen Figuren und zwei Delphine.

Das Querschiff hat, so wie das Hauptschiff, eine mit vergoldeten Zierrathen geschmuckte Decke, die der Cardinal Stefano Nardini verfertigen liess. Am Anfange der Stufen, die zu demselben emporfuhren, zeigt eine kleine Oeffnung mit der Inschrift: Fons Olei die Stelle des obenerwahnten Oelquells, die man bei dem Graben der Fundamente der Kirche unter Innocenz II. an' der Feuchtigkeit der Erde zu erkennen glaubte. In der Mitte des Querschiffes erhebt sich, uber der Confession, der Hauptaltar mit einem modernen Tabernakel, welches von vier schonen Porphyrsäulen getragen wird.

Die Mosaiken aus der Zeit des vorerwähnten Papstes am Bogen und am Gewölbe der Tribune zeigen folgende Gegenstände: Ueber dem Bogen: ein Kreuz in einer Rundung mit den Buchstaben Alpha und Omega, zwischen den symbolischen Bildern der Evangelisten. Zu beiden Seiten des Bogens: die Propheten Jesaias und Jeremias. Am Gewölbe: Christus mit der h. Jungfrau auf dem Throne sitzend. Ihnen zur Rechten: die HH. Calixtus und Laurentius, und Innocenz II. mit einem Gebäude, zur Bezeichnung dieser von ihm erbauten Kirche. Zur Linken die HH. Petrus, Cornelius, Julius und Calepodius. Unter dem Gewölbe: eine Inschrift in Versen zum Lobe des Innocenz, und die Vorstellung des Heilandes und der Apostel unter dem Bilde von Lämmern. — Es folgt nach unterwarts die Reihe der später von Pietro Cavallini verfertigten Mosaikbilder, welche folgende Gegenstände aus dem Leben der h. Jungfrau vorstellen: die Geburt derselben; — ihre Verkündigung; — die Geburt Christi; — die Anbetung der Könige; — die Darstellung des Heilandes im Tempel; — und der Tod der Mutter Gottes im Beiseyn der Apostel. — Darunter, inmitten der Wand der Tribune, sieht man ebenfalls in Mosaik das Brustbild der Maria mit dem Kinde in einer Rundung, und zu beiden Seiten die Apostel Petrus und Paulus, von denen der erstere der h. Jungfrau einen sie verehrenden Mann in violetter Kleidung empfiehlt, den die´Inschrift: Bertold. Filius. Pet. als den Berthold des Peter Stefaneschi Sohn anzeigt, der dieses Werk gegen das Ende des 13ten Jahrhunderts verfertigen liess. Die Frescogemälde zu beiden Seiten desselben sind von Ciampelli. — Darunter erhebt sich, an der Wand der Tribune, ein Bischofsstuhl von weissem Marmor, dessen Seitenlehnen mit Chimären aus der Zeit des heidnischen Alterthums geschmückt sind.

An 'den beiden Seitenwanden des Querschiffes sind einige Denkmaler älterer Sculptur bemerkenswerth. Vom Eingange rechts sieht man in der Vorstellung von drei Hirten mit einer Heerde Schafe, von sehr roher Arbeit, vermuthlich das Fragment eines altchristlichen Reliefs, mit der Vorstellung der Verkundung der Hirten, von welcher der verkundende Engel verloren gegangen ist. Zu beiden Seiten dieses Reliefs stehen die Grabmaler des Cardinals Francesco Armellini, und eines Verwandten desselben, Benevengrati Armellini; beide mit den Bildsäulen der Verstorbenen und der Jahrzahl 1524. — An der gegenüber stehenden Wand des Querschiffes steht der von dem Cardinal Philipp von Alençon zu Ehren der Apostel Philippus und Jacobus errichtete Altar. Ueber demselben erhebt sich auf zwei gewundenen Säulen ein Tabernakel von weissem Marmor im sogenannten gothischen Style, mit vorzüglichen Sculpturen. Im Giebelfelde dieses Tabernakels halten zwei Engel das Wappen der Könige von Frankreich, aus deren Geblute Philipp von Alençon war. Unter dem Dache erscheint die heil. Jungfrau in einer Glorie von Engeln. Ihr zu beiden Seiten befinden sich einige Heilige. Einer derselben, vermuthlich der Apostel Philippus, empfiehlt ihr den gedachten Cardinal: ein anderer, den der Krummstab und die Mütze als einen Abt bezeichnet, ist wahrscheinlich Dionysius, der Schutzheilige von Frankreich. Zu beiden Seiten des Giebelfeldes stehen einige kleine Statuen heiliger Manner und Frauen. In dem Gemälde des Altares ist die Kreuzigung des h. Philippus, und auf dem Vorgrunde Philipp von Alençon in halber Figur vorgestellt. Neben diesem Altar steht das Grabmal des Letztgenannten mit einer Inschrift, welche anzeigt, dass sein Ableben im Jahre 1397 erfolgte. Und an der Vorderseite des Sarges, auf welchem die Bildsaule des Verstorbenen ruht, ist das Hinscheiden der Mutter Gottes in erhobener Arbeit gebildet. — An der anderen Seite jenes Altares steht das Grabmal des im Jahre 1417 verstorbenen Cardinals Pietro Stefaneschi, mit der Bildsaule des Verstorbenen, von Paolo Romano, wie die Worte: Magister Paulus fecit hoc opus, anzeigen.

Zu beiden Seiten der Tribune sind zwei Capellen. Die eine, vom Haupteingange rechts, in welcher die Chorherren ihre Functionen verrichten, ist nach Angabe des Dominichino erbaut. Man

verehrt in ihr ein Marienbild, welches von der Strasse, in der es
entdeckt wurde, den Namen Madonna di Štrada Cupa fuhrt. Die
andere der gedachten Capellen, welche zur Aufbewahrung des h.
Sacramentes dient, wurde durch den Cardinal Marco Sitico Altemps,
nach Angabe des Onorio Lunghi, erneuert. In derselben ist ebenfalls ein verehrtes Marienbild, vor welchem die h. Cacilia ihre
Andacht verrichtet haben soll. Es führt den Namen Madonna della
Clemenza, von den dem Gebete vor diesem Bilde zugeschriebenen
Gnadenwirkungen. Die Gegenstande der Frescogemälde dieser
Capelle, von Pasquale Cati da Jesi, beziehen sich auf das Triden-
tinische Concilium und andere Begebenheiten im Pontificate Pauls IV.
Und in einem Bilde, über dem Altare am Anfange des Decken-
gewölbes, ist der vorerwähnte Papst mit dem gedachten Cardinal
Sitico Altemps vorgestellt, der papstlicher Legat bei jenem Conci-
lium war.

Im Vorgemache der Sacristei ist ein mit Sculpturen geschmucktes Tabernakel zur Aufbewahrung des heiligen Oels zu
bemerken. Die Inschrift bezeichnet es als ein Werk des Mino da
Fiesole. — Ueber dem Altare der Sacristei sieht man ein schönes
Gemalde von einem unbekannten Meister, vermuthlich aus den
spateren Zeiten des 15ten Jahrhunderts. Der Gegenstand ist die
h. Jungfrau mit dem Kinde zwischen den Heiligen Rochus und
Sebastianus.

Ueber dem vormaligen, jetzt zugemauerten Eingange der
Kirche, vom Haupteingange rechts, sieht man noch in einem kleinen Tabernakel den Rest von einem guten Gemalde, welches an
den Styl des Perugino erinnert. Der Eingang unweit von hier
im rechten Seitenschiffe hat marmorne Thurpfosten, vermuthlich
aus der Zeit Innocenz II., mit Verzierungen in sehr barbarischem
Geschmack. Auf der Mauer, welche den kleinen Gottesacker der
Kirche umgibt, stehen einige kleine Statuen aus älterer Zeit.

Kloster und Kirche S. Calisto.

Zu S. Maria in Trastevere gehörte ehemals der an diese
Kirche anstossende Palast, dessen Vorderseite an dem grossen
Platze vor derselben liegt, auf welchem sich ein grosser Springbrunnen erhebt, der nach Angabe des Carlo Fontana im Jahre
1694 errichtet wurde. Den Palast erhielten, mit der Kirche S.
Calisto, von Paul V. die Benedictiner, auf deren Veranstaltung
er seine heutige Gestalt und die einem Kloster angemessene Einrichtung, nach Angabe des Orazio Torregiani erhielt. Die bedeutende Bibliothek dieses Klosters ging in der französischen Revolution
verloren; die besten Werke wurden nach Paris gebracht; und nur
die beruhmte und kostbare, reich mit Miniaturen geschmuckte
Handschrift der lateinischen Bibel aus der Zeit Carls des Grossen

ist von dort wieder zurückgekommen. Der Kalligraph derselben, der sich im Prolog Jugobertus nennt, zeigt sich durch diesen Namen, wenn nicht als einen Franken von Geburt, doch von deutscher Abkunft. In Hinsicht der Erklärung der Gegenstände der Miniaturen verweisen wir auf unsere Beschreibung III. Bd. Abtb. 3. S. 673 u. folg.

Die vorerwähnte Kirche S. Calisto soll an der Stätte des Hauses erbaut seyn, in welches sich der h. Calixtus vor der Christenverfolgung flüchtete; und man zeigt in derselben den Brunnen, in den er hinabgestürzt wurde. Uebrigens zeigt diese Kirche in ihrer heutigen ganz modernen Gestalt nichts, was besondere Erwähnung verdiente.

S. Maria della Scala.

Wir betrachten noch zuletzt die grösste und am reichsten ausgeschmückte der modernen Kirchen in Trastevere, S. Maria della Scala. Sie wurde gegen das Ende des 16ten Jahrhunderts, nebst dem mit ihr verbundenen Carmelitenkloster, von dem Cardinal Cibo unter der Leitung des Francesco von Volterra und Ottavio Mascherino erbaut. Ihren Beinamen erhielt sie von einem verehrten Marienbilde, welches sich unter der Treppe eines benachbarten Hauses befand, und welches man in einem mit Bildwerken von vergoldeter Bronze geschmückten Tabernakel in der Capelle des Querschiffes dieser Kirche aufbewahrt. Das ebenfalls mit vergoldeten Bronzearbeiten verzierte Tabernakel des Hauptaltars erhebt sich auf 16 Säulen von orientalischem Jaspis und dient zur Aufbewahrung eines verehrten Bildes des Erlosers. Im Chore sieht man die h. Jungfrau in einem Frescobilde von Arpino. Unter den Gemälden der mit Säulen von verschiedenen Marmorarten geschmückten Seitencapellen ist, in der ersten vom Eingange rechts, die Enthauptung Johannes des Täufers von Gerhard Honthorst, und, in der zweiten vom Eingange links, ein grosses Bild von Carlo Saraceni zu bemerken, welches die h. Jungfrau von den Aposteln umgeben vorstellt, indem sie die zu ihrer Aufnahme bereite Glorie des Himmels verehrt. Unter den Sculpturen dieser Kirche befindet sich eine Büste von Algardi, an dem Grabmale des Muzio Santacroce in der erwähnten Capelle des Querschiffes.

CHRONOLOGIE DER PÄPSTE

von dem heil. Sylvester bis auf unsere Zeiten.

Sylvester I., Römer	Jahr	314—335.
Marcus, Römer	»	336 (8 Mon. 2 Tage).
Julius I., Römer	»	337—352.
Liberius, Römer	»	352—366.
Damasus I., aus Vimaranum in Portugal . . .	»	366—384.
Siricius, Römer	»	385—396.
Anastasius, Römer	»	396—401.
Innocenz I., aus Albanum	»	401—417.
Zosimus, aus Mesuraca in Grossgriechenland . .	»	417—418.
Bonifacius I., Römer	»	418—422.
Coelestinus I., aus Campanien	»	422—432.
Sixtus III., Römer	»	432—440.
Leo I., nach Einigen aus Rom, nach Andern aus Tuscien	»	440—462.
Hilarius, aus Cagliari	»	462—468.
Simplicius, aus Tibur	»	468—483.
Felix III., Römer	»	483—492.
Gelasius I., Africaner	»	492—496.
Anastasius II., Römer	»	496—498.
Symmachus, aus Sardinien	»	498—514.
Hormisdas, aus Frosinone in Campanien . . .	»	514—523.
Johannes I., Toscaner	»	523—526.
Felix IV., Fimbrius, aus Benevent.	»	526—530.
Bonifacius II., in Rom geboren, aber von Herkunft ein Gothe	»	530—532.
Johannes II., Mercurius, Römer	»	532—535.
Agapitus I., Römer	»	535—536.
Silverius, aus Frosinone in Campanien . . .	»	536—538.
Vigilius, Römer	»	538—555.
Pelagius I., Vicarianus, Romer	»	555—560.
Johann III., Römer	»	560—573.

Benedictus I., Römer	Jahr	574—578.
Pelagius II., Römer	»	578—590.
Gregorius I., aus der römischen Familie der Anicier	»	590—604.
Sabinianus, aus Volterra	»	604—606.
Bonifacius III., Römer	»	607 (3 Mon ½ Tag.)
Bonifacius IV., aus Valeria im Lande der Marsen	»	608—615.
Deusdedit, Römer	»	615—618.
Bonifacius V., Neapolitaner	»	619—625.
Honorius I., aus Campanien	»	625—638.
Severinus, Römer	»	640 (2 Mon 4 Tagen).
Johann IV., aus Dalmatien	»	640—642.
Theodorus, Grieche	»	642—649.
Martin I., aus Todi	»	649—655.
Eugen I., Römer	»	655—657.
Vitalianus, aus Segni in Campanien	»	657—672.
Adeodatus, Römer	»	672—676.
Donus I., Römer	»	676—678.
Agathon, aus Reggio in Calabrien	»	678—682.
Leo II., aus Piana di S. Martino in Calabrien .	»	682—683.
Benedict II., Römer	»	683—685.
Johann V., aus Antiochien	»	685—686.
Conon, von Herkunft ein Tracier	»	686—687.
Sergius I., Antiochier von Herkunft, geboren in Palermo	»	687—701.
Johann VI., Grieche	»	701—705.
Johann VII., aus Rossano	»	705—707.
Sisinnius, Syrer	»	708 (20 Tage).
Constantinus, Syrer	»	708—715.
Gregor II., Römer	»	715—731.
Gregor III., Syrer	»	731—741.
Zacharias, aus S. Severino im unteren Italien .	»	741—752.
Stephanus II., Römer	»	752—757.
Paul I., Römer	»	757—767.
Stephan III., Römer	»	768—772.
Hadrian I., Römer	»	772—795.
Leo III., Römer	»	795—816.
Stephan IV., Römer	»	812—817.
Paschalis I., Römer	»	817—824.
Eugen II., Römer	»	824—827.
Valentinus, Römer	»	827 (1 Mon. 10 Tage)
Gregor IV., Römer	»	827—844.
Sergius II., Römer	»	844—847.
Leo IV., Römer	»	847—855.
Benedict III., Römer	»	855—858.
Nicolaus I., Römer	»	858—867.
Hadrian II., Römer	»	867—872.
Johann VIII., Römer	»	872—582.
Marinus I., aus Gallese im Patrimonium des h. Petrus	»	882—884.
Hadrian III., Römer	»	884—885.

Stephan V., Römer	Jahr	885 — 891.	
Formosus, aus Porto	»	891 — 896.	
Bonifacius VI.. Toscaner	»	896	(14 Tage)
Stephan VI., Römer	»	896 — 897.	
Romanus, aus Gallese	»	897	(4 Monate)
Theodorus II., Römer	»	898	(20) Tage)
Johann IX., Römer	»	898 — 900.	
Benedict IV., Römer	»	900 — 903.	
·Leo V., geboren in einer Villa bei Ardea	»	903	(1 Monat 9 Tag·)
Christophorus, Romer	»	903 — 904.	
Sergius III., Römer	»	904 — 911.	
Anastasius III., Romer	»	911 — 913.	
Lando, Sabiner	»	913 — 914.	
Johann X., Römer	»	914 — 928.	
Leo VI., Römer	»	928	(7 Mon 5 Tage)
Stephan VII., Römer	»	929 — 931.	
Johann XI., Römer	»	931 — 936.	
Leo VII., Römer	»	936 — 939.	
Stephan VIII., Römer	»	939 — 942.	
Marinus II., Römer	»	942 — 946.	
Agapitus II., Römer	»	946 — 956.	
Johann XII., Romer	»	956 — 964.	
Benedict V., Romer	»	964 — 965.	
Johann XIII., Römer	»	965 — 972.	
Benedict VI., Römer	»	972 — 974.	
Donus II., Römer	»	974 — 975.	
Benedict VII., Römer	»	975 — 983.	
Johann XIV., aus Pavia	»	983 — 984.	
Johann XV., Romer	»	984 — 996.	
Gregor V., Bruno, Deutscher	»	996 — 999.	
Sylvester II., Gerbert, Franzose	»	999—1003.	
Johann XVII., Secco	»	1003	(ungefähr 5 Mon)
Johann XVIII., Phasianus	»	1003—1009.	
Sergius IV., genannt Bucco Porci, Römer	»	1009—1012.	
Benedict VIII.	»	1012—1024.	
Johann XIX.	»	1024—1033.	
Benedict IX.	»	1033—1044.	
Gregor VI., Gratianus, Römer	»	1041—1046.	
Clemens II., Suidger, Deutscher	»	1046—1047.	
Damasus II., Bappo, aus Bayern	»	1048	(23 Tage)
Leo IX., Bruno, aus Elsass	»	1049—1054.	
Victor II., Gebhard, Deutscher	»	1055—1057.	
Stephan IX., Friedrich	»	1057	(23 Tage)
Benedict X., Johann, mit dem Beinamen Mincius	»	1058—1059.	
Nicolaus II., Gerhard, aus Burgund	»	1059—1061.	
Alexander II., Anselmo da Badagio, aus Mailand	»	1061—1073.	
Gregor VII., Hildebrand, aus Soana	»	1073—1085.	
Victor III.. Desiderius, aus Benevent	»	1086—1087.	
Urban II., Otto, aus der Diöces von Rheims	»	1088—1099.	
Paschalis II., Rinieri, Toscaner	»	1099—1118.	

Gelasius II., Gaetani, aus Gaeta . . . . . . Jahr 1118—1119.
Calixtus II., aus der Familie der Grafen v. Burgund » 1119—1124.
Honorius II., Lambert, aus dem Gebiet v. Bologna » 1124—1130.
Innocenz II., Papereschi, Römer . . . . . . » 1130—1143.
Coelestin II., Guido, Toscaner . . . . » 1143 (5 Monate).
Lucius II., Caccianemici, Bologneser . . . . » 1144—1145.
Eugen III., Paganelli, Pisaner . . . . » 1145—1153.
Anastasius IV., Conrad, Römer . . . . . . » 1153—1154.
Hadrian IV., Breakspeare, Engländer . . . . » 1154—1159.
Alexander III., Bandinelli, aus Siena . . . . » 1159—1181.
Lucius III., Allucingolo, Lucheser . . . . . » 1181—1185.
Urban III., Crivelli, Mailänder . . . . . . » 1185—1187.
Gregor VIII., de Morra, aus Benevent . . . » 1187 (1 Mon 28 Tage)
Clemens III., Scolari, Römer . . . . » 1187—1191.
. Coelestin III., Orsini, Römer . . . . » 1191—1198.
Innocenz III., Conti, aus Anagni . . . . . » 1198—1216.
Honorius III., Savelli, Römer . . . . » 1216—1227.
Gregor IX., Conti, aus Anagni . . . . . . » 1227—1241.
Coelestin IV., Castiglione, Mailänder . . . . » 1241 (17 oder 18 Tage)
Innocenz IV., de' Fieschi de' Conti di Lavagna,
   Genueser . . . . » 1243—1254.
Alexander IV., Conti, von Anagni . . . . . » 1254—1261.
Urban IV., Pantaleo, aus Troyes in Frankreich » 1261—1264.
Clemens IV., Fulcodi, aus Saint Gilles . . . » 1265—1268.
Gregor X., Visconti, aus Piacenza . . . . . » 1271—1276.
Innocenz V., aus Tarantasia in Savoyen . . . » 1276 (5 Mon 9 Tage)
Hadrian V., de' Fieschi aus Genua . . . . . » — (38 Tage)
Johann XXI, Pietro Ispano genannt, von Lissabon » —(3 M 4 oder 5 Tage)
Nicolaus III., Orsini, Römer . . . . » 1277—1280.
Martin IV., de Brion, aus Monpencé in Brie . » 1281—1285.
Honorius IV., Savelli, Römer . . . . » 1285—1287.
Nicolaus IV., Masci, aus Lisciano bei Ascoli . » 1288—1292.
Coelestin V., Pietro da Morone, von Molise in
   Terra di Lavoro . . . . » 1294 (5 Mon. 2 Tage)
Bonifacius VIII., Gaetani, von Anagni . . . » 1294—1303.
Benedict XI., Boccasini, aus dem Gebiet von
   Treviso . . . . » 1303—1304.
Clemens V., Bertrand de Goth, aus Villandran
   bei Bordeaux . . . . » 1305—1314.
Johann XXII., Esue oder Esse, aus Cahors . . » 1316—1334.
Benedict XII., Fournier, aus Saverdun in der
   Grafschaft Foix . . . . » 1334—1342.
Clemens VI., Roger, aus Chateau de Maumont
   in der Diöces von Limoges . . . . » 1342—1352.
Innocenz VI., d'Albert, aus der Diöces von
   Limoges . . . . » 1352—1362.
Urban V., Wilhelm di Grimoard, aus Chateau
   de Grisac in Gevaudan . . . . » 1362—1370.
Gregor XI., Belford, aus Chateau Maumont
   in der Diöces von Limoges . . . . » 1370—1378.

Urban VI., Prignano, Neapolitaner . . . . . Jahr 1378—1389.
Bonifacius IX., Tomacelli, Neapolitaner . . . » 1389—1404.
Innocenz VII., Migliorati, von Sulmona . . . » 1404—1406.
Gregor XII., Corrario, Venetianer . . . . . » 1406—1409.
Alexander V., Filargo, von Candia . . . . . » 1409—1410.
Johann XXIII., Cossa, Neapolitaner . . . . » 1410—1415.
Martin V., Colonna, Römer . . . . . . ; . » 1417—1431.
Eugen IV., Condolmieri, Venetianer . . . . » 1431—1447.
Nicolaus V., Thomas, von Sarzana . . . . . » 1447—1455.
Calixtus III., Alfonso Borgia, aus Valencia in
    Spanien . . . . » 1455—1458.
Pius II., Aeneas Sylvius Piccolomini, aus Siena » 1458—1464.
Paul II., Pietro Barbo, Venetianer . . . . . » 1464—1471.
Sixtus IV., Francesco della Rovere, aus dem
    Gebiet von Savona . . . . » 1471—1484.
Innocenz VIII., Cibo, Genueser . . . . . . » 1484—1492.
Alexander VI., Roderigo Borgia, aus Valencia in
    Spanien . . . . » 1492—1503.
Pius III., Piccolomini, aus Siena . . . . . » 1503 (27 Tage.)
Julius II., della Rovere, aus Savona . . . . » 1503—1513.
Leo X., Giovanni de' Medici, Florentiner . . » 1513—1521.
Hadrian VI., Hadrian Florent, von Utrecht . . » 1522—1523.
Clemens VII., Giulio de' Medici, Florentiner . » 1523—1534.
Paul III., Alessandro Farnese, Römer . . . . » 1534—1549.
Julius III., del Monte, von Monte Sansovino
    im Gebiet von Arezzo . . . . » 1550—1555.
Marcellus II , Marcello Cervino, von Montepulciano » 1555 (23 Tage).
Paul IV., Caraffa, Neapolitaner . . . . . . » 1555—1559.
Pius IV., Giovanni Angelo de' Medici, Mailänder » 1559—1565.
Pius V., Michele Ghislieri, aus Bosco im Gebiet
    von Alessandria . . . . » 1566—1572.
Gregor XIII., Buoncompagno, Bologneser. . . » 1572—1585.
Sixtus V., Felice Peretti, aus Montalto in der
    Mark Ancona . . . . » 1585—1590.
Urban VII., Giambattista Castagna, Römer . . » 1590 (12 Tage.)
Gregor XIV., Niccolo Sfondrati, Mailänder . . » 1590—1591.
Innocenz IX., Gianantonio Fachinetti, Bologneser » 1591 (2 Monate).
Clemens VIII., Ippolito Aldobrandini, aus Fano » 1592—1605.
Leo XI., Alessandro de' Medici, Florentiner . » 1605 (27 Tage).
Paul V., Camillo Borghese, Römer . . . . . » 1605—1621.
Gregor XV., Alessandro Lodovisio, Bologneser . » 1621—1623.
Urban VIII., Maffeo Barberini, Florentiner . . » 1623—1644.
Innocenz X., Panfili, Römer . . . . » 1644—1655.
Alexander VII., Fabio Chigi, aus Siena . . . » 1655—1667.
Clemens IX., Giulio Rospigliosi, aus Pistoja . » 1667—1669.
Clemens X., Emilio Altieri, Römer . . . . . » 1670—1676.
Innocenz XI., Benedetto Odescalchi, aus Comasco » 1676—1689.
Alexander VIII., Pietro Ottoboni, Venetianer . » 1689—1691.
Innocenz XII., Antonio Pignatelli, Neapolitaner » 1691—1700.
Clemens XI., Giov. Francesco Albani, aus Urbino » 1700—1721.

Innocenz XIII., Michele Angelo Conti, Römer. Jahr 1721—1724.
Benedict XIII., Vincenzo Maria Orsini, Römer.　》 1724—1730.
Clemens XII., Lorenzo Corsini, Römer　...　》 1730—1740.
Benedict XIV., Prospero Lambertini, Bologneser　》 1740—1758.
Clemens XIII.. Carlo Rezzonico, Venetianer　.　》 1758—1769.
Clemens XIV., Lorenzo Francesco Ganganelli,
　　von S. Angelo in Vado　.......　》 1769—1774.
Pius VI., Angelo Braschi, von Cesena....　》 1775—1795.
Pius VII., Chiaramonti, von Cesena ....　》 1800—1823.
Leo XII., della Genga, aus Spoleto.....　》 1823—1829.
Pius VIII., Castiglione, aus Cingoli.....　》 1829—1830.
Gregor XVI., Cappellari, aus Belluno, erwählt
　　　　　　　　den 2. Februar 1831.

REGISTER.

A.

Accademia Archeologica 513.
» Ecclesiastica 562
» di S Luca 264
Acqua Acetosa 473.
» Felice 407.
» Paola 593.
» di Trevi 455.
Adonaea 31.
Aegyptisches Museum 174.
Aemiliana 59
Aerarium 10.
Agger 3
Agonius 43.
Agrippas Bauten 55
Aldobrandinische Hochzeit 203.
Almo 353.
Alta Semita 4.
Altar des Mars 49.
» » Pluto und der Proserpina 48
Amor, der vaticanische 151
Amphitheatrum Castrense 40. 330.
» Flavium (Colosseum) 278
» des Statilius Taurus 55
Ancus Marcius 1.
Ancyranisches Monument 17
Anonymus von Einsiedeln 5.
Antinous von Belvedere (sog.) '147
Apollo » » 143.
Apollonius 144.
Aqua Claudia 331.
» » des Nero 36
» Iulia 36. 39. 380.
» Marcia 36. 42. 382
» Tepula 382.
» Virgo 47. 60
Arco della Ciambella 57.
» di Pantano 265
Area Capitolina 9.
Argiletum 48.
Ariadne, vaticanische 153.
Aristeas 8.
Arx Capitolina 251

Asylum 10.
Augusts Regionen 4
Aurelians Mauern und Thore 6
M. Aurelius Reiterstatue 232
Aventinus 2 5. 33. 294

B.

Bäder des Elagabal 29
» der Helena 331
» » Livia 29 283.
» des Novatus oder Timotheus 42.
» » Paullus Aemilius 25. 268
» » Sura 34.
Ballaneapolis 25.
Baptisterium des Laterans 320
Basilica Aemilia et Fulvia 16
» Argentaria 21.
» Constantiniana 272.
» Iulia 18.
» Opimia 16
» Paulli 17. 20
» Porcia 16.
» Sempronia 16.
» Ulpia 26. 266.
Beichtvater der Peterskirche 225
Belvedere 135. 145.
Biblioteca Alessandrina 513
» Angelica 499
» Barberini 405
» Casanatense 561.
» del Collegio Romano 553
» Corsiniana 593.
» Lancisiana 224.
» Vallicelliana 525.
» Vaticana 196.
Bocca della Verità 288.
Bogen des M. Aurelius 55
» » Claudius 55.
» » Constantin 277.
» » Diocletian 55
» » Dolabella 36. 309.
» » Drusus 345
» » Gallienus 3 378

Bogen der Goldschmiede 287.
» des Gordianus 41
» » Janus 288.
» » Septimius Severus 261
» » Titus 276.
Boscareccio 221.
Braccio Nuovo 139.
Brucken s. Pons und Ponte 60 f.
Bupalus 159.
Bustum 54.
Byzantinische Miniaturen 208

C.

Caelimontium 4
Caeliolus 38. 328
Caelius 1. 36. 306
Callimachus 250.
Campus Agrippae 56.
» Esquilinus 38
» Jovis 60.
» Martialis 37.
» Martius 49. 54
Camuccinis Gemäldesammlung 483
Cancelleria 537.
Capitol 1. 7. 232.
Capitolinische Gemaldesammlung 238
» s Museum 240.
Capitolsplatz 10. 232
Capitolium Vetus 44.
Capo di Bove 361
Cappella di S. Lorenzo 133.
» Paolina 88.
» Sancta Sanctorum 322
» Sistina 90.
Carcer Mamertinus (Tullianum) 258.
Carceri Nuovi 530.
Carinae 38. 353
Casa di Pilato 294.
Castra peregrinorum 37.
» praetoriana 41. 391.
Cespius 38.
Chalcidicum 19.
Chronologie der Päpste 613.
Circus des Caius 7.
» Flaminius 49
» der Flora 44.
» des Maxentius 347
» Maximus 32. 284.
» des Nero 7. 62
» » Sallustius 44
Clivus Asyli 11.
» Capitolinus 11.
» Cinnae 230.
» Mamuri 43
» Publicius 34
» Salutis 44.
» Scauri 37
» Victoriae 28.
Coemeterium 47.
Coenatio Jovis 31
Collegio Capranica 505
» Inglese 535
« Nazareno 457
» Romano 552

Collegio Urbano di Propaganda Fide 457.
Collina regio 2.
Collis hortorum 46
Colonnacce 22. 266.
Columna milliaria 232.
Colosse von Monte Cavallo 336
Colosseum 278
Comitium 1. 15.
Constantins Reiterstatue 70.
Cortile di Belvedere 145.
» » Campana 229
» » S. Damaso 102
Crypta des Balbus 53.
Curia Hostilia 15. 37.
» Innocenziana 504.
» Julia 19.
» Pompeia 53

D.

Dataria 400.
Diaeta 30.
Diribitorium 56.
Dogana di Ripa grande 605.
» » Terra 505.
Domitians Reiterstatue 21.
Domus Augustana 28
» Tiberiana 29
Duodecim portae 3.

E.

Ebene 48.
Emporium 35.
Engelsburg 226.
Esquiliae 4. 38 367.
Esquilin 38.
Esquilina regio 2.

F.

Farnesische Gärten 282
Farnesina 583.
Fechter, sterbender 254.
Fontana di Piazza Navona 522.
» » Trevi 453.
Fontanone di Acqua Paola 595.
» » Ponte Sisto 546.
» » Termini 407.
Forum Augusti 23. 265.
» Boarium 3.
» Esquilinum 40.
» Iulium 22.
» Nervae 22. 265.
» Olitorium 48.
» Pacis 27. 271.
» Palladium 265.
» Romanum 1. 4 13 261
» Traiani 24. 266
» Transitorium 23
Fossa Quiritium 1.

G.

Gabinetto delle Maschere 158
Gärten des Caesar 61.
» der Domitia 7
» des Galba 61
» des Geta 61

Garten des Gordian 40.
»   »   Heliogabal 40.
»   »   Lamia 40.
»   »   Lucullus 46.
v   »   Maecenas 39.
»   »   Nero 7
»   »   Pompeius 46
»   »   Sallust 44. 48.
ȝ   »   Septimius Severus 61
Galleria Geografica 182.
»   Lapidaria 135.
»   des Quirinals 399.
Garten des Palastes Colonna 449.
Gartenanlagen auf Monte Pincio 441
Gartenhaus Pius IV. 222
Gaudentius 264.
Girandola 229.
Gnomon 53.
Grabmal der Caecilia Metella 351.
»   des Eurysaces 332.
»   der Furier 345
»   »   Manilier 345.
»   »   Scipionen 344.
»   »   Servilier 351.
»   in Vigna Campana 343.
Grotte der Egeria 353.
Grotten, vaticanische 84.

H.

Hecatostylon 53.
Horrea 35.
Hospital degli Eretici convertiti 225.
»   di S. Galicano 601.
»   des Laterans 325.
»   di S. Nichele 604.
»   di S. Spirito 223.
»   de' Pellegrini 545.

I.

Janiculus 2. 581.
Janus Quadrifrons 288.
Irrenhaus 583.
Isis et Serapis 4.

K.

Kirchen.

S. Adriano 269.
S. Agata alla Suburra 392
S. Agnese 407.
S. Agnese in Piazza Navona 516.
S. Agostino 497.
S. Alessio 296.
SS. Ambrogio e Carlo de' Lombardi 482.
S. Anastasia 285.
S. Andrea delle Fratte 459.
S. Andrea di Monte Cavallo 400.
S. Andrea della Valle 540.
S. Andrea della Via Flaminia 479
S. Angeli usque ad coelos 228
S. Angelo in Pescaria 548
S. Anna de' Funari 563.
S. Antonio Abbate 378.
S. Antonio de' Portoghesi 493

Kirchen

S. Apollinare 494.
SS. Apostoli 443.
S. Balbina 299.
del Bambin Gesù 368
S. Bartolomeo 579
S Bernardo 390
S. Bernardo al Foro Traiano 268
S. Biagio della Pagnotta 530
S. Bibiana 387.
S. Calisto 611.
S. Carlo a' Catenari 544
S. Carlo alle 4 Fontane 404
S. Caterina de' Funari 563.
S. Caterina da Siena 393.
S. Caterina da Siena in Via Giulia 530.
S. Cecilia in Trastevere 601
SS. Celso e Giuliano 491.
S. Cesareo 341.
S. Chiara 200
Chiesa nuova 523.
S. Clemente 335
SS. Cosma e Damiano 270.
SS. Cosma e Damiano in Trastevere
(S. Cosimato) 606.
S. Costanza 410
S. Crisogono 601.
S. Croce in Gerusalemme 328
SS. Domenico e Sisto 392
Domine quo vadis 346
S. Egidio
S. Eusebio 380.
S. Eustachio 511.
S. Francesca Romana 273
S. Francesco a Ripa 605.
Del Gesù 557.
Di Gesù e Maria al Corso 460
S. Giacomo in Augusta 480.
S. Giacomo di Scossacavalli 225.
S. Giacomo degli Spagnuoli 518
S. Giorgio in Velabro 286.
S. Giovanni Colabita 579.
S. Giovanni de' Fiorentini 529.
S. Giovanni in Laterano 314.
S. Giovanni in Oleo 343.
S. Giovanni a Porta Latina 342.
SS. Giovanni e Paolo 308
S. Girolamo della Carità 535.
S. Girolamo degli Schiavoni 482.
S. Giuliano 380.
S. Giuseppe a Capo le Case 438
S. Giuseppe de' Falegnami 259.
S. Gregorio 346   306
S. Gregorio a Ponte 4 capi 549
S. Ignazio 556
S. Isidoro 437.
S. Ivo de' Brettoni 482
S. Lorenzo in Borgo vecchio 223.
S. Lorenzo in Damaso 537.
S. Lorenzo fuori le mura 382
S. Lorenzo in Lucina 499.
S. Lorenzo in Niranda 270
S. Lorenzo in Panisperna 387
SS. Luca e Martina 263.

Kirchen.

S. Luigi de' Francesi 514.
S. Marcello 431.
S Marco 567.
S. Maria degli Angeli 389.
S. Maria dell' Anima 518
S Maria in Aquiro 505.
S. Maria in Araceli 255.
S. Maria Aventina 297.
S. Maria della Concezione 436
S. Maria in Cosmedin 288.
S. Maria Egiziaca 292.
S. Maria di Loretto 268.
S. Maria Maddalena di Monte Cavallo 400.
S. Maria Maggiore 369.
S. Maria sopra Minerva 558.
S. Maria de' Miracoli 461.
S. Maria in Monserrato 536.
S. Maria di Monte Santo 461.
S. Maria in Monticelli 545
S. Maria della Navicella 310
S Maria dell' Orazione 531
S. Maria della Pace 520.
S. Maria del Popolo 461.
S. Maria in Portico 549.
S Maria del Rosario 230.
S. Maria Rotonda 506
S. Maria Scala Coeli 305.
S. Maria della Scala 612.
S Maria del Sole 291.
S. Maria Traspontina 225.
S. Maria in Trastevere 607.
S Maria in Trivio 455.
S. Maria della Vallicella 523.
S. Maria in Via 456
S. Maria in Via Lata 570
S. Maria della Vittoria 406
S Martino a' Monti 361
S. Michele in Sassia 223.
Della Missione 504.
SS. Nereo ed Achilleo 340
S. Niccolò in Carcere 550.
S. Niccolò a' Cesarini 546
S. Niccolò da Tolentino 437.
Del Nome di S. Maria 268
S. Onofrio 581.
S Pancrazio 596.
S Pantaleo 527.
S. Paolo fuori le mura 302
S Paolo alle 3 Fontane 306
S. Pietro in Carcere 258.
SS. Pietro e Marcellino 334
SS. Pietro e Marcellino a Tor Pignattara 382.
S. Pietro in Montorio 593.
S. Pietro in Vaticano 62
S. Pietro ad Vincula 338
S. Prassede 363.
S Prisca 298.
S. Pudenziana 367.
SS Quattro Coronati 312
SS. Rocco e Martino 481.
S. Saba 298.
S. Sabina 194.
S. Salvatore in Lauro 496.

Kirchen.

S. Salvatore in Thermis 515.
S Sebastiano 340
S. Silvestro in Capite 459.
S Silvestro di Monte Cavallo 393
S. Sisto 340
S. Spirito 223
S Stefano del Cacco 562
S Stefano delle Carozze 291
S Stefano Rotondo 311.
S. Susanna 405
S Teodoro 285
S. Tommaso in Formis 309.
Alle Tre Fontane 304.
S. Trinità de' Monti 439
S. Urbano 332
S. Vitale 401
SS Vincenzo ed Anastasio 305
SS. Vincenzo ed Anastasio a Fontana Trevi 436.
SS. Vito e Modesto 379.

L.

Lacus Curtius 21
Lakonikon 57.
Laocoon 147 355
Lateranischer Palast 323.
Lex Regia 234.
Loggia Scoperta 156.
Loggien Raphaels 103
Ludus Gallicus 38.

M.

Macellum Liviae 40
»   Magnum 38.
Marsfeld 49 441.
Mauern des Servius Tullius 2.
»   Aurelians 5
Mausoleum Augusts 54 481
»   Hadrians 7. 226.
»   der Helena 382
Menander 42. 152
Menophantus 501.
Meta Sudans 276.
Milliarium Aureum 20.
Miniaturen der vaticanischen Bibliothek 206
Mons Sacer 412.
Monte Cavallo 396.
»   Citorio 504.
»   Giordano 523.
»   Mario 230.
»   di Pieta 545.
»   Pincio 441
Monumentum Ancyranum 17.
Mosaikfabrik 221.
Muro Torto 46.
Museum agyptisches 174.
»   des Capitols 240
»   Chiaramonti 136
»   Gregorianum 175.
»   Kircherianum 553
»   des Laterans 324.

623

Museum Pio – Clementinum 143
» Sacrum (christianum) 212

N.
Naumachie Augusts 61
Navalia 3 35.
Neros goldenes Haus 29.
Nymphaeum des Alexander Severus 330.
» » Almo 353.

O.
Obelisk vor dem Lateran 326
» » S Maria Maggiore 377.
» auf Monte Pincio 441.
» » dem Petersplatze 68
» » Piazza della Minerva 562.
» » » di Monte Citorio 504.
» » » Navona 516
» » » del Popolo 461
» » » Trinità de' Monti 439.
Odeum 54.
Oppius 38.

P.
Palatin 28 282.
Palatina regio 2
Palatium 4. 28.
Palast Accoramboni 225.
» Albani 402.
» Altemps 494.
» Altieri 557
» Altoviti 493.
» Barberini 402.
» Borghese 485.
» Braschi 526.
» del Bufalo 437.
» della Cancelleria 557
» Capranica 505.
» Cesarini 636
» Chigi 501.
» Cicciaporci 494.
» Colonna 444.
» der Conservatoren 334
» » Consulta 395
» Corsini 589.
» Costaguti 564.
» Doria 571.
» der papstlichen Druckerei 456.
» Falconieri 531.
» Farnese 531.
» Fiano 500.
» di Firenze 499
» der franzosischen Academie (ehe-
maliger) 452.
» del Governo (Madama) 514.
» » » vecchio 523
» Gabrielli 523.
» Gentili 456.
» Giustiniani 513.
» der Inquisition 223
» Lancellotti 495.
» Lante 511.
» des Laterans 323
» Maccarani 511.

Palast Massimo 527.
» Mattei 565.
» di Monte Citorio 504.
» Niccolini 494
» Odescalchi 430
» Panfili 517
» Pio 537.
» di Propaganda 457.
» des Quirinals 397.
» Rospigliosi 394
» Ruspoli 499.
» Rusticucci 223
» Sacchetti 130.
» Salviati 583
» Santacroce 544
» Savelli 549.
» Sciarra 452
» des Senators 233.
» Sora 523
» Spada 539.
» Strozzi 552
» Torlonia 441.
» » (ehem. Giraud) 225.
» » » Verospi) 500.
» Valentini 442
» Valle 542
» des Vaticans 86
» di Venezia 569
» Vidoni 543.
Pantheon 506.
Papias 251.
Pasquino 526
Patriarchium des Laterans 322.
Petrusstatue 71
Phaidimos 142.
Piazza Campo de' Fiori 537
» Capranica 505
» Colonna 503.
» Madama 514
» di S. Maria 222.
» della Minerva 562
» Navona 54 516
» di Pietra 503.
» di S. Pietro 67.
» del Ponte di S Angelo 493.
» del Popolo 461.
» della Rotonda 507.
» di Spagna 458
» delle Tartarughe 564.
Pincius 46 412.
Piscina publica 5.
» limaria der Aqua Virgo 47.
Pomoerium 2.
Pons Aelius 7. 230
» Antoninus 61.
» Cestius 61 579.
» Fabricius 60 578.
» Palatinus 61. 293
» Sublicius 2 61.
» Triumphalis 6
» Vaticanus 6.
Ponte di S. Angelo 230.
» » S. Bartolomeo 579
» » S. Maria 293.

Ponte Molle 480
» Nomentano 411
» Quattro capi 578.
» Rotto 293.
» Sisto 546.
Porta Appia 6.
» Asinaria 6.
» Aurelia 6
» Coelimontana 3
» Capena 3. 4.
» Carmentalis 3.
» Collina 3.
» Esquilina 3.
» Flaminia 6.
» Flumentana 3., 48.
» Fontinalis 3.
» di S. Giovanni 328
» Labicana 6.
» Lateranensis 6.
» Latina 6 344.
» Lavernalis 3.
» di S Lorenzo 282.
» Maggiore 331.
» Metrovia 6.
» Mugonia 1.
» Naevia 3.
» Navalis 3.
» Nomentana 6 411.
» Ostiensis 6 300.
» di S. Pancrazio 595.
» » S. Paolo 300
» S. Petri 6.
» Pia 6. 407.
» Pinciana 6. 438.
» del Popolo 468.
» Portese (Portuensis) 6. 605.
» Praenestina 6.
» Querquetulana 3.
» Ratumena 3.
» Raudusculana 3.
» Romanula 1.
» Salaria 6. 416. 436
» Salutaris 3.
» Sanqualis 3.
» Septimiana 6.
» di S. Sebastiano 346.
» » S. Spirito 224.
» Tiburtina 6
» Trigemina 3.
» Viminalis 4
Porticus des Bonus Eventus 56.
» der Europa 56.
» Fabaria 40.
» der Livia 55.
» Maximae 51.
» Minuciae 51.
» ad Nationes 53
» des Neptun 56.
» der Octavia 50. 547.
» des Octavius 50.
» » Philippus 52.
» der Septa Iulia 56.
Porto di Ripa grande 605
» » Ripetta 482

Posidippus 42. 152.
Praxiteles 140.
Propaganda 458.
Pulvinar 31.
Pyramide des Cestius 300.

Q.

Querquetulanus 36.
Quirinalis 43. 392.

R.

Regia 15. 20.
Regionen 2. 4.
Ripa grande 605.
Roma quadrata 1.
Romulus Grab 15
Rostra 15.
» Julia 20.
» kaiserliche 21.
Rotonda 506.

S.

Sala Ducala 90
» Regia 89
Salinae 35.
Sancta Sanctorum 322
Saturnus 1.
Säule des Antoninus Pius 58.
» Antonius 503.
» des M Aurelius 58
» » Dilius 234.
» » Phocas 21. 262
» » Trajan 24. 26. 267.
Scala Regia 89.
» Santa 322.
Schola Graeca 288.
» Xantha 12.
Secretarium Senatus 19 21
Seminar der Peterskirche 222.
Senaculum 15.
Septa Iulia 56.
Septizonium 29. 73.
Serapis 4.
Servius Tullius Bauten 2
Sette Sale 357.
Sixtinische Capelle 90.
Sosicles 231. 142.
Spes vetus 40.
Springbrunnen des Petersplatzes 69.
Stadium Domitians 54.
Stanzen Raphaels 111.
Subura 38.
Suburana regio 2

T.

Tabula Iliaca 247.
Tubularium 11.
Tarpeius 1. 8
Teatro Argentina 563.
» de' Buratini 500.
» Tordinone 493.
» Valle 542
Tempel des Aesculapius 61.
» » Antoninus Pius (sog) 505.

Tempel des Antoninus und der Faustina 20. 269.
» des Apollo 28. 30 48
» » Apollo Medicus 49
» » M. Aurelius 58.
» » Bacchus (sog.) 352
» der Bellona 50
» » Bona Dea 34.
» des Castor 16. 18
» der Concordia 12. 260.
» des Deus Rediculus (sog.) 354
» der Diana 34. 42
» des Faunus 61.
» der Felicitas 20.
» des Flavischen Geschlechtes 44
» der Flora 34. 44
» » Fortuna 13 44. 61
» » » Virilis (sog.) 58 292.
» des Friedens 27.
» » Hadrian 27.
» » Hercules Custos 50
» » » Musarum 50
» » Janus 23
» » » Geminus 48
» der Isis et Serapis 38.
» » » Patricia 40.
» » Juno 39 50.
» » » Lucina 39
» » » Moneta 9.
» » » Sospita 49
» des Jupiter Capitolinus 67.
» » » Radux 38.
» » » Stator 28.
» » » Tonans 9. 12
» der Libertas 35.
» » Marciana 51. 58
» des Mars 34. 50
» » » Ultor 24. 265
» der Matidia 58
» » Minerva 19. 23
» » » Chalcidica 56
» » » Medica (sog.) 80.
» des Nerva 27
» in S. Niccola in Carcere 49
» » » Niccolò a' Cesarini
» der Pietas 49.
» des Quirinus 43.
» » Romulus 28
» der Salus 44.
» des Sancus 43.
» der Salus 3. 44.
» des Saturnus 12 259
» » Silvanus 36 42.
» der Sonne 45
» » Spes 49
» » Tellus 31.
» des Traian 27
» » Veiovis 61
» der Venus 34. 45.
» » » Genitrix 22 360
» » » Victrix 51.
» » » und Roma 274
» des Vespasian 13. 260.
» der Vesta 15 20. 291

Tempel der Victoria 42.
Templum Pacis 4.
Terentum 48.
Testaccio 36. 300.
Theater des Balbus 53
» » Marcellus 53 549
» » Pompejus 53.
Thermen des Agrippa 57.
» der Agrippina 42.
» des Alexander Severus 58.
» » Caius und Lucius 40. 380.
» » Caracalla 338
» » Constantin 46.
» » Decius 39.
» » Diocletian 41. 388
» der Helena 331.
» des Nero 38. 58
» der Olympias 42.
» des Philippus Arabs 41
» » Sallustius 45.
» » Trajan (Titus) 355.
Tiberinsel 60 578
Torre di Borgia 174.
» de' Conti 360.
» delle Milizie 393
» di Monzone 294
» Pignattara 382.
» de' Schiavi 41.
» de' Venti 175.
Torso del Belvedere 143.
Transtiberim 5. 61.
Trastevere 61 581.
Tribunal 15.
Trigarium 54.
Triptolemusvase 182.
Trofei di Mario 39. 380
Tullus Hostilius 1.

U.
Universität 512.

Vatican 6.
Vaticanischer Garten 221
Velabrum 1. 48
Via Alessandrina 23.
» Appia 38.
» Aurelia 7.
» de' Banchi 493
» del Corso 430
» Flaminia 55.
» Giulia 528.
» Lata 455.
» della Lungara 582
» Metrovia 37.
» Recta 55.
» Sacra 4 28
» Urbana 38 41
Vicus Armilustri 34
» Iugarius 17. 18
Vigna Borioni 34
Villa Albani 416.
» Aldobrandini 392
» Altieri 331.

Villa Borghese 468. 387.
» Casali 312.
» Julius III. 479.
» Lante 582.
» Ludovisi 412
» Madama 230.
» Mattei 310.
» Massimo (ehem. Giustiniani) 326.
» » » Negroni 387.
» Medici 440.

Villa Mills (Spada) 283
» Palombara 379.
» Panfili 397
Viminal 45.
Vivarium 37. 42.

Z.

Zenodorus 282
Zenon 413

Druckfehler.

Seite 63 Zeile 7 1445, lies: 1455
— 66 — 2 (von unten) 300,000, lies. 30,000
— 145 — 4 (v. u.) Griffen, lies: Greifen.
— 146 — 12 Ora, lies: Orta.
— 193 — 5 (v. u.) ist die vorstehende Zahl 6 zu streichen, und an ihre Stelle zu
setzen: Von Giulio Romano und Francesco Penni.
— ,195 — 13 italienische, lies: italianische.
— 219 — 11 Cherubimen, lies: Cherubinen.
— 270 — 5 u. 6 (v. u.) Boden, lies: Bogen.
— 274 — 1 (v. u.) fuhren, lies: fuhrten.
— 280 — 18 (v. u.) jonischen Pilastern, lies: corinthischen Pilastern.
— 286 — 1 (v. u.) Es, lies: Er.
— 287 — 15 (v. u.) ist, nach verdeckt, war, einzuschalten.
— 300 — 13 von Pius IV., lies: seit Pius IV.
— 302 — 17 (v. u.) vor der Erbauung der Peterskirche, lies· vor der Erbauung
der neuen Peterskirche.
— 302 — 5 (v. u.) nach, lies: vor
— 314 — 9 (v. u.) Clemens XI , lies: Clemens XII
— 349 — 3 Consuls, lies: Consus.
— 365 — 6 (v. u.) Thoren, lies: Thüren.
— 373 — 8 Vorstellung Christi, lies: Darstellung Christi.
— 401 — 1 (v. u.) Leichtigkeit, lies: Tuchtigkeit.
— 417 — 8 (v. u.) Are, lies: Aren
— 423 — 4 Tauri, lies: Tauris.
— 424 — 4 Cympeln, lies: Cymbeln.
— 425 — 15 (v. u.) Siege, lies: pythischen Siege.
— 433 — 8 Heroengestalt, lies: Hermengestalt.
— 446 — 5 nach Bagnacavallo, lies: von Bagnacavallo.
— 452 — 9 (v. u.) des 18ten Jahrhunderts, lies des 15ten Jahrhunderts
— 478 — 12 (v. u.) Statuen, lies: Statue.
— 497 — 1 ist, nach dem Worte Bild, nichts, einzuschalten.
— 536 — 19 (v. u.) in Monserrato, lies: S. Maria in Monserrato.
— 601 — 10 Honorius I., lies: Honorius II.

Berichtigungen.

Seite 223 Der dem Papst Innocenz III. beigelegte Ruhm des ersten Stifters einer Anstalt
fur Findelkinder, in der christlichen Welt, beruht auf einem Irrthume. Nach
einer von Muratori (Antich. Ital Dissert. 37) angeführten Urkunde, wurde eine
solche Anstalt bereits i. J. 787 in Mailand gestiftet.
— 592 In der Staffage der schonen Landschaft des Caspar Poussin, im Palast Corsini,
ist Armida vorgestellt, welche, indem sie den schlafenden Rinaldo ermorden
will, sich in denselben verliebt, welches der Kunstler durch den von dem
Mord sie zurückhaltenden Amor angedeutet hat. (Tasso Gerusalemme liberata
Cant XIV., Stanz. 75 76.)